Die Gute Nachricht

Das Neue Testament in heutigem Deutsch

Alvin Anderson

Deutsche Bibelgesellschaft

Gemeinsame Bibelübersetzung im Auftrag und in
Verantwortung von:

Deutsche Bibelgesellschaft (Evangelisches Bibelwerk)
Katholisches Bibelwerk e. V. Stuttgart
Österreichische Bibelgesellschaft
Österreichisches Katholisches Bibelwerk
Schweizerische Bibelgesellschaft
Schweizerisches Katholisches Bibelwerk
Bibelwerk in der Deutschen Demokratischen Republik
Biblisch-Pastorale Arbeitsstelle der Berliner
  Bischofskonferenz

ISBN 3-438-02500-0 (3-460-62500-7) Paperback
    3-438-02502-7 (3-460-62502-3) Kunststoff-Einband
    3-438-02522-1 (3-460-62522-8) Großdruckausgabe
    Buchnummern in Klammern für Verlag Katholisches
    Bibelwerk GmbH Stuttgart

Neues Testament der ›Bibel in heutigem Deutsch‹
(zweite, durchgesehene Auflage)
© 1982 Deutsche Bibelgesellschaft Stuttgart
Druck und Verarbeitung Biblia-Druck Stuttgart
Printed in Germany

1989

ANLEITUNG ZUM GEBRAUCH

Dieses Buch braucht kein Vorwort. Es spricht für sich selbst, wie es das seit bald 2000 Jahren getan hat. Doch wird der Leser die vorliegende Ausgabe mit größerem Gewinn benutzen, wenn er sich vor der Lektüre über einige Besonderheiten und Beigaben der Ausgabe informiert.

Die *Übersetzung* hat sich zum Ziel gesetzt, den biblischen Text in der Sprache von heute so treu und zugleich so verständlich wie möglich wiederzugeben. Über die Grundsätze, nach denen die Übersetzer gearbeitet haben, gibt das *Nachwort* zu diesem Band Rechenschaft, ebenso über die Textgrundlage der Übersetzung. Dort werden auch die Namen der Übersetzer aufgeführt.

Wörter, die mit einem Stern * versehen sind, werden in den *Sacherklärungen* des Anhangs erläutert. Der Stern wird immer dann gesetzt, wenn das betreffende Wort nach einer neuen Zwischenüberschrift zum erstenmal vorkommt. Auch erläuterungsbedürftige Namen und Orte wie Adam, Esau, Samaritaner, Zion werden im Anhang erklärt, ohne daß bei ihnen durch einen Stern darauf hingewiesen wird.

Ein kleiner hochstehender Kreis ° im Text verweist auf die *Anmerkungen zum Bibeltext* des Anhangs. Man findet dort wichtige abweichende Lesarten der handschriftlichen Überlieferung sowie gelegentliche Begründungen und Erläuterungen zum Text der Übersetzung.

Da die im 16. Jahrhundert eingeführte *Verszählung* immer wieder Zusammengehöriges trennt, konnte die Übersetzung die Versgrenzen gelegentlich nicht streng einhalten. In solchen Fällen werden in der Zählung zwei oder mehr Verse zusammengefaßt. Wenn einmal eine Versziffer übersprungen ist, gehört der betreffende Vers nicht zum ursprünglichen Text des Neuen Testaments; sein Wortlaut wird ebenfalls in den Anmerkungen zum Bibeltext aufgeführt.

Die *Reihenfolge* der neutestamentlichen Schriften ist die der Urtextausgabe und weicht deshalb vom Hebräer- bis zum Judas-Brief von der in der Lutherbibel gebräuchlichen ab.

Die *Schreibung der Personen- und Ortsnamen* folgt dem »Ökumenischen Verzeichnis der biblischen Eigennamen nach den Loccumer Richtlinien«, 2. Auflage Stuttgart 1981. Da die herkömmliche Schreibung auf evangelischer und auf katholischer Seite zum Teil so weit auseinanderliegt wie bei Elisa-Elisäus oder Hiob-Job, müssen um der Gemeinsamkeit willen beide Seiten auf gewohnte Namensformen verzichten.

Außer den Sacherklärungen sind dem Band noch eine Reihe von Hilfsmitteln beigegeben, die zur besseren Erschließung des Textes beitragen können:

Für eine erste Orientierung in der »Guten Nachricht« des Neuen Testaments bietet der *Wegweiser* auf Seite 8 einige Hinweise; die Liste auf den Seiten 6 und 7 nennt eine Anzahl von *wichtigen Texten*.

Wer die drei ersten Evangelien – Die Gute Nachricht nach Matthäus, nach Markus, nach Lukas – der Reihe nach liest, wird entdecken, daß sie zum Teil dieselben Worte und Geschichten, wenn auch leicht abgewandelt, überliefern. Um einen Vergleich zu ermöglichen, werden nach den halbfett gedruckten Zwischenüberschriften jeweils die *Parallelstellen* aufgeführt. (Ein Verzeichnis der Abkürzungen findet sich auf Seite 7.)

Wer nach bestimmten Personen oder Themen sucht, kann im *Stichwortverzeichnis* am Ende des Bandes nachschlagen. Dort findet er z.B. auch sämtliche Wunder und Gleichnisse Jesu zusammengestellt.

Die beigegebenen *Karten* ermöglichen das Auffinden von Orten, Gewässern und Landschaften.

INHALT

Wichtige Texte
und wo man sie findet

Gottes Liebe in Jesus Christus

Verschiedene Themen

Abkürzungen

Apg	Die Apostelgeschichte
Joh	Die Gute Nachricht nach Johannes
1 Kor	Der erste Brief an die Korinther
Lk	Die Gute Nachricht nach Lukas
Mk	Die Gute Nachricht nach Markus
Mt	Die Gute Nachricht nach Matthäus

Wegweiser
für die erste Orientierung im Neuen Testament

Das Neue Testament enthält die vier Evangelien – nach Matthäus, nach Markus, nach Lukas, nach Johannes –, die z.T. gleichlautend vom Leben und Wirken, Sterben und Auferstehen Jesu Christi berichten und seine Worte überliefern. Darauf folgen die Apostelgeschichte und die Briefe der Apostel und Apostelschüler, voran die Briefe des Apostels Paulus. Den Abschluß bildet der Ausblick auf die Zukunft: die Offenbarung, die der Seher Johannes von Christus empfing.

Wer die Evangelien im Zusammenhang lesen möchte, beginnt vielleicht am besten mit Markus, der in gedrängter Form vor allem von den Taten Jesu und von seinem Leiden und Sterben berichtet. Matthäus ergänzt diesen Bericht durch eine Fülle von Jesusworten, die er zu größeren Reden zusammenstellt (am bekanntesten: die Bergpredigt). Lukas fügt sein ›Sondergut‹ hinzu: Erzählungen über Geburt und Kindheit des Täufers und Jesu sowie eine Reihe der bekanntesten Gleichnisse und Beispielgeschichten (Der verlorene Sohn, Der barmherzige Samaritaner). Johannes schließlich zeigt Jesus in seinen Wundern und Reden als den, der von sich sagen darf: »Ich bin der Weg, der zur Wahrheit und zum Leben führt.«

Die Briefe, die der Apostel Paulus an seine Gemeinden schrieb, sind – mit Ausnahme des Römerbriefs – als echte Gelegenheitsschreiben jeweils aus einer bestimmten Situation heraus verfaßt. Darum bleiben für uns manche Anspielungen dunkel. Trotzdem sind die Themen, die Paulus anschneidet, von bleibender Bedeutung. Zahlreiche Beispiele dafür bietet der erste Brief an die Korinther. Wer das Herzstück der Paulinischen Theologie kennenlernen möchte, der lese den Galaterbrief und danach Römer 1–8. Persönlicher begegnet uns der Apostel im Brief an die Philipper oder in dem kleinen Brief an Philemon.

Von den übrigen Briefen wird uns heute vielleicht der Brief von Jakobus mit seinem Eintreten für soziale Gerechtigkeit und tätige Liebe und der erste Johannes-Brief mit dem Thema »Gott im Bruder lieben« am unmittelbarsten ansprechen.

DIE GUTE NACHRICHT NACH MATTHÄUS

Jesus das Ziel der Geschichte Israels
(Lk 3,23-38)

1 Jesus Christus ist ein Nachkomme Davids* und Abrahams. Hier ist die Liste seiner Vorfahren: ²Von Abraham stammte Isaak, von Isaak Jakob, und von Jakob stammten Juda und seine Brüder. ³Von Juda stammten Perez und Serach, ihre Mutter war Tamar. Von Perez stammte Hezron, und auf diesen folgten Ram, ⁴Amminadab, Nachschon und Salmon. ⁵Von Salmon stammte Boas, seine Mutter war Rahab. Von Boas stammte Obed, seine Mutter war Rut. Von Obed stammte Isai, ⁶und von Isai stammte König David.

Von David stammte Salomo, seine Mutter war die Frau Urijas. ⁷Auf Salomo folgten: Rehabeam, Abija, Asa, ⁸Joschafat, Joram, Usija, ⁹Jotam, Ahas, Hiskija, ¹⁰Manasse, Amon, Joschija.° ¹¹Von Joschija stammten Jojachin und seine Brüder. Das war zu der Zeit, als die Bevölkerung Jerusalems nach Babylonien verschleppt wurde.

¹²Nach der Verbannung folgten auf Jojachin: Schealtiël, Serubbabel, ¹³Abihud, Eljakim, Azor, ¹⁴Zadok, Achim, Eliud, ¹⁵Eleasar, Mattan, Jakob. ¹⁶Von Jakob stammte Josef, der Mann Marias. Von ihr wurde Jesus geboren, das ist Christus, der versprochene Retter* Israels.

¹⁷Je vierzehn Generationen sind es von Abraham bis David, von David bis zur Verbannung nach Babylonien und von dieser Zeit bis zu Christus.°

Jesus – ›Gott steht uns bei‹

¹⁸Mit der Geburt Jesu Christi verhielt es sich so: Seine Mutter Maria war mit Josef verlobt*. Aber noch bevor die beiden die Ehe eingegangen waren, stellte sich heraus, daß Maria durch die Wirkung des heiligen Geistes* ein Kind erwartete. ¹⁹Josef, dem sie durch die Verlobung schon rechtsgültig verbunden war, war ein anständiger Mann und wollte sie nicht öffentlich verklagen. Er dachte

daran, sich stillschweigend von ihr zu trennen. [20] Ehe es jedoch dazu kam, erschien ihm im Traum ein Engel des
Herrn und sagte zu ihm:»Josef, du Nachkomme Davids*,
scheue dich nicht, Maria zu dir zu nehmen! Denn das
Kind, das sie erwartet, kommt vom Geist Gottes. [21] Sie
wird einen Sohn bekommen; den sollst du Jesus* nennen.
Denn er wird sein Volk von aller Schuld befreien.«
[22] Dies geschah, damit in Erfüllung ging, was der Herr
durch den Propheten vorausgesagt hatte: [23] »Die Jungfrau
wird schwanger werden und einen Sohn zur Welt bringen,
den wird man Immanuël nennen.« Der Name bedeutet:
›Gott steht uns bei‹.
[24] Als Josef erwachte, folgte er der Weisung, die ihm der
Engel gegeben hatte, und nahm Maria zu sich. [25] Er hatte
aber keinen ehelichen Verkehr mit ihr bis zur Geburt
ihres Sohnes. Und er gab ihm den Namen Jesus.

Fremde huldigen dem kommenden König

2 Jesus wurde in der Stadt Betlehem in Judäa geboren,
als König Herodes in Jerusalem regierte. Bald nach
seiner Geburt kamen Sterndeuter* aus dem Osten nach
Jerusalem [2] und fragten:»Wo finden wir das neugeborene
Kind, den kommenden König der Juden? Wir haben seinen Stern aufgehen sehen und sind gekommen, um ihm
zu huldigen.«
[3] Als König Herodes das hörte, geriet er in Aufregung
und mit ihm ganz Jerusalem. [4] Er ließ alle führenden Priester* und Gesetzeslehrer* zu sich kommen und fragte sie:
»Wo soll der versprochene König geboren werden?« [5] Sie
antworteten:»In der Stadt Betlehem in Judäa. Denn so
hat der Prophet geschrieben: [6] ›Du Betlehem im Land Juda! Du bist keineswegs die unbedeutendste Stadt in Juda,
denn aus dir wird der Mann kommen, der mein Volk Israel schützen und leiten soll.‹«
[7] Daraufhin rief Herodes die Sterndeuter heimlich zu
sich und fragte sie aus, wann sie den Stern zum erstenmal
gesehen hätten. [8] Dann schickte er sie nach Betlehem und
sagte:»Geht hin und erkundigt euch genau nach dem
Kind, und wenn ihr es gefunden habt, gebt mir Nachricht!
Dann will auch ich zu ihm gehen und ihm huldigen.«
[9] Nachdem sie diesen Bescheid erhalten hatten, mach-

ten sich die Männer auf den Weg. Der Stern, den sie schon bei seinem Aufgehen beobachtet hatten, ging ihnen voraus. Genau über der Stelle, wo das Kind war, blieb er stehen. [10]Als sie ihn dort sahen, kam eine große Freude über sie. [11]Sie gingen in das Haus, fanden das Kind mit seiner Mutter Maria, warfen sich vor ihm nieder und huldigten ihm. Dann breiteten sie die Schätze aus, die sie ihm als Geschenk mitgebracht hatten: Gold, Weihrauch und Myrrhe. [12]In einem Traum befahl ihnen Gott, nicht noch einmal zu Herodes zu gehen. So reisten sie auf einem anderen Weg in ihr Land zurück.

Flucht nach Ägypten

[13]In der folgenden Nacht hatte Josef einen Traum, darin erschien ihm ein Engel des Herrn und sagte:»Steh auf, nimm das Kind und seine Mutter und flieh nach Ägypten! Bleib dort, bis ich dir sage, daß du zurückkommen kannst. Herodes wird nämlich alles daransetzen, das Kind zu töten.« [14]Da brach Josef mit dem Kind und seiner Mutter mitten in der Nacht nach Ägypten auf. [15]Dort lebten sie bis zum Tod von Herodes. So traf ein, was Gott durch den Propheten vorausgesagt hatte:»Aus Ägypten habe ich meinen Sohn* gerufen.«

Der Kindermord in Betlehem

[16]Als Herodes merkte, daß die Sterndeuter* ihn hintergangen hatten, wurde er sehr zornig. Er befahl, in Betlehem und Umgebung alle kleinen Jungen bis zu zwei Jahren zu töten. Das entsprach der Zeitspanne, die er aus den Angaben der Sterndeuter entnommen hatte. [17]So traf ein, was der Prophet Jeremia vorausgesagt hatte: [18]»In Rama hört man Klagerufe und bitteres Weinen: Rahel weint um ihre Kinder und will sich nicht trösten lassen; man hat sie ihr alle weggenommen.«

Rückkehr aus Ägypten nach Nazaret

[19]Als Herodes gestorben war, hatte Josef in Ägypten einen Traum, darin erschien ihm ein Engel des Herrn [20]und sagte:»Steh auf, nimm das Kind und seine Mutter und kehre in das Land Israels zurück; denn alle, die das Kind umbringen wollten, sind gestorben.« [21]Da stand Jo-

sef auf, nahm das Kind und seine Mutter und kehrte nach
Israel zurück.

²²Als Josef aber erfuhr, daß Archelaus als Nachfolger
seines Vaters Herodes in Judäa regierte, wagte er nicht,
dorthin zu ziehen. In einem Traum erhielt er neue Weisungen und ging daraufhin nach Galiläa. ²³Dort ließ er
sich in der Stadt Nazaret nieder. So traf die Voraussage
der Propheten über Jesus ein, man werde ihn Nazarener
nennen.°

Johannes der Täufer predigt
(Mk 1,1-8; Lk 3,1-18; Joh 1,19-28)

3 Damals trat der Täufer Johannes in der Wüste von Judäa auf und verkündete: ²»Ändert euer Leben! Gott
will jetzt seine Herrschaft* aufrichten und sein Werk vollenden!« ³Von diesem Johannes hatte schon der Prophet
Jesaja gesprochen: »In der Wüste ruft einer: ›Macht den
Weg bereit, auf dem der Herr kommt! Baut ihm eine gute
Straße!« ⁴Johannes trug ein Gewand aus Kamelhaaren
mit einem Ledergürtel. Seine Nahrung bestand aus Heuschrecken und Honig von wilden Bienen. ⁵Die Leute aus
Jerusalem, aus ganz Judäa und aus der Jordangegend
kamen zu ihm, ⁶gaben offen ihre Verfehlungen zu und
ließen sich von ihm im Jordan taufen.

⁷Auch viele Pharisäer* und Sadduzäer* kamen, um sich
von Johannes taufen zu lassen. Zu ihnen sagte er: »Ihr
Schlangenbrut, wer hat euch gesagt, daß ihr dem bevorstehenden Gericht Gottes entgeht? ⁸Zeigt durch eure Taten,
daß ihr euch wirklich ändern wollt! ⁹Ihr bildet euch ein,
daß euch nichts geschehen kann, weil Abraham euer
Stammvater ist. Täuscht euch nicht: Gott kann aus diesen
Steinen hier Nachkommen Abrahams machen!

¹⁰Die Axt ist schon angelegt, um die Bäume an der
Wurzel abzuschlagen. Jeder Baum, der keine guten Früchte bringt, wird umgehauen und ins Feuer geworfen. ¹¹Ich
taufe euch mit Wasser, damit ihr euer Leben ändert. Aber
der, der nach mir kommt, ist viel mächtiger als ich. Ich bin
nicht gut genug, ihm die Schuhe auszuziehen. Er wird
euch mit heiligem Geist* und mit dem Feuer des Gerichts
taufen. ¹²Er hat die Worfschaufel* in seiner Hand und
wird die Spreu vom Weizen scheiden. Seinen Weizen wird

er in die Scheune bringen, die Spreu aber in einem Feuer verbrennen, das nie mehr ausgeht.«

Jesus läßt sich taufen
(Mk 1,9-11; Lk 3,21-22; Joh 1,32-34)

¹³ Um diese Zeit kam Jesus von Galiläa her an den Jordan, um sich von Johannes taufen zu lassen. ¹⁴ Johannes versuchte, ihn davon abzubringen und sagte: »Ich müßte von *dir* getauft werden, und du kommst zu mir?« ¹⁵ Aber Jesus antwortete: »Sträub dich nicht! Das ist es, was wir jetzt zu tun haben, damit alles geschieht, was Gott will.« Da gab Johannes nach.

¹⁶ Sobald Jesus getauft war, stieg er aus dem Wasser. Da öffnete sich der Himmel, und er sah den Geist* Gottes wie eine Taube auf sich herabkommen. ¹⁷ Und eine Stimme aus dem Himmel sagte: »Dies ist mein Sohn*, ihm gilt meine Liebe, ihn habe ich erwählt.«

Jesus wird auf die Probe gestellt
(Mk 1,12-13; Lk 4,1-13)

4 Danach führte der Geist* Gottes Jesus in die Wüste, wo er vom Teufel auf die Probe gestellt werden sollte. ² Nachdem er vierzig Tage und Nächte nichts gegessen hatte, war er sehr hungrig. ³ Da trat der Versucher an ihn heran und sagte: »Wenn du Gottes Sohn* bist, dann befiehl doch, daß die Steine hier zu Brot werden.« ⁴ Jesus antwortete: »In den heiligen Schriften* steht: ›Es muß nicht Brot sein, wovon der Mensch lebt; er kann von jedem Wort leben, das Gott spricht.‹«

⁵ Darauf führte der Teufel ihn in die heilige Stadt Jerusalem, stellte ihn hoch oben auf den Tempel ⁶ und sagte: »Wenn du wirklich Gottes Sohn bist, dann spring doch hinunter; denn in den heiligen Schriften steht: ›Gott wird seinen Engeln befehlen, dich auf Händen zu tragen, damit du dich an keinem Stein stößt.‹« ⁷ Jesus antwortete: »Aber in den heiligen Schriften heißt es auch: ›Du sollst den Herrn, deinen Gott, nicht herausfordern.‹«

⁸ Zuletzt führte der Teufel Jesus auf einen sehr hohen Berg, zeigte ihm alle Reiche der Welt in ihrer Größe und Schönheit ⁹ und sagte: »Dies alles will ich dir geben, wenn du dich vor mir niederwirfst und mich anbetest.« ¹⁰ Aber

Jesus antwortete: »Weg mit dir, Satan! In den heiligen Schriften heißt es: ›Vor dem Herrn, deinem Gott, wirf dich nieder, ihn sollst du anbeten und niemand sonst.‹«

¹¹ Da ließ der Teufel von Jesus ab, und Engel kamen und versorgten ihn.

Jesus beginnt sein Wirken in Galiläa
(Mk 1,14-15; Lk 4,14-15)

¹² Als Jesus hörte, daß man Johannes ins Gefängnis geworfen hatte, zog er sich nach Galiläa zurück. ¹³ Er blieb aber nicht in Nazaret, sondern nahm seinen Wohnsitz in Kafarnaum, einer Stadt am See Gennesaret, im Gebiet der Stämme Sebulon und Naftali. ¹⁴ Das geschah, damit die Voraussage des Propheten Jesaja in Erfüllung ging: ¹⁵ »Du Land von Sebulon und Naftali, am See gelegen und jenseits des Jordans, Galiläa der gottfernen Völker! ¹⁶ Das Volk, das im Dunkeln lebt, sieht ein großes Licht. Und für alle, die im finsteren Land des Todes wohnen, leuchtet ein Licht auf!« ¹⁷ Von da an verkündete Jesus seine Botschaft: »Ändert euer Leben! Gott will jetzt seine Herrschaft* aufrichten und sein Werk vollenden!«

Jesus beruft vier Fischer zu Jüngern
(Mk 1,16-20; Lk 5,1-11)

¹⁸ Als Jesus am See von Galiläa entlangging, sah er zwei Brüder, die von Beruf Fischer waren, Simon, der auch Petrus* genannt wird, und Andreas. Sie warfen gerade ihr Netz aus. ¹⁹ Jesus sagte zu ihnen: »Geht mit mir! Ich mache euch zu Menschenfischern.« ²⁰ Sofort ließen sie ihre Netze liegen und folgten ihm.

²¹ Als Jesus von dort weiterging, sah er zwei andere Brüder, Jakobus und Johannes. Sie waren mit ihrem Vater Zebedäus im Boot und setzten die Netze instand. Jesus forderte sie auf, ihm zu folgen; ²² und sofort verließen sie das Boot und ihren Vater und gingen mit ihm.

Jesus lehrt und heilt
(Mk 1,39; 3,7-8.10-11; Lk 4,44; 6,17-19)

²³ Jesus zog durch ganz Galiläa. Er sprach in den Synagogen* und verkündete die Gute Nachricht, daß Gott jetzt seine Herrschaft aufrichten und sein Werk vollenden wer-

de. Er heilte alle Krankheiten und Leiden im Volk. ²⁴ Bald sprach man sogar im benachbarten Syrien von ihm. Man brachte Menschen zu ihm, die an den verschiedensten Krankheiten litten, darunter auch Besessene*, Epileptiker und Gelähmte, und er machte sie gesund. ²⁵ Große Menschenmengen aus Galiläa, aus dem Gebiet der Zehn Städte, aus Jerusalem, Judäa und von der anderen Seite des Jordans zogen mit ihm.

Die Bergpredigt (Kapitel 5–7)

5 Als Jesus die Menschenmenge sah, stieg er auf einen Berg und setzte sich. Seine Jünger traten zu ihm. ² Dann verkündete er ihnen, was Gott von seinem Volk erwartet.

Wer sich freuen darf...

(Lk 6,20-26)

³ Er begann:
»Freuen dürfen sich alle, die nur noch von Gott etwas erwarten und nichts von sich selbst; denn sie werden mit ihm in der neuen Welt leben.
⁴ Freuen dürfen sich alle, die unter der Not der Welt leiden; denn Gott wird ihnen ihre Last abnehmen.
⁵ Freuen dürfen sich alle, die keine Gewalt anwenden; denn Gott wird ihnen die Erde zum Besitz geben.
⁶ Freuen dürfen sich alle, die brennend darauf warten, daß Gottes Wille geschieht; denn Gott wird ihre Sehnsucht stillen.
⁷ Freuen dürfen sich alle, die barmherzig sind; denn Gott wird auch mit ihnen barmherzig sein.
⁸ Freuen dürfen sich alle, die ein reines Herz haben; denn sie werden Gott sehen.
⁹ Freuen dürfen sich alle, die Frieden schaffen; denn sie werden Gottes Kinder sein.
¹⁰ Freuen dürfen sich alle, die verfolgt werden, weil sie tun, was Gott verlangt; denn sie werden mit ihm in der neuen Welt leben.
¹¹ Freuen dürft ihr euch, wenn man euch beschimpft und verfolgt und euch zu Unrecht alles Schlechte nachsagt, weil ihr zu mir gehört. ¹² Freut euch und jubelt, denn Gott

wird euch reich belohnen. So hat man die Propheten vor
euch auch schon behandelt.«

Salz und Licht für die Welt
(Lk 14,34-35; 11,33)

¹³»Was das Salz für die Nahrung ist, das seid ihr für die
Welt. Wenn aber das Salz seine Kraft verliert, wie soll es
sie wiederbekommen? Man kann es zu nichts mehr gebrauchen. Darum wirft man es weg, und die Menschen
zertreten es.
¹⁴Ihr seid das Licht für die Welt. Eine Stadt, die auf
einem Berg liegt, kann nicht verborgen bleiben. ¹⁵Auch
brennt keiner eine Lampe an, um sie dann unter eine
Schüssel zu stellen. Im Gegenteil, man stellt sie auf einen
erhöhten Platz, damit sie allen im Haus leuchtet. ¹⁶Genau-
so muß auch euer Licht vor den Menschen leuchten: sie
sollen eure guten Taten sehen und euren Vater im Himmel preisen.«

Jesus und das Gesetz
(Lk 16,17)

¹⁷»Denkt nicht, ich sei gekommen, um das Gesetz* Moses
und die Weisungen der Propheten außer Kraft zu setzen.
Ich bin nicht gekommen, um sie außer Kraft zu setzen,
sondern um ihnen volle Geltung zu verschaffen. ¹⁸Ich versichere euch: Solange Himmel und Erde bestehen, bleibt
auch der letzte i-Punkt im Gesetz stehen. Das ganze Gesetz muß erfüllt werden. ¹⁹Wer also ein noch so unbedeutendes Gebot übertritt und auch andere dazu verleitet,
der wird in der neuen Welt Gottes der Geringste von allen
sein. Wer es aber befolgt und andere zum Gehorsam anhält, der wird bei denen, die in der neuen Welt Gottes leben werden, hochgeachtet sein. ²⁰Deshalb sage ich euch:
Ihr werdet niemals in die neue Welt Gottes kommen,
wenn ihr seinen Willen nicht besser erfüllt als die Gesetzeslehrer* und Pharisäer*.«

Vom Mord

²¹»Ihr wißt, daß unseren Vorfahren gesagt worden ist:
›Morde nicht! Wer einen Mord begeht, soll vor Gericht
gestellt werden.‹ ²²Ich aber sage euch: Schon wer auf sei-

nen Bruder zornig ist, gehört vor Gericht. Wer aber zu seinem Bruder sagt: ›Du Idiot‹, der gehört vor das oberste
Gericht. Und wer zu seinem Bruder sagt: ›Geh zum Teufel‹, der verdient, ins Feuer der Hölle geworfen zu werden.
²³ Wenn du zum Altar gehst, um Gott deine Gaben
zu bringen, fällt dir dort vielleicht ein, daß dein Bruder
etwas gegen dich hat. ²⁴ Dann laß deine Gabe vor dem
Altar liegen, geh zuerst zu deinem Bruder und söhne
dich mit ihm aus. Danach kannst du Gott dein Opfer darbringen.
²⁵ Suche dich mit deinem Gläubiger gütlich zu einigen,
solange du noch mit ihm auf dem Weg zum Gericht bist.
Sonst wird er dich dem Richter ausliefern, und der wird
dich dem Gerichtsdiener übergeben, damit er dich ins Gefängnis steckt. ²⁶ Ich sage dir: Dort kommst du erst wieder
heraus, wenn du deine Schuld bis auf den letzten Pfennig
bezahlt hast.«

Vom Ehebruch

²⁷ »Ihr wißt auch, daß es heißt: ›Zerstöre keine Ehe!‹ ²⁸ Ich
aber sage euch: Wer die Frau eines anderen auch nur an-
sieht und sie haben will, hat in Gedanken schon ihre Ehe
zerstört. ²⁹ Wenn dich dein rechtes Auge verführen will,
dann reiß es aus und wirf es weg! Es ist besser für dich, du
verlierst ein Glied deines Körpers, als daß du ganz in die
Hölle geworfen wirst. ³⁰ Und wenn dich deine rechte
Hand verführen will, dann hau sie ab und wirf sie weg! Es
ist besser für dich, du verlierst ein Glied deines Körpers,
als daß du ganz in die Hölle kommst.«

Von der Ehescheidung
(Lk 16,18)

³¹ »Bisher hieß es: ›Wer sich von seiner Frau trennen will,
muß ihr eine Scheidungsurkunde* ausstellen.‹ ³² Ich aber
sage euch: Wer sich von seiner Frau trennt, außer er hat
mit ihr in einer vom Gesetz* verbotenen Verbindung gelebt,° der zerstört ihre Ehe. Und wer eine Geschiedene
heiratet, wird zum Ehebrecher.«

Vom Schwören

³³»Ihr wißt, daß unseren Vorfahren gesagt worden ist:
›Schwört keinen Meineid und haltet, was ihr Gott mit
einem Eid versprochen habt.‹ ³⁴Ich aber sage euch: Ihr
sollt überhaupt nicht schwören! Nehmt weder den Himmel zum Zeugen, denn er ist Gottes Thron; ³⁵noch die Erde, denn sie ist sein Fußschemel; und auch nicht Jerusalem, denn es ist die Stadt des großen Königs. ³⁶Nicht einmal mit eurem eigenen Kopf sollt ihr euch für etwas verbürgen; denn es steht nicht in eurer Macht, daß auch nur
ein einziges Haar darauf schwarz oder weiß wächst. ³⁷Sagt
ganz einfach Ja oder Nein; jedes weitere Wort ist vom
Teufel.«

Von der Vergeltung
(Lk 6,29-30)

³⁸»Ihr wißt, daß es heißt: ›Auge um Auge, Zahn um
Zahn.‹ ³⁹Ich aber sage euch: Ihr sollt euch überhaupt
nicht gegen das Böse wehren. Wenn dich einer auf die
rechte Backe schlägt, dann halte ihm auch die linke hin.
⁴⁰Wenn jemand mit dir um dein Hemd prozessieren will,
dann gib ihm noch die Jacke dazu. ⁴¹Und wenn einer dich
zwingt, ein Stück weit mit ihm zu gehen, dann geh mit ihm
doppelt so weit. ⁴²Wenn einer dich um etwas bittet, dann
gib es ihm; wenn einer etwas von dir borgen möchte, dann
leih es ihm.«

Von der Feindesliebe
(Lk 6,27-28.32-36)

⁴³»Ihr wißt auch, daß es heißt: ›Liebe alle, die dir naheste-
hen, und hasse alle, die dir als Feinde gegenüberstehen.‹
⁴⁴Ich aber sage euch: Liebt eure Feinde und betet für die,
die euch verfolgen. ⁴⁵So erweist ihr euch als Kinder eures
Vaters im Himmel. Denn er läßt die Sonne scheinen auf
böse wie auf gute Menschen, und er läßt es regnen auf
alle, ob sie ihn ehren oder verachten. ⁴⁶Wie könnt ihr von
Gott eine Belohnung erwarten, wenn ihr nur die liebt, die
euch auch lieben? Sogar Betrüger lieben ihresgleichen.
⁴⁷Was ist denn schon Besonderes daran, wenn ihr nur zu

euren Brüdern freundlich seid? Das tun auch die, die Gott
nicht kennen. ⁴⁸ Nein, ihr sollt vollkommen sein, weil euer
Vater im Himmel vollkommen ist.«

Über die Hilfe für Arme

6 »Hütet euch, eure Frömmigkeit vor den Menschen
zur Schau zu stellen! Denn dann habt ihr keinen
Lohn mehr von eurem Vater im Himmel zu erwarten.°
² Wenn du also jemand hilfst, dann häng es nicht an die
große Glocke! Benimm dich nicht wie die Heuchler in den
Synagogen* und auf den Straßen. Sie wollen nur von den
Menschen geehrt werden. Ich sage euch: sie haben ihren
Lohn schon kassiert. ³ Wenn du also jemand hilfst, dann
tu es so unauffällig, daß nicht einmal dein bester Freund
etwas davon erfährt. ⁴ Dein Vater, der auch das Verborgenste sieht, wird dich dafür belohnen.«

Über das Beten
(Lk 11,2-4; Mk 11,25-26)

⁵ »Wenn ihr betet, dann tut es nicht wie die Scheinheiligen! Sie stellen sich gern zum Gebet in den Synagogen*
und an den Straßenecken auf, damit sie von allen gesehen
werden. Ich versichere euch: sie haben ihren Lohn schon
kassiert. ⁶ Wenn du beten willst, dann geh in dein Zimmer,
schließ die Tür zu und bete zu deinem Vater, der im Verborgenen ist. Dein Vater, der auch das Verborgenste
sieht, wird dich dafür belohnen.
⁷ Wenn ihr betet, dann leiert nicht endlos Gebetsworte
herunter wie die Heiden. Sie meinen, sie könnten bei Gott
etwas erreichen, wenn sie besonders viele Worte machen.
⁸ Ihr sollt es anders halten. Euer Vater weiß, was ihr
braucht, bevor ihr ihn bittet. ⁹ So sollt ihr beten:
    Unser Vater im Himmel!
    Bring alle Menschen dazu, dich zu ehren!
¹⁰ Komm und richte deine Herrschaft auf!
    Was du willst, soll nicht nur im Himmel geschehen,
    sondern auch bei uns auf der Erde.
¹¹ Gib uns, was wir heute zum Leben brauchen.
¹² Vergib uns unsere Schuld,
    wie auch wir jedem verzeihen, der uns Unrecht getan
      hat.

¹³ Laß uns nicht in die Gefahr kommen, dir untreu zu
    werden,
  sondern schütze uns vor der Macht des Bösen.°
¹⁴Wenn ihr den anderen verzeiht, was sie euch angetan
haben, dann wird auch euer Vater im Himmel euch eure
Schuld vergeben. ¹⁵Wenn ihr aber den anderen nicht verzeiht, dann wird euer Vater euch eure Verfehlungen auch
nicht vergeben.«

Über das Fasten

¹⁶»Wenn ihr fastet, dann setzt keine Leidensmiene auf wie
die Heuchler. Sie machen ein saures Gesicht, damit jeder
merkt, daß sie fasten. Ich sage euch: sie haben ihren Lohn
bereits kassiert. ¹⁷Wenn du fasten willst, dann wasche
dein Gesicht und kämme dich, ¹⁸damit niemand es merkt
außer deinem Vater, der im Verborgenen ist. Dein Vater,
der auch das Verborgenste sieht, wird dich dafür belohnen.«

Unvergänglicher Reichtum
(Lk 12,33-34)

¹⁹»Sammelt keine Reichtümer hier auf der Erde! Denn
ihr müßt damit rechnen, daß Motten und Rost sie auffres-
sen oder Einbrecher sie stehlen. ²⁰Sammelt lieber Reichtümer bei Gott. Dort werden sie nicht von Motten und
Rost zerfressen und können auch nicht von Einbrechern
gestohlen werden. ²¹Denn euer Herz wird immer dort
sein, wo ihr euren Reichtum habt.«

Licht und Dunkelheit
(Lk 11,34-36)

²²»Das Auge vermittelt dem Menschen das Licht. Ist das
Auge klar, steht der ganze Mensch im Licht; ²³ist das
Auge getrübt, steht der ganze Mensch im Dunkeln. Wenn
aber dein inneres Auge – dein Herz – blind ist, wie
schrecklich wird dann die Dunkelheit sein!«°

Die täglichen Sorgen
(Lk 16,13; 12,22-31)

²⁴»Niemand kann zwei Herren zugleich dienen. Er wird
den einen vernachlässigen und den anderen bevorzugen.

Er wird dem einen treu sein und den anderen hintergehen. Ihr könnt nicht beiden zugleich dienen: Gott und dem Geld.

²⁵ Darum sage ich euch: Macht euch keine Sorgen um Essen und Trinken und um eure Kleidung. Das Leben ist mehr als Essen und Trinken, und der Körper ist mehr als die Kleidung. ²⁶ Seht euch die Vögel an! Sie säen nicht, sie ernten nicht, sie sammeln keine Vorräte – aber euer Vater im Himmel sorgt für sie. Und ihr seid ihm doch viel mehr wert als alle Vögel! ²⁷ Wer von euch kann durch Sorgen sein Leben auch nur um einen Tag verlängern?

²⁸ Und warum macht ihr euch Sorgen um das, was ihr anziehen sollt? Seht, wie die Blumen auf den Feldern wachsen! Sie arbeiten nicht und machen sich keine Kleider; ²⁹ doch ich sage euch: Nicht einmal Salomo bei all seinem Reichtum war so prächtig gekleidet wie irgendeine von ihnen. ³⁰ Wenn Gott sogar die Feldblumen so ausstattet, die heute blühen und morgen verbrannt werden, wird er sich dann nicht erst recht um euch kümmern? Habt doch mehr Vertrauen!

³¹ Macht euch also keine Sorgen! Fragt nicht: ›Was sollen wir essen?‹ ›Was sollen wir trinken?‹ ›Was sollen wir anziehen?‹ ³² Damit plagen sich Menschen, die Gott nicht kennen. Euer Vater im Himmel weiß, daß ihr all das braucht. ³³ Sorgt euch zuerst darum, daß ihr euch seiner Herrschaft* unterstellt und tut, was er verlangt, dann wird er euch schon mit all dem anderen versorgen. ³⁴ Quält euch nicht mit Gedanken an morgen; der morgige Tag wird für sich selber sorgen. Ihr habt genug zu tragen an der Last von heute.«

Nicht verurteilen
(Lk 6,37-38.41-42)

7 »Verurteilt nicht andere, damit Gott nicht euch verurteilt. ² Denn euer Urteil wird auf euch zurückfallen, und ihr werdet mit demselben Maß gemessen werden, das ihr bei anderen anlegt. ³ Warum kümmerst du dich um den Splitter im Auge deines Bruders und bemerkst nicht den Balken in deinem eigenen? ⁴ Wie kannst du zu deinem Bruder sagen: ›Komm her, ich will dir den Splitter aus dem Auge ziehen‹, wenn du selbst einen ganzen Balken

im Auge hast? ⁵Du Scheinheiliger, zieh erst den Balken
aus deinem Auge, dann kannst du dich um den Splitter im
Auge deines Bruders kümmern.

⁶Gebt heilige Dinge nicht den Hunden zum Fraß! Und
eure Perlen werft nicht den Schweinen hin! Die trampeln
doch nur darauf herum, und dann wenden sie sich gegen
euch und fallen euch an.«

Bittet, sucht, klopft an!
(Lk 11,9-13)

⁷»Bittet, und ihr werdet bekommen! Sucht, und ihr werdet finden! Klopft an, und man wird euch öffnen! ⁸Denn
wer bittet, der bekommt; wer sucht, der findet; und wer
anklopft, dem wird geöffnet. ⁹Wer von euch würde seinem Kind einen Stein geben, wenn es um Brot bittet?
¹⁰Oder eine Schlange, wenn es um Fisch bittet? ¹¹So
schlecht ihr auch seid, wißt ihr doch, was euren Kindern
gut tut, und gebt es ihnen. Wieviel mehr wird euer Vater
im Himmel denen Gutes geben, die ihn darum bitten.«

Die ›Goldene Regel‹ und die beiden Wege
(Lk 6,31; 13,24)

¹²»Behandelt die Menschen so, wie ihr selbst von ihnen
behandelt werden wollt – das ist alles, was das Gesetz*
und die Propheten fordern.

¹³Geht durch das enge Tor! Denn das Tor, das ins Verderben führt, ist breit, und die Straße dorthin ist es auch.
Viele sind auf ihr unterwegs. ¹⁴Aber das Tor, das zum
Leben führt, ist eng und der Weg dorthin schmal. Nur wenige finden ihn.«

Warnung vor falschen Propheten
(Lk 6,43-44)

¹⁵»Hütet euch vor den falschen Propheten*! Sie sehen
zwar aus wie Schafe, die zur Herde gehören, in Wirklichkeit sind sie Wölfe, die auf Raub aus sind. ¹⁶Ihr erkennt
sie an dem, was sie tun. Von Dorngestrüpp kann man
keine Weintrauben pflücken und von Disteln keine Feigen. ¹⁷Ein gesunder Baum trägt gute Früchte und ein
kranker Baum schlechte. ¹⁸Umgekehrt kann ein gesunder
Baum keine schlechten Früchte tragen und ein kranker

Baum keine guten. ¹⁹Jeder Baum, der keine guten Früchte trägt, wird umgehauen und verbrannt werden. ²⁰An ihren Früchten also könnt ihr die falschen Propheten erkennen.«

Warnung vor Selbsttäuschung
(Lk 6,46; 13,26-27)

²¹»Nicht jeder, der ständig ›Herr‹ zu mir sagt, wird in Gottes neue Welt kommen, sondern der, der auch tut, was mein Vater im Himmel will. ²²Am Tag des Gerichts werden viele zu mir sagen: ›Herr, Herr! In deinem Namen haben wir Weisungen* Gottes verkündet, in deinem Namen haben wir böse Geister* ausgetrieben und viele Wunder getan.‹ ²³Und trotzdem werde ich das Urteil sprechen: ›Ich habe euch nie gekannt. Ihr habt versäumt, nach Gottes Willen zu leben; fort mit euch!«

Abschluß der Bergpredigt
(Lk 6,47-49)

²⁴»Wer meine Worte hört und sich nach ihnen richtet, wird am Ende dastehen wie ein Mann, der überlegt, was er tut, und deshalb sein Haus auf felsigen Grund baut. ²⁵Wenn dann ein Wolkenbruch niedergeht, die Flüsse über die Ufer treten und der Sturm tobt und an dem Haus rüttelt, stürzt es nicht ein, weil es auf Fels gebaut ist. ²⁶Wer dagegen meine Worte hört und sich nicht nach ihnen richtet, wird am Ende wie ein Dummkopf dastehen, der sein Haus auf Sand baut. ²⁷Wenn dann ein Wolkenbruch niedergeht, die Flüsse über die Ufer treten, der Sturm tobt und an dem Haus rüttelt, stürzt es ein, und der Schaden ist groß.«

²⁸Als Jesus seine Rede beendet hatte, waren alle von seinen Worten tief beeindruckt. ²⁹Denn er sprach wie einer, der Vollmacht von Gott hat – ganz anders als ihre Gesetzeslehrer*.

Jesus heilt einen Aussätzigen
(Mk 1,40-45; Lk 5,12-16)

8 Als Jesus den Berg wieder hinunterstieg, folgte ihm eine große Menschenmenge. ²Da kam ein Aussätziger* zu ihm, warf sich vor ihm nieder und sagte: »Herr,

wenn du willst, kannst du mich gesund machen!« ³Jesus
streckte die Hand aus und berührte ihn. »Ich will«, sagte
er, »sei gesund!« Im selben Augenblick war der Mann von
seinem Aussatz geheilt. ⁴Jesus befahl ihm: »Sieh zu, daß
du keinem ein Wort davon sagst, sondern geh zum Priester und laß dich von ihm untersuchen. Dann bring das
Opfer dar, das Mose vorgeschrieben hat; das soll für alle
ein Beweis dafür sein, daß ich das Gesetz ernst nehme.«°

Der Hauptmann von Kafarnaum
(Lk 7,1-10; 13,28-29; Joh 4,46-53)

⁵Als Jesus nach Kafarnaum kam, trat ein Hauptmann, ein
Nichtjude, an ihn heran und bat ihn um Hilfe: ⁶»Herr«,
sagte er, »mein Diener liegt gelähmt bei mir zu Hause und
hat furchtbare Schmerzen!« ⁷Jesus fragte ihn: »Soll ich etwa kommen und ihn gesund machen?« ⁸Der Hauptmann
erwiderte: »Herr, ich weiß, daß ich dir, einem Juden, nicht
zumuten kann, mein Haus zu betreten. Aber sag nur ein
Wort, und mein Diener wird gesund. ⁹Auch ich unterstehe höherem Befehl und kann meinen Soldaten Befehle erteilen. Wenn ich zu einem sage: ›Geh!‹, dann geht er;
wenn ich zu einem anderen sage: ›Komm!‹, dann kommt
er; und wenn ich meinem Diener befehle: ›Tu das!‹, dann
tut er's.«

¹⁰Als Jesus das hörte, staunte er und sagte zu den Leuten, die ihm folgten: »Wahrhaftig, solch ein Vertrauen habe ich in Israel nirgends gefunden! ¹¹Doch ich sage euch:
Noch viele werden kommen, aus Ost und West, und zusammen mit Abraham, Isaak und Jakob zu Tisch sitzen,
wenn Gott sein Werk vollendet; ¹²aber die Menschen, die
bis jetzt das Anrecht darauf hatten, werden in die Dunkelheit hinausgestoßen. Dort werden sie jammern und mit
den Zähnen knirschen.«

¹³Dann sagte Jesus zu dem Hauptmann: »Geh nach
Hause! Was du mir zutraust, soll geschehen!« Zur gleichen Zeit wurde der Diener gesund.

Jesus heilt
(Mk 1,29-34; Lk 4,38-41)

¹⁴Jesus ging in das Haus von Petrus und fand dort dessen
Schwiegermutter mit Fieber im Bett. ¹⁵Er berührte ihre

Hand; da verschwand das Fieber, und sie stand auf und bewirtete ihn.

¹⁶Am Abend brachte man viele Besessene* zu Jesus. Er trieb durch die Macht seines Wortes die bösen Geister aus und heilte alle Kranken. ¹⁷Damit traf ein, was der Prophet Jesaja vorausgesagt hatte: »Er hat unsere Krankheiten und Leiden von uns genommen.«

Jünger ohne Wenn und Aber
(Lk 9,57-62)

¹⁸Als sich wieder einmal viele Menschen um Jesus drängten, befahl er seinen Jüngern, mit ihm auf die andere Seite des Sees hinüberzufahren. ¹⁹Bevor sie losfuhren, kam ein Gesetzeslehrer* zu ihm und sagte: »Ich bin bereit, dir überallhin zu folgen!« ²⁰Jesus antwortete ihm: »Die Füchse haben ihren Bau und die Vögel ihr Nest; aber der Menschensohn* hat keinen Platz, wo er sich hinlegen und ausruhen kann.«

²¹Ein anderer, einer von den Jüngern*, sagte zu Jesus: »Herr, erlaube mir, erst noch meinen Vater zu begraben.« ²²Aber Jesus erwiderte: »Geh mit mir! Überlaß es den Toten, ihre Toten zu begraben!«

Die Jünger im Sturm
(Mk 4,35-41; Lk 8,22-25)

²³Jesus stieg in das Boot, und seine Jünger folgten ihm. ²⁴Als sie auf dem See waren, kam ein schwerer Sturm auf; die Wellen türmten sich und drohten das Boot unter sich zu begraben. Aber Jesus schlief. ²⁵Die Jünger weckten ihn und riefen: »Rette uns, Herr, wir gehen unter!« ²⁶Jesus sagte zu ihnen: »Warum habt ihr solche Angst? Ihr habt zu wenig Vertrauen!« Dann stand er auf und bedrohte den Wind und die Wellen. Da wurde es ganz still. ²⁷Die Leute aber staunten und fragten sich: »Was ist das für ein Mensch, daß ihm sogar Wind und Wellen gehorchen!«

Die beiden Besessenen von Gadara
(Mk 5,1-20; Lk 8,26-39)

²⁸Auf der anderen Seite des Sees kam Jesus in das Gebiet von Gadara. Dort liefen ihm zwei Männer aus den Grabhöhlen entgegen. Sie waren von bösen Geistern* besessen

und so gefährlich, daß niemand wagte, jenen Weg zu benutzen. ²⁹ Sie schrien sofort: »Was willst du von uns,
Sohn* Gottes! Willst du uns schon vor der Zeit quälen?«
³⁰ In einiger Entfernung weidete eine große Schweineherde. ³¹ Die bösen Geister in den beiden Männern baten
Jesus: »Wenn du uns schon austreibst, so laß uns wenigstens in diese Schweineherde fahren.« ³² »Dann geht!« sagte Jesus; und sie verließen die beiden und fuhren in die
Schweine. Da stürzte sich die ganze Herde über das steile
Ufer in den See und ertrank.

³³ Die Schweinehirten liefen davon und erzählten in der
Stadt, was sie erlebt hatten und wie es bei der Heilung der
beiden Besessenen zugegangen war. ³⁴ Alle Leute aus der
Stadt gingen zu Jesus hinaus, um ihn zu sehen. Darauf
drängten sie ihn, doch ihr Gebiet zu verlassen.

Jesus heilt einen Gelähmten
(Mk 2,1-12; Lk 5,17-26)

9 Jesus stieg wieder ins Boot, fuhr über den See zurück
und ging in seine Stadt. ² Dort brachten einige Männer einen Gelähmten auf einer Tragbahre zu ihm. Als Jesus sah, wie groß ihr Vertrauen war, sagte er zu dem Gelähmten: »Hab keine Angst! Deine Schuld ist dir vergeben.« ³ Da dachten einige Gesetzeslehrer*: »Dieser Mann
lästert Gott!« ⁴ Jesus wußte, was sie dachten, und sagte:
»Warum habt ihr so böse Gedanken? ⁵ Was ist leichter –
zu sagen: ›Deine Schuld ist dir vergeben‹, oder: ›Steh auf
und geh?‹ ⁶ Aber ihr sollt sehen, daß der Menschensohn*
von Gott die Vollmacht hat, hier auf der Erde Schuld zu
vergeben.« Und er sagte zu dem Gelähmten: »Steh auf,
nimm deine Bahre und geh nach Hause!« ⁷ Der Mann
stand auf und ging nach Hause. ⁸ Als die Leute das sahen,
befiel sie große Furcht, und sie priesen Gott, daß er den
Menschen solche Vollmacht gegeben hat.

Jesus beruft den Zolleinnehmer Matthäus
(Mk 2,13-17; Lk 5,27-32)

⁹ Jesus ging weiter und sah einen Zolleinnehmer* in seinem Zollhaus sitzen. Er hieß Matthäus. Jesus sagte zu
ihm: »Geh mit mir!« Und Matthäus stand auf und folgte
ihm.

¹⁰Später war Jesus bei Matthäus zu Gast. Da kamen viele Zolleinnehmer und andere, die einen ebenso schlechten Ruf hatten, um mit ihm und seinen Jüngern zu essen. ¹¹Einige Pharisäer* sahen es und fragten die Jünger: »Wie kann euer Lehrer sich mit Zolleinnehmern und ähnlichem Gesindel an einen Tisch setzen?« ¹²Jesus hörte es und antwortete: »Nicht die Gesunden brauchen den Arzt, sondern die Kranken. ¹³Überlegt doch einmal, was es bedeutet, wenn Gott sagt: ›Ich fordere nicht von euch, daß ihr mir Tieropfer darbringt, sondern daß ihr barmherzig seid.‹ Ich soll nicht die in Gottes neue Welt einladen, bei denen alles in Ordnung ist, sondern die ausgestoßenen Sünder.«

Die Hochzeit hat begonnen
(Mk 2,18-22; Lk 5,33-39)

¹⁴Danach kamen die Anhänger des Täufers Johannes zu Jesus und fragten: »Wie kommt es, daß wir und die Pharisäer* regelmäßig fasten*, aber deine Jünger nicht?« ¹⁵Jesus antwortete: »Ihr erwartet doch nicht, daß die Gäste bei einer Hochzeit mit Trauermienen herumsitzen, solange der Bräutigam da ist? Die Zeit kommt früh genug, daß der Bräutigam ihnen entrissen wird, dann werden sie fasten.

¹⁶Niemand flickt ein altes Kleid mit einem neuen Stück Stoff, sonst reißt das neue Stück wieder aus und macht das Loch nur noch größer. ¹⁷Auch füllt niemand neuen Wein, der noch gärt, in alte Schläuche; sonst platzen die Schläuche, der Wein fließt aus, und auch die Schläuche sind hin. Nein, neuer Wein gehört in neue Schläuche! Dann bleibt beides erhalten.«

Jesus erweckt ein Mädchen vom Tod
(Mk 5,21-43; Lk 8,40-56)

¹⁸Während Jesus ihnen das erklärte, kam ein Mitglied des dortigen Gemeinderats zu ihm, warf sich vor ihm nieder und sagte: »Meine Tochter ist gerade gestorben. Komm und leg ihr die Hände auf, dann wird sie wieder leben!« ¹⁹Jesus stand auf und folgte dem Mann. Auch seine Jünger gingen mit.

²⁰Unterwegs trat eine Frau, die seit zwölf Jahren an

schweren Blutungen litt, von hinten an Jesus heran und
berührte eine Quaste* seines Gewandes. [21] Denn sie sagte
sich: »Wenn ich nur sein Gewand berühre, werde ich gesund.« [22] Jesus drehte sich um, sah sie an und sagte: »Hab
keine Angst! Dein Vertrauen hat dir geholfen.« Im selben
Augenblick war die Frau geheilt.

[23] Jesus kam in das Trauerhaus. Als er all die lärmenden
Trauergäste und die Flötenspieler für das Begräbnis sah,
[24] sagte er: »Hinaus mit euch! Das Mädchen ist nicht tot,
es schläft nur.« Da lachten sie ihn aus. [25] Aber Jesus ließ
die Leute hinauswerfen, ging in den Raum, in dem das
Mädchen lag, und nahm es bei der Hand; da stand es auf.
[26] Die Nachricht davon verbreitete sich in der ganzen
Gegend.

Jesus heilt zwei Blinde

[27] Als Jesus von dort wegging, liefen zwei Blinde hinter
ihm her und riefen: »Du Sohn Davids*, hab Mitleid mit
uns!« [28] Als er ins Haus ging, folgten sie ihm, und er fragte
sie: »Traut ihr mir denn zu, daß ich euch helfen kann?«
»Aber ja, Herr!« antworteten sie. [29] Da berührte Jesus ihre
Augen und sagte: »Was ihr mir zutraut, soll geschehen.«
[30] Da konnten sie sehen. Jesus befahl ihnen streng: »Seht
zu, daß es niemand erfährt!« [31] Sie aber gingen weg und
erzählten von Jesus in der ganzen Gegend.

Jesus heilt einen Stummen

[32] Als sie gegangen waren, brachte man Jesus einen Mann,
der stumm war, weil ihn ein böser Geist* in seiner Gewalt
hatte. [33] Kaum war der böse Geist ausgetrieben, fing der
Mann an zu reden, und alle riefen erstaunt: »So etwas hat
es in Israel noch nie gegeben!« [34] Aber die Pharisäer* erklärten: »Er kann nur deshalb die bösen Geister austreiben, weil der oberste aller bösen Geister ihm die Macht
dazu gibt.«

Jesus sendet seine Jünger zum Volk Israel (9,35–11,1)
(Mk 6,34; Lk 10,2)

[35] Jesus zog durch alle Städte und Dörfer. Er lehrte in den
Synagogen* und verkündete die Gute Nachricht, daß Gott
jetzt seine Herrschaft aufrichten und sein Werk vollenden

werde. Er heilte alle Krankheiten und Leiden. [36]Als er die
vielen Menschen sah, bekam er Mitleid mit ihnen, weil
sie so hilflos und verängstigt waren wie Schafe, die keinen Hirten haben. [37]Darum sagte er zu seinen Jüngern:
»Hier ist eine reiche Ernte einzubringen, aber es gibt
nicht genügend Arbeiter. [38]Bittet den Herrn, dem diese
Ernte gehört, daß er Arbeiter schickt, um sie einzubringen.«

Die zwölf Apostel
(Mk 6,7; 3,13-19; Lk 9,1; 6,12-16)

10 Jesus rief seine zwölf Jünger zu sich und gab ihnen
die Vollmacht, böse Geister* auszutreiben und alle
Krankheiten und Leiden zu heilen. [2]Hier sind die Namen
dieser zwölf Apostel*: Der erste von ihnen war Simon,
auch Petrus* genannt; dann kamen: Andreas, der Bruder
Simons; Jakobus und sein Bruder Johannes, die Söhne
von Zebedäus; [3]Philippus und Bartholomäus; Thomas
und der Zolleinnehmer* Matthäus; Jakobus, der Sohn
von Alphäus, und Thaddäus; [4]Simon, der zur Partei der
Zeloten* gehört hatte, und Judas Iskariot, der Jesus später verriet.

Der Auftrag der Apostel
(Mk 6,7-13; Lk 9,2-6)

[5]Diese zwölf sandte Jesus aus mit dem Auftrag: »Meidet
die Orte, wo Nichtjuden wohnen, geht auch nicht in die
Städte Samariens, [6]sondern geht zu der verlorenen Herde,
dem Volk Israel, [7]und sagt: ›Jetzt will Gott seine Herrschaft* aufrichten und sein Werk vollenden!‹ [8]Heilt die
Kranken, weckt die Toten auf, macht die Aussätzigen gesund und treibt die bösen Geister* aus. Umsonst habt ihr
alles bekommen, umsonst sollt ihr es auch weitergeben.
[9]Ihr dürft kein Geld annehmen, weder Gold, noch Silber-
oder Kupfergeld! [10]Beschafft euch auch keine Vorratstasche, kein zweites Hemd, keine Schuhe und keinen Wanderstock für die Reise! Denn wer arbeitet, hat ein Anrecht auf seinen Lebensunterhalt.
[11]Wenn ihr in eine Stadt oder in ein Dorf kommt, dann
seht euch nach jemand um, der für eure Botschaft offen
ist und es darum verdient, euch aufzunehmen. Bleibt bei

ihm, bis ihr weiterzieht. [12]Wenn ihr ein Haus betretet, dann wünscht allen Hausbewohnern Frieden! [13]Wenn sie es wert sind, wird euer Friedenswunsch in Erfüllung gehen. Andernfalls soll er wirkungslos bleiben. [14]Wo man euch nicht aufnehmen und nicht anhören will, da geht aus dem Haus oder der Stadt weg und schüttelt den Staub* von den Füßen. [15]Verlaßt euch darauf: Am Tag des Gerichts wird Gott mit den Leuten von Sodom und Gomorra mehr Nachsicht haben als mit den Bewohnern einer solchen Stadt.«

Kommende Verfolgung

[16]»Ich sende euch wie Schafe mitten unter Wölfe. Seid klug wie die Schlangen, und doch ohne Hinterlist wie die Tauben. [17]Nehmt euch in acht vor den Menschen! Sie werden euch vor die Synagogengerichte* stellen und in ihren Synagogen* auspeitschen. [18]Um meinetwillen werdet ihr vor Machthaber und Könige gestellt, um auch vor ihnen, den Vertretern der fremden Völker, als Zeugen für mich auszusagen. [19]Wenn sie euch vor Gericht stellen, so macht euch keine Sorgen, was ihr sagen sollt oder wie ihr es sagen sollt. Es wird euch in dem Augenblick schon eingegeben werden. [20]Nicht ihr werdet dann reden, sondern der Geist* eures Vaters wird aus euch sprechen.

[21]Ein Bruder wird den anderen dem Henker ausliefern und ein Vater seine Kinder. Kinder werden sich gegen ihre Eltern stellen und sie töten lassen. [22]Alle werden euch hassen, weil ihr euch zu mir bekennt. Aber wer bis zum Ende standhaft bleibt, der wird gerettet. [23]Wenn sie euch in der einen Stadt verfolgen, dann flieht in eine andere. Ihr könnt sicher sein: Ihr werdet mit eurem Auftrag in den Städten Israels nicht fertig werden, bis der Menschensohn* kommt.

[24]Kein Schüler steht über seinem Lehrer und kein Sklave über seinem Herrn. [25]Der Schüler soll zufrieden sein, wenn es ihm ergeht wie seinem Lehrer, und der Sklave, wenn es ihm ergeht wie seinem Herrn. Wenn sie schon den Hausherrn Satan nennen, dann werden seine Leute noch viel schlimmere Namen bekommen.«

Wen man fürchten muß
(Lk 12,2–9)

²⁶»Fürchtet euch also vor keinem Menschen! Was jetzt noch verborgen ist, muß ans Licht kommen, und was noch niemand weiß, muß enthüllt werden. ²⁷Was ich euch in der Dunkelheit anvertraue, das sagt am hellen Tag weiter, und was ich euch ins Ohr flüstere, das macht aller Welt bekannt. ²⁸Fürchtet euch nicht vor denen, die nur den Körper, aber nicht die Seele töten können. Fürchtet euch vor Gott, der Leib und Seele ins ewige Verderben schicken kann. ²⁹Kauft man nicht zwei Spatzen für einen Groschen? Und doch fällt kein Spatz auf die Erde, ohne daß euer Vater es zuläßt. ³⁰Bei euch aber ist sogar jedes Haar auf dem Kopf gezählt. ³¹Habt also keine Angst: Ihr seid Gott mehr wert als ein ganzer Schwarm von Spatzen!

³²Wer sich vor den Menschen zu mir bekennt, zu dem werde auch ich mich am Gerichtstag bekennen vor meinem Vater im Himmel. ³³Wer mich aber vor den Menschen nicht kennen will, den werde auch ich am Gerichtstag vor meinem Vater im Himmel nicht kennen.«

Kein fauler Frieden
(Lk 12,51–53; 14,26–27; 17,33)

³⁴»Glaubt nicht, daß ich gekommen bin, Frieden in die Welt zu bringen. Nein, ich bin nicht gekommen, Frieden zu bringen, sondern Streit. ³⁵Ich bin gekommen, um die Söhne mit ihren Vätern zu entzweien, die Töchter mit ihren Müttern und die Schwiegertöchter mit ihren Schwiegermüttern. ³⁶Die nächsten Verwandten werden zu Feinden werden. ³⁷Wer seinen Vater oder seine Mutter mehr liebt als mich, verdient es nicht, mein Jünger zu sein. ³⁸Wer nicht sein Kreuz auf sich nimmt und mir auf meinem Wege folgt, verdient es nicht, mein Jünger zu sein. ³⁹Wer sein Leben festhalten will, wird es verlieren. Wer es aber um meinetwillen verliert, der wird es gewinnen.«

Die Würde der Jünger
(Lk 10,16; Mk 9,41)

⁴⁰»Wer euch aufnimmt, der nimmt mich auf; und wer mich aufnimmt, nimmt den auf, der mich gesandt hat.

⁴¹Wer einen Propheten* aufnimmt, weil er ein Prophet ist, der wird genau so belohnt werden wie ein Prophet. Wer einen Lehrer der Gemeinde° aufnimmt, weil er ein Lehrer der Gemeinde ist, der wird genau so belohnt werden wie ein Lehrer der Gemeinde. ⁴²Und wer irgendeinem meiner Jünger* auch nur einen Schluck kaltes Wasser gibt – einfach weil er mein Jünger ist –, ich versichere euch, der wird seinen Lohn erhalten!«

11 Als Jesus seinen Jüngern diese Anweisungen gegeben hatte, zog er weiter, um in den Städten des Landes zu lehren, was der Wille Gottes ist, und um die Gute Nachricht zu verkünden.

Die Boten des Täufers Johannes
(Lk 7,18-23)

²Der Täufer Johannes hatte im Gefängnis von den Taten Christi gehört, darum schickte er einige seiner Jünger zu ihm. ³»Bist du der Retter*, der kommen soll«, ließ er fragen, »oder müssen wir auf einen anderen warten?« ⁴Jesus antwortete ihnen: »Geht zurück zu Johannes und berichtet ihm, was ihr hört und seht: ⁵Blinde sehen, Gelähmte gehen, Aussätzige werden gesund, Taube hören, Tote stehen auf, und den Armen wird die Gute Nachricht verkündet. ⁶Freuen darf sich jeder, der nicht an mir irre wird!«

Jesus spricht über Johannes
(Lk 7,24-35; 16,16)

⁷Als die Jünger, die Johannes geschickt hatte, wieder weggegangen waren, fing Jesus an, zu der Menge über Johannes zu sprechen: »Als ihr in die Wüste zu ihm hinausgewandert seid, was habt ihr da erwartet? Etwa ein Schilfrohr, das jeder Windzug bewegt? ⁸Oder was sonst wolltet ihr sehen? Einen Mann in vornehmer Kleidung? Solche Leute wohnen doch in Palästen! ⁹Also, was habt ihr erwartet? Einen Propheten? Ich versichere euch: ihr habt mehr gesehen als einen Propheten! ¹⁰Johannes ist der,

von dem es in den heiligen Schriften* heißt: ›Ich sende
meinen Boten vor dir her, sagt Gott, damit er den Weg für
dich bahnt.‹

¹¹ Ich versichere euch: Johannes ist bedeutender als irgendein Mensch, der je gelebt hat. Und trotzdem: Der
Geringste in der neuen Welt Gottes ist größer als er. ¹² Als
der Täufer Johannes auftrat, hat Gott angefangen, seine
Herrschaft* aufzurichten; aber bis heute stellen sich ihr
Feinde in den Weg und hindern andere mit Gewalt daran,
sich dieser Herrschaft zu unterstellen. ¹³ Das Gesetz* Moses und alle Propheten bis hin zu Johannes haben die
neue Welt Gottes angekündigt. ¹⁴ Und ob ihr es wahrhaben wollt oder nicht: Johannes ist tatsächlich der Prophet
Elija, dessen Kommen vorausgesagt war. ¹⁵ Wer hören
kann, soll gut zuhören!

¹⁶ Mit wem soll ich die Menschen von heute vergleichen? Sie sind wie die Kinder, die auf dem Marktplatz
spielen. Die einen werfen den anderen vor: ¹⁷ ›Wir haben
euch Hochzeitslieder gespielt, aber ihr habt nicht getanzt.
Wir haben euch Trauerlieder gesungen, aber ihr habt
nicht geweint.‹ ¹⁸ Johannes fastete, und die Leute sagten:
›Er ist von einem bösen Geist* besessen.‹ ¹⁹ Der Menschensohn* ißt und trinkt, und sie sagen: ›Seht ihn euch
an, diesen Vielfraß und Säufer, diesen Kumpan der Zolleinnehmer* und Sünder!‹ Aber die Weisheit Gottes wird
bestätigt durch die Taten, die sie vollbringt.«

Wer nicht hören will ...

(Lk 10,13-15)

²⁰ Dann begann Jesus mit harten Worten über die Orte zu
sprechen, in denen er die meisten Wunder getan hatte, und
die Menschen hatten sich doch nicht geändert. ²¹ »Weh
dir, Chorazin! Weh dir, Betsaida! Wenn in Tyrus und Sidon die Wunder geschehen wären, die bei euch geschehen
sind, die Leute dort hätten schon längst Bußkleider* angezogen, sich Asche auf den Kopf gestreut und ihr Leben
geändert. ²² Ich versichere euch: Am Tag des Gerichts werden die Bewohner von Tyrus und Sidon besser wegkommen als ihr! ²³ Und du, Kafarnaum, meinst du, du wirst in
den Himmel erhoben werden? Du wirst in den Abgrund
gestürzt! Wenn in Sodom die Wunder geschehen wären,

die du miterlebt hast, dann würde es heute noch stehen.
²⁴Wahrhaftig, am Tag des Gerichts wird es Sodom besser
ergehen als dir!«

Nur Jesus kennt den Vater
(Lk 10,21-22)

²⁵Danach rief Jesus: »Vater, Herr über Himmel und Erde,
ich preise dich dafür, daß du den Unwissenden zeigst, was
du den Klugen und Gelehrten verborgen hast! ²⁶Ja, Vater,
so wolltest du es haben! – ²⁷Mein Vater hat alles in meine
Macht gestellt. Nur der Vater kennt den Sohn*, und nur
der Sohn kennt den Vater – und jeder, dem der Sohn ihn
zeigen will.
²⁸Ihr plagt euch mit den Geboten, die die Gesetzeslehrer* euch auferlegt haben. Kommt doch zu mir; ich will
euch die Last abnehmen! ²⁹Ich quäle euch nicht und sehe
auf keinen herab. Stellt euch unter meine Leitung und
lernt bei mir; dann findet euer Leben Erfüllung. ³⁰Was
ich anordne, ist gut für euch, und was ich euch zu tragen
gebe, ist keine Last.«

Jesus und der Sabbat
(Mk 2,23-28; Lk 6,1-5)

12 Nicht lange danach ging Jesus an einem Sabbat*
durch die Felder. Seine Jünger hatten Hunger; darum rissen sie Ähren ab und begannen, die Körner zu essen. ²Als die Pharisäer* das sahen, sagten sie zu Jesus:
»Da sieh dir an, was deine Jünger tun! Das ist nach dem
Gesetz* am Sabbat verboten!«
³Jesus antwortete ihnen: »Habt ihr nie gelesen, was David tat, als er und seine Männer hungrig waren? ⁴Er ging
in das Haus Gottes und aß mit ihnen von den geweihten
Broten*, obwohl das verboten war – denn nur Priester
dürfen davon essen. ⁵Oder habt ihr nicht im Gesetz gelesen, daß die Priester auch am Sabbat im Tempel arbeiten?
Dadurch übertreten sie die Sabbatvorschriften; trotzdem
werden sie nicht schuldig. ⁶Und ich sage euch: hier ist
mehr als der Tempel! ⁷Wenn ihr verstanden hättet, was
mit dem Wort gemeint ist: ›Ich fordere nicht von euch,
daß ihr mir Tieropfer darbringt, sondern daß ihr barmherzig seid‹, dann würdet ihr nicht Unschuldige verurteilen.

⁸ Der Menschensohn* hat das Recht, zu bestimmen, was am Sabbat geschehen darf.«

Heilung am Sabbat
(Mk 3,1-6; Lk 6,6-11)

⁹ Jesus ging weiter und kam in ihre Synagoge*. ¹⁰ Dort war ein Mann mit einer gelähmten Hand. Die Pharisäer* hätten Jesus gerne angezeigt und fragten ihn deshalb: »Ist es erlaubt, am Sabbat* zu heilen?« ¹¹ Jesus antwortete: »Wenn jemand von euch nur ein einziges Schaf hat, und es fällt an einem Sabbat in eine Grube, holt er es dann nicht heraus? ¹² Ein Mensch ist doch mehr wert als ein Schaf! Also ist es erlaubt, einem Menschen am Sabbat zu helfen.« ¹³ Dann sagte er zu dem Mann: »Streck deine Hand aus!« Der Mann streckte sie aus, und sie wurde so gesund wie die andere. ¹⁴ Da gingen die Pharisäer hinaus und wurden sich einig, daß Jesus sterben müsse.

Die erfüllte Zusage
(Mk 3,7-12; Lk 6,17-19)

¹⁵ Als Jesus davon hörte, verließ er den Ort. Viele Menschen folgten ihm. Er heilte alle Kranken, ¹⁶ verbot ihnen aber nachdrücklich, es bekanntzumachen. ¹⁷ Damit sollte in Erfüllung gehen, was der Prophet Jesaja vorausgesagt hatte: ¹⁸ »Hier ist mein Beauftragter! Ihn habe ich erwählt, ihm gilt meine Liebe, an ihm habe ich Freude. Ihm gebe ich meinen Geist*. Er wird den Völkern der Welt meine neue Rechtsordnung verkünden. ¹⁹ Er streitet nicht und macht keinen Lärm, er hält keine lauten Reden auf den Straßen. ²⁰ Das geknickte Schilfrohr zerbricht er nicht, den glimmenden Docht löscht er nicht aus. So handelt er, bis er meiner Rechtsordnung zum Sieg verholfen hat. ²¹ Auf ihn werden alle Völker ihre Hoffnung setzen.«

Woher Jesus seine Macht hat
(Lk 11,14-23; 12,10; Mk 3,22-30)

²² Dann brachte man zu Jesus einen Mann, der war blind und stumm, weil ihn ein böser Geist* beherrschte. Jesus heilte ihn, und er konnte wieder sprechen und sehen. ²³ Darüber geriet die Menge in Aufregung, und alle fragten sich: »Ist er vielleicht doch der versprochene Davids-

sohn*?« ²⁴Als die Pharisäer das hörten, widersprachen sie:
»Er kann die bösen Geister* nur austreiben, weil der
oberste aller bösen Geister ihm die Macht dazu gibt!«
    ²⁵Jesus wußte, was sie dachten, und sagte zu ihnen: »Je-
der Staat, dessen Machthaber einander befehden, muß
untergehen, und keine Stadt oder Familie, in der man miteinander im Streit liegt, kann bestehen. ²⁶Wenn der Satan
sich selbst austriebe, dann wäre er mit sich selbst uneinig.
Wie könnte dann seine Herrschaft bestehen? ²⁷Und wenn
ich böse Geister austreibe, weil ich mit dem Satan im
Bund stehe, wer gibt dann euren Leuten die Macht, böse
Geister auszutreiben? Eure eigenen Anhänger beweisen,
daß ihr im Unrecht seid. ²⁸Wenn ich aber mit Hilfe von
Gottes Geist* die bösen Geister austreibe, so könnt ihr
daran sehen, daß Gott schon angefangen hat, mitten unter
euch seine Herrschaft* aufzurichten. ²⁹Wer in das Haus
eines starken Mannes einbrechen und etwas stehlen will,
der muß doch zuerst den starken Mann fesseln; dann erst
kann er das Haus ausrauben. ³⁰Wer nicht für mich ist, der
ist gegen mich, und wer mir nicht sammeln hilft, der zerstreut. ³¹Ich sage euch: Jede Sünde und jede Gotteslästerung kann den Menschen vergeben werden; aber wer den
Geist Gottes beleidigt, der wird keine Vergebung finden.
³²Wer den Menschensohn* beschimpft, kann Vergebung
finden. Wer aber den heiligen Geist beleidigt, wird niemals Vergebung finden, weder in dieser Welt noch in der
kommenden.«

An ihren Reden kann man sie erkennen
(Lk 6,43-45)

³³»Angenommen, ein Baum ist gesund, dann kann man
gute Früchte von ihm erwarten. Ist er aber krank, so kann
man nur schlechte Früchte von ihm erwarten. An den
Früchten erkennt man den Baum. ³⁴Ihr Schlangenbrut!
Wie solltet ihr Gutes reden können, wo ihr doch böse
seid! Denn der Mund spricht nur aus, was das Herz erfüllt. ³⁵Ein guter Mensch bringt Gutes hervor, weil er im
Innersten gut ist. Ein schlechter Mensch kann nur Böses
hervorbringen, weil er von Grund auf böse ist. ³⁶Aber das
sage ich euch: Am Tag des Gerichts werden die Menschen
sich verantworten müssen für jedes unnütze Wort, das sie

gesprochen haben. ³⁷Aufgrund deiner eigenen Worte wirst du dann freigesprochen oder verurteilt werden.«

Man verlangt von Jesus einen Beweis
(Lk 11,16.29-32)

³⁸Einige Gesetzeslehrer* und Pharisäer* sagten zu Jesus: »Wir wollen von dir einen eindeutigen Beweis dafür sehen, daß du von Gott beauftragt bist!« ³⁹Jesus erwiderte: »Wie verkehrt sind doch diese Leute! Von Gott wollen sie nichts wissen, aber Beweise wollen sie sehen. Der einzige Beweis, den sie bekommen werden, entspricht dem, was mit dem Propheten Jona geschehen ist.

⁴⁰So wie Jona* drei Tage und drei Nächte im Bauch des Seeungeheuers war, so wird auch der Menschensohn* drei Tage und drei Nächte in der Tiefe der Erde verborgen sein.

⁴¹Am Tag des Gerichts werden die Bewohner von Ninive aufstehen und die Menschen von heute anklagen; denn als Jona sie warnte, haben sie ihr Leben geändert. Und hier steht ein Größerer als Jona! ⁴²Am Tag des Gerichts wird die Königin aus dem Süden aufstehen und die Menschen von heute anklagen; denn sie kam vom Ende der Welt, um die weisen Lehren Salomos zu hören. Und hier steht ein Größerer als Salomo!«

Über den Rückfall
(Lk 11,24-26)

⁴³»Wenn ein böser Geist* einen Menschen verläßt, irrt er durch Wüsten und sucht nach einer Bleibe und findet keine. ⁴⁴Dann sagt er sich: ›Ich gehe lieber wieder in meine alte Behausung!‹ Er kehrt zurück und findet alles leer, sauber und aufgeräumt. ⁴⁵Darauf geht er hin und sucht sich sieben andere böse Geister, die noch schlimmer sind als er selbst, und sie kommen und wohnen dort. So ist dieser Mensch am Ende schlimmer dran als am Anfang. Genauso wird es auch diesen Leuten ergehen.«

Die Angehörigen Jesu
(Mk 3,31-35; Lk 8,19-21)

⁴⁶Während Jesus noch zu der Menschenmenge sprach, kamen seine Mutter und seine Brüder dazu. Sie standen vor

dem Haus und wollten ihn sprechen. [47] Einer aus der
Menge sagte zu Jesus: »Deine Mutter und deine Brüder
stehen draußen und wollen dich sprechen!« [48] Jesus antwortete ihm: »Wer ist meine Mutter? Wer sind meine Brüder?« [49] Dann zeigte er auf seine Jünger* und sagte: »Hier
sind meine Mutter und meine Brüder! [50] Denn wer tut,
was mein Vater im Himmel will, der ist mein Bruder, meine Schwester und meine Mutter.«

Jesus spricht in Gleichnissen (13,1-52)
(Mk 4,1-2; Lk 8,4)

13 Am selben Tag verließ Jesus das Haus, ging an das
Seeufer und setzte sich. [2] Es kamen so viele Men-
schen zusammen, daß er in ein Boot steigen mußte. Die
Menge blieb am Ufer stehen, [3] und er sagte ihnen vieles in
Form von Gleichnissen*.

Der zuversichtliche Sämann
(Mk 4,2-9; Lk 8,5-8)

Er sagte: »Ein Bauer ging aufs Feld, um zu säen. [4] Als er
die Körner ausstreute, fiel ein Teil von ihnen auf den Weg.
Die Vögel kamen und pickten sie auf. [5] Andere fielen auf
felsigen Grund, der nur mit einer dünnen Erdschicht bedeckt war. Sie gingen rasch auf; [6] als aber die Sonne hochstieg, vertrockneten die jungen Pflanzen, weil sie nicht
genügend Erde hatten. [7] Wieder andere fielen in Dornengestrüpp, das bald das Korn überwucherte und erstickte.
[8] Doch nicht wenige fielen auch auf guten Boden und
brachten Frucht. Manche brachten hundert Körner, andere sechzig und wieder andere dreißig.« [9] Und Jesus sagte:
»Wer hören kann, soll gut zuhören!«

Warum Jesus Gleichnisse gebraucht
(Mk 4,10-12.25; Lk 8,9-10.18; 10,23-24)

[10] Die Jünger kamen zu Jesus und fragten: »Warum ge-
brauchst du Gleichnisse*, wenn du zu den Leuten redest?« [11] Jesus antwortete: »Euch läßt Gott erkennen, wie
er seine Herrschaft auf der Erde durchsetzt, die anderen
nicht. [12] Wer viel hat, dem wird noch mehr gegeben, so
daß er mehr als genug haben wird. Wer aber wenig hat,
dem wird auch noch das Wenige weggenommen, das er

hat. ¹³Aus diesem Grund benutze ich Gleichnisse, wenn
ich zu ihnen spreche. Denn sie sehen, aber erkennen
nichts; sie hören, aber verstehen nichts. ¹⁴An ihnen erfüllt
sich die Voraussage des Propheten Jesaja: ›Hört nur zu,
ihr versteht doch nichts; seht hin, soviel ihr wollt, ihr erkennt doch nichts! ¹⁵Denn dieses Volk ist im Innersten
verstockt. Sie halten sich die Ohren zu und schließen die
Augen, damit sie ja nicht sehen, hören und begreifen, sagt
Gott. Sonst würden sie zu mir umkehren, und ich könnte
sie heilen.‹ ¹⁶Ihr dagegen dürft euch freuen; denn eure
Augen können sehen und eure Ohren hören. ¹⁷Ich versichere euch: Viele Propheten und fromme Menschen wollten sehen, was ihr jetzt seht, aber sie haben es nicht gesehen. Sie wollten hören, was ihr jetzt hört, aber sie haben
es nicht gehört.«

Jesus erklärt das Gleichnis vom Sämann
(Mk 4,13-20; Lk 8,11-15)

¹⁸»Ich will euch sagen, was das Gleichnis vom Sämann bedeutet. ¹⁹Es gibt Menschen, die die Botschaft hören, daß
Gott seine Herrschaft* aufrichten will; aber sie verstehen
sie nicht. Dann kommt der Feind Gottes und reißt aus,
was in ihr Herz gesät worden ist. Bei ihnen ist es wie bei
dem Samen, der auf den Weg fällt. ²⁰Bei anderen ist es
wie bei dem Samen, der auf felsigen Grund fällt. Sie hören die Gute Nachricht und nehmen sie sogleich mit Freuden an; ²¹aber sie kann in ihnen keine Wurzeln schlagen,
weil diese Leute unbeständig sind. Wenn sie dieser Botschaft wegen in Schwierigkeiten geraten oder verfolgt
werden, werden sie gleich an ihr irre. ²²Wieder bei anderen ist es wie bei dem Samen, der in das Dornengestrüpp
fällt. Sie hören zwar die Gute Nachricht; aber sie bleibt
wirkungslos, weil diese Menschen sich in ihren Alltagssorgen verlieren und sich vom Reichtum verführen lassen.
Dadurch wird die Botschaft erstickt. ²³Bei anderen
schließlich ist es wie bei dem Samen, der auf guten Boden
fällt. Sie hören und verstehen die Gute Nachricht und
bringen Frucht, manche hundertfach, andere sechzigfach
und wieder andere dreißigfach.«

Das Unkraut im Weizen

²⁴ Dann erzählte Jesus ein anderes Gleichnis*: »Mit der neuen Welt Gottes ist es wie mit dem Mann, der guten Samen auf sein Feld gesät hatte: ²⁵ Eines Nachts, als alles schlief, kam sein Feind, säte Unkraut zwischen den Weizen und verschwand. ²⁶ Als nun der Weizen wuchs und Ähren ansetzte, schoß auch das Unkraut auf. ²⁷ Da kamen die Arbeiter zum Gutsherrn und fragten: ›Herr, du hast doch guten Samen auf deinen Acker gesät, woher kommt das ganze Unkraut?‹ ²⁸ Der Gutsherr antwortete ihnen: ›Das muß einer getan haben, der mir schaden will.‹ Die Arbeiter fragten: ›Sollen wir hingehen und das Unkraut ausreißen?‹ ²⁹ ›Nein‹, sagte der Gutsherr, ›sonst könntet ihr aus Versehen den Weizen mit ausreißen. ³⁰ Laßt beides bis zur Ernte wachsen. Wenn es soweit ist, will ich den Erntearbeitern sagen: Sammelt zuerst das Unkraut ein und bündelt es, damit es verbrannt wird. Aber den Weizen schafft in meine Scheune.‹«

Senfkorn und Sauerteig:
Der entscheidende Anfang ist gemacht
(Lk 13,18-21; Mk 4,30-32)

³¹ Jesus erzählte noch ein anderes Gleichnis*: »Wenn Gott seine Herrschaft* aufrichtet, geht es ähnlich zu wie bei einem Senfkorn, das jemand auf seinen Acker gesät hat. ³² Es gibt keinen kleineren Samen; aber was daraus wächst, wird größer als alle anderen Gartenpflanzen. Es wird ein richtiger Baum, in dessen Zweigen die Vögel nisten können.
³³ Oder es ist wie beim Sauerteig: Eine Frau mengt ihn unter einen halben Zentner Mehl, und er macht den ganzen Teig sauer.«

Noch einmal: Warum Gleichnisse?
(Mk 4,33-34)

³⁴ Das alles erzählte Jesus der Menschenmenge in Form von Gleichnissen; nichts sagte er ihnen, ohne Gleichnisse zu gebrauchen. ³⁵ Damit sollte sich erfüllen, was Gott durch den Propheten angekündigt hatte: »Ich will in Gleichnissen reden, nur in Gleichnissen will ich auf-

decken, was seit der Erschaffung der Welt verborgen
war.«

Jesus erklärt das Gleichnis vom Unkraut

³⁶ Dann schickte Jesus die Menschenmenge weg und ging
ins Haus. Seine Jünger traten an ihn heran mit der Bitte:
»Erkläre uns doch das Gleichnis vom Unkraut auf dem
Acker!«

³⁷ Jesus antwortete: »Der Mann, der den guten Samen
aussät, ist der Menschensohn*. ³⁸ Der Acker ist die Welt,
und der gute Same sind die Menschen, die sich der Herrschaft* Gottes unterstellen. Das Unkraut sind die, die
dem Feind Gottes gehorchen. ³⁹ Der Feind, der das Unkraut gesät hat, ist der Teufel. Die Ernte ist das Ende der
Welt, und die Erntearbeiter sind die Engel. ⁴⁰ Wie das Unkraut eingesammelt und verbrannt wird, so wird es auch
am Ende der Welt zugehen: ⁴¹ Der Menschensohn wird
seine Engel aussenden, und sie werden aus seinem Herr-
schaftsgebiet alle einsammeln, die Gott ungehorsam waren und auch andere zum Ungehorsam verleitet haben.
⁴² Sie werden sie in den glühenden Ofen werfen, wo sie
heulen und mit den Zähnen knirschen. ⁴³ Dann werden alle, die Gott gehorcht haben, in der neuen Welt Gottes, ihres Vaters, so hell strahlen wie die Sonne. – Wer hören
kann, soll gut zuhören!«

Der versteckte Schatz und die Perle

⁴⁴ »Mit der neuen Welt, in die Gott die Menschen ruft, ist
es wie mit einem Schatz, der in einem Feld vergraben war.
Ein Mann findet ihn und deckt ihn schnell wieder zu. In
seiner Freude verkauft er alles, was er hat, und kauft das
Feld.

⁴⁵ Wer Gottes Einladung versteht, der handelt wie ein
Kaufmann, der schöne Perlen sucht. ⁴⁶ Wenn er eine entdeckt, die besonders wertvoll ist, verkauft er alles, was er
hat, und kauft sie.«

Das Gleichnis vom Netz

⁴⁷ »Wenn Gott seine Herrschaft* aufrichtet, ist es wie mit
dem Netz, das im See ausgeworfen wird und mit dem man
Fische von jeder Art einfängt. ⁴⁸ Ist das Netz voll, so zie-

hen es die Fischer an Land, setzen sich hin und sortieren den Fang. Die guten Fische kommen in Körbe, die unbrauchbaren werden weggeworfen. ⁴⁹ So wird es am Ende der Welt sein. Die Engel Gottes werden kommen und die, die nicht nach Gottes Willen gelebt haben, von denen trennen, die getan haben, was Gott will. ⁵⁰ Sie werden die Ungehorsamen in den glühenden Ofen werfen; dort werden sie heulen und mit den Zähnen knirschen.«

Neue Gesetzeslehrer

⁵¹»Habt ihr das alles verstanden?« fragte Jesus seine Jünger, und sie antworteten: »Ja!« ⁵² Da sagte er: »Darum wird es von jetzt an neue Gesetzeslehrer* geben, solche, die gelernt haben, was es mit der Herrschaft Gottes auf sich hat. Ein solcher Gesetzeslehrer kann mit einem Hausherrn verglichen werden, der aus seiner Vorratskammer Neues und Altes herausholt.«

Jesus in Nazaret
(Mk 6,1-6; Lk 4,16-30)

⁵³ Nachdem Jesus diese Gleichnisse* erzählt hatte, verließ er die Gegend ⁵⁴ und ging in seine Heimatstadt. Dort lehrte er in der Synagoge*, und alle, die ihn hörten, waren sehr verwundert. »Woher hat er diese Weisheit«, fragten sie einander, »und woher die Kraft, solche Wunder zu tun? ⁵⁵ Ist er nicht der Sohn des Zimmermanns?° Ist nicht Maria seine Mutter, und sind nicht Jakobus, Josef, Simon und Judas seine Brüder? ⁵⁶ Leben nicht auch seine Schwestern hier bei uns? Woher hat er das alles?« ⁵⁷ Darum wollten sie nichts von ihm wissen. Aber Jesus sagte zu ihnen: »Ein Prophet wird überall geachtet, nur nicht in seiner Heimat und in seiner Familie.« ⁵⁸ Weil sie ihm das Vertrauen verweigerten, tat er dort nur wenige Wunder.

Der Tod des Täufers Johannes
(Mk 6,14-29; Lk 9,7-9)

14 Zu dieser Zeit hörte Herodes, der Fürst jener Gegend, was man sich von Jesus erzählte. ²»Das ist der Täufer Johannes«, sagte er zu seinen Leuten. »Er ist vom Tod auferstanden, darum kann er solche Taten vollbringen.«

³ Herodes hatte nämlich Johannes festnehmen und gefesselt ins Gefängnis werfen lassen. Der Grund dafür war: Herodes hatte seinem Bruder Philippus die Frau, Herodias, weggenommen und sie geheiratet. ⁴ Johannes hatte ihm daraufhin vorgehalten: »Es war dir nicht erlaubt, sie zu heiraten.« ⁵ Herodes hätte ihn deshalb gerne getötet; aber er hatte Angst vor dem Volk, das Johannes für einen Propheten hielt.

⁶ Als nun Herodes Geburtstag hatte, tanzte die Tochter von Herodias vor den Gästen. Das gefiel Herodes so gut, ⁷ daß er ihr versprach: »Ich schwöre dir, ich gebe dir alles, was du willst.« ⁸ Auf Anraten ihrer Mutter bat sie: »Laß mir den Kopf des Täufers Johannes auf einem Teller hierherbringen!« ⁹ Da wurde Herodes traurig, aber weil er vor allen Gästen einen Schwur geleistet hatte, befahl er, den Wunsch des Mädchens zu erfüllen. ¹⁰ Er schickte den Henker ins Gefängnis; der enthauptete Johannes ¹¹ und brachte den Kopf auf einem Teller und überreichte ihn dem Mädchen. Das gab ihn seiner Mutter weiter.

¹² Die Jünger von Johannes holten den Toten und begruben ihn. Danach gingen sie zu Jesus und berichteten ihm, was geschehen war.

Jesus gibt fünftausend Menschen zu essen
(Mk 6,30-44; Lk 9,10-17; Joh 6,1-13)

¹³ Als Jesus das erfahren hatte, zog er sich zurück und fuhr mit dem Boot an eine einsame Stelle. Aber die Leute merkten es und folgten ihm aus allen Orten auf dem Landweg. ¹⁴ Als Jesus aus dem Boot stieg, sah er eine riesige Menschenmenge vor sich. Da erfaßte ihn Mitleid, und er heilte ihre Kranken.

¹⁵ Darüber wurde es Abend. Seine Jünger kamen zu ihm und sagten: »Es ist schon spät, und die Gegend hier ist einsam. Schick doch die Leute in die Dörfer, damit sie sich etwas zu essen kaufen!« ¹⁶ Jesus antwortete ihnen: »Es ist nicht nötig, daß sie weggehen. Gebt ihr ihnen zu essen!« ¹⁷ Sie hielten ihm entgegen: »Wir haben nur fünf Brote und zwei Fische.« ¹⁸ »Bringt sie mir her!« sagte Jesus.

¹⁹ Er forderte die Leute auf, sich ins Gras zu setzen. Dann nahm er die fünf Brote und die zwei Fische, sah

zum Himmel auf und dankte Gott. Er brach die Brote in Stücke, gab sie den Jüngern, und die verteilten sie an die Menge. ²⁰Alle bekamen genug zu essen. Die Jünger füllten sogar noch zwölf Körbe mit dem, was übrigblieb.

²¹Etwa fünftausend Männer hatten an der Mahlzeit teilgenommen, dazu noch Frauen und Kinder.

Jesus geht auf dem Wasser
(Mk 6,45-52; Joh 6,15-21)

²²⁻²³Gleich darauf schickte Jesus seine Jünger im Boot voraus ans andere Seeufer. Er selbst ließ die Leute nach Hause gehen und stieg dann allein auf einen Berg, um zu beten. Als es dunkel wurde, war er immer noch dort. ²⁴Das Boot mit den Jüngern war inzwischen weit draußen auf dem See. Der Wind trieb ihnen die Wellen entgegen und machte ihnen schwer zu schaffen. ²⁵Gegen Morgen kam Jesus auf dem Wasser zu ihnen. ²⁶Als sie ihn auf dem Wasser gehen sahen, erschraken sie. Sie meinten, es sei ein Gespenst, und schrien vor Angst. ²⁷Sofort sprach Jesus sie an: »Erschreckt nicht! *Ich* bin's,° habt keine Angst!«

²⁸Da sagte Petrus: »Herr, wenn du es wirklich bist, dann befiehl mir, auf dem Wasser zu dir zu kommen!« ²⁹»Komm!« sagte Jesus. Petrus verließ das Boot und ging auf dem Wasser auf Jesus zu. ³⁰Als er aber die hohen Wellen sah, bekam er Angst. Er begann zu sinken und schrie: »Hilf mir, Herr!« ³¹Jesus streckte sofort seine Hand aus, faßte Petrus und sagte: »Du hast zu wenig Vertrauen! Warum bist du so halbherzig?« ³²Dann stiegen beide ins Boot, und der Sturm legte sich. ³³Da warfen sich die Jünger im Boot vor Jesus nieder und riefen: »Du bist wirklich der Sohn* Gottes.«

Jesus heilt Kranke in Gennesaret
(Mk 6,53-56)

³⁴Sie überquerten den See und landeten bei Gennesaret. ³⁵Die Bewohner des Ortes erkannten Jesus und verbreiteten die Nachricht von seiner Ankunft in der ganzen Umgebung. Daraufhin brachte man alle Kranken zu ihm ³⁶und bat ihn, ob sie nicht wenigstens eine Quaste* seines Gewandes berühren dürften. Und alle, die es taten, wurden gesund.

Falscher Gottesdienst
(Mk 7,1-13)

15 Dann kamen einige Pharisäer* und Gesetzeslehrer* aus Jerusalem zu Jesus und fragten ihn: ²»Warum richten sich deine Jünger nicht nach den Vorschriften* der Vorfahren? Warum reinigen* sie sich nicht die Hände vor dem Essen?« ³Jesus antwortete ihnen: »Und warum übertretet ihr das Gebot Gottes euren Vorschriften zuliebe? ⁴Gott hat gesagt: ›Ehre deinen Vater und deine Mutter!‹ und: ›Wer zu seinem Vater oder seiner Mutter etwas Schändliches sagt, wird mit dem Tod bestraft.‹ ⁵Ihr dagegen behauptet: ›Wenn jemand zu seinem Vater oder seiner Mutter sagt: Was ich euch eigentlich geben müßte, ist für Gott bestimmt° – ⁶dann braucht er seine Eltern nicht mehr durch Unterstützung zu ehren.‹ So macht ihr Gottes Gebot ungültig durch eure eigenen Vorschriften. ⁷Ihr Scheinheiligen, treffend hat der Prophet Jesaja von euch gesprochen: ⁸›Dieses Volk da ehrt mich nur mit Worten, sagt Gott, aber mit dem Herzen ist es weit weg von mir. ⁹Ihr ganzer Gottesdienst ist sinnlos, denn sie lehren nur Gebote, die sich Menschen ausgedacht haben.‹«

Über rein und unrein
(Mk 7,14-23)

¹⁰Dann rief Jesus die Menge zu sich und sagte: »Hört zu und versteht! ¹¹Nicht das macht den Menschen unrein*, was er durch den Mund in sich aufnimmt, sondern das, was aus seinem Mund herauskommt!«

¹²Darauf kamen seine Jünger zu ihm und sagten: »Weißt du, daß die Pharisäer* über deine Worte empört sind?« ¹³Jesus antwortete: »Alles, was mein Vater im Himmel nicht selbst gepflanzt hat, wird ausgerissen werden. ¹⁴Laßt sie doch! Sie wollen Blinde führen und sind selbst blind. Wenn ein Blinder den anderen führt, fallen beide in die Grube.«

¹⁵Da sagte Petrus: »Erkläre uns doch, was du mit dem Wort von der Unreinheit gemeint hast!« ¹⁶»Habt ihr auch noch nichts verstanden?« erwiderte Jesus. ¹⁷»Begreift ihr nicht, daß alle Nahrung durch den Mund in den Magen

geht und dann vom Körper wieder ausgeschieden wird? [18] Was aber aus dem Mund herauskommt, kommt aus dem Herzen, und das macht den Menschen unrein. [19] Denn aus dem Herzen kommen die bösen Gedanken und mit ihnen Mord, Ehebruch, Unzucht, Diebstahl, Verleumdungen und Beleidigungen. [20] Das ist es, was den Menschen unrein macht, aber nicht, daß er es unterläßt, sich vor dem Essen die Hände zu reinigen.«

Das Vertrauen einer nichtjüdischen Frau
(Mk 7,24-30)

[21] Jesus verließ die Gegend und zog sich in das Gebiet von Tyrus und Sidon zurück. [22] Eine kanaanitische° Frau, die dort wohnte, kam zu ihm und rief: »Herr, du Sohn Davids*, hab Erbarmen mit mir! Meine Tochter wird von einem bösen Geist* sehr geplagt.« [23] Aber Jesus gab ihr keine Antwort. Schließlich drängten ihn die Jünger: »Sieh zu, daß du sie loswirst; sie schreit ja hinter uns her!« [24] Aber Jesus sagte: »Ich bin nur zu der verlorenen Herde, dem Volk Israel, gesandt worden.«

[25] Da warf die Frau sich vor Jesus nieder und sagte: »Hilf mir doch, Herr!« [26] Er antwortete: »Es ist nicht recht, den Kindern das Brot wegzunehmen und es den Hunden vorzuwerfen.« [27] »Gewiß, Herr«, sagte sie; »aber die Hunde bekommen doch wenigstens die Brotkrumen, die vom Tisch ihrer Herren herunterfallen.« [28] Da sagte Jesus zu ihr: »Du hast ein großes Vertrauen, Frau! Was du willst, soll geschehen.« Im selben Augenblick wurde ihre Tochter gesund.

Jesus heilt viele Kranke
(Mk 7,31-37)

[29] Jesus ging von dort weg und kam an den See von Galiläa. Er stieg auf einen Berg und setzte sich. [30] Eine große Menschenmenge kam zu ihm mit vielen Gelähmten, Blinden, Stummen und vielen anderen Behinderten. Man legte sie vor seinen Füßen nieder, und er heilte sie. [31] Die Leute staunten, als sie sahen, daß die Stummen sprachen, die Gelähmten umherliefen, die Blinden sahen und die anderen Behinderten wiederhergestellt waren. Laut priesen sie den Gott Israels.

Jesus gibt viertausend Menschen zu essen
(Mk 8,1-10)

³² Danach rief Jesus seine Jünger zu sich und sagte: »Diese Menschen tun mir leid. Seit drei Tagen sind sie hier bei mir und haben nichts zu essen. Ich will sie jetzt nicht hungrig nach Hause schicken, sie könnten sonst unterwegs zusammenbrechen.« ³³ Aber die Jünger sagten: »Wo sollen wir hier in dieser unbewohnten Gegend genug Brot bekommen, um so viele satt zu machen?« ³⁴ »Wieviele Brote habt ihr?« fragte Jesus, und sie antworteten: »Sieben, und noch ein paar kleine Fische.« ³⁵ Da forderte er die Leute auf, sich auf die Erde zu setzen.

³⁶ Dann nahm er die sieben Brote und die Fische, sprach darüber das Dankgebet, brach die Brote in Stücke und gab sie seinen Jüngern; und die verteilten alles an die Menge. ³⁷ Alle hatten zu essen und wurden satt. Die Jünger füllten sogar noch sieben Körbe mit dem, was übrigblieb. ³⁸ Etwa viertausend Männer hatten an der Mahlzeit teilgenommen, dazu noch Frauen und Kinder. ³⁹ Dann schickte Jesus die Leute nach Hause, stieg in ein Boot und fuhr in das Gebiet von Magadan.

Die Pharisäer fordern einen Beweis
(Mk 8,11-13; Lk 12,54-56)

16 Einige Pharisäer* und Sadduzäer* kamen zu Jesus, um ihn auf die Probe zu stellen. Sie verlangten von ihm ein Zeichen vom Himmel als Beweis dafür, daß er wirklich von Gott beauftragt sei. ² Aber Jesus antwortete ihnen:° »Wenn der Abendhimmel rot ist, dann sagt ihr: ›Morgen gibt es schönes Wetter.‹ ³ Und wenn der Morgenhimmel rot und verhangen ist, sagt ihr: ›Es wird regnen.‹ Ihr könnt also das Aussehen des Himmels beurteilen und schließt daraus, wie das Wetter wird. Warum versteht ihr dann nicht, was die Ereignisse dieser Zeit ankündigen? ⁴ Wie verkehrt sind doch diese Leute! Von Gott wollen sie nichts wissen, aber Beweise wollen sie sehen. Der einzige Beweis, den sie bekommen werden, entspricht dem, was mit dem Propheten Jona* geschehen ist.« Damit ließ er sie stehen und ging weg.

Unverständige Jünger
(Mk 8,14-21)

⁵Als die Jünger mit Jesus zum anderen Seeufer hinüber-
fuhren, hatten sie vergessen, Brot mitzunehmen. ⁶Jesus
sagte zu ihnen: »Nehmt euch in acht vor dem Sauerteig*
der Pharisäer und Sadduzäer!« ⁷⁻⁸Die Jünger bezogen das
auf ihr Versäumnis; aber Jesus kannte ihre Gedanken und
sagte: »Was macht ihr euch Sorgen, weil ihr kein Brot
habt? Habt ihr so wenig Vertrauen? ⁹Habt ihr immer
noch nichts begriffen? Habt ihr ganz vergessen, wie ich
die fünf Brote an fünftausend Menschen verteilt habe?
Und wieviel Körbe mit Resten ihr da eingesammelt habt?
¹⁰Und dann die sieben Brote für die viertausend – wieviel
Körbe mit Resten waren es da? ¹¹Ihr müßtet doch merken, daß ich nicht vom Brot spreche. Nehmt euch in acht
vor dem Sauerteig der Pharisäer und Sadduzäer!« ¹²Da
endlich verstanden sie, daß er nicht den Sauerteig gemeint
hatte, den man zum Brotbacken nimmt, sondern die Lehre der Pharisäer* und Sadduzäer*.

Du bist Christus! – Du bist Petrus!
(Mk 8,27-30; Lk 9,18-21)

¹³Als Jesus in die Gegend der Stadt Cäsarea Philippi kam,
fragte er seine Jünger: »Für wen halten die Leute den
Menschensohn*?« ¹⁴Sie antworteten: »Einige halten dich
für den Täufer Johannes, andere für Elija, und wieder andere meinen, du seist Jeremia oder sonst einer von den
Propheten.«
¹⁵»Und ihr«, wollte Jesus wissen, »für wen haltet ihr
mich?« ¹⁶Da sagte Simon Petrus: »Du bist Christus*, der
Sohn des lebendigen Gottes!« ¹⁷Darauf sagte Jesus zu
ihm: »Du darfst dich freuen, Simon, Sohn von Johannes,°
denn diese Erkenntnis hast du nicht aus dir selbst; mein
Vater im Himmel hat sie dir gegeben. ¹⁸Darum sage ich
dir: Du bist Petrus*; und auf diesen Felsen will ich meine
Gemeinde bauen! Kein Feind wird sie vernichten können,
nicht einmal der Tod. ¹⁹Dir will ich die Schlüssel zu Gottes neuer Welt geben. Was du hier auf der Erde für verbindlich erklären wirst, das wird auch vor Gott verbindlich sein; und was du für nicht verbindlich erklären wirst,

das wird auch vor Gott nicht verbindlich sein.«° ²⁰Dann schärfte Jesus den Jüngern ein:»Sagt keinem, daß ich der versprochene Retter* bin.«

Die erste Todesankündigung
(Mk 8,31-33; Lk 9,22)

²¹Danach erklärte Jesus seinen Jüngern zum erstenmal, was ihm bevorstand:»Ich muß nach Jerusalem gehen. Dort werde ich durch die Ratsältesten*, die führenden Priester* und die Gesetzeslehrer* vieles erleiden müssen. Man wird mich töten, doch am dritten Tag werde ich auferweckt werden.«

²²Da nahm Petrus ihn beiseite und machte ihm Vorhaltungen:»Herr, das darf nicht sein, nie darf dir so etwas zustoßen!« ²³Aber Jesus sah ihn an und sagte:»Geh weg, du Satan, du willst mich von meinem Weg abbringen! Was du im Sinn hast, entspricht nicht Gottes Willen, sondern menschlichen Wünschen.«

Jesus das Kreuz nachtragen
(Mk 8,34-9,1; Lk 9,23-27)

²⁴Dann sagte Jesus zu seinen Jüngern:»Wer mit mir gehen will, der muß sich und seine Wünsche aufgeben. Er muß sein Kreuz auf sich nehmen und mir auf meinem Weg folgen. ²⁵Denn wer sein Leben retten will, wird es verlieren. Aber wer sein Leben um meinetwillen verliert, wird es gewinnen. ²⁶Was hat ein Mensch davon, wenn er die ganze Welt gewinnt, aber zuletzt sein Leben verliert? ²⁷Denn der Menschensohn* wird in der Herrlichkeit* seines Vaters mit seinen Engeln kommen und jedem vergelten nach seinem Tun. ²⁸Ihr könnt euch darauf verlassen: einige von euch, die jetzt hier stehen, werden noch zu ihren Lebzeiten sehen, wie der Menschensohn seine Herrschaft antritt.«

Drei Jünger sehen Jesu Herrlichkeit
(Mk 9,2-13; Lk 9,28-36)

17 Sechs Tage später nahm Jesus Petrus und die beiden Brüder Jakobus und Johannes mit sich und führte sie auf einen hohen Berg. Sonst war niemand bei ihnen. ²Vor den Augen der Jünger ging mit Jesus eine

Verwandlung vor: sein Gesicht leuchtete wie die Sonne, und seine Kleider wurden strahlend weiß. ³Auf einmal sahen sie Mose und Elija bei Jesus stehen und mit ihm reden. ⁴Da sagte Petrus zu Jesus: »Wie gut, daß wir hier sind, Herr! Wenn du willst, schlage ich hier drei Zelte auf, eins für dich, eins für Mose und eins für Elija.« ⁵Während er noch redete, erschien eine leuchtende Wolke über ihnen, und eine Stimme aus der Wolke sagte: »Dies ist mein Sohn*, ihm gilt meine Liebe, ihn habe ich erwählt. Auf ihn sollt ihr hören!« ⁶Als die Jünger diese Worte hörten, warfen sie sich voller Angst zu Boden. ⁷Aber Jesus trat zu ihnen, berührte sie und sagte: »Steht auf, habt keine Angst!« ⁸Als sie aufblickten, sahen sie nur noch Jesus.

⁹Während sie den Berg hinunterstiegen, befahl ihnen Jesus: »Sprecht zu niemand über das, was ihr gesehen habt, bis der Menschensohn* vom Tod auferweckt ist.«

¹⁰Da fragten ihn die Jünger: »Warum behaupten die Gesetzeslehrer*, daß vor dem Ende erst noch Elija wiederkommen muß?« ¹¹Jesus sagte: »Gewiß, Elija muß kommen und das ganze Volk Gottes wiederherstellen. ¹²Aber ich sage euch: Elija ist schon gekommen, und niemand hat ihn erkannt, sondern sie haben mit ihm gemacht, was sie wollten. So wird auch der Menschensohn durch sie zu leiden haben.« ¹³Da verstanden die Jünger, daß er vom Täufer Johannes sprach.

Jesus heilt ein epileptisches Kind

(Mk 9,14-29; Lk 7,37-43)

¹⁴Als sie zu den Leuten zurückkehrten, kam ein Mann zu Jesus, fiel vor ihm auf die Knie ¹⁵und sagte: »Herr, hab Erbarmen mit meinem Sohn! Er leidet an Epilepsie° und hat so furchtbare Anfälle, daß er oft ins Wasser oder auch ins Feuer fällt. ¹⁶Ich habe ihn zu deinen Jüngern gebracht, aber sie konnten ihn nicht davon heilen.« ¹⁷Da sagte Jesus: »Was seid ihr doch für verkehrte Leute; ihr habt kein Vertrauen zu Gott! Wie lange soll ich noch bei euch aushalten und euch ertragen? Bringt den Jungen her!« ¹⁸Jesus bedrohte den bösen Geist*, und er verließ den Kranken. Der Junge war von da an gesund.

¹⁹Später kamen die Jünger allein zu Jesus und fragten ihn: »Warum konnten wir den bösen Geist nicht austrei-

ben?« ²⁰»Weil euer Vertrauen nicht groß genug war«, sagte Jesus. »Ich versichere euch: wenn euer Vertrauen auch nur so groß ist wie ein Senfkorn, dann könnt ihr zu diesem Berg sagen: ›Geh von hier nach dort‹, und er wird es tun. Dann ist euch nichts mehr unmöglich.«°

Zweite Todesankündigung
(Mk 9,30-32; Lk 9,43-45)

²²Als die Jünger in Galiläa beisammen waren, sagte Jesus zu ihnen: »Bald wird der Menschensohn* den Menschen ausgeliefert. ²³Sie werden ihn töten, doch am dritten Tag wird er auferweckt werden.« Da wurden sie sehr traurig.

Über die Tempelsteuer

²⁴Als Jesus und seine Jünger in Kafarnaum eintrafen, kamen die Kassierer der Tempelsteuer* zu Petrus und fragten ihn: »Zahlt euer Lehrer keine Tempelsteuer?« ²⁵»Doch!« sagte Petrus. Als Petrus ins Haus kam, fragte ihn Jesus: »Was meinst du, Simon? Von wem nehmen die Könige dieser Erde Tribut oder Zoll? Von ihren eigenen Leuten oder von den Fremden?« ²⁶»Von den Fremden«, sagte Petrus. Jesus antwortete: »Das heißt also, daß die eigenen Leute nichts zu zahlen brauchen. ²⁷Aber wir wollen sie nicht unnötig verärgern. Geh an den See und wirf die Angel aus. Nimm den ersten Fisch, den du fängst, und öffne ihm das Maul. Du wirst darin ein Geldstück finden. Nimm es und bezahle damit die Steuer für uns beide!«

Anweisungen für die Gemeinde (18,1-35)
(Mk 9,33-37; Lk 9,46-48)

18 Um diese Zeit kamen die Jünger zu Jesus und fragten ihn: »Wer ist in der neuen Welt Gottes der Größte?« ²Da rief Jesus ein Kind herbei, stellte es in ihre Mitte ³und sagte: »Ich versichere euch, wenn ihr euch nicht ändert und den Kindern gleich werdet, dann könnt ihr in Gottes neue Welt überhaupt nicht hineinkommen. ⁴Wer so wenig aus sich macht wie dieses Kind, der ist in der neuen Welt Gottes der Größte. ⁵Und wer in meinem Namen solch ein Kind aufnimmt, der nimmt mich auf.«

Warnung vor jeder Art von Verführung
(Mk 9,42–48; Lk 17,1–3 a)

⁶»Wer auch nur einen einfachen Menschen, der mir vertraut, an mir irre werden läßt, der käme noch gut weg,
wenn man ihn mit einem Mühlstein um den Hals ins Meer
werfen würde. ⁷Es steht schlimm mit dieser Welt*, weil es
in ihr Dinge gibt, durch die Menschen das Vertrauen zu
Gott verlieren können. Das ist wohl unvermeidlich; aber
wehe dem, der daran mitschuldig wird!

⁸Wenn deine Hand oder dein Fuß dich zum Bösen verführen, dann hau sie ab und wirf sie weg. Es ist besser für
dich, mit nur einer Hand oder einem Fuß bei Gott zu leben, als mit beiden Händen und Füßen ins ewige Feuer
geworfen zu werden. ⁹Und wenn dich dein Auge zum Bösen verführt, dann reiß es aus und wirf es weg. Es ist besser für dich, mit nur einem Auge ewig zu leben, als mit
beiden Augen in die Hölle zu kommen.«

Das Gleichnis vom verlorenen Schaf
(Lk 15,3–7)

¹⁰»Hütet euch davor, die einfachen Menschen in der Gemeinde überheblich zu behandeln. Denn das kann ich
euch sagen: ihre Engel* haben immer Zugang zu meinem
Vater im Himmel.° ¹²Was meint ihr: Was wird ein Mann
tun, der hundert Schafe hat, und eins davon hat sich verlaufen? Wird er nicht die neunundneunzig im Bergland
weitergrasen lassen und das verirrte suchen? ¹³Und wenn
er es findet – ich versichere euch: er wird sich über das
eine Schaf mehr freuen als über die neunundneunzig, die
sich nicht verlaufen haben. ¹⁴Genauso ist es mit eurem
Vater im Himmel: Er will nicht, daß auch nur einer dieser
einfachen Menschen verlorengeht.«

Von der Verantwortung für den Bruder
(Lk 17,3b)

¹⁵»Wenn dein Bruder dir unrecht getan hat, dann geh zu
ihm hin und stell ihn unter vier Augen zur Rede. Wenn er
mit sich reden läßt, hast du ihn als Bruder zurückgewon-
nen. ¹⁶Wenn er aber nicht auf dich hört, dann geh wieder
hin, diesmal mit einem oder zwei anderen, denn jede Sa-

che soll ja aufgrund der Aussagen von zwei oder drei Zeugen entschieden werden. [17] Wenn er dann immer noch nicht hören will, bring die Angelegenheit vor die Gemeinde. Wenn er nicht einmal auf die Gemeinde hört, dann behandle ihn wie einen Ungläubigen oder einen Betrüger. [18] Ich versichere euch: Was ihr hier auf der Erde für verbindlich erklären werdet, das wird auch vor Gott verbindlich sein; und was ihr für nicht verbindlich erklären werdet, das wird auch vor Gott nicht verbindlich sein.°

[19] Aber auch das sage ich euch: Wenn zwei von euch auf der Erde gemeinsam um irgend etwas bitten, wird es ihnen von meinem Vater im Himmel gegeben werden. [20] Denn wo zwei oder drei in meinem Namen zusammenkommen, da bin ich selbst in ihrer Mitte.«

Das Gleichnis vom hartherzigen Schuldner
(Lk 17,4)

[21] Da wandte sich Petrus an Jesus und fragte ihn: »Herr, wenn mein Bruder an mir schuldig wird, wie oft muß ich ihm verzeihen? Siebenmal?« [22] »Nein, nicht siebenmal«, antwortete Jesus, »sondern siebzigmal siebenmal!« Und er fuhr fort:

[23] »Wenn Gott seine Herrschaft* aufrichtet, handelt er wie ein König, der mit den Verwaltern seiner Güter abrechnen wollte. [24] Gleich zu Beginn brachte man ihm einen Mann, der ihm einen Millionenbetrag schuldete. [25] Da er nicht zahlen konnte, befahl der Herr, ihn selbst mit Frau und Kindern und seinem ganzen Besitz zu verkaufen und den Erlös für die Tilgung der Schulden zu verwenden. [26] Aber der Schuldner warf sich vor ihm nieder und bat: ›Hab doch Geduld mit mir! Ich will dir ja alles zurückzahlen.‹ [27] Da bekam der Herr Mitleid; er gab ihn frei, und auch die Schuld erließ er ihm.

[28] Kaum draußen, traf dieser Mann auf einen Kollegen, der ihm einen geringen Betrag schuldete. Den packte er an der Kehle, würgte ihn und sagte: ›Gib zurück, was du mir schuldest!‹ [29] Der Schuldner fiel auf die Knie und bettelte: ›Hab Geduld mit mir! Ich will es dir ja zurückgeben!‹ [30] Aber darauf wollte sein Gläubiger nicht eingehen, sondern ließ ihn sofort ins Gefängnis werfen, bis er die Schuld beglichen hätte.

³¹Als das die anderen sahen, waren sie bestürzt. Sie liefen zu ihrem Herrn und erzählten ihm, was geschehen war. ³²Er ließ den Mann kommen und sagte: ›Was bist du für ein böser Mensch! Ich habe dir deine ganze Schuld erlassen, weil du mich darum gebeten hast. ³³Hättest du nicht auch Erbarmen mit deinem Kollegen haben können, so wie ich es mit dir gehabt habe?‹ ³⁴Dann übergab er ihn voller Zorn den Folterknechten zur Bestrafung, bis die ganze Schuld zurückgezahlt wäre.

³⁵So wird euch mein Vater im Himmel auch behandeln, wenn ihr eurem Bruder nicht von Herzen verzeiht.«

Aufbruch nach Judäa
(Mk 10,1)

19 Als Jesus seinen Jüngern das alles gesagt hatte, ging er von Galiläa weg und kam in das judäische Gebiet auf der anderen Seite ˮdes Jordans. ²Sehr viele Menschen folgten ihm dorthin, und er heilte sie.

Über Ehescheidung und Ehelosigkeit
(Mk 10,2-12)

³Da kamen einige Pharisäer* zu ihm und versuchten, ihm eine Falle zu stellen. Sie fragten ihn: »Ist es erlaubt, daß ein Mann seine Frau aus jedem beliebigen Grund wegschickt?« ⁴Jesus antwortete: »Habt ihr nicht gelesen, was in den heiligen Schriften* steht? Dort heißt es, daß Gott am Anfang den Menschen als Mann und Frau geschaffen hat. ⁵Und er hat gesagt: ›Deshalb verläßt ein Mann Vater und Mutter, um mit seiner Frau zu leben. Die zwei sind dann eins, mit Leib und Seele.‹ ⁶Sie sind also nicht mehr zwei, sondern eins. Und was Gott zusammengefügt hat, sollen Menschen nicht scheiden.«

⁷Die Pharisäer fragten: »Wie kommt es dann, daß nach dem Gesetz* Moses der Mann seine Frau mit einer Scheidungsurkunde* wegschicken kann?« ⁸Jesus antwortete: »Mose hat euch die Ehescheidung nur zugestanden, weil ihr so hartherzig seid. Aber das war ursprünglich nicht so. ⁹Darum sage ich euch: Wer sich von seiner Frau trennt und eine andere heiratet, begeht Ehebruch, es sei denn, er hat mit ihr in einer vom Gesetz verbotenen Verbindung gelebt.«°

¹⁰ Da sagten seine Jünger zu ihm: »Wenn es zwischen Mann und Frau so steht, sollte man lieber gar nicht heiraten.« ¹¹ Aber Jesus antwortete: »Was ich jetzt sage, kann nicht jeder verstehen, sondern nur die, denen Gott das Verständnis gegeben hat. ¹² Es gibt verschiedene Gründe, warum jemand nicht heiratet. Manche Menschen sind von Geburt an eheunfähig, manche – wie die Eunuchen – sind es durch einen späteren Eingriff geworden. Noch andere verzichten von sich aus auf die Ehe, weil sie ganz davon in Anspruch genommen sind, daß Gott jetzt seine Herrschaft aufrichtet. Versteht es, wenn ihr könnt!«

Jesus und die Kinder
(Mk 10,13-16; Lk 18,15-17)

¹³ Einige Leute brachten ihre Kinder zu Jesus, damit er ihnen die Hände auflege und für sie bete; aber die Jünger wiesen sie ab. ¹⁴ Da sagte Jesus: »Laßt die Kinder in Ruhe! Hindert sie nicht, zu mir zu kommen; denn gerade für Menschen wie sie steht Gottes neue Welt offen.« ¹⁵ Dann legte er den Kindern die Hände auf und ging von dort weg.

Die Gefahr des Reichtums
(Mk 10,17-31; Lk 18,18-30)

¹⁶ Einmal kam ein Mann zu Jesus und fragte ihn: »Lehrer, was muß ich Gutes tun, um das ewige Leben zu bekommen?« ¹⁷ »Warum fragst du mich, was gut ist?« antwortete Jesus. »Es gibt nur Einen, der gut ist! Wenn du bei ihm leben willst, dann befolge seine Gebote.« ¹⁸ »Welche Gebote?« fragte der Mann. Jesus antwortete: »Morde nicht, zerstöre keine Ehe, beraube niemand, sag nichts Unwahres, ¹⁹ ehre deinen Vater und deine Mutter und liebe deinen Mitmenschen wie dich selbst!« ²⁰ »Ich habe alle diese Gebote befolgt«, erwiderte der junge Mann. »Was muß ich noch tun?« ²¹ Jesus sagte zu ihm: »Wenn es dir ums Ganze geht,° dann verkaufe deinen Besitz und gib das Geld den Armen, so wirst du bei Gott einen unverlierbaren Reichtum haben. Und dann geh mit mir!« ²² Als der junge Mann das hörte, ging er traurig weg; denn er war sehr reich.

²³ Da sagte Jesus zu seinen Jüngern: »Wahrhaftig, ein Reicher hat es schwer, in die neue Welt Gottes zu kommen. ²⁴ Ich sage es euch noch einmal: Eher kommt ein Ka-

mel durch ein Nadelöhr, als ein Reicher in Gottes neue Welt.« ²⁵Als die Jünger das hörten, waren sie entsetzt und fragten: »Wer kann dann überhaupt gerettet werden?« ²⁶Jesus sah sie an und sagte: »Menschen können das nicht machen, aber für Gott ist nichts unmöglich.«

²⁷Da sagte Petrus zu ihm: »Du weißt, wir haben alles stehen- und liegenlassen und sind mit dir gegangen. Was haben wir davon?« ²⁸Jesus antwortete: »Ich versichere euch: wenn Gott die Welt erneuert und der Menschensohn* in seiner ganzen Herrlichkeit auf dem Thron Platz nimmt, dann werdet auch ihr, die ihr mir gefolgt seid, auf zwölf Thronen sitzen und über die zwölf Stämme Israels Gericht halten. ²⁹Jeder, der um meinetwillen sein Haus, seine Geschwister, Eltern oder Kinder oder seinen Besitz zurückgelassen hat, der wird das alles hundertfach wiederbekommen und dazu das ewige Leben. ³⁰Aber viele, die jetzt vorn sind, werden dann am Schluß stehen, und viele, die jetzt die Letzten sind, werden schließlich die Ersten sein.«

Die Arbeiter im Weinberg

20 »Wenn Gott sein Werk vollendet, wird es sein wie bei einem Weinbergbesitzer, der früh am Morgen einige Leute für die Arbeit in seinem Weinberg anstellte. ²Er einigte sich mit ihnen auf den üblichen Tageslohn von einem Silberstück*, dann schickte er sie in den Weinberg. ³Um neun Uhr ging er wieder auf den Marktplatz und sah dort noch ein paar Männer arbeitslos herumstehen. ⁴Er sagte auch zu ihnen: ›Ihr könnt in meinem Weinberg arbeiten, ich will euch angemessen bezahlen.‹ ⁵Und sie gingen hin. Genauso machte er es mittags und gegen drei Uhr. ⁶Selbst als er um fünf Uhr das letzte Mal zum Marktplatz ging, fand er noch einige herumstehen und sagte zu ihnen: ›Warum tut ihr den ganzen Tag nichts?‹ ⁷Sie antworteten: ›Weil uns niemand eingestellt hat.‹ Da sagte er: ›Geht auch ihr noch hin und arbeitet in meinem Weinberg!‹

⁸Am Abend sagte der Besitzer des Weinbergs zu seinem Verwalter: ›Ruf die Leute zusammen und zahl allen ihren Lohn. Fang bei denen an, die zuletzt gekommen sind, und höre bei den ersten auf.‹ ⁹Die Männer, die erst um fünf Uhr angefangen hatten, traten vor, und jeder be-

kam ein Silberstück. [10]Als nun die an der Reihe waren, die ganz früh angefangen hatten, dachten sie, sie würden entsprechend besser bezahlt, aber auch sie bekamen jeder ein Silberstück. [11]Da schimpften sie über den Besitzer und sagten: [12]›Die anderen, die zuletzt gekommen sind, haben nur eine Stunde lang gearbeitet, und du behandelst sie genauso wie uns? Dabei haben wir den ganzen Tag in der Hitze geschuftet!‹ [13]Da sagte der Weinbergbesitzer zu einem von ihnen: ›Mein Lieber, ich tue dir kein Unrecht. Hatten wir uns nicht auf ein Silberstück geeinigt? [14]Das hast du bekommen, und nun geh! Ich will nun einmal dem letzten hier genausoviel geben wie dir! [15]Ist es nicht meine Sache, was ich mit meinem Eigentum mache? Oder bist du neidisch, weil ich großzügig bin?‹«

[16]Jesus schloß: »So werden die Letzten die Ersten sein, und die Ersten die Letzten.«

Dritte Todesankündigung
(Mk 10,32-34; Lk 18,31-34)

[17]Auf dem Weg nach Jerusalem rief Jesus die zwölf Jünger einmal allein zu sich und sagte zu ihnen: [18]»Hört zu! Wir gehen jetzt nach Jerusalem. Dort wird der Menschensohn* den führenden Priestern* und Gesetzeslehrern* ausgeliefert werden. Sie werden ihn zum Tod verurteilen [19]und den Fremden übergeben, die Gott nicht kennen, damit sie ihren Spott mit ihm treiben, ihn auspeitschen und ans Kreuz nageln. Doch am dritten Tag wird er vom Tod auferweckt werden.«

Nicht herrschen, sondern dienen
(Mk 10,35-45; Lk 22,24-27)

[20]Da kam die Frau von Zebedäus mit ihren beiden Söhnen zu Jesus, warf sich vor ihm nieder und fragte, ob sie ihn um etwas bitten dürfe. [21]»Was ist es denn?« fragte Jesus. »Versprich mir«, sagte sie, »daß meine beiden Söhne rechts und links neben dir sitzen werden, wenn du deine Herrschaft angetreten hast!« [22]»Ihr wißt nicht, was ihr da verlangt«, antwortete Jesus. »Könnt ihr den Leidenskelch trinken, den ich trinken muß?« »Das können wir!« antworteten sie. [23]»Ihr werdet tatsächlich den gleichen Kelch trinken wie ich«, sagte Jesus zu ihnen. »Aber ich kann

nicht darüber verfügen, wer rechts und links von mir sitzen wird. Auf diesen Plätzen werden die sitzen, die mein Vater dafür bestimmt hat.«

²⁴ Die anderen zehn hatten das Gespräch mitgehört und ärgerten sich über die beiden Brüder. ²⁵ Darum rief Jesus sie zu sich und sagte: »Wie ihr wißt, unterdrücken die Herrscher ihre Völker, und die Großen mißbrauchen ihre Macht. ²⁶ Aber so soll es bei euch nicht sein. Wer von euch etwas Besonderes sein will, der soll den anderen dienen, ²⁷ und wer von euch an der Spitze stehen will, soll sich allen unterordnen. ²⁸ Auch der Menschensohn* ist nicht gekommen, um sich bedienen zu lassen, sondern um zu dienen und sein Leben als Lösegeld für alle Menschen hinzugeben.«

Jesus heilt zwei Blinde
(Mk 10,46-52; Lk 18,35-43)

²⁹ Als sie Jericho verließen, folgte ihm eine große Menschenmenge. ³⁰ Zwei Blinde, die am Straßenrand saßen, hörten, daß Jesus vorbeikam, und riefen laut: »Herr, du Sohn Davids*, hab Erbarmen mit uns!« ³¹ Die Leute wollten die beiden zum Schweigen bringen, aber sie schrien noch lauter: »Herr, du Sohn Davids, hab Erbarmen mit uns!« ³² Jesus blieb stehen, rief die beiden und fragte: »Was wollt ihr von mir?« ³³ »Herr«, sagten sie, »wir möchten sehen können.« ³⁴ Da hatte Jesus Erbarmen mit ihnen und berührte ihre Augen. Sofort konnten sie sehen und gingen mit ihm.

Jesus zieht in Jerusalem ein
(Mk 11,1-11; Lk 19,28-40; Joh 12,12-19)

21 Kurz vor Jerusalem kamen sie zu der Ortschaft Betfage am Ölberg. Dort schickte Jesus zwei Jünger voraus ² und trug ihnen auf: »Geht in das Dorf da vorn! Dort werdet ihr eine Eselin und ihr Junges finden. Bindet beide los und bringt sie zu mir. ³ Und wenn jemand etwas sagt, dann antwortet: ›Der Herr braucht sie.‹ Dann wird man sie euch geben.« ⁴ Damit sollte in Erfüllung gehen, was der Prophet vorausgesagt hatte:

⁵ »Sagt der Stadt Jerusalem:
    Dein König kommt jetzt zu dir!
    Er verzichtet auf Gewalt.

Er reitet auf einem Esel
und auf einem Eselsfohlen.«

⁶ Die beiden Jünger gingen hin und taten, was Jesus ihnen
befohlen hatte. ⁷ Sie brachten die Eselin und ihr Junges,
legten ihre Kleider darüber, und Jesus setzte sich darauf.
⁸ Viele Menschen breiteten ihre Kleider als Teppich auf
die Straße, andere rissen Zweige von den Bäumen und
legten sie auf den Weg. ⁹ Die Menge, die Jesus vorauslief
und ihm folgte, rief immer wieder: »Gepriesen sei der
Sohn Davids*! Heil dem, der im Auftrag des Herrn
kommt! Gepriesen sei Gott in der Höhe!«
¹⁰ Als Jesus in Jerusalem einzog, geriet alles in große
Aufregung. »Wer ist dieser Mann?« fragten die Leute in
der Stadt. ¹¹ Die Menge, die Jesus begleitete, rief: »Das ist
der Prophet Jesus aus Nazaret in Galiläa!«

Jesus im Tempel
(Mk 11,15-19; Lk 19,45-48; Joh 2,13-17)

¹² Jesus ging in den Tempel und trieb alle Händler und
Käufer hinaus. Er stieß die Tische der Geldwechsler* und
die Stände der Taubenverkäufer um. ¹³ Dazu sagte er ihnen: »In den heiligen Schriften* steht doch, daß Gott erklärt hat: ›Mein Tempel soll eine Stätte sein, an der man
zu mir beten kann!‹ Ihr aber habt eine Räuberhöhle daraus gemacht!«
¹⁴ Danach kamen im Tempel Blinde und Gelähmte zu
ihm, und er machte sie gesund. ¹⁵ Als die führenden Priester* und Gesetzeslehrer* die Wunder sahen, die Jesus
tat, wurden sie wütend. Sie ärgerten sich auch darüber,
daß die Kinder im Tempel laut riefen: »Heil dem Sohn
Davids*!« ¹⁶ Sie fragten Jesus: »Hörst du, was die da rufen?« Jesus sagte zu ihnen: »Gewiß! Habt ihr denn nie in
den heiligen Schriften gelesen: ›Du sorgst dafür, daß sogar
Unmündige und kleine Kinder dich preisen‹?«
¹⁷ Dann ließ Jesus sie stehen, ging aus der Stadt hinaus
und übernachtete in Betanien.

Jesus und der Feigenbaum
(Mk 11,12-14.20-25)

¹⁸ Früh am nächsten Morgen kehrte Jesus nach Jerusalem
zurück. Unterwegs bekam er Hunger. ¹⁹ Als er einen Fei-

genbaum am Straßenrand sah, ging er hin; aber er fand
nichts als Blätter daran. Da sagte er zu dem Baum: »Du
sollst niemals mehr Frucht tragen!« Und sofort verdorrte
der Baum.

²⁰Voller Staunen sahen es die Jünger und fragten: »Wie
konnte der Baum so schnell verdorren?« ²¹Jesus antwortete ihnen: »Ich versichere euch: wenn ihr Vertrauen zu
Gott habt und nicht zweifelt, könnt ihr nicht nur tun, was
ich mit diesem Feigenbaum getan habe. Ihr könnt dann
sogar zu diesem Berg sagen: ›Auf, stürze dich ins Meer!‹,
und es wird geschehen. ²²Wenn ihr nur Vertrauen habt,
werdet ihr alles bekommen, worum ihr Gott bittet.«

Die Frage nach dem Auftraggeber
(Mk 11,27-33; Lk 20,1-8)

²³Jesus ging in den Tempel und sprach zu den Menschen.
Da kamen die führenden Priester* und die Ratsältesten*
zu ihm und fragten: »Woher nimmst du das Recht, hier so
aufzutreten? Wer hat dir die Vollmacht dazu gegeben?«
²⁴»Auch ich will euch eine Frage stellen«, antwortete Jesus. »Wenn ihr sie mir beantwortet, dann will ich euch sagen, mit welchem Recht ich so handle. ²⁵Sagt mir: Woher
hatte der Täufer Johannes den Auftrag, zu taufen? Von
Gott oder von Menschen?« Sie überlegten: »Wenn wir sagen ›Von Gott‹, dann wird er fragen: Warum habt ihr dann
Johannes nicht geglaubt? ²⁶Wenn wir aber sagen ›Von
Menschen‹, dann haben wir die Menge gegen uns, weil alle überzeugt sind, daß Johannes ein Prophet war. ²⁷So sagten sie zu Jesus: »Wir wissen es nicht.« »Gut«, erwiderte
Jesus, »dann sage ich euch auch nicht, wer mich bevollmächtigt hat.«

Das Gleichnis von den beiden Söhnen

²⁸»Was sagt ihr zu folgender Geschichte? Ein Mann hatte
zwei Söhne. Er sagte zu dem einen: ›Mein Sohn, geh und
arbeite heute im Weinberg!‹ ²⁹›Ich will nicht‹, erwiderte der Sohn; später aber bereute er die Antwort und
ging doch. ³⁰Dasselbe sagte der Vater auch zu seinem anderen Sohn. ›Ja, Vater‹, antwortete der, ging aber nicht.
³¹Wer von den beiden hat nun den Willen des Vaters erfüllt?«

»Der erste«, antworteten sie. Da sagte Jesus: »Ich versichere euch: die Zolleinnehmer* und die Prostituierten werden eher in die neue Welt Gottes kommen als ihr. ³²Der Täufer Johannes ist gekommen, um euch den rechten Weg zu zeigen, aber ihr habt ihm nicht geglaubt. Nicht einmal als ihr saht, daß die Zolleinnehmer und die Prostituierten seine Botschaft annahmen, habt ihr auf ihn gehört und euer Leben geändert.«

Das Gleichnis von den bösen Weinbergspächtern
(Mk 12,1-12; Lk 20,9-19)

³³»Hört ein anderes Gleichnis*: Ein Grundbesitzer legte einen Weinberg an, machte einen Zaun darum, baute eine Weinpresse und errichtete einen Wachtturm. Dann verpachtete er den Weinberg und verreiste. ³⁴Zur Zeit der Weinlese schickte er seine Boten zu den Pächtern, um seinen Anteil am Ertrag abholen zu lassen. ³⁵Einen verprügelten die Pächter, einen anderen schlugen sie tot, und wieder einen anderen steinigten sie. ³⁶Noch einmal schickte der Besitzer Boten, mehr als beim ersten Mal; doch mit denen machten sie es genauso.

³⁷Schließlich schickte er seinen eigenen Sohn, weil er dachte: ›Sie werden wenigstens vor meinem Sohn Respekt haben.‹ ³⁸Als die Pächter aber den Sohn kommen sahen, sagten sie zueinander: ›Das ist der Erbe! Wir bringen ihn um, dann gehört der Weinberg uns.‹ ³⁹So nahmen sie ihn, stießen ihn aus dem Weinberg hinaus und töteten ihn.

⁴⁰Was wird nun der Besitzer des Weinbergs mit den Pächtern machen, wenn er selbst kommt?« fragte Jesus. ⁴¹Sie sagten: »Er wird diesen Verbrechern ein schreckliches Ende bereiten und den Weinberg anderen anvertrauen, die ihm zur Erntezeit seinen Ertrag pünktlich abliefern!« ⁴²Jesus fragte sie: »Habt ihr nie gelesen, was in den heiligen Schriften* steht:

›Der Stein, den die Bauleute weggeworfen haben,
weil sie ihn für unbrauchbar hielten,
der ist zum tragenden Stein geworden.
Der Herr hat dieses Wunder vollbracht,
und wir haben es gesehen.‹

⁴³-⁴⁴Wer auf diesen Stein stürzt, wird zerschmettert,

und auf wen er fällt, den zermalmt er. Darum sage ich euch: Das Vorrecht, Gottes Volk unter Gottes Herrschaft zu sein, wird euch entzogen. Es wird einem Volk gegeben, das tut, was dieser Berufung entspricht.«

[45] Die führenden Priester* und die Pharisäer* merkten, daß die beiden Gleichnisse auf sie gemünzt waren. [46] Sie wollten Jesus gerne festnehmen, wagten es aber nicht, weil die Menge ihn für einen Propheten hielt.

Das Gleichnis vom Hochzeitsfest
(Lk 14,16-24)

22 Jesus erzählte ihnen noch ein Gleichnis*: [2]»Wenn Gott seine Herrschaft* aufrichtet, ist es wie bei einem König, der seinem Sohn die Hochzeit ausrichtete. [3] Er schickte seine Diener aus, um die geladenen Gäste zum Fest zu bitten; aber sie wollten nicht kommen. [4] Darauf schickte er noch einmal zu ihnen und ließ ihnen sagen: ›Alle Vorbereitungen zum Fest sind getroffen, die Ochsen und Mastkälber sind geschlachtet, alles steht bereit. Kommt zur Hochzeitsfeier!‹ [5] Sie aber kümmerten sich nicht darum, sondern gingen ihren Geschäften nach. Einer ging auf seine Felder, ein anderer in seinen Laden. [6] Manche nahmen sogar die Diener des Königs fest, trieben ihren Spott mit ihnen und töteten sie.

[7] Da wurde der König zornig und schickte seine Heere. Er ließ die Mörder umbringen und ihre Stadt niederbrennen. [8] Dann sagte er zu seinen Dienern: ›Die Vorbereitungen zum Fest sind getroffen, aber die geladenen Gäste waren es nicht wert. [9] Geht jetzt hinaus an die großen Straßen und ladet alle zur Hochzeit ein, die euch begegnen!‹ [10] Die Diener gingen auf die Straßen und brachten alle mit, die sie fanden – schlechte und gute Leute. So wurde der Hochzeitssaal voll.

[11] Als der König kam, um sich seine Gäste anzusehen, entdeckte er einen, der nicht festlich gekleidet war. [12] Er sprach ihn an: ›Wie bist denn du hier hereingekommen? Du bist ja gar nicht festlich angezogen.‹ Der Mann hatte keine Entschuldigung. [13] Da befahl der König seinen Dienern: ›Bindet ihm Hände und Füße und werft ihn hinaus in die Dunkelheit, wo es nichts als Jammern und Zähne-

knirschen gibt.‹ ¹⁴ Denn viele sind berufen, aber nur wenige von ihnen sind Erwählte.«

Die Frage nach der Steuer
(Mk 12,13-17; Lk 20,20-26)

¹⁵ Daraufhin beschlossen die Pharisäer, Jesus mit einer
verfänglichen Frage in die Falle zu locken. ¹⁶ Sie schickten
einige ihrer Leute zu Jesus und auch einige Parteigänger
von Herodes; die sagten zu ihm: »Lehrer, wir wissen, daß
es dir nur um die Wahrheit geht. Du sagst jedem klar und
deutlich, wie er nach Gottes Willen leben soll. Denn du
läßt dich nicht von Menschen beeinflussen, und wenn sie
noch so mächtig sind. ¹⁷ Nun sag uns deine Meinung: Ist
es nach dem Gesetz* Gottes erlaubt, dem römischen Kaiser Steuern zu zahlen oder nicht?« ¹⁸ Jesus erkannte ihre
böse Absicht und sagte: »Ihr Heuchler, ihr wollt mir doch
nur eine Falle stellen! ¹⁹ Zeigt mir eins von den Geldstük-
ken, mit denen ihr die Steuern bezahlt.« Sie gaben ihm
eine Silbermünze*, ²⁰ und er fragte: »Wessen Bild und
Name ist hier aufgeprägt?« ²¹ »Des Kaisers«, antworteten
sie. Da sagte Jesus: »Dann gebt dem Kaiser, was dem Kaiser gehört, aber gebt Gott, was Gott gehört!« ²² Solch eine
Antwort hatten sie nicht erwartet. Sie ließen Jesus in Ruhe
und gingen weg.

Werden die Toten auferstehen?
(Mk 12,18-27; Lk 20,27-40)

²³ Noch am selben Tag kamen Sadduzäer* zu Jesus. Die
Sadduzäer bestreiten, daß die Toten auferstehen. ²⁴ »Lehrer«, sagten sie, »Mose hat angeordnet: ›Wenn ein verheirateter Mann kinderlos stirbt, dann muß an seiner Stelle
sein Bruder die Witwe heiraten und dem Verstorbenen
Nachkommen verschaffen.‹ ²⁵ Nun gab es hier einmal sieben Brüder. Der älteste heiratete und starb kinderlos und
hinterließ die Frau seinem Bruder. ²⁶ Darauf heiratete der
zweite die Witwe, aber auch er starb kinderlos; und dem
dritten erging es nicht anders. So war es bei allen sieben.
²⁷ Zuletzt starb auch die Frau. ²⁸ Wie ist das nun: Wem von
den sieben soll die Frau gehören, wenn die Toten auferstehen? Sie war ja mit allen verheiratet!«
²⁹ »Ihr seht die Sache ganz falsch«, antwortete Jesus.

»Ihr kennt weder die heiligen Schriften*, noch wißt ihr, was Gott in seiner Macht vollbringt. ³⁰Wenn die Toten auferstehen, werden sie nicht mehr heiraten, sondern sie werden leben wie die Engel im Himmel. ³¹Was aber die Auferstehung der Toten überhaupt betrifft: Ihr habt offenbar nie gelesen, daß Gott gesagt hat: ³²›Ich bin der Gott Abrahams, der Gott Isaaks und der Gott Jakobs.‹ Und er ist doch ein Gott der Lebenden, nicht der Toten!« ³³Die Zuhörer waren von dieser Antwort tief beeindruckt.

Das wichtigste Gebot
(Mk 12,28-31; Lk 10,25-28)

³⁴Als die Pharisäer* erfuhren, daß Jesus die Sadduzäer* zum Schweigen gebracht hatte, kamen sie alle zusammen. ³⁵Einer von ihnen, ein Gesetzeslehrer*, wollte Jesus eine Falle stellen und fragte ihn: ³⁶»Lehrer, welches ist das wichtigste Gebot des Gesetzes*?« ³⁷Jesus antwortete: »Liebe den Herrn, deinen Gott, von ganzem Herzen, mit ganzem Willen und mit deinem ganzen Verstand!‹ ³⁸Dies ist das größte und wichtigste Gebot. ³⁹Das zweite ist gleich wichtig: ›Liebe deinen Mitmenschen wie dich selbst!‹ ⁴⁰In diesen beiden Geboten ist alles zusammengefaßt, was das Gesetz und die Propheten fordern.«

Davids Sohn oder Davids Herr?
(Mk 12,35-37; Lk 20,41-44)

⁴¹Nun wandte sich Jesus an die versammelten Pharisäer* und fragte sie: ⁴²»Was denkt ihr über den versprochenen Retter? Wessen Sohn ist er?« Sie antworteten: »Der Sohn Davids*.« ⁴³Da sagte Jesus: »Warum hat dann David, vom Geist* Gottes erleuchtet, ihn ›Herr‹ genannt? Denn David sagt ja:

⁴⁴›Gott, der Herr, sagte zu meinem Herrn:
Setze dich an meine rechte Seite!
Ich will dir deine Feinde unterwerfen,
sie als Schemel unter deine Füße legen.‹

⁴⁵Wenn also David ihn ›Herr‹ nennt, wie kann er dann sein Sohn sein?« ⁴⁶Keiner konnte darauf eine Antwort geben. Von da an wagte niemand mehr, ihm noch irgendeine Frage zu stellen.

Warnung vor Pharisäern und Gesetzeslehrern
(Mk 12,38-39; Lk 20,45-46; 11,43.46)

23 Dann wandte sich Jesus an die Menschenmenge und an seine Jünger ²und sagte: »Die Gesetzeslehrer* und Pharisäer* sind die berufenen Ausleger des Gesetzes*, das Mose euch gegeben hat. ³Ihr müßt ihnen also gehorchen und tun, was sie sagen. Aber nach ihren Handlungen dürft ihr euch nicht richten, denn sie selber tun gar nicht, was sie lehren. ⁴Sie schnüren schwere Lasten zusammen und laden sie den Menschen auf die Schultern, aber sie selbst machen keinen Finger krumm, um sie zu tragen. ⁵Alles, was sie tun, tun sie nur, um von den Leuten gesehen zu werden. Sie tragen auffällig breite Gebetsriemen* und besonders lange Quasten* an ihren Kleidern. ⁶Bei Festmählern sitzen sie auf den Ehrenplätzen und beim Gottesdienst in der vordersten Reihe. ⁷Sie haben es gern, wenn man sie auf der Straße respektvoll grüßt und sie als ›hochwürdiger Lehrer‹ anredet.

⁸Aber ihr sollt euch nicht ›Lehrer‹ nennen lassen, denn ihr seid untereinander Brüder und habt nur einen, der euch etwas zu sagen hat. ⁹Auch sollt ihr hier auf der Erde niemand ›Vater‹ nennen, denn ihr habt nur einen Vater: den im Himmel. ¹⁰Ihr sollt euch auch nicht ›Führer‹ nennen lassen, denn es gibt nur einen, der euch führt, und das ist Christus, der versprochene Retter*. ¹¹Darum soll der Größte unter euch euer Diener sein. ¹²Wer sich hochstellt, den wird Gott demütigen; aber wer sich geringachtet, den wird er erhöhen.«

Jesus rechnet ab
(Mk 12,40; Lk 20,47; 11,39-42.44.52)

¹³»Weh euch Gesetzeslehrern* und Pharisäern*! Ihr Scheinheiligen! Ihr versperrt den Zugang zur neuen Welt Gottes vor den Menschen. Ihr selbst kommt nicht hinein, und ihr hindert alle, die hineinwollen.°

¹⁵Weh euch Gesetzeslehrern und Pharisäern! Ihr Scheinheiligen! Ihr reist um die halbe Welt, um auch nur einen einzigen Anhänger zu gewinnen, und wenn ihr einen gefunden habt, dann macht ihr ihn zu einem Anwärter der Hölle, der doppelt so schlimm ist wie ihr.

[16] Weh euch! Ihr wollt andere führen und seid selbst blind. Ihr sagt: ›Wer beim Tempel schwört, ist nicht an den Schwur gebunden; nur wer beim Gold im Tempel schwört, muß seinen Schwur halten.‹ [17] Töricht und blind seid ihr! Was ist denn wichtiger: das Gold oder der Tempel, durch den das Gold erst heilig wird? [18] Ihr sagt auch: ›Wenn einer beim Altar schwört, braucht er seinen Schwur nicht zu halten, nur wenn er beim Opfer auf dem Altar schwört.‹ [19] Ihr Verblendeten! Was ist wichtiger: die Opfergabe oder der Altar, der das Opfer erst heilig macht? [20] Wer beim Altar schwört, der schwört auch bei allem, was darauf liegt, [21] und wer beim Tempel schwört, der schwört damit auch bei Gott, der dort wohnt. [22] Und wenn einer beim Himmel schwört, dann schwört er beim Thron Gottes und bei Gott, der darauf sitzt.

[23] Weh euch Gesetzeslehrern und Pharisäern! Ihr Scheinheiligen! Ihr gebt Gott den zehnten* Teil von allem, sogar von Gewürzen wie Minze, Anis und Kümmel, aber um die entscheidenden Forderungen seines Gesetzes* – Gerechtigkeit, Barmherzigkeit und Treue – kümmert ihr euch nicht. Und gerade sie solltet ihr erfüllen, ohne das andere zu vernachlässigen! [24] Ihr wollt andere führen und seid selbst blind. Die winzigste Mücke fischt ihr aus dem Becher, aber Kamele schluckt ihr unbesehen hinunter.

[25] Weh euch Gesetzeslehrern und Pharisäern! Ihr Scheinheiligen! Eure Becher und Schüsseln haltet ihr äußerlich rein*, aber was ihr daraus eßt und trinkt, habt ihr euch in eurer Gier zusammengestohlen. [26] Ihr blinden Pharisäer! Kümmert euch zuerst um die innere Reinheit, dann ist auch alles Äußere rein.

[27] Weh euch Gesetzeslehrern und Pharisäern! Ihr Scheinheiligen! Ihr seid wie weiß gestrichene Gräber, die äußerlich zwar schön aussehen; aber drinnen ist nichts als Würmer und Knochen. [28] So seid ihr: Von außen hält man euch für fromm, innerlich aber steckt ihr voller Heuchelei und Schlechtigkeit.«

Die Strafe wird kommen
(Lk 11,47–51)

[29] »Weh euch Gesetzeslehrern* und Pharisäern*! Ihr Scheinheiligen! Ihr baut den Propheten wunderbare

Grabmäler und schmückt die Gräber der Gesetzestreuen.
³⁰ Und ihr sagt: ›Wenn wir zur Zeit unserer Vorfahren gelebt hätten, wir hätten ihnen nicht dabei geholfen, als sie die Propheten umbrachten!‹ ³¹ Damit gebt ihr zu, daß ihr die Nachkommen dieser Prophetenmörder seid. ³² Macht nur das Maß eurer Väter voll!

³³ Ihr Schlangenbrut, wie wollt ihr der Höllenstrafe entgehen? ³⁴ Hört gut zu! Ich werde euch Propheten*, weise Männer und wahre Gesetzeslehrer* schicken. Ihr werdet einige von ihnen töten, andere ans Kreuz nageln, wieder andere in euren Synagogen* auspeitschen und von Stadt zu Stadt verfolgen. ³⁵ So kommt auf euch die Verantwortung für die Ermordung aller Unschuldigen, von Abel an bis hin zu Secharja, dem Sohn Berechjas,° den ihr zwischen Tempelhaus und Brandopferaltar* umgebracht habt. ³⁶ Ich versichere euch: noch diese Generation wird die Strafe für alle diese Schandtaten bekommen.«

Klage über Jerusalem
(Lk 13,34-35)

³⁷ »Jerusalem, Jerusalem, du tötest die Propheten und steinigst* die Boten, die Gott zu dir schickt. Wie oft wollte ich deine Bewohner um mich scharen, wie eine Henne ihre Küken unter die Flügel nimmt! Aber ihr habt nicht gewollt. ³⁸ Deshalb wird Gott euren Tempel verlassen, und der Tempel wird verwüstet daliegen. ³⁹ Ich sage euch, ihr werdet mich erst wiedersehen, wenn ihr rufen werdet: ›Heil dem, der im Auftrag des Herrn kommt!‹«

Ankündigung der Tempelzerstörung
(Mk 13,1-2; Lk 21,5-6)

24 Als Jesus den Tempel verlassen wollte, kamen seine Jünger und wollten ihm die ganze Tempelanlage zeigen. ² Aber Jesus sagte: »Ihr bewundert das alles? Ich sage euch, hier wird kein Stein auf dem anderen bleiben. Alles wird bis auf den Grund zerstört werden.«

Über das Ende der Welt (24,3–25,46)
(Mk 13,3-13; Lk 21,7-19)

³ Dann ging Jesus auf den Ölberg. Er setzte sich nieder; seine Jünger traten zu ihm und fragten: »Sag uns, wann

wird das geschehen, und woran werden wir erkennen, daß du kommst und das Ende der Welt da ist?«

⁴Jesus antwortete: »Seid auf der Hut und laßt euch von niemand täuschen. ⁵Viele werden mit meinem Anspruch auftreten und behaupten: ›Ich bin Christus!‹ Damit werden sie viele irreführen. ⁶Erschreckt nicht, wenn nah und fern Kriege ausbrechen. Es muß so kommen, aber das ist noch nicht das Ende. ⁷Ein Volk wird gegen das andere kämpfen, ein Staat den anderen angreifen. Es wird überall Hungersnöte und Erdbeben geben. ⁸Das alles ist erst der Anfang vom Ende – so wie der Beginn der Geburtswehen.

⁹Dann wird man euch ausliefern, euch quälen und töten. Die ganze Welt wird euch hassen, weil ihr euch zu mir bekennt. ¹⁰Wenn es soweit ist, werden viele vom Glauben abfallen und sich gegenseitig verraten und einander hassen. ¹¹Zahlreiche falsche Propheten* werden auftreten und viele von euch irreführen. ¹²Und weil das Böse überhand nimmt, wird die Liebe bei den meisten von euch erkalten. ¹³Wer aber bis zum Ende standhaft bleibt, wird gerettet. ¹⁴Zuvor wird die Gute Nachricht in der ganzen Welt verkündet werden, damit alle Menschen die Einladung in Gottes neue Welt hören. Dann erst kommt das Ende.«

Der Höhepunkt der Not
(Mk 13,14-23; Lk 21,20-24; 17,23-24.37)

¹⁵»Es heißt im Buch des Propheten Daniel, das ›entsetzliche Scheusal‹* werde im Heiligtum stehen. – Wer dies liest, der überlege, was es bedeutet! – ¹⁶Wenn ihr es dort seht, sollen alle Bewohner Judäas in die Berge fliehen. ¹⁷Wer gerade auf dem Dach ist, soll keine Zeit damit verlieren, noch seine Sachen unten aus dem Haus zu holen. ¹⁸Wer gerade auf dem Feld ist, soll nicht nach Hause zurücklaufen, um seinen Mantel zu holen. ¹⁹Besonders hart wird es die Frauen treffen, die gerade ein Kind erwarten oder einen Säugling stillen. ²⁰Bittet Gott, daß ihr nicht im Winter oder an einem Sabbat* fliehen müßt. ²¹Denn was dann geschieht, wird furchtbarer sein als alles, was jemals seit Beginn der Welt geschehen ist oder noch geschehen wird. ²²Wenn Gott diese Schreckenszeit nicht

abgekürzt hätte, würde kein Mensch gerettet werden.
Er hat sie aber denen zuliebe abgekürzt, die er erwählt
hat.

²³ Wenn dann einer zu euch sagt: ›Seht her, hier ist
Christus!‹ oder: ›Dort ist er!‹ – glaubt ihm nicht. ²⁴ Denn
mancher falsche Christus und mancher falsche Prophet
wird auftreten. Sie werden sich durch große Wundertaten
ausweisen, so daß sogar die von Gott Erwählten getäuscht
werden könnten – wenn das überhaupt möglich wäre.
²⁵ Denkt daran, daß ich es euch vorausgesagt habe!
²⁶ Wenn also die Leute sagen: ›Draußen in der Wüste ist
er‹, dann geht nicht hinaus! Oder wenn sie sagen: ›Er ist
hier und hält sich in einem Haus verborgen‹, dann glaubt
ihnen nicht! ²⁷ Denn der Menschensohn* wird plötzlich
und für alle sichtbar kommen, wie ein Blitz, der von Ost
nach West über den Himmel zuckt. ²⁸ Wo Aas liegt, da
sammeln sich die Geier.«

Der Weltrichter kommt
(Mk 13,24-27; Lk 21,25-28)

²⁹ »Bald nach dieser Schreckenszeit wird sich die Sonne
verfinstern, und der Mond wird nicht mehr scheinen, die
Sterne werden vom Himmel fallen, und die Ordnung des
Himmels wird zusammenbrechen. ³⁰ Dann wird das Zeichen des Menschensohnes* am Himmel sichtbar werden.
Die Völker der ganzen Welt werden jammern und klagen,
wenn sie den Menschensohn auf den Wolken des Himmels mit göttlicher Macht und Herrlichkeit* kommen sehen. ³¹ Wenn die Posaune ertönt, wird er seine Engel in alle Himmelsrichtungen ausschicken, damit sie von überall
her die Menschen zusammenbringen, die er erwählt hat.«

Das Ende kommt überraschend
(Mk 13,28-32; Lk 21,29-33; 17,26-27.30.34-35; 12,39-40)

³² »Laßt euch vom Feigenbaum eine Lehre geben. Wenn
der Saft in die Zweige schießt und der Baum Blätter
treibt, dann wißt ihr, daß der Sommer bald da ist. ³³ So ist
es auch, wenn ihr alle diese Dinge kommen seht: Dann
wißt ihr, daß das Ende unmittelbar bevorsteht. ³⁴ Ich sage
euch: diese Generation wird das alles noch erleben.

³⁵ Himmel und Erde werden vergehen, aber meine Worte nicht.

³⁶ Aber den Tag oder die Stunde, wann das geschehen soll, kennt niemand, auch nicht die Engel im Himmel – nicht einmal der Sohn*. Nur der Vater kennt sie. ³⁷ Wenn der Menschensohn* kommt, wird es sein wie zu Noachs Zeit. ³⁸ Damals vor der großen Flut aßen und tranken und heirateten die Menschen, wie sie es gewohnt waren – bis zu dem Tag, an dem Noach in die Arche* ging. ³⁹ Sie ahnten nicht, was ihnen bevorstand, bis dann die Flut hereinbrach und sie alle wegschwemmte. So wird es auch sein, wenn der Menschensohn kommt. ⁴⁰ Von zwei Männern, die dann auf dem Feld arbeiten, wird der eine angenommen, der andere bleibt zurück. ⁴¹ Von zwei Frauen, die dann zusammen Korn mahlen, wird die eine angenommen, die andere bleibt zurück.

⁴² Darum seid wachsam! Denn ihr wißt nicht, an welchem Tag euer Herr kommen wird. ⁴³ Ihr solltet euch darüber im klaren sein: Wenn ein Hausherr im voraus wüßte, zu welcher Nachtstunde der Dieb kommt, würde er aufbleiben und den Einbruch verhindern. ⁴⁴ Darum seid jederzeit bereit; denn der Menschensohn wird kommen, wenn ihr es nicht erwartet.«

Der treue Diener
(Lk 12,42-46)

⁴⁵ »Seid wie der treue und kluge Diener, dem sein Herr den Auftrag gegeben hat, die gesamte Dienerschaft zu beaufsichtigen und jedem pünktlich seine Tagesration auszuteilen. ⁴⁶ Er darf sich freuen, wenn der Herr zurückkehrt und ihn bei seiner Arbeit findet. ⁴⁷ Ich versichere euch: der Herr wird ihm die Verantwortung für alle seine Güter übertragen. ⁴⁸ Wenn er aber unzuverlässig ist und sich sagt: ›So bald kommt mein Herr nicht zurück‹ ⁴⁹ und anfängt, die anderen zu schlagen und mit Säufern Gelage zu halten, ⁵⁰ dann wird sein Herr eines Tages völlig unerwartet zurückkommen. ⁵¹ Er wird den ahnungslosen Diener in Stücke hauen und dorthin bringen lassen, wo die Heuchler ihre Strafe verbüßen. Dort gibt es nur Jammern und Zähneknirschen.«

Das Gleichnis von den Brautjungfern

25 »Wenn Gott sein Werk vollendet, wird es zugehen wie in der folgenden Geschichte: Zehn Mädchen gingen mit ihren Lampen hinaus, um den Bräutigam abzuholen. ²Fünf von ihnen handelten klug, die anderen fünf gedankenlos. ³Die Gedankenlosen nahmen nur ihre Lampen mit, ⁴während die Klugen auch noch Öl zum Nachfüllen mitnahmen.

⁵Weil der Bräutigam sich verspätete, wurden sie alle müde und schliefen ein. ⁶Mitten in der Nacht hörte man rufen: ›Der Bräutigam kommt, geht ihm entgegen!‹ ⁷Die zehn Mädchen wachten auf und brachten ihre Lampen in Ordnung. ⁸Da baten die Gedankenlosen die anderen: ›Gebt uns von eurem Öl etwas ab, denn unsere Lampen gehen aus.‹ ⁹Aber die Klugen sagten: ›Ausgeschlossen, dann reicht es weder für uns noch für euch. Geht lieber zum Kaufmann und holt euch welches!‹

¹⁰So machten sie sich auf den Weg, um Öl zu kaufen. Inzwischen kam der Bräutigam. Die fünf Klugen, die darauf vorbereitet waren, gingen mit ihm zum Hochzeitsfest, und die Türen wurden hinter ihnen geschlossen. ¹¹Schließlich kamen die anderen nach und riefen: ›Herr, mach uns auf!‹ ¹²Aber der Bräutigam wies sie ab und sagte: ›Ich kenne euch überhaupt nicht!‹

¹³Darum bleibt wach, denn ihr wißt weder Tag noch Stunde im voraus!«

Das Gleichnis vom anvertrauten Geld
(Lk 19,12-27)

¹⁴»Es ist wie bei einem Mann, der verreisen wollte. Er rief vorher seine Diener zusammen und vertraute ihnen sein Vermögen an. ¹⁵Dem einen gab er fünf Zentner Silbergeld, dem anderen zwei Zentner und dem dritten einen, je nach ihren Fähigkeiten. Dann reiste er ab. ¹⁶Der erste, der die fünf Zentner bekommen hatte, steckte sofort das ganze Geld in Geschäfte und konnte die Summe verdoppeln. ¹⁷Ebenso machte es der zweite: zu seinen zwei Zentnern gewann er noch zwei hinzu. ¹⁸Der aber, der nur

einen Zentner bekommen hatte, vergrub das Geld seines Herrn in der Erde.

¹⁹ Nach langer Zeit kam der Herr zurück und wollte mit seinen Dienern abrechnen. ²⁰ Der erste, der die fünf Zentner erhalten hatte, trat vor und sagte: ›Du hast mir fünf Zentner anvertraut, Herr, und ich habe noch weitere fünf dazuverdient; hier sind sie!‹ ²¹ ›Sehr gut‹, sagte sein Herr, ›du bist ein tüchtiger und treuer Mann. Du hast dich in kleinen Dingen als zuverlässig erwiesen, darum werde ich dir auch Größeres anvertrauen. Komm zu meinem Fest und freu dich mit mir!‹ ²² Dann kam der mit den zwei Zentnern und sagte: ›Du hast mir zwei Zentner gegeben, Herr, und ich habe noch einmal zwei Zentner dazuverdient.‹ ²³ ›Sehr gut‹, sagte der Herr, ›du bist ein tüchtiger und treuer Mann. Du hast dich in kleinen Dingen als zuverlässig erwiesen, darum werde ich dir auch Größeres anvertrauen. Komm zu meinem Fest und freu dich mit mir!‹

²⁴ Zuletzt kam der mit dem einen Zentner und sagte: ›Herr, ich wußte, daß du ein harter Mann bist. Du erntest, wo du nicht gesät hast, und sammelst ein, wo du nichts ausgeteilt hast. ²⁵ Deshalb hatte ich Angst und habe dein Geld vergraben. Hier hast du es zurück.‹

²⁶ Da sagte der Herr zu ihm: ›Du bist ein Faulpelz und Taugenichts. Wenn du wußtest, daß ich ernte, wo ich nicht gesät habe, und sammle, wo ich nichts ausgeteilt habe, ²⁷ warum hast du das Geld nicht wenigstens auf die Bank gebracht? Dann hätte ich es jetzt mit Zinsen zurückbekommen. ²⁸ Nehmt ihm sein Teil ab und gebt es dem, der die zehn Zentner hat! ²⁹ Denn wer viel hat, soll noch mehr bekommen, bis er mehr als genug hat. Wer aber wenig hat, dem wird auch noch das Letzte weggenommen werden. ³⁰ Und diesen Taugenichts werft hinaus in die Dunkelheit, wo es nichts als Jammern und Zähneknirschen gibt.‹

Wonach der Weltrichter urteilt

³¹ »Wenn der Menschensohn* in seiner Herrlichkeit* kommt, begleitet von allen Engeln, dann wird er sich auf den königlichen Thron setzen. ³² Alle Völker der Erde werden vor ihm versammelt werden, und er wird die Menschen in zwei Gruppen teilen, so wie ein Hirt die Schafe

von den Ziegen trennt. ³³ Die Schafe wird er auf die rechte
Seite stellen und die Ziegen auf die linke. ³⁴ Dann wird der
König zu denen auf der rechten Seite sagen: ›Kommt her!
Euch hat mein Vater gesegnet. Nehmt Gottes neue Welt
in Besitz, die er euch von Anfang an zugedacht hat.
³⁵ Denn ich war hungrig, und ihr habt mir zu essen gege-
ben; ich war durstig, und ihr habt mir zu trinken gegeben;
ich war fremd, und ihr habt mich bei euch aufgenommen;
³⁶ ich war nackt, und ihr habt mir Kleidung gegeben; ich
war krank, und ihr habt für mich gesorgt; ich war im
Gefängnis, und ihr habt mich besucht.‹

³⁷ Dann werden die, die Gottes Willen getan haben, fra-
gen: ›Herr, wann sahen wir dich jemals hungrig und gaben
dir zu essen? Oder durstig und gaben dir zu trinken?
³⁸ Wann kamst du als Fremder zu uns, und wir nahmen
dich auf, oder nackt, und wir gaben dir Kleider? ³⁹ Wann
warst du krank, und wir sorgten für dich, oder im Gefängnis, und wir besuchten dich?‹ ⁴⁰ Dann wird der König antworten: ›Ich will es euch sagen: Was ihr für einen meiner
geringsten Brüder getan habt, das habt ihr für mich
getan.‹

⁴¹ Dann wird er zu denen auf der linken Seite sagen:
›Geht mir aus den Augen, Gott hat euch verflucht! Fort
mit euch in das ewige Feuer, das für den Satan und seine
Helfer vorbereitet ist! ⁴² Denn ich war hungrig, aber ihr
habt mir nichts zu essen gegeben; ich war durstig, aber
ihr habt mir nichts zu trinken gegeben; ⁴³ ich war fremd,
aber ihr habt mich nicht aufgenommen; ich war nackt,
aber ihr habt mir keine Kleider gegeben; ich war krank
und im Gefängnis, aber ihr habt euch nicht um mich
gekümmert.‹

⁴⁴ Dann werden auch sie ihn fragen: ›Herr, wann sahen
wir dich jemals hungrig oder durstig, wann kamst du als
Fremder, wann warst du nackt oder krank oder im Gefängnis – und wir hätten uns nicht um dich gekümmert?‹
⁴⁵ Aber er wird ihnen antworten: ›Ich will es euch sagen:
Was ihr an einem von meinen geringsten Brüdern zu tun
versäumt habt, das habt ihr an mir versäumt.‹

⁴⁶ Auf diese also wartet die ewige Strafe. Die anderen
aber, die Gottes Willen getan haben, empfangen das ewige
Leben.«

Pläne gegen Jesus
(Mk 14,1-2; Lk 22,1-2; Joh 11,45-53)

26 Als Jesus diese Rede beendet hatte, sagte er zu seinen Jüngern: ²»Wie ihr wißt, ist übermorgen das
Passafest*. Da wird der Menschensohn* ausgeliefert und
ans Kreuz genagelt werden.«

³ Darauf kamen die führenden Priester* und die Ratsältesten* im Palast des Obersten Priesters* Kajaphas zusammen. ⁴ Sie faßten den Beschluß, Jesus heimlich zu verhaften und umzubringen. ⁵ »Aber auf keinen Fall darf es
während des Festes geschehen«, sagten sie, »sonst gibt es
einen Aufruhr im Volk.«

Eine Frau ehrt Jesus
(Mk 14,3-9; Joh 12,1-8)

⁶ In Betanien war Jesus bei Simon, dem Aussätzigen*, zu
Gast. ⁷ Während des Essens trat eine Frau an Jesus heran.
Sie hatte ein Fläschchen mit sehr wertvollem Salböl; das
goß sie Jesus über den Kopf. ⁸ Die Jünger waren empört
darüber. »Was soll diese Verschwendung?« sagten sie.
⁹ »Dieses Öl hätte man teuer verkaufen und das Geld den
Armen geben können!«

¹⁰ Jesus hörte das und sagte: »Warum bringt ihr die Frau
in Verlegenheit? Sie hat mir einen guten Dienst getan.
¹¹ Arme wird es immer bei euch geben; aber mich habt ihr
nicht mehr lange bei euch. ¹² Sie hat dieses Salböl auf meinen Körper gegossen, um ihn für das Begräbnis vorzube-
reiten. ¹³ Ich versichere euch: überall in der Welt, wo die
Gute Nachricht verkündet wird, wird man auch berichten,
was sie getan hat, und an sie denken.«

Judas wird zum Verräter
(Mk 14,10-11; Lk 22,3-6)

¹⁴ Danach ging Judas Iskariot, einer der zwölf Jünger, zu
den führenden Priestern* ¹⁵ und sagte: »Was gebt ihr mir,
wenn ich ihn euch in die Hände spiele?« Sie zahlten ihm
dreißig Silberstücke*. ¹⁶ Von da an suchte Judas eine günstige Gelegenheit, Jesus zu verraten.

Vorbereitung zum Passamahl
(Mk 14,12-16; Lk 22,7-13)

¹⁷ Am ersten Tag der Festwoche, während der man nur ungesäuertes* Brot ißt, kamen die Jünger zu Jesus und fragten: »Wo sollen wir für dich das Passamahl* vorbereiten?«
¹⁸ Er antwortete: »Geht zu einem Mann in der Stadt – er nannte ihnen den Namen – und richtet ihm aus: ›Unser Lehrer sagt: Meine Stunde ist nicht mehr weit. Ich will in deinem Haus mit meinen Jüngern das Passamahl feiern.‹«
¹⁹ Die Jünger taten, was Jesus ihnen aufgetragen hatte, und bereiteten alles vor.

Das letzte Mahl
(Mk 14,17-26; Lk 22,14-23)

²⁰ Als es Abend geworden war, setzte sich Jesus mit den zwölf Jüngern zu Tisch. ²¹ Während der Mahlzeit sagte er: »Ich weiß genau, daß einer von euch mich verraten wird.«
²² Die Jünger waren sehr bestürzt, und einer nach dem anderen fragte ihn: »Du meinst doch nicht mich, Herr?«
²³ Jesus antwortete: »Der wird mich verraten, der eben mit mir das Brot in die Schüssel getaucht hat. ²⁴ Der Menschensohn* wird zwar sterben, wie es in den heiligen Schriften* vorausgesagt ist. Aber wehe dem Menschen, der den Menschensohn verrät! Er wäre besser nie geboren worden!« ²⁵ Da fragte der Verräter Judas: »Du meinst doch nicht etwa mich?« »Doch«, antwortete Jesus, »dich!«
²⁶ Während der Mahlzeit nahm Jesus Brot, dankte Gott, brach es in Stücke und gab es seinen Jüngern mit den Worten: »Nehmt und eßt, das ist mein Leib.« ²⁷ Dann nahm er den Becher, sprach darüber das Dankgebet, gab ihn den Jüngern und sagte: »Trinkt alle daraus; ²⁸ das ist mein Blut, das für alle Menschen vergossen wird zur Vergebung ihrer Schuld. Mit ihm wird der Bund* besiegelt, den Gott jetzt mit den Menschen schließt. ²⁹ Ich sage euch: von jetzt an werde ich den Wein des Passamahls nicht mehr trinken, bis ich ihn neu mit euch trinken werde, wenn mein Vater sein Werk vollendet hat!«
³⁰ Dann sangen sie die Dankpsalmen° und gingen hinaus zum Ölberg.

Jesus und Petrus
(Mk 14,27-31)

³¹ Unterwegs sagte Jesus zu ihnen: »Heute nacht werdet
ihr alle an mir irre werden, denn es heißt: ›Ich werde den
Hirten töten, und die Schafe der Herde werden auseinanderlaufen.‹ ³²Aber nach meiner Erweckung vom Tod werde ich euch vorausgehen nach Galiläa.«

³³ Petrus widersprach ihm: »Selbst wenn alle anderen an
dir irre werden – ich bestimmt nicht!« ³⁴»Täusche dich
nicht!« antwortete Jesus. »Bevor der Hahn heute nacht
kräht, wirst du dreimal behaupten, daß du mich nicht
kennst.« ³⁵Da sagte Petrus: »Das werde ich niemals tun,
und wenn ich mit dir zusammen sterben müßte.« Das gleiche sagten auch alle anderen Jünger.

In Getsemani
(Mk 14,32-42; Lk 22,39-46)

³⁶ Danach kam Jesus mit seinen Jüngern an eine einsame
Stelle, die Getsemani* hieß. Dort sagte er zu ihnen:
»Bleibt hier sitzen! Ich gehe ein Stück weiter, um zu beten.« ³⁷ Petrus und die beiden Söhne von Zebedäus nahm
er mit. Traurigkeit und Zittern befielen ihn, ³⁸und er sagte
zu ihnen: »Auf mir liegt eine Last, die mich fast erdrückt.
Bleibt hier und wacht mit mir!« ³⁹Dann ging er noch ein
paar Schritte weiter, warf sich nieder, das Gesicht zur Erde, und betete: »Mein Vater, wenn es möglich ist, laß diesen Leidenskelch an mir vorübergehen! Aber es soll geschehen, was du willst, nicht was ich will.«

⁴⁰ Dann kehrte er zu den drei Jüngern zurück und sah,
daß sie eingeschlafen waren. Da sagte er zu Petrus:
»Könnt ihr nicht einmal eine einzige Stunde mit mir wach
bleiben? ⁴¹Bleibt wach und betet, damit ihr in der kommenden Prüfung nicht versagt. Den guten Willen habt ihr,
aber ihr seid nur schwache Menschen.«

⁴² Noch einmal ging Jesus weg und betete: »Mein Vater,
wenn es nicht anders sein kann und ich diesen Leidenskelch austrinken muß, dann soll geschehen, was du
willst.« ⁴³Als er zurückkam, schliefen sie wieder; sie konnten die Augen nicht offenhalten.

⁴⁴ Zum drittenmal ging Jesus ein Stück weit weg und be-

tete noch einmal mit den gleichen Worten. ⁴⁵Als er dann zu den Jüngern zurückkam, sagte er: »Schlaft ihr denn immer noch und ruht euch aus? Es ist soweit; gleich wird der Menschensohn* den Feinden Gottes ausgeliefert. ⁴⁶Steht auf, wir wollen gehen. Da ist er schon, der mich verrät!«

Jesus wird festgenommen
(Mk 14,43-50; Lk 22,47-53; Joh 18,3-12)

⁴⁷Noch während er das sagte, kam Judas, einer der zwölf Jünger, mit einem Trupp von Männern, die mit Schwertern und Knüppeln bewaffnet waren. Sie waren von den führenden Priestern* und Ratsältesten* geschickt worden. ⁴⁸Der Verräter hatte mit ihnen ein Erkennungszeichen ausgemacht: »Wem ich einen Begrüßungskuß gebe, der ist es. Den nehmt fest!« ⁴⁹Judas ging sogleich auf Jesus zu und sagte: »Sei gegrüßt, Lehrer!« und gab ihm einen Kuß. ⁵⁰Jesus sagte zu ihm: »Freund, komm zur Sache!« Da traten die Bewaffneten heran, packten Jesus und nahmen ihn fest.

⁵¹Einer von seinen Begleitern zog sein Schwert, hieb auf den Diener des Obersten Priesters* ein und schlug ihm ein Ohr ab. ⁵²Aber Jesus befahl ihm: »Steck dein Schwert weg; denn wer zum Schwert greift, wird durch das Schwert umkommen. ⁵³Weißt du nicht, daß ich nur meinen Vater um Hilfe zu bitten brauche, und er wird mir sofort mehr als zwölf Legionen* Engel schicken? ⁵⁴Aber wie soll sich dann erfüllen, was in den heiligen Schriften* vorausgesagt ist? Es muß doch so kommen!«

⁵⁵Aber zu denen, die ihn festgenommen hatten, sagte Jesus: »Mußtet ihr wirklich mit Schwertern und Knüppeln anrücken, um mich gefangenzunehmen? Bin ich denn ein Verbrecher? Jeden Tag war ich bei euch im Tempel und habe gelehrt; da habt ihr mich nicht festgenommen. ⁵⁶Aber es mußte alles so kommen, damit die Voraussagen der Propheten in Erfüllung gehen.«

Da verließen ihn alle seine Jünger und flohen.

Jesus vor dem jüdischen Rat
(Mk 14,53-65; Lk 22,54-55.63-71; Joh 18,12-14.19-24)

⁵⁷Die Männer, die Jesus verhaftet hatten, brachten ihn in das Haus des Obersten Priesters* Kajaphas, wo schon die

Gesetzeslehrer* und Ratsältesten* versammelt waren.
⁵⁸ Petrus folgte Jesus in weitem Abstand und kam bis
in den Innenhof des Hauses. Dort setzte er sich zu den
Wächtern, um zu sehen, was weiter geschehen werde.

⁵⁹ Die führenden Priester und der ganze Rat* versuchten nun, Jesus durch falsche Zeugenaussagen zu belasten,
damit sie ihn zum Tod verurteilen könnten. ⁶⁰ Aber das gelang nicht, obwohl eine ganze Reihe von Zeugen auftrat.
Schließlich kamen zwei ⁶¹ und sagten: »Dieser Mann hat
behauptet: ›Ich kann den Tempel Gottes niederreißen
und ihn in drei Tagen wieder aufbauen!‹«

⁶² Da stand der Oberste Priester auf und fragte Jesus:
»Hast du nichts gegen diese Anklagen vorzubringen?«
⁶³ Aber Jesus schwieg. Der Oberste Priester sagte: »Ich
stelle dich unter Eid und frage dich im Namen des lebendigen Gottes: Bist du der versprochene Retter*? Bist du
der Sohn* Gottes?« ⁶⁴ Jesus antwortete: »Ja. Aber ich sage
euch, von jetzt an gilt: Ihr werdet den Menschensohn* an
der rechten Seite des Allmächtigen sitzen und auf den
Wolken des Himmels kommen sehen!«

⁶⁵ Da zerriß der Oberste Priester sein Gewand und sagte: »Das ist eine Gotteslästerung! Wir brauchen keine
Zeugen mehr! Ihr habt es ja selbst gehört. ⁶⁶ Wie lautet
euer Urteil?« »Er hat den Tod verdient!« riefen sie.
⁶⁷ Dann spuckten sie ihm ins Gesicht und ohrfeigten ihn.
Andere schlugen ihn ⁶⁸ und höhnten: »Du Retter Israels,
wer hat dich gerade geschlagen? Du bist doch ein Prophet!«

Petrus verleugnet Jesus
(Mk 14,66-72; Lk 22,56-62; Joh 18,15-18.25-27)

⁶⁹ Petrus saß noch immer im Hof, als eine Dienerin vorbeikam und sagte: »Du warst doch auch mit diesem Jesus aus
Galiläa zusammen!« ⁷⁰ Petrus stritt es vor allen Leuten ab
und sagte: »Ich weiß nicht, wovon du redest!«

⁷¹ Dann ging er ans Eingangstor. Dort sah ihn ein anderes Mädchen und sagte zu denen, die dort herumstanden:
»Der da war auch mit diesem Jesus aus Nazaret zusammen!« ⁷² Und wieder stritt Petrus es ab: »Ich schwöre, ich
kenne den Mann überhaupt nicht!«

⁷³ Kurz darauf traten die Umstehenden zu Petrus und

sagten: »Natürlich gehörst du zu ihnen. Das merkt man
schon an deiner Aussprache!« [74] Petrus aber schwor:
»Gott soll mich strafen, wenn ich lüge! Ich kenne den
Mann nicht!«

In diesem Augenblick krähte ein Hahn, [75] und Petrus
erinnerte sich daran, daß Jesus zu ihm gesagt hatte: »Bevor der Hahn kräht, wirst du dreimal behaupten, daß
du mich nicht kennst.« Da ging er hinaus und weinte verzweifelt.

Jesus wird an Pilatus ausgeliefert
(Mk 15,1; Lk 23,1; Joh 18,28)

27 Früh am Morgen schließlich faßten die führenden
Priester* und Ratsältesten* einmütig den Beschluß, Jesus zu töten. [2] Sie ließen ihn fesseln; dann nahmen sie ihn mit und übergaben ihn dem römischen Prokurator* Pilatus.

Zu späte Reue
(Apg 1,16-20)

[3] Als der Verräter Judas erfuhr, daß Jesus zum Tod verurteilt worden war, packte ihn die Reue, und er brachte die
dreißig Silberstücke* zu den führenden Priestern* und
Ratsältesten* zurück. [4] »Ich habe eine schwere Schuld auf
mich geladen«, sagte er; »ein Unschuldiger wird getötet,
und ich habe ihn verraten.« »Was geht uns das an?« antworteten sie. »Das ist doch deine Angelegenheit!« [5] Da
warf Judas das Geld in den Tempel, lief fort und erhängte
sich.

[6] Die führenden Priester nahmen das Geld an sich und
sagten: »An diesem Geld klebt Blut, und es ist nach dem
Gesetz* verboten, solches Geld in den Tempelschatz zu
tun.« [7] Sie berieten sich und beschlossen, davon den Töp-
feracker zu kaufen und als Friedhof für Ausländer zu benutzen. [8] Noch heute heißt darum dieses Stück Land
»Blutacker«.

[9] So ging in Erfüllung, was der Prophet Jeremia vorausgesagt hatte: »Sie nahmen die dreißig Silberstücke, die er
den Israeliten wert war, [10] und kauften davon den Töpfer-
acker, so wie es der Herr befohlen hatte.«

Jesus vor Pilatus
(Mk 15,2-5; Lk 23,2-5; Joh 18,29-38)

[11]Jesus stand vor dem Prokurator*. Der fragte ihn: »Bist du der König der Juden?« »Ja«, antwortete Jesus. [12]Aber als die führenden Priester* und die Ratsältesten* ihn beschuldigten, schwieg er. [13]Darum fragte Pilatus ihn: »Hörst du nicht, was sie gegen dich vorbringen?« [14]Aber Jesus schwieg und sagte kein einziges Wort. Darüber war der Prokurator sehr erstaunt.

Das Todesurteil
(Mk 15,6-15; Lk 23,13-25; Joh 18,39-19,16)

[15]Es war üblich, daß der römische Prokurator* zum Passafest* einen Gefangenen begnadigte, den das Volk bestimmen durfte. [16]Damals gab es einen berüchtigten Gefangenen, der Jesus Barabbas hieß. [17]Als sie nun alle versammelt waren, fragte sie Pilatus: »Wen soll ich euch freigeben: Jesus Barabbas oder Jesus, der auch Christus* genannt wird?« [18]Denn er wußte genau, daß man ihm Jesus nur aus Neid ausgeliefert hatte.

[19]Während Pilatus auf dem Richterstuhl saß, ließ seine Frau ihm ausrichten: »Laß die Hände von diesem unschuldigen Mann! Seinetwegen hatte ich letzte Nacht einen schrecklichen Traum.« [20]Inzwischen hatten die führenden Priester* und Ratsältesten* das Volk überredet, es solle für Barabbas die Freilassung und für Jesus den Tod verlangen. [21]Der Prokurator fragte noch einmal: »Wen von den beiden soll ich euch herausgeben?« »Barabbas!« schrien sie. [22]»Und was soll ich mit Jesus machen, den man Christus nennt?« fragte Pilatus weiter. »Kreuzigen!« riefen alle. [23]»Was hat er denn verbrochen?« fragte Pilatus. Aber sie schrien noch lauter: »Kreuzigen!«

[24]Als Pilatus merkte, daß seine Worte nichts nützten und die Erregung der Menge nur noch größer wurde, nahm er Wasser und wusch sich vor allen Leuten die Hände. Dabei sagte er: »Ich habe keine Schuld am Tod dieses Mannes. Das habt ihr zu verantworten!« [25]Das ganze Volk schrie: »Wenn er unschuldig ist, dann komme die Strafe für seinen Tod auf uns und unsere Kinder!« [26]Da

gab Pilatus ihnen Barabbas frei. Jesus ließ er auspeitschen und gab Befehl, ihn ans Kreuz zu nageln.

Die Soldaten verspotten Jesus
(Mk 15,16-20; Joh 19,2-3)

27 Die Soldaten des Prokurators* brachten Jesus in den Palast und versammelten die ganze Mannschaft um ihn. 28 Sie zogen ihn aus und hängten ihm einen roten Mantel um, 29 flochten eine Krone aus Dornenzweigen und drückten sie ihm auf den Kopf. Sie gaben ihm einen Stock in die Hand, knieten vor ihm nieder und machten sich über ihn lustig. »Der König der Juden, er lebe hoch!« riefen sie. 30 Dann spuckten sie ihn an, nahmen ihm den Stock wieder weg und schlugen ihn damit auf den Kopf. 31 Als sie ihn genug verspottet hatten, nahmen sie ihm den Mantel ab, zogen ihm seine eigenen Kleider wieder an und führten ihn hinaus, um ihn ans Kreuz zu nageln.

Jesus am Kreuz
(Mk 15,21-32; Lk 23,26-43; Joh 19,17-27)

32 Unterwegs trafen sie einen Mann aus Zyrene namens Simon. Den zwangen sie, das Kreuz zu tragen. 33 So kamen sie an die Stelle, die Golgota heißt, das bedeutet ›Schädel‹. 34 Dort gaben sie Jesus Wein mit einem bitteren Zusatz; aber als er gekostet hatte, wollte er ihn nicht trinken.

35 Sie nagelten ihn ans Kreuz und losten untereinander seine Kleider aus. 36 Danach setzten sie sich und bewachten ihn. 37 Über seinem Kopf hatten sie ein Schild angebracht, auf dem der Grund für seine Hinrichtung geschrieben stand: »Dies ist Jesus, der König der Juden!« 38 Dann nagelten sie neben Jesus zwei Verbrecher an Kreuze, einen links und einen rechts von ihm.

39 Die Leute, die vorbeikamen, schüttelten höhnisch den Kopf und beschimpften Jesus: 40 »Du wolltest den Tempel niederreißen und in drei Tagen wieder aufbauen! Wenn du Gottes Sohn* bist, dann befrei dich doch und komm herunter vom Kreuz!« 41 Genauso machten sich die führenden Priester* und die Gesetzeslehrer* und Ratsältesten* über ihn lustig: 42 »Anderen hat er geholfen, aber sich selbst kann er nicht helfen! Wenn er wirklich der König von Israel ist, soll er

doch vom Kreuz herunterkommen! Dann werden wir ihm glauben. 43 Er hat doch auf Gott vertraut; der soll ihm jetzt helfen, wenn ihm etwas an ihm liegt. Er hat doch behauptet, Gottes Sohn zu sein!« 44 Sogar die beiden Verbrecher, die mit ihm gekreuzigt worden waren, beschimpften ihn.

Jesus stirbt

(Mk 15,33-41; Lk 23,44-49; Joh 19,28-30)

45 Von zwölf Uhr mittags bis um drei Uhr wurde es im ganzen Land dunkel. 46 Gegen drei Uhr schrie Jesus: »Eli, eli, lema sabachtani?« – das heißt: ›Mein Gott, mein Gott, warum hast du mich verlassen?‹ 47 Einige von denen, die dabeistanden und es hörten, sagten: »Er ruft nach Elija!« 48 Einer lief schnell nach einem Schwamm, tauchte ihn in Essig*, steckte ihn auf eine Stange und gab Jesus zu trinken. 49 Die anderen riefen: »Halt! Wir wollen doch sehen, ob Elija kommt und ihm hilft.« 50 Aber Jesus schrie noch einmal laut auf und starb.

51 Da zerriß der Vorhang vor dem Allerheiligsten* im Tempel von oben bis unten. Die Erde bebte, Felsen spalteten sich, 52 und Gräber brachen auf. Viele aus dem Volk Gottes, die gestorben waren, erwachten vom Tod 53 und verließen die Gräber. Später, als Jesus vom Tod auferweckt worden war, kamen sie in die Heilige Stadt und wurden dort von vielen Leuten gesehen.

54 Als der römische Hauptmann und die Soldaten, die mit ihm zusammen Jesus bewachten, das Erdbeben und alles andere miterlebten, erschraken sie sehr und sagten: »Er war wirklich Gottes Sohn*!«

55 Es waren auch viele Frauen da, die alles aus der Ferne beobachteten. Sie waren von Galiläa an bei Jesus gewesen und hatten für ihn gesorgt; 56 darunter waren Maria aus Magdala, Maria, die Mutter von Jakobus und Josef, sowie die Mutter der beiden Zebedäussöhne.

Das Begräbnis

(Mk 15,42-47; Lk 23,50-56; Joh 19,38-42)

57 Am Abend kam ein reicher Mann aus Arimathäa; er hieß Josef und war ein Jünger* Jesu. 58 Er ging zu Pilatus und bat ihn, den Leichnam Jesu freizugeben. Da befahl

Pilatus, ihn auszuliefern. [59] Josef nahm den Toten, wickelte ihn in ein sauberes Leinentuch [60] und legte ihn in sein eigenes Grab, das in einen Felsen gehauen und noch unbenutzt war. Dann rollte er einen schweren Stein vor den Grabeingang und ging fort. [61] Maria aus Magdala und die andere Maria blieben dort und setzten sich dem Grab gegenüber nieder.

Die Grabwache

[62] Am nächsten Tag – es war der Sabbat* – kamen die führenden Priester* und die Pharisäer* miteinander zu Pilatus [63] und sagten: »Herr, uns ist eingefallen, daß dieser Schwindler behauptet hat, er werde drei Tage nach seinem Tod auferweckt werden. [64] Gib deshalb Anweisung, das Grab bis zum dritten Tag streng zu bewachen! Sonst könnten seine Jünger die Leiche stehlen und dann unserem Volk erzählen, er sei vom Tod auferweckt worden. Dieser letzte Betrug wäre dann noch viel schlimmer als die Lügen vorher.« [65] »Ich gebe euch eine Wache«, sagte Pilatus. »Geht und sichert das Grab, wie ihr es für nötig haltet!« [66] Sie gingen also zum Grab, versiegelten den Stein am Eingang gemeinsam mit der Wache und ließen diese beim Grab zurück.

Jesus lebt

(Mk 16,1-8; Lk 24,1-12; Joh 20,1-18)

28 Am Abend, als der Sabbat* vorüber und der Sonntag eben angebrochen war,° machten sich Maria aus Magdala und die andere Maria auf den Weg, um nach dem Grab zu sehen. [2] Plötzlich bebte die Erde, denn ein Engel des Herrn kam vom Himmel herab, trat an das Grab, rollte den Stein weg und setzte sich darauf. [3] Er leuchtete wie ein Blitz, und sein Gewand war schneeweiß. [4] Die Wächter erschraken vor ihm so sehr, daß sie zitterten und wie tot dalagen.

[5] Der Engel sagte zu den Frauen: »*Ihr* braucht keine Angst zu haben! Ich weiß, ihr sucht Jesus, der ans Kreuz genagelt wurde. [6] Er ist nicht hier, er ist auferweckt worden, so wie er es vorausgesagt hat. Kommt her und seht die Stelle, wo er gelegen hat! [7] Und jetzt geht schnell zu seinen Jüngern und sagt ihnen: ›Gott hat ihn vom Tod er-

weckt! Er geht euch voraus nach Galiläa, dort werdet ihr
ihn sehen.‹ Ihr könnt euch auf mein Wort verlassen.«

⁸Erschrocken und doch voller Freude liefen die Frauen
vom Grab weg. Sie eilten zu den Jüngern, um ihnen alles
zu erzählen.

⁹Plötzlich stand Jesus selbst vor ihnen und sagte: »Seid
gegrüßt!« Die Frauen warfen sich vor ihm nieder und um-
faßten seine Füße. ¹⁰»Habt keine Angst!« sagte Jesus zu
ihnen. »Geht und sagt meinen Brüdern,° sie sollen nach
Galiläa gehen. Dort werden sie mich sehen.«

Der Bericht der Wache

¹¹Während die Frauen noch auf dem Weg waren, liefen
einige Wächter vom Grab zurück in die Stadt und meldeten den führenden Priestern*, was geschehen war. ¹²Diese
überlegten zusammen mit den Ratsältesten*, was sie nun
tun sollten. Sie bestachen die Soldaten mit viel Geld ¹³und
trugen ihnen auf: »Erzählt allen: ›In der Nacht, während
wir schliefen, sind seine Jünger gekommen und haben den
Toten gestohlen.‹ ¹⁴Wenn der Prokurator* von der Geschichte erfährt, werden wir mit ihm sprechen. Ihr habt
nichts zu befürchten!« ¹⁵Die Wächter nahmen das Geld
und taten, wie man sie angewiesen hatte. Diese Geschichte wird bei den Juden bis heute weitererzählt.

Jesus erscheint den Jüngern

¹⁶Die elf Jünger gingen nach Galiläa auf den Berg, zu dem
Jesus sie bestellt hatte. ¹⁷Als sie ihn dort sahen, warfen sie
sich vor ihm nieder, aber einige taten es mit zwiespältigem
Herzen. ¹⁸Jesus trat auf sie zu und sagte: »Gott hat mir
unbeschränkte Vollmacht im Himmel und auf der Erde
gegeben. ¹⁹Darum geht nun zu allen Völkern der Welt
und macht die Menschen zu meinen Jüngern! Tauft sie im
Namen des Vaters und des Sohnes* und des Heiligen Geistes*, ²⁰und lehrt sie, alles zu befolgen, was ich euch aufgetragen habe. Und das sollt ihr wissen: ich bin immer bei
euch, jeden Tag, bis zum Ende der Welt.«

DIE GUTE NACHRICHT NACH MARKUS

Wie es anfing

1 In diesem Buch steht, wie die Gute Nachricht von Jesus Christus, dem Sohn* Gottes,° ihren Anfang nahm.

Der Täufer Johannes
(Mt 3,1-12; Lk 3,1-18; Joh 1,19-28)

² Es begann, wie es im Buch des Propheten Jesaja steht: »›Ich sende meinen Boten vor dir her‹, sagt Gott, ›damit er den Weg für dich bahnt.‹ ³ In der Wüste ruft einer: ›Macht den Weg bereit, auf dem der Herr kommt! Baut ihm eine gute Straße!‹« ⁴ Das geschah, als der Täufer Johannes in der Wüste auftrat und zu den Menschen sagte: »Laßt euch taufen und fangt ein neues Leben an, dann wird Gott euch eure Schuld vergeben!« ⁵ Alle Leute aus dem Gebiet von Judäa und die ganze Einwohnerschaft von Jerusalem kamen zu ihm, gaben offen ihre Verfehlungen zu und ließen sich von ihm im Jordan taufen.

⁶ Johannes trug ein Gewand aus Kamelhaaren mit einem Ledergürtel und ernährte sich von Heuschrecken und dem Honig wilder Bienen. ⁷ Er kündigte an: »Nach mir kommt der, der viel mächtiger ist als ich. Ich bin nicht gut genug, mich zu bücken und ihm die Schuhe aufzubinden. ⁸ Ich habe euch mit Wasser getauft; er wird euch mit heiligem Geist* taufen.«

Jesus wird getauft und auf die Probe gestellt
(Mt 3,13-4,11; Lk 3,21-22; 4,1-13; Joh 1,32-34)

⁹ Um diese Zeit kam Jesus aus Nazaret in Galiläa und ließ sich von Johannes im Jordan taufen. ¹⁰ Als er aus dem Wasser stieg, sah er, wie der Himmel aufriß und der Geist* Gottes wie eine Taube auf ihn herabkam. ¹¹ Zugleich hörte er eine Stimme vom Himmel her sagen: »Du bist mein Sohn*, dir gilt meine Liebe, dich habe ich erwählt.«

¹²Gleich danach trieb der Geist Gottes Jesus in die Wüste. ¹³Dort blieb er vierzig Tage und wurde vom Satan auf die Probe gestellt. Er lebte mit den wilden Tieren zusammen, und die Engel Gottes versorgten ihn.

Jesus beginnt sein Wirken in Galiläa
(Mt 4,12-17; Lk 4,14-15)

¹⁴Nachdem man Johannes ins Gefängnis geworfen hatte, ging Jesus nach Galiläa und verkündete im Auftrag Gottes: ¹⁵»Es ist soweit: Jetzt will Gott seine Herrschaft* aufrichten und sein Werk vollenden. Ändert euer Leben und glaubt diese gute Nachricht!«

Jesus beruft vier Fischer zu Jüngern
(Mt 4,18-22; Lk 5,1-11)

¹⁶Als Jesus am See von Galiläa entlangging, sah er zwei Fischer, die gerade ihr Netz auswarfen, Simon und seinen Bruder Andreas. ¹⁷Jesus sagte zu ihnen: »Geht mit mir! Ich mache euch zu Menschenfischern.« ¹⁸Sofort ließen sie ihre Netze liegen und folgten ihm.

¹⁹Als Jesus ein kleines Stück weiterging, sah er zwei andere Brüder, Jakobus und Johannes, die Söhne von Zebedäus. Sie waren gerade im Boot und setzten die Netze instand. ²⁰Jesus forderte sie auf, ihm zu folgen; und sie ließen ihren Vater Zebedäus mit den Gehilfen im Boot zurück und gingen mit ihm.

Jesus zeigt seine Macht
(Lk 4,31-37)

²¹Sie kamen nach Kafarnaum. Gleich am nächsten Sabbat* ging Jesus in die Synagoge* und sprach zu den Versammelten. ²²Sie waren von seinen Worten tief beeindruckt; denn er redete wie einer, der Vollmacht von Gott hat – ganz anders als die Gesetzeslehrer*.

²³In der Synagoge war ein Mann, der von einem bösen Geist* besessen war. Er schrie: ²⁴»Was hast du mit uns vor, Jesus von Nazaret? Willst du uns zugrunde richten? Ich kenne dich genau, du bist der, den Gott gesandt hat!« ²⁵Jesus befahl dem bösen Geist: »Sei still und verlaß den Mann!« ²⁶Da schüttelte der Geist den Mann und verließ ihn mit einem lauten Schrei.

²⁷ Die Leute erschraken alle und fragten einander: »Was hat das zu bedeuten? Er hat eine ganz neue Art zu lehren – wie einer, der Vollmacht von Gott hat! Er befiehlt sogar den bösen Geistern, und sie gehorchen ihm.« ²⁸ Wie ein Lauffeuer verbreitete sich die Kunde von Jesus ringsum in Galiläa.

Jesus heilt viele Menschen
(Mt 8,14-17; Lk 4,38-41)

²⁹ Danach verließen sie die Synagoge* und gingen in das Haus von Simon und Andreas. Auch Jakobus und Johannes kamen mit. ³⁰ Im Haus erfuhr Jesus, daß Simons Schwiegermutter mit Fieber im Bett lag. ³¹ Er ging zu ihr, nahm sie bei der Hand und richtete sie auf. Das Fieber verschwand, und sie bereitete für alle das Essen.

³² Am Abend, nach Sonnenuntergang, brachte man alle Kranken und Besessenen* zu Jesus. ³³ Die ganze Stadt hatte sich vor dem Haus versammelt. ³⁴ Jesus heilte viele Menschen von den verschiedensten Krankheiten und trieb viele böse Geister aus. Er ließ die bösen Geister nicht zu Wort kommen; denn sie wußten, wer er war.

Jesus zieht durch Galiläa
(Lk 4,42-44)

³⁵ Am nächsten Morgen verließ Jesus lange vor Sonnenaufgang die Stadt und zog sich an eine abgelegene Stelle zurück. Dort betete er. ³⁶ Simon und die anderen Jünger gingen ihm nach ³⁷ und fanden ihn. »Alle wollen dich sehen«, sagten sie. ³⁸ Jesus antwortete: »Wir müssen in die umliegenden Dörfer gehen, damit ich auch dort die Gute Nachricht verkünde. Denn dazu bin ich gekommen.« ³⁹ So zog Jesus durch ganz Galiläa. Er sprach in den Synagogen* und trieb die bösen Geister* aus.

Jesus heilt einen Aussätzigen
(Mt 8,1-4; Lk 5,12-16)

⁴⁰ Einmal kam ein Aussätziger* zu Jesus, fiel vor ihm auf die Knie und bat ihn um Hilfe. »Wenn du willst«, sagte er, »kannst du mich gesund machen!« ⁴¹ Jesus hatte Mitleid mit ihm, streckte die Hand aus und berührte ihn. »Ich

will«, sagte er, »sei gesund!« ⁴²Im selben Augenblick war
der Mann von seinem Aussatz geheilt. ⁴³Sofort schickte
Jesus ihn weg und befahl ihm streng: ⁴⁴»Sag niemand
auch nur ein Wort davon, sondern geh zum Priester und
laß dich von ihm untersuchen. Dann bring für deine Heilung das Opfer dar, das Mose vorgeschrieben hat; das soll
für alle ein Beweis dafür sein, daß ich das Gesetz* ernst
nehme.«°

⁴⁵Aber der Mann fing trotz des Verbots an, überall von
seiner Heilung zu erzählen. Bald konnte Jesus keine Ortschaft mehr unerkannt betreten. Daher blieb er draußen
in einsamen Gegenden; die Leute aber kamen dennoch
von überall her zu ihm.

Jesus heilt einen Gelähmten
(Mt 9,1-8; Lk 5,17-26)

2 Einige Tage später kam Jesus nach Kafarnaum zurück, und bald wußte jeder, daß er wieder zu Hause
war. ²Die Menschen strömten so zahlreich zusammen,
daß kein Platz mehr blieb, nicht einmal draußen vor der
Tür. Jesus verkündete ihnen die Botschaft Gottes.
³Da brachten vier Männer einen Gelähmten herbei,
⁴kamen aber wegen der Menschenmenge nicht bis zu Jesus durch. Darum stiegen sie auf das flache Dach und gru-
ben die Lehmdecke auf, genau über der Stelle, wo Jesus
war. Dann ließen sie den Gelähmten auf seiner Matte
durch das Loch hinunter. ⁵Als Jesus sah, wie groß ihr Vertrauen war, sagte er zu dem Gelähmten: »Deine Schuld ist
dir vergeben!«
⁶Das hörten einige Gesetzeslehrer*, die auch dort waren, und sie dachten: ⁷»Wie kann er es wagen, so zu reden? Das ist eine Gotteslästerung! Niemand außer Gott
kann uns unsere Schuld vergeben.« ⁸Jesus wußte sofort,
was sie dachten, und fragte sie: »Was sind das für Gedanken, die ihr euch da macht? ⁹Was ist leichter – diesem Gelähmten zu sagen: ›Deine Schuld ist dir vergeben‹, oder:
›Steh auf, nimm deine Matte und geh‹? ¹⁰Aber ihr sollt sehen, daß der Menschensohn* von Gott die Vollmacht hat,
hier auf der Erde Schuld zu vergeben.« Und er sagte zu
dem Gelähmten: ¹¹»Ich befehle dir: Steh auf, nimm deine
Matte und geh nach Hause!« ¹²Der Mann stand auf, nahm

seine Matte und ging. Alle, die es sahen, waren ganz außer
sich, priesen Gott und sagten: »So etwas haben wir noch
nie erlebt!«

Jesus beruft den Zolleinnehmer Levi
(Mt 9,9-13; Lk 5,27-32)

¹³ Dann ging Jesus wieder hinaus an den See. Alle kamen
zu ihm, und er sprach zu ihnen. ¹⁴ Als er weiterging, sah er
einen Zolleinnehmer* in seinem Zollhaus sitzen. Es war
Levi, der Sohn von Alphäus. Jesus sagte zu ihm: »Geh mit
mir!« Und Levi stand auf und folgte ihm.

¹⁵ Später war Jesus bei Levi zu Gast. Viele Zolleinnehmer und andere, die einen ebenso schlechten Ruf hatten,
nahmen mit Jesus und seinen Jüngern an der Mahlzeit
teil. Sie alle hatten sich Jesus angeschlossen. ¹⁶ Ein paar
Gesetzeslehrer* von der Partei der Pharisäer* sahen, wie
Jesus mit diesen Leuten zusammen aß. Sie fragten seine
Jünger: »Wie kann er sich mit Zolleinnehmern und ähnlichem Gesindel an einen Tisch setzen?« ¹⁷ Jesus hörte es,
und er antwortete ihnen: »Nicht die Gesunden brauchen
den Arzt, sondern die Kranken. Ich soll nicht die in Gottes neue Welt einladen, bei denen alles in Ordnung ist,
sondern die ausgestoßenen Sünder.«

Die Hochzeit hat begonnen
(Mt 9,14-17; Lk 5,33-39)

¹⁸ An einem Tag, an dem die Jünger von Johannes und die
Pharisäer* fasteten*, kamen Leute zu Jesus und fragten
ihn: »Wie kommt es, daß die Anhänger des Täufers und
der Pharisäer regelmäßig fasten, aber deine Jünger nicht?«
¹⁹ Jesus antwortete: »Es ist doch undenkbar, daß die Gäste
bei einer Hochzeit fasten – jedenfalls solange der Bräutigam da ist! ²⁰ Früh genug kommt der Tag, an dem der
Bräutigam ihnen entrissen wird, dann werden sie fasten,
immer an jenem Tag.

²¹ Niemand flickt ein altes Kleid mit einem neuen Stück
Stoff; sonst reißt das neue Stück wieder aus und macht
das Loch nur noch größer. ²² Auch füllt niemand neuen
Wein, der noch gärt, in alte Schläuche; sonst sprengt der
Wein die Schläuche, und beides ist verloren. Nein, neuer
Wein gehört in neue Schläuche!«

Über den Sabbat
(Mt 12,1-8; Lk 6,1-5)

²³An einem Sabbat* ging Jesus durch die Felder. Seine
Jünger rissen unterwegs Ähren ab und aßen die Körner.
²⁴Die Pharisäer* sahen es und sagten zu Jesus: »Da sieh
dir an, was sie tun! Das ist nach dem Gesetz* am Sabbat
verboten.« ²⁵Jesus antwortete ihnen: »Habt ihr noch nie gelesen, was David tat, als er und seine Männer hungrig waren
und etwas zu essen brauchten? ²⁶Er ging in das Haus Gottes
und aß von den geweihten Broten*. Das war zu der Zeit, als
Abjatar Oberster Priester* war. Nach dem Gesetz dürfen
doch nur die Priester dieses Brot essen – und trotzdem aß
David davon und gab es auch seinen Begleitern!«
²⁷Jesus fügte hinzu: »Der Sabbat ist für den Menschen
da, nicht der Mensch für den Sabbat. ²⁸Also hat der
Menschensohn* auch das Recht, zu bestimmen, was am
Sabbat geschehen darf.«

Jesus heilt am Sabbat
(Mt 12,9-14; Lk 6,6-11)

3 Wieder einmal ging Jesus in eine Synagoge*. Dort war
auch ein Mann mit einer gelähmten Hand. ²Einige
der Anwesenden hätten Jesus gerne angezeigt; darum beobachteten sie genau, ob er es wagen würde, den Mann
am Sabbat* zu heilen. ³Jesus sagte zu ihm: »Steh auf und
komm her!« ⁴Dann fragte er die anderen: »Was darf man
nach dem Gesetz* am Sabbat tun? Gutes oder Böses?
Darf man einem Menschen das Leben retten oder muß
man ihn umkommen lassen?« Er bekam keine Antwort.
⁵Voll Zorn sah er sie der Reihe nach an. Zugleich war er
traurig, weil sie so engstirnig und hartherzig waren. Dann
sagte er zu dem Mann: »Streck deine Hand aus!« Er
streckte sie aus, und sie wurde wieder gesund.
⁶Da verließen die Pharisäer* die Synagoge. Sie trafen
sich sogleich mit den Parteigängern von Herodes, und sie
wurden sich einig, daß Jesus sterben müsse.

Am See Gennesaret
(Mt 4,23-25; 12,15-21; Lk 6,17-19)

⁷Jesus zog sich mit seinen Jüngern an den See Gennesaret

zurück. Viele Menschen aus Galiläa folgten ihm. Auch aus Judäa ⁸und Jerusalem, aus dem Gebiet von Idumäa, von der anderen Seite des Jordans und aus der Gegend der Städte Tyrus und Sidon kamen viele zu Jesus. Sie hatten von seinen Taten gehört und wollten ihn sehen. ⁹ Jesus ließ sich von seinen Jüngern ein Boot bereithalten; denn die Menge war so groß, daß sie ihn fast erdrückte. ¹⁰Weil er schon so viele geheilt hatte, drängten sich alle Kranken zu ihm, um ihn zu berühren. ¹¹Wenn Menschen, die von bösen Geistern* besessen waren, ihn sahen, fielen sie vor ihm nieder und riefen: »Du bist der Sohn* Gottes!« ¹²Aber Jesus verbot ihnen nachdrücklich, das bekanntzumachen.

Jesus wählt zwölf Jünger aus
(Mt 10,1-4; Lk 6,12-16)

¹³Dann stieg Jesus auf einen Berg und rief die zu sich, die er bei sich haben wollte. Sie traten zu ihm. ¹⁴Auf diese Weise setzte er einen Kreis von zwölf Männern ein,° die ständig bei ihm sein sollten. Später wollte er sie aussenden, damit sie die Gute Nachricht verkünden. ¹⁵Sie sollten auch die Vollmacht bekommen, böse Geister* auszutreiben.
¹⁶Die zwölf, die Jesus dafür bestimmte, waren: Simon, dem er den Namen Petrus* gab; ¹⁷Jakobus und Johannes, die Söhne von Zebedäus, die er Donnersöhne nannte; ¹⁸dazu Andreas, Philippus, Bartholomäus, Matthäus, Thomas, Jakobus, der Sohn von Alphäus, Thaddäus, Simon, der zur Partei der Zeloten* gehört hatte, ¹⁹und Judas Iskariot, der Jesus später verriet.

Unhaltbare Verdächtigungen
(Mt 12,22-32; Lk 11,14-23; 12,10)

²⁰Dann ging Jesus nach Hause. Wieder strömte eine so große Menge zusammen, daß er und seine Jünger nicht einmal zum Essen kamen. ²¹Als das seine Angehörigen erfuhren, machten sie sich auf den Weg, um ihn mit Gewalt wegzuholen, denn sie sagten sich: »Er muß verrückt geworden sein.«
²²Einige Gesetzeslehrer*, die aus Jerusalem gekommen waren, sagten: »Er steht mit dem Teufel im Bund! Der

oberste aller bösen Geister* gibt ihm die Macht, die Geister auszutreiben.«

²³ Da rief Jesus die Gesetzeslehrer zu sich und erklärte ihnen die Sache durch Bilder: »Wie kann der Satan sich selbst austreiben? ²⁴ Ein Staat muß doch untergehen, wenn seine Machthaber einander befehden. ²⁵ Und wenn die Glieder einer Familie miteinander im Streit liegen, wird die Familie zerfallen. ²⁶ Wenn der Satan mit sich selbst uneins wird und sich selbst bekämpft, muß er untergehen, und mit seiner Herrschaft ist es aus. ²⁷ Wer in das Haus eines starken Mannes einbrechen und etwas stehlen will, muß doch zuerst den starken Mann fesseln; dann erst kann er das Haus ausrauben.

²⁸ Ich sage euch: jede Sünde kann den Menschen vergeben werden und auch jede Gotteslästerung. ²⁹ Wer aber den heiligen Geist* beleidigt, für den gibt es keine Vergebung, denn er ist auf ewig schuldig geworden.« – ³⁰ Das sagte Jesus, weil sie behauptet hatten: »Er steht mit dem Teufel im Bund.«

Die Angehörigen Jesu
(Mt 12,46-50; Lk 8,19-21)

³¹ Inzwischen waren die Mutter Jesu und seine Brüder gekommen. Sie standen vor dem Haus und schickten jemand, um Jesus herauszurufen. ³² Rings um Jesus saßen die Menschen dicht gedrängt. Man richtete ihm aus: »Deine Mutter und deine Brüder und Schwestern stehen draußen und wollen etwas von dir.« ³³ Jesus antwortete: »Wer sind meine Mutter und meine Brüder?« ³⁴ Er sah auf die Leute, die um ihn herumsaßen, und sagte: »Hier sind meine Mutter und meine Brüder! ³⁵ Wer tut, was Gott will, der ist mein Bruder, meine Schwester und meine Mutter!«

Jesus spricht zum Volk in Gleichnissen
(Mt 13,1-3; Lk 8,4)

4 Wieder einmal war Jesus am See und wollte zu den Menschen sprechen. Es hatten sich aber so viele angesammelt, daß er sich in ein Boot setzen und ein Stück vom Ufer abstoßen mußte. Die Menge blieb am Ufer, ² und er erklärte ihnen vieles von seiner Botschaft mit Hilfe von Gleichnissen*.

Der zuversichtliche Sämann
(Mt 13,3-9; Lk 8,5-8)

Unter anderem sagte er: ³»Hört zu! Ein Bauer ging aufs Feld, um zu säen. ⁴Als er die Körner ausstreute, fiel ein Teil von ihnen auf den Weg. Die Vögel kamen und pickten sie auf. ⁵Andere fielen auf felsigen Grund, der nur mit einer dünnen Erdschicht bedeckt war. Sie gingen rasch auf; ⁶als aber die Sonne hochstieg, vertrockneten die jungen Pflanzen, weil sie nicht genügend Erde hatten. ⁷Wieder andere fielen in Dornengestrüpp, das bald die Pflanzen überwucherte und erstickte, so daß sie keine Frucht brachten. ⁸Doch nicht wenige fielen auch auf guten Boden; sie gingen auf, wuchsen und brachten Frucht. Manche brachten dreißig Körner, andere sechzig, wieder andere hundert.« ⁹Und Jesus sagte: »Wer hören kann, soll gut zuhören.«

Warum Jesus Gleichnisse gebraucht
(Mt 13,10-17; Lk 8,9-10)

¹⁰Als Jesus mit den zwölf Jüngern und seinen übrigen Begleitern wieder allein war, wollten sie wissen, warum er Gleichnisse* gebrauchte. ¹¹Jesus sagte: »Euch läßt Gott erkennen, wie er jetzt seine Herrschaft* aufrichtet, aber die Außenstehenden erfahren davon nur in Gleichnissen. ¹²Es heißt ja: ›Sie sollen hinsehen, soviel sie wollen, und doch nicht erkennen, sie sollen zuhören, soviel sie wollen, und doch nichts verstehen, damit sie ja nicht zu Gott umkehren und er ihnen ihre Schuld vergebe!‹«

Jesus erklärt das Gleichnis vom Sämann
(Mt 13,18-23; Lk 8,11-15)

¹³Jesus fragte sie: »Versteht ihr dieses Gleichnis* denn nicht? Wie wollt ihr dann all die anderen Gleichnisse verstehen? ¹⁴Der Sämann sät die Botschaft Gottes aus. ¹⁵Manchmal fallen die Worte auf den Weg. So ist es bei den Menschen, die die Botschaft zwar hören, aber dann kommt sofort der Satan und reißt alles aus, was in sie gesät wurde. ¹⁶Bei anderen ist es wie bei dem Samen, der auf felsigen Grund fällt. Sie hören die Gute Nachricht und nehmen sie sogleich mit Freuden an; ¹⁷aber sie kann in ihnen keine Wurzeln schlagen, weil diese Leute unbe-

ständig sind. Wenn sie der Botschaft wegen in Schwierigkeiten geraten oder verfolgt werden, werden sie gleich an
ihr irre. [18] Bei anderen ist es wie bei dem Samen, der in
das Dorngestrüpp fällt. Sie hören zwar die Gute Nachricht, [19] aber sie verlieren sich in ihren Alltagssorgen, lassen sich vom Reichtum verführen und leben nur für ihre
Wünsche. Dadurch wird die Botschaft erstickt und bleibt
wirkungslos. [20] Bei anderen schließlich ist es wie bei dem
Samen, der auf guten Boden fällt. Sie hören die Botschaft
Gottes, nehmen sie an und bringen Frucht, manche dreißigfach, andere sechzigfach, wieder andere hundertfach.«

Vom Verstehen der Guten Nachricht
(Lk 8,16-18)

[21] Jesus fuhr fort: »Nimmt man etwa eine Lampe, um sie
unter eine Schüssel oder unters Bett zu stellen? Nein,
man stellt sie auf einen erhöhten Platz! [22] So soll auch alles, was jetzt noch verborgen ist, ans Licht kommen, und
was jetzt noch unverständlich ist, soll verstanden werden.
[23] Wer hören kann, soll gut zuhören!«

[24] Er fügte hinzu: »Achtet auf das, was ich euch sage!
Nach dem Maß eures Zuhörens wird Gott euch Verständnis geben, ja sogar noch mehr. [25] Denn wer viel hat, dem
wird noch mehr gegeben, aber wer wenig hat, dem wird
auch noch das wenige genommen, das er hat.«

Die Saat geht von allein auf

[26] Dann sagte Jesus: »Mit der neuen Welt Gottes ist es wie
mit der Saat und dem Bauern: Hat der Bauer gesät, [27] so
geht er nach Hause, legt sich nachts schlafen, steht morgens wieder auf – und das viele Tage lang. Inzwischen geht
die Saat auf und wächst; wie, das versteht der Bauer selber nicht. [28] Ganz von selbst läßt der Boden die Pflanzen
wachsen und Frucht bringen. Zuerst kommen die Halme,
dann bilden sich die Ähren, und schließlich füllen sie sich
mit Körnern. [29] Sobald das Korn reif ist, fängt der Bauer
an zu mähen; dann ist Erntezeit.«

Das Senfkorn: Der entscheidende Anfang ist gemacht
(Mt 13,31-32.34-35; Lk 13,18-19)

[30] »Wie geht es zu, wenn Gott seine Herrschaft* aufrich-

tet?« fragte Jesus. »Womit kann man das vergleichen?
[31] Es ist wie bei einem Senfkorn. Es gibt keinen kleineren
Samen; [32] aber ist er einmal in die Erde gesät, so geht er
auf und wird größer als alle anderen Gartenpflanzen und
bekommt starke Zweige, in deren Schatten die Vögel
nisten können.«

[33] Jesus erzählte den Leuten noch viele ähnliche Gleichnisse*, damit sie ihn besser verstehen konnten, und verkündete ihnen so die Botschaft Gottes. [34] Nie sprach er zu
ihnen, ohne Gleichnisse zu gebrauchen. Aber wenn er mit
seinen Jüngern allein war, erklärte er ihnen alles.

Die Jünger im Sturm
(Mt 8,18.23-27; Lk 8,22-25)

[35] Am Abend sagte Jesus zu seinen Jüngern: »Kommt, wir
fahren zum anderen Ufer hinüber!« [36] Die Jünger schickten die Menschenmenge weg. Dann stiegen sie ins Boot,
in dem Jesus noch saß, und fuhren ab. Auch andere Boote fuhren mit. [37] Da kam ein schwerer Sturm auf, so daß
die Wellen über Bord schlugen. Das Boot füllte sich schon
mit Wasser, [38] Jesus aber schlief im Heck des Bootes auf
einem Kissen. Die Jünger weckten ihn und riefen: »Kümmert es dich nicht, daß wir untergehen?« [39] Da stand Jesus
auf, bedrohte den Wind und befahl dem tobenden See:
»Still! Gib Ruhe!« Der Wind legte sich, und es wurde ganz
still. [40] »Warum habt ihr solche Angst?« fragte Jesus.
»Habt ihr denn immer noch kein Vertrauen?« [41] Da befiel
sie große Furcht, und sie fragten sich: »Was ist das für ein
Mensch, daß ihm sogar Wind und Wellen gehorchen!«

Der Besessene von Gerasa
(Mt 8,28-34; Lk 8,26-39)

5 Auf der anderen Seite des Sees kamen sie ins Gebiet
von Gerasa. [2] Als Jesus aus dem Boot stieg, lief ihm
aus den Grabhöhlen ein Mann entgegen, der von einem bösen Geist* besessen war. [3] Er hauste dort; niemand konnte
ihn bändigen, nicht einmal mit Ketten. [4] Schon oft hatte man
ihn an Händen und Füßen gefesselt, aber er hatte jedesmal
die Ketten zerrissen. Keiner wurde mit ihm fertig. [5] Er war
Tag und Nacht in den Grabhöhlen oder auf den Bergen und
schrie und schlug mit Steinen auf sich ein.

⁶ Schon von weitem sah er Jesus und lief zu ihm hin. Er warf sich vor ihm nieder ⁷ und schrie laut: »Jesus, du Sohn* des höchsten Gottes, was willst du von mir? Um Gottes willen, quäle mich doch nicht!« ⁸ Denn Jesus hatte dem bösen Geist* befohlen, den Mann zu verlassen. ⁹ Nun fragte Jesus ihn: »Wie heißt du?« Der antwortete: »Legion*. Wir sind nämlich viele!« ¹⁰ Und er flehte Jesus an: »Vertreib uns nicht aus dieser Gegend!«

¹¹ In der Nähe weidete eine große Schweineherde am Berghang. ¹² Die bösen Geister baten: »Laß uns doch in diese Schweine fahren!« ¹³ Jesus erlaubte es ihnen. Da verließen sie den Mann, fuhren in die Schweine, und die ganze Herde stürzte sich über das steile Ufer in den See und ertrank. Es waren etwa zweitausend Tiere.

¹⁴ Die Schweinehirten liefen davon und erzählten in der Stadt und in den Dörfern, was geschehen war. Die Leute wollten es mit eigenen Augen sehen. ¹⁵ Sie kamen zu Jesus und sahen den Mann, der von so vielen bösen Geistern besessen gewesen war: er saß da, ordentlich angezogen und bei klarem Verstand. Da befiel sie große Furcht. ¹⁶ Die Augenzeugen berichteten ihnen ausführlich, wie es bei der Heilung des Besessenen zugegangen war. Sie erzählten auch den Vorfall mit den Schweinen. ¹⁷ Darauf drängten die Leute Jesus, ihr Gebiet zu verlassen.

¹⁸ Als Jesus ins Boot stieg, bat ihn der Geheilte: »Laß mich mit dir gehen!« ¹⁹ Aber Jesus erlaubte es ihm nicht, sondern sagte: »Geh zurück zu deinen Angehörigen und erzähl ihnen, was der Herr für dich getan und wieviel Erbarmen er mit dir gehabt hat.« ²⁰ Der Mann gehorchte und ging. Er zog durch das Gebiet der Zehn Städte und verkündete überall, was Jesus für ihn getan hatte. Und alle staunten.

Die Tochter von Jaïrus
(Mt 9,18-26; Lk 8,40-56)

²¹ Jesus fuhr wieder ans andere Seeufer zurück. Bald hatte sich eine große Menschenmenge um ihn versammelt. Noch während er am See war, ²² kam ein Synagogenvorsteher* namens Jaïrus zu ihm. Er fiel vor Jesus nieder ²³ und bat ihn inständig: »Meine kleine Tochter ist tod-

krank; bitte, komm und leg ihr die Hände auf, damit sie
gerettet wird und am Leben bleibt!«

²⁴ Jesus ging mit ihm, und viele andere schlossen sich an.
Darum gab es ein ziemliches Gedränge. ²⁵ Es war auch
eine Frau dabei, die seit zwölf Jahren an schweren Blutungen litt. ²⁶ Sie hatte schon viele Behandlungen von den
verschiedensten Ärzten über sich ergehen lassen. Ihr ganzes Vermögen hatte sie dafür geopfert, aber es hatte
nichts genützt; im Gegenteil, ihr Leiden war nur schlimmer geworden. ²⁷ Diese Frau hatte von Jesus gehört; sie
drängte sich in der Menge von hinten an ihn heran und
berührte sein Gewand. ²⁸ Denn sie sagte sich: »Wenn ich
nur sein Gewand anfasse, werde ich gesund.« ²⁹ Im selben
Augenblick hörte die Blutung auf, und sie spürte, daß sie
ihre Plage los war. ³⁰ Jesus merkte sofort, daß jemand seine heilende Kraft in Anspruch genommen hatte. Er drehte sich um und fragte: »Wer hat mein Gewand berührt?«

³¹ »Du siehst doch, wie die Leute sich um dich drängen«, sagten seine Jünger, »und dann fragst du noch, wer
dich berührt hat?« ³² Aber Jesus blickte umher, um zu sehen, wer es gewesen war. ³³ Die Frau zitterte vor Angst;
sie wußte ja, was mit ihr vorgegangen war. Darum fiel sie
vor ihm nieder und erzählte ihm alles. ³⁴ »Dein Vertrauen
hat dir geholfen«, sagte Jesus zu ihr. »Geh in Frieden! Du
bist von deinem Leiden befreit.«

³⁵ Während Jesus noch sprach, kamen Boten aus dem
Haus des Synagogenvorstehers und sagten zu Jaïrus: »Deine Tochter ist gestorben. Du brauchst den Lehrer nicht
weiter zu bemühen.« ³⁶ Jesus hörte es und sagte zu Jaïrus:
»Erschrick nicht, hab nur Vertrauen!« ³⁷ Dann ging er weiter; nur Petrus, Jakobus und dessen Bruder Johannes
durften mitgehen. ³⁸ Als sie beim Haus des Synagogenvorstehers ankamen, sah Jesus schon die aufgeregten Menschen und hörte das Klagegeschrei. ³⁹ Er ging ins Haus
und sagte: »Was soll der Lärm? Warum weint ihr? Das
Kind ist nicht tot – es schläft nur.« ⁴⁰ Sie lachten ihn aus;
aber er schickte alle bis auf die Eltern des Mädchens und
die drei Jünger aus dem Haus. Dann ging er in den Raum,
in dem das Kind lag. ⁴¹ Er nahm es bei der Hand und sagte: »Talita kum!« Das heißt: ›Steh auf, Mädchen!‹ ⁴² Das
Mädchen stand sofort auf und ging umher. Es war zwölf

Jahre alt. Alle waren vor Entsetzen außer sich. ⁴³Aber Jesus verbot ihnen nachdrücklich, es anderen weiter-zuerzählen. Dann sagte er: »Gebt dem Kind etwas zu essen!«

Jesus in Nazaret
(Mt 13,53-58; Lk 4,16-30)

6 Von dort ging Jesus in seine Heimatstadt. Seine Jün-ger begleiteten ihn. ²Am Sabbat* sprach er in der Synagoge*, und alle, die ihn hörten, waren sehr verwun-dert. »Wo hat er das her?« fragten sie einander. »Von wem hat er diese Weisheit? Wie kann er solche Wunder tun? ³Er ist doch der Zimmermann,° der Sohn von Maria und der Bruder von Jakobus, Joses, Judas und Simon. Und le-ben nicht seine Schwestern hier bei uns?« Darum wollten sie nichts von ihm wissen. ⁴Aber Jesus sagte zu ihnen: »Ein Prophet wird überall geachtet, nur nicht in seiner Heimat, bei seinen Verwandten und in seiner Familie.« ⁵Deshalb konnte er dort auch keine Wunder tun; nur einigen Kranken legte er die Hände auf und heilte sie. ⁶Er wunderte sich, daß die Leute von Nazaret ihm das Ver-trauen verweigerten. Er ging in die umliegenden Dörfer und sprach dort zu den Menschen.

Die Aussendung der zwölf Jünger
(Mt 10,1.5-14; Lk 9,1-6)

⁷Jesus rief die zwölf Jünger zu sich, gab ihnen die Voll-macht, böse Geister* auszutreiben, und sandte sie zu zweien aus. ⁸Er befahl ihnen: »Nehmt nichts mit auf den Weg außer einem Wanderstock; kein Brot, keine Vorrats-tasche und auch kein Geld! ⁹Zieht Sandalen an, aber kein zweites Hemd!« ¹⁰Weiter sagte er: »Wenn jemand euch aufnimmt, dann bleibt in seinem Haus, bis ihr von da wei-terzieht. ¹¹Wenn ihr in einen Ort kommt, wo die Leute euch nicht aufnehmen und nicht anhören wollen, dann zieht weiter und schüttelt den Staub* von den Füßen, da-mit sie gewarnt sind.«

¹²Die Jünger machten sich auf den Weg und forderten die Menschen auf, ihr Leben zu ändern. ¹³Sie trieben vie-le böse Geister aus, salbten viele Kranke mit Öl und heil-ten sie.

Der Täufer Johannes wird hingerichtet
(Mt 14,1-12; Lk 9,7-9)

[14] Inzwischen hatte auch König Herodes von Jesus gehört;
denn überall redete man von ihm. Die einen sagten: »Der
Täufer Johannes ist vom Tod auferstanden, darum kann er
solche Taten vollbringen.« [15] Andere hielten ihn für Elija,
wieder andere meinten, er sei ein Prophet wie die Propheten der alten Zeit. [16] Herodes aber war überzeugt, daß er
der Täufer Johannes sei. »Es ist der, dem ich den Kopf abschlagen ließ«, sagte er, »und jetzt ist er auferstanden.«
[17] Herodes hatte nämlich Johannes festnehmen und ins
Gefängnis werfen lassen. Der Grund dafür war: Herodes
hatte seinem Bruder Philippus die Frau, Herodias, weggenommen und sie geheiratet. [18] Johannes hatte ihm daraufhin vorgehalten: »Es war dir nicht erlaubt, die Frau deines
Bruders zu heiraten.« [19] Herodias war wütend auf Johannes und wollte ihn töten, konnte sich aber nicht durchset-
zen. [20] Denn Herodes wußte, daß Johannes ein frommer
und heiliger Mann war; darum wagte er nicht, ihn anzuta-
sten. Er hielt ihn zwar in Haft, ließ sich aber gerne etwas
von ihm sagen, auch wenn er beim Zuhören jedesmal in
große Verlegenheit geriet.
[21] Aber dann kam für Herodias die günstige Gelegenheit. Herodes hatte Geburtstag und gab ein Fest für alle
hohen Regierungsbeamten, die Offiziere und die angesehensten Bürger von Galiläa. [22] Dabei trat die Tochter von
Herodias als Tänzerin auf. Das gefiel allen so gut, daß der
König zu dem Mädchen sagte: »Wünsche dir, was du
willst; du wirst es bekommen.« [23] Er schwor sogar: »Ich
werde dir alles geben, was du willst, und wenn es mein
halbes Königreich wäre!«
[24] Da ging das Mädchen zu seiner Mutter und fragte,
was es sich wünschen solle. Die Mutter sagte: »Den Kopf
des Täufers Johannes.« [25] Schnell ging das Mädchen wieder zu Herodes und trug seine Bitte vor: »Ich will, daß du
mir jetzt sofort den Kopf des Täufers Johannes auf einem
Teller überreichst!« [26] Der König wurde traurig, aber weil
er vor allen Gästen einen Schwur geleistet hatte, wollte er
die Bitte nicht abschlagen. [27] Er schickte den Henker und
befahl ihm, den Kopf von Johannes zu bringen. Der Hen-

ker ging ins Gefängnis und enthauptete Johannes. ²⁸ Dann
brachte er den Kopf auf einem Teller herein und überreichte ihn dem Mädchen, das ihn an seine Mutter weiter-
gab.

²⁹ Als die Jünger des Täufers Johannes erfuhren, was geschehen war, holten sie den Toten und begruben ihn.

Jesus gibt fünftausend Menschen zu essen

(Mt 14,13-21; Lk 9,10-17; Joh 6,1-13)

³⁰ Die Apostel* kehrten zu Jesus zurück und berichteten
ihm, was sie in seinem Auftrag gesagt und getan hatten.
³¹ »Kommt, wir suchen einen ruhigen Platz«, sagte Jesus,
»wo ihr allein sein und ein wenig ausruhen könnt.« Denn
es war ein ständiges Kommen und Gehen, so daß sie nicht
einmal Zeit zum Essen hatten. ³² Sie stiegen in ein Boot
und fuhren an eine einsame Stelle. ³³ Aber man sah sie ab-
fahren, und viele hörten davon. So kam es, daß die Leute
aus allen Orten vorausliefen und Jesus und seine Jünger
an der Landestelle erwarteten.

³⁴ Als Jesus aus dem Boot stieg, sah er die vielen Menschen. Er bekam Mitleid mit ihnen, denn sie waren wie
Schafe, die keinen Hirten haben. Darum sprach er lange
zu ihnen. ³⁵ Als es Abend wurde, kamen die Jünger zu Jesus und sagten: »Es ist schon spät, und die Gegend hier ist
einsam. ³⁶ Darum schick die Leute in die Dörfer und Gehöfte ringsum, damit sie sich etwas zu essen kaufen.«
³⁷ »Warum?« erwiderte Jesus. »Gebt doch ihr ihnen zu
essen!« Sie wandten ein: »Dann müßten wir ja für zweihundert Silberstücke* Brot einkaufen!« ³⁸ Aber Jesus befahl ihnen: »Seht nach, wieviele Brote ihr hier habt!« Sie
taten es und berichteten: »Fünf Brote sind da und zwei
Fische.«

³⁹ Jesus wies die Jünger an, sie sollten die Leute auffordern, Gruppen zu bilden und sich ins Gras zu setzen. ⁴⁰ So
lagerten sich die Leute in Gruppen zu hundert und zu
fünfzig. ⁴¹ Dann nahm Jesus die fünf Brote und die zwei
Fische, sah zum Himmel auf und dankte Gott. Er brach
die Brote in Stücke, gab sie den Jüngern, und die verteilten sie. Dann teilte er auch die beiden Fische aus. ⁴² Alle
bekamen genug zu essen. ⁴³ Die Jünger füllten sogar noch
zwölf Körbe mit dem, was von den Broten und Fischen

übrigblieb. [44] Etwa fünftausend Männer hatten an der Mahlzeit teilgenommen.

Jesus geht über das Wasser
(Mt 14,22-33; Joh 6,16-21)

[45] Gleich darauf schickte Jesus seine Jünger im Boot nach Betsaida ans andere Seeufer voraus. Er ließ die Leute nach Hause gehen [46] und stieg dann auf einen Berg, um zu beten. [47] Als es dunkel wurde, war Jesus allein an Land und das Boot weit draußen auf dem See. [48] Er sah, daß seine Jünger beim Rudern nur mühsam vorwärts kamen, weil sie gegen den Wind ankämpfen mußten. Gegen Morgen kam Jesus auf dem Wasser zu ihnen und wollte an ihnen vorbeigehen. [49] Als die Jünger ihn auf dem Wasser gehen sahen, meinten sie, es sei ein Gespenst, und schrien auf. [50] Denn sie sahen ihn alle und zitterten vor Angst. Sofort sprach er sie an: »Erschreckt nicht! *Ich* bin's,° habt keine Angst!« [51] Dann stieg er zu ihnen ins Boot, und der Wind legte sich. Da gerieten sie vor Entsetzen ganz außer sich. [52] Denn sie waren auch durch das Wunder mit den Broten noch nicht zur Einsicht gekommen; sie begriffen einfach nichts.

Jesus heilt Kranke in Gennesaret
(Mt 14,34-36)

[53] Sie überquerten den See und landeten bei Gennesaret. [54] Die Bewohner dieser Gegend erkannten Jesus sogleich, als er aus dem Boot stieg. [55] Sie gingen ins ganze Gebiet und brachten die Kranken auf ihren Matten immer an den Ort, von dem sie hörten, daß Jesus dort sei. [56] Wohin er auch kam, in Städte oder Dörfer oder zu Gehöften, dorthin brachte man die Kranken, legte sie auf die Marktplätze und fragte ihn, ob sie nicht wenigstens die Quaste* seines Gewandes berühren dürften. Und alle, die das taten, wurden gesund.

Über rein und unrein
(Mt 15,1-9)

7 Eines Tages kamen einige Gesetzeslehrer* aus Jerusalem und trafen sich mit den Pharisäern bei Jesus. [2] Sie bemerkten, daß einige seiner Jünger mit unreinen* Hän-

den aßen, das heißt, daß sie die Hände vor dem Essen nicht nach der religiösen Vorschrift gewaschen hatten. ³Denn die Pharisäer und auch alle anderen Juden richten sich nach den Vorschriften* der Vorfahren und essen nur, wenn sie sich die Hände in der vorgeschriebenen Weise° gewaschen haben. ⁴Auch wenn sie vom Markt kommen, essen sie nicht, bevor sie sich durch ein Bad gereinigt* haben. So befolgen sie noch eine ganze Reihe von Vorschriften über die Reinigung von Bechern, Töpfen, Kupfergeschirren und Sitzpolstern. ⁵Daher fragten die Pharisäer und Gesetzeslehrer Jesus: »Warum richten sich deine Jünger nicht nach den Vorschriften der Vorfahren, sondern essen mit unreinen Händen?«

⁶Jesus antwortete ihnen: »Der Prophet Jesaja hat treffend von euch Scheinheiligen gesprochen! In seinem Buch heißt es ja: ›Dieses Volk da ehrt mich nur mit Worten, sagt Gott, aber mit dem Herzen ist es weit weg von mir. ⁷Ihr ganzer Gottesdienst ist sinnlos, denn sie lehren nur Gebote, die sich Menschen ausgedacht haben.‹ ⁸Gottes Gebot schiebt ihr zur Seite, aber an den Vorschriften von Menschen haltet ihr fest.«

⁹Und weiter sagte Jesus: »Wie geschickt bringt ihr es fertig, Gottes Gebote zu umgehen, damit ihr eure Vorschriften aufrechterhalten könnt! ¹⁰Mose hat bekanntlich gesagt: ›Ehre deinen Vater und deine Mutter!‹ und: ›Wer zu seinem Vater oder seiner Mutter etwas Schändliches sagt, wird mit dem Tod bestraft.‹ ¹¹Ihr dagegen behauptet: Wenn jemand zu seinem Vater oder seiner Mutter sagt: Korban* – das heißt: Was ich euch eigentlich geben müßte, ist für Gott bestimmt –, ¹²dann braucht er seinen Eltern nicht mehr zu helfen. Ja, ihr erlaubt es ihm dann nicht einmal mehr. ¹³So macht ihr Gottes Gebot ungültig durch eure eigenen Vorschriften. Dafür gibt es noch viele andere Beispiele.«

Was macht unrein?
(Mt 15,10-20)

¹⁴Dann rief Jesus die Menge wieder zu sich und sagte: »Hört zu und begreift! ¹⁵Nichts, was der Mensch von außen in sich aufnimmt, kann ihn unrein* machen; nur das, was aus ihm selbst kommt, macht ihn unrein!«°

¹⁷Als Jesus sich vor der Menge in ein Haus zurückgezogen hatte, fragten ihn seine Jünger, wie er das gemeint habe. ¹⁸Er antwortete: »Seid ihr denn auch so unverständig? Begreift ihr denn nicht? Das, was der Mensch von außen in sich aufnimmt, kann ihn nicht unrein machen, ¹⁹weil es nicht in sein Herz, sondern nur in den Magen gelangt und dann vom Körper wieder ausgeschieden wird.« Damit erklärte Jesus, daß alle Speisen vor Gott rein sind.

²⁰»Aber das«, fuhr er fort, »was aus dem Menschen selbst kommt, macht ihn unrein. ²¹Denn aus ihm selbst, aus seinem Herzen, kommen die bösen Gedanken, und mit ihnen Unzucht, Diebstahl, Mord, ²²Ehebruch, Habsucht und andere schlimme Dinge wie Betrug, Lüsternheit, Neid, Verleumdung, Überheblichkeit und Unvernunft. ²³All das kommt aus dem Innern des Menschen und macht ihn unrein.«

Das Vertrauen einer nichtjüdischen Frau
(Mt 15,21-28)

²⁴Dann ging Jesus ins Gebiet von Tyrus, und weil er unerkannt bleiben wollte, ging er in ein Haus. Aber man hatte ihn schon erkannt. ²⁵⁻²⁶Bald kam eine Frau zu ihm, die von ihm gehört hatte; ihre Tochter war von einem bösen Geist* besessen. Die Frau war keine Jüdin, sondern in dieser Gegend zu Hause. Sie fiel Jesus zu Füßen und bat ihn, den bösen Geist aus ihrer Tochter auszutreiben. ²⁷Aber Jesus sagte zu ihr: »Zuerst müssen die Kinder satt werden. Es ist nicht recht, ihnen das Brot wegzunehmen und es den Hunden vorzuwerfen.« ²⁸»Gewiß, Herr«, wandte sie ein, »aber die Hunde bekommen doch wenigstens die Brotkrumen, die die Kinder unter den Tisch fallen lassen.« ²⁹Jesus sagte zu ihr: »Das ist ein Wort! Geh nach Hause; der böse Geist hat deine Tochter verlassen.« ³⁰Die Frau ging nach Hause und fand ihr Kind gesund auf dem Bett liegen; der böse Geist war fort.

Jesus heilt einen Taubstummen
(Mt 15,29-31)

³¹Aus der Gegend von Tyrus zog Jesus über Sidon zum See von Galiläa mitten ins Gebiet der Zehn Städte. ³²Dort brachte man einen Taubstummen zu ihm mit der Bitte,

ihm die Hände aufzulegen. ³³ Jesus führte ihn ein Stück von
der Menge fort und legte seine Finger in die Ohren des Kranken; dann berührte er dessen Zunge mit Speichel. ³⁴ Er blickte zum Himmel empor, stieß einen Seufzer aus und sagte zu
dem Mann: »Effata!« Das heißt: ›Öffne dich!‹ ³⁵ Im selben
Augenblick konnte der Mann hören, auch seine Zunge löste
sich, und er konnte richtig sprechen. ³⁶ Jesus verbot den Anwesenden, es irgend jemand weiterzusagen; aber je mehr er
es ihnen verbot, desto mehr machten sie es bekannt.
³⁷ Die Leute waren ganz außer sich und sagten: »Wie gut
ist alles, was er gemacht hat: den Gehörlosen gibt er das
Gehör und den Stummen die Sprache.«

Jesus gibt viertausend Menschen zu essen
(Mt 15,32-39)

8 Wieder einmal war Jesus von vielen Menschen um-
ringt. Als sie hungrig wurden, rief Jesus seine Jünger
zu sich und sagte: ²»Diese Menschen tun mir leid. Seit drei
Tagen sind sie hier bei mir und haben nichts zu essen. ³ Ich
kann sie jetzt nicht hungrig nach Hause schicken. Sie könnten unterwegs zusammenbrechen, denn sie sind zum Teil von
weither gekommen.« ⁴ Die Jünger gaben zu bedenken: »Wo
soll man hier in dieser unbewohnten Gegend Brot bekommen, um so viele satt zu machen?« ⁵ »Wie viele Brote habt
ihr?« fragte Jesus, und sie sagten: »Sieben!« ⁶ Da forderte er
die Leute auf, sich auf die Erde zu setzen.

Dann nahm er die sieben Brote, sprach darüber das
Dankgebet, brach sie in Stücke und gab sie seinen Jüngern. Die Jünger verteilten sie an die Menge. ⁷ Außerdem
hatten sie ein paar kleine Fische. Jesus segnete sie und
ließ sie ebenfalls austeilen. ⁸⁻⁹ Alle hatten zu essen und
wurden satt; es waren ungefähr viertausend Menschen.
Die Jünger füllten sogar noch sieben Körbe mit dem, was
übrigblieb. Dann schickte Jesus die Menschen nach Hause, ¹⁰ stieg mit seinen Jüngern in ein Boot und fuhr in die
Gegend von Dalmanuta.

Die Pharisäer fordern einen Beweis
(Mt 16,1-4)

¹¹ Einige Pharisäer* kamen zu Jesus und fingen an, mit
ihm zu diskutieren. Weil sie ihn auf die Probe stellen woll-

ten, verlangten sie von ihm ein Zeichen vom Himmel als
Beweis dafür, daß er wirklich von Gott beauftragt sei.
¹²Jesus stieß einen Seufzer aus und sagte: »Wieso verlangen diese Leute einen Beweis? Ich sage euch: diese Generation bekommt nie und nimmer einen Beweis!« ¹³Damit
ließ er sie stehen, stieg wieder ins Boot und fuhr ans andere Seeufer.

Unverständige Jünger
(Mt 16,5-12)

¹⁴Die Jünger hatten vergessen, Brot zu besorgen; nur ein
einziges hatten sie bei sich im Boot. ¹⁵Jesus warnte sie:
»Nehmt euch in acht vor dem Sauerteig* der Pharisäer
und vor dem Sauerteig von Herodes!« ¹⁶⁻¹⁷Die Jünger bezogen das auf ihr Versäumnis. Jesus aber kannte ihre Gedanken und sagte: »Was macht ihr euch Sorgen darüber,
daß ihr kein Brot habt? Versteht ihr denn immer noch
nichts? Fällt euch das Begreifen so schwer? Seid ihr genauso verstockt wie die anderen? ¹⁸Ihr habt doch Augen
und Ohren, warum seht und hört ihr nicht? Erinnert ihr
euch nicht daran, ¹⁹wie ich die fünf Brote an fünftausend
Menschen verteilt habe? Wieviel Körbe mit Resten habt
ihr da eingesammelt?« »Zwölf«, sagten sie. ²⁰»Und als ich
die sieben Brote unter viertausend Menschen verteilt habe, wieviel Körbe mit Resten waren es da?« »Sieben«, antworteten sie; ²¹und Jesus sagte: »Begreift ihr denn immer
noch nichts?«

Jesus heilt einen Blinden

²²Als sie nach Betsaida kamen, brachten die Leute einen
Blinden und baten Jesus, den Mann anzurühren. ²³Jesus
nahm ihn bei der Hand und führte ihn aus dem Ort hinaus. Er spuckte ihm in die Augen,° legte ihm die Hände
auf und fragte: »Kannst du etwas erkennen?« ²⁴Der Blinde blickte auf und sagte: »Ja, ich sehe Menschen, aber sie
sehen aus wie Bäume, die sich bewegen.« ²⁵Noch einmal
legte ihm Jesus die Hände auf die Augen, da sah er deutlich. ²⁶Jesus befahl ihm: »Geh nicht erst nach Betsaida
hinein, sondern geh gleich nach Hause!«

Petrus spricht aus, wer Jesus ist
(Mt 16,13-20; Lk 9,18-21)

²⁷ Jesus zog mit seinen Jüngern weiter in die Dörfer bei
Cäsarea Philippi. Unterwegs fragte er sie: »Für wen halten
mich eigentlich die Leute?« ²⁸ Sie gaben zur Antwort:
»Einige halten dich für den Täufer Johannes, andere für
Elija, und wieder andere meinen, du seist einer der Propheten.« ²⁹ »Und ihr«, wollte Jesus wissen, »für wen haltet
ihr mich?« Da sagte Petrus: »Du bist Christus*, der versprochene Retter!« ³⁰ Aber Jesus schärfte ihnen ein, mit
niemand darüber zu reden.

Erste Todesankündigung
(Mt 16,21-23; Lk 9,22)

³¹ Daraufhin erklärte Jesus den Jüngern zum erstenmal,
was ihm bevorstand: »Der Menschensohn* wird vieles
erleiden müssen. Die Ratsältesten*, die führenden Priester* und die Gesetzeslehrer* werden ihn aburteilen.°
Man wird ihn töten, doch nach drei Tagen wird er auferstehen.«
³² Jesus sagte das ganz offen. Da nahm Petrus ihn beiseite und machte ihm Vorhaltungen. ³³ Aber Jesus wandte
sich um, sah die anderen Jünger und wies Petrus zurecht.
»Geh weg, du Satan!« sagte er. »Was du im Sinn hast, entspricht nicht Gottes Willen, sondern menschlichen Wünschen.«

Jesus das Kreuz nachtragen
(Mt 16,24-28; Lk 9,23-27)

³⁴ Dann rief Jesus die ganze Menschenmenge hinzu und
sagte: »Wer mit mir gehen will, der muß sich und seine
Wünsche aufgeben. Er muß sein Kreuz auf sich nehmen
und mir auf meinem Weg folgen. ³⁵ Denn wer sein Leben
retten will, wird es verlieren. Aber wer sein Leben für
mich und für die Gute Nachricht verliert, wird es retten.
³⁶ Was hat ein Mensch davon, wenn er die ganze Welt gewinnt, aber zuletzt sein Leben verliert? ³⁷ Womit will er es
dann zurückkaufen? ³⁸ Die Menschen dieser schuldbela-
denen Generation wollen von Gott nichts wissen. Wenn
einer nicht den Mut hat, sich vor ihnen zu mir und meiner

Botschaft zu bekennen, dann wird auch der Menschensohn* keinen Mut haben, sich zu ihm zu bekennen, wenn er in der Herrlichkeit* seines Vaters mit den heiligen Engeln kommt!«

9 Und er fügte hinzu: »Ihr könnt euch darauf verlassen: einige von euch, die jetzt hier stehen, werden noch zu ihren Lebzeiten sehen, wie Gottes Herrschaft machtvoll aufgerichtet wird.«

Drei Jünger sehen Jesu Herrlichkeit
(Mt 17,1-13; Lk 9,28-36)

² Sechs Tage später nahm Jesus die drei Jünger Petrus, Jakobus und Johannes mit sich und führte sie auf einen hohen Berg. Sonst war niemand bei ihnen. Vor den Augen der Jünger ging mit Jesus eine Verwandlung vor. ³ Seine Kleider wurden so leuchtend weiß, wie es keiner auf der Erde machen kann. ⁴ Auf einmal sahen sie Elija und Mose bei Jesus stehen und mit ihm reden. ⁵ Da sagte Petrus zu Jesus: »Wie gut, daß wir hier sind, Lehrer! Wir wollen drei Zelte aufschlagen, eins für dich, eins für Mose und eins für Elija.« ⁶ Aber er wußte gar nicht, was er sagte, denn er und die beiden anderen waren vor Schreck ganz verstört. ⁷ Da kam eine Wolke und warf ihren Schatten über sie. Eine Stimme aus der Wolke sagte: »Dies ist mein Sohn*, dem meine ganze Liebe gilt; auf ihn sollt ihr hören!« ⁸ Dann aber, als sie um sich blickten, sahen sie niemand mehr, nur Jesus war noch bei ihnen.

⁹ Während sie den Berg hinunterstiegen, befahl ihnen Jesus: »Sprecht mit niemand über das, was ihr gesehen habt, bis der Menschensohn* vom Tod auferstanden ist!« ¹⁰ Sie griffen dieses Wort auf und fingen an zu erörtern, was denn das heiße, vom Tod auferstehen.

¹¹ Dann fragten sie Jesus: »Warum behaupten die Gesetzeslehrer*, daß vor dem Ende erst noch Elija wiederkommen muß?« ¹² Jesus sagte: »Elija kommt zwar zuerst, um das ganze Volk Gottes wiederherzustellen. Aber warum heißt es dann noch in den heiligen Schriften*, daß der Menschensohn vieles erleiden muß und verspottet wird? ¹³ Ich sage euch, Elija ist schon gekommen, und sie haben mit ihm gemacht, was sie wollten. So ist es ja auch über ihn geschrieben.«

Heilung eines Kindes
(Mt 17,14-20; Lk 9,37-43)

¹⁴Als sie zu den anderen Jüngern zurückkamen, war dort eine große Menschenmenge versammelt; in der Mitte standen einige Gesetzeslehrer*, die sich mit den Jüngern stritten. ¹⁵Als die Menschen Jesus sahen, gerieten sie in Aufregung; sie eilten zu ihm hin und begrüßten ihn. ¹⁶Jesus fragte die Jünger: »Worüber streitet ihr euch mit den Gesetzeslehrern?« ¹⁷Ein Mann aus der Menge wandte sich an Jesus: »Ich habe meinen Sohn zu dir gebracht; er ist von einem bösen Geist* besessen, darum kann er nicht sprechen. ¹⁸Immer, wenn dieser Geist ihn packt, zerrt er ihn hin und her. Schaum steht dann vor seinem Mund, er knirscht mit den Zähnen, und sein ganzer Körper wird steif. Ich habe deine Jünger gebeten, den bösen Geist auszutreiben, aber sie konnten es nicht.«

¹⁹Da sagte Jesus: »Ihr habt kein Vertrauen zu Gott! Wie lange soll ich noch bei euch aushalten und euch ertragen? Bringt den Jungen her!« ²⁰Sie brachten ihn. Sobald der böse Geist Jesus erblickte, riß er das Kind zu Boden, so daß es sich mit Schaum vor dem Mund hin- und herwälzte. ²¹»Wie lange hat er das schon?« fragte Jesus. »Von klein auf«, sagte der Vater. ²²»Oft wäre er fast ums Leben gekommen, weil der böse Geist ihn ins Feuer oder ins Wasser warf. Hab Erbarmen mit uns und hilf uns, wenn du kannst!« ²³»Was heißt hier: ›Wenn du kannst‹?« sagte Jesus. »Wer Gott vertraut, dem ist alles möglich.« ²⁴Da brach es aus dem Vater hervor: »Ich vertraue ihm ja – und kann es doch nicht! Hilf mir vertrauen!«

²⁵Da immer mehr Leute zusammenliefen, bedrohte Jesus den bösen Geist: »Du stummer und tauber Geist, ich befehle dir: Verlaß dieses Kind und komm nie wieder zu ihm zurück!« ²⁶Der Geist schrie, schüttelte den Jungen hin und her und fuhr aus. Der Junge lag wie leblos am Boden, so daß die Leute schon sagten: »Er ist tot.« ²⁷Aber Jesus nahm ihn bei der Hand, richtete ihn auf, und er stand auf.

²⁸Als Jesus später im Haus war, fragten ihn seine Jünger: »Warum konnten wir den bösen Geist nicht austrei-

ben?« ²⁹ Da sagte Jesus: »Nur durch Gebet° kann man solche Geister austreiben.«

Zweite Todesankündigung
(Mt 17,22-23; Lk 9,43-45)

³⁰ Sie gingen von dort weiter und durchzogen Galiläa. Jesus wollte nicht, daß jemand davon wußte. ³¹ Er erklärte seinen Jüngern, was ihm bevorstand: »Der Menschensohn* wird den Menschen ausgeliefert werden. Sie werden ihn töten, doch nach drei Tagen wird er auferstehen.« ³² Die Jünger verstanden nicht, was Jesus damit sagen wollte; aber sie scheuten sich, ihn zu fragen.

Der bedeutendste Jünger
(Mt 18,1-5; Lk 9,46-48)

³³ Sie kamen nach Kafarnaum, und als sie im Haus waren, fragte Jesus seine Jünger: »Worüber habt ihr euch denn unterwegs gestritten?« ³⁴ Sie schwiegen, denn sie hatten sich gestritten, wer von ihnen wohl der Bedeutendste wäre. ³⁵ Da setzte Jesus sich hin, rief alle zwölf zu sich und sagte: »Wer der Erste sein will, der muß sich allen anderen unterordnen und ihnen dienen.« ³⁶ Er winkte ein Kind heran, stellte es in ihre Mitte, nahm es in seine Arme und sagte: ³⁷ »Wer in meinem Namen solch ein Kind aufnimmt, der nimmt mich auf. Und wer mich aufnimmt, der nimmt nicht nur mich auf, sondern gleichzeitig den, der mich gesandt hat.«

Wer nicht gegen uns ist, ist für uns
(Lk 9,49-50; Mt 10,42)

³⁸ Johannes sagte zu Jesus: »Wir haben da einen Mann gesehen, der hat deinen Namen dazu benutzt, böse Geister* auszutreiben. Wir haben versucht, ihn daran zu hindern, weil er nicht zu uns gehört.« ³⁹ »Laßt ihn doch«, sagte Jesus; »denn wer meinen Namen gebraucht, um Wunder zu tun, kann nicht im nächsten Augenblick schlecht von mir reden. ⁴⁰ Wer nicht gegen uns ist, der ist für uns! ⁴¹ Ich sage euch: wenn euch jemand auch nur einen Schluck Wasser zu trinken gibt, weil ihr zu mir gehört, wird er dafür belohnt werden.«

Warnung vor jeder Art von Verführung
(Mt 18,6-9; Lk 17,1-2)

⁴²»Wer auch nur einen einfachen Menschen, der mir vertraut, an mir irre werden läßt, der käme noch gut weg,
wenn man ihn mit einem Mühlstein um den Hals ins Meer
werfen würde. ⁴³Wenn dich deine Hand zum Bösen verführt, dann hau sie ab. Es ist besser für dich, mit nur einer
Hand bei Gott zu leben, als mit beiden Händen in die
Hölle zu kommen, in das Feuer, das nie ausgeht.° ⁴⁵Oder
wenn dich dein Fuß zum Bösen verführt, dann hau ihn
ab; denn es ist besser für dich, mit nur einem Fuß ewig zu
leben, als mit beiden Füßen in die Hölle geworfen zu werden.° ⁴⁷Und wenn dich dein Auge verführt, dann reiß es
aus, denn es ist besser für dich, mit nur einem Auge in die
neue Welt Gottes zu kommen, als mit beiden Augen in
die Hölle zu fahren, ⁴⁸wo die Qual nicht aufhört und das
Feuer nicht ausgeht.«

Ein ernstes Wort an die Jünger
(Mt 5,13; Lk 14,34-35)

⁴⁹»Zu jeder Opfergabe gehört das Salz und zu jedem von
euch das Feuer des Leidens, das euch reinigt und bewahrt.°

⁵⁰Salz ist etwas Gutes; wenn es aber seine Kraft verliert, wie soll es sie wiederbekommen? Zeigt, daß ihr die
Kraft des Salzes in euch habt: haltet untereinander Frieden!«

Aufbruch nach Judäa
(Mt 19,1-2)

10 Dann brach Jesus von dort auf und zog nach Judäa
und in das Gebiet auf der anderen Seite des Jordans. Auch dort sammelten sich viele Menschen, und wie
immer sprach er zu ihnen.

Über die Ehescheidung
(Mt 19,3-12)

²Da kamen einige Pharisäer* und versuchten, ihm eine
Falle zu stellen. Sie fragten ihn: »Ist es einem Mann erlaubt, seine Frau wegzuschicken?« ³Jesus antwortete mit

einer Gegenfrage: »Was hat euch Mose denn für ein Gesetz gegeben?« ⁴Sie erwiderten: »Nach dem Gesetz* Moses kann ein Mann seiner Frau eine Scheidungsurkunde* ausstellen und sie dann wegschicken.« ⁵Da sagte Jesus: »Mose hat euch die Ehescheidung nur zugestanden, weil ihr so hartherzig seid. ⁶Aber Gott hat am Anfang den Menschen als Mann und Frau geschaffen. ⁷Deshalb verläßt ein Mann Vater und Mutter, um mit seiner Frau zu leben. ⁸Die zwei sind dann eins, mit Leib und Seele. Sie sind also nicht mehr zwei, sondern eins. ⁹Und was Gott zusammengefügt hat, sollen Menschen nicht scheiden.«

¹⁰Als sie dann im Haus waren, baten die Jünger ihn wieder um eine Erklärung, ¹¹und Jesus sagte zu ihnen: »Wer sich von seiner Frau trennt und eine andere heiratet, begeht Ehebruch gegenüber seiner ersten Frau. ¹²Und auch umgekehrt: eine Frau, die sich von ihrem Mann trennt und einen anderen heiratet, begeht Ehebruch.«

Jesus und die Kinder
(Mt 19,13-15; Lk 18,15-17)

¹³Einige Leute brachten ihre Kinder zu Jesus, damit er ihnen die Hände auflegte, aber die Jünger wiesen sie ab. ¹⁴Als Jesus es bemerkte, wurde er zornig und sagte zu seinen Jüngern: »Laßt die Kinder doch zu mir kommen und hindert sie nicht, denn gerade für Menschen wie sie steht die neue Welt Gottes offen. ¹⁵Täuscht euch nicht: wer sich der Liebe Gottes nicht wie ein Kind öffnet, wird sie niemals erfahren.« ¹⁶Dann nahm er die Kinder in die Arme, legte ihnen die Hände auf und segnete sie.

Die Gefahr des Reichtums
(Mt 19,16-30; Lk 18,18-30)

¹⁷Als Jesus weitergehen wollte, kam ein Mann zu ihm gelaufen, kniete vor ihm nieder und fragte: »Guter Lehrer, was muß ich tun, um das ewige Leben zu bekommen?« ¹⁸»Warum nennst du mich gut?« erwiderte Jesus, »nur einer ist gut, Gott! ¹⁹Und seine Gebote kennst du doch: Morde nicht, zerstöre keine Ehe, stiehl nicht, sage nichts Unwahres, beraube niemand, ehre deinen Vater und deine Mutter!« ²⁰»Diese Gebote habe ich von Jugend an alle befolgt«, erwiderte der Mann. ²¹Jesus sah ihn voller Liebe

an und sagte: »Eines fehlt dir: Verkauf alles, was du hast, und gib das Geld den Armen, so wirst du bei Gott einen unverlierbaren Reichtum haben. Und dann geh mit mir!« ²²Als der Mann das hörte, war er enttäuscht und ging traurig weg, denn er war sehr reich.

²³Jesus sah seine Jünger der Reihe nach an und sagte: »Wie schwer haben es doch reiche Leute, in die neue Welt Gottes zu kommen!« ²⁴Die Jünger erschraken über dieses Wort, aber Jesus sagte noch einmal: »Ja, es ist sehr schwer hineinzukommen! ²⁵Eher kommt ein Kamel durch ein Nadelöhr als ein Reicher in Gottes neue Welt.« ²⁶Da gerieten die Jünger völlig außer sich. »Wer kann dann überhaupt gerettet werden?« fragten sie einander. ²⁷Jesus sah sie an und sagte: »Menschen können das nicht machen, aber Gott kann es. Für Gott ist nichts unmöglich.«

²⁸Da sagte Petrus zu Jesus: »Du weißt, wir haben alles stehen- und liegenlassen und sind mit dir gegangen.« ²⁹Jesus antwortete: »Ich versichere euch: Jeder, der für mich und die Gute Nachricht sein Haus, seine Geschwister, seine Eltern oder Kinder oder seinen Besitz zurückgelassen hat, ³⁰der wird all das in diesem Leben hundertfach wiederbekommen: Häuser, Geschwister, Mütter, Kinder und Besitz, wenn auch unter Verfolgungen. Und in der kommenden Welt wird er das ewige Leben haben. ³¹Aber viele, die jetzt vorn sind, werden dann am Schluß stehen, und viele, die jetzt die Letzten sind, werden schließlich die Ersten sein.«

Dritte Todesankündigung

(Mt 20,17-19; Lk 18,31-34)

³²Sie waren auf dem Weg nach Jerusalem; Jesus ging ihnen voran. Seine Begleiter waren erschrocken, die Jünger aber hatten Angst. Wieder nahm Jesus die Zwölf beiseite und sagte ihnen, was bald mit ihm geschehen werde: ³³»Hört zu! Wir gehen jetzt nach Jerusalem. Dort wird der Menschensohn* den führenden Priestern* und Gesetzeslehrern* ausgeliefert werden. Sie werden ihn zum Tod verurteilen und den Fremden übergeben, die Gott nicht kennen. ³⁴Die werden ihren Spott mit ihm treiben, ihn anspucken, auspeitschen und töten; doch nach drei Tagen wird er vom Tod auferstehen.«

Nicht herrschen, sondern dienen
(Mt 20,20-28; Lk 22,24-27)

³⁵ Da kamen Jakobus und Johannes, die Söhne von Zebedäus, zu Jesus und sagten zu ihm: »Wir möchten, daß du uns einen Wunsch erfüllst!« ³⁶ Jesus fragte sie: »Was wollt ihr denn von mir?« ³⁷ Sie sagten: »Wir möchten, daß du uns rechts und links von dir sitzen läßt, wenn du deine Herrschaft* angetreten hast!« ³⁸ Jesus sagte zu ihnen: »Ihr wißt nicht, was ihr da verlangt! Könnt ihr den Leidenskelch trinken, den ich trinken muß? Könnt ihr die Taufe auf euch nehmen, die ich auf mich nehmen muß?« ³⁹ »Das können wir!« sagten sie. Jesus sagte zu ihnen: »Ihr werdet tatsächlich den gleichen Kelch trinken wie ich und die Taufe auf euch nehmen, die mir bevorsteht. ⁴⁰ Aber ich kann nicht darüber verfügen, wer rechts und links von mir sitzen wird. Auf diesen Plätzen werden die sitzen, die Gott dafür bestimmt hat.«

⁴¹ Die anderen zehn hatten das Gespräch mitgehört und ärgerten sich über Jakobus und Johannes. ⁴² Darum rief Jesus sie zu sich und sagte: »Wie ihr wißt, unterdrücken die Herrscher ihre Völker, und die Großen mißbrauchen ihre Macht. ⁴³ Aber so soll es bei euch nicht sein. Wer von euch etwas Besonderes sein will, der soll den anderen dienen, ⁴⁴ und wer von euch an der Spitze stehen will, soll sich allen unterordnen. ⁴⁵ Auch der Menschensohn* ist nicht gekommen, um sich bedienen zu lassen, sondern um zu dienen und sein Leben als Lösegeld für alle Menschen hinzugeben.«

Jesus heilt einen Blinden
(Mt 20,29-34; Lk 18,35-43)

⁴⁶ Sie hatten Jericho erreicht. Als Jesus die Stadt mit seinen Jüngern und einer großen Menschenmenge wieder verlassen wollte, saß ein Blinder am Straßenrand und bettelte. Es war Bartimäus, der Sohn von Timäus. ⁴⁷ Als er hörte, daß Jesus von Nazaret vorbeikam, fing er an, laut zu rufen: »Jesus, Sohn Davids*! Hab Erbarmen mit mir!« ⁴⁸ Die Leute wollten ihn zum Schweigen bringen, aber er schrie noch lauter: »Sohn Davids, hab Erbarmen mit mir!« ⁴⁹ Da blieb Jesus stehen und sagte: »Ruft ihn her!« Sie gingen hin und sagten zu ihm: »Freu dich, Jesus ruft

dich; steh auf!« ⁵⁰Da sprang der Blinde auf, warf seinen
Mantel ab und kam zu Jesus.

⁵¹»Was soll ich für dich tun?« fragte Jesus; und der
Blinde sagte: »Herr,° ich möchte wieder sehen können!«
⁵²Jesus antwortete: »Geh nur, dein Vertrauen hat dich gerettet.« Im gleichen Augenblick konnte er sehen und
folgte Jesus auf seinem Weg.

Jesus zieht in Jerusalem ein
(Mt 21,1–11; Lk 19,28–40; Joh 12,12–19)

11 Kurz vor Jerusalem kamen sie in die Nähe der Ortschaften Betfage und Betanien am Ölberg. Da
schickte Jesus zwei seiner Jünger voraus und trug ihnen
auf: ²»Geht in das Dorf da vorn! Dort werdet ihr gleich
am Ortseingang einen jungen Esel angebunden finden, auf
dem noch niemand geritten ist. Bindet ihn los und bringt
ihn her. ³Und wenn jemand fragt: ›Was tut ihr da?‹, dann
antwortet: ›Der Herr braucht ihn und wird ihn bald wieder zurückschicken.‹«

⁴Die beiden gingen hin und fanden tatsächlich den jungen Esel draußen auf der Straße an einem Hoftor angebunden. Als sie ihn losmachten, ⁵sagten ein paar Leute,
die dort herumstanden: »Wie kommt ihr dazu, den Esel
loszubinden?« ⁶Da sagten sie, was Jesus ihnen aufgetragen hatte, und man ließ sie gewähren.

⁷Sie brachten den Esel zu Jesus, legten ihre Kleider
über das Tier, und Jesus setzte sich darauf. ⁸Viele Leute
breiteten ihre Kleider als Teppich auf die Straße. Andere
rissen Zweige von den Büschen auf den Feldern und legten sie auf den Weg. ⁹Die Menschen, die Jesus vorausefe-
fen und die ihm folgten, begannen laut zu rufen: »Gepriesen sei Gott! Heil dem, der in seinem Auftrag kommt!
¹⁰Heil der Herrschaft unseres Vaters David, die jetzt anbricht! Gepriesen sei Gott in der Höhe!«

¹¹So kam Jesus nach Jerusalem. Er ging in den Tempel
und sah sich dort alles an. Als es Abend geworden war,
ging er mit seinen Jüngern nach Betanien zurück.

Jesus und der Feigenbaum
(Mt 21,18–19)

¹²Am nächsten Morgen, als sie wieder von Betanien

kamen, hatte Jesus Hunger. ¹³ Da sah er in einiger Entfernung einen Feigenbaum stehen, der schon Blätter trug. Er
ging hin, um zu sehen, ob Früchte an ihm wären. Aber er
fand nichts als Blätter, denn es war nicht die Jahreszeit
für Feigen. ¹⁴ Da sagte Jesus zu dem Feigenbaum: »Von
dir soll nie mehr jemand Feigen essen!« Seine Jünger hörten es.

Jesus im Tempel
(Mt 21,12-17; Lk 19,45-48; Joh 2,13-17)

¹⁵ In Jerusalem ging Jesus wieder in den Tempel und fing
sofort an, die Händler und Käufer hinauszujagen. Er stieß
die Tische der Geldwechsler* und die Stände der Taubenverkäufer um ¹⁶ und ließ nicht zu, daß jemand irgend etwas durch den Vorhof des Tempels trug. ¹⁷ Dazu sagte er
ihnen: »Steht nicht in den heiligen Schriften*, daß Gott
erklärt hat: ›Mein Tempel soll eine Stätte sein, an der alle
Völker zu mir beten können‹? – Ihr aber habt eine Räuberhöhle daraus gemacht!«

¹⁸ Als das die führenden Priester* und Gesetzeslehrer*
hörten, suchten sie nach einer Möglichkeit, Jesus umzubringen. Sie fürchteten seinen Einfluß, denn die Volksmenge stand ganz im Bann seiner Worte. ¹⁹ Am Abend
verließen Jesus und seine Jünger wieder die Stadt.

Über das Vertrauen
(Mt 21,20-22; 6,14)

²⁰ Früh am nächsten Morgen kamen sie wieder an dem
Feigenbaum vorbei. Er war bis in die Wurzel abgestorben.
²¹ Da erinnerte sich Petrus und sagte zu Jesus: »Sieh, der
Feigenbaum, den du verflucht hast, ist verdorrt!« ²² Jesus
antwortete: »Ihr müßt nur Gott vertrauen. ²³ Ihr könnt
euch darauf verlassen: Wenn ihr zu diesem Berg sagt:
›Auf, stürze dich ins Meer!‹ und habt keinerlei Zweifel,
sondern glaubt fest, daß es geschieht, dann geschieht es
auch. ²⁴ Deshalb sage ich euch: Wenn ihr Gott um etwas
bittet und darauf vertraut, daß die Bitte erfüllt wird, dann
wird sie auch erfüllt. ²⁵ Aber wenn ihr betet, dann sollt ihr
euren Mitmenschen verzeihen, falls ihr etwas gegen sie
habt, damit euer Vater im Himmel euch eure Verfehlungen auch vergibt.«°

Die Frage nach dem Auftraggeber
(Mt 21,23-27; Lk 20,1-8)

²⁷ Wieder in Jerusalem, ging Jesus im Tempel umher, und die führenden Priester*, die Gesetzeslehrer* und Ratsältesten* kamen zu ihm ²⁸ und fragten: »Woher nimmst du das Recht, hier so aufzutreten? Wer hat dir die Vollmacht dazu gegeben?«

²⁹ »Ich will euch auch eine Frage stellen«, antwortete Jesus. »Wenn ihr sie mir beantwortet, dann will ich euch sagen, mit welchem Recht ich so handle. ³⁰ Sagt mir: Woher hatte der Täufer Johannes den Auftrag, zu taufen? Von Gott oder von Menschen?« ³¹ Sie berieten sich: »Sollen wir sagen ›Von Gott‹? Dann wird er fragen: Warum habt ihr dann Johannes nicht geglaubt? ³² Oder sollen wir sagen ›Von Menschen‹? Aber dafür hatten sie zuviel Angst vor der Menge; denn alle waren überzeugt, daß Johannes ein Prophet war.« ³³ So sagten sie zu Jesus: »Wir wissen es nicht.« »Gut«, erwiderte Jesus, »dann sage ich euch auch nicht, wer mich bevollmächtigt hat.«

Das Gleichnis von den bösen Weinbergspächtern
(Mt 21,33-46; Lk 20,9-19)

12 Jesus erzählte ihnen ein Gleichnis*: »Ein Mann legte einen Weinberg an, machte einen Zaun darum, baute eine Weinpresse und errichtete einen Wachtturm. Dann verpachtete er den Weinberg und verreiste. ² Zur gegebenen Zeit schickte er einen Boten zu den Pächtern, um seinen Anteil am Ertrag des Weinbergs abholen zu lassen. ³ Die Pächter aber verprügelten den Boten und ließen ihn unverrichteter Dinge abziehen. ⁴ Der Mann schickte einen zweiten, dem schlugen sie den Kopf blutig und behandelten ihn auf die schimpflichste Weise. ⁵ Zum drittenmal schickte er einen Boten. Den brachten sie sogar um, und so machten sie es noch mit vielen anderen. Wer auch immer geschickt wurde, der wurde mißhandelt oder umgebracht.

⁶ Schließlich blieb ihm nur noch sein eigener Sohn, dem seine ganze Liebe galt. Den schickte er zu den Pächtern, weil er sich sagte: ›Sie werden wenigstens vor meinem Sohn Respekt haben.‹ ⁷ Aber die Pächter sagten zueinan-

der: ›Das ist der Erbe! Wir bringen ihn um, dann gehört der Weinberg uns!‹ ⁸So töteten sie ihn und warfen die Leiche aus dem Weinberg hinaus.

⁹Was wird nun der Besitzer des Weinbergs tun? Er wird selbst hingehen, die Pächter töten und den Weinberg anderen anvertrauen. ¹⁰Kennt ihr denn nicht die Stelle in den heiligen Schriften*, wo es heißt:

›Der Stein, den die Bauleute weggeworfen haben,
  weil sie ihn für unbrauchbar hielten,
  der ist zum tragenden Stein geworden.
¹¹ Der Herr hat dieses Wunder vollbracht,
  und wir haben es gesehen.‹«

¹²Die führenden Priester*, die Gesetzeslehrer* und Ratsältesten* merkten, daß das Gleichnis auf sie gemünzt war, und wollten Jesus festnehmen. Aber sie hatten Angst vor dem Volk. So ließen sie ihn unbehelligt und gingen weg.

Die Frage nach der Steuer
(Mt 22,15-22; Lk 20,20-26)

¹³Einige Pharisäer* und Parteigänger von Herodes wurden nun zu Jesus geschickt, um ihm mit einer Frage eine Falle zu stellen. ¹⁴Sie kamen zu ihm und sagten: »Lehrer, wir wissen, daß es dir nur um die Wahrheit geht. Du läßt dich nicht von Menschen beeinflussen, auch wenn sie noch so mächtig sind, sondern sagst jedem klar und deutlich, wie er nach Gottes Willen leben soll. Nun sag uns: Ist es nach dem Gesetz* Gottes erlaubt, dem römischen Kaiser Steuern zu zahlen oder nicht? Sollen wir es tun oder nicht?« ¹⁵Jesus erkannte ihre Falschheit und sagte: »Ihr wollt mir doch nur eine Falle stellen! Gebt mir eine Silbermünze*, damit ich sie ansehen kann.« ¹⁶Sie gaben ihm eine, und er fragte: »Wessen Bild und Name ist hier aufgeprägt?« »Des Kaisers«, antworteten sie. ¹⁷Da sagte Jesus: »Dann gebt dem Kaiser, was dem Kaiser gehört, aber gebt Gott, was Gott gehört.« Solch eine Antwort hatten sie nicht von ihm erwartet.

Werden die Toten auferstehen?
(Mt 22,23-33; Lk 20,27-40)

¹⁸Dann kamen einige Sadduzäer* zu Jesus. Die Sadduzäer bestreiten, daß die Toten auferstehen. ¹⁹»Lehrer«, sagten

sie, »Mose hat uns die Vorschrift gegeben: ›Wenn ein verheirateter Mann kinderlos stirbt, dann muß an seiner Stelle sein Bruder die Witwe heiraten und dem Verstorbenen
Nachkommen verschaffen.‹ [20] Nun gab es einmal sieben
Brüder. Der älteste heiratete und starb kinderlos. [21] Darauf heiratete der zweite die Witwe, starb aber auch kinderlos. Beim dritten war es genauso. [22] Alle sieben heirateten sie und starben ohne Nachkommen. Zuletzt starb
auch die Frau. [23] Wie ist das nun: Wessen Frau ist sie nach
der Auferstehung, wenn es wahr ist, daß sie alle wieder
zum Leben kommen? Sie war ja mit allen sieben verheiratet!«

[24] »Ihr seht die Sache ganz falsch«, antwortete Jesus.
»Ihr kennt weder die heiligen Schriften*, noch wißt ihr,
was Gott in seiner Macht vollbringt. [25] Wenn die Toten
auferstehen, werden sie nicht mehr heiraten, sondern sie
werden leben wie die Engel im Himmel. [26] Was aber die
Auferstehung der Toten überhaupt betrifft: Ihr habt offenbar nie im Buch Moses die Geschichte vom brennenden Dornbusch gelesen. Dort steht, daß Gott zu Mose gesagt hat: ›Ich bin der Gott Abrahams, der Gott Isaaks und
der Gott Jakobs.‹ [27] Und er ist doch ein Gott der Lebenden, nicht der Toten! Ihr seid also ganz und gar im Irrtum.«

Das wichtigste Gebot

(Mt 22,34-40; Lk 10,25-28)

[28] Ein Gesetzeslehrer* hatte diesem Gespräch zugehört.
Er war davon beeindruckt, wie Jesus den Sadduzäern* geantwortet hatte, und so fragte er ihn: »Welches ist das
wichtigste von allen Geboten des Gesetzes*?« [29] Jesus sagte: »Das wichtigste Gebot ist dieses: ›Hört, ihr Israeliten!
Der Herr ist unser Gott, der Herr und kein anderer.
[30] Darum liebt ihn von ganzem Herzen, mit ganzem Willen
und ganzem Verstand und mit allen Kräften!‹ [31] Gleich danach kommt das andere Gebot: ›Liebe deinen Mitmenschen wie dich selbst!‹ Es gibt kein Gebot, das wichtiger
ist als diese beiden.«

[32] Da sagte der Gesetzeslehrer zu Jesus: »Du hast vollkommen recht, Lehrer. Es ist so, wie du sagst. Nur einer
ist Gott, und es gibt keinen Gott außer ihm. [33] Und darum

sollen wir Gott lieben von ganzem Herzen, mit ganzem
Verstand und mit allen Kräften, und unsere Mitmenschen
lieben wie uns selbst. Das ist viel wichtiger, als Gott
Brandopfer* und alle möglichen anderen Opfer darzubringen.« ³⁴Jesus fand, daß er vernünftig geantwortet hatte, und sagte zu ihm: »Du fängst an zu begreifen, was es
heißt, sich der Herrschaft* Gottes zu unterstellen.« Von
da an wagte keiner mehr, ihn zu fragen.

Davids Sohn oder Davids Herr?
(Mt 22,41-46; Lk 20,41-44)

³⁵Bei diesen Auseinandersetzungen im Tempel stellte Jesus die Frage: »Wie können die Gesetzeslehrer* behaupten, daß der versprochene Retter* ein Sohn Davids* ist?
³⁶David sagte doch, erleuchtet vom heiligen Geist*:
>Gott, der Herr, sagte zu meinem Herrn:
Setze dich an meine rechte Seite!
Ich will dir deine Feinde unterwerfen,
sie als Schemel unter deine Füße legen.<
³⁷David selbst nennt ihn also >Herr< – wie kann er dann
sein Sohn sein?«

Jesus warnt vor den Gesetzeslehrern
(Mt 23,1.6-7.14; Lk 20,45-47)

Die Menschenmenge hörte Jesus gerne zu. ³⁸Als er zu ihnen redete, warnte er sie: »Nehmt euch in acht vor den
Gesetzeslehrern*! Sie zeigen sich gern in ihren Talaren
und lassen sich auf der Straße respektvoll grüßen. ³⁹Beim
Gottesdienst sitzen sie in der ersten Reihe, und bei Festmählern nehmen sie die Ehrenplätze ein. ⁴⁰Sie sprechen
lange Gebete, um einen guten Eindruck zu machen; in
Wahrheit aber sind sie Betrüger, die hilflose Witwen um
ihren Besitz bringen. Sie werden einmal besonders streng
bestraft werden.«

Das Opfer der Witwe
(Lk 21,1-4)

⁴¹Dann setzte sich Jesus im Tempel in der Nähe des Op-
ferkastens nieder und beobachtete, wie die Besucher des
Tempels Geld hineinwarfen. Viele wohlhabende Leute gaben großzügig. ⁴²Dann kam eine arme Witwe und steckte

nur zwei kleine Kupfermünzen hinein. ⁴³Da rief Jesus seine Jünger herbei und sagte zu ihnen: »Ich versichere euch: diese Witwe hat mehr gegeben als alle anderen. ⁴⁴Sie haben lediglich von ihrem Überfluß etwas abgegeben. Aber diese arme Witwe hat tatsächlich alles geopfert, was sie zum Leben hatte.«

Ankündigung der Tempelzerstörung
(Mt 24,1-2; Lk 21,5-6)

13 Als Jesus danach den Tempel verließ, sagte einer seiner Jünger: »Lehrer, sieh doch nur diese gewaltigen Steine und diese prachtvollen Gebäude!« ²Da sagte Jesus: »Du bewunderst dieses riesenhafte Bauwerk? Hier wird kein Stein auf dem anderen bleiben. Alles wird bis auf den Grund zerstört werden!«

Über das Ende der Welt
(Mt 24,3-14; Lk 21,7-19)

³Jesus ging auf den Ölberg und setzte sich dem Tempel gegenüber hin. Petrus, Jakobus, Johannes und Andreas traten zu ihm und fragten ihn: ⁴»Sag uns, wann wird das geschehen? Woran können wir erkennen, daß das Ende nahe ist?«

⁵Jesus antwortete ihnen: »Seid auf der Hut und laßt euch von niemand täuschen! ⁶Viele werden mit meinem Anspruch auftreten und behaupten: ›Ich bin es!‹° Damit werden sie viele irreführen. ⁷Erschreckt nicht, wenn nah und fern Kriege ausbrechen. Es muß so kommen, aber das ist noch nicht das Ende. ⁸Ein Volk wird gegen das andere kämpfen, ein Staat den anderen angreifen. Es wird überall Erdbeben und Hungersnöte geben. Das ist aber erst der Anfang vom Ende – so wie der Beginn der Geburtswehen.

⁹Ihr aber müßt darauf gefaßt sein, daß man euch in den Synagogen* vor Gericht stellen und auspeitschen wird. Ihr werdet um meinetwillen auch vor Machthabern und Königen stehen, um als Zeugen für mich auszusagen; ¹⁰denn bevor das Ende kommt, muß die Gute Nachricht allen Völkern verkündet werden!

¹¹Wenn sie euch verhaften und vor Gericht stellen, dann macht euch keine Sorgen, was ihr sagen sollt. Sagt,

was euch in dem Augenblick eingegeben wird. Denn nicht ihr werdet dann reden, sondern der heilige Geist* wird aus euch sprechen. ¹²Ein Bruder wird den anderen dem Henker ausliefern und Väter ihre Kinder. Kinder werden sich gegen ihre Eltern stellen und sie töten lassen. ¹³Jeder wird euch hassen, weil ihr euch zu mir bekennt. Wer aber bis zum Ende standhaft bleibt, wird gerettet werden.«

Der Höhepunkt der Not
(Mt 24,15-28; Lk 21,20-24; 17,23)

¹⁴»Es heißt, das ›entsetzliche Scheusal‹* werde dort stehen, wo es nicht stehen darf. – Wer das liest, der überlege, was es bedeutet! – Wenn ihr das seht, sollen alle Bewohner Judäas in die Berge fliehen. ¹⁵Wer gerade auf dem Dach ist, soll keine Zeit damit verlieren, noch etwas unten aus dem Haus mitzunehmen. ¹⁶Wer gerade auf dem Feld ist, soll nicht nach Hause zurücklaufen, um seinen Mantel zu holen. ¹⁷Besonders hart wird es die Frauen treffen, die gerade ein Kind erwarten oder einen Säugling stillen. ¹⁸Bittet Gott, daß es dann nicht gerade Winter ist! ¹⁹Denn was in jenen Tagen geschieht, wird furchtbarer sein als alles, was jemals seit Erschaffung der Welt geschehen ist und noch geschehen wird. ²⁰Wenn der Herr diese Schreckenszeit nicht abgekürzt hätte, würde kein Mensch gerettet werden; aber er hat sie denen zuliebe abgekürzt, die er erwählt hat.

²¹Wenn dann einer zu euch sagt: ›Seht her, hier ist Christus!‹ oder: ›Dort ist er!‹ – glaubt ihm nicht! ²²Denn mancher falsche Christus und mancher falsche Prophet* wird auftreten. Sie werden sich durch Wundertaten ausweisen, um, wenn das möglich wäre, sogar die irrezumachen, die Gott erwählt hat. ²³Darum seid auf der Hut! Ich habe euch alles vorausgesagt.«

Der Weltrichter kommt
(Mt 24,29-35; Lk 21,25-33)

²⁴»Nach dieser Schreckenszeit wird sich die Sonne verfinstern, und der Mond wird nicht mehr scheinen, ²⁵die Sterne werden vom Himmel fallen, und die Ordnung des Himmels wird zusammenbrechen. ²⁶Dann kommt der Menschensohn* in den Wolken mit göttlicher Macht und

Herrlichkeit, und alle werden ihn sehen. [27] Er wird die Engel in alle Himmelsrichtungen ausschicken, um von überall her die Menschen zusammenzubringen, die er erwählt hat.

[28] Laßt euch vom Feigenbaum eine Lehre geben: Wenn der Saft in die Zweige schießt und der Baum Blätter treibt, dann wißt ihr, daß der Sommer bald da ist. [29] So ist es auch, wenn ihr alle diese Dinge kommen seht: dann wißt ihr, daß das Ende unmittelbar bevorsteht. [30] Ich sage euch: diese Generation wird das alles noch erleben. [31] Himmel und Erde werden vergehen, aber meine Worte nicht.«

Das Ende kommt überraschend
(Mt 24,36; 25,14-15; 24,44; Lk 19,12-13; 12,38.40)

[32] »Aber den Tag oder die Stunde, wann das geschehen soll, kennt niemand, auch nicht die Engel im Himmel – nicht einmal der Sohn*. Nur der Vater kennt sie. [33] Seht zu, daß ihr wach bleibt! Denn ihr wißt nicht, wann der Zeitpunkt da ist.

[34] Es ist wie bei einem Mann, der verreist. Er verläßt sein Haus und weist alle Untergebenen an, ihre Arbeit in eigener Verantwortung zu tun. Dem Türhüter befiehlt er, wachsam zu sein. [35] So sollt auch ihr wach bleiben, weil ihr nicht wißt, wann der Hausherr kommen wird: am Abend, um Mitternacht, beim ersten Hahnenschrei, oder wenn die Sonne aufgeht. [36] Wenn er kommt, soll er euch nicht im Schlaf überraschen! [37] Was ich euch sage, gilt für alle: Bleibt wach!«

Pläne gegen Jesus
(Mt 26,1-5; Lk 22,1-2; Joh 11,45-53)

14 Es waren nur noch zwei Tage bis zum Passafest* und der Festwoche, während der man nur ungesäuertes Brot ißt. Die führenden Priester* und die Gesetzeslehrer* suchten nach einer Möglichkeit, Jesus heimlich zu verhaften und zu töten. [2] »Aber auf keinen Fall darf das während des Festes geschehen«, sagten sie, »sonst gibt es einen Aufruhr im Volk.«

Eine Frau ehrt Jesus
(Mt 26,6-13; Joh 12,1-8)

[3] Jesus war in Betanien bei Simon, dem Aussätzigen*.

Während des Essens kam eine Frau herein. Sie hatte ein
Fläschchen mit reinem, kostbarem Nardenöl*. Das öffnete sie und goß Jesus das Öl über den Kopf. ⁴Einige der
Anwesenden waren empört darüber. »Was soll diese Verschwendung?« sagten sie untereinander. ⁵»Dieses Öl hätte
man für mehr als dreihundert Silberstücke* verkaufen
und das Geld den Armen geben können!« Sie machten
der Frau heftige Vorwürfe. ⁶Aber Jesus sagte: »Laßt sie
doch in Ruhe! Warum bringt ihr sie in Verlegenheit? Sie
hat mir einen guten Dienst getan. ⁷Arme wird es immer
bei euch geben, und ihr könnt ihnen jederzeit helfen,
wenn ihr nur wollt. Aber mich habt ihr nicht mehr lange
bei euch. ⁸Sie hat das Schönste getan, was sie tun konnte:
Sie hat dieses Öl auf meinen Körper gegossen, um ihn
schon im voraus für das Begräbnis zu salben. ⁹Ich versichere euch: überall in der Welt, wo die Gute Nachricht
verkündet wird, wird man auch berichten, was sie getan
hat, und an sie denken.«

Judas ist zum Verrat bereit
(Mt 26,14-16; Lk 22,3-6)

¹⁰Danach ging Judas Iskariot, einer der zwölf Jünger, zu
den führenden Priestern*, um ihnen Jesus in die Hände
zu spielen. ¹¹Sie freuten sich darüber und versprachen
ihm Geld. Von da an suchte Judas eine günstige Gelegenheit, Jesus zu verraten.

Vorbereitungen zum Passamahl
(Mt 26,17-19; Lk 22,7-13)

¹²Es war der erste Tag der Festwoche, während der man
nur ungesäuertes* Brot ißt, der Tag, an dem man die Passalämmer schlachtet. Da fragten die Jünger Jesus: »Wo
sollen wir für dich das Passamahl* vorbereiten?« ¹³Jesus
schickte zwei von ihnen mit dem Auftrag fort: »Geht in
die Stadt! Dort werdet ihr einen Mann treffen, der einen
Wasserkrug trägt. ¹⁴Folgt ihm, bis er in ein Haus hinein-
geht, und sagt dem Hausherrn dort: ›Unser Lehrer läßt
fragen, wo er mit seinen Jüngern das Passamahl feiern
kann.‹ ¹⁵Dann wird er euch ein großes Zimmer im Obergeschoß zeigen, das mit Polstern ausgestattet und schon
zur Feier hergerichtet ist. Dort bereitet alles für uns vor.«

¹⁶ Die beiden gingen in die Stadt. Sie fanden alles so, wie
Jesus es ihnen gesagt hatte, und bereiteten das Passamahl
vor.

Das letzte Mahl
(Mt 26,20-30; Lk 22,14-23)

¹⁷ Als es Abend geworden war, kam Jesus mit den zwölf
Jüngern. ¹⁸ Während der Mahlzeit sagte er: »Es steht fest,
daß einer von euch mich verraten wird – einer, der hier
mit mir ißt.« ¹⁹ Die Jünger waren bestürzt, und einer nach
dem anderen fragte ihn: »Du meinst doch nicht mich?«
²⁰ Jesus antwortete: »Es wird einer von euch zwölf sein,
einer, der mit mir aus der gleichen Schüssel ißt. ²¹ Der
Menschensohn* wird zwar sterben, wie es in den heiligen
Schriften* vorausgesagt ist. Aber wehe dem Menschen,
der den Menschensohn verrät! Er wäre besser nie geboren worden!«
²² Während der Mahlzeit nahm Jesus Brot, dankte Gott,
brach es in Stücke und gab es seinen Jüngern mit den
Worten: »Nehmt, das ist mein Leib!« ²³ Dann nahm er den
Becher, sprach darüber das Dankgebet, gab ihnen auch
den, und alle tranken daraus. ²⁴ Dabei sagte er zu ihnen:
»Das ist mein Blut, das für alle Menschen vergossen wird.
Mit ihm wird der Bund* besiegelt, den Gott jetzt mit den
Menschen schließt. ²⁵ Ich sage euch: Ich werde keinen
Wein mehr trinken, bis ich ihn neu trinken werde, wenn
Gott sein Werk vollendet hat!«
²⁶ Dann sangen sie die Dankpsalmen° und gingen hin-
aus zum Ölberg.

Jesus und Petrus
(Mt 26,31-35)

²⁷ Unterwegs sagte Jesus zu ihnen: »Ihr werdet alle an mir
irre werden, denn es heißt: ›Ich werde den Hirten töten,
und die Schafe werden auseinanderlaufen.‹ ²⁸ Aber nach
meiner Auferweckung vom Tod werde ich euch vorausgehen nach Galiläa.«
²⁹ Petrus widersprach ihm: »Selbst wenn alle anderen an
dir irre werden – ich nicht!« ³⁰ »Täusche dich nicht!« antwortete Jesus. »Bevor der Hahn heute nacht zweimal
kräht, wirst du dreimal behaupten, daß du mich nicht

kennst.« ³¹Da sagte Petrus noch bestimmter: »Das werde
ich niemals tun, und wenn ich mit dir zusammen sterben
müßte!« Das gleiche sagten auch alle anderen.

In Getsemani
(Mt 26,36-46; Lk 22,39-46)

³²Sie kamen an eine einsame Stelle, die Getsemani* hieß.
Dort sagte Jesus zu seinen Jüngern: »Bleibt hier sitzen,
während ich beten gehe.« ³³Petrus, Jakobus und Johannes
nahm er mit. Furcht und Zittern befielen ihn, ³⁴und er
sagte: »Auf mir liegt eine Last, die mich fast erdrückt.
Bleibt hier und wacht!« ³⁵Dann ging er noch ein paar
Schritte weiter, warf sich auf die Erde und bat Gott, wenn
es möglich wäre, ihm diese Leidensstunde zu ersparen.
³⁶»Abba* – lieber Vater«, sagte er, »du kannst alles! Laß
diesen Leidenskelch an mir vorübergehen! Aber es soll
geschehen, was du willst, nicht was ich will.«
³⁷Dann kehrte er zurück und sah, daß die drei eingeschlafen waren. Da sagte er zu Petrus: »Simon, schläfst
du? Kannst du nicht einmal eine einzige Stunde wach bleiben?« ³⁸Dann sagte er zu ihnen: »Bleibt wach und betet,
damit ihr in der kommenden Prüfung nicht versagt. Den
guten Willen habt ihr, aber ihr seid nur schwache Menschen.«
³⁹Noch einmal ging Jesus weg und betete mit den gleichen Worten. ⁴⁰Als er zurückkam, schliefen sie wieder.
Sie konnten die Augen nicht offenhalten und wußten
nicht, was sie ihm antworten sollten.
⁴¹Als Jesus das dritte Mal zurückkam, sagte er zu ihnen: »Schlaft ihr denn immer noch und ruht euch aus?
Genug jetzt, es ist soweit; gleich wird der Menschensohn*
den Feinden Gottes ausgeliefert. ⁴²Steht auf, wir wollen
gehen. Da ist er schon, der mich verrät!«

Jesus wird festgenommen
(Mt 26,47-56; Lk 22,47-53; Joh 18,3-12)

⁴³Noch während er das sagte, kam Judas, einer der zwölf
Jünger, mit einem Trupp von Männern, die mit Schwertern und Knüppeln bewaffnet waren. Sie waren von den
führenden Priestern*, den Gesetzeslehrern* und Ratsältesten* geschickt worden. ⁴⁴Der Verräter hatte mit ihnen

ein Erkennungszeichen ausgemacht: »Wem ich einen Begrüßungskuß gebe, der ist es. Den nehmt fest und führt
ihn unter Bewachung ab!« ⁴⁵Judas ging sogleich auf Jesus
zu, grüßte ihn und gab ihm einen Kuß. ⁴⁶Da packten sie
Jesus und nahmen ihn fest.

⁴⁷Aber einer von denen, die dabeistanden, zog sein
Schwert, hieb auf den Diener des Obersten Priesters* ein
und schlug ihm ein Ohr ab. ⁴⁸Jesus sagte zu den Männern:
»Mußtet ihr wirklich mit Schwertern und Knüppeln anrücken, um mich gefangenzunehmen? Bin ich denn ein
Verbrecher? ⁴⁹Jeden Tag war ich bei euch im Tempel und
habe gelehrt, da habt ihr mich nicht festgenommen. Aber
die Voraussagen in den heiligen Schriften* mußten in Erfüllung gehen.« ⁵⁰Da verließen ihn alle seine Jünger und
flohen.

⁵¹Ein junger Mann folgte Jesus; er war nur mit einem
leichten Überwurf bekleidet. Ihn wollten sie auch festnehmen; ⁵²aber er riß sich los, ließ sein Kleidungsstück zurück und rannte nackt davon.

Jesus vor dem jüdischen Rat

(Mt 26,57-68; Lk 22,54-55.63-71; Joh 18,12-14.19-24)

⁵³Dann brachten sie Jesus zum Haus des Obersten Priesters*. Dort versammelten sich alle führenden Priester*,
Ratsältesten* und Gesetzeslehrer*. ⁵⁴Petrus folgte Jesus
in weitem Abstand und kam bis in den Innenhof des Hauses. Er setzte sich zu den Wächtern und wärmte sich am
Feuer.

⁵⁵Die führenden Priester und der ganze Rat* versuchten nun, Jesus durch Zeugenaussagen zu belasten, damit
sie ihn zum Tod verurteilen könnten; aber es gelang ihnen
nicht. ⁵⁶Es meldeten sich zwar viele falsche Zeugen gegen
ihn, aber ihre Aussagen stimmten nicht überein.
⁵⁷Schließlich traten ein paar Männer auf und behaupteten: ⁵⁸»Wir haben ihn sagen hören: ›Ich will diesen Tempel, der von Menschen gebaut wurde, niederreißen und in
drei Tagen einen anderen bauen, der nicht von Menschen
gemacht ist.‹« ⁵⁹Aber auch ihre Aussagen widersprachen
einander.

⁶⁰Da stand der Oberste Priester auf, trat in die Mitte
und fragte Jesus: »Hast du nichts gegen diese Anklagen

vorzubringen?« ⁶¹Aber Jesus schwieg und sagte kein Wort. Darauf fragte der Oberste Priester ihn: »Bist du der versprochene Retter*? Bist du der Sohn* Gottes?« ⁶²»Ich bin es!« sagte Jesus, »und ihr werdet sehen, wie der Menschensohn* an der rechten Seite des Allmächtigen sitzt und mit den Wolken des Himmels kommt!«

⁶³Da zerriß der Oberste Priester sein Gewand und sagte: »Wir brauchen keine Zeugen mehr! ⁶⁴Ihr habt seine Gotteslästerung gehört! Wie lautet euer Urteil?« Einstimmig erklärten sie: »Er hat den Tod verdient!« ⁶⁵Einige begannen, Jesus anzuspucken. Sie banden ihm die Augen zu, ohrfeigten ihn und fragten: »Wer war es? Du bist doch ein Prophet!« Dann nahmen ihn die Wächter vor und schlugen ihn weiter.

Petrus verleugnet Jesus
(Mt 26,69-75; Lk 22,56-62; Joh 18,15-18.25-27)

⁶⁶Petrus war noch immer unten im Hof. Eine Dienerin des Obersten Priesters* kam vorbei. ⁶⁷Als sie Petrus am Feuer bemerkte, sah sie ihn scharf an und meinte: »Du warst doch auch mit dem Jesus aus Nazaret zusammen!« ⁶⁸Petrus stritt es ab: »Ich habe keine Ahnung; ich weiß überhaupt nicht, wovon du redest!« Dann ging er hinaus in die Vorhalle. In diesem Augenblick krähte ein Hahn.

⁶⁹Das Mädchen entdeckte Petrus dort wieder und sagte zu den Umstehenden: »Der gehört auch zu ihnen!« ⁷⁰Aber er stritt es wieder ab. Kurz darauf fingen die Umstehenden noch einmal an: »Natürlich gehörst du zu ihnen, du bist doch aus Galiläa!« ⁷¹Aber Petrus schwor: »Gott soll mich strafen, wenn ich lüge! Ich kenne den Mann nicht, von dem ihr redet.« ⁷²Da krähte der Hahn zum zweitenmal, und Petrus erinnerte sich daran, daß Jesus zu ihm gesagt hatte: »Bevor der Hahn zweimal kräht, wirst du dreimal behaupten, daß du mich nicht kennst.« Da fing er an zu weinen.

Jesus vor Pilatus
(Mt 27,1-2.11-14; Lk 23,1-5; Joh 18,28-38)

15 Früh am Morgen schließlich traf der ganze jüdische Rat* – die führenden Priester*, die Ratsälte-

sten* und die Gesetzeslehrer* – die Entscheidung: Sie ließen Jesus fesseln, nahmen ihn mit und übergaben ihn
dem Prokurator* Pilatus. ² Der fragte ihn: »Bist du der
König der Juden?« »Ja«, antwortete Jesus. ³ Die führenden Priester brachten viele Beschuldigungen gegen ihn
vor. ⁴ Pilatus fragte ihn: »Willst du dich nicht verteidigen?
Du hast ja gehört, was sie dir alles vorwerfen.« ⁵ Aber
Jesus sagte kein einziges Wort. Darüber war Pilatus sehr
erstaunt.

Das Todesurteil
(Mt 27,15-26; Lk 23,13-25; Joh 18,39–19,16)

⁶ Es war üblich, daß Pilatus zum Passafest* einen Gefangenen begnadigte, den das Volk bestimmen durfte. ⁷ Damals war nun ein Mann namens Barabbas im Gefängnis,
zusammen mit anderen, die während eines Aufruhrs
einen Mord begangen hatten. ⁸ Als die Volksmenge zu Pilatus zog und ihn um die übliche Begnadigung bat, ⁹ fragte
er sie: »Soll ich euch den König der Juden freigeben?«
¹⁰ Denn er wußte genau, daß die führenden Priester* Jesus
nur aus Neid an ihn ausgeliefert hatten.

¹¹ Aber die führenden Priester redeten auf die Leute
ein, sie sollten fordern, daß Barabbas freigelassen würde.
¹² »Was soll ich dann mit dem machen, den ihr den König
der Juden nennt?« fragte Pilatus. ¹³ »Kreuzigen!« schrien
sie. ¹⁴ »Was hat er denn verbrochen?« fragte Pilatus; aber
sie schrien noch lauter: »Kreuzigen!« ¹⁵ Um dem Volk
einen Gefallen zu tun, gab Pilatus ihnen Barabbas frei.
Dann befahl er, Jesus auszupeitschen und ihn ans Kreuz
zu nageln.

Die Soldaten verspotten Jesus
(Mt 27,27-31; Joh 19,2-3)

¹⁶ Die Soldaten brachten Jesus in den Hof des Palastes
und riefen die ganze Mannschaft zusammen. ¹⁷ Sie hängten ihm einen purpurfarbenen Mantel um, flochten eine
Krone aus Dornenzweigen und setzten sie ihm auf.
¹⁸ Dann fingen sie an, ihn zu grüßen: »Der König der Juden, er lebe hoch!« ¹⁹ Sie schlugen ihn mit einem Stock
auf den Kopf, spuckten ihn an, warfen sich vor ihm auf
die Knie und huldigten ihm wie einem König. ²⁰ Als die

Soldaten ihn genug verspottet hatten, nahmen sie ihm den Mantel wieder ab und zogen ihm seine eigenen Kleider an. Dann führten sie ihn hinaus, um ihn ans Kreuz zu nageln.

Jesus am Kreuz
(Mt 27,32-44; Lk 23,26-43; Joh 19,17-27)

²¹ Unterwegs trafen sie auf einen Mann, der gerade vom Feld in die Stadt zurückkam, und zwangen ihn, das Kreuz zu tragen. Es war Simon aus Zyrene, der Vater von Alexander und Rufus. ²² Sie brachten Jesus an die Stelle, die Golgota heißt, das bedeutet ›Schädel‹. ²³ Dort wollten sie ihm Wein mit einem betäubenden Zusatz geben; aber Jesus nahm ihn nicht.

²⁴ Sie nagelten ihn ans Kreuz und verteilten untereinander seine Kleider. Durch das Los bestimmten sie, was jeder bekommen sollte. ²⁵ Es war neun Uhr morgens, als sie ihn kreuzigten. ²⁶ Als Grund für seine Hinrichtung hatte man auf ein Schild geschrieben: »Der König der Juden!« ²⁷ Zugleich mit Jesus nagelten sie zwei Verbrecher an Kreuze, einen links und einen rechts von ihm.°

²⁹ Die Leute, die vorbeikamen, schüttelten höhnisch den Kopf und beschimpften Jesus: »Ha! Wolltest du nicht den Tempel niederreißen und in drei Tagen wieder aufbauen? ³⁰ Dann befrei dich doch und komm herunter vom Kreuz!« ³¹ Genauso machten sich die führenden Priester* und die Gesetzeslehrer* über Jesus lustig: »Anderen hat er geholfen, aber sich selbst kann er nicht helfen! ³² Dieser Retter und König von Israel! Er soll doch vom Kreuz herunterkommen! Wenn wir das sehen, werden wir ihm glauben.« Auch die beiden, die mit ihm gekreuzigt waren, beschimpften ihn.

Jesus stirbt
(Mt 27,45-56; Lk 23,44-49; Joh 19,28-30)

³³ Um zwölf Uhr mittags wurde es im ganzen Land dunkel. Die Dunkelheit dauerte bis um drei Uhr. ³⁴ Gegen drei Uhr schrie Jesus: »Eloi, eloi, lema sabachtani?« – das heißt: ›Mein Gott, mein Gott, warum hast du mich verlassen?‹ ³⁵ Einige von denen, die dabeistanden und es hörten, sagten: »Er ruft nach Elija!« ³⁶ Einer holte schnell einen

Schwamm, tauchte ihn in Essig*, steckte ihn auf eine
Stange und gab Jesus zu trinken. Dabei sagte er: »Nun
werden wir ja sehen, ob Elija kommt und ihn herunter-
holt.« ³⁷Aber Jesus schrie laut auf und starb.

³⁸ Da zerriß der Vorhang vor dem Allerheiligsten* im
Tempel von oben bis unten. ³⁹ Der römische Hauptmann
aber, der dem Kreuz gegenüberstand und miterlebt hatte,
wie Jesus aufschrie und starb, sagte: »Dieser Mann war
wirklich Gottes Sohn*!«

⁴⁰Auch einige Frauen waren da, die alles aus der Ferne
beobachteten, unter ihnen Maria aus Magdala und Maria,
die Mutter von Jakobus dem Jüngeren und Joses, sowie
Salome. ⁴¹Sie hatten Jesus in Galiläa begleitet und für ihn
gesorgt. Auch noch viele andere Frauen waren da, die mit
ihm nach Jerusalem gekommen waren.

Das Begräbnis
(Mt 27,57-61; Lk 23,50-56; Joh 19,38-42)

⁴²Es war Abend geworden, und der nächste Tag war ein
Sabbat*. Damit dieser nicht entweiht würde, ⁴³nahm Jos-
sef aus Arimathäa es auf sich, zu Pilatus zu gehen und ihn
um den Leichnam Jesu zu bitten. Er war ein hochgeachte-
tes Ratsmitglied* und wartete darauf, daß Gott seine
Herrschaft* aufrichte. ⁴⁴Pilatus war erstaunt zu hören,
daß Jesus schon gestorben war. Er ließ sich daher von
dem Hauptmann Bericht erstatten und fragte ihn, ob Jesus schon tot sei. ⁴⁵Als der Hauptmann es ihm bestätigte,
überließ er Josef den Toten. ⁴⁶Josef kaufte ein Leinentuch, nahm Jesus vom Kreuz und wickelte ihn in das
Tuch. Dann legte er ihn in ein Grab, das in einen Felsen
gehauen war. Zuletzt rollte er einen Stein vor den Grabeingang. ⁴⁷Maria aus Magdala und Maria, die Mutter von
Joses, sahen zu und merkten sich, wo Jesus lag.

Jesus lebt
(Mt 28,1-8; Lk 24,1-12; Joh 20,1-13)

16 Am Abend, als der Sabbat* vorbei war, kauften
Maria aus Magdala, Maria, die Mutter von Jakobus, und Salome wohlriechende Öle, um den Toten einzu-
balsamieren. ²Ganz früh am Sonntagmorgen, als die Sonne gerade aufging, kamen sie zum Grab. ³Unterwegs

hatten sie sich überlegt, wer ihnen den Stein vom Grabeingang wegrollen könnte, ⁴denn er war sehr groß. Aber als sie hinsahen, bemerkten sie, daß der Stein schon entfernt war.

⁵Sie gingen in die Grabhöhle hinein und sahen dort auf der rechten Seite einen jungen Mann in einem weißen Gewand sitzen. Sie erschraken sehr. ⁶Er aber sagte zu ihnen: »Habt keine Angst! Ihr sucht Jesus aus Nazaret, der ans Kreuz genagelt wurde. Er ist nicht hier; Gott hat ihn vom Tod erweckt! Hier seht ihr die Stelle, wo er gelegen hat. ⁷Und nun geht und sagt seinen Jüngern, vor allem Petrus: ›Er geht euch nach Galiläa voraus. Dort werdet ihr ihn sehen, genau, wie er es euch gesagt hat.‹« ⁸Da verließen sie die Grabhöhle und flohen. Sie zitterten vor Entsetzen. Und weil sie solche Angst hatten, erzählten sie niemand etwas davon.

Die Erscheinungen des Auferstandenen°

⁹Nachdem Jesus früh am Sonntag auferstanden war, zeigte er sich zuerst Maria aus Magdala, die er von sieben bösen Geistern* befreit hatte. ¹⁰Sie ging zu den trauernden und weinenden Jüngern und berichtete ihnen ihr Erlebnis. ¹¹Die Jünger hörten zwar, daß Jesus lebe und Maria ihn gesehen habe, aber sie glaubten ihr nicht.

¹²Danach zeigte sich Jesus in fremder Gestalt zwei von ihnen, die zu einem Ort auf dem Land unterwegs waren. ¹³Sie kehrten um und erzählten es den anderen, aber die glaubten es auch ihnen nicht.

¹⁴Schließlich zeigte sich Jesus noch den elf Jüngern, während sie beim Essen waren. Er machte ihnen Vorwürfe, weil sie zweifelten und denen nicht glauben wollten, die ihn nach seiner Auferstehung gesehen hatten. ¹⁵Dann sagte er zu ihnen: »Geht nun in die ganze Welt und verkündet allen die Gute Nachricht! ¹⁶Wer zum Glauben kommt und sich taufen läßt, wird gerettet. Wer nicht glaubt, den wird Gott verurteilen. ¹⁷Die Glaubenden aber wird man an folgenden Zeichen erkennen: In meinem Namen können sie böse Geister* austreiben und in unbekannten Sprachen* reden. ¹⁸Wenn sie Schlangen anfassen oder Gift trinken, wird ihnen das nicht schaden, und Kranke, denen sie die Hände auflegen, werden gesund.«

¹⁹Als Jesus, der Herr, das gesagt hatte, wurde er in den Himmel aufgenommen und setzte sich an die rechte Seite Gottes. ²⁰Die Jünger aber gingen und verkündeten überall die Gute Nachricht. Der Herr half ihnen dabei und bestätigte ihre Worte durch die Wunder, die sie taten.

DIE GUTE NACHRICHT NACH LUKAS

Lukas schreibt an Theophilus

1 Schon viele haben versucht, die Ereignisse darzustellen, die Gott unter uns geschehen ließ ²und die wir durch die Berichte der Augenzeugen kennen, die von Anfang an alles miterlebten und den Auftrag erhielten, die Gute Nachricht weiterzugeben. ³Darum habe auch ich mich dazu entschlossen, alles bis hin zu den ersten Anfängen sorgfältig zu erforschen und es für dich, verehrter Theophilus, in guter Ordnung niederzuschreiben. ⁴Ich tue das, damit du die Zuverlässigkeit der Lehre erkennst, in der man dich unterwiesen hat.

Die Geburt des Täufers wird angekündigt

⁵Zu der Zeit, als König Herodes über das jüdische Land herrschte, lebte ein Priester namens Zacharias, der zur Priestergruppe Abija gehörte. Auch seine Frau stammte aus einer Priesterfamilie; sie hieß Elisabet. ⁶Beide führten ein Leben, das Gott gefiel, und richteten sich in allem nach den Geboten und Anweisungen des Herrn. ⁷Sie waren aber kinderlos, denn Elisabet konnte keine Kinder bekommen, und beide waren schon sehr alt.

⁸Einmal war Zacharias wieder zum Priesterdienst im Tempel in Jerusalem, weil die Priestergruppe, zu der er gehörte, gerade an der Reihe war. ⁹Es war üblich, die einzelnen Dienste durch das Los zu verteilen. An einem bestimmten Tag fiel Zacharias die Aufgabe zu, das Räucheropfer* darzubringen. So ging er in das Innere des Tempels, ¹⁰während die Volksmenge draußen betete.

¹¹Da sah Zacharias plötzlich einen Engel des Herrn; er stand an der rechten Seite des Altars, auf dem der Weihrauch verbrannt wurde. ¹²Zacharias erschrak und bekam große Angst. ¹³Aber der Engel sagte zu ihm: »Du brauchst dich nicht zu fürchten, Zacharias! Gott hat deine Bitte erhört. Deine Frau Elisabet wird einen Sohn bekommen, den sollst du Johannes nennen. ¹⁴Dann wirst du voll Freude und Jubel sein, und viele werden sich mit dir über

seine Geburt freuen. [15] Denn er ist vom Herrn zu großen Taten berufen. Er wird weder Wein noch Bier trinken. Schon im Mutterleib wird der Geist* Gottes ihn erfüllen, [16] und er wird viele aus dem Volk Israel zum Herrn, ihrem Gott, zurückführen. [17] Er wird dem Herrn als Bote vorausgehen, im gleichen Geist und mit der gleichen Kraft wie der Prophet Elija. Er wird das Herz der Eltern den Kindern zuwenden. Alle Ungehorsamen wird er auf den rechten Weg zurückbringen und so dem Herrn ein Volk zuführen, das auf sein Kommen vorbereitet ist.«

[18] Zacharias sagte zu dem Engel: »Woran soll ich erkennen, daß du recht hast? Ich bin doch ein alter Mann, und meine Frau ist auch nicht mehr jung.« [19] Der Engel antwortete: »Ich bin Gabriel, einer von denen, die vor Gottes Thron stehen. Gott hat mich gesandt, um mit dir zu sprechen und dir diese gute Nachricht zu bringen. [20] Was ich gesagt habe, wird zur gegebenen Zeit eintreffen. Aber weil du mir nicht geglaubt hast, wirst du nicht mehr sprechen können, bis es soweit ist.«

[21] Währenddessen wartete die Volksmenge auf Zacharias und wunderte sich, daß er so lange im Tempel blieb. [22] Als er herauskam, konnte er nicht mehr reden. Da merkten sie, daß er im Tempel eine Erscheinung gehabt hatte. Er konnte ihnen nur mit der Hand Zeichen geben, aber kein Wort herausbringen.

[23] Als seine Dienstwoche im Tempel beendet war, ging Zacharias nach Hause. [24] Bald darauf wurde seine Frau Elisabet schwanger und zog sich fünf Monate lang völlig zurück. [25] Sie sagte: »Gott hat meinen Kummer gesehen und die Schande der Kinderlosigkeit von mir genommen.«

Die Geburt Jesu wird angekündigt

[26] Als Elisabet im sechsten Monat war, sandte Gott den Engel Gabriel nach Nazaret in Galiläa [27] zu einem jungen Mädchen namens Maria. Es war verlobt* mit einem Mann namens Josef, einem Nachkommen Davids. [28] Der Engel kam zu Maria und sagte: »Sei gegrüßt, Maria, der Herr ist mit dir; er hat dich zu Großem ausersehen!« [29] Maria erschrak über diesen Gruß und überlegte, was er bedeuten sollte. [30] Da sagte der Engel zu ihr: »Hab keine Angst, du hast Gnade bei Gott gefunden! [31] Du wirst schwanger wer-

den und einen Sohn zur Welt bringen. Dem sollst du den Namen Jesus* geben. ³²Er wird groß sein und wird ›Sohn des Höchsten‹ genannt werden. Gott der Herr wird ihm das Königtum seines Vorfahren David übertragen. ³³Er wird für immer über die Nachkommen Jakobs regieren. Seine Herrschaft wird nie zu Ende gehen.«

³⁴Maria fragte den Engel: »Wie soll das zugehen? Ich habe doch mit keinem Mann zu tun!« ³⁵Er antwortete: »Gottes Geist* wird über dich kommen, seine Kraft wird es bewirken. Deshalb wird man das Kind, das du zur Welt bringst, heilig und Sohn* Gottes nennen. ³⁶Auch Elisabet, deine Verwandte, bekommt einen Sohn – trotz ihres Alters. Sie ist bereits im sechsten Monat, und man hat doch von ihr gesagt, sie könne keine Kinder bekommen. ³⁷Für Gott ist nichts unmöglich.«

³⁸Da sagte Maria: »Ich will ganz für Gott dasein. Es soll so geschehen, wie du es gesagt hast.« Dann verließ sie der Engel.

Maria besucht Elisabet

³⁹Bald danach machte sich Maria auf den Weg und eilte zu einer Stadt im Bergland von Judäa. ⁴⁰Dort ging sie in das Haus von Zacharias und begrüßte Elisabet. ⁴¹Als Elisabet ihren Gruß hörte, bewegte sich das Kind in ihrem Leib. Da wurde sie vom Geist* Gottes erfüllt ⁴²und rief: »Gott hat dich unter allen Frauen ausgezeichnet, dich und dein Kind! ⁴³Wer bin ich, daß die Mutter meines Herrn mich besucht? ⁴⁴In dem Augenblick, als ich deinen Gruß hörte, bewegte sich das Kind vor Freude in meinem Leib. ⁴⁵Du darfst dich freuen, denn du hast geglaubt, daß die Botschaft, die der Herr dir sagen ließ, in Erfüllung geht.«

Maria preist den Herrn

⁴⁶Maria aber sprach:
　　»Ich preise den Herrn
　⁴⁷und juble vor Freude
　　über Gott, meinen Retter!
　⁴⁸Ich bin nur eine einfache Frau,
　　ein unbedeutendes Geschöpf vor ihm,
　　und doch hat er sich mir zugewandt!

Von nun an wird man mich glücklich preisen
in allen kommenden Generationen;
[49] denn Gott hat Großes an mir getan,
er, der mächtig und heilig ist.
[50] Sein Erbarmen hört niemals auf;
er schenkt es allen, die ihn ehren,
über viele Generationen hin.
[51] Nun hebt er seinen gewaltigen Arm
und fegt die Stolzen weg samt ihren Plänen.
[52] Nun stürzt er die Mächtigen vom Thron
und richtet die Unterdrückten auf.
[53] Den Hungernden gibt er reichlich zu essen
und schickt die Reichen mit leeren Händen fort.
[54-55] Unseren Vorfahren hat er zugesagt,
Israel Güte und Treue zu erweisen.
So hat er es Abraham versprochen
und seinen Nachkommen für alle Zeiten.
Nun hat er sich daran erinnert
und nimmt sich seines Volkes an.«
[56] Maria blieb etwa drei Monate bei Elisabet und kehrte
dann wieder nach Hause zurück.

Der Täufer Johannes wird geboren

[57] Als für Elisabet die Zeit der Entbindung gekommen
war, gebar sie einen Sohn. [58] Ihre Nachbarn und Verwandten hörten es und freuten sich mit, daß Gott ihr einen so
großen Beweis seiner Güte gegeben hatte. [59] Als das Kind
acht Tage alt war und beschnitten werden sollte, kamen
sie alle dazu. Sie wollten es nach seinem Vater Zacharias
nennen. [60] Aber die Mutter sagte: »Nein, er soll Johannes
heißen!« [61] Sie wandten ein: »Warum denn? In deiner ganzen Verwandtschaft gibt es keinen, der so heißt.« [62] Sie
fragten den Vater durch Zeichen, wie der Sohn heißen
solle. [63] Zacharias ließ sich eine Schreibtafel geben und
schrieb: »Er heißt Johannes.« Alle waren verwundert.
[64] Im selben Augenblick konnte Zacharias wieder sprechen, und sofort fing er an, Gott zu preisen. [65] Da ergriff
die Nachbarn ehrfürchtiges Staunen, und im ganzen Bergland von Judäa sprach man über das, was geschehen war.
[66] Jeder, der davon hörte, dachte darüber nach und fragte
sich: »Was wird aus dem Kind einmal werden?« Denn es

war offensichtlich, daß Gott etwas Besonderes mit Johannes vorhatte.

Zacharias dankt dem Herrn

⁶⁷ Erfüllt vom Geist* Gottes sprach der Vater des Kindes prophetische Worte:

⁶⁸ »Gepriesen sei der Herr, der Gott Israels;
denn er ist uns zu Hilfe gekommen
und hat sein Volk befreit!

⁶⁹ Einen starken Retter hat er uns gesandt,
einen Nachkommen seines Dieners David*.

⁷⁰ So hatte er es schon vor langer Zeit
durch seine Propheten angekündigt:

⁷¹ Er wollte uns vor unseren Feinden retten,
aus der Gewalt all derer, die uns hassen.

⁷² Unseren Vorfahren wollte er Güte erweisen
und nie den heiligen Bund* vergessen,
den er mit ihnen geschlossen hatte.

⁷³ Schon unserem Ahnherrn Abraham
hat er mit einem Eid versprochen,

⁷⁴⁻⁷⁵ uns aus der Macht der Feinde zu befreien,
damit wir keine Furcht mehr haben müssen
und unser Leben lang ihm dienen können
als Menschen, die ihrem Gott gehören
und tun, was er von ihnen verlangt.

⁷⁶ Und du, mein Sohn –
ein Prophet des Höchsten wirst du sein,
weil du dem Herrn vorausgehen wirst,
um den Weg für ihn zu bahnen.

⁷⁷ Du wirst dem Volk des Herrn verkünden,
daß nun die versprochene Rettung kommt,
weil Gott ihm seine Schuld vergeben will.

⁷⁸ Unser Gott ist voll Liebe und Erbarmen;
er schickt uns das Licht, das von oben kommt.

⁷⁹ Es wird für alle leuchten, die im Dunkeln sind,
die im finsteren Land des Todes leben,
und wird uns auf den Weg des Friedens führen.«

⁸⁰ Johannes wuchs heran und nahm zu an Verstand. Später zog er sich in die Wüste zurück bis zu dem Tag, an dem er unter dem Volk Israel offen mit seinem Auftrag hervortreten sollte.

Die Geburt Jesu

2 Zu jener Zeit ordnete Kaiser Augustus an, daß alle Bewohner des römischen Reiches in Steuerlisten* erfaßt werden sollten. ²Es war das erste Mal, daß so etwas geschah. Damals war Quirinius Statthalter der Provinz Syrien. ³So zog jeder in die Heimat seiner Vorfahren, um sich dort eintragen zu lassen. ⁴Auch Josef machte sich auf den Weg. Von Nazaret in Galiläa ging er nach Betlehem, das in Judäa liegt. Das ist der Ort, aus dem König David stammte. Er mußte dorthin, weil er ein Nachkomme Davids war. ⁵Maria, seine Verlobte*, ging mit ihm. Sie erwartete ein Kind. ⁶Während des Aufenthalts in Betlehem kam für sie die Zeit der Entbindung. ⁷Sie brachte einen Sohn zur Welt, ihren Erstgeborenen, wickelte ihn in Windeln und legte ihn in eine Futterkrippe im Stall. Eine andere Unterkunft hatten sie nicht gefunden.

Die Hirten und die Engel

⁸In der Gegend dort hielten sich Hirten auf. Sie waren in der Nacht auf dem Feld und bewachten ihre Herde. ⁹Da kam ein Engel des Herrn zu ihnen, und die Herrlichkeit* des Herrn umstrahlte sie. Sie fürchteten sich sehr; ¹⁰aber der Engel sagte: »Habt keine Angst! Ich bringe euch eine gute Nachricht, über die sich ganz Israel freuen wird. ¹¹Heute wurde in der Stadt Davids euer Retter geboren – Christus*, der Herr! ¹²Geht und seht selbst: Er liegt in Windeln gewickelt in einer Futterkrippe – daran könnt ihr ihn erkennen!«

¹³Plötzlich stand neben dem Engel eine große Schar anderer Engel, die priesen Gott und riefen:

¹⁴ »Alle Ehre gehört Gott im Himmel!
       Sein Frieden kommt auf die Erde
       zu den Menschen, weil er sie liebt!«

¹⁵Als die Engel in den Himmel zurückgekehrt waren, sagten die Hirten zueinander: »Kommt, wir gehen nach Betlehem und sehen uns an, was da geschehen ist und was Gott uns bekanntgemacht hat!«

¹⁶Sie brachen sofort auf, gingen hin und fanden Maria und Josef und das Kind in der Futterkrippe. ¹⁷Als sie es

sahen, berichteten sie, was ihnen der Engel von dem Kind gesagt hatte. ¹⁸Alle, die dabei waren, staunten über das, was ihnen die Hirten erzählten. ¹⁹Maria aber bewahrte all das in ihrem Herzen und dachte immer wieder darüber nach. ²⁰Die Hirten gingen zu ihren Herden zurück, priesen Gott und dankten ihm für das, was sie gehört und gesehen hatten. Es war alles so gewesen, wie der Engel es ihnen gesagt hatte.

Jesus erhält seinen Namen und wird in den Tempel gebracht

²¹Nach acht Tagen war es Zeit, das Kind zu beschneiden*. Es bekam den Namen Jesus* – so wie es der Engel Gottes angeordnet hatte, noch ehe Maria das Kind empfing.
²²Vierzig Tage nach der Geburt war die Zeit der Unreinheit* für Mutter und Kind vorüber, die im Gesetz* Moses festgelegt ist. Da brachten die Eltern das Kind in den Tempel nach Jerusalem, um es Gott zu weihen*. ²³Denn im Gesetz heißt es: »Wenn das erste Kind, das eine Frau zur Welt bringt, ein Sohn ist, soll es Gott gehören.« ²⁴Zugleich brachten sie das vorgeschriebene Reinigungsopfer dar: ein Paar Turteltauben oder zwei junge Tauben.

Simeon und Hanna erkennen den Retter

²⁵Damals lebte in Jerusalem ein Mann namens Simeon. Er war fromm und hielt sich treu an Gottes Gesetz und wartete auf die Rettung Israels. Er war vom Geist* Gottes erfüllt, ²⁶und der hatte ihm die Gewißheit gegeben, er werde nicht sterben, bevor er den von Gott versprochenen Retter* mit eigenen Augen gesehen habe. ²⁷Simeon folgte einer Eingebung des heiligen Geistes und ging in den Tempel. Als die Eltern das Kind Jesus dorthin brachten und es Gott weihen wollten, wie es nach dem Gesetz* üblich war, ²⁸nahm Simeon das Kind auf die Arme, pries Gott und sagte:

²⁹ »Herr, nun kann ich in Frieden sterben;
denn du hast dein Versprechen eingelöst!
³⁰⁻³¹ Mit eigenen Augen habe ich es gesehen:
Du hast dein rettendes Werk begonnen,
und alle Welt wird es erfahren.

³² Allen Völkern sendest du das Licht,
und dein Volk Israel bringst du zu Ehren.«

³³ Die Eltern Jesu wunderten sich über das, was Simeon von dem Kind sagte. ³⁴ Simeon segnete sie und sagte zu der Mutter: »Dieses Kind ist von Gott dazu bestimmt, viele in Israel zu Fall zu bringen und viele aufzurichten. Es wird ein Zeichen Gottes sein, gegen das sich viele auflehnen ³⁵ und so ihre innersten Gedanken verraten werden. Dich aber wird der Kummer um dein Kind wie ein scharfes Schwert durchbohren.«

³⁶ In Jerusalem lebte auch eine Prophetin. Sie hieß Hanna. Sie war die Tochter Penuëls aus dem Stamm Ascher. Sie war schon sehr alt. Sieben Jahre war sie verheiratet gewesen, ³⁷ und seit vierundachtzig Jahren war sie Witwe. Sie verließ den Tempel nicht mehr und diente Gott Tag und Nacht mit Fasten und Beten. ³⁸ Auch sie kam jetzt hinzu und pries Gott. Sie sprach über das Kind zu allen, die auf die Rettung Jerusalems warteten.

Die Rückkehr nach Nazaret

³⁹ Als Maria und Josef alles getan hatten, was das Gesetz* des Herrn vorschreibt, kehrten sie mit Jesus nach Galiläa in ihre Heimatstadt Nazaret zurück. ⁴⁰ Das Kind wuchs heran und wurde kräftig. Es hatte ein ungewöhnliches Verständnis für den Willen Gottes, und man sah, daß Gott es liebte.

Der zwölfjährige Jesus im Tempel

⁴¹ Die Eltern Jesu gingen jedes Jahr zum Passafest* nach Jerusalem. ⁴² Als Jesus zwölf Jahre alt war, nahmen sie ihn zum erstenmal mit. ⁴³ Nach den Feiertagen machten sie sich wieder auf den Heimweg; aber Jesus blieb ohne Wissen seiner Eltern in Jerusalem. ⁴⁴ Sie dachten, er sei irgendwo unter den Pilgern. Sie gingen den ganzen Tag und suchten ihn dann abends unter ihren Verwandten und Bekannten. ⁴⁵ Als sie ihn nicht fanden, kehrten sie nach Jerusalem zurück und suchten ihn dort. ⁴⁶ Am dritten Tag endlich entdeckten sie ihn im Tempel. Er saß bei den Gesetzeslehrern*, hörte ihnen zu und diskutierte mit ihnen. ⁴⁷ Alle, die dabei waren, staunten über sein Verständnis und seine Antworten.

⁴⁸ Seine Eltern waren ganz außer sich, als sie ihn hier fanden. Die Mutter sagte zu ihm: »Kind, warum machst du uns solchen Kummer? Dein Vater und ich haben dich ganz verzweifelt gesucht.« ⁴⁹ Jesus antwortete: »Warum habt ihr mich denn gesucht? Habt ihr nicht gewußt, daß ich im Haus meines Vaters sein muß?« ⁵⁰ Aber sie verstanden nicht, was er damit meinte.

⁵¹ Jesus kehrte mit seinen Eltern nach Nazaret zurück und gehorchte ihnen willig. Seine Mutter bewahrte das alles in ihrem Herzen. ⁵² Jesus nahm weiter zu an Jahren wie an Verständnis, und Gott und die Menschen hatten ihre Freude an ihm.

Johannes der Täufer tritt auf
(Mt 3,1-6; Mk 1,2-6; Joh 1,19-23)

3 Es war im fünfzehnten Regierungsjahr des Kaisers Tiberius. Pontius Pilatus war Prokurator* von Judäa, Herodes regierte in Galiläa, sein Bruder Philippus in Ituräa und Trachonitis, Lysanias regierte in Abilene. ² Die Obersten Priester* waren Hannas und Kajaphas.

Johannes, der Sohn von Zacharias, hielt sich noch in der Wüste auf. Dort erreichte ihn der Ruf Gottes. ³ Er machte sich auf, durchzog die ganze Gegend am Jordan und verkündete: »Laßt euch taufen und fangt ein neues Leben an, dann wird Gott euch eure Schuld vergeben!« ⁴ Schon im Buch des Propheten Jesaja steht: »In der Wüste ruft einer: ›Macht den Weg bereit, auf dem der Herr kommt! Baut ihm eine gute Straße! ⁵ Füllt alle Täler auf, ebnet Berge und Hügel ein, beseitigt die Windungen und räumt die Hindernisse aus dem Weg. ⁶ Dann werden alle Menschen sehen, wie Gott die Rettung bringt.‹«

Die Botschaft des Täufers
(Mt 3,7-12; Mk 1,7-8; Joh 1,24-28)

⁷ Die Menschen kamen in Scharen zu Johannes, um sich von ihm taufen zu lassen. Er hielt ihnen vor: »Ihr Schlangenbrut, wer hat euch gesagt, daß ihr dem bevorstehenden Gericht Gottes entgeht? ⁸ Zeigt durch eure Taten, daß ihr euch ändern wollt! Ihr bildet euch ein, daß euch nichts geschehen kann, weil Abraham euer Stammvater ist. Ich sage euch: Gott kann aus diesen Steinen hier Nachkom-

men Abrahams machen! ⁹Die Axt ist schon angelegt, um die Bäume an der Wurzel abzuschlagen. Jeder Baum, der keine guten Früchte bringt, wird umgehauen und ins Feuer geworfen.«

¹⁰Die Menschen fragten Johannes: »Was sollen wir denn tun?« ¹¹Seine Antwort war: »Wer zwei Hemden hat, soll dem eins geben, der keines hat. Und wer etwas zu essen hat, soll es mit dem teilen, der hungert.« ¹²Auch Zolleinnehmer* kamen und wollten sich taufen lassen. Sie fragten Johannes: »Und was sollen wir tun?« ¹³Zu ihnen sagte er: »Verlangt nicht mehr, als festgesetzt ist!« ¹⁴Zu den Soldaten, die mit der gleichen Frage kamen, sagte er: »Beraubt und erpreßt niemand, sondern gebt euch mit eurem Sold zufrieden!«

¹⁵Die Leute waren voll Erwartung und fragten sich, ob Johannes vielleicht der versprochene Retter* sei. ¹⁶Da erklärte er allen: »Ich taufe euch nur mit Wasser. Es kommt aber der, der viel mächtiger ist als ich. Ich bin nicht gut genug, ihm die Schuhe aufzubinden. Er wird euch mit heiligem Geist* taufen und mit dem Feuer des Gerichts. ° ¹⁷Er hat die Worfschaufel* in seiner Hand, um die Spreu vom Weizen zu scheiden und dann den Weizen in seine Scheune zu bringen. Die Spreu wird er in einem Feuer verbrennen, das nie mehr ausgeht.«

¹⁸Mit diesen und vielen anderen Worten rüttelte Johannes das Volk auf und verkündete ihm seine Botschaft. ¹⁹Er tadelte auch den Fürsten Herodes, weil er Herodias, die Frau seines Bruders, geheiratet und auch sonst viel Unrecht getan hatte. ²⁰Deswegen ließ Herodes ihn ins Gefängnis werfen und lud sich zu allem anderen auch noch diese Schuld auf.

Jesus läßt sich taufen
(Mt 3,13-17; Mk, 1,9-11; Joh 1,32-34)

²¹Zusammen mit allen anderen hatte sich auch Jesus taufen lassen. Danach, als er betete, öffnete sich der Himmel. ²²Der heilige Geist* kam sichtbar auf ihn herab, anzusehen wie eine Taube. Und eine Stimme sagte vom Himmel her: »Du bist mein Sohn*, dir gilt meine Liebe, dich habe ich erwählt.«

Jesus, das Ziel der Menschheitsgeschichte
(Mt 1,1-17)

[23]Als Jesus sein Werk begann, war er etwa dreißig Jahre alt. Er galt als Sohn Josefs. Josef war ein Sohn Elis; [24]seine weiteren Vorfahren waren: Mattat, Levi, Melchi, Jannai, Josef, [25]Mattitja, Amos, Nahum, Hesli, Naggai, [26]Mahat, Mattitja, Schimi, Josech, Joda, [27]Johanan, Resa, Serubbabel, Schealtiël, Neri, [28]Melchi, Addi, Kosam, Elmadam, Er, [29]Joschua, Eliëser, Jorim, Mattat, Levi, [30]Simeon, Juda, Josef, Jonam, Eljakim, [31]Melea, Menna, Mattata, Natan, David, [32]Isai, Obed, Boas, Salmon, Nachschon, [33]Amminadab, Admin, Arni, Hezron, Perez, Juda, [34]Jakob, Isaak, Abraham, Terach, Nahor, [35]Serug, Regu, Peleg, Eber, Schelach, [36]Kenan, Arpachschad, Sem, Noach, Lamech, [37]Metuschelach, Henoch, Jered, Mahalalel, Kenan, [38]Enosch, Set, Adam – und Adam stammte von Gott.°

Jesus wird auf die Probe gestellt
(Mt 4,1-11; Mk 1,12-13)

4 [1-2]Vom heiligen Geist* erfüllt, verließ Jesus die Jordangegend. Vierzig Tage lang wurde er vom Geist in der Wüste umhergetrieben und vom Teufel auf die Probe gestellt. Die ganze Zeit hindurch aß er nichts, so daß er schließlich sehr hungrig war. [3]Da sagte der Teufel zu ihm: »Wenn du Gottes Sohn* bist, dann befiehl doch diesem Stein hier, er solle zu Brot werden!« [4]Jesus antwortete: »In den heiligen Schriften* steht: ›Der Mensch lebt nicht nur von Brot.‹«

[5]Darauf zeigte ihm der Teufel auf einen Blick alle Reiche der Welt [6]und sagte: »Ich will dir die Macht über alle diese Reiche in ihrer ganzen Größe und Schönheit geben. Sie ist mir übertragen worden, und ich kann sie weitergeben, an wen ich will. [7]Alles soll dir gehören, wenn du dich vor mir niederwirfst und mich anbetest.« [8]Aber Jesus sagte: »In den heiligen Schriften heißt es: ›Vor dem Herrn, deinem Gott, wirf dich nieder, ihn sollst du anbeten und niemand sonst.‹«

[9]Zuletzt führte ihn der Teufel nach Jerusalem, stellte ihn hoch oben auf den Tempel und sagte: »Wenn du wirk-

lich Gottes Sohn bist, dann spring doch hinunter; ¹⁰denn
in den heiligen Schriften steht: ›Gott wird seinen Engeln
befehlen, dich zu beschützen.‹ ¹¹Und: ›Sie sollen dich auf
Händen tragen, damit du dich an keinem Stein stößt.«
¹²Jesus antwortete ihm: »Es heißt in den heiligen Schriften auch: ›Du sollst den Herrn, deinen Gott, nicht herausfordern.«

¹³Als der Teufel mit all dem Jesus nicht zu Fall bringen
konnte, ließ er ihn vorläufig in Ruhe.

Jesus beginnt sein Wirken in Galiläa
(Mt 4,12-17; Mk 1,14-15)

¹⁴Erfüllt mit der Kraft des heiligen Geistes* kehrte Jesus
nach Galiläa zurück. Man sprach von ihm in der ganzen
Gegend. ¹⁵Er lehrte in den Synagogen*, und alle ehrten
und achteten ihn.

Jesus wird in Nazaret abgelehnt
(Mt 13,53-58; Mk 6,1-6)

¹⁶So kam Jesus auch nach Nazaret, wo er aufgewachsen
war. Am Sabbat* ging er wie immer in die Synagoge*. Er
stand auf, um aus den heiligen Schriften* vorzulesen,
¹⁷und man reichte ihm die Buchrolle mit den Worten des
Propheten Jesaja. Er rollte sie auf und wählte die Stelle
aus, an der es heißt:

¹⁸ »Der Herr hat mich mit seinem Geist* erfüllt.
Er hat mich bevollmächtigt und mir den Auftrag
    gegeben,
den Armen gute Nachricht zu bringen;
den Gefangenen zu verkünden, daß sie frei sein
    sollen,
und den Blinden, daß sie sehen werden.
Den Mißhandelten soll ich die Freiheit bringen,
¹⁹ und das Jahr ausrufen, in dem Gott sein Volk rettet.«

²⁰Jesus rollte das Buch wieder zusammen, gab es dem
Synagogendiener und setzte sich. Die ganze Gemeinde blickte gespannt auf ihn. ²¹Dann begann er und
sagte: »Dieses Wort ist heute für euch in Erfüllung gegangen, eben jetzt, als ihr es aus meinem Mund gehört
habt.«

²²Alle stimmten ihm zu und staunten über diese Bot-

schaft von Gottes rettender Gnade. Aber sie wunderten sich, so etwas aus seinem Mund zu hören und sagten zueinander: »Ist das nicht der Sohn Josefs?«

²³ Da sagte Jesus: »Sicher werdet ihr mir jetzt mit dem Sprichwort kommen: ›Arzt, hilf dir selbst! Wenn du in Kafarnaum so große Dinge getan hast, wie wir gehört haben, dann tu sie auch hier in deiner Vaterstadt!‹ ²⁴ Aber ich versichere euch: ein Prophet gilt in seiner Heimatstadt nichts. ²⁵ Ja, ich muß euch noch mehr sagen: Zur Zeit des Propheten Elija lebten viele Witwen in Israel, damals, als es dreieinhalb Jahre nicht regnete und im ganzen Land eine große Hungersnot war. ²⁶ Trotzdem wurde Elija zu keiner von ihnen geschickt, sondern zu einer Witwe in Sarepta im Gebiet von Sidon. ²⁷ Und zur Zeit des Propheten Elischa gab es viele Aussätzige* in Israel; aber keiner von ihnen wurde geheilt, nur der Syrer Naaman.«

²⁸ Als die Menschen in der Synagoge das hörten, wurden sie wütend. ²⁹ Sie sprangen auf und trieben Jesus aus der Stadt hinaus bis an den Rand des Berges, auf dem Nazaret liegt. Dort wollten sie ihn hinunterstürzen. ³⁰ Aber Jesus ging unbehelligt mitten durch die Menge hindurch und zog weiter.

Jesus zeigt seine Macht
(Mk 1,21-28)

³¹ Jesus kam nach Kafarnaum in Galiläa. Auch hier sprach er am Sabbat* in der Synagoge* zu den Menschen. ³² Die Zuhörer waren tief beeindruckt; denn er redete wie einer, den Gott dazu ermächtigt hat.

³³ In der Synagoge war ein Mann, der von einem bösen Geist* besessen war. Er schrie laut: ³⁴ »Was hast du mit uns vor, Jesus von Nazaret? Willst du uns zugrunde richten? Ich kenne dich; du bist der, den Gott gesandt hat!« ³⁵ Jesus befahl dem bösen Geist: »Sei still und verlaß den Mann!« Da zerrte der Geist den Mann nach vorn, warf ihn zu Boden und verließ ihn, ohne ihm einen Schaden zuzufügen. ³⁶ Die Leute erschraken alle und sagten zueinander: »Wie redet dieser Mensch? Mit unwiderstehlicher Macht befiehlt er den bösen Geistern zu weichen, und sie gehorchen.« ³⁷ So kam es, daß man bald in der ganzen Gegend von Jesus sprach.

Jesus heilt viele Menschen
(Mt 8,14-17; Mk 1,29-39)

³⁸ Jesus verließ die Synagoge* und ging in das Haus Simons. Dessen Schwiegermutter lag mit hohem Fieber im Bett, und man bat Jesus, ihr zu helfen. ³⁹ Der trat zu ihr hin, bedrohte das Fieber, und es verschwand. Sofort stand die Frau auf und bereitete für alle das Essen.

⁴⁰ Als die Sonne unterging, brachten alle Leute ihre Kranken zu Jesus, Menschen mit den verschiedensten Leiden. Jedem einzelnen legte Jesus die Hände auf und heilte ihn. ⁴¹ Er befreite auch viele von bösen Geistern*. Diese schrien: »Du bist der Sohn* Gottes!« Aber Jesus drohte ihnen und ließ sie nicht weiterreden; denn sie wußten, daß er der versprochene Retter* war.

⁴² Am nächsten Morgen verließ Jesus die Stadt und zog sich an eine abgelegene Stelle zurück. Aber die Leute liefen ihm nach; sie wollten ihn festhalten und verhindern, daß er von ihnen wegging. ⁴³ Doch er sagte zu ihnen: »Ich muß auch den anderen Städten die Gute Nachricht verkünden, daß Gott seine Herrschaft* aufrichtet; denn dazu hat Gott mich gesandt.« ⁴⁴ Von da an sprach Jesus in den Synagogen des ganzen Landes.

Die ersten Jünger
(Mt 4,18-22; Mk 1,16-20)

5 Eines Tages stand Jesus am Ufer des Sees Gennesaret. Die Menschen drängten sich um ihn und wollten Gottes Botschaft hören. ² Da sah er zwei Boote am Ufer liegen. Die Fischer waren ausgestiegen und reinigten ihre Netze. ³ Er setzte sich in das eine der Boote, das Simon gehörte, und bat ihn, ein Stück vom Ufer abzustoßen. Dann sprach er vom Boot aus zu der Menschenmenge.

⁴ Als er seine Rede beendet hatte, sagte er zu Simon: »Fahr hinaus auf den See und wirf mit deinen Leuten die Netze zum Fang aus!« ⁵ Simon erwiderte: »Wir haben uns die ganze Nacht abgemüht und nichts gefangen. Aber weil du es sagst, will ich die Netze noch einmal auswerfen.« ⁶ Sie taten es und fingen so viele Fische, daß die Netze zu reißen begannen. ⁷ Sie mußten die Freunde im anderen

Boot zur Hilfe herbeiwinken. Schließlich waren beide
Boote so überladen, daß sie fast untergingen.

⁸Als Simon Petrus das sah, fiel er vor Jesus auf die Knie
und bat: »Herr, geh fort von mir! Ich bin ein sündiger
Mensch.« ⁹Denn ihn und die anderen, die bei ihm im
Boot waren, hatte die Furcht gepackt, weil sie einen so gewaltigen Fang gemacht hatten. ¹⁰So ging es auch Jakobus
und Johannes, den Söhnen von Zebedäus, die mit Simon
zusammenarbeiteten. Jesus aber sagte zu Simon: »Hab
keine Angst! Von jetzt an wirst du Menschen fischen.«
¹¹Da zogen sie die Boote an Land, ließen alles zurück und
gingen mit Jesus.

Jesus heilt einen Aussätzigen
(Mt 8,1-4; Mk 1,40-45)

¹²Einmal traf Jesus in einer Ortschaft einen Mann, der am
ganzen Körper aussätzig* war. Als er Jesus sah, warf er
sich vor ihm nieder und flehte ihn an: »Herr, wenn du
willst, kannst du mich gesund machen!« ¹³Jesus streckte
die Hand aus und berührte ihn. »Ich will«, sagte er, »sei
gesund!« Im selben Augenblick war der Mann von seinem
Aussatz geheilt.

¹⁴Jesus befahl ihm: »Sag keinem ein Wort davon, sondern geh zum Priester und laß dich von ihm untersuchen.
Dann bring das Opfer für deine Heilung dar, wie Mose es
vorgeschrieben hat, damit jeder weiß, daß du wieder gesund bist.«

¹⁵Die Nachricht von Jesus verbreitete sich jetzt erst
recht. Scharenweise kamen die Menschen, um ihn zu hören und sich von ihren Krankheiten heilen zu lassen.
¹⁶Aber Jesus zog sich zurück und hielt sich in einsamen
Gegenden auf, um zu beten.

Jesus heilt einen Gelähmten
(Mt 9,1-8; Mk 2,1-12)

¹⁷Eines Tages sprach Jesus zu den Leuten, und unter den
Zuhörern saßen auch Pharisäer* und Gesetzeslehrer*, die
aus allen Ortschaften Galiläas und Judäas und sogar aus
Jerusalem gekommen waren. Da trieb die Kraft Gottes Je-
sus dazu, einen kranken Menschen zu heilen: ¹⁸Einige
Männer brachten einen Gelähmten auf einer Tragbahre

herbei. Sie wollten ihn in das Haus hineintragen und vor Jesus niederlegen. [19]Aber wegen der Menschenmenge konnten sie nicht bis zu ihm durchkommen. So stiegen sie auf das Dach, deckten einige Ziegel ab und ließen die Bahre mit dem Kranken mitten in der Menge genau vor Jesus nieder. [20]Als Jesus sah, wie groß ihr Vertrauen war, sagte er zu dem Kranken: »Deine Schuld ist dir vergeben!«

[21]Die Gesetzeslehrer und Pharisäer dachten: »Wer ist das, daß er eine solche Gotteslästerung auszusprechen wagt! Niemand außer Gott kann uns unsere Schuld vergeben!« [22]Aber Jesus wußte, was sie dachten, und fragte sie: »Was macht ihr euch da für Gedanken? [23]Was ist leichter – zu sagen: ›Deine Schuld ist dir vergeben‹, oder: ›Steh auf und geh‹? [24]Aber ihr sollt sehen, daß der Menschensohn* von Gott die Vollmacht hat, hier auf der Erde Schuld zu vergeben.« Und er sagte zu dem Gelähmten: »Ich befehle dir: Steh auf, nimm deine Tragbahre und geh nach Hause!« [25]Alle konnten sehen, wie der Mann sogleich aufstand, die Bahre nahm, auf der er gelegen hatte, und nach Hause ging. Dabei pries er Gott. [26]Eine große Erregung erfaßte alle, die versammelt waren, und auch sie priesen Gott. Von Furcht erfüllt, sagten sie: »Unglaubliche Dinge haben wir heute erlebt!«

Jesus beruft den Zolleinnehmer Levi
(Mt 9,9-13; Mk 2,13-17)

[27]Als Jesus danach die Stadt verließ, sah er einen Zolleinnehmer* in seinem Zollhaus sitzen. Er hieß Levi. Jesus sagte zu ihm: »Geh mit mir!« [28]Levi ließ alles zurück und folgte Jesus.

[29]Später gab Levi für Jesus ein Festessen in seinem Haus. Daran nahmen viele seiner bisherigen Kollegen und andere Bekannte teil. [30]Die Pharisäer*, besonders die Gesetzeslehrer* unter ihnen, waren darüber aufgebracht und sagten zu den Jüngern: »Warum eßt und trinkt ihr mit den Zolleinnehmern und ähnlichem Gesindel?« [31]Aber Jesus antwortete ihnen: »Nicht die Gesunden brauchen den Arzt, sondern die Kranken. [32]Ich soll nicht die zur Umkehr einladen, bei denen alles in Ordnung ist, sondern die ausgestoßenen Sünder.«

Die Hochzeit hat begonnen
(Mt 9,14-17; Mk 2,18-22)

³³ Darauf hielten die Pharisäer* Jesus vor: »Die Anhänger des Täufers Johannes fasten* oft und verrichten Gebete, so wie es auch unsere Leute tun. Aber deine Jünger essen und trinken!« ³⁴ Jesus antwortete: »Ihr könnt doch nicht verlangen, daß die Hochzeitsgäste fasten, solange der Bräutigam da ist! ³⁵ Die Zeit kommt früh genug, daß der Bräutigam ihnen entrissen wird; dann werden sie fasten.«

³⁶ Jesus machte ihnen noch weiter mit Hilfe von Bildern klar, worum es ihm ging; er sagte: »Niemand schneidet ein Stück von einem neuen Kleid ab, um damit ein altes zu flicken. Sonst ist das neue Kleid verdorben, und zu dem alten paßt der neue Flicken nicht einmal. ³⁷ Auch füllt niemand neuen Wein, der noch gärt, in alte Schläuche; sonst sprengt der neue Wein die Schläuche; der Wein fließt aus, und auch die Schläuche sind hin. ³⁸ Nein, neuer Wein gehört in neue Schläuche! – ³⁹ Aber niemand, der alten Wein getrunken hat, wird danach neuen haben wollen. Denn er wird sagen: ›Der alte ist besser.‹«

Über den Sabbat
(Mt 12,1-8; Mk 2,23-28)

6 An einem Sabbat* ging Jesus mit seinen Jüngern durch die Felder. Die Jünger rissen Ähren ab, zerrieben sie in der Hand und aßen die Körner. ² Da sagten einige von den Pharisäern*: »Das ist nach dem Gesetz* am Sabbat verboten!« ³ Jesus antwortete ihnen: »Habt ihr nie gelesen, was David tat, als er und seine Männer hungrig waren? ⁴ Er ging in das Haus Gottes, nahm die geweihten Brote*, aß davon und gab auch seinen Begleitern zu essen, obwohl nach dem Gesetz nur Priester davon essen dürfen.« ⁵ Und Jesus fügte hinzu: »Der Menschensohn* hat das Recht zu bestimmen, was am Sabbat geschehen darf.«

Jesus heilt am Sabbat
(Mt 12,9-14; Mk 3,1-6)

⁶ An einem anderen Sabbat* ging Jesus in eine Synagoge* und sprach zu den Menschen. Dort war ein Mann, dessen

rechte Hand war gelähmt. [7] Die Gesetzeslehrer* und Pharisäer* suchten einen Anlaß, Jesus anzuzeigen, und beobachteten deshalb genau, ob er auch am Sabbat heilen würde. [8] Aber Jesus kannte ihre Gedanken. Er sagte zu dem Mann mit der gelähmten Hand: »Steh auf und stell dich hierher!« Der Mann gehorchte und trat vor. [9] Dann sagte Jesus zu den Anwesenden: »Ich frage euch, was darf man nach dem Gesetz* am Sabbat tun? Gutes oder Böses? Darf man einem Menschen das Leben retten, oder muß man ihn umkommen lassen?« [10] Er schaute alle der Reihe nach an und forderte den Mann auf: »Streck deine Hand aus!« Der Mann streckte sie aus, und sie wurde wieder gesund. [11] Darüber wurden die Gegner Jesu so wütend, daß sie miteinander berieten, wie sie gegen ihn vorgehen könnten.

Jesus wählt die zwölf Apostel aus
(Mt 10,1-4; Mk 3,13-19)

[12] Zu jener Zeit zog sich Jesus auf einen Berg zurück, um zu beten. Eine ganze Nacht hindurch sprach er im Gebet mit Gott. [13] Als es Tag wurde, rief er seine Jünger zu sich und wählte aus ihnen zwölf aus, die er Apostel* nannte. [14] Es waren Simon, dem er den Namen Petrus* gab, und dessen Bruder Andreas; Jakobus und Johannes; Philippus und Bartholomäus; [15] Matthäus und Thomas; Jakobus, der Sohn von Alphäus, und Simon, der zur Partei der Zeloten* gehört hatte; [16] dazu Judas, der Sohn von Jakobus, und Judas Iskariot, der Jesus später verriet.

Jesus lehrt und heilt
(Mt 4,24-25; 12,15-16; Mk 3,7-12)

[17] Jesus stieg mit den Aposteln* den Berg hinunter. Auf einem ebenen Platz hatte sich eine große Menge seiner Jünger* versammelt und dazu noch viele Menschen aus ganz Judäa, aus Jerusalem und dem Küstengebiet von Tyrus und Sidon. [18] Sie wollten ihn hören und sich von ihren Krankheiten heilen lassen. Alle, die von bösen Geistern* besessen waren, wurden von ihnen befreit. [19] Jeder wollte Jesus berühren, denn es ging heilende Kraft von ihm aus und machte alle gesund.

Die Feldpredigt (Kapitel 6,20-49)
(Mt 5,1-12)

²⁰Jesus blickte auf seine Jünger und sagte:
»Freut euch, ihr Armen!
Ihr werdet mit Gott in der neuen Welt leben.
²¹ Freut euch, die ihr jetzt Hunger habt!
Gott wird euch satt machen.
Freut euch, die ihr jetzt weint!
Bald werdet ihr lachen.
²²Ihr dürft euch freuen, wenn euch die Leute hassen, wenn sie euch aus ihrer Gemeinschaft ausstoßen, euch beschimpfen und verleumden, weil ihr euch zum Menschensohn* bekennt! ²³Ja, freut euch und springt vor Freude, wenn das geschieht, denn Gott wird euch reich belohnen. Mit den Propheten haben es die Vorfahren dieser Leute auch so gemacht.
²⁴ Aber weh euch, ihr Reichen!
Ihr habt nichts mehr zu erwarten!
²⁵ Weh euch, die ihr jetzt satt seid!
Ihr werdet hungern.
Weh euch, die ihr jetzt lacht!
Ihr werdet weinen und klagen!
²⁶Weh euch, wenn euch alle Leute loben, denn genauso haben es ihre Vorfahren mit den falschen Propheten gemacht.«

Liebe zu den Feinden
(Mt 5,38-48; 7,12)

²⁷»Euch, die ihr mir zuhört, sage ich: Liebt eure Feinde; tut denen Gutes, die euch hassen; ²⁸segnet die, die euch verfluchen, und betet für alle, die euch schlecht behandeln. ²⁹Wenn dich einer auf die Backe schlägt, dann halte ihm auch die andere hin. Wenn dir jemand die Jacke wegnimmt, dann gib ihm noch das Hemd dazu. ³⁰Wenn einer dich um etwas bittet, dann gib es ihm, und wenn einer dir etwas wegnimmt, dann fordere es nicht zurück. ³¹Behandelt jeden so, wie ihr selbst von ihm behandelt sein wollt.

³²Warum erwartet ihr von Gott eine Belohnung, wenn ihr nur die liebt, die euch auch lieben? Das tun sogar die Menschen, die nicht nach Gott fragen. ³³Warum erwartet ihr eine Belohnung, wenn ihr nur die gut behandelt, die

euch auch gut behandeln? Das können die anderen auch.
³⁴Warum erwartet ihr eine Belohnung, wenn ihr nur denen etwas leiht, von denen ihr wißt, daß sie es euch zurückgeben? Ausleihen und wieder zurückfordern, das tun
die Menschen, die nicht nach Gott fragen, auch. ³⁵Nein,
eure Feinde sollt ihr lieben! Tut Gutes und leiht, ohne etwas zurückzuerwarten! Dann bekommt ihr reichen Lohn:
ihr werdet zu Kindern des Höchsten. Denn auch er ist gut
zu den undankbaren und schlechten Menschen. ³⁶Werdet
barmherzig, so wie euer Vater barmherzig ist!«

Das Verurteilen
(Mt 7,1-5)

³⁷»Richtet niemand, dann wird Gott auch euch nicht richten. Verurteilt niemand, dann wird Gott auch euch nicht
verurteilen. Verzeiht, dann wird Gott euch verzeihen.
³⁸Schenkt, dann wird Gott euch schenken; ja, er beschenkt euch so überreich, daß ihr gar nicht alles fassen
könnt. Darum gebraucht andern gegenüber ein reichli-
ches Maß; Gott wird bei euch dasselbe Maß verwenden.«
³⁹Jesus sprach zu ihnen auch in Bildern: »Kein Blinder
kann einen Blinden führen, sonst fallen beide in die Grube. ⁴⁰Kein Schüler steht *über* seinem Lehrer. Und wenn er
ausgelernt hat, soll er *wie* sein Lehrer sein.
⁴¹Warum kümmerst du dich um den Splitter im Auge
deines Bruders und bemerkst nicht den Balken in deinem
eigenen? ⁴²Wie kannst du zu deinem Bruder sagen:
›Komm her, Bruder, ich will dir den Splitter aus dem
Auge ziehen‹, und merkst gar nicht, daß du selbst einen
ganzen Balken im Auge hast? Du Scheinheiliger, zieh erst
den Balken aus deinem Auge, dann kannst du dich um
den Splitter im Auge deines Bruders kümmern.«

Der Baum und die Früchte
(Mt 7,16-20; 12,33-35)

⁴³»Ein gesunder Baum trägt keine schlechten Früchte,
und ein kranker Baum trägt keine guten. ⁴⁴Man erkennt
jeden Baum an seinen eigenen Früchten. Von Disteln
kann man ja auch keine Feigen pflücken und von Dornengestrüpp keine Weintrauben ernten.
⁴⁵Ein guter Mensch bringt Gutes hervor, weil er im

Herzen gut ist. Aber ein schlechter Mensch kann nur Böses hervorbringen, weil er von Grund auf böse ist. Sein Mund spricht nur aus, was sein Herz erfüllt!«

Zweierlei Bauherren
(Mt 7,21.24-27)

⁴⁶»Was nennt ihr mich immerzu ›Herr‹, wenn ihr doch nicht tut, was ich sage? ⁴⁷Wer zu mir kommt und meine Worte hört und sich nach ihnen richtet – ich werde euch zeigen, wem er gleicht: ⁴⁸Er gleicht einem Mann, der ein Haus baute. Er grub tief und legte die Fundamente auf Felsgrund. Als das Hochwasser kam, umspülten die Wellen das Haus und rüttelten daran, aber das Haus blieb stehen, weil es so fest gebaut war. ⁴⁹Wer dagegen meine Worte hört und sich nicht nach ihnen richtet, ist wie ein Mann, der sein Haus einfach auf das Erdreich stellte, ohne ein Fundament. Als der Fluß über die Ufer trat und das Haus umspülte, stürzte es ein, und der Schaden war groß.«

Der Hauptmann von Kafarnaum
(Mt 8,5-13; Joh 4,46-53)

7 Nachdem Jesus seine Rede vor der Menge beendet hatte, ging er nach Kafarnaum. ²Dort lebte ein Hauptmann, ein Nichtjude. Er hatte einen Diener, den er sehr schätzte; der war todkrank. ³Als der Hauptmann von Jesus hörte, schickte er einige angesehene Männer der jüdischen Gemeinde zu ihm. Sie sollten ihn bitten, zu kommen und seinem Diener das Leben zu retten. ⁴Die Männer kamen zu Jesus und baten ihn inständig: »Der Mann verdient deine Hilfe. ⁵Er liebt unser Volk. Er hat uns sogar die Synagoge* gebaut.«

⁶Jesus ging mit ihnen. Als er nicht mehr weit vom Haus entfernt war, schickte der Hauptmann ihm Freunde entgegen und ließ ihm ausrichten: »Herr, bemühe dich doch nicht selbst! Ich weiß, daß ich dir, einem Juden, nicht zumuten kann, mein Haus zu betreten. ⁷Deshalb hielt ich mich auch nicht für würdig, selbst zu dir zu kommen. Du brauchst nur ein Wort zu sagen, und mein Diener wird gesund. ⁸Auch ich unterstehe höherem Befehl und kann meinen Soldaten Befehle erteilen. Wenn ich zu einem sa-

ge: ›Geh!‹, dann geht er; wenn ich zu einem anderen sage:
›Komm!‹, dann kommt er; und wenn ich meinem Diener
befehle: ›Tu das!‹, dann tut er's.«

⁹Als Jesus das hörte, wunderte er sich über ihn. Er
drehte sich um und sagte zu der Menge, die ihm folgte:
»Wahrhaftig, solch ein Vertrauen habe ich nicht einmal in
Israel gefunden.«

¹⁰Als die Boten des Hauptmanns in das Haus zurückkamen, war der Diener gesund.

Jesus macht einen Toten lebendig

¹¹Bald darauf ging Jesus nach Naïn. Seine Jünger und viele Leute folgten ihm. ¹²Als sie in die Nähe des Stadttors
kamen, trafen sie auf einen Trauerzug. Der einzige Sohn
einer Witwe sollte beerdigt werden, und zahlreiche Bewohner der Stadt begleiteten die Mutter. ¹³Als der Herr
die Witwe sah, tat sie ihm sehr leid, und er sagte zu ihr:
»Weine nicht!« ¹⁴Dann trat er näher und berührte die
Bahre. Die Träger blieben stehen. Jesus sagte zu dem Toten: »Ich befehle dir: Steh auf!« ¹⁵Da richtete er sich auf
und fing an zu reden, und Jesus gab ihn seiner Mutter zurück. ¹⁶Alle wurden von Furcht gepackt; sie priesen Gott
und riefen: »Ein großer Prophet ist unter uns aufgetreten!
Gott selbst ist seinem Volk zu Hilfe gekommen!« ¹⁷Dieser
Ruf verbreitete sich im ganzen jüdischen Land und in allen angrenzenden Gebieten.

Die Boten des Täufers Johannes
(Mt 11,2-6)

¹⁸Johannes hörte durch seine Jünger von all diesen Ereignissen. Er rief zwei von ihnen zu sich ¹⁹und schickte sie
mit der Frage zum Herrn: »Bist du der Retter*, der kommen soll, oder müssen wir auf einen anderen warten?«
²⁰Die beiden kamen zu Jesus und sagten zu ihm: »Der
Täufer Johannes hat uns zu dir geschickt, um dich zu fragen: ›Bist du der Retter, der kommen soll, oder müssen
wir auf einen anderen warten?‹« ²¹Jesus heilte damals gerade viele Leute von Krankheiten und schlimmen Leiden;
er befreite Menschen von bösen Geistern* und gab vielen
Blinden das Augenlicht. ²²Er antwortete den Boten:
»Geht zurück zu Johannes und berichtet ihm, was ihr

hier gesehen und gehört habt: Blinde sehen, Gelähmte gehen, Aussätzige* werden gesund, Taube hören, Tote stehen auf, und den Armen wird die Gute Nachricht verkündet. ²³Freuen darf sich jeder, der nicht an mir irre wird!«

Jesus spricht über den Täufer
(Mt 11,7-19)

²⁴Als die Boten des Täufers wieder weggegangen waren, fing Jesus an, zu der Menge über Johannes zu sprechen: »Als ihr zu ihm in die Wüste hinausgegangen seid, was habt ihr da erwartet? Etwa ein Schilfrohr, das jeder Windzug bewegt? ²⁵Oder was sonst wolltet ihr sehen? Einen Mann in vornehmer Kleidung? Leute mit prächtigen Kleidern, die im Luxus leben, wohnen doch in Palästen! ²⁶Also, was habt ihr erwartet? Einen Propheten? Ich versichere euch: ihr habt mehr gesehen als einen Propheten. ²⁷Johannes ist der, von dem es in den heiligen Schriften* heißt: ›Ich sende meinen Boten vor dir her‹, sagt Gott, ›damit er den Weg für dich bahnt.‹ ²⁸Ich versichere euch: Johannes ist bedeutender als irgendein anderer Mensch, der je gelebt hat. Und trotzdem: Der Geringste in Gottes neuer Welt ist größer als er.

²⁹Alle, die Johannes zuhörten, sogar die Zolleinnehmer*, unterwarfen sich dem Urteil Gottes und ließen sich von Johannes taufen. ³⁰Nur die Pharisäer* und Gesetzeslehrer* mißachteten die Rettung, die Gott ihnen zugedacht hatte, und lehnten es ab, sich von Johannes taufen zu lassen.

³¹Mit wem soll ich die Menschen von heute vergleichen? ³²Sie sind wie Kinder, die auf dem Marktplatz sitzen und sich gegenseitig zurufen: ›Wir haben euch Hochzeitslieder gespielt, aber ihr habt nicht getanzt.‹ ›Wir haben euch Trauerlieder gesungen, aber ihr habt nicht geweint!‹ ³³Der Täufer Johannes fastete und trank keinen Wein, und ihr sagtet: ›Er ist von einem bösen Geist* besessen.‹ ³⁴Der Menschensohn* ißt und trinkt, und ihr sagt: ›Seht ihn euch an, diesen Vielfraß und Säufer, diesen Kumpan der Zolleinnehmer und Sünder!‹ ³⁵Aber die Weisheit Gottes wird bestätigt durch alle, die für sie offen sind.«

Jesus beim Pharisäer Simon

[36] Ein Pharisäer* hatte Jesus zum Essen eingeladen. Jesus ging in sein Haus, und sie legten* sich zu Tisch. [37] In derselben Stadt lebte eine Frau, die für ihr ausschweifendes Leben bekannt war. Als sie hörte, daß Jesus bei dem Pharisäer eingeladen war, kam sie mit einem Fläschchen voll kostbarem Salböl. [38] Weinend trat sie von hinten an Jesus heran, und ihre Tränen fielen auf seine Füße. Da trocknete sie ihm mit ihren Haaren die Füße ab, küßte sie und goß das Öl über sie aus.

[39] Als der Pharisäer, der Jesus eingeladen hatte, das sah, sagte er sich: »Wenn dieser Mann wirklich ein Prophet wäre, wüßte er, was für eine das ist, von der er sich anfassen läßt! Er müßte wissen, daß sie eine Prostituierte* ist.« [40] Da sprach Jesus ihn an: »Simon, ich muß dir etwas sagen!« Simon sagte: »Lehrer, bitte sprich!«

[41] Jesus begann: »Zwei Männer hatten Schulden bei einem Geldverleiher, der eine schuldete ihm fünfhundert Silberstücke, der andere fünfzig. [42] Weil keiner von ihnen zahlen konnte, erließ er beiden ihre Schulden. Welcher von ihnen wird wohl dankbarer sein?«

[43] Simon antwortete: »Ich nehme an, der Mann, der ihm mehr geschuldet hat.«

»Du hast recht«, sagte Jesus. [44] Dann wies er auf die Frau und sagte zu Simon: »Sieh diese Frau an! Ich kam in dein Haus, und du hast mir kein Wasser für die Füße gereicht; sie aber hat mir die Füße mit Tränen gewaschen und mit ihren Haaren abgetrocknet. [45] Du gabst mir keinen Kuß zur Begrüßung, sie aber hat nicht aufgehört, mir die Füße zu küssen, seit ich hier bin. [46] Du hast meinen Kopf nicht mit Öl gesalbt, sie aber hat mir die Füße mit kostbarem Öl übergossen. [47] Darum versichere ich dir: ihre große Schuld ist ihr vergeben worden. Das zeigt sich an der Liebe, die sie mir erwiesen hat. Wem wenig vergeben wird, der liebt auch nur wenig.«

[48] Dann sagte Jesus zu der Frau: »Deine Schuld ist dir vergeben!« [49] Die anderen Gäste fragten einander: »Was ist das für ein Mensch, daß er sogar Sünden vergibt?« [50] Jesus aber sagte zu der Frau: »Dein Vertrauen hat dich gerettet. Geh in Frieden!«

Frauen ziehen mit Jesus

8 Danach zog Jesus von Stadt zu Stadt und von Dorf zu Dorf. Er verkündete überall die Gute Nachricht, daß Gott jetzt seine Herrschaft* aufrichten und sein Werk vollenden werde. Die zwölf Jünger begleiteten ihn, ²außerdem folgten ihm einige Frauen, die er von bösen Geistern* befreit und von anderen Leiden geheilt hatte. Es waren Maria aus Magdala, aus der er sieben böse Geister ausgetrieben hatte, ³Johanna, die Frau von Chuzas, einem Beamten in der Verwaltung des Fürsten Herodes, dazu Susanna und viele andere Frauen. Sie alle sorgten mit ihrem Vermögen für den Unterhalt Jesu und seiner Jünger.

Der zuversichtliche Sämann
(Mt 13,1-9; Mk 4,1-9)

⁴Einmal kam eine große Menschenmenge zusammen; aus allen Orten strömten sie herbei. Da erzählte Jesus ihnen ein Gleichnis*:

⁵»Ein Bauer ging aufs Feld, um zu säen. Als er die Körner ausstreute, fiel ein Teil davon auf den Weg. Dort wurden sie zertreten und von den Vögeln aufgepickt. ⁶Andere fielen auf felsigen Boden. Sie gingen auf, vertrockneten dann aber, weil der Boden nicht feucht genug war. ⁷Wieder andere fielen mitten in Dornengestrüpp, das bald das Korn überwucherte und erstickte. ⁸Doch nicht wenige fielen auch auf guten Boden, gingen auf und brachten hundertfache Frucht.« Dann rief Jesus: »Wer hören kann, soll gut zuhören!«

Jesus erklärt das Gleichnis vom Sämann
(Mt 13,10-23; Mk 4,10-20)

⁹Die Jünger fragten Jesus, was dieses Gleichnis* bedeute. ¹⁰Jesus antwortete: »Euch läßt Gott erkennen, wie er seine Herrschaft auf der Erde durchsetzt; aber die anderen bekommen nur Gleichnisse zu hören. Sie sollen sehen und doch nichts erkennen, sie sollen hören und doch nichts verstehen.

¹¹Das Gleichnis ist so zu verstehen: Der Samen ist die Botschaft Gottes. ¹²Bei manchen, die sie hören, geht es wie bei dem Samen, der auf den Weg fällt. Der Teufel

kommt und reißt aus, was in ihr Herz gesät worden ist. Er will nicht, daß sie die Gute Nachricht annehmen und gerettet werden. [13] Bei anderen ist es wie bei dem Samen, der auf felsigen Boden fällt. Sie hören die Botschaft und nehmen sie mit Freuden an. Aber sie sind Menschen ohne Wurzel: eine Zeitlang halten sie sich an die Botschaft; aber wenn sie auf die Probe gestellt werden, fallen sie ab. [14] Bei anderen ist es wie bei dem Samen, der in das Dornengestrüpp fällt. Sie hören die Gute Nachricht, aber dann gehen sie davon und ersticken in ihren Alltagssorgen, in Reichtum und Vergnügungen und bringen niemals reife Frucht. [15] Bei anderen schließlich ist es wie bei dem Samen, der auf guten Boden fällt. Sie nehmen die Botschaft mit gutem und willigem Herzen an, bewahren sie und bringen durch Standhaftigkeit Frucht.«

Zuhören und weitersagen
(Mk 4,21-25)

[16] »Niemand zündet eine Lampe an und deckt sie mit einer Schüssel zu oder stellt sie unters Bett. Nein, er stellt sie auf einen erhöhten Platz, damit jeder, der hereinkommt, das Licht sehen kann. [17] So wird alles, was noch verborgen ist, ans Licht kommen, und was jetzt noch unverständlich ist, wird verstanden und dann auch öffentlich verkündet werden. [18] Gebt also acht, daß ihr richtig zuhört! Denn wer viel hat, dem wird noch mehr gegeben, und wer wenig hat, dem wird auch noch das wenige genommen, das er zu haben meint.«

Die Angehörigen Jesu
(Mt 12,46-50; Mk 3,31-35)

[19] Die Mutter und die Brüder Jesu wollten ihn sprechen, konnten aber wegen der Menge nicht bis zu ihm durchkommen. [20] Man richtete Jesus aus: »Deine Mutter und deine Brüder stehen vor dem Haus und wollen dich sehen.« [21] Aber Jesus sagte: »Meine Mutter und meine Brüder sind die, die Gottes Botschaft hören und nach ihr handeln.«

Die Jünger im Sturm
(Mt 8,18.23-27; Mk 4,35-41)

[22] Eines Tages stieg Jesus mit seinen Jüngern in ein Boot

und sagte zu ihnen: »Wir fahren ans andere Ufer!« So fuhren sie ab. ²³Unterwegs schlief Jesus ein. Plötzlich kam ein Sturm auf. Das Wasser schlug ins Boot, und sie waren in großer Gefahr. ²⁴Die Jünger weckten Jesus und riefen: »Herr, Herr, wir gehen unter!« Er stand auf und bedrohte den Wind und die Wellen. Da hörten sie auf zu toben, und es wurde ganz still. ²⁵Dann sagte er zu seinen Jüngern: »Wo ist euer Vertrauen?« Sie waren erschrocken und sehr erstaunt und sagten zueinander: »Was ist das für ein Mensch? Er befiehlt dem Wind und den Wellen, und sie gehorchen ihm!«

Der Besessene von Gerasa

(Mt 8,28-34; Mk 5,1-20)

²⁶Sie fuhren weiter und erreichten das Gebiet von Gerasa, das Galiläa gegenüber am anderen Seeufer liegt. ²⁷Als Jesus aus dem Boot stieg, lief ihm ein Mann aus jener Stadt entgegen. Er war von bösen Geistern* besessen. Kleider trug er schon lange nicht mehr; er war auch nicht im Haus festzuhalten, sondern lebte in den Grabhöhlen. ²⁸Als er Jesus sah, schrie er auf, warf sich vor ihm zu Boden und rief: »Was willst du von mir, Jesus, du Sohn* des höchsten Gottes? Bitte, quäle mich doch nicht!« ²⁹Jesus hatte nämlich dem bösen Geist befohlen, den Mann zu verlassen. Der hatte ihn schon lange in seiner Gewalt. Man hatte den Mann zwar immer wieder wie einen Gefangenen an Händen und Füßen gefesselt, aber jedesmal hatte er die Ketten zerrissen und war von dem bösen Geist in die Wildnis getrieben worden. ³⁰Jesus fragte ihn: »Wie heißt du?« Er antwortete: »Ich heiße Legion*.« Es waren nämlich viele böse Geister in den Mann gefahren. ³¹Die baten Jesus: »Verbanne uns nicht in den Abgrund*!«

³²In der Nähe weidete eine Schweineherde auf dem Berg, und sie baten ihn, in die Schweine fahren zu dürfen. Jesus erlaubte es ihnen. ³³Da verließen sie den Mann und fuhren in die Schweine, und die ganze Herde stürzte sich über das steile Ufer in den See und ertrank.

³⁴Als die Schweinehirten das sahen, liefen sie davon und erzählten in der Stadt und in den Dörfern, was geschehen war. ³⁵Die Leute wollten es selbst sehen. Sie

kamen zu Jesus und fanden den Mann, aus dem er die bösen Geister ausgetrieben hatte, zu seinen Füßen sitzen. Er
war ordentlich angezogen und bei klarem Verstand. Da
befiel sie große Furcht. ³⁶ Die Augenzeugen erzählten ihnen, wie der Besessene geheilt worden war. ³⁷ Darauf kam
die gesamte Bevölkerung dieser Gegend zu Jesus und bat
ihn, ihr Gebiet zu verlassen; so sehr fürchteten sie sich.
Da stieg er ins Boot, um zurückzufahren.

³⁸ Der Mann, der geheilt worden war, bat Jesus, ihn
doch mitzunehmen. Aber Jesus schickte ihn weg und sagte: ³⁹ »Geh nach Hause und erzähl, was Gott für dich getan hat!« Der Mann zog durch die ganze Stadt und machte
überall bekannt, was Jesus für ihn getan hatte.

Die Tochter von Jaïrus

(Mt 9,18-26; Mk 5,21-43)

⁴⁰ Als Jesus ans andere Seeufer zurückkam, empfing ihn
eine große Menschenmenge, die auf ihn gewartet hatte.
⁴¹ Ein Mann namens Jaïrus trat auf ihn zu. Er war der Synagogenvorsteher* am Ort. Er fiel vor Jesus nieder und bat
ihn, doch in sein Haus mitzukommen; ⁴² seine zwölfjähri-
ge Tochter, sein einziges Kind, liege im Sterben.

Unterwegs drängten sich die Menschen von allen Seiten
an Jesus heran. ⁴³ Es war auch eine Frau dabei, die schon
seit zwölf Jahren an schweren Blutungen litt. Niemand
hatte ihr bisher helfen können.° ⁴⁴ Sie trat von hinten an
Jesus heran und berührte eine Quaste* seines Gewandes.
Im selben Augenblick hörten die Blutungen auf. ⁴⁵ Jesus
fragte: »Wer hat mich berührt?« Keiner wollte es gewesen
sein, und Petrus sagte: »Herr, die Leute umringen dich so
und erdrücken dich fast.« ⁴⁶ Aber Jesus erwiderte: »Jemand hat mich berührt. Ich spürte, wie heilende Kraft
von mir ausging.« ⁴⁷ Als die Frau sah, daß es sich nicht ver-
heimlichen ließ, kam sie zitternd heran und warf sich vor
ihm nieder. Vor allen Leuten erklärte sie, warum sie Jesus
angefaßt hatte und daß sie im selben Augenblick geheilt
worden war. ⁴⁸ Jesus sagte zu ihr: »Dein Vertrauen hat dir
geholfen. Geh in Frieden!«

⁴⁹ Während Jesus noch sprach, kam ein Bote aus dem
Haus des Synagogenvorstehers und sagte zu Jaïrus: »Deine Tochter ist gestorben. Bemühe den Lehrer nicht wei-

ter!« ⁵⁰Jesus hörte es und sagte zu Jaïrus: »Erschrick nicht, hab nur Vertrauen, dann wird sie gerettet!« ⁵¹Als sie zum Haus kamen, ließ er nur Petrus, Johannes, Jakobus und die Eltern mit hineingehen. ⁵²Drinnen weinten alle und trauerten um das Mädchen. Jesus sagte: »Weint nicht! Es ist nicht tot – es schläft nur.« ⁵³Da lachten sie ihn aus, denn sie wußten, es war tot. ⁵⁴Aber Jesus nahm es bei der Hand und rief: »Mädchen, steh auf!« ⁵⁵Da kehrte wieder Leben in das Mädchen zurück und es stand sofort auf. Jesus ließ ihm etwas zu essen geben. ⁵⁶Die Eltern waren ganz erschrocken. Jesus aber befahl ihnen, es niemand weiterzusagen.

Die Aussendung der zwölf Apostel
(Mt 10,1.5-14; Mk 6,7-13)

9 Jesus rief die zwölf Jünger zusammen und gab ihnen Kraft und Vollmacht, alle bösen Geister* auszutreiben und Krankheiten zu heilen. ²Er sandte sie aus mit dem Auftrag: »Verkündet, daß Gott jetzt seine Herrschaft aufrichten und sein Werk vollenden will, und heilt die Kranken! ³Nehmt nichts auf den Weg mit, keinen Wanderstock, keine Vorratstasche, kein Brot, kein Geld und auch kein zweites Hemd. ⁴Wenn jemand euch aufnimmt, dann bleibt in seinem Haus, bis ihr von dort weiterzieht. ⁵Wo man euch nicht aufnehmen will, da verlaßt den Ort und schüttelt den Staub* von den Füßen, damit die Bewohner gewarnt sind.«

⁶Die Jünger machten sich auf den Weg und wanderten durch die Dörfer. Sie verkündeten überall die Gute Nachricht und heilten die Kranken.

Herodes ist ratlos
(Mt 14,1-2; Mk 6,14-16)

⁷Herodes, der Fürst jener Gegend, hörte von all diesen Vorgängen. Er war ratlos, denn manche Leute sagten: »Der Täufer Johannes ist vom Tod auferstanden.« ⁸Andere meinten, Elija sei vom Himmel zurückgekommen, und wieder andere, einer der alten Propheten sei auferstanden. ⁹Herodes aber sagte: »Johannes habe ich den Kopf abschlagen lassen. Wer ist also dieser Mann, von dem ich solche Dinge höre?« Darum wollte Herodes Jesus kennenlernen.

Jesus gibt fünftausend Menschen zu essen
(Mt 14,13-21; Mk 6,30-44; Joh 6,1-13)

[10] Die Apostel* kamen zurück und berichteten Jesus, was sie getan hatten. Jesus nahm sie mit sich und ging mit ihnen nach Betsaida. [11] Sobald die Leute das merkten, folgten sie ihm. Jesus wies sie nicht ab, sondern sprach zu ihnen über die neue Welt Gottes und heilte alle, die seine Hilfe brauchten.

[12] Darüber wurde es Abend, und seine Jünger kamen und sagten zu ihm: »Schick doch die Leute in die Dörfer und Gehöfte ringsum, damit sie dort übernachten können und etwas zu essen bekommen. Hier sind wir ja in einer ganz einsamen Gegend.« [13] Aber Jesus sagte zu ihnen: »Gebt doch ihr ihnen zu essen!« Sie antworteten: »Wir haben nur fünf Brote und zwei Fische für diese ganze Menge. Wir müßten erst gehen und für sie zu essen kaufen!« [14] Es waren nämlich etwa fünftausend Männer versammelt.

Jesus sagte zu seinen Jüngern: »Sorgt dafür, daß die Leute sich hinsetzen, in Gruppen von jeweils fünfzig.« [15] Die Jünger ließen die Leute Platz nehmen. [16] Dann nahm Jesus die fünf Brote und die beiden Fische, sah zum Himmel auf und segnete sie. Er teilte Brote und Fische in Stücke, gab sie den Jüngern, und die Jünger verteilten sie an die Menge. [17] Alle bekamen genug zu essen. Es blieb sogar noch soviel übrig, daß man zwölf Körbe damit füllen konnte.

Petrus spricht aus, wer Jesus ist
(Mt 16,13-19; Mk 8,27-29)

[18] Einmal hatte sich Jesus zum Gebet zurückgezogen, und seine Jünger waren bei ihm. Da fragte er sie: »Für wen halten mich eigentlich die Leute?« [19] Sie antworteten: »Einige halten dich für den Täufer Johannes, andere für Elija, und wieder andere meinen, einer der alten Propheten sei auferstanden.« [20] »Und ihr«, wollte Jesus wissen, »für wen haltet ihr mich?« Petrus antwortete: »Für den von Gott versprochenen Retter*!«

Erste Todesankündigung
(Mt 16,20-23; Mk 8,30-33)

²¹Jesus schärfte ihnen ein, es niemand zu sagen. ²²»Denn«, fügte er hinzu, »der Menschensohn* wird vieles erleiden müssen. Die Ratsältesten*, die führenden Priester* und die Gesetzeslehrer* werden ihn aburteilen.° Man wird ihn töten, doch am dritten Tag wird er auferweckt werden.«

Jesus das Kreuz nachtragen
(Mt 16,24-28; Mk 8,34-9,1)

²³Zu allen aber sagte er: »Wer mit mir gehen will, der muß sich und seine Wünsche aufgeben. Er muß Tag für Tag sein Kreuz auf sich nehmen und mir auf meinem Weg folgen. ²⁴Denn wer sein Leben retten will, wird es verlieren. Wer aber sein Leben um meinetwillen verliert, gerade der wird es retten. ²⁵Was hat ein Mensch davon, wenn er die ganze Welt gewinnt, aber zuletzt sich selbst verliert oder sich doch schweren Schaden zufügt? ²⁶Wenn einer nicht den Mut hat, sich zu mir und meiner Botschaft zu bekennen, dann wird auch der Menschensohn* keinen Mut haben, sich zu ihm zu bekennen, wenn er in seiner Herrlichkeit kommt und in der Herrlichkeit des Vaters und der heiligen Engel! ²⁷Ihr könnt euch darauf verlassen: einige von euch, die jetzt hier stehen, werden noch zu ihren Lebzeiten sehen, wie Gottes Herrschaft* sich durchsetzt!«

Drei Jünger sehen Jesu Herrlichkeit
(Mt 17,1-9; Mk 9,2-10)

²⁸Etwa eine Woche später nahm Jesus die drei Jünger Petrus, Johannes und Jakobus mit sich und stieg auf einen Berg, um zu beten. ²⁹Während er betete, veränderte sich sein Gesicht, und seine Kleider wurden leuchtend weiß. ³⁰Auf einmal standen zwei Männer neben ihm und sprachen mit ihm. Es waren Mose und Elija. ³¹Sie erschienen in himmlischem Glanz und sprachen über das, was nach Gottes Plan in Jerusalem mit Jesus geschehen sollte. ³²Petrus und die anderen Jünger waren in tiefen Schlaf gefallen. Als sie aufwachten, sahen sie Jesus in seiner ganzen Hoheit und die beiden Männer an seiner Seite. ³³Als

die beiden weggehen wollten, sagte Petrus zu Jesus: »Wie gut, daß wir hier sind, Herr! Wir wollen drei Zelte aufschlagen, eins für dich, eins für Mose und eins für Elija.« Er wußte aber nicht, was er da redete. ³⁴Während er noch sprach, kam eine Wolke und warf ihren Schatten auf sie. Die Wolke hüllte sie ganz ein, und die Jünger bekamen Angst. ³⁵Eine Stimme aus der Wolke sagte: »Dies ist mein Sohn*, den ich erwählt habe; auf ihn sollt ihr hören!« ³⁶Als die Stimme ausgeredet hatte, war nur noch Jesus zu sehen. Die Jünger behielten alles für sich und erzählten damals niemand, was sie gesehen hatten.

Jesus heilt ein epileptisches Kind
(Mt 17,14-18; Mk 9,14-27)

³⁷Als sie am nächsten Tag den Berg hinunterstiegen, kamen ihnen viele Menschen entgegen. ³⁸Aus der Menge rief ein Mann Jesus zu: »Sieh doch bitte nach meinem Sohn! Er ist mein einziges Kind. ³⁹Ein böser Geist* packt ihn, läßt ihn plötzlich aufschreien, schüttelt ihn, bis ihm der Schaum vor dem Mund steht, und läßt ihn kaum wieder los; er richtet ihn noch zugrunde. ⁴⁰Ich habe deine Jünger gebeten, den bösen Geist auszutreiben, aber sie konnten es nicht.«

⁴¹Jesus antwortete: »Was seid ihr doch für verkehrte Leute; ihr habt kein Vertrauen zu Gott! Wie lange soll ich noch bei euch aushalten und euch ertragen? Bring deinen Sohn hierher!« ⁴²Als der Junge näherkam, riß ihn der böse Geist zu Boden und setzte ihm hart zu. Jesus bedrohte den bösen Geist, machte den Jungen gesund und übergab ihn seinem Vater. ⁴³Alle erschraken über die Macht Gottes.

Zweite Todesankündigung
(Mt 17,22-23; Mk 9,30-32)

Während sie noch staunten über das, was Jesus tat, sagte er zu seinen Jüngern: ⁴⁴»Merkt euch gut, was ich euch jetzt sage: Bald wird der Menschensohn* den Menschen ausgeliefert werden.« ⁴⁵Aber sie verstanden nicht, was er damit sagen wollte. Gott hatte es ihnen verborgen, so daß sie nichts begriffen. Doch sie scheuten sich, Jesus zu fragen.

Der bedeutendste Jünger
(Mt 18,1-5; Mk 9,33-37)

⁴⁶ Unter den Jüngern kam es zu einem Streit, wer von ihnen der Bedeutendste sei. ⁴⁷ Jesus kannte ihre Gedanken. Er nahm ein Kind, stellte es neben sich ⁴⁸ und sagte zu ihnen: »Wer dieses Kind in meinem Namen aufnimmt, der nimmt mich auf. Und wer mich aufnimmt, nimmt den auf, der mich gesandt hat. Also: wer der Geringste unter euch ist, der ist wirklich groß.«

Wer nicht gegen euch ist, der ist für euch
(Mk 9,38-40)

⁴⁹ Johannes sagte zu Jesus: »Herr, wir haben einen Mann gesehen, der hat deinen Namen dazu benutzt, böse Geister* auszutreiben. Wir haben versucht, ihn daran zu hindern, weil er nicht zu uns gehört.« ⁵⁰ »Laßt ihn doch!« sagte Jesus. »Wer nicht gegen euch ist, der ist für euch.«

Jesus auf dem Weg nach Jerusalem (9,51–19,27)

⁵¹ Als die Zeit näherkam, daß Jesus in den Himmel aufgenommen werden sollte, entschloß er sich, nach Jerusalem zu gehen.

Jesus wird abgewiesen

⁵² Jesus schickte Boten vor sich her, die kamen in ein Dorf in Samarien und suchten eine Unterkunft für ihn. ⁵³ Aber die Dorfbewohner wollten Jesus nicht aufnehmen, weil er auf dem Weg nach Jerusalem war. ⁵⁴ Als Jakobus und Johannes das hörten, sagten sie zu Jesus: »Herr, sollen wir befehlen, daß Feuer vom Himmel fällt und sie vernichtet?« ⁵⁵ Jesus wandte sich zu ihnen um und wies sie zurecht.° ⁵⁶ So zogen sie in ein anderes Dorf.

Jünger ohne Wenn und Aber
(Mt 8,19-22)

⁵⁷ Unterwegs sprach ein Mann Jesus an: »Ich bin bereit, dir überallhin zu folgen.« ⁵⁸ Jesus sagte zu ihm: »Die Füchse haben ihren Bau und die Vögel ihr Nest; aber der Menschensohn* hat keinen Platz, wo er sich hinlegen und ausruhen kann.«

⁵⁹Zu einem anderen sagte Jesus: »Geh mit mir!« Er
aber antwortete: »Herr, erlaube mir, erst noch meinen Vater zu begraben.« ⁶⁰Jesus sagte zu ihm: »Laß doch die Toten ihre Toten begraben! Du aber geh und verkünde, daß
Gott jetzt seine Herrschaft* aufrichten will!«
⁶¹Ein anderer sagte: »Herr, ich will ja gerne mitkommen, aber laß mich erst noch von meiner Familie Abschied nehmen.« ⁶²Jesus sagte zu ihm: »Wer seine Hand
an den Pflug legt und zurückschaut, den kann Gott nicht
gebrauchen, wenn er jetzt seine Herrschaft aufrichten
will.«

Die Aussendung der zweiundsiebzig Jünger
(Mt 9,37-38; 10,16.5-15)

10 Danach bestimmte der Herr weitere zweiundsieb-
zig° Männer und sandte sie zu zweien aus. Sie sollten vor ihm her in alle Städte und alle Ortschaften gehen,
durch die er kommen würde. ²Er sagte zu ihnen: »Hier ist
eine reiche Ernte einzubringen, aber es gibt nicht genügend Arbeiter. Bittet den Herrn, dem diese Ernte gehört,
daß er Arbeiter schickt, um sie einzubringen. ³Und nun
geht! Ich sende euch wie Lämmer mitten unter Wölfe.
⁴Nehmt keinen Geldbeutel mit, keine Vorratstasche und
keine Schuhe. Bleibt unterwegs nicht stehen, um jemand
zu begrüßen.
⁵Wenn ihr in ein Haus kommt, sagt zuerst: ›Gottes
Frieden sei mit diesem Haus!‹ ⁶Wenn dort jemand wohnt,
der für diesen Frieden bereit ist, wird euer Wunsch in Erfüllung gehen. Andernfalls soll er wirkungslos bleiben.
⁷Eßt und trinkt, was man euch vorsetzt; denn wer arbeitet, hat ein Anrecht auf seinen Lohn. Bleibt in diesem
Haus und wechselt nicht ständig euer Quartier.
⁸Wenn ihr in eine Stadt kommt und man euch aufnimmt, dann eßt, was man euch gibt. ⁹Heilt die Kranken
in der Stadt und sagt den Leuten: ›Gott richtet jetzt seine
Herrschaft* bei euch auf!‹ ¹⁰Aber wenn ihr in eine Stadt
kommt und man euch nicht aufnehmen will, dann geht
hinaus auf die Straßen und ruft: ¹¹›Sogar den Staub*
eurer Stadt schütteln wir von unseren Füßen ab. Aber das
laßt euch gesagt sein: Gott richtet jetzt seine Herrschaft
auf!‹ ¹²Ich sage euch: am Tag des Gerichts wird es den

Menschen von Sodom besser ergehen als den Leuten
einer solchen Stadt.«

Wer nicht hören will...
(Mt 11,20-24; 10,40)

13 »Weh dir, Chorazin! Weh dir, Betsaida! Wenn in Tyrus
und Sidon die Wunder geschehen wären, die bei euch geschehen sind, die Leute dort hätten schon längst Trauer-
gewänder* angezogen, sich Asche auf den Kopf gestreut
und ihr Leben geändert. 14 Am Tag des Gerichts werden
die Bewohner von Tyrus und Sidon besser wegkommen
als ihr. 15 Und du, Kafarnaum: meinst du, du wirst in den
Himmel erhoben werden? Du wirst in den Abgrund gestürzt!
    16 Wer auf euch hört, hört auf mich. Wer euch abweist,
weist mich ab – und damit zugleich den, der mich gesandt
hat.«

Die Rückkehr der Zweiundsiebzig

17 Die zweiundsiebzig° Männer kamen zurück und berichteten voller Freude: »Herr, sogar die bösen Geister* gehorchten uns, wenn wir sie in deinem Namen bedrohten!«
18 Jesus sagte zu ihnen: »Ich habe den Satan wie einen
Blitz vom Himmel fallen sehen. 19 Ich habe euch Vollmacht gegeben, auf Schlangen und Skorpione zu treten
und die ganze Macht des Feindes zunichte zu machen.
Nichts kann euch schaden. 20 Aber nicht darüber sollt ihr
jubeln, daß euch die bösen Geister gehorchen. Freut euch
lieber darüber, daß eure Namen bei Gott aufgeschrieben
sind.«

Grund zur Freude
(Mt 11,25-27; 13,16-17)

21 Damals wurde Jesus vom Geist* Gottes mit jubelnder
Freude erfüllt und rief: »Vater, Herr über Himmel und
Erde, ich preise dich dafür, daß du den Unwissenden
zeigst, was du den Klugen und Gelehrten verborgen hast.
Ja, Vater, so wolltest du es haben! – 22 Mein Vater hat al-
les in meine Macht gestellt. Nur der Vater kennt den
Sohn*, und nur der Sohn kennt den Vater – und jeder,
dem der Sohn ihn zeigen will.«

²³ Dann sagte Jesus zu den Jüngern: »Ihr dürft euch
freuen, daß ihr das alles miterlebt. ²⁴ Ich sage euch: viele
Propheten und Könige wollten sehen, was ihr jetzt seht,
aber sie haben es nicht gesehen. Sie wollten hören, was
ihr jetzt hört, aber sie haben es nicht gehört.«

Das wichtigste Gebot

(Mt 22,34-40; Mk 12,28-31)

²⁵ Ein Gesetzeslehrer* wollte Jesus auf die Probe stellen
und fragte ihn: »Lehrer, was muß ich tun, um das ewige
Leben zu bekommen?« ²⁶ Jesus antwortete: »Was steht
denn im Gesetz*? Was liest du dort?« ²⁷ Der Mann antwortete: »Liebe den Herrn, deinen Gott, von ganzem Herzen, mit ganzem Willen, mit deiner ganzen Kraft und deinem ganzen Verstand! Und: Liebe deinen Mitmenschen
wie dich selbst!« ²⁸ »Richtig geantwortet«, sagte Jesus.
»Handle so, dann wirst du leben.«

Das Beispiel des barmherzigen Samaritaners

²⁹ Aber der Gesetzeslehrer* wollte sich verteidigen und
fragte Jesus: »Wer ist denn mein Mitmensch?« ³⁰ Jesus begann zu erzählen: »Ein Mann ging von Jerusalem nach Jericho. Unterwegs überfielen ihn Räuber. Sie nahmen ihm
alles weg, schlugen ihn zusammen und ließen ihn halbtot
liegen. ³¹ Nun kam zufällig ein Priester denselben Weg. Er
sah den Mann liegen, machte einen Bogen um ihn und
ging vorbei. ³² Genauso machte es ein Levit*: er sah ihn
und ging vorbei. ³³ Schließlich kam ein Mann aus Sama
rien. Als er den Überfallenen sah, hatte er Mitleid. ³⁴ Er
ging zu ihm hin, behandelte seine Wunden mit Öl und
Wein und verband sie. Dann setzte er ihn auf sein eigenes
Reittier und brachte ihn in das nächste Gasthaus, wo er
sich um ihn kümmerte. ³⁵ Am anderen Tag gab er dem
Wirt zwei Silberstücke* und sagte: ›Pflege ihn! Wenn du
noch mehr brauchst, will ich es dir bezahlen, wenn ich zu-
rückkomme.‹«

³⁶ »Was meinst du?« fragte Jesus. »Wer von den dreien
hat an dem Überfallenen als Mitmensch gehandelt?«
³⁷ Der Gesetzeslehrer antwortete: »Der ihm geholfen
hat!« Jesus erwiderte: »Dann geh und mach es ebenso!«

Jesus bei Maria und Marta

³⁸ Als Jesus und seine Jünger weiterzogen, kamen sie in
ein Dorf, in dem er von einer Frau namens Marta gastlich
aufgenommen wurde. ³⁹ Sie hatte eine Schwester mit Namen Maria, die setzte sich vor den Füßen des Herrn nieder und hörte ihm zu. ⁴⁰ Marta dagegen hatte alle Hände
voll zu tun, um ihn zu bedienen. Sie trat zu Jesus und sagte: »Herr, kümmert es dich nicht, daß mich meine Schwester die ganze Arbeit allein tun läßt? Sag ihr doch, daß sie
mir helfen soll!« ⁴¹ Der Herr antwortete ihr: »Marta, Marta, du sorgst und mühst dich um so viele Dinge, ⁴² aber nur
eines ist notwendig. Maria hat das Bessere gewählt, und
das soll ihr nicht weggenommen werden.«

Das Beten

(Mt 6,9-13; 7,7-11)

11 Einmal hatte sich Jesus zum Gebet zurückgezogen. Als er es beendet hatte, bat ihn einer der Jünger: »Herr, sag uns doch, wie wir beten sollen; Johannes
hat es seine Jünger auch gelehrt.«
² Jesus antwortete: »Das soll euer Gebet sein:
> Vater!
> Bring alle Menschen dazu, dich zu ehren!
> Komm und richte deine Herrschaft auf!
³ Gib uns jeden Tag, was wir zum Leben brauchen.
⁴ Vergib uns unsere Verfehlungen,
> denn auch wir verzeihen allen, die uns Unrecht getan
> haben.
> Und laß uns nicht in die Gefahr kommen, dir untreu
> zu werden.«

⁵ Dann sagte Jesus zu seinen Jüngern: »Stellt euch vor,
einer von euch geht mitten in der Nacht zu seinem Freund
und bittet ihn: ›Lieber Freund, leih mir doch drei Brote!
⁶ Ich habe gerade Besuch von auswärts bekommen und
kann ihm nichts anbieten.‹ ⁷ Stellt euch vor, der Freund im
Haus würde rufen: ›Laß mich in Ruhe! Die Tür ist schon
zugeschlossen, und meine Kinder liegen bei mir im Bett.
Ich kann nicht aufstehen und dir etwas geben.‹ ⁸ Ich
sage euch, wenn er nicht aus Freundschaft aufsteht und
es ihm gibt, so wird er es doch wegen der Unverschämt-

heit jenes Menschen tun und ihm alles geben, was er braucht.

⁹Deshalb sage ich euch: Bittet und ihr werdet bekommen! Sucht, und ihr werdet finden! Klopft an, und man wird euch öffnen! ¹⁰Denn wer bittet, der bekommt; wer sucht, der findet; und wer anklopft, dem wird geöffnet. ¹¹Ist unter euch ein Vater, der seinem Sohn eine Schlange geben würde, wenn er um einen Fisch bittet? ¹²Oder einen Skorpion, wenn er um ein Ei bittet? ¹³So schlecht ihr auch seid, ihr wißt doch, was euren Kindern guttut, und gebt es ihnen. Wieviel mehr wird der Vater im Himmel denen seinen Geist* geben, die ihn darum bitten.«

Woher Jesus seine Macht hat
(Mt 12,22-30; Mk 3,22-27)

¹⁴Jesus heilte einen Stummen, der von einem bösen Geist* besessen war. Als er ihn von dem bösen Geist befreit hatte, konnte der Mann wieder sprechen. Die Menge staunte, ¹⁵aber einige sagten: »Er kann die bösen Geister nur austreiben, weil der oberste aller bösen Geister ihm die Macht dazu gibt.«

¹⁶Andere wollten Jesus auf die Probe stellen und verlangten, er solle sich durch ein Zeichen vom Himmel ausweisen. ¹⁷Aber Jesus wußte, was sie dachten, und sagte: »Jeder Staat, dessen Machthaber einander befehden, muß untergehen, und alle Häuser sinken in Trümmer. ¹⁸⁻¹⁹Wenn der Satan sich selbst bekämpft, kann seine Herrschaft nicht bestehen. Wenn ich böse Geister austreibe, weil ich mit dem Satan im Bund stehe, wie ihr behauptet – wer gibt dann euren Leuten die Macht, sie auszutreiben? Eure eigenen Anhänger beweisen, daß ihr im Unrecht seid. ²⁰Wenn ich aber durch Gottes Kraft die bösen Geister austreibe, so könnt ihr daran sehen, daß Gott schon angefangen hat, mitten unter euch seine Herrschaft* aufzurichten. ²¹Wenn ein starker Mann in voller Waffenrüstung sein Haus bewacht, dann ist sein Besitz sicher. ²²Aber wenn ein noch Stärkerer ihn angreift und besiegt, nimmt er ihm alle Waffen weg, auf die er sich verlassen hatte, und verteilt die Beute. ²³Wer nicht für mich ist, der ist gegen mich, und wer mir nicht sammeln hilft, der zerstreut.«

Über den Rückfall
(Mt 12,43-45)

²⁴»Wenn ein böser Geist* einen Menschen verläßt, irrt er durch Wüsten und sucht nach einer Bleibe. Wenn er keine findet, sagt er sich: ›Ich gehe lieber wieder in meine alte Behausung‹ ²⁵Er kehrt zurück und findet alles sauber und aufgeräumt. ²⁶Darauf geht er hin und sucht sich sieben andere böse Geister, die noch schlimmer sind als er selbst, und sie kommen und wohnen dort. So ist dieser Mensch am Ende schlimmer dran als am Anfang.«

Bessere Freude

²⁷Als Jesus das sagte, rief eine Frau aus der Menge: »Die Frau, die dich geboren und aufgezogen hat, wie darf die sich freuen!« ²⁸Aber Jesus erwiderte: »Sag lieber: Freuen dürfen sich alle, die Gottes Wort hören und es befolgen!«

Man verlangt von Jesus einen Beweis
(Mt 12,38-42)

²⁹Als sich immer mehr Menschen um Jesus drängten, sagte er: »Wie verkehrt sind doch diese Leute! Sie verlangen ein Zeichen von Gott als Beweis. Das einzige Zeichen, das sie bekommen, entspricht dem, was mit dem Propheten Jona geschah. ³⁰Wie Jona* für die Leute von Ninive ein Zeichen war, so wird der Menschensohn* ein Zeichen für diese Leute sein.

³¹Am Tag des Gerichts wird die Königin aus dem Süden aufstehen und die Menschen von heute anklagen, denn sie kam vom Ende der Welt, um die weisen Lehren Salomos zu hören. Und hier steht ein Größerer als Salomo! ³²Am Tag des Gerichts werden die Leute von Ninive aufstehen und die Menschen von heute anklagen, denn als Jona sie warnte, haben sie ihr Leben geändert. Und hier steht ein Größerer als Jona!«

Das innere Licht
(Mt 5,15; 6,22-23)

³³»Keiner zündet eine Lampe an, um sie dann zu verstecken oder unter eine Schüssel zu stellen. Im Gegenteil:

man stellt sie auf einen erhöhten Platz, damit alle das
Licht sehen können, wenn sie ins Haus kommen.
³⁴ Das Auge vermittelt dem Menschen das Licht. Ist das
Auge klar, steht der ganze Mensch im Licht; ist es getrübt, steht der ganze Mensch im Dunkeln. ³⁵ Nun gib
acht, daß dein inneres Auge – dein Herz – nicht blind
wird! ³⁶ Wenn der ganze Mensch im Licht steht und nichts
mehr an ihm dunkel ist, dann ist er so hell, wie wenn das
Licht der Lampe direkt auf ihn fällt.«°

Gegen die Pharisäer und Gesetzeslehrer
(Mt 23,1-36)

³⁷ Während Jesus noch sprach, lud ihn ein Pharisäer* zum
Essen ein. Jesus ging zu ihm ins Haus und setzte sich zu
Tisch. ³⁸ Der Pharisäer war überrascht, daß Jesus sich vor
dem Essen die Hände nicht wusch. ³⁹ Da sagte der Herr zu
ihm: »Ihr Pharisäer reinigt* zwar äußerlich eure Becher
und Schüsseln. Aber ihr selbst seid innerlich voll von
Raub und Schlechtigkeit. ⁴⁰ Was seid ihr doch unverständig! Hat Gott nur das Äußere gemacht und nicht auch
das Innere? ⁴¹ Denkt an euer Inneres und gebt den
Armen, was in den Schüsseln ist, dann ist für euch alles
rein*!
⁴² Weh euch Pharisäern! Ihr gebt Gott den zehnten*
Teil von allem, sogar von Gewürzen wie Minze und Raute
und von jedem Gartenkraut. Aber ihr vergeßt dabei,
Gerechtigkeit zu üben und Gott von Herzen zu lieben.
Dies solltet ihr tun, ohne das andere zu vernachlässigen!
⁴³ Weh euch Pharisäern! Ihr liebt die Ehrenplätze im
Gottesdienst und laßt euch auf der Straße gern respektvoll grüßen. ⁴⁴ Weh euch! Ihr seid wie unkenntlich gewor-
dene Gräber, über die man nichtsahnend hinweggeht und
dadurch unrein* wird.«
⁴⁵ Einer der Gesetzeslehrer* sagte: »Lehrer, damit beleidigst du auch uns!«
⁴⁶ Jesus antwortete: »Weh auch euch Gesetzeslehrern!
Ihr ladet den Menschen untragbare Lasten auf, macht
aber selbst keinen Finger krumm, um sie zu tragen.
⁴⁷ Weh euch! Ihr baut Grabmäler für die Propheten, die
von euren Vorfahren umgebracht worden sind. ⁴⁸ Ihr gebt

damit zu, daß ihr mit den Taten eurer Vorfahren einverstanden seid. Denn sie haben die Propheten umgebracht, und ihr baut ihnen Grabmäler. ⁴⁹Die Weisheit Gottes hat vorausgesagt:° ›Ich will ihnen Propheten* und Apostel* senden; sie aber werden einige töten und die anderen verfolgen. ⁵⁰Deshalb wird dieses Volk zur Rechenschaft gezogen werden für die Ermordung der Propheten seit der Erschaffung der Welt, ⁵¹von Abel bis hin zu Secharja, der zwischen Brandopferaltar und Tempelhaus umgebracht worden ist.‹ – Ich versichere euch: noch diese Generation wird die Strafe für das alles bekommen.

⁵²Weh euch, ihr Gesetzeslehrer! Ihr habt den Schlüssel weggenommen, der die Tür zur Erkenntnis öffnet. Ihr selbst geht nicht hinein, und ihr hindert alle, die hineinwollen.«

⁵³⁻⁵⁴Als Jesus das Haus verlassen hatte, waren die Gesetzeslehrer und Pharisäer so aufgebracht gegen ihn, daß sie ihm von da an bei jeder Gelegenheit auflauerten, um ihn durch hinterhältige Fragen in eine Falle zu locken.

Warnung vor Scheinheiligkeit
(Mt 10,26-27)

12 Inzwischen waren Tausende von Menschen zusammengekommen, und es gab ein gefährliches Gedränge. Jesus sprach zuerst zu seinen Jüngern; er sagte: »Nehmt euch in acht vor dem Sauerteig* der Pharisäer* – ich meine: Laßt euch nicht von ihrer Scheinheiligkeit anstecken! ²Alles Verborgene wird ans Licht kommen, und alles Geheime wird aufgedeckt. ³Das trifft auch für euch zu: Was ihr in der Dunkelheit sagt, werden alle am hellen Tag zu hören bekommen. Was ihr einem anderen hinter verschlossener Tür ins Ohr flüstert, wird zuletzt aller Welt bekanntgemacht werden.«

Aufforderung zu furchtlosem Bekennen
(Mt 10,28-33; 12,32)

⁴»Meine Freunde, ich sage euch: Fürchtet euch nicht vor Menschen! Sie können nur den Leib töten, aber darüber hinaus können sie euch nichts anhaben. ⁵Ich will euch sagen, wen ihr fürchten sollt: Fürchtet den, der nicht nur

töten kann, sondern auch noch die Macht hat, euch ins ewige Verderben zu schicken. Ja, ich sage euch, den sollt ihr fürchten! ⁶Kauft man nicht fünf Spatzen für zwei Groschen? Und doch denkt Gott an jeden einzelnen von ihnen. ⁷Bei euch aber ist sogar jedes Haar auf dem Kopf gezählt. Habt keine Angst: Ihr seid Gott mehr wert als ein ganzer Schwarm von Spatzen!

⁸Ich sage euch: Wer sich vor den Menschen zu mir bekennt, zu dem wird sich auch der Menschensohn* am Gerichtstag vor den Engeln Gottes bekennen. ⁹Wer mich aber vor den Menschen nicht kennen will, den wird auch der Menschensohn am Gerichtstag vor den Engeln Gottes nicht kennen. ¹⁰Wer den Menschensohn beschimpft, kann Vergebung finden. Wer aber den heiligen Geist* beleidigt, der wird keine Vergebung finden.

¹¹Wenn sie euch vor die Synagogengerichte* schleppen und vor andere Richter und Machthaber, dann macht euch keine Sorgen darüber, wie ihr euch verteidigen oder was ihr sagen sollt. ¹²Denn der heilige Geist* wird euch in dem Augenblick eingeben, was ihr sagen sollt.«

Über die Habgier

¹³Ein Mann in der Menge wandte sich an Jesus: »Lehrer, sag doch meinem Bruder, er soll mit mir das Erbe teilen, das unser Vater uns hinterlassen hat!« ¹⁴Jesus antwortete ihm: »Ich bin nicht zum Richter für eure Erbstreitigkeiten bestellt.« ¹⁵Dann sagte er zu allen: »Gebt acht! Hütet euch vor jeder Art von Habgier! Denn das Leben eines Menschen hängt nicht von seinem Besitz ab, auch wenn dieser noch so groß ist.«

¹⁶Jesus erzählte ihnen dazu eine Geschichte: »Ein reicher Gutsbesitzer hatte eine besonders gute Ernte gehabt. ¹⁷›Was soll ich nur tun?‹ überlegte er. ›Ich weiß nicht, wo ich das alles unterbringen soll! ¹⁸Ich hab's‹, sagte er, ›ich reiße meine Scheunen ab und baue größere! Dann kann ich das ganze Getreide und alle meine Vorräte dort unterbringen ¹⁹und kann zu mir selbst sagen: Gut gemacht! Jetzt bist du auf viele Jahre versorgt und kannst dir Ruhe gönnen! Iß und trink nach Herzenslust und genieße das Leben!‹ ²⁰Aber Gott sagte zu ihm: ›Du Narr, noch in

dieser Nacht mußt du sterben! Wem gehört dann dein Besitz?«« [21] Und Jesus schloß: »So geht es allen, die nur für sich selbst Reichtümer sammeln, aber in den Augen Gottes nicht reich sind.«

Die täglichen Sorgen
(Mt 6,25-34)

[22] Dann sprach Jesus wieder zu seinen Jüngern: »Darum sage ich euch: Macht euch keine Sorgen um Nahrung und Kleidung. [23] Das Leben ist wichtiger als Essen und Trinken, und der Körper ist wichtiger als die Kleidung. [24] Seht euch die Raben an! Sie säen nicht und ernten nicht, sie haben weder Scheune noch Vorratskammer. Aber Gott sorgt für sie. Und ihr seid ihm doch viel mehr wert als alle Vögel! [25] Wer von euch kann durch Sorgen sein Leben auch nur um einen Tag verlängern? [26] Wenn ihr nicht einmal so eine Kleinigkeit zustandebringt, warum quält ihr euch dann mit Sorgen um die anderen Dinge?

[27] Seht, wie die Blumen auf den Feldern wachsen! Sie arbeiten nicht und machen sich keine Kleider; doch ich sage euch, nicht einmal Salomo mit all seinem Reichtum war so prächtig gekleidet wir irgendeine von ihnen. [28] Wenn Gott sogar die Feldblumen so ausstattet, die heute blühen und morgen verbrannt werden, wird er sich dann nicht erst recht um euch kümmern? Habt doch mehr Vertrauen! [29] Zerbrecht euch nicht den Kopf darüber, was ihr essen und trinken werdet. [30] Damit plagen sich Menschen, die Gott nicht kennen. Euer Vater weiß, was ihr braucht. [31] Sorgt euch nur darum, daß ihr euch seiner Herrschaft* unterstellt, dann wird er euch mit all dem anderen versorgen.

[32] Sei ohne Angst, du kleine Herde! Euer Vater will euch seine neue Welt schenken!«

Reichtum im Himmel
(Mt 6,19-21)

[33] »Verkauft euren Besitz und schenkt das Geld den Armen! Verschafft euch Geldbeutel, die kein Loch bekommen, und sammelt Reichtümer bei Gott, die euch nicht zwischen den Fingern zerrinnen und nicht von Dieben

gestohlen und von Motten zerfressen werden können.
[34] Denn euer Herz wird immer dort sein, wo ihr euren
Reichtum habt.«

Gut vorbereitet
(Mt 24,43-51)

[35] »Haltet euch bereit und laßt eure Lampen nicht ver-
löschen! [36] Seid wie Diener, die auf ihren Herrn warten.
Wenn er dann von einer Hochzeitsfeier spät zurückkommt und an die Tür klopft, können sie ihm sofort
aufmachen. [37] Sie dürfen sich freuen, wenn der Herr
sie bei seiner Ankunft wach und dienstbereit findet. Ich
versichere euch: er wird sich die Schürze umbinden,
sie zu Tisch bitten und sie selber bedienen. [38] Er kommt
vielleicht um Mitternacht oder noch später. Wenn
er sie dann wach findet, ist ihnen Freude ohne Ende
gewiß.

[39] Ihr solltet euch darüber im klaren sein: Wenn ein
Hausherr genau wüßte, wann der Dieb kommt, würde er
den Einbruch verhindern. [40] Darum seid jederzeit bereit;
denn der Menschensohn* wird kommen, wenn ihr es
nicht erwartet.«

[41] Petrus fragte: »Herr, gelten diese Vergleiche für alle
oder nur für uns Apostel*?« [42] Der Herr antwortete: »Wer
ist denn der treue und kluge Verwalter, dem sein Herr den
Auftrag gegeben hat, den Arbeitern pünktlich die Tagesration auszuteilen? [43] Er darf sich freuen, wenn sein Herr
zurückkehrt und ihn bei seiner Arbeit findet. [44] Ich versichere euch: der Herr wird ihm die Verantwortung für alle
seine Güter übertragen. [45] Wenn er sich aber sagt: ›So
bald kommt mein Herr nicht zurück‹ und anfängt, die anderen zu schlagen und mit Säufern Gelage zu halten,
[46] dann wird sein Herr eines Tages völlig unerwartet zurückkommen. Er wird den ahnungslosen Diener in Stücke
hauen und ihn dorthin bringen lassen, wo die Feinde Gottes ihre Strafe verbüßen.

[47] Der Diener, der die Anweisungen seines Herrn kennt
und sie nicht bereitwillig befolgt, wird hart bestraft. [48] Ein
Diener, der den Willen seines Herrn *nicht* kennt und etwas
tut, wofür er Strafe verdient hätte, wird besser davonkommen. Wem viel gegeben worden ist, von dem wird auch

viel verlangt. Je mehr einem Menschen anvertraut wird,
desto mehr wird von ihm gefordert.«

Jesus bringt Uneinigkeit
(Mt 10,34-36)

[49]»Ich bin gekommen, um auf der Erde ein Feuer zu ent-
fachen, und ich wollte, es stünde schon in hellem Brand.
[50]Aber ich muß noch eine Taufe auf mich nehmen, und
ich wünschte, ich hätte sie schon hinter mir. [51]Meint ihr,
ich sei gekommen, um Frieden in die Welt zu bringen?
Nein, nicht Frieden, sage ich euch, sondern Entzweiung.
[52]So wird es von nun an zugehen: Wenn fünf Menschen in
einer Familie zusammenleben, werden drei gegen zwei
stehen und zwei gegen drei. [53]Der Vater wird gegen den
Sohn sein und der Sohn gegen den Vater. Die Mutter wird
gegen die Tochter sein und die Tochter gegen die Mutter.
Die Schwiegermutter wird gegen die Schwiegertochter
sein und die Schwiegertochter gegen die Schwiegermutter.«

Die Zeichen der Zeit
(Mt 16,2-3; 5,25-26)

[54]Jesus sagte zu der Volksmenge: »Wenn ihr eine Wolke
im Westen seht, sagt ihr gleich: ›Es wird regnen‹, und
dann regnet es auch. [55]Wenn der Südwind aufkommt, sagt
ihr: ›Es wird heiß‹, und so geschieht es auch. [56]Ihr Scheinheiligen! Das Aussehen von Himmel und Erde könnt ihr
beurteilen und schließt daraus, wie das Wetter wird. Warum versteht ihr dann nicht, was die Ereignisse dieser Zeit
ankündigen?

[57]Könnt ihr denn nicht selbst erkennen, worauf es jetzt
ankommt? [58]Es ist, wie wenn du von deinem Gläubiger
vor Gericht geschleppt wirst. Dann gibst du dir doch auch
Mühe, die Sache mit ihm in Ordnung zu bringen, solange
du noch mit ihm auf dem Weg bist. Wenn du erst einmal
vor Gericht stehst, wird dich der Richter dem Gefängniswärter übergeben, und der bringt dich ins Gefängnis. [59]Ich sage dir: dort kommst du erst wieder heraus,
wenn du deine Schuld bis auf den letzten Pfennig bezahlt
hast!«

Wenn ihr euch nicht ändert...

13 Um diese Zeit kamen einige Leute zu Jesus und er-zählten ihm von den Männern aus Galiläa, die Pilatus töten ließ, als sie gerade im Tempel Opfer darbrachten; ihr Blut vermischte sich mit dem Opferblut. ²Doch Jesus sagte zu ihnen: »Meint ihr etwa, daß sie einen so grausamen Tod fanden, weil sie schlimmere Sünder waren als die anderen Leute in Galiläa? ³Nein, ich versichere euch: wenn ihr euch nicht ändert, werdet ihr alle genauso umkommen! ⁴Oder denkt an die achtzehn, die der Turm am Schiloachteich unter sich begrub! Meint ihr, daß sie schlechter waren als die übrigen Einwohner Jerusalems? ⁵Nein, ich versichere euch: ihr werdet alle genauso umkommen, wenn ihr euch nicht ändert!«

Der unfruchtbare Feigenbaum

⁶Dann erzählte ihnen Jesus ein Gleichnis: »Ein Mann hatte in seinem Weinberg einen Feigenbaum; aber wenn er Früchte suchte, fand er nie etwas daran. ⁷Schließlich sagte er zum Gärtner: ›Sieh her, drei Jahre warte ich nun schon darauf, daß dieser Feigenbaum Früchte trägt, aber ich finde keine. Hau ihn um, was soll er für nichts und wieder nichts den Boden aussaugen!‹ ⁸Aber der Gärtner meinte: ›Herr, laß ihn doch noch ein Jahr stehen. Ich will den Boden rundherum gut auflockern und düngen. ⁹Vielleicht trägt er nächstes Jahr Früchte. Wenn nicht, dann laß ihn umhauen.‹«

Jesus heilt am Sabbat

¹⁰Einmal sprach Jesus am Sabbat* in einer Synagoge*. ¹¹Unter den Zuhörern war eine Frau, die schon achtzehn Jahre lang krank war. Sie war verkrümmt und konnte sich überhaupt nicht mehr aufrichten. ¹²Als Jesus sie sah, rief er sie zu sich und sagte zu ihr: »Du sollst deine Krankheit los sein!« ¹³Er legte ihr die Hände auf, und im gleichen Augenblick konnte sie sich wieder aufrichten. Da pries sie Gott.

¹⁴Aber der Synagogenvorsteher* ärgerte sich, daß Jesus die Frau ausgerechnet am Sabbat geheilt hatte, und sagte zu der Menge: »Die Woche hat sechs Tage zum Arbeiten.

Also kommt an einem Werktag, um euch heilen zu lassen,
aber nicht am Sabbat.« ¹⁵ Der Herr erwiderte ihm: »Ihr
Heuchler! Jeder von euch bindet doch am Sabbat seinen
Ochsen oder Esel los und führt ihn zur Tränke. ¹⁶ Aber
diese Frau hier gehört zu den Nachkommen Abrahams!
Der Teufel hielt sie achtzehn Jahre lang gebunden, und da
sollte man sie nicht an einem Sabbat von ihren Fesseln befreien dürfen?« ¹⁷ Als Jesus das gesagt hatte, waren seine
Gegner beschämt; alle anderen aber freuten sich über die
wunderbaren Taten, die er vollbrachte.

Senfkorn und Sauerteig:
Der entscheidende Anfang ist gemacht
(Mt 13,31-33; Mk 4,30-32)

¹⁸ Jesus sagte: »Wie geht es zu, wenn Gott seine Herrschaft* aufrichtet? Womit kann ich das vergleichen? ¹⁹ Es
ist wie bei einem Senfkorn, das ein Mann in seinem Garten in die Erde gesteckt hat. Es geht auf und wächst und
wird ein richtiger Baum, in dessen Zweigen die Vögel nisten können.«
²⁰ Noch einmal fragte Jesus: »Womit kann ich das vergleichen, wenn Gott seine Herrschaft aufrichtet? ²¹ Es ist
wie beim Sauerteig. Eine Frau mengt ihn unter einen halben Zentner Mehl, und er macht den ganzen Teig sauer.«

Die Tür zum Leben
(Mt 7,13-14.22-23; 8,11-12)

²² Jesus zog weiter nach Jerusalem. Unterwegs sprach er in
Städten und Dörfern. ²³ Einmal fragte ihn ein Mann:
»Herr, werden nur wenige gerettet?« Jesus antwortete:
²⁴ »Gebt euch Mühe, durch die enge Tür hindurchzukom-
men! Ich versichere euch: viele werden es versuchen, aber
es wird ihnen nicht gelingen.
²⁵ Wenn der Hausherr aufstehen und die Tür abschlie-
ßen wird, dann werdet ihr draußen stehen und klopfen
und rufen: ›Bitte, Herr, mach uns auf!‹ Doch er wird euch
sagen: ›Ich weiß nicht, wo ihr herkommt!‹ ²⁶ Dann werdet
ihr antworten: ›Wir haben doch mit dir zusammen gegessen und getrunken, und du hast auf den Straßen unserer
Stadt gelehrt.‹ ²⁷ Dann wird er euch wieder sagen: ›Ich
weiß nicht, wo ihr herkommt. Ihr habt einer wie der ande-

re versäumt, nach Gottes Willen zu leben; fort mit euch!«
²⁸ Da werdet ihr jammern und mit den Zähnen knirschen,
wenn ihr Abraham, Isaak, Jakob und alle Propheten in
Gottes neuer Welt seht, doch ihr selbst seid ausgeschlossen. ²⁹ Aus Ost und West, aus Nord und Süd werden Menschen kommen und an Gottes Tisch Platz nehmen. ³⁰ Wer
jetzt noch zu den Letzten zählt, wird dann unter den Ersten sein. Und wer heute zu den Ersten zählt, wird dann
bei den Letzten sein.«

Klage über Jerusalem
(Mt 23,37-39)

³¹ Da kamen einige Pharisäer* zu Jesus und warnten ihn:
»Verlaß diese Gegend und geh anderswo hin; Herodes
will dich umbringen!« ³² Jesus antwortete: »Geht und sagt
diesem Fuchs: ›Ich vertreibe böse Geister* und heile
Kranke heute und morgen, erst am dritten Tag werde ich
am Ziel sein. ³³ Aber heute und morgen und auch am Tag
danach muß ich meinen Weg gehen. Denn es ist undenkbar, daß ein Prophet außerhalb von Jerusalem umgebracht wird.‹
³⁴ Jerusalem, Jerusalem, du tötest die Propheten und
steinigst* die Boten, die Gott zu dir schickt! Wie oft wollte ich deine Bewohner um mich scharen, wie eine Henne
ihre Küken unter die Flügel nimmt! Aber ihr habt nicht
gewollt. ³⁵ Deshalb wird Gott euren Tempel verlassen. Ich
sage euch, ihr werdet mich erst wiedersehen, wenn ihr rufen werdet: ›Heil dem, der im Auftrag des Herrn
kommt!‹«

Jesus heilt einen Kranken am Sabbat

14 An einem Sabbat* ging Jesus zum Essen in das
Haus eines führenden Pharisäers*. Die Leute dort
beobachteten ihn genau. ² Gerade vor Jesus stand ein
Mann, der an Wassersucht litt. ³ Jesus fragte die Gesetzeslehrer* und Pharisäer: »Ist es nach dem Gesetz* Gottes
erlaubt oder nicht erlaubt, am Sabbat Kranke zu heilen?«
⁴ Sie gaben ihm keine Antwort. Darauf berührte Jesus den
Kranken und machte ihn gesund. Dann ließ er ihn gehen.
⁵ Zu den Anwesenden aber sagte er: »Wenn euch ein Kind
in den Brunnen fällt oder ein Rind, holt ihr es dann nicht

auf der Stelle heraus, auch wenn es gerade Sabbat ist?«
⁶Sie wußten nicht, was sie dagegen vorbringen sollten.

Gäste und Gastgeber

⁷Jesus hatte beobachtet, wie sich die Gäste die besten
Plätze aussuchten. Darum erzählte er ihnen ein Gleichnis*. ⁸»Wenn dich jemand zu einem Hochzeitsmahl einlädt«, sagte er, »dann setz dich nicht gleich auf den besten
Platz. Es könnte ja sein, daß eine noch vornehmere Person eingeladen ist. ⁹Der Gastgeber, der euch beide geladen hat, müßte dann kommen und dich bitten, den Ehrenplatz abzutreten. Dann müßtest du beschämt auf dem
untersten Platz sitzen. ¹⁰Setz dich lieber auf den letzten
Platz, wenn du eingeladen bist. Dann wird der Gastgeber
kommen und zu dir sagen: ›Lieber Freund, komm, setz
dich auf einen besseren Platz!‹ So wirst du vor allen geehrt, die mit dir eingeladen sind. ¹¹Wer sich hochstellt,
den wird Gott demütigen; aber wer sich geringachtet, den
wird er erhöhen.«

¹²Dann wandte sich Jesus an den Gastgeber: »Wenn du
ein Essen gibst, dann lade nicht deine Freunde ein, deine
Brüder und Verwandten oder die reichen Nachbarn. Sie
laden dich dann nur wieder ein, und damit hast du deinen
Lohn. ¹³Wenn du ein Festessen gibst, dann lade lieber Arme, Verkrüppelte, Gelähmte und Blinde ein. ¹⁴Dann
darfst du dich freuen, denn sie können es dir nicht vergelten. Gott selbst wird es dir vergelten, wenn er die vom Tod
erweckt, die getan haben, was ihm gefällt.«

Das Gleichnis vom großen Fest

(Mt 22,1–10)

¹⁵Einer von den Gästen hörte das und sagte zu Jesus:
»Freuen darf sich jeder, der zu Tisch geladen wird in Gottes neuer Welt!«

¹⁶Darauf erzählte ihm Jesus ein Gleichnis*: »Ein Mann
hatte viele Leute zu einem großen Essen eingeladen. ¹⁷Als
es soweit war, schickte er seinen Diener, um die Gäste zu
bitten: ›Kommt! Alles ist hergerichtet.‹ ¹⁸Aber einer nach
dem anderen begann, sich zu entschuldigen. Der erste erklärte: ›Ich habe ein Stück Land gekauft, das muß ich mir
jetzt unbedingt ansehen; bitte entschuldige mich.‹ ¹⁹Ein

anderer sagte: ›Ich habe fünf Ochsengespanne gekauft und will gerade sehen, ob sie etwas taugen; bitte entschuldige mich.‹ 20 Ein dritter sagte: ›Ich habe eben erst geheiratet, darum kann ich nicht kommen.‹

21 Der Diener kam zurück und berichtete alles seinem Herrn. Da wurde der Herr zornig und befahl ihm: ›Lauf schnell auf die Straßen und Gassen der Stadt und hol die Armen, Verkrüppelten, Blinden und Gelähmten her.‹ 22 Der Diener kam zurück und meldete: ›Herr, ich habe deinen Befehl ausgeführt, aber es ist immer noch Platz da.‹ 23 Der Herr sagte zu ihm: ›Geh auf die Feldwege und an die Hecken und Zäune und dränge die Leute zu kommen, damit mein Haus voll wird!‹«

24 Jesus schloß: »Ich versichere euch: von den zuerst geladenen Gästen kommt mir keiner an meinen Tisch!«

Was Jesus von seinen Jüngern verlangt
(Mt 10,37-38)

25 Als Jesus wieder unterwegs war, begleitete ihn eine große Volksmenge. Er wandte sich zu den Leuten und sagte: 26 »Wer sich mir anschließen will, der muß bereit sein, mit Vater und Mutter zu brechen, ebenso mit Frau und Kindern, Brüdern und Schwestern, und sogar das eigene Leben aufzugeben. Sonst kann er nicht mein Jünger sein. 27 Wer nicht sein Kreuz trägt und mir auf meinem Weg folgt, der kann nicht mein Jünger sein.

28 Wenn jemand von euch ein Haus bauen will, setzt er sich doch auch zuerst hin und überschlägt die Kosten. Er muß ja sehen, ob sein Geld dafür reicht. 29 Sonst hat er vielleicht das Fundament gelegt und kann nicht mehr weiterbauen. Alle, die das sehen, werden ihn dann auslachen und werden sagen: 30 ›Dieser Mensch wollte ein Haus bauen, aber er kann es nicht vollenden.‹ 31 Oder wenn ein König gegen einen anderen König Krieg führen will, wird er sich auch zuerst überlegen, ob er mit zehntausend Mann stark genug ist, sich den zwanzigtausend des anderen entgegenzustellen. 32 Wenn nicht, tut er besser daran, dem Gegner Unterhändler entgegenzuschicken, solange er noch weit weg ist, und die Friedensbedingungen zu erkunden.« 33 Jesus schloß: »Keiner von euch kann mein Jünger sein, wenn er nicht zuvor alles aufgibt, was er hat.«

Ein ernstes Wort an die Jünger
(Mt 5,13; Mk 9,50)

³⁴»Salz ist etwas Gutes; wenn es aber seine Kraft verliert,
wie soll es sie wiederbekommen? ³⁵Selbst für den Acker
oder den Misthaufen taugt es nicht mehr und wird weggeworfen. Wer hören kann, soll gut zuhören!«

Das verlorene Schaf
(Mt 18,12-14)

15 Eines Tages waren zahlreiche Zolleinnehmer* und
andere, die einen ebenso schlechten Ruf hatten, zu
Jesus gekommen und wollten ihn hören. ²Die Pharisäer*
und Gesetzeslehrer* waren darüber ärgerlich und sagten:
»Er läßt das Gesindel zu sich! Er ißt sogar mit ihnen!«
³Da erzählte ihnen Jesus ein Gleichnis*:

⁴»Stellt euch vor, einer von euch hat hundert Schafe,
und eines davon verläuft sich. Läßt er dann nicht die
neunundneunzig allein in der Steppe weiden und sucht
das verlorene so lange, bis er es findet? ⁵Wenn er es gefunden hat, freut er sich, nimmt es auf die Schultern ⁶und
trägt es nach Hause. Dort ruft er seine Freunde und
Nachbarn und sagt zu ihnen: ›Freut euch mit mir, ich habe mein verlorenes Schaf wiedergefunden!‹ ⁷Ich sage
euch: genauso ist bei Gott im Himmel mehr Freude über
einen Sünder, der ein neues Leben anfängt, als über neunundneunzig andere, die das nicht nötig haben.«

Die verlorene Münze

⁸»Oder stellt euch vor, eine Frau hat zehn Silbermünzen
und verliert eine davon. Zündet sie da nicht ein Licht an,
fegt das ganze Haus und sucht in allen Ecken, bis sie die
Münze gefunden hat? ⁹Und dann ruft sie ihre Freundin-
nen und Nachbarinnen zusammen und sagt zu ihnen:
›Freut euch mit mir, ich habe die verlorene Münze wiedergefunden!‹ ¹⁰Ich sage euch: genauso freuen sich die
Engel Gottes über einen einzigen Sünder, der ein neues
Leben anfängt.«

Der Vater und seine zwei Söhne

¹¹Jesus erzählte weiter: »Ein Mann hatte zwei Söhne.

¹² Der jüngere sagte: ›Vater, gib mir den Teil der Erbschaft, der mir zusteht!‹ Da teilte der Vater seinen Besitz unter die beiden auf. ¹³ Nach ein paar Tagen machte der jüngere Sohn seinen ganzen Anteil zu Geld und zog in die Fremde. Dort lebte er in Saus und Braus und verjubelte alles. ¹⁴ Als er nichts mehr hatte, brach in jenem Land eine große Hungersnot aus; da ging es ihm schlecht. ¹⁵ Er fand schließlich Arbeit bei einem Bürger des Landes, der schickte ihn zum Schweinehüten aufs Feld. ¹⁶ Er war so hungrig, daß er auch mit dem Schweinefutter zufrieden gewesen wäre; aber selbst das verwehrte man ihm. ¹⁷ Endlich ging er in sich und sagte: ›Die Arbeiter meines Vaters bekommen mehr, als sie essen können, und ich werde hier noch vor Hunger umkommen. ¹⁸ Ich will zu meinem Vater gehen und zu ihm sagen: Vater, ich bin vor Gott und vor dir schuldig geworden; ¹⁹ ich verdiene es nicht mehr, dein Sohn zu sein. Nimm mich als einen deiner Arbeiter in Dienst!‹

²⁰ So machte er sich auf den Weg zu seinem Vater. Der sah ihn schon von weitem kommen, und voller Mitleid lief er ihm entgegen, fiel ihm um den Hals und küßte ihn. ²¹ ›Vater‹, sagte der Sohn, ›ich bin vor Gott und vor dir schuldig geworden, ich verdiene es nicht mehr, dein Sohn zu sein!‹ ²² Aber der Vater rief seine Diener: ›Schnell, holt das beste Kleid für ihn, steckt ihm einen Ring an den Finger und bringt ihm Schuhe! ²³ Holt das Mastkalb und schlachtet es! Wir wollen ein Fest feiern und uns freuen! ²⁴ Mein Sohn hier war tot, jetzt lebt er wieder. Er war verloren, jetzt ist er wiedergefunden.‹ Und sie begannen zu feiern.

²⁵ Der ältere Sohn war noch auf dem Feld. Als er zurückkam und sich dem Haus näherte, hörte er das Singen und Tanzen. ²⁶ Er rief einen der Diener herbei und fragte, was da los sei. ²⁷ Der sagte: ›Dein Bruder ist zurückgekommen, und dein Vater hat das Mastkalb schlachten lassen, weil er ihn gesund wiederhat.‹ ²⁸ Da wurde der ältere Bruder zornig und wollte nicht ins Haus gehen. Schließlich kam der Vater heraus und redete ihm gut zu. ²⁹ Aber der Sohn sagte zu ihm: ›Du weißt doch: all die Jahre habe ich wie ein Sklave für dich geschuftet, nie war ich dir ungehorsam. Was habe ich dafür bekommen? Mir hast du nie auch nur einen Ziegenbock gegeben, damit ich mit mei-

nen Freunden feiern konnte. ³⁰Aber der da, dein Sohn,
hat dein Geld mit Huren durchgebracht; und jetzt kommt
er nach Hause, da schlachtest du gleich das Mastkalb für
ihn.‹ ³¹›Mein Sohn‹, sagte da der Vater, ›du bist immer bei
mir, und dir gehört alles, was ich habe. ³²Wir konnten
doch gar nicht anders als feiern und uns freuen. Denn
dein Bruder war tot, jetzt ist er wieder am Leben! Er war
verloren, aber jetzt ist er wiedergefunden!«

Der untreue Verwalter

16 Jesus erzählte seinen Jüngern: »Ein reicher Mann
hatte einen Verwalter, der ihn betrog. Als er davon
hörte, ²ließ er ihn rufen und stellte ihn zur Rede: ›Was
muß ich von dir hören? Leg die Abrechnung vor, du
kannst nicht länger mein Verwalter sein!‹ ³Da sagte sich
der Mann: ›Was soll ich machen, wenn mein Herr mir die
Stelle wegnimmt? Für schwere Arbeiten bin ich zu
schwach, und zu betteln schäme ich mich. ⁴Ich weiß, was
ich tun werde: Ich muß mir Freunde verschaffen, die mich
aufnehmen, wenn ich hier entlassen werde.‹ ⁵So rief er
nacheinander alle zu sich, die bei seinem Herrn Schulden
hatten. Er fragte den ersten: ›Wieviel schuldest du meinem Herrn?‹ ⁶›Hundert Fässer Olivenöl‹, war die Antwort. ›Hier ist dein Schuldschein‹, sagte der Verwalter;
›setz dich hin und schreib fünfzig!‹ ⁷Einen anderen fragte
er: ›Wie steht es bei dir, wieviel Schulden hast du?‹ ›Hundert Sack Weizen‹, war die Antwort. ›Hier ist dein Schuldschein, schreib achtzig!‹«
⁸Jesus lobte den betrügerischen Verwalter, weil er so
klug war. Denn die Menschen dieser Welt* sind viel klü-
ger im Umgang mit ihresgleichen als die Menschen des
Lichtes. ⁹»Ich sage euch«, fügte Jesus hinzu, »nutzt das
leidige Geld dazu, durch Wohltaten Freunde zu gewinnen.
Wenn es mit euch und eurem Geld zu Ende geht, werden
sie euch dafür eine Wohnung bei Gott verschaffen.«

Lohn der Treue
(Mt 6,24)

¹⁰Jesus fuhr fort: »Wer in kleinen Dingen zuverlässig ist,
wird es auch in großen sein, und wer in kleinen unzuverlässig ist, ist es auch in großen. ¹¹Wenn ihr im Umgang mit

dem leidigen Geld nicht zuverlässig seid, wird euch niemand das wirklich Wertvolle anvertrauen. [12] Wenn ihr mit dem nicht umgehen könnt, was euch nicht gehört, wie soll Gott euch dann schenken, was er euch als Eigentum zugedacht hat?

[13] Kein Diener kann zwei Herren zugleich dienen. Er wird den einen vernachlässigen und den anderen bevorzugen. Er wird dem einen treu sein und den anderen hintergehen. Ihr könnt nicht beiden zugleich dienen: Gott und dem Geld.«

Jesu Urteil über die Pharisäer

[14] Die Pharisäer* hatten das alles gehört. Weil sie geldgierig waren, lachten sie Jesus aus. [15] Er aber sagte zu ihnen: »Vor den Menschen wollt ihr als untadelige Leute gelten, aber Gott weiß, wie es in euch aussieht. Was bei Menschen Eindruck macht, das verabscheut Gott.«

Das Gesetz Moses und die neue Zeit
(Mt 11,12-13; 5,18.32)

[16] »Bisher gab es nur das Gesetz* Moses und die Weisungen der Propheten. Diese Zeit ist mit dem Täufer Johannes abgeschlossen. Seitdem wird die Gute Nachricht verkündet, daß Gott seine Herrschaft* aufrichtet, und alle drängen herbei. [17] Doch eher werden Himmel und Erde vergehen, als daß auch nur ein i-Punkt im Gesetz ungültig wird. [18] Wer sich von seiner Frau trennt und eine andere heiratet, begeht Ehebruch. Genauso ist es Ehebruch, wenn ein Mann eine geschiedene Frau heiratet.«

Lazarus und der Reiche

[19] »Es war einmal ein reicher Mann, der immer die teuerste und beste Kleidung trug und Tag für Tag im Luxus lebte. [20] Vor seinem Haustor lag ein Armer, der hieß Lazarus. Sein Körper war ganz mit Geschwüren bedeckt. [21] Er wartete darauf, daß von den Mahlzeiten des Reichen ein paar kümmerliche Reste für ihn abfielen. Er konnte sich nicht einmal gegen die Hunde wehren, die seine Wunden beleckten.

[22] Der Arme starb, und die Engel trugen ihn zu Abraham in den Himmel. Auch der Reiche starb und wurde

begraben. ²³ Drunten in der Totenwelt* litt er große Qualen. Als er aufblickte, sah er hoch oben Abraham, und Lazarus bei ihm. ²⁴ Da rief er laut: ›Vater Abraham, hab Mitleid mit mir! Schick mir doch Lazarus! Er soll seine Fingerspitze ins Wasser tauchen und meine Zunge ein wenig kühlen, denn das Feuer hier brennt entsetzlich.‹ ²⁵ Aber Abraham sagte: ›Denk daran, daß es dir im Leben immer gut gegangen ist, Lazarus aber schlecht. Dafür kann er sich nun hier freuen, während du Qualen leidest. ²⁶ Außerdem liegt zwischen uns und euch ein tiefer Graben. Selbst wenn jemand wollte, könnte er nicht zu euch kommen, genauso wie keiner von dort zu uns gelangen kann.‹

²⁷ Da bat der reiche Mann: ›Vater Abraham, dann schick doch Lazarus wenigstens in mein Elternhaus. ²⁸ Ich habe noch fünf Brüder. Er soll sie warnen, damit sie nicht auch an diesen schrecklichen Ort kommen.‹ ²⁹ Doch Abraham sagte: ›Deine Brüder haben das Gesetz* Moses und die Weisungen der Propheten. Sie brauchen nur darauf zu hören.‹ ³⁰ Der Reiche erwiderte: ›Vater Abraham, das genügt nicht! Aber wenn einer von den Toten zu ihnen käme, dann würden sie sich ändern.‹ ³¹ Abraham sagte: ›Wenn sie auf Mose und die Propheten nicht hören, dann lassen sie sich auch nicht überzeugen, wenn jemand vom Tod aufersteht.‹«

Schuld und Vergebung
(Mt 18,6-7.15.21-22; Mk 9,42)

17 ¹⁻² Jesus sagte zu seinen Jüngern*: »Es ist unvermeidlich, daß es Dinge gibt, durch die Menschen das Vertrauen zu Gott verlieren können. Aber wehe dem, der daran mitschuldig wird! Es wäre besser für ihn, wenn man ihn mit einem Mühlstein um den Hals ins Meer werfen würde, als daß er auch nur einen von den einfachen Menschen zu Fall bringt. ³ Seid wachsam gegen euch selbst!

Wenn dein Bruder Unrecht getan hat, dann weise ihn zurecht, und wenn er es bereut, dann verzeih ihm. ⁴ Selbst wenn er siebenmal am Tag an dir schuldig wird, sollst du ihm verzeihen, wenn er kommt und sagt: ›Es tut mir leid!‹«

Vertrauen
(Mt 17,20)

[5] Die Apostel* sagten zum Herrn: »Stärke doch unser
Vertrauen zu Gott!« [6] Er antwortete: »Wenn euer Vertrau-
en auch nur so groß ist wie ein Senfkorn, dann könnt ihr
zu dem Maulbeerbaum dort sagen: ›Zieh deine Wurzeln
aus der Erde und verpflanze dich ins Meer!‹, und er wird
euch gehorchen.«

Die Pflicht eines Dieners

[7] »Stellt euch vor, ihr habt einen Sklaven, der vom Pflügen
oder Schafehüten nach Hause kommt. Werdet ihr zu ihm
sagen: ›Bitte, komm gleich zu Tisch‹? [8] Gewiß nicht! Ihr
werdet ihm befehlen: ›Mach das Essen fertig, zieh dich
um und bediene mich bei Tisch, wenn ich esse und trinke.
Danach kannst auch du essen und trinken.‹ [9] Werdet ihr
euch vielleicht bei ihm bedanken, weil er euren Befehl
ausgeführt hat? [10] So ist es auch mit euch. Wenn ihr alles
getan habt, was euch von Gott befohlen wurde, dann sagt:
›Wir sind nur Diener; wir haben nichts als unsere Schul-
digkeit getan.‹«

Jesus heilt zehn Aussätzige

[11] Auf dem Weg nach Jerusalem zog Jesus durch das
Grenzgebiet von Samarien und Galiläa. [12] Als er in ein
Dorf ging, kamen ihm zehn Aussätzige* entgegen.
Sie blieben in gehörigem Abstand stehen [13] und riefen
laut: »Jesus! Herr! Hab Erbarmen mit uns!« [14] Jesus befahl ihnen: »Geht zu den Priestern und laßt euch untersuchen!«
    Unterwegs wurden sie gesund. [15] Einer aus der Gruppe
kam zurück, als er es merkte. Laut pries er Gott, [16] warf
sich vor Jesus nieder und dankte ihm. Der Mann war ein
Samaritaner. [17] Jesus sagte: »Zehn habe ich gesund gemacht. Wo sind die anderen neun? [18] Warum sind sie nicht
auch zurückgekommen, um Gott die Ehre zu erweisen,
wie dieser Fremde hier?« [19] Dann sagte er zu dem Mann:
»Steh auf und geh nach Hause, dein Vertrauen hat dich
gerettet.«

Wann kommt das Ende?

(Mt 24,26-27.37-41; 10,39; 24,28)

²⁰ Einige Pharisäer* fragten Jesus, wann Gott seine Herrschaft* aufrichten und sein Werk vollenden werde. Jesus antwortete: »Ihr irrt euch, wenn ihr meint, daß man das vorausberechnen kann. ²¹ Man wird auch nicht sagen können: ›Schau her, da!‹ oder: ›Sieh dort!‹ Denn schon jetzt richtet Gott mitten unter euch seine Herrschaft auf!«

²² Dann sagte er zu seinen Jüngern: »Es wird die Zeit kommen, wo ihr euch danach sehnt, auch nur einen Tag unter der Herrschaft des Menschensohns* zu erleben. Aber es wird euch nicht vergönnt sein. ²³ Man wird euch sagen: ›Schaut doch hierher!‹ oder: ›Schaut dorthin!‹ Aber geht nicht hin und gebt nichts darauf. ²⁴ Wenn sein Tag da ist, wird der Menschensohn kommen wie ein Blitz, der mit einem Schlag den ganzen Horizont ringsum erhellt. ²⁵ Aber zuvor muß er noch vieles erleiden und von den Menschen dieser Generation abgelehnt werden.

²⁶ Wenn der Menschensohn kommt, wird es sein wie in den Tagen Noachs. ²⁷ Die Menschen aßen und tranken und heirateten bis zu dem Tag, an dem Noach in die Arche* ging. Dann kam die Flut, und alle ertranken. ²⁸ Oder es wird sein wie in den Tagen Lots: Sie aßen und tranken, sie kauften und verkauften, pflanzten und bauten ²⁹ bis zu dem Tag, als Lot die Stadt Sodom verließ. Da regnete es Feuer und Schwefel vom Himmel, und alle kamen um. ³⁰ Genauso wird es an dem Tag sein, an dem der Menschensohn erscheint. ³¹ Wer an jenem Tag gerade auf dem Dach ist und seine Sachen unten im Haus liegen hat, soll nicht hinuntergehen, um sie zu holen. Wer gerade auf dem Feld ist, soll nicht nach Hause zurücklaufen. ³² Denkt an Lots Frau! ³³ Wer sein Leben retten will, wird es verlieren, und wer es verliert, wird es retten.

³⁴ Ich sage euch: von zwei Menschen, die in jener Nacht in einem Bett schlafen, wird der eine angenommen, der andere bleibt zurück. ³⁵ Von zwei Frauen, die zusammen Korn mahlen, wird die eine angenommen, die andere bleibt zurück.«°

³⁷ Die Jünger fragten: »Wo wird das geschehen, Herr?«

Jesus antwortete ihnen: »Wo Aas liegt, da sammeln sich
die Geier.«

Der Richter und die Witwe

18 Mit einem Gleichnis* zeigte Jesus seinen Jüngern,
daß sie immer beten und darin nicht nachlassen
sollten. Er erzählte: ²»In einer Stadt lebte ein Richter, der
nicht nach Gott fragte und alle Menschen verachtete. ³In
der gleichen Stadt lebte auch eine Witwe. Sie kam immer
wieder zu ihm gelaufen und bat ihn: ›Verhilf mir zu meinem Recht!‹ ⁴Lange Zeit wollte der Richter nicht, doch
schließlich sagte er sich: ›Es ist mir zwar völlig gleichgültig,
was Gott und Menschen von mir halten; ⁵aber weil die Frau
mir lästig wird, will ich dafür sorgen, daß sie ihr Recht bekommt. Sonst kratzt sie mir noch die Augen aus.‹«
⁶Und der Herr sagte: »Merkt euch gut, was dieser kor-
rupte Richter sagt. ⁷Wird Gott nicht erst recht seinen Erwählten zu Hilfe kommen, wenn sie ihn Tag und Nacht
anflehen? Wird er zögern? ⁸Ich versichere euch: er wird
ihnen sehr schnell ihr Recht verschaffen. Aber wird der
Menschensohn*, wenn er kommt, auf der Erde noch
Menschen finden, die in Treue auf ihn warten?«

Der Pharisäer und der Zolleinnehmer

⁹Jesus erzählte einigen, die sich für untadelig hielten und
auf andere herabsahen, folgende Geschichte:
¹⁰»Zwei Männer gingen in den Tempel, um zu beten,
ein Pharisäer* und ein Zolleinnehmer*. ¹¹Der Pharisäer
stellte sich ganz vorne hin und betete: ›Gott, ich danke
dir, daß ich nicht so habgierig, unehrlich und verdorben
bin wie die anderen Leute, zum Beispiel dieser Zolleinnehmer. ¹²Ich faste* zwei Tage in der Woche und gebe dir
den zehnten* Teil von allen meinen Einkünften!‹ ¹³Der
Zolleinnehmer aber stand ganz hinten und getraute sich
nicht einmal aufzublicken. Er schlug sich an die Brust und
sagte: ›Gott, hab Erbarmen mit mir, ich bin ein sündiger
Mensch!‹«
¹⁴Jesus schloß: »Ich sage euch, als der Zolleinnehmer
nach Hause ging, hatte Gott ihn angenommen, den anderen nicht. Denn wer sich erhöht, der wird erniedrigt; aber
wer sich geringachtet, der wird erhöht.«

Jesus und die Kinder
(Mt 19,13-15; Mk 10,13-16)

¹⁵ Einmal kamen Leute mit ihren kleinen Kindern zu Jesus, damit er ihnen die Hände auflegte; aber die Jünger wiesen sie ab. ¹⁶ Doch Jesus rief die Kinder zu sich und sagte: »Laßt die Kinder zu mir kommen und hindert sie nicht, denn gerade für Menschen wie sie steht Gottes neue Welt offen. ¹⁷ Täuscht euch nicht: Wer sich der Liebe Gottes nicht wie ein Kind öffnet, wird sie niemals erfahren.«

Die Gefahr des Reichtums
(Mt 19,16-30; Mk 10,17-31)

¹⁸ Ein einflußreicher Mann fragte Jesus: »Guter Lehrer, was muß ich tun, um das ewige Leben zu bekommen?« ¹⁹ »Warum nennst du mich gut?« erwiderte Jesus, »nur einer ist gut, Gott! ²⁰ Und seine Gebote kennst du doch: Zerstöre keine Ehe, morde nicht, beraube niemand, sag nichts Unwahres, ehre deinen Vater und deine Mutter!« ²¹ »Diese Gebote habe ich von Jugend an alle befolgt«, erwiderte der Mann. ²² Als Jesus das hörte, sagte er zu ihm: »Eines fehlt dir noch: Verkauf alles, was du hast, und verteil das Geld an die Armen, so wirst du bei Gott einen unverlierbaren Reichtum haben. Und dann geh mit mir!« ²³ Als der Mann das hörte, wurde er ganz traurig, denn er war sehr reich.

²⁴ Als Jesus das sah, sagte er: »Wie schwer haben es doch reiche Leute, in die neue Welt Gottes zu kommen! ²⁵ Eher kommt ein Kamel durch ein Nadelöhr als ein Reicher in Gottes neue Welt.« ²⁶ Als die Leute das hörten, fragten sie Jesus: »Wer kann dann überhaupt gerettet werden?« ²⁷ Er antwortete: »Was den Menschen unmöglich ist, das kann Gott möglich machen.«

²⁸ Darauf sagte Petrus: »Du weißt, wir haben unser Eigentum aufgegeben und sind mit dir gegangen.« ²⁹ Jesus antwortete: »Ich versichere euch: jeder, der sein Haus, seine Frau, Geschwister, Eltern oder Kinder zurückgelassen hat, weil Gott jetzt seine Herrschaft* aufrichtet, ³⁰ der bekommt das alles schon in dieser Welt vielfach zurück, und in der kommenden Welt erhält er das ewige Leben.«

Dritte Todesankündigung
(Mt 20,17-19; Mk 10,32-34)

³¹Jesus nahm die zwölf Jünger beiseite und sagte zu ihnen: »Hört zu! Wir gehen jetzt nach Jerusalem. Dort wird alles eintreffen, was die Propheten über den Menschensohn* geschrieben haben. ³²Er wird den Fremden übergeben, die Gott nicht kennen. Sie werden ihren Spott mit ihm treiben, ihn beleidigen und anspucken. ³³Sie werden ihn auspeitschen und töten, doch am dritten Tag wird er auferstehen.« ³⁴Die Jünger verstanden kein Wort. Was Jesus sagte, blieb ihnen verborgen; sie wußten nicht, wovon er sprach.

Jesus heilt einen Blinden
(Mt 20,29-34; Mk 10,46-52)

³⁵Als Jesus in die Nähe von Jericho kam, saß ein blinder Bettler am Straßenrand. ³⁶Er hörte die Menge vorbeiziehen und fragte, was da los sei. ³⁷Er erfuhr, daß Jesus von Nazaret vorbeikomme. ³⁸Da rief er laut: »Jesus, Sohn Davids*! Hab Erbarmen mit mir!« ³⁹Die Leute, die Jesus vorausgingen, wollten ihn zum Schweigen bringen, aber er schrie noch lauter: »Sohn Davids, hab Erbarmen mit mir!« ⁴⁰Da blieb Jesus stehen und ließ ihn zu sich holen. Als er herangekommen war, fragte ihn Jesus: ⁴¹»Was soll ich für dich tun?« Er antwortete: »Herr, ich möchte wieder sehen können!« ⁴²Jesus sagte: »Du sollst sehen können! Dein Vertrauen hat dich gerettet.« ⁴³Im gleichen Augenblick konnte der Blinde sehen. Er dankte Gott und ging mit Jesus. Und alle, die dabei waren, priesen Gott.

Jesus und Zachäus

19 Jesus kam nach Jericho und zog durch die Stadt. ²Dort lebte ein Mann namens Zachäus. Er war der oberste Zolleinnehmer* und war sehr reich. ³Er wollte unbedingt sehen, wer dieser Jesus sei. Aber er war klein, und die Menschenmenge versperrte ihm die Sicht. ⁴So lief er voraus und kletterte auf einen Maulbeerfeigenbaum, um Jesus sehen zu können, wenn er vorbeizog. ⁵Als Jesus an die Stelle kam, schaute er hinauf und redete ihn an: »Zachäus, komm schnell herunter, ich muß heute dein

Gast sein!« ⁶Zachäus stieg sofort vom Baum und nahm Jesus mit großer Freude bei sich auf.

⁷Alle waren darüber entrüstet, daß Jesus bei einem so schlechten Menschen einkehrte. ⁸Aber Zachäus wandte sich an den Herrn und sagte zu ihm: »Herr, ich verspreche dir, ich werde die Hälfte meines Besitzes den Armen geben. Und wenn ich jemand betrogen habe, will ich ihm das Vierfache zurückgeben.« ⁹Da sagte Jesus zu ihm: »Heute hast du mit deiner ganzen Familie die Rettung erfahren. Denn trotz allem bist auch du ein Nachkomme Abrahams. ¹⁰Der Menschensohn* ist gekommen, um die Verlorenen zu suchen und zu retten.«

Das Gleichnis vom anvertrauten Geld
(Mt 25,14-30)

¹¹Jesus erzählte denen, die das alles miterlebt hatten, ein Gleichnis*. Denn weil er in der Nähe von Jerusalem war, meinten viele, gleich werde die neue Welt Gottes anbrechen.

¹²Er sagte: »Ein vornehmer Mann wollte in ein fernes Land reisen, um sich dort zum König über seine Landsleute einsetzen zu lassen. ¹³Vor der Abreise rief er zehn seiner Diener, gab jedem ein Goldstück und sagte zu ihnen: ›Ihr sollt damit Geschäfte machen, bis ich wiederkomme.‹

¹⁴Weil ihn seine Landsleute nicht leiden konnten, schickten sie Boten hinter ihm her, die erklären sollten: ›Wir wollen den Mann nicht als König haben!‹ ¹⁵Doch der Mann wurde König und kehrte zurück. Sogleich ließ er die Diener rufen, denen er das Geld anvertraut hatte. Er wollte sehen, was sie damit gemacht hatten. ¹⁶Der erste berichtete: ›Herr, dein Goldstück hat zehn weitere eingebracht.‹ ¹⁷›Gut gemacht‹, lobte ihn sein Herr. ›Du bist ein tüchtiger Mann. Weil du in so kleinen Dingen zuverlässig warst, gebe ich dir die Verwaltung über zehn Städte.‹ ¹⁸Der zweite berichtete: ›Dein Goldstück hat fünf weitere eingebracht.« ¹⁹Der Herr sagte zu ihm: ›Dir gebe ich die Verwaltung über fünf Städte.‹

²⁰Ein dritter aber sagte: ›Herr, hier hast du dein Goldstück wieder. Ich habe es im Taschentuch verwahrt. ²¹Ich hatte Angst vor dir, weil du ein strenger Mann bist. Du

nimmst, was dir nicht gehört, und du erntest, was du nicht gesät hast.‹ ²²Zu ihm sagte der Herr: ›Du Taugenichts, du hast dir selbst das Urteil gesprochen. Du wußtest, daß ich ein strenger Herr bin, daß ich nehme, was mir nicht gehört, und ernte, was ich nicht gesät habe. ²³Warum hast du dann mein Geld nicht wenigstens auf die Bank gebracht? Dort hätte ich es bei meiner Rückkehr mit Zinsen wieder abheben können.‹ ²⁴Dann sagte er zu den Umstehenden: ›Nehmt ihm sein Teil ab und gebt es dem, der die zehn Goldstücke hat.‹ ²⁵Sie wandten ein: ›Herr, der hat doch schon so viel!‹ ²⁶Aber der König erwiderte: ›Ich sage euch, wer viel hat, soll noch mehr bekommen. Wer aber nichts hat, dem wird auch noch das Letzte weggenommen werden. ²⁷Nun aber zu meinen Feinden, die mich nicht als König haben wollten! Bringt sie her und macht sie vor meinen Augen nieder!«

Jesus kommt nach Jerusalem

(Mt 21,1-11; Mk 11,1-11; Joh 12,12-19)

²⁸Dann zog Jesus nach Jerusalem weiter. ²⁹In der Nähe der Ortschaften Betfage und Betanien am Ölberg schickte er zwei Jünger voraus ³⁰und trug ihnen auf: »Geht in das Dorf da vorn! Am Ortseingang werdet ihr einen jungen Esel angebunden finden, auf dem noch niemand geritten ist. Bindet ihn los und bringt ihn her. ³¹Wenn euch jemand fragt, warum ihr den Esel losbindet, dann antwortet: ›Der Herr braucht ihn!‹« ³²Die beiden gingen hin und fanden alles so, wie Jesus es ihnen gesagt hatte. ³³Als sie den Esel losbanden, fragten die Besitzer: »Warum bindet ihr ihn los?« ³⁴»Der Herr braucht ihn«, antworteten sie ³⁵und brachten den Esel zu Jesus. Dann legten sie ihre Kleider über das Tier und ließen Jesus aufsteigen. ³⁶Unterwegs breiteten die anderen Jünger ihre Kleider als Teppich auf die Straße.

³⁷Als Jerusalem in Sicht kam, dort wo der Weg den Ölberg wieder hinunterführt, brach die ganze Schar der Jünger* Jesu in lauten Jubel aus. Sie priesen Gott für all die Wunder, die sie miterlebt hatten. ³⁸Sie riefen: »Heil dem König, der im Auftrag des Herrn kommt! Frieden im Himmel! Gott gehört die Ehre!« ³⁹Ein paar Pharisäer* aber riefen aus der Menge: »Lehrer, bring doch deine

Jünger zur Vernunft!« ⁴⁰Jesus antwortete: »Ich sage euch,
wenn sie schweigen, dann werden die Steine schreien!«

Jesus weint über Jerusalem

⁴¹Als Jesus näherkam und die Stadt vor sich liegen sah,
weinte er ⁴²und sagte: »Wenn du doch heute erkennen
wolltest, was dir Frieden bringt! Aber du bist blind dafür.
⁴³Es kommt eine Zeit, da werden deine Feinde einen Wall
rings um dich aufwerfen, dich belagern und von allen Seiten einschließen. ⁴⁴Sie werden dich und deine Einwohner
völlig vernichten und keinen Stein auf dem anderen lassen. Denn du hast den Tag nicht erkannt, an dem Gott dir
zu Hilfe kommen wollte.«

Jesus im Tempel
(Mt 21,12-17; Mk 11,15-19; Joh 2,13-17)

⁴⁵Jesus ging in den Tempel und fing an, die Händler hinauszujagen. ⁴⁶Dazu sagte er ihnen: »In den heiligen Schriften* steht doch, daß Gott erklärt hat: ›Mein Tempel soll
eine Stätte sein, an der man zu mir beten kann!‹ Ihr aber
habt eine Räuberhöhle daraus gemacht!«
⁴⁷Jesus lehrte jeden Tag im Tempel. Die führenden
Priester*, die Gesetzeslehrer* und die maßgebenden
Männer des Volkes suchten nach einer Möglichkeit, ihn
umzubringen; ⁴⁸aber sie wußten nicht, wie sie es anfangen
sollten. Denn das Volk war dauernd um ihn und wollte
sich keines seiner Worte entgehen lassen.

Die Frage nach dem Auftraggeber
(Mt 21,23-27; Mk 11,27-33)

20 Eines Tages lehrte Jesus wieder im Tempel und
verkündete dem Volk die Gute Nachricht. Da kamen die führenden Priester*, Gesetzeslehrer* und Ratsältesten* ²und fragten: »Sag uns, woher nimmst du das
Recht, hier so aufzutreten? Wer hat dir die Vollmacht dazu gegeben?«
³Jesus antwortete ihnen: »Auch ich will euch eine Frage
stellen. Sagt mir: ⁴Woher hatte Johannes den Auftrag zu
taufen? Von Gott oder von Menschen?« ⁵Sie berieten sich
miteinander: »Wenn wir sagen ›Von Gott‹, dann wird er
uns fragen: Warum habt ihr dann Johannes nicht ge-

glaubt? ⁶Wenn wir aber sagen ›Von Menschen‹, dann wird
uns das Volk steinigen*, denn alle sind überzeugt, daß Johannes ein Prophet war.« ⁷So sagten sie zu Jesus, daß sie
es nicht wüßten. ⁸»Gut«, erwiderte Jesus, »dann sage ich
euch auch nicht, wer mich bevollmächtigt hat.«

Das Gleichnis von den bösen Weinbergspächtern
(Mt 21,33-46; Mk 12,1-12)

⁹Darauf erzählte Jesus den Leuten ein Gleichnis*: »Ein
Mann legte einen Weinberg an. Den verpachtete er und
verreiste dann für einige Zeit. ¹⁰Zur gegebenen Zeit
schickte er einen Beauftragten zu den Pächtern, um seinen Anteil am Ertrag abholen zu lassen. Aber die Pächter
verprügelten den Boten und ließen ihn unverrichteter
Dinge abziehen. ¹¹Der Mann schickte einen zweiten, aber
auch den verprügelten sie, behandelten ihn auf die
schimpflichste Weise und schickten ihn mit leeren Händen zurück. ¹²Er sandte auch noch einen dritten. Der
wurde von den Pächtern blutig geschlagen und wegge-
jagt.
    ¹³Da sagte sich der Besitzer des Weinbergs: ›Was soll
ich tun? Ich werde meinen eigenen Sohn schicken, dem
meine ganze Liebe gilt; vor dem werden sie wohl Respekt
haben.‹ ¹⁴Aber als die Pächter ihn kommen sahen, sagten
sie zueinander: ›Das ist der Erbe! Wir bringen ihn um,
dann gehört der Weinberg uns.‹ ¹⁵So stießen sie ihn aus
dem Weinberg hinaus und töteten ihn.
    Was wird nun der Besitzer des Weinbergs mit ihnen ma-
chen? ¹⁶Er wird selbst hingehen, die Pächter töten und
den Weinberg anderen anvertrauen.«
    Als die Leute das hörten, sagten sie: »Das wird niemals
geschehen!« ¹⁷Jesus schaute sie an und sagte: »Überlegt einmal, was dieses Wort in den heiligen Schriften* bedeutet:
    ›Der Stein, den die Bauleute weggeworfen haben,
        weil sie ihn für unbrauchbar hielten,
        der ist zum tragenden Stein geworden.‹
¹⁸Wer auf diesen Stein stürzt, wird zerschmettert, und auf
wen er fällt, den zermalmt er.«

Die Frage nach der Steuer

(Mt 22,15-22; Mk 12,13-17)

[19] Die Gesetzeslehrer* und die führenden Priester* hätten Jesus am liebsten auf der Stelle festgenommen. Denn sie merkten, daß das Gleichnis* auf sie gemünzt war. Aber sie hatten Angst vor dem Volk. [20] Darum beobachteten sie Jesus genau. Sie schickten Spitzel zu ihm, die sich den Anschein geben sollten, daß es ihnen nur um die gewissenhafte Befolgung des Gesetzes* ginge. Sie sollten Jesus bei einem verfänglichen Wort ertappen, damit man ihn an den römischen Prokurator* ausliefern könnte. [21] Die Männer legten Jesus eine Frage vor: »Lehrer, wir wissen, daß du die richtige Lehre hast. Du läßt dich auch von den Mächtigen nicht beeinflussen, sondern sagst jedem klar und deutlich, wie er nach Gottes Willen leben soll. [22] Nun sag uns, dürfen wir nach dem Gesetz* Gottes dem römischen Kaiser Steuern zahlen oder nicht?«

[23] Jesus durchschaute ihre Hinterlist und sagte zu ihnen: [24] »Zeigt mir eine Silbermünze* her! Wessen Bild und Name ist hier aufgeprägt?« »Des Kaisers«, antworteten sie. [25] Da sagte Jesus: »Dann gebt dem Kaiser, was dem Kaiser gehört, aber gebt Gott, was Gott gehört.«

[26] So konnten sie ihn vor den Leuten nicht zu einer verfänglichen Antwort verleiten. Sie waren so überrascht, daß sie nichts mehr zu sagen wußten.

Werden die Toten auferstehen?

(Mt 22,23-33; Mk 12,18-27)

[27] Dann kamen einige Sadduzäer* zu Jesus. Die Sadduzäer bestreiten, daß die Toten auferstehen. [28] »Lehrer«, sagten sie, »Mose hat uns die Vorschrift gegeben: ›Wenn ein verheirateter Mann kinderlos stirbt, dann muß an seiner Stelle sein Bruder die Witwe heiraten und dem Verstorbenen Nachkommen verschaffen.‹ [29] Nun gab es einmal sieben Brüder. Der älteste heiratete und starb kinderlos. [30] Darauf heiratete der zweite die Witwe, [31] später der dritte. Alle sieben hatten schließlich die Frau gehabt und waren kinderlos gestorben. [32] Zuletzt starb auch die Frau. [33] Wie ist das nun: wessen Frau ist sie, wenn die Toten auferstehen? Sie war ja mit allen sieben verheiratet!«

³⁴Jesus antwortete: »Heiraten ist eine Sache für dieses Leben. ³⁵Aber die, die nach der Auferstehung in der kommenden Welt leben dürfen, denken dann nicht mehr ans Heiraten. ³⁶Sie werden ja auch nicht mehr sterben, sondern leben wie die Engel im Himmel. Weil sie vom Tod auferstanden sind, sind sie Söhne Gottes, die bei ihm leben. ³⁷Daß aber die Toten auferstehen, zeigt schon Mose, wenn er vom brennenden Dornbusch spricht: da spricht er vom Herrn als dem Gott Abrahams, dem Gott Isaaks und dem Gott Jakobs. ³⁸Und er ist doch ein Gott der Lebenden, nicht der Toten! Für ihn sind alle lebendig.«

³⁹Ein paar Gesetzeslehrer* sagten dazu: »Lehrer, das war eine gute Antwort.« ⁴⁰Daraufhin wagte niemand mehr, ihm irgendeine Frage zu stellen.

Davids Sohn oder Davids Herr?
(Mt 22,41-46; Mk 12,35-37)

⁴¹Nun wandte Jesus sich an die Versammelten und fragte: »Wie kann man behaupten, der versprochene Retter* müsse ein Nachkomme Davids sein? ⁴²David selbst sagt doch im Buch der Psalmen:

›Gott, der Herr, sagte zu meinem Herrn:
Setze dich an meine rechte Seite!
⁴³Ich will dir deine Feinde unterwerfen,
sie als Schemel unter deine Füße legen.‹

⁴⁴David nennt ihn also ›Herr‹ – wie kann er dann sein Sohn sein?«

Jesus warnt vor den Gesetzeslehrern
(Mk 12,37-40; Mt 23,1.6-7.14)

⁴⁵Vor der ganzen Versammlung warnte Jesus seine Jünger: ⁴⁶»Nehmt euch in acht vor den Gesetzeslehrern*! Sie zeigen sich gern in ihren Talaren und lassen sich auf der Straße respektvoll grüßen. Beim Gottesdienst sitzen sie in der ersten Reihe, und bei Festmählern nehmen sie die Ehrenplätze ein. ⁴⁷Sie sprechen lange Gebete, um einen guten Eindruck zu machen; in Wahrheit aber sind sie Betrüger, die hilflose Witwen um ihren Besitz bringen. Sie werden einmal besonders streng bestraft.«

Das Opfer der Witwe
(Mk 12,41-44)

21 Jesus blickte auf und sah, wie reiche Leute ihre Geldspenden in den Opferkasten legten. ²Auch eine arme Witwe kam vorbei, die steckte nur zwei kleine Kupfermünzen hinein. ³Jesus sagte: »Ich versichere euch: diese Witwe hat mehr gegeben als alle anderen. ⁴Die haben nur etwas von ihrem Überfluß abgegeben. Aber diese arme Witwe hat tatsächlich alles geopfert, was sie zum Leben hatte.«

Ankündigung der Zerstörung des Tempels
(Mt 24,1-2; Mk 13,1-2)

⁵Einige Leute waren davon beeindruckt, wie schön doch der Tempel sei mit den kostbaren Steinen und den Weihegeschenken. ⁶Jesus aber sagte: »Es kommt die Zeit, wo alles, was ihr hier seht, bis auf den Grund zerstört wird. Kein Stein wird auf dem anderen bleiben.«

Verführer, Katastrophen und Verfolgungen
(Mt 24,3-14; Mk 13,3-13)

⁷Da fragten sie ihn: »Lehrer, wann wird das geschehen, und woran können wir erkennen, daß es soweit ist?« ⁸Jesus antwortete: »Seid auf der Hut und laßt euch nicht täuschen! Viele werden mit meinem Anspruch auftreten und sagen: ›*Ich* bin es!‹° Die Zeit ist da.‹ Lauft ihnen nicht nach! ⁹Erschreckt auch nicht, wenn ihr von Krieg und Aufruhr hört. Das muß so kommen, aber danach kommt noch nicht sofort das Ende.«

¹⁰Weiter sagte er zu ihnen: »Ein Volk wird gegen das andere kämpfen, ein Staat wird den anderen angreifen. ¹¹Überall wird es schwere Erdbeben, Hungersnöte und Seuchen geben. Man wird schreckliche Erscheinungen und große Zeichen am Himmel sehen.

¹²Aber bevor dies alles geschieht, wird man euch verfolgen und festnehmen. Weil ihr zu mir gehört, werdet ihr vor die Synagogengerichte* geschleppt, ins Gefängnis geworfen und vor Könige und Machthaber gestellt werden. ¹³Das bietet euch die Gelegenheit, als Zeugen für mich auszusagen. ¹⁴Verzichtet aber bewußt darauf, im voraus

festzulegen, wie ihr eure Sache vertreten wollt! ¹⁵Ich
selbst werde euch Worte eingeben, die keiner eurer Gegner widerlegen kann, und euch eine Weisheit schenken,
der niemand widerstehen kann.

¹⁶Sogar eure Eltern werden euch verraten, eure Geschwister, Verwandten und Freunde. Einige von euch werden getötet. ¹⁷Jeder wird euch hassen, weil ihr euch zu mir
bekennt. ¹⁸Aber nicht ein Haar von eurem Kopf wird verlorengehen. ¹⁹Haltet durch, dann werdet ihr das wahre
Leben gewinnen.«

Über die Zerstörung Jerusalems
(Mt 24,15-22; Mk 13,14-20)

²⁰»Wenn feindliche Heere Jerusalem belagern, dann wißt
ihr: die Stadt wird bald zerstört. ²¹Dann sollen alle Bewohner Judäas in die Berge fliehen! Wer in der Stadt ist,
soll sie schnell verlassen, und die Leute vom Land sollen
nicht in die Stadt gehen! ²²Denn dann kommen die Ge-
richtstage, an denen alles in Erfüllung geht, was in den
heiligen Schriften* vorausgesagt ist. ²³Besonders hart wird
es die Frauen treffen, die gerade ein Kind erwarten oder
einen Säugling stillen. Das ganze Land wird in schreckliche Not kommen, weil Gottes Zorn sich gegen dieses
Volk richtet. ²⁴Die Menschen werden mit dem Schwert
erschlagen oder als Gefangene in die ganze Welt verschleppt werden. Jerusalem wird von den Fremden verwüstet werden, bis auch deren Zeit abgelaufen ist.«

Der Weltrichter kommt
(Mt 24,29-35; Mk 13,24-31)

²⁵»An Sonne, Mond und Sternen wird man drohende Zeichen sehen. Auf der Erde werden die Völker zittern aus
Furcht vor dem tobenden Meer und den Wellen. ²⁶Die
Bewohner der Erde werden halbtot vor Angst darauf warten, was nun noch über sie hereinbricht. Denn die ganze
Ordnung des Himmels wird durcheinandergeraten.
²⁷Dann werden sie den Menschensohn* auf einer Wolke
mit göttlicher Macht und Herrlichkeit kommen sehen.
²⁸Wenn ihr die ersten Anzeichen von alledem bemerkt,
dann richtet euch auf und faßt neuen Mut: bald werdet
ihr gerettet!«

²⁹Jesus gebrauchte einen Vergleich: »Seht doch den Feigenbaum an oder die anderen Bäume. ³⁰Wenn die ersten Blätter herauskommen, dann erkennt ihr daran, daß der Sommer bald da ist. ³¹So ist es auch, wenn ihr diese Dinge kommen seht. Dann wißt ihr, daß die neue Welt Gottes nahe ist. ³²Ich sage euch: diese Generation wird das alles noch erleben. ³³Himmel und Erde werden vergehen, aber meine Worte nicht.«

Wach bleiben!

³⁴»Seht euch vor! Laßt euch nicht vom Rausch umnebeln oder von den Alltagssorgen gefangennehmen. Sonst werdet ihr von jenem Tag unvorbereitet überrascht wie von einer Falle, die zuschlägt. ³⁵Denn er kommt plötzlich über alle, die auf der Erde leben. ³⁶Bleibt wach und hört nicht auf zu beten, damit ihr alles, was noch kommen wird, durchstehen und zuversichtlich vor den Menschensohn* treten könnt!«

³⁷Jeden Tag sprach Jesus im Tempel. Am Abend ging er dann auf den Ölberg und blieb die Nacht über dort. ³⁸Früh am Morgen warteten schon wieder die Menschen im Tempel und wollten ihn hören.

Pläne gegen Jesus
(Mt 26,1-5; Mk 14,1-2; Joh 11,45-53)

22 Es war kurz vor dem Fest, an dem man nur ungesäuertes Brot ißt, dem Passafest*. ²Die führenden Priester* und Gesetzeslehrer* suchten nach einer Möglichkeit, Jesus ohne Aufsehen zu beseitigen; denn sie hatten Angst vor dem Volk.

Judas ist zum Verrat bereit
(Mt 26,14-16; Mk 14,10-11)

³Da fuhr der Satan in Judas, genannt Iskariot. Judas war einer der zwölf Jünger. ⁴Er ging zu den führenden Priestern* und den Offizieren der Tempelwache und besprach mit ihnen, wie er ihnen Jesus in die Hände spielen könnte. ⁵Sie freuten sich und boten ihm eine Geldsumme an. ⁶Judas war einverstanden und suchte von da an eine günstige Gelegenheit, Jesus zu verraten, ohne daß das Volk etwas merkte.

Vorbereitungen zum Passamahl
(Mt 26,17-19; Mk 14,12-16)

[7] Es kam nun der Tag, an dem die Passalämmer geschlachtet werden mußten. [8] Jesus gab Petrus und Johannes den Auftrag: »Geht und bereitet das Passamahl* für uns vor!« [9] »Wo willst du es essen?« fragten sie. [10] Er sagte: »Hört zu! Wenn ihr in die Stadt kommt, trefft ihr einen Mann, der einen Wasserkrug trägt. Folgt ihm in das Haus, in das er geht, [11] und sagt zum Hausherrn dort: ›Unser Lehrer läßt dich fragen: Wo ist der Raum, in dem ich mit meinen Jüngern das Passamahl feiern kann?‹ [12] Er wird euch ein großes Zimmer im Obergeschoß zeigen, das mit Polstern ausgestattet ist. Dort richtet alles her.« [13] Sie gingen und fanden alles, wie Jesus es ihnen gesagt hatte, und bereiteten das Passamahl vor.

Das letzte Mahl
(Mt 26,20-29; Mk 14,17-25; 1 Kor 11,23-25)

[14] Als die Zeit für das Passamahl* da war, setzte sich Jesus mit den Aposteln* zu Tisch. [15] Er sagte: »Ich habe mich sehr danach gesehnt, dieses Passamahl mit euch zu feiern, ehe ich leiden muß. [16] Denn ich sage euch: Ich werde es erst wieder feiern, wenn das, worauf jedes Passamahl hinweist, in der neuen Welt Gottes zur Erfüllung gekommen ist.« [17] Dann nahm Jesus den Becher, sprach darüber das Dankgebet und sagte: »Nehmt ihn und laßt ihn herumgehen! [18] Denn ich sage euch: ich werde in Zukunft erst wieder Wein trinken, wenn Gott sein Werk vollendet hat.«

[19] Dann nahm Jesus Brot, sprach darüber das Dankgebet, brach es in Stücke und reichte es ihnen mit den Worten: »Das ist mein Leib, der für euch geopfert wird. Tut das immer wieder, damit unter euch gegenwärtig ist, was ich für euch getan habe!« [20] Ebenso gab er ihnen nach dem Essen den Becher mit den Worten: »Dieser Becher ist der neue Bund* Gottes, besiegelt mit meinem Blut, das für euch vergossen wird.

[21] Aber seht her: der Verräter sitzt hier mit mir am Tisch. [22] Der Menschensohn* wird zwar sterben, wie es bestimmt ist; aber wehe dem Menschen, der ihn verrät.«

²³ Da fingen sie an, einander zu fragen, wer von ihnen denn so etwas über sich bringen könnte.

Wer ist der Größte?
(Mt 20,25-28; 19,28; Mk 10,42-45)

²⁴ Unter den Jüngern kam ein Streit auf, wer von ihnen als der Größte gelten sollte. ²⁵ Jesus sagte zu ihnen: »Die Könige der Welt unterdrücken ihre Völker, und die Tyrannen lassen sich ›Wohltäter des Volkes‹ nennen. ²⁶ Bei euch muß es anders sein. Der Höchste unter euch muß wie der Niedrigste sein und der Führende wie der Untergebene. ²⁷ Wer ist denn der Höchste: wer am Tisch sitzt oder wer bedient? Natürlich der am Tisch! Aber ich bin unter euch wie der Diener.

²⁸ Ihr habt alle Prüfungen mit mir durchgestanden. ²⁹ Dafür werde ich euch Anteil an der Herrschaft geben, die mein Vater mir übertragen hat. ³⁰ Wenn ich meine Herrschaft angetreten habe, werdet ihr an meinem Tisch essen und trinken und über die zwölf Stämme Israels herrschen.«

Jesus und Petrus
(Joh 13,36-38)

³¹ »Simon, Simon! Paß gut auf! Gott hat dem Satan erlaubt, euch auf die Probe zu stellen und die Spreu vom Weizen zu scheiden. ³² Aber ich habe für dich gebetet, daß dein Glaube nicht aufhört. Wenn du dann wieder zu mir zurückfindest, mußt du deinen Brüdern Mut machen!« ³³ Petrus antwortete: »Herr, ich bin bereit, mit dir ins Gefängnis zu gehen, ja mit dir zu sterben!« ³⁴ Jesus antwortete: »Ich sage dir, Petrus, noch ehe heute der Hahn kräht, wirst du dreimal behaupten, daß du mich nicht kennst.«

Jetzt gilt etwas anderes

³⁵ Dann fragte Jesus die Jünger: »Als ich euch ohne Geldbeutel, Vorratstasche und Schuhe auf den Weg schickte, hat euch da etwas gefehlt?« »Nein, nicht das Geringste«, sagten sie. ³⁶ Jesus erwiderte: »Von jetzt ab gilt etwas anderes: Wer einen Geldbeutel und eine Vorratstasche hat, soll sie mitnehmen! Wer nichts hat als seinen Mantel, soll

ihn verkaufen und sich ein Schwert dafür beschaffen!
³⁷ Denn ich sage euch, es muß in Erfüllung gehen, was
über mich in den heiligen Schriften* steht: ›Man hat ihn
unter die Verbrecher gezählt.‹ Mit mir geht es jetzt zu
Ende.« ³⁸ Die Jünger sagten: »Herr, da haben wir zwei
Schwerter!« »Ihr versteht mich nicht«, antwortete Jesus.

Jesus betet

(Mt 26,36-46; Mk 14,32-42)

³⁹ Er ging wie gewohnt zum Ölberg, und seine Jünger
folgten ihm. ⁴⁰ Als sie dort ankamen, sagte er zu ihnen:
»Betet darum, daß ihr in der kommenden Prüfung nicht
versagt.« ⁴¹ Dann ging er allein weiter. Einen Steinwurf
weit von ihnen entfernt kniete er nieder und betete:
⁴² »Vater, wenn du willst, erspare mir diesen Leidenskelch.
Aber dein Wille soll geschehen, nicht meiner!«
⁴³ Da erschien ihm ein Engel vom Himmel und gab ihm
Kraft. ⁴⁴ In seiner Todesangst betete Jesus noch ange-
spannter, und sein Schweiß tropfte wie Blut auf den Boden.° ⁴⁵ Als er sich vom Gebet erhob und wieder zu den
Jüngern kam, schliefen sie; so erschöpft waren sie vor
Kummer. ⁴⁶ »Was schlaft ihr denn?« sagte er zu ihnen,
»steht lieber auf und betet, damit ihr in der kommenden
Prüfung nicht versagt.«

Jesus wird festgenommen

(Mt 26,47-56; Mk 14,43-50; Joh 18,3-11)

⁴⁷ Noch während Jesus das sagte, kam ein Trupp von Männern, voran Judas, einer der zwölf Jünger. Er ging auf Jesus zu und wollte ihm den Begrüßungskuß geben. ⁴⁸ Aber
Jesus sprach ihn an: »Judas, mit einem Kuß willst du den
Menschensohn* verraten?« ⁴⁹ Da merkten auch die anderen Jünger, was bevorstand, und fragten: »Herr, sollen wir
mit dem Schwert dazwischenfahren?« ⁵⁰ Sofort ging einer
von ihnen auf den Diener des Obersten Priesters* los und
schlug ihm das rechte Ohr ab. ⁵¹ Aber Jesus rief: »Halt!
Hört auf!« Er berührte das Ohr und heilte den Mann.
⁵² Dann wandte er sich an die führenden Priester*, die
Offiziere der Tempelwache und die Ratsältesten*, die ihn
festnehmen wollten: »Mußtet ihr wirklich mit Schwertern
und Knüppeln anrücken, als wäre ich ein Verbrecher?

⁵³ Jeden Tag war ich bei euch im Tempel, da habt ihr euch nicht getraut, mich festzunehmen. Aber jetzt ist eure Stunde gekommen. Jetzt hat Gott den dunklen Mächten Gewalt über mich gegeben.«

Petrus verleugnet Jesus
(Mt 26,57-58.69-75; Mk 14,53-54.66-72; Joh 18,12-18.25-27)

⁵⁴ Sie nahmen Jesus fest, führten ihn ab und brachten ihn in das Haus des Obersten Priesters*. Petrus folgte ihnen in weitem Abstand. ⁵⁵ Mitten im Hof hatte man ein Feuer angezündet, und viele saßen darum herum. Auch Petrus setzte sich dazu. ⁵⁶ Eine Dienerin bemerkte ihn dort und sah ihn scharf an. »Der hier war auch mit ihm zusammen!« sagte sie. ⁵⁷ Aber Petrus stritt es ab: »Ich kenne ihn ja überhaupt nicht!«

⁵⁸ Bald darauf wurde ein Mann auf ihn aufmerksam und sagte: »Du gehörst doch auch zu denen!« Aber Petrus widersprach: »Mensch, ich habe nichts mit ihm zu tun!«

⁵⁹ Etwa eine Stunde später behauptete noch einer: »Gar keine Frage, der war auch mit ihm zusammen, er ist doch auch aus Galiläa.« ⁶⁰ Aber Petrus stritt es ab: »Ich weiß überhaupt nicht, wovon du sprichst!«

Im gleichen Augenblick krähte ein Hahn. ⁶¹ Der Herr drehte sich um und sah Petrus an. Da fiel Petrus ein, was der Herr zu ihm gesagt hatte: »Bevor heute der Hahn kräht, wirst du dreimal behaupten, daß du mich nicht kennst.« ⁶² Und er ging hinaus und weinte verzweifelt.

Jesus wird verspottet und geschlagen
(Mt 26,67-68; Mk 14,65)

⁶³ Die Männer, die Jesus bewachten, trieben ihren Spott mit ihm. ⁶⁴ Sie banden ihm die Augen zu, schlugen ihn und fragten: »Wer hat dich geschlagen? Sag es uns, du bist doch ein Prophet!« ⁶⁵ Und noch viele andere Schmähungen mußte er anhören.

Jesus vor dem jüdischen Rat
(Mt 27,1; 26,57.63-65; Mk 15,1; 14,53.61-64; Joh 18,19-24)

⁶⁶ Als es Tag wurde, versammelten sich die Ratsältesten* mit den führenden Priestern* und Gesetzeslehrern*. Sie ließen Jesus vorführen und fragten ihn: ⁶⁷ »Sag uns, bist

du der versprochene Retter*?« Jesus antwortete: »Wenn
ich es euch sage, glaubt ihr mir ja doch nicht, 68 und wenn
ich euch etwas frage, gebt ihr mir keine Antwort. 69 Aber
von jetzt an wird der Menschensohn* an der rechten Seite
des allmächtigen Gottes sitzen.« 70 Da riefen sie alle: »Du
bist also der Sohn* Gottes?« Er antwortete: »Ihr sagt es
selbst, ich bin es.« 71 Darauf erklärten sie: »Wir brauchen
keine Zeugen mehr! Wir haben es aus seinem eigenen
Mund gehört!«

Jesus vor Pilatus
(Mt 27,2.11-14; Mk 15,1-5; Joh 18,28-38)

23 Alle standen auf und brachten Jesus zum Prokurator* Pilatus. 2 Dort trugen sie ihre Anklage vor:
»Wir haben festgestellt, daß dieser Mann unser Volk auf-
hetzt! Er sagt, wir sollen keine Steuern mehr an den Kaiser zahlen! Außerdem hat er behauptet, er sei der König,
den Gott uns versprochen hat.« 3 Pilatus fragte ihn: »Bist
du der König der Juden?« »Ja«, antwortete Jesus. 4 Da erklärte Pilatus den führenden Priestern* und der Volksmenge: »Ich sehe keinen Grund, diesen Mann zu verurteilen.« 5 Aber sie drängten weiter: »Er wiegelt mit seinen
Reden das ganze jüdische Volk auf, von Galiläa angefangen bis hierher.«

Jesus vor Herodes

6 Als Pilatus das hörte, fragte er, ob der Mann aus Galiläa
sei. 7 Man bestätigte ihm, daß Jesus aus dem Herrschaftsbereich von Herodes stamme. Da ließ Pilatus ihn zu Herodes bringen, der zu dieser Zeit ebenfalls in Jerusalem war.
8 Herodes freute sich sehr, als er Jesus sah; denn er wollte
ihn schon lange einmal kennenlernen. Er hatte viel von
ihm gehört und hoffte nun, selbst eines seiner Wunder
mitzuerleben. 9 Er stellte ihm viele Fragen, aber Jesus gab
keine Antwort. 10 Die führenden Priester* und Gesetzeslehrer* standen dabei und brachten ihre Beschuldigungen
vor. 11 Herodes und seine Soldaten trieben ihren Spott mit
Jesus. Zum Hohn zogen sie ihm ein Prachtgewand an. In
diesem Aufzug schickte Herodes ihn zu Pilatus zurück.
12 Herodes und Pilatus hatten sich früher gehaßt, aber an
diesem Tag wurden sie Freunde.

Das Todesurteil
(Mt 27,15-26; Mk 15,6-15; Joh 18,39-19,16)

[13] Pilatus rief die führenden Priester*, die maßgeblichen Männer und das übrige Volk zu sich [14] und erklärte: »Ihr habt mir diesen Mann gebracht und behauptet, er hetze die Leute auf. Aber ihr wart ja dabei, als ich ihn verhörte. Ich habe von den Anklagen, die ihr gegen ihn vorgebracht habt, keine einzige bestätigt gefunden. [15] Auch Herodes nicht; denn er hat ihn zu uns zurückgeschickt. Der Mann hat nichts getan, worauf die Todesstrafe steht. [16] Ich lasse ihn auspeitschen und gebe ihn dann frei.«°

[18] Aber die Menge tobte: »Weg mit ihm! Laß uns lieber den Barabbas frei!« [19] Barabbas saß im Gefängnis, weil in der Stadt ein Aufruhr stattgefunden hatte, bei dem jemand ermordet worden war. [20] Pilatus wollte Jesus noch immer freilassen und redete auf die Leute ein. [21] Aber alle riefen: »Ans Kreuz mit ihm, ans Kreuz!«

[22] Pilatus fragte sie zum drittenmal: »Aber was hat er denn verbrochen? Soweit ich es beurteilen kann, hat er nicht die Todesstrafe verdient. Ich will ihn auspeitschen lassen und dann freigeben.« [23] Aber sie schrien weiter, so laut sie konnten: »Ans Kreuz mit ihm!«

Schließlich siegte ihr Geschrei. [24] Pilatus entschied, daß sie ihren Willen haben sollten. [25] Er gab ihnen Jesus preis, und den, der wegen Aufruhr und Mord im Gefängnis saß, gab er frei.

Jesus am Kreuz
(Mt 27,32-44; Mk 15,21-32; Joh 19,17-27)

[26] Sie führten Jesus zur Hinrichtung. Unterwegs griffen sie einen Mann aus Zyrene mit Namen Simon auf, der gerade vom Feld zurückkam. Ihm luden sie das Kreuz auf, damit er es hinter Jesus hertrage.

[27] Eine große Menschenmenge folgte Jesus. Viele Frauen klagten und weinten um ihn. [28] Aber er drehte sich zu ihnen um und sagte: »Ihr Frauen von Jerusalem! Weint nicht um mich! Weint um euch selbst und um eure Kinder! [29] Denn schon bald wird man sagen: ›Glücklich sind die Frauen, die keine Kinder haben, die nie ein Kleines zur Welt gebracht und gestillt haben!‹ [30] Dann werden die

Leute zu den Bergen sagen: ›Stürzt auf uns!‹ und zu den
Hügeln: ›Begrabt uns!‹ ³¹Wenn man schon einen Baum
fällt, der noch grün ist, was wird erst mit dem Baum geschehen, der abgestorben ist?«

³²Zusammen mit Jesus wurden zwei Verbrecher zur
Hinrichtung geführt. ³³Als sie zu der Stelle kamen, die
›Schädel‹ genannt wird, nagelten die Soldaten Jesus ans
Kreuz, und mit ihm die beiden Verbrecher, den einen
links von Jesus, den anderen rechts. ³⁴Jesus sagte: »Vater,
vergib ihnen! Sie wissen nicht, was sie tun.«° Die Soldaten
verlosten untereinander seine Kleider.

³⁵Das Volk stand dabei und sah bei der Hinrichtung zu.
Die führenden Juden verspotteten Jesus: »Anderen hat er
geholfen; jetzt soll er sich selbst helfen, wenn er wirklich
der ist, den Gott uns als Retter* bestimmt hat!« ³⁶Auch
die Soldaten machten sich lustig über ihn; sie reich-
ten ihm Essig* ³⁷und sagten: »Hilf dir selbst, wenn du
wirklich der König der Juden bist!« ³⁸Über seinem Kopf
brachten sie eine Aufschrift an: »Dies ist der König der
Juden.«

³⁹Einer der Verbrecher, die mit ihm gekreuzigt worden
waren, beschimpfte ihn: »Bist du denn nicht der versprochene Retter? Dann hilf dir selbst und uns!« ⁴⁰Aber der
andere wies ihn zurecht: »Hast du immer noch keine
Furcht vor Gott? Du bist doch genauso zum Tod verurteilt, ⁴¹und du bist es mit Recht. Wir beide leiden hier die
Strafe, die wir verdient haben. Aber der da hat nichts Unrechtes getan.« ⁴²Und zu Jesus sagte er: »Denk an mich,
Jesus, wenn du deine Herrschaft antrittst!« ⁴³Jesus antwortete ihm: »Ich sage dir, du wirst noch heute mit mir im
Paradies* sein.«

Jesus stirbt
(Mt 27,45-56; Mk 15,33-41; Joh 19,28-30)

⁴⁴⁻⁴⁵Als es Mittag wurde, verfinsterte sich die Sonne, und
im ganzen Land war es bis drei Uhr dunkel. Dann riß der
Vorhang vor dem Allerheiligsten* im Tempel mitten
durch. ⁴⁶Jesus aber rief laut: »Vater, in deine Hände lege
ich meinen Geist!« Mit diesen Worten starb er.

⁴⁷Der römische Hauptmann, der die Aufsicht hatte, sah
das alles und gab Gott die Ehre. »Dieser Mann war be-

stimmt unschuldig«, sagte er. ⁴⁸Auch die Leute, die nur aus Schaulust hergekommen waren, sahen es und gingen tief betroffen weg.

⁴⁹Alle, die Jesus kannten, auch die Frauen, die mit ihm aus Galiläa gekommen waren, standen in einiger Entfernung und sahen zu.

Das Begräbnis
(Mt 27,57-61; Mk 15,42-47; Joh 19,38-42)

⁵⁰⁻⁵¹ Unter den Ratsältesten* gab es einen Mann namens Josef, der aus der jüdischen Stadt Arimathäa stammte. Er führte ein vorbildliches Leben und wartete darauf, daß Gott seine Herrschaft* aufrichte. Er hatte den Beschlüssen und dem Vorgehen des jüdischen Rates nicht zugestimmt. ⁵²Nun ging er zu Pilatus und bat ihn um den Leichnam Jesu. ⁵³Dann nahm er den Toten vom Kreuz, hüllte ihn in ein Leinentuch und legte ihn in ein Grab, das in einen Felsen gehauen war. Es war noch niemand darin bestattet worden. ⁵⁴Das geschah am Freitag, unmittelbar vor Beginn des Sabbats*.

⁵⁵Die Frauen, die zusammen mit Jesus aus Galiläa hergekommen waren, gingen mit Josef und sahen, wie Jesus ins Grab gelegt wurde. ⁵⁶Dann kehrten sie in die Stadt zurück und bereiteten wohlriechende Salben für die Einbalsamierung. Den Sabbat verbrachten sie in Ruhe, wie das Gesetz* es vorschreibt.

Jesus lebt
(Mt 28,1-8; Mk 16,1-8; Joh 20,1-13)

24 Am Sonntagmorgen gingen die Frauen in aller Frühe zum Grab und nahmen die Salben mit, die sie zubereitet hatten. ²Sie sahen, daß der Stein vom Grabeingang weggerollt war. ³Als sie aber hineingingen, war der Leichnam Jesu, des Herrn, nicht mehr da. ⁴Während sie noch ratlos dastanden, traten plötzlich zwei Männer in strahlend hellem Gewand zu ihnen. ⁵Die Frauen fürchteten sich und blickten zu Boden. Die beiden Männer sagten zu ihnen: »Was sucht ihr den Lebenden bei den Toten? ⁶Er ist nicht hier; Gott hat ihn vom Tod erweckt! Erinnert euch an das, was er euch in Galiläa gesagt hat: ⁷›Der Menschensohn* wird den Feinden Gottes aus-

geliefert und ans Kreuz genagelt, aber am dritten Tag wird er vom Tod auferstehen.«

[8]Da erinnerten sich die Frauen an seine Worte. [9]Sie verließen das Grab und gingen zu den Elf und den übrigen, die bei ihnen waren, um ihnen alles zu berichten. [10]Es waren Maria aus Magdala und Johanna sowie Maria, die Mutter von Jakobus, und noch einige andere Frauen. Sie erzählten den Aposteln*, was sie erlebt hatten. [11]Aber die hielten es für leeres Gerede und wollten den Frauen nicht glauben. [12]Nur Petrus sprang auf und lief zum Grab. Er schaute hinein, fand aber nichts als die Leinenbinden. Verwundert ging er nach Hause.

Auf dem Weg nach Emmaus

[13]Am selben Tag gingen zwei, die zu den Jüngern* Jesu gehört hatten, nach dem Dorf Emmaus, das etwa zehn Kilometer von Jerusalem entfernt lag. [14]Unterwegs unterhielten sie sich über alles, was geschehen war. [15]Als sie so miteinander sprachen und alles hin und her überlegten, kam Jesus dazu und ging mit ihnen. [16]Aber sie erkannten ihn nicht; sie waren wie mit Blindheit geschlagen. [17]Er fragte sie: »Worüber redet ihr denn so eifrig unterwegs?« Da blieben sie traurig stehen, [18]und der eine – er hieß Kleopas – fragte: »Du bist wohl der einzige in Jerusalem, der nicht weiß, was dort in den letzten Tagen geschehen ist?« [19]»Was denn?« fragte Jesus. »Das mit Jesus von Nazaret«, sagten sie. »Er war ein Prophet; in Worten und Taten hat er vor Gott und dem ganzen Volk seine Macht erwiesen. [20]Unsere führenden Priester* und die anderen Ratsmitglieder* haben ihn zum Tod verurteilt und ihn ans Kreuz nageln lassen. [21]Und wir hatten doch gehofft, er werde der Mann sein, der Israel befreit! Heute ist schon der dritte Tag, seitdem das geschehen ist. [22]Und jetzt haben uns einige Frauen, die zu uns gehören, noch mehr erschreckt. Sie gingen heute früh zu seinem Grab, [23]konnten aber seinen Leichnam nicht finden. Sie kamen zurück und erzählten, sie hätten Engel gesehen, die hätten ihnen gesagt, daß er lebt. [24]Einige von uns sind gleich zum Grab gelaufen und haben alles so gefunden, wie es die Frauen erzählten. Aber ihn selbst haben sie nicht gesehen.«

[25]Da sagte Jesus zu ihnen: »Was seid ihr doch blind!

Wie schwer tut ihr euch zu glauben, was die Propheten vorausgesagt haben! ²⁶Der versprochene Retter* mußte doch erst dies alles erleiden, um zu seiner Herrlichkeit* zu gelangen!« ²⁷Und Jesus erklärte ihnen die Worte, die sich auf ihn bezogen, von den Büchern Moses und der Propheten angefangen durch alle heiligen Schriften*.

²⁸Mittlerweile waren sie in die Nähe von Emmaus gekommen. Jesus tat so, als wollte er weitergehen. ²⁹Aber sie hielten ihn zurück und baten: »Bleib doch bei uns! Es ist fast Abend, und gleich wird es dunkel!« Da folgte er ihrer Einladung und blieb bei ihnen. ³⁰Während des Abendessens nahm er das Brot, dankte Gott, brach es in Stücke und gab es ihnen. ³¹Da gingen ihnen die Augen auf, und sie erkannten Jesus. Aber im selben Augenblick verschwand er vor ihnen. ³²Sie sagten zueinander: »Wurde uns nicht ganz heiß ums Herz, als er unterwegs mit uns sprach und uns die heiligen Schriften erklärte?« ³³Sie machten sich sofort auf den Rückweg nach Jerusalem. Als sie dort ankamen, waren die Elf mit allen übrigen versammelt ³⁴und riefen ihnen zu: »Der Herr ist wirklich auferweckt worden! Simon hat ihn gesehen.« ³⁵Da erzählten ihnen die beiden, was sie unterwegs erlebt hatten und wie sie den Herrn erkannt hatten, als er ihnen das Brot austeilte.

Jesus erscheint den Jüngern

(Joh 20,19-29)

³⁶Während die beiden noch erzählten, stand plötzlich der Herr selbst mitten unter ihnen. Er grüßte sie: »Ich bringe euch Frieden!« ³⁷Sie erschraken; denn sie meinten, einen Geist zu sehen. ³⁸Aber er sagte: »Warum seid ihr so erschrocken? Warum kommen euch solche Zweifel? ³⁹Schaut mich doch an, meine Hände, meine Füße, dann erkennt ihr, daß ich es wirklich bin. Faßt mich an und überzeugt euch; ein Geist hat doch nicht Fleisch und Knochen wie ich!« ⁴⁰Während er das sagte, zeigte er ihnen seine Hände und seine Füße. ⁴¹Als sie es in ihrer Freude und Verwunderung noch immer nicht fassen konnten, fragte er: »Habt ihr etwas zu essen da?« ⁴²Sie gaben ihm ein Stück gebratenen Fisch, ⁴³und er aß es vor ihren Augen.

⁴⁴ Dann sagte er zu ihnen: »Als ich noch bei euch war, habe ich euch gesagt: ›Alles, was im Gesetz* Moses, in den Schriften der Propheten und in den Psalmen über mich steht, muß in Erfüllung gehen.‹« ⁴⁵ Und er half ihnen, die heiligen Schriften* richtig zu verstehen. ⁴⁶ »Hier steht es doch geschrieben«, erklärte er ihnen: »Der versprochene Retter* muß leiden und sterben und am dritten Tag vom Tod auferstehen. ⁴⁷ Den Menschen aller Völker muß verkündet werden, daß ihnen um seinetwillen Umkehr zu Gott und Vergebung der Schuld angeboten wird. Und das muß in Jerusalem anfangen. ⁴⁸ Ihr seid Zeugen von all dem und sollt dafür einstehen! ⁴⁹ Ich aber werde den Geist*, den mein Vater euch versprochen hat, zu euch senden. Wartet hier in der Stadt, bis ihr mit der Kraft von oben gestärkt werdet.«

Jesus nimmt Abschied

⁵⁰ Darauf führte Jesus sie aus der Stadt hinaus nach Betanien. Dort erhob er die Hände, um sie zu segnen. ⁵¹ Und während er sie segnete, entfernte er sich von ihnen und wurde zum Himmel emporgehoben. ⁵² Sie aber warfen sich vor ihm nieder. Dann kehrten sie voller Freude nach Jerusalem zurück. ⁵³ Dort brachten sie die ganze Zeit im Tempel zu und priesen Gott.

DIE GUTE NACHRICHT NACH JOHANNES

Christus – ›das Wort‹

1 Am Anfang, bevor die Welt geschaffen wurde,
war Er, der ›das Wort‹* ist.
Er war bei Gott und in allem Gott gleich.
² Von Anfang an war er bei Gott.
³⁻⁴ Durch ihn wurde alles geschaffen;
nichts ist entstanden ohne ihn.
In allem Geschaffenen war er das Leben,
und für die Menschen war er das Licht.
⁵ Das Licht strahlt in der Finsternis,
und die Finsternis hat es nicht auslöschen können.
⁶ Ein Mann wurde von Gott gesandt, er hieß Johannes.
⁷ Er sollte die Menschen auf das Licht hinweisen, damit
alle es erkennen und annehmen. ⁸ Er selbst war nicht das
Licht; er sollte nur auf das Licht hinweisen.
⁹⁻¹⁰ Das wahre Licht ist Er, ›das Wort‹.
Er kam in die Welt und war in der Welt,
um allen Menschen Licht zu geben.
Die Welt war durch ihn geschaffen worden,
und doch erkannte sie ihn nicht.
¹¹ Er kam in sein eigenes Land,
doch sein eigenes Volk wies ihn ab.°
¹² Manche aber nahmen ihn auf
und schenkten ihm ihr Vertrauen.
Ihnen gab er das Recht,
Kinder Gottes zu werden.
¹³ Das wurden sie nicht durch natürliche Geburt oder weil
Menschen es so wollten, sondern weil Gott ihnen ein
neues Leben gab.
¹⁴ Er, ›das Wort‹, wurde ein Mensch,
ein wirklicher Mensch von Fleisch und Blut,
und nahm Wohnung unter uns.
Wir sahen seine Macht und Hoheit,
die göttliche Hoheit des einzigen Sohnes*,
die ihm der Vater gegeben hat.
Gottes ganze Güte und Treue
ist uns in ihm begegnet.

¹⁵Johannes trat als Zeuge für ihn auf und rief: »Das ist der, von dem ich sagte: ›Nach mir kommt einer, der über mir steht; denn bevor ich geboren wurde, war er schon da.‹«

¹⁶Aus seinem Reichtum hat er uns beschenkt;
 er hat uns alle mit Güte überschüttet.

¹⁷Durch Mose gab Gott uns das Gesetz*, in Jesus Christus aber ist uns seine ganze Güte und Treue begegnet. ¹⁸Kein Mensch hat Gott jemals gesehen. Nur der einzige Sohn,° der ganz eng mit dem Vater verbunden ist, hat uns gezeigt, wer Gott ist.

Die Zeugenaussage des Täufers

(Mt 3,1-12; Mk 1,1-8; Lk 3,1-18)

¹⁹Johannes machte seine Zeugenaussage, als die führenden Männer° aus Jerusalem Priester und Leviten* zu ihm schickten, die ihn fragten: »Wer bist du?« ²⁰Johannes wich der Antwort nicht aus, sondern bezeugte mit aller Deutlichkeit: »Ich bin nicht der versprochene Retter*.« ²¹»Wer bist du dann?« fragten sie ihn. »Bist du Elija?« »Nein, der bin ich auch nicht«, antwortete Johannes. »Bist du der erwartete Prophet?« fragten sie weiter. »Nein«, erwiderte er. ²²»Sag uns, wer du bist«, forderten sie. »Die Männer, die uns geschickt haben, verlangen eine Antwort von uns. Was sagst du selbst von dir?« ²³Johannes antwortete: »Ich bin der, von dem der Prophet Jesaja sagt: ›In der Wüste ruft einer: Macht den Weg bereit, auf dem der Herr kommt!‹«

²⁴Die Beauftragten waren von den Pharisäern* geschickt worden. ²⁵Sie fragten Johannes: »Wenn du weder der versprochene Retter bist noch Elija und auch nicht der Prophet, warum taufst du dann die Leute?« ²⁶Johannes antwortete: »Ich taufe nur mit Wasser. Aber mitten unter euch steht der, den ihr noch nicht kennt. ²⁷Er kommt nach mir, und ich bin nicht gut genug, ihm auch nur die Schuhe aufzubinden.«

²⁸Das ereignete sich in Betanien auf der anderen Seite des Jordans, wo Johannes taufte.

Das Gotteslamm

²⁹Als Johannes am nächsten Tag sah, daß Jesus auf ihn zu-
kam, sagte er: »Dieser ist das Opferlamm* Gottes, das die
Schuld der ganzen Welt wegnimmt. ³⁰Ihn meinte ich, als
ich sagte: ›Nach mir kommt einer, der über mir steht;
denn bevor ich geboren wurde, war er schon da.‹ ³¹Aber
als ich das sagte, wußte ich noch nicht, wer er ist. Ich begann mit Wasser zu taufen, damit er in Israel bekannt
würde.«

³²Johannes machte auch folgende Aussage: »Ich sah
den Geist* Gottes wie eine Taube vom Himmel kommen
und bei ihm bleiben. ³³Vorher wußte ich nicht, daß er es
war. Aber Gott, der mir den Auftrag gab, mit Wasser
zu taufen, hatte zu mir gesagt: ›Wenn du einen siehst, auf
den sich der Geist niederläßt und bei dem er bleibt,
dann weißt du: das ist der, der mit dem heiligen Geist
tauft.‹ ³⁴Das habe ich gesehen«, sagte Johannes, »und ich
verbürge mich dafür, daß dieser Mann Gottes Sohn*
ist.«

Die ersten Jünger

³⁵Am nächsten Tag war Johannes mit zwei von seinen
Jüngern an derselben Stelle. ³⁶Als er Jesus vorbeigehen
sah, sagte er: »Dieser ist das Opferlamm* Gottes.« ³⁷Die
beiden hörten es und gingen Jesus nach. ³⁸Jesus drehte
sich um, sah, daß sie ihm folgten, und fragte: »Was sucht
ihr?« Sie antworteten: »Wo wohnst du, Rabbi?« – Rabbi
bedeutet Lehrer. – ³⁹»Kommt, dann werdet ihr es sehen!«
antwortete er. Sie gingen mit ihm, sahen, wo er wohnte,
und verbrachten den Rest des Tages mit ihm. Es war ungefähr vier Uhr nachmittags.

⁴⁰Einer von den beiden, die die Aussage von Johannes
gehört hatten und Jesus gefolgt waren, hieß Andreas. Er
war der Bruder von Simon Petrus. ⁴¹Als er bald darauf seinen Bruder Simon traf, sagte er zu ihm: »Wir haben den
versprochenen Retter* gefunden.« ⁴²Dann nahm er ihn
mit zu Jesus. Jesus sah ihn an und sagte: »Du bist Simon,
der Sohn von Johannes. Du wirst einmal Kephas genannt
werden.« Kephas ist das hebräische* Wort für Petrus
(Fels).

Philippus und Natanaël

⁴³Am nächsten Tag beschloß Jesus, nach Galiläa zu gehen.
Er traf Philippus und sagte zu ihm: »Geh mit mir!« ⁴⁴Phil-
ippus stammte wie Andreas und Petrus aus Betsaida.
⁴⁵Philippus wiederum suchte Natanaël auf und sagte zu
ihm: »Wir haben den gefunden, über den Mose im Gesetz* geschrieben hat und den auch die Propheten angekündigt haben. Es ist Jesus aus Nazaret, der Sohn Josefs.«
⁴⁶»Kann aus Nazaret etwas Gutes kommen?« fragte Natanaël. Philippus aber sagte zu ihm: »Komm mit und über-
zeuge dich selbst!«
⁴⁷Als Jesus Natanaël kommen sah, sagte er: »Da
kommt ein wahrer Israelit, ein Mann ohne Falschheit.«
⁴⁸Natanaël fragte ihn: »Woher kennst du mich?« Jesus
antwortete: »Bevor Philippus dich aufforderte mitzukommen, habe ich dich unter dem Feigenbaum gesehen.«
⁴⁹Da sagte Natanaël: »Du bist der Sohn* Gottes! Du bist
der König von Israel!« ⁵⁰Jesus sagte: »Nun vertraust du
mir, weil ich dir sagte, daß ich dich unter dem Feigenbaum sah. Du wirst noch viel größere Dinge erleben.«
⁵¹Und er fuhr fort: »Ich versichere euch: ihr werdet den
Himmel geöffnet sehen und die Engel zwischen Gott im
Himmel und dem Menschensohn* auf der Erde hinauf-
und heruntersteigen!«

Die Hochzeit in Kana

2 ¹⁻²Zwei Tage später fand in Kana in Galiläa eine
Hochzeit statt. Jesus war mit seinen Jüngern eingeladen, und auch seine Mutter war dort.
³Als der Weinvorrat zu Ende war, sagte seine Mutter zu
ihm: »Sie haben keinen Wein mehr!« ⁴Jesus erwiderte ihr:
»Was ich zu tun habe, ist meine Sache, nicht deine. Meine Zeit ist noch nicht da.« ⁵Da wandte sich seine Mutter an die Diener und sagte: »Tut alles, was er euch befiehlt!«
⁶Im Haus standen sechs Wasserkrüge aus Ton, von denen jeder etwa hundert Liter faßte. Man brauchte sie wegen der Reinigung*, die das Gesetz* vorschreibt. ⁷Jesus
sagte zu den Dienern: »Füllt diese Krüge mit Wasser!« Sie
füllten sie bis an den Rand. ⁸Dann befahl er ihnen:

»Nehmt eine Probe von dem Wasser und bringt sie dem Mann, der für das Festessen verantwortlich ist.«

Das taten sie, ⁹und der Mann probierte das Wasser, da war es zu Wein geworden. Er wußte aber nicht, woher der Wein kam; nur die Diener, die ihm das Wasser gebracht hatten, wußten es. Er rief also den Bräutigam zu sich ¹⁰und sagte: »Jeder andere bringt zuerst den besten Wein auf den Tisch, und wenn die Gäste schon reichlich getrunken haben, folgt der gewöhnliche. Aber du hast den besten Wein bis zum Schluß aufgehoben!«

¹¹Mit diesem Wunder in Kana in Galiläa setzte Jesus ein erstes Zeichen; damit zeigte er seine Herrlichkeit, und seine Jünger faßten Vertrauen zu ihm. ¹²Danach ging Jesus mit seiner Mutter, seinen Brüdern und seinen Jüngern nach Kafarnaum und blieb einige Tage dort.

Jesus im Tempel
(Mt 21,12-13; Mk 11,15-17; Lk 19,45-46)

¹³Als das Passafest* näherkam, ging Jesus nach Jerusalem. ¹⁴Im Tempel fand er Händler, die Ochsen, Schafe und Tauben verkauften; auch Geldwechsler* saßen dort an ihren Tischen. ¹⁵Da machte er sich aus Stricken eine Peitsche und trieb alle Rinder und Schafe aus dem Tempelbezirk. Er stieß die Tische der Geldwechsler um und warf ihre Geldstücke auf den Boden. ¹⁶Den Taubenverkäufern befahl er: »Schafft das hier weg! Macht aus dem Haus meines Vaters keine Markthalle!« ¹⁷Später erinnerten sich seine Jünger an das Wort in den heiligen Schriften*: »Die Liebe zu deinem Haus verzehrt mich wie ein Feuer.«

¹⁸Die führenden Männer fragten ihn: »Woran können wir erkennen, daß du so etwas tun darfst? Gib uns einen Beweis!« ¹⁹Jesus antwortete ihnen: »Reißt diesen Tempel nieder, und in drei Tagen werde ich ihn wieder aufbauen!« ²⁰Sie hielten ihm entgegen: »Für den Bau dieses Tempels wurden sechsundvierzig Jahre gebraucht, und du willst ihn in drei Tagen wieder aufbauen!«

²¹Mit dem Tempel meinte Jesus aber sich selbst. ²²Als er später vom Tod auferstanden war, erinnerten sich seine Jünger an dieses Wort. Da glaubten sie den heiligen Schriften und dem, was Jesus selbst ihnen gesagt hatte.

Jesus kennt die Menschen

²³ Während sich Jesus das Passafest* über in Jerusalem aufhielt, sahen viele die Wunder, die er tat, und faßten Vertrauen zu ihm. ²⁴ Aber Jesus hielt sich zurück, weil er sie alle durchschaute. ²⁵ Über die Menschen brauchte ihm keiner etwas zu sagen, denn er wußte genau über sie Bescheid.

Jesus und Nikodemus

3 Einer der führenden jüdischen Männer war Nikodemus; er gehörte zu den Pharisäern*. ² Eines Nachts kam er zu Jesus und sagte zu ihm: »Wir wissen, daß Gott dich gesandt und dich als Lehrer bestätigt hat. Nur mit Gottes Hilfe kann jemand solche Taten vollbringen, wie du sie tust.«

³ Jesus antwortete: »Ich versichere dir: nur wer von neuem° geboren ist, wird Gottes neue Welt zu sehen bekommen.« ⁴ »Wie kann ein erwachsener Mensch noch einmal geboren werden?« fragte Nikodemus. »Er kann doch nicht in den Leib seiner Mutter zurückkehren und ein zweites Mal auf die Welt kommen!«

⁵ Jesus sagte: »Ich versichere dir: nur wer von Wasser und Geist* geboren wird, kann in Gottes neue Welt hineinkommen. ⁶ Was Menschen zur Welt bringen, ist und bleibt menschlich. Geistliches* aber kann nur vom Geist Gottes geboren werden. ⁷ Wundere dich nicht, wenn ich dir sage: Ihr müßt alle von neuem geboren werden. ⁸ Der Wind weht, wo es ihm gefällt. Du hörst ihn nur rauschen, aber du weißt nicht, woher er kommt und wohin er geht. So ist es auch bei denen, die vom Geist geboren werden.«

⁹ »Wie ist das möglich?« fragte Nikodemus. ¹⁰ Jesus antwortete: »Du bist ein anerkannter Lehrer Israels und weißt das nicht? ¹¹ Ich will es dir ganz deutlich sagen: Wir sprechen über Dinge, die wir kennen, und machen Aussagen über das, was wir sehen. Aber keiner von euch ist bereit, auf unsere Aussage zu hören. ¹² Ihr glaubt mir ja schon nicht, wenn ich zu euch über irdische Dinge rede. Wie könnt ihr mir dann glauben, wenn ich über das rede, was im Himmel ist? ¹³ Und doch ist niemand im Himmel gewesen als nur der Menschensohn*, der vom Himmel ge-

kommen ist. [14] Mose richtete den Pfahl mit der bronzenen Schlange sichtbar in der Wüste auf. Genauso muß auch der Menschensohn erhöht° werden. [15] Dann wird jeder, der ihm vertraut, durch ihn das ewige Leben finden.

[16] Gott liebte die Menschen° so sehr, daß er seinen einzigen Sohn* hergab. Nun wird jeder, der sein Vertrauen auf den Sohn Gottes setzt, nicht zugrunde gehen, sondern ewig leben. [17] Gott sandte ihn nicht in die Welt, um die Menschen zu verurteilen, sondern um sie zu retten. [18] Wer sich auf den Sohn Gottes verläßt, der wird nicht verurteilt. Wer sich aber nicht auf ihn verläßt, der ist schon verurteilt, weil er Gottes einzigen Sohn ablehnt. [19] So wird das Urteil vollstreckt: Das Licht ist in die Welt gekommen, aber die Menschen hatten die Dunkelheit lieber als das Licht; denn ihre Taten waren schlecht. [20] Jeder, der Böses tut, haßt das Licht und bleibt im Dunkeln, damit seine schlechten Taten nicht sichtbar werden. [21] Aber wer der Wahrheit gehorcht, kommt zum Licht; denn das Licht macht sichtbar, daß er mit seinen Taten Gott gehorsam war.«

Jesus und der Täufer

[22] Danach ging Jesus mit seinen Jüngern in das Gebiet von Judäa. Dort verbrachte er einige Zeit mit ihnen und taufte. [23] Auch Johannes taufte in Änon, nicht weit von Salim, denn dort gab es reichlich Wasser. Immer wieder kamen Leute zu ihm, und er taufte sie; [24] denn er war zu jener Zeit noch nicht im Gefängnis.

[25] Einmal stritten sich einige Jünger von Johannes mit jemand darüber, welche Taufe den höheren Rang habe. [26] Sie kamen deshalb zu Johannes und fragten ihn: »Erinnerst du dich an den Mann, der dich am anderen Jordanufer aufsuchte und auf den du hingewiesen hast? Er tauft jetzt auch, und alle gehen zu ihm!«

[27] Johannes antwortete: »Niemand kann etwas tun, wozu Gott ihn nicht ermächtigt hat. [28] Ihr könnt selbst bestätigen, daß ich sagte: ›Ich bin nicht der versprochene Retter*, sondern ich bin nur vor ihm hergesandt worden.‹ [29] Wer die Braut bekommt, der ist der Bräutigam. Der Freund des Bräutigams steht nur daneben. Wenn er den Bräutigam jubeln hört, freut er sich. So ist jetzt auch mei-

ne Freude vollkommen. ³⁰Sein Einfluß muß zunehmen, meiner muß abnehmen.«

Er kommt vom Himmel

³¹»Wer von oben kommt, steht über allen anderen. Wer von der Erde ist, gehört zur Erde und redet so, wie Menschen reden. Wer aber vom Himmel kommt, ³²spricht über das, was er dort gesehen und gehört hat. Doch keiner hört auf ihn. ³³Wer auf ihn hört, bekräftigt damit, daß Gott die Wahrheit sagt. ³⁴Der von Gott Gesandte spricht ja die Worte Gottes, denn Gott erfüllt ihn ganz mit seinem Geist*. ³⁵Der Vater liebt den Sohn* und hat ihm die Macht über alle Dinge gegeben. ³⁶Wer sich auf den Sohn verläßt, wird ewig leben. Wer nicht auf den Sohn hört, wird niemals das Leben finden, sondern für immer dem Zorn Gottes ausgesetzt sein.«

Jesus und die Frau aus Samarien

4 Die Pharisäer* hörten, daß Jesus mehr Anhänger gewann und taufte als Johannes. – ²Jesus selbst taufte übrigens nicht; das taten nur seine Jünger. – ³Als Jesus erfuhr, was man sich erzählte, verließ er Judäa und ging zurück nach Galiläa. ⁴Sein Weg führte ihn durch Samarien.
⁵Dabei kam er in die Nähe des Dorfes Sychar, das nicht weit von dem Feld entfernt liegt, das Jakob einst seinem Sohn Josef vererbt hatte. ⁶Dort befand sich der Jakobsbrunnen. Jesus war von dem langen Weg müde geworden und setzte sich an den Brunnen. Es war gegen Mittag.
⁷⁻⁸Seine Jünger waren ins Dorf gegangen, um etwas zu essen zu kaufen. Da kam eine samaritanische Frau zum Wasserholen, und Jesus sagte zu ihr: »Gib mir einen Schluck Wasser!« ⁹Die Frau antwortete: »Du bist Jude, und ich bin eine Samaritanerin. Wie kannst du mich da um etwas zu trinken bitten?« Die Juden vermeiden nämlich jede Berührung mit Samaritanern*. ¹⁰Jesus antwortete: »Wenn du wüßtest, was Gott schenken will und wer dich jetzt um Wasser bittet, dann hättest du *ihn* um Wasser gebeten, und er hätte dir lebendiges* Wasser gegeben.«
¹¹»Du hast doch keinen Eimer«, sagte die Frau, »und der Brunnen ist tief. Woher willst du dann lebendiges

Wasser haben? [12] Unser Stammvater Jakob hat uns diesen Brunnen hinterlassen. Er selbst, seine Söhne und seine ganze Herde tranken aus ihm. Du willst doch nicht sagen, daß du mehr bist als Jakob?« [13] Jesus antwortete: »Wer dieses Wasser trinkt, wird wieder durstig. [14] Wer aber von dem Wasser trinkt, das ich ihm gebe, wird niemals mehr Durst haben. Ich gebe ihm Wasser, das in ihm zu einer Quelle wird, die ewiges Leben schenkt.«

[15] »Gib mir von diesem Wasser«, sagte die Frau, »dann werde ich keinen Durst mehr haben und muß nicht mehr hierher kommen, um Wasser zu schöpfen.« [16] Jesus forderte sie auf: »Geh und bring deinen Mann her!« [17] »Ich habe keinen Mann«, sagte die Frau. Jesus erwiderte: »Es stimmt, wenn du sagst, daß du keinen Mann hast. [18] Du warst fünfmal verheiratet, und der Mann, mit dem du jetzt zusammenlebst, ist gar nicht dein Mann. Da hast du ganz recht.«

[19] »Ich sehe, du bist ein Prophet«, sagte die Frau. [20] »Unsere Vorfahren verehrten Gott auf diesem Berg. Ihr Juden dagegen behauptet, daß Jerusalem der Ort ist, an dem Gott verehrt werden will.« [21] Jesus sagte zu ihr: »Glaube mir, es kommt die Zeit, in der die Menschen den Vater weder auf diesem Berg noch in Jerusalem anbeten werden. [22] Ihr Samaritaner kennt Gott eigentlich gar nicht, zu dem ihr betet; doch wir kennen ihn, denn die Rettung kommt von den Juden. [23-24] Aber eine Zeit wird kommen, und sie hat schon begonnen, da wird der Geist*, der Gottes Wahrheit enthüllt, Menschen befähigen, den Vater an jedem Ort anzubeten. Gott ist ganz anders als diese Welt*, er ist machtvoller Geist, und die ihn anbeten wollen, müssen vom Geist der Wahrheit neu geboren sein. Von solchen Menschen will der Vater angebetet werden.«

[25] Die Frau sagte zu ihm: »Ich weiß, daß der versprochene Retter* kommen wird. Wenn er kommt, wird er uns alles sagen.« [26] Jesus antwortete: »Du sprichst mit ihm; *ich bin es.*«

[27] In diesem Augenblick kehrten seine Jünger zurück. Sie waren höchst erstaunt, ihn im Gespräch mit einer Frau anzutreffen.° Aber keiner fragte ihn: »Was willst du von ihr?« oder: »Worüber redest du mit ihr?«

[28] Die Frau ließ ihren Wasserkrug stehen, ging ins Dorf

und sagte zu den Leuten: ²⁹»Kommt mit und seht euch den Mann an, der mir alles gesagt hat, was ich jemals getan habe! Vielleicht ist er der versprochene Retter.« ³⁰Da gingen sie alle hinaus zu Jesus.

³¹Inzwischen forderten die Jünger Jesus auf: »Iß doch etwas!« ³²Aber er antwortete: »Ich lebe von einer Nahrung, die ihr nicht kennt.« ³³Da fragten sie sich: »Hat ihm vielleicht jemand etwas zu essen gebracht?« ³⁴Jesus sagte zu ihnen: »Meine Nahrung ist, daß ich dem gehorche, der mich gesandt hat, und das Werk vollende, das er mir aufgetragen hat. ³⁵Ihr denkt wie das Sprichwort: ›Zwischen Saat und Ernte liegen vier Monate!‹ Aber ich sage euch: Seht euch die Felder doch an! Das Korn ist schon reif für die Ernte. ³⁶Wer sie einbringt, erhält schon jetzt seinen Lohn und sammelt Frucht für das ewige Leben. Gleichzeitig mit dem, der sät, freut er sich über seinen Lohn. ³⁷Aber das Sprichwort stimmt, daß einer sät und ein anderer erntet. ³⁸Ich habe euch zum Ernten auf ein Feld geschickt, auf dem ihr nicht gearbeitet habt. Andere haben dort vor euch gearbeitet, und ihr habt den Nutzen davon.«

³⁹Viele Samaritaner in jenem Ort faßten Vertrauen zu Jesus, weil die Frau berichtet hatte: »Er hat mir alles gesagt, was ich jemals getan habe.« ⁴⁰Als sie zu Jesus kamen, baten sie ihn zu bleiben, und er verbrachte zwei Tage bei ihnen. ⁴¹Noch viele andere faßten aufgrund seiner Worte Vertrauen zu Jesus. ⁴²Sie erklärten der Frau: »Jetzt vertrauen wir ihm nicht nur wegen deiner Erzählung, sondern weil wir ihn selbst gehört haben. Wir wissen jetzt, daß er wirklich der Retter der Welt ist.«

Jesus heilt den Sohn eines königlichen Beamten

⁴³Nachdem Jesus zwei Tage dortgeblieben war, verließ er die Gegend und ging nach Galiläa. ⁴⁴Jesus selbst hatte gesagt: »Kein Prophet gilt etwas in seiner Heimat.« ⁴⁵Doch als er nach Galiläa kam, begrüßten ihn die Leute freundlich. Sie waren beim Passafest* in Jerusalem gewesen und hatten alles gesehen, was er dort während der Feiertage getan hatte.

⁴⁶Jesus kam wieder nach Kana in Galiläa, wo er das Wasser in Wein verwandelt hatte. In Kafarnaum lebte damals ein Mann, der in königlichem Dienst stand; dessen

Sohn war krank. ⁴⁷Als er hörte, daß Jesus von Judäa nach
Galiläa gekommen war, suchte er ihn auf und bat ihn:
»Komm nach Kafarnaum und mach meinen Sohn gesund;
er liegt im Sterben.«

⁴⁸Jesus sagte zu ihm: »Ihr alle vertraut mir nur, wenn
ihr Wunder und gewaltige Taten seht.« ⁴⁹Der Mann bat
ihn: »Komm mit mir, bevor mein Kind stirbt!« ⁵⁰»Geh nur
heim«, sagte Jesus zu ihm, »dein Sohn soll leben!« Der
Mann verließ sich auf das, was Jesus sagte, und ging.

⁵¹Auf dem Heimweg kamen ihm seine Diener entgegen
und berichteten: »Dein Sohn lebt!« ⁵²Er fragte sie, seit
wann es ihm besser gehe, und sie antworteten: »Gestern
mittag um ein Uhr hat das Fieber aufgehört.« ⁵³Da erkannte der Vater, daß es genau zu der Zeit geschehen war,
als Jesus zu ihm sagte: »Dein Sohn soll leben!« Von da an
hatte er volles Vertrauen zu Jesus, und mit ihm seine ganze Familie.

⁵⁴Dieses Wunder tat Jesus, als er von Judäa nach Galiläa kam, und setzte damit das zweite Zeichen seiner
Macht.

Die Heilung am Teich Betesda

5 Bald darauf war ein jüdisches Fest, und Jesus ging
nach Jerusalem. ²Am Schaftor in Jerusalem befindet
sich ein Teich mit fünf offenen Hallen. Auf hebräisch*
wird er Betesda genannt. ³Eine große Anzahl von Kranken lag ständig in den Hallen: Blinde, Gelähmte und
Schwindsüchtige.°

⁵Unter ihnen war auch ein Mann, der seit achtunddrei-
ßig Jahren krank war. ⁶Jesus sah ihn dort liegen. Er wußte, wie lange der Mann schon unter seiner Krankheit litt,
und fragte ihn: »Willst du gesund werden?« ⁷Der Kranke
antwortete: »Herr, ich habe keinen, der mir in den Teich
hilft, wenn das Wasser sich bewegt. Wenn ich es allein versuche, ist immer schon jemand vor mir da.« ⁸Jesus sagte
zu ihm: »Steh auf, nimm deine Matte und geh!« ⁹Im selben Augenblick wurde der Mann gesund. Er nahm seine
Matte und konnte wieder gehen.

Dieser Vorfall ereignete sich an einem Sabbat*. ¹⁰Die
führenden Männer sagten deshalb zu dem Mann, der geheilt worden war: »Heute ist Sabbat, da darfst du keine

Matte tragen!« ¹¹Er antwortete: »Der Mann, der mich geheilt hat, befahl mir, meine Matte zu nehmen und zu gehen.« ¹²Sie fragten ihn: »Wer ist es denn, der dir befahl,
deine Matte zu nehmen und zu gehen?« ¹³Aber er konnte
keine Auskunft darüber geben; Jesus hatte den Ort wegen der Menschenansammlung schon wieder verlassen.

¹⁴Später traf Jesus den Mann im Tempel und sagte:
»Hör gut zu! Du bist jetzt gesund. Tu kein Unrecht mehr,
sonst wird es dir noch schlimmer ergehen.« ¹⁵Der Geheilte ging fort und berichtete den führenden Männern, daß
es Jesus war, der ihn gesund gemacht hatte. ¹⁶Von da an
begannen sie, Jesus zu verfolgen, weil er an einem Sabbat
geheilt hatte. ¹⁷Jesus aber sagte zu ihnen: »Mein Vater ist
ständig am Werk, und ich bin es auch.« ¹⁸Daraufhin waren sie noch fester entschlossen, ihn zu töten. Denn Jesus
hatte nicht nur die Sabbatvorschriften übertreten, er behauptete sogar, daß Gott sein Vater sei, und stellte sich so
mit Gott auf eine Stufe.

Die Vollmacht des Sohnes

¹⁹Jesus erwiderte auf ihre Vorwürfe: »Ich versichere
euch: der Sohn* kann nichts von sich aus tun. Er handelt
nur nach dem Vorbild seines Vaters. Was dieser tut, das
tut auch der Sohn. ²⁰Der Vater gibt dem Sohn Einblick in
alles, was er tut; denn er liebt ihn. Er wird ihm noch viel
größere Aufgaben übertragen, und ihr werdet darüber erstaunt sein. ²¹Wie der Vater die Toten auferweckt und ihnen das neue Leben gibt, so gibt auch der Sohn das neue
Leben, wem er will. ²²Auch seine ganze richterliche
Macht hat der Vater dem Sohn übergeben; er selbst
spricht keinem das Urteil. ²³Alle sollen den Sohn ebenso
ehren wie den Vater. Wer den Sohn nicht ehrt, ehrt auch
den Vater nicht, der ihn gesandt hat.

²⁴Ich versichere euch: Alle, die auf mein Wort hören
und dem vertrauen, der mich gesandt hat, werden ewig leben. Sie werden nicht verurteilt. Sie haben den Tod schon
hinter sich gelassen und das unvergängliche Leben erreicht. ²⁵Ich sage euch: die Zeit ist nicht mehr fern – sie
hat sogar schon begonnen –, daß die Toten die Stimme des
Gottessohnes hören werden, und wer sie hört, wird leben.
²⁶Der Vater ist der Ursprung allen Lebens, und er hat

dem Sohn die Macht gegeben, genauso wie er selbst Leben zu schenken. [27] Er hat den Sohn ermächtigt, Gericht zu halten, weil er der Menschensohn* ist. [28] Wundert euch nicht darüber! Es dauert nicht mehr lange, dann werden alle, die tot in den Gräbern liegen, seine Stimme hören [29] und werden ihre Gräber verlassen. Wer Gutes getan hat, wird auferstehen, um das neue Leben zu empfangen, und wer Böses getan hat, um seine Verurteilung entgegenzunehmen.

[30] Ich kann nichts von mir aus tun, sondern entscheide als Richter nur so, wie Gott es mir sagt. Meine Entscheidung ist gerecht, denn ich setze nicht meinen eigenen Willen durch, sondern den Willen dessen, der mich gesandt hat.«

Zeugen für Jesus

[31]»Wenn ich in eigener Sache aussagte, hätte meine Aussage keine Beweiskraft. [32] Aber ich habe einen Zeugen, der für mich aussagt, und ich weiß, daß er die Wahrheit über mich sagt. [33] Ihr habt Boten zu Johannes geschickt, und seine Aussage ist wahr. [34] Ich selbst habe keinen Menschen als Zeugen nötig; ich berufe mich auf Johannes nur, weil ich möchte, daß ihr gerettet werdet. [35] Johannes glich einer brennenden Lampe, und eine Zeitlang habt ihr euch an seinem Licht gefreut.

[36] Aber ich habe ein Zeugnis auf meiner Seite, das die Aussage von Johannes weit übertrifft: die Taten, die mein Vater mir aufgetragen hat und die ich vollbringe. Sie sprechen für mich und bestätigen, daß mein Vater mich gesandt hat. [37] Der Vater selbst, der mich gesandt hat, hat damit für mich ausgesagt. Ihr habt seine Stimme niemals gehört und seine Gestalt nie gesehen. [38] Sein Wort lebt nicht in euch, weil ihr nicht dem vertraut, den er gesandt hat. [39] Ihr forscht in den heiligen Schriften* und seid überzeugt, in ihnen das ewige Leben zu finden – und gerade sie weisen auf mich hin. [40] Aber ihr seid nicht bereit, zu mir zu kommen, um das Leben zu finden.

[41] Ich bin nicht darauf aus, von Menschen geehrt zu werden. [42] Ich kenne euch; ich weiß, daß in euren Herzen keine Liebe zu Gott ist. [43] Ich bin im Auftrag meines Vaters gekommen, aber ihr weist mich ab. Doch wenn je-

mand im eigenen Auftrag kommt, werdet ihr ihn aufnehmen. [44]Ihr legt Wert darauf, voreinander etwas zu gelten;
aber ihr bemüht euch nicht darum, von Gott anerkannt zu
werden. Darum seid ihr auch nicht fähig, mir zu vertrau-
en. [45]Ihr braucht aber nicht zu denken, daß ich euch bei
meinem Vater verklagen werde. Mose klagt euch an, derselbe Mose, auf den ihr euch verlaßt. [46]Wenn ihr Mose
wirklich glaubtet, dann würdet ihr auch mir glauben;
denn er hat über mich geschrieben. [47]Da ihr aber nicht
glaubt, was er geschrieben hat, wie könnt ihr dann meinen
Worten glauben?«

Jesus gibt fünftausend Menschen zu essen
(Mt 14,13-21; Mk 6,30-44; Lk 9,10-17)

6 Danach fuhr Jesus über den See von Galiläa, der auch
See von Tiberias heißt. [2]Eine große Menschenmenge
folgte ihm, weil sie erlebt hatte, wie er die Kranken heilte.
[3]Jesus stieg auf einen Berg und setzte sich mit seinen Jüngern. [4]Es war kurz vor dem Passafest*.

[5]Jesus blickte auf und sah die Menschenmenge auf sich
zukommen. Er wandte sich an Philippus: »Wo können wir
genügend Nahrung kaufen, damit alle diese Leute satt
werden?« [6]Das sagte er, um Philippus auf die Probe zu
stellen. In Wirklichkeit wußte er schon, was er tun würde.
[7]Philippus antwortete: »Man müßte für über zweihundert
Silberstücke* Brot kaufen, wenn jeder wenigstens eine
Kleinigkeit erhalten sollte.« [8]Andreas, ein anderer Jünger,
der Bruder von Simon Petrus, sagte: [9]»Hier ist ein Junge,
der hat fünf Gerstenbrote und zwei Fische. Aber was hilft
das bei so vielen Menschen?«

[10]»Sorgt dafür, daß die Leute sich setzen«, sagte Jesus.
Sie setzten sich in das dichte Gras, das dort den Boden be-
deckte. Es waren ungefähr fünftausend Männer. [11]Jesus
nahm die Brote, dankte Gott und verteilte sie an die Menge. Mit den Fischen tat er dasselbe, und alle hatten reichlich zu essen. [12]Als sie satt waren, sagte er zu seinen Jüngern: »Sammelt die Brotreste auf, damit nichts verdirbt.«
[13]Sie taten es und füllten zwölf Körbe mit den Resten. Soviel war von den fünf Gerstenbroten übriggeblieben.

[14]Als die Leute sahen, was Jesus vollbracht hatte, sagten sie: »Das ist bestimmt der Prophet, der in die Welt

kommen soll!« ¹⁵Jesus wußte, daß sie nun bald an ihn her-
antreten würden, um ihn mit Gewalt zu ihrem König zu
machen. Deshalb zog er sich ganz allein wieder auf den
Berg zurück.

Jesus geht über das Wasser

(Mt 14,22-33; Mk 6,45-52)

¹⁶Als es Abend geworden war, gingen seine Jünger zum
See hinunter. ¹⁷Sie stiegen in ein Boot, um über den See
nach Kafarnaum zurückzufahren. Es wurde Nacht, und
Jesus war immer noch nicht zu ihnen gekommen. ¹⁸Das
Wetter war sehr stürmisch, und das Wasser schlug hohe
Wellen. ¹⁹Die Jünger hatten eine Strecke von vier bis fünf
Kilometern zurückgelegt. Plötzlich sahen sie Jesus, wie er
über das Wasser ging und sich ihrem Boot näherte. Da
packte sie die Angst. ²⁰Aber Jesus sagte: »Habt keine
Angst, *ich* bin's!« ²¹Sie wollten ihn zu sich ins Boot neh-
men. Aber da waren sie auch schon am Ufer, genau an
der Stelle, die sie erreichen wollten.

Jesus ist das Brot, das Leben gibt

²²Die Volksmenge, die am anderen Ufer geblieben war,
erinnerte sich am nächsten Tag, daß nur ein einziges Boot
am Ufer gelegen hatte. Die Leute wußten, daß Jesus nicht
ins Boot gestiegen war und seine Jünger ohne ihn abge-
fahren waren. ²³Es legten aber andere Boote, die von Tiberias kamen, nahe bei dem Ort an, wo der Herr das
Dankgebet gesprochen und die Menge das Brot gegessen
hatte. ²⁴Als die Leute nun sahen, daß Jesus nicht mehr da
war und seine Jünger auch nicht, stiegen sie in diese Boote. Sie fuhren nach Kafarnaum und wollten Jesus dort suchen.

²⁵Sie fanden Jesus tatsächlich auf der anderen Seite des
Sees und fragten ihn: »Wann bist du hierhergekommen?«
²⁶Jesus antwortete: »Ich weiß genau, ihr sucht mich nur,
weil ihr von dem Brot gegessen habt und satt geworden
seid. Doch ihr habt nicht verstanden, daß meine Taten
Zeichen sind. ²⁷Bemüht euch nicht um Nahrung, die verdirbt, sondern um Nahrung, die für das ewige Leben vor-
hält. Diese Nahrung wird euch der Menschensohn* geben, denn Gott, der Vater, hat ihn dazu ermächtigt.«

²⁸ Da fragten sie ihn: »Was müssen wir tun, um Gottes Willen zu erfüllen?« ²⁹ Jesus antwortete: »Gott verlangt nur eins von euch: Ihr sollt dem vertrauen, den er gesandt hat.« ³⁰ Sie erwiderten: »Welches besondere Zeichen deiner Macht läßt du uns sehen, damit wir dir glauben? Was wirst du tun? ³¹ Unsere Vorfahren aßen Manna* in der Wüste, wie es auch in den heiligen Schriften* steht: ›Er gab ihnen Brot vom Himmel zu essen.‹«

³² »Täuscht euch nicht«, entgegnete Jesus, »nicht Mose hat euch das Brot vom Himmel gegeben, sondern mein Vater gibt euch das wahre Brot vom Himmel. ³³ Das Brot, das vom Himmel kommt und der Welt das Leben gibt, das ist wirklich Gottes Brot.« ³⁴ Sie sagten: »Gib uns immer von diesem Brot!« ³⁵ »*Ich* bin das Brot, das Leben schenkt«, sagte Jesus zu ihnen. »Wer zu mir kommt, wird nie mehr hungrig sein. Wer mir vertraut, wird keinen Durst mehr haben.

³⁶ Ich habe euch schon gesagt, daß ihr mir nicht vertrauen wollt, obwohl ihr mich seht. ³⁷ Alle, die mein Vater mir gibt, werden zu mir kommen, und ich werde keinen abweisen, der zu mir kommt. ³⁸ Ich bin vom Himmel gekommen, nicht um zu tun, was ich will, sondern um zu tun, was der will, der mich gesandt hat. ³⁹ Und er will von mir, daß ich keinen von denen verliere, die er mir gegeben hat. Vielmehr soll ich sie alle am letzten Tag zum Leben erwecken. ⁴⁰ Mein Vater will, daß alle, die den Sohn* sehen und sich auf ihn verlassen, ewig leben. Ich werde sie am letzten Tag vom Tod erwecken.«

⁴¹ Die Zuhörer entrüsteten sich, weil er gesagt hatte: »Ich bin das Brot, das vom Himmel gekommen ist.« ⁴² Sie sagten: »Wir kennen doch seine Eltern! Er ist doch Jesus, der Sohn Josefs! Wie kann er behaupten, er komme vom Himmel?« ⁴³ Jesus sagte zu ihnen: »Hört auf, euch zu entrüsten! ⁴⁴ Nur der kann zu mir kommen, den der Vater, der mich gesandt hat, zu mir führt. Und ich werde jeden, der zu mir kommt, am letzten Tag vom Tod erwecken. ⁴⁵ Die Propheten haben geschrieben: ›Sie alle werden von Gott unterwiesen sein.‹ Wer den Vater hört und von ihm lernt, der kommt zu mir. ⁴⁶ Das heißt aber nicht, daß je ein Mensch den Vater gesehen hat. Nur der Eine, der von Gott kommt, hat den Vater gesehen.

⁴⁷Ich versichere euch: wer mir vertraut, wird ewig leben. ⁴⁸*Ich* bin das Brot, das Leben schenkt. ⁴⁹Eure Vorfahren aßen das Manna in der Wüste und sind trotzdem gestorben. ⁵⁰Wer aber von dem Brot ißt, das vom Himmel kommt, wird nicht sterben. ⁵¹Ich bin das lebendige Brot, das vom Himmel gekommen ist. Jeder, der von diesem Brot ißt, wird ewig leben. Das Brot, das ich ihm geben werde, ist mein Leib. Ich gebe ihn hin, damit die Welt lebt.«

⁵²Das löste unter den Zuhörern° einen heftigen Streit aus. »Wie kann dieser Mensch uns seinen Leib zu essen geben?« fragten sie. ⁵³Jesus sagte zu ihnen: »Täuscht euch nicht! Ihr habt keinen Anteil am Leben, wenn ihr den Leib des Menschensohns* nicht eßt und sein Blut nicht trinkt. ⁵⁴Wer meinen Leib ißt und mein Blut trinkt, der hat das Leben für immer, und ich werde ihn am letzten Tag zum Leben erwecken. ⁵⁵Denn mein Leib ist die wahre Nahrung, und mein Blut ist der wahre Trank. ⁵⁶Wer meinen Leib ißt und mein Blut trinkt, der lebt in mir und ich in ihm. ⁵⁷Der Vater, von dem alles Leben kommt, hat mich gesandt, und ich lebe durch ihn. So wird auch der, der mich ißt, durch mich leben. ⁵⁸Das also ist das Brot, das vom Himmel gekommen ist. Es ist etwas ganz anderes als das Brot, das eure Vorfahren gegessen haben. Sie sind danach trotzdem gestorben. Wer aber dieses Brot ißt, wird ewig leben.«

⁵⁹Diese Rede hielt Jesus in der Synagoge* von Kafarnaum.

Worte, die zum ewigen Leben führen

⁶⁰Viele seiner Anhänger hörten das und sagten: »Was er da redet, geht zu weit! So etwas kann man nicht mit anhören!« ⁶¹Jesus merkte, daß sie sich entrüsteten. Deshalb sagte er zu ihnen: »Ist euch das schon zu viel? ⁶²Was werdet ihr erst sagen, wenn ihr den Menschensohn* dorthin zurückkehren seht, wo er vorher war? ⁶³Der Geist* Gottes macht lebendig; alles Menschliche ist dazu nicht fähig. Aber die Worte, die ich zu euch gesprochen habe, sind vom Geist erfüllt und bringen das Leben. ⁶⁴Doch einige von euch vertrauen mir nicht.« Jesus kannte nämlich von Anfang an alle, die ihn nicht annehmen würden, und wuß-

te auch, wer ihn verraten würde. ⁶⁵Er fügte hinzu: »Aus diesem Grund habe ich zu euch gesagt: Nur der kann zu mir kommen, den Gott dazu fähig gemacht hat.«

⁶⁶Als seine Anhänger das hörten, wandten sich viele von ihm ab und wollten nicht länger mit ihm gehen. ⁶⁷Da fragte Jesus seine zwölf Jünger: »Und ihr, was habt ihr vor? Wollt ihr mich auch verlassen?« ⁶⁸Simon Petrus antwortete ihm: »Herr, zu wem sonst sollten wir gehen? Deine Worte bringen das ewige Leben. ⁶⁹Wir glauben und wissen, daß du der Gesandte Gottes bist.« ⁷⁰Jesus antwortete ihm: »Ich selbst habe euch zwölf doch ausgewählt. Trotzdem ist einer von euch ein Teufel!« ⁷¹Er meinte Judas, den Sohn von Simon Iskariot. Obwohl Judas einer der zwölf Vertrauten war, war er es, der Jesus später verriet.

Jesus und seine Brüder

7 Danach zog Jesus in Galiläa umher. Er wollte nicht nach Judäa gehen, weil die führenden Männer dort darauf aus waren, ihn zu töten. ²Das Laubhüttenfest* stand vor der Tür. ³Da sagten seine Brüder zu ihm: »Verlaß diese Gegend und geh nach Judäa, damit deine Anhänger die Wunder sehen, die du tust! ⁴Wenn jemand bekannt werden möchte, versteckt er sich nicht. Wenn du schon solche Dinge tust, dann sorge auch dafür, daß alle Welt davon erfährt!« ⁵Denn nicht einmal seine Brüder vertrauten ihm.

⁶Jesus sagte zu ihnen: »Meine Zeit ist noch nicht da. Für euch dagegen paßt jede Zeit. ⁷Die Welt* kann euch nicht hassen; aber mich haßt sie, weil ich nicht aufhöre, ihr vorzuhalten, daß sie nur Böses tut. ⁸Geht ihr doch zu diesem Fest! Ich komme nicht mit euch, weil meine Zeit noch nicht da ist.«

⁹Das sagte er zu ihnen und blieb in Galiläa.

Jesus in Jerusalem

¹⁰Nachdem seine Brüder zum Fest gegangen waren, kam Jesus nach; er gab sich aber nicht zu erkennen. ¹¹Die führenden Männer suchten ihn unter den Festbesuchern. »Wo ist er?« fragten sie. ¹²Unter den Leuten wurde viel über ihn geredet. »Er ist ein guter Mensch«, sagten einige. Andere entgegneten: »Nein, er ist ein Volksverführer.«

¹³Aber keiner sprach offen über ihn, weil sie Angst vor ihren führenden Männern hatten.

¹⁴Als die Hälfte der Festtage vorüber war, ging Jesus in den Tempel und begann, zum Volk zu sprechen. ¹⁵Die Leute waren sehr erstaunt und sagten: »Dieser Mann hat keinen Lehrer gehabt. Wie kommt es, daß er die heiligen Schriften* so gut kennt?« ¹⁶Jesus wandte sich an sie und sagte: »Ich habe mein Wissen nicht aus mir selbst. Ich habe es von Gott, der mich gesandt hat. ¹⁷Wer bereit ist, Gott zu gehorchen, wird merken, ob meine Lehre von Gott ist oder ob ich meine eigenen Gedanken vortrage. ¹⁸Wer seine eigenen Gedanken vorträgt, dem geht es um die eigene Ehre. Wer aber nur die Ehre dessen sucht, der ihn gesandt hat, ist vertrauenswürdig. Man kann ihm kein Unrecht vorwerfen. ¹⁹Mose hat euch doch das Gesetz* gegeben. Aber keiner von euch lebt nach dem Gesetz. Warum wollt ihr mich töten?«

²⁰Die Menge antwortete: »Du bist verrückt! Wer will dich töten?« ²¹Jesus antwortete: »Ich habe hier in Jerusalem eine einzige Tat vollbracht, und ihr nehmt alle Anstoß daran.° ²²Ihr beschneidet* doch eure Söhne, wenn es sein muß, auch am Sabbat*, weil Mose angeordnet hat, daß eure Kinder am achten Tag beschnitten werden sollen. – Aber eigentlich haben schon die Stammväter die Beschneidung eingeführt und nicht erst Mose. – ²³Ein Junge wird also auch am Sabbat an einem Teil seines Körpers beschnitten, damit die Vorschriften Moses nicht verletzt werden. Wie könnt ihr dann auf mich böse sein, weil ich am Sabbat einen ganzen Menschen gesund gemacht habe?°²⁴Hört auf, nach dem Augenschein zu richten, und urteilt nach gerechten Maßstäben!«

Ist er der versprochene Retter?

²⁵Einige Leute in Jerusalem sagten: »Seht euch das an! Das ist doch der Mann, den sie töten wollten! ²⁶Er redet in aller Öffentlichkeit, und keiner widerspricht ihm! Sollten die Ratsmitglieder* zu der Überzeugung gekommen sein, daß er der versprochene Retter* ist? ²⁷Aber wenn der Retter eines Tages auftritt, dann weiß keiner, woher er kommt. Die Herkunft dieses Mannes kennt doch jeder!«

[28]Jesus sprach gerade im Tempel. Er rief mit lauter Stimme: »Wißt ihr wirklich, wer ich bin und woher ich komme? Ich bin nicht im eigenen Auftrag gekommen. Aber der mich gesandt hat, verdient euer Vertrauen. Ihr kennt ihn nicht. [29]Aber ich kenne ihn; denn ich komme von ihm, und er hat mich gesandt.« [30]Da wollten sie ihn festnehmen. Aber keiner konnte Hand an ihn legen, denn seine Zeit war noch nicht gekommen. [31]Viele in der Menge faßten Vertrauen zu ihm und sagten: »Kann der versprochene Retter, wenn er kommt, mehr Wunder tun, als dieser Mann getan hat?«

Jesus kündigt seinen Weggang an

[32]Als die Pharisäer* hörten, was die Leute über Jesus redeten, schickten sie im Einvernehmen mit den führenden Priestern* einige Tempelwächter aus, die ihn verhaften sollten. [33]Jesus sagte: »Ich werde noch für eine kurze Zeit bei euch bleiben, dann kehre ich zu dem zurück, der mich gesandt hat. [34]Ihr werdet mich dann suchen, aber nicht finden; denn wohin ich gehe, dorthin könnt ihr nicht kommen.«

[35]Die Leute sagten unter sich: »Wohin wird er gehen, daß wir ihn nicht finden können? Will er ins Ausland reisen und dort den Nichtjuden predigen? [36]Was soll das heißen, wenn er sagt: ›Ihr werdet mich suchen, aber nicht finden‹? Und: ›Wohin ich gehe, dorthin könnt ihr nicht kommen‹?«

Lebendiges Wasser im Überfluß

[37]Am letzten Festtag, dem wichtigsten des ganzen Festes, stellte sich Jesus vor die Menge und rief: »Wer durstig ist, soll zu mir kommen und trinken – [38]jeder, der mir vertraut! Denn in den heiligen Schriften* heißt es: ›Aus seinem Innern wird lebendiges Wasser strömen.‹« ° [39]Jesus meinte damit den Geist*, den die erhalten sollten, die ihm vertrauten. Damals hatten sie den Geist noch nicht, weil Jesus noch nicht in Gottes Herrlichkeit aufgenommen war.

Meinungsverschiedenheiten

[40]Viele Leute in der Menge hörten seine Rede und sag-

ten: »Dieser Mann ist wirklich der Prophet, der kommen soll!« [41]Andere meinten: »Er ist der versprochene Retter*!« Wieder andere sagten: »Der Retter kommt doch nicht aus Galiläa! [42]In den heiligen Schriften* steht, daß er von David abstammt und in Betlehem geboren wird, wo David lebte.«

[43]Man war also in der Menge geteilter Meinung über ihn. [44]Einige hätten ihn am liebsten verhaftet; aber keiner konnte Hand an ihn legen.

Der Unglaube der Verantwortlichen

[45]Die Tempelwächter kehrten wieder zurück. Die führenden Priester* und die Pharisäer* fragten sie: »Warum habt ihr ihn nicht mitgebracht?« [46]Die Wächter antworteten: »So wie dieser Mensch hat noch keiner gesprochen.« [47]»Also hat er auch euch täuschen können!« sagten die Pharisäer. [48]»Kennt ihr ein Mitglied des Rates* oder einen Pharisäer, der zu ihm hält? [49]Die Menge tut es. Sie kennt das Gesetz* Moses nicht und steht deshalb unter Gottes Fluch.«

[50]Da sagte Nikodemus, der selbst ein Pharisäer war und Jesus früher einmal aufgesucht hatte: [51]»Nach unserem Gesetz können wir keinen verurteilen, ohne daß wir ihn verhört haben. Erst muß festgestellt werden, ob er sich strafbar gemacht hat.« [52]»Du kommst anscheinend auch aus Galiläa«, erwiderten sie. »Lies die heiligen Schriften* genauer, dann wirst du sehen, daß aus Galiläa niemals ein Prophet kommen kann.«

Jesus und die Ehebrecherin°

8 [53]Dann gingen sie alle nach Hause. [1]Jesus aber ging zum Ölberg. [2]Am nächsten Morgen kehrte er sehr früh zum Tempel zurück. Alle Leute dort versammelten sich um ihn. Er setzte sich und begann, zu ihnen zu sprechen. [3]Da führten die Gesetzeslehrer* und Pharisäer* eine Frau herbei, die beim Ehebruch ertappt worden war. Sie stellten sie so, daß sie von allen gesehen wurde. [4]Dann sagten sie zu Jesus: »Diese Frau wurde ertappt, als sie gerade Ehebruch beging. [5]In unserem Gesetz* schreibt Mose vor, daß eine solche Frau gesteinigt* werden muß. Was sagst du dazu?«°

⁶ Mit dieser Frage wollten sie ihm eine Falle stellen, um ihn anklagen zu können. Aber Jesus bückte sich nur und schrieb mit dem Finger auf die Erde. ⁷ Als sie nicht aufhörten zu fragen, richtete Jesus sich auf und sagte zu ihnen: »Wer von euch noch nie gesündigt hat, der soll den ersten Stein auf sie werfen.« ⁸ Dann bückte er sich wieder und schrieb auf die Erde. ⁹ Als sie das hörten, zog sich einer nach dem anderen zurück; die Älteren gingen zuerst. Zuletzt war Jesus allein mit der Frau, die immer noch dort stand.

¹⁰ Er richtete sich wieder auf und fragte sie: »Wo sind sie geblieben? Ist keiner mehr da, um dich zu verurteilen?« ¹¹ »Keiner, Herr«, antwortete sie. »Gut«, sagte Jesus, »ich will dich auch nicht verurteilen. Du kannst gehen; aber tu es nicht wieder!«

Jesus ist das Licht der Welt

¹² Jesus sprach weiter zu den Leuten: »*Ich* bin das Licht der Welt. Wer mir folgt, hat das Licht, das zum Leben führt, und wird nicht mehr im Dunkeln tappen.«

¹³ Die Pharisäer* sagten zu ihm: »Jetzt trittst du als Zeuge in eigener Sache auf. Was du sagst, ist kein rechtskräftiger Beweis!« ¹⁴ »Was ich sage, ist wahr«, entgegnete Jesus, »selbst wenn ich mein eigener Zeuge bin. Ich weiß nämlich, woher ich komme und wohin ich gehe. Ihr aber wißt nicht, woher ich komme und wohin ich gehe. ¹⁵ Ihr urteilt nach menschlichen Maßstäben; ich urteile über niemand. ¹⁶ Wenn ich aber ein Urteil fälle, dann ist es gerecht, denn ich stehe in dieser Sache nicht allein da. Der Vater, der mich gesandt hat, steht auf meiner Seite. ¹⁷ In eurem Gesetz* heißt es, daß die übereinstimmende Aussage von zwei Zeugen zuverlässig ist. ¹⁸ Ich bin mein eigener Zeuge, und auch der Vater, der mich gesandt hat, tritt für mich als Zeuge auf.« ¹⁹ »Wo ist denn dein Vater?« fragten sie ihn. Jesus antwortete: »Ihr kennt weder mich noch meinen Vater. Wüßtet ihr, wer ich bin, so wüßtet ihr auch, wer mein Vater ist.«

²⁰ Das alles sagte Jesus, während er im Tempel redete. Er sprach in dem Raum, wo die Kästen für die Geldspenden aufgestellt waren. Und keiner konnte ihn festnehmen, denn seine Zeit war noch nicht gekommen.

Wohin ich gehe, dorthin könnt ihr mir nicht folgen

21 Jesus sagte noch einmal zu ihnen: »Ich werde fortgehen. Dann werdet ihr vergeblich nach mir suchen und an eurer Schuld zugrunde gehen. Wohin ich gehe, dorthin könnt ihr mir nicht folgen.«

22 Die Leute meinten: »Wenn er sagt: ›Wohin ich gehe, dorthin könnt ihr mir nicht folgen‹ – heißt das, daß er Selbstmord begehen will?« 23 Jesus antwortete: »Ihr seid von hier unten, aber ich komme von oben. Ihr gehört zu dieser Welt*, aber ich bin nicht von dieser Welt. 24 Deshalb habe ich zu euch gesagt, daß ihr an eurer Schuld zugrunde gehen werdet. *Ich* bin der, an dem sich alles entscheidet.° Wenn ihr das nicht glauben wollt, werdet ihr an eurer Schuld zugrunde gehen.« 25 »Du? Wer bist du denn?« fragten sie ihn. Jesus antwortete: »Wozu rede ich überhaupt noch mit euch? 26 Ich hätte zwar vieles über euch zu sagen und allen Grund, euch zu verurteilen; aber ich sage der Welt nur, was ich von dem gehört habe, der mich gesandt hat; und der sagt die Wahrheit.«

27 Sie verstanden nicht, daß Jesus über den Vater sprach. 28 Deshalb sagte er zu ihnen: »Wenn ihr den Menschensohn* erhöht° habt, werdet ihr es wissen: *Ich* bin der, an dem sich alles entscheidet. Dann werdet ihr verstehen, daß ich nichts von mir aus tue, sondern nur weitergebe, was der Vater mir gesagt hat. 29 Er, der mich gesandt hat, ist bei mir und läßt mich nicht allein; denn ich tue nur, was ihm gefällt.« 30 Als Jesus das sagte, faßten viele Vertrauen zu ihm.

Freie und Sklaven

31 Jesus sagte zu denen, die Vertrauen zu ihm gefaßt hatten: »Wenn ihr euch an mein Wort haltet, seid ihr wirklich meine Jünger. 32 Dann werdet ihr die Wahrheit erkennen, und die Wahrheit wird euch frei machen.«

33 »Wir stammen von Abraham ab«, antworteten sie ihm, »und wir haben nie jemand als Sklaven gedient. Was meinst du, wenn du sagst: ›Ihr werdet frei werden‹?« 34 Jesus sagte zu ihnen: »Täuscht euch nicht! Jeder, der sündigt, ist ein Sklave der Sünde. 35 Ein Sklave gehört nicht für immer zur Familie. Nur der Sohn gehört für immer da-

zu. [36] Wenn der Sohn* Gottes euch frei macht, dann seid ihr wirklich frei. [37] Ich weiß wohl, daß ihr von Abraham abstammt. Trotzdem versucht ihr, mich zu töten, weil ihr mein Wort nicht in euch eindringen laßt. [38] Ich rede über das, was *mein* Vater mir gezeigt hat. Ihr aber tut, was *euer* Vater euch gesagt hat.«

[39] Sie wandten ein: »Abraham ist unser Vater!« Jesus erwiderte: »Wenn ihr wirklich Abrahams Kinder wärt, würdet ihr in seinem Sinne handeln. [40] Alles, was ich getan habe, bestand immer nur darin, euch die Wahrheit weiterzugeben, wie ich sie von Gott gehört habe. Trotzdem versucht ihr, mich zu töten. So etwas hat Abraham nicht getan. [41] Aber ihr tut dasselbe wie der, der in Wirklichkeit euer Vater ist!«

»Wir sind nicht im Ehebruch* gezeugt worden«, erwiderten sie. »Wir haben nur einen Vater: Gott.« [42] Jesus sagte zu ihnen: »Wäre Gott wirklich euer Vater, dann würdet ihr mich lieben. Denn ich bin von Gott zu euch gekommen. Ich kam nicht aus eigenem Antrieb, sondern er hat mich gesandt. [43] Warum versteht ihr denn nicht, was ich sage? Weil ihr es nicht ertragen könnt, meine Worte anzuhören. [44] Ihr seid Kinder des Teufels, der ist euer Vater, und nach seinen Wünschen handelt ihr. Er ist von Anfang an ein Mörder gewesen und hat niemals etwas mit der Wahrheit zu tun gehabt, weil es in ihm keine Wahrheit gibt. Wenn er lügt, so entspricht das seinem Wesen; denn er ist ein Lügner, und alle Lüge stammt von ihm.

[45] Weil es so ist, wie ich sage, darum glaubt ihr mir nicht. [46] Wer von euch kann mir eine Sünde nachweisen? Wenn ich die Wahrheit sage, warum glaubt ihr mir dann nicht? [47] Wer Gott zum Vater hat, der hört, was Gott sagt. Aber ihr habt ihn nicht zum Vater, darum hört ihr es nicht.«

Jesus und Abraham

[48] Die Zuhörer erwiderten: »Wir hatten doch recht! Du bist ein Samaritaner* und bist von einem bösen Geist* besessen.« [49] »Ich bin nicht besessen«, sagte Jesus, »ich erweise nur meinem Vater Ehre; aber ihr verachtet mich. [50] Ich suche keine Ehre für mich selbst. Ein anderer sucht

sie, und er ist der Richter. ⁵¹Ich versichere euch: Wer sich nach meinem Wort richtet, wird in Ewigkeit nicht sterben.«

⁵²Da sagten sie: »Jetzt sind wir sicher, daß ein böser Geist aus dir spricht. Abraham starb, die Propheten starben, und du sagst: ›Wer sich nach meinem Wort richtet, wird in Ewigkeit nicht sterben.‹ ⁵³Unser Vater Abraham ist tot. Du willst doch nicht etwa behaupten, daß du mehr bist als Abraham? Auch die Propheten sind gestorben. Für wen hältst du dich eigentlich?«

⁵⁴Jesus antwortete: »Wenn ich mich selbst ehren wollte, hätte diese Ehre keinen Wert. Mein Vater ehrt mich, von dem ihr sagt, er sei euer Gott. ⁵⁵Ihr habt ihn niemals gekannt, ich aber kenne ihn. Ich wäre ein Lügner wie ihr, wenn ich behauptete, daß ich ihn nicht kenne. Ich kenne ihn und gehorche seinem Wort. ⁵⁶Euer Vater Abraham freute sich darüber, daß er mein Kommen erleben sollte. Er erlebte es und war glücklich!«

⁵⁷Da sagten sie zu ihm: »Du bist noch keine fünfzig Jahre alt und willst Abraham gesehen haben?« ⁵⁸Jesus erwiderte: »Ich versichere euch, bevor Abraham geboren wurde, war *ich* schon da.« ⁵⁹Da hoben sie Steine auf und wollten ihn töten. Aber Jesus verbarg sich vor ihnen und verließ den Tempel.

Jesus heilt einen Blindgeborenen

9 Als Jesus weiterging, sah er einen Mann, der von Geburt blind war. ²Die Jünger fragten Jesus: »Wer ist schuld, daß er blind geboren wurde? Er selbst oder seine Eltern?« ³Jesus antwortete: »Seine Blindheit hat weder mit den Sünden seiner Eltern etwas zu tun noch mit seinen eigenen. Er ist blind, damit Gottes Macht an ihm sichtbar wird. ⁴Solange es Tag ist, muß ich die Taten vollbringen, für die Gott mich gesandt hat. Es kommt eine Nacht, in der niemand mehr wirken kann. ⁵Solange ich in der Welt bin, bin ich das Licht der Welt.«

⁶Als Jesus dies gesagt hatte, spuckte er auf den Boden und rührte einen Brei mit seinem Speichel an. Er strich den Brei auf die Augen des Mannes ⁷und befahl ihm: »Geh zum Teich Schiloach und wasche dir das Gesicht.« Schiloach bedeutet: der von Gott Gesandte. Der Mann

ging dorthin und wusch sein Gesicht. Als er zurückkam, konnte er sehen.

⁸ Da fragten seine Nachbarn und die Leute, die ihn vorher als Bettler gekannt hatten: »Ist das nicht der Mann, der immer an der Straße saß und bettelte?« ⁹ Einige sagten: »Das ist er.« Andere meinten: »Nein, er ist es nicht; er sieht ihm nur ähnlich.« Der Mann selbst erklärte: »Ich bin es!« ¹⁰ »Wieso kannst du auf einmal sehen?« fragten sie ihn. ¹¹ Er antwortete: »Der Mann, der Jesus heißt, machte einen Brei, strich ihn auf meine Augen und sagte: ›Geh zum Teich Schiloach und wasche dein Gesicht.‹ Ich ging hin, und als ich mich gewaschen hatte, konnte ich sehen.« ¹² »Wo ist er?« fragten sie ihn. Er antwortete: »Ich weiß es nicht.«

Die Pharisäer verhören den Geheilten

¹³ Sie brachten den Mann, der blind gewesen war, vor die Pharisäer*. ¹⁴ Der Tag, an dem Jesus den Brei gemacht und den Mann geheilt hatte, war ein Sabbat*. ¹⁵ Die Pharisäer fragten ihn, wie er sehend geworden sei. Er erzählte ihnen: »Der Mann strich ein wenig Brei auf meine Augen, ich wusch mein Gesicht, und jetzt kann ich sehen.« ¹⁶ Einige Pharisäer sagten: »Der Mann, der das tat, kann nicht von Gott kommen, weil er die Sabbatvorschriften nicht einhält.« Andere aber sagten: »Wie kann jemand ein Sünder sein, der solche Taten vollbringt?« Die Meinungen waren geteilt.

¹⁷ Da fragten die Pharisäer den Geheilten noch einmal: »Du behauptest also, er habe dich sehend gemacht. Was hältst du selber denn von ihm?« »Er ist ein Prophet«, antwortete der Mann. ¹⁸ Die führenden Männer wollten ihm aber nicht glauben, daß er blind gewesen war und nun sehen konnte. Sie riefen seine Eltern ¹⁹ und verhörten sie: »Ist das euer Sohn? Besteht ihr darauf, daß er blind geboren wurde? Wie ist es dann möglich, daß er jetzt sehen kann?« ²⁰ Die Eltern antworteten: »Wir wissen, daß er unser Sohn ist und blind geboren wurde. ²¹ Aber wir haben keine Ahnung, auf welche Weise er sehend wurde oder wer ihn sehend gemacht hat. Fragt ihn selbst! Er ist alt genug, um selbst zu antworten.« ²² Sie sagten das, weil sie vor den führenden Männern Angst hatten. Diese hatten

nämlich ausgemacht, alle aus der Synagogengemeinde*
auszuschließen, die sich zu Jesus als dem versprochenen
Retter* bekannten. ²³Aus diesem Grund sagten seine Eltern: »Er ist alt genug. Fragt ihn selbst!«

²⁴ Die Pharisäer ließen den Blindgeborenen ein zweites
Mal rufen und sagten zu ihm: »Bekenne zur Ehre Gottes
die Wahrheit! Uns ist bekannt, daß dieser Mann ein Sünder ist.« ²⁵»Ob er ein Sünder ist oder nicht, das weiß ich
nicht«, entgegnete der Mann, »aber eins weiß ich: Ich war
blind, und jetzt kann ich sehen.« ²⁶»Was hat er mit dir gemacht?« fragten sie. »Wie hat er dich sehend gemacht?«
²⁷»Das habe ich euch schon erzählt«, sagte er, »aber ihr
hört ja nicht. Warum wollt ihr es noch einmal hören?
Möchtet ihr vielleicht auch seine Jünger werden?« ²⁸Da
beschimpften sie ihn und sagten: »Du bist ein Jünger dieses Menschen! Wir aber sind Jünger Moses. ²⁹Wir wissen,
daß Gott mit Mose gesprochen hat. Aber von diesem
Menschen wissen wir nicht einmal, woher er kommt.«

³⁰Der Geheilte antwortete: »Das ist wirklich seltsam!
Ihr wißt nicht, woher er kommt, und mich hat er sehend
gemacht! ³¹Es ist bekannt, daß Gott das Gebet der Sünder nicht hört. Er hört nur auf die, die ihn ehren und seinen Willen ausführen. ³²Seit die Welt besteht, hat noch
keiner von einem Menschen berichtet, der einen Blindgeborenen sehend machte. ³³Käme dieser Mann nicht von
Gott, so wäre er dazu nicht fähig gewesen.« ³⁴Sie erwiderten: »Du bist ja schon von deiner Geburt her ein Sünder,
und dann willst du uns belehren?« Und sie schlossen ihn
aus der Synagogengemeinde aus.

Die Blindheit der Pharisäer

³⁵Als Jesus hörte, daß sie ihn ausgeschlossen hatten, suchte er ihn auf und sagte: »Hast du Vertrauen zum Menschensohn*?« ³⁶Der Mann antwortete: »Wenn du mir
sagst, wer es ist, werde ich ihm vertrauen.« ³⁷Jesus sagte:
»Du siehst ihn ja, er spricht mit dir.« ³⁸»Herr, ich vertraue
dir!« sagte der Mann und warf sich vor Jesus nieder.

³⁹Jesus sagte: »Ich bin in diese Welt* gekommen, damit
die Blinden sehend und die Sehenden blind werden. Darin
vollzieht sich das Gericht.« ⁴⁰Einige Pharisäer*, die bei
ihm waren, hörten das und sagten: »Du willst doch nicht

behaupten, daß wir blind sind?« [41]Jesus antwortete:
»Euch würde keine Schuld angerechnet, wenn ihr blind
wärt. Weil ihr aber sagt: ›Wir können sehen‹, bleibt ihr
schuldig.«

Vom Hirten und seinen Schafen

10 Jesus sagte: »Ich versichere euch: wer den Schafstall nicht durch die Tür betritt, sondern auf einem
anderen Weg eindringt, ist ein Räuber und ein Dieb. [2]Der
Schafhirt geht durch die Tür hinein; [3]der Wächter am
Eingang öffnet ihm. Die Schafe hören auf seine Stimme,
wenn er sie einzeln beim Namen ruft und ins Freie führt.
[4]Draußen geht er vor ihnen her, und die Schafe folgen
ihm, weil sie seine Stimme kennen. [5]Einem anderen Menschen würden sie nicht folgen. Im Gegenteil: sie würden vor
ihm davonlaufen, weil sie seine Stimme nicht kennen.«
[6]Dieses Gleichnis* erzählte Jesus, aber seine Zuhörer
verstanden nicht, was er ihnen damit sagen wollte.

Jesus – die Tür

[7]Jesus begann noch einmal: »Glaubt mir, *ich* bin die Tür
zu den Schafen. [8]Alle, die vor mir gekommen sind, waren
Räuber und Diebe, doch die Schafe haben nicht auf sie
gehört.
[9] *Ich* bin die Tür für die Schafe. Wer durch mich hinein-
geht, wird gerettet. Er wird ein- und ausgehen und Weide-
land finden. [10]Der Dieb kommt nur zum Stehlen, Töten
und Zerstören. Ich aber bin gekommen, damit meine
Schafe das Leben haben, Leben im Überfluß.«

Jesus – der gute Hirt

[11]»Ich bin der gute Hirt. Ein guter Hirt ist bereit, für seine
Schafe zu sterben. [12]Jemand, dem die Schafe nicht selbst
gehören, ist kein richtiger Hirt. Darum läßt er sie im Stich,
wenn er den Wolf kommen sieht, und läuft davon. Dann
stürzt sich der Wolf auf die Schafe und jagt sie auseinander. [13]Wer die Schafe nur gegen Lohn hütet, läuft davon;
denn die Schafe sind ihm gleichgültig. [14]*Ich* bin der gute
Hirt. Ich kenne meine Schafe, und sie kennen mich, [15]so
wie der Vater mich kennt und ich ihn. Ich bin bereit, für
sie zu sterben.

¹⁶Ich habe noch andere Schafe, die nicht zu diesem Schafstall gehören; auch die muß ich herbeibringen. Sie werden auf meine Stimme hören, und alle werden in einer Herde unter einem Hirten vereint sein.

¹⁷Der Vater liebt mich, weil ich bereit bin, mein Leben zu opfern, um es aufs neue zu erhalten. ¹⁸Niemand kann mir das Leben nehmen. Ich gebe es aus freiem Entschluß. Es steht in meiner Macht, es zu geben, und auch, es wieder an mich zu nehmen. Damit erfülle ich den Auftrag meines Vaters.«

¹⁹Wegen dieser Behauptung waren die Leute wieder geteilter Meinung über Jesus. ²⁰Viele von ihnen sagten: »Er ist von einem bösen Geist* besessen. Er ist verrückt! Warum hört ihr ihm überhaupt zu?« ²¹Aber andere meinten: »So redet kein Besessener!« Und wie kann ein böser Geist blinde Menschen sehend machen?«

Jesus wird abgelehnt

²²Es war im Winter, und um diese Zeit wurde in Jerusalem das Fest zur Erinnerung an die Wiedereinweihung des Tempels° gefeiert. ²³Jesus ging im Tempel in der Salomohalle* umher. ²⁴Da umringten ihn die Leute und fragten: »Wie lange willst du uns noch hinhalten? Sag es uns frei heraus: Bist du der versprochene Retter*?«

²⁵Jesus antwortete: »Ich habe es euch schon gesagt, aber ihr wollt mir nicht glauben. Die Taten, die ich im Auftrag meines Vaters vollbringe, sprechen für mich. ²⁶Aber ihr gehört nicht zu meinen Schafen, darum vertraut ihr mir nicht. ²⁷Meine Schafe hören auf mich. Ich kenne sie, und sie folgen mir. ²⁸Ich gebe ihnen das ewige Leben, und sie werden niemals umkommen. Keiner kann sie mir aus den Händen reißen; ²⁹denn der Vater, der sie mir gegeben hat, ist mächtiger als alle.° Keiner kann sie seinem Schutz entreißen. ³⁰Der Vater und ich sind untrennbar eins.«

³¹Da hoben die Leute wieder Steine auf, um ihn zu töten. ³²Jesus aber sagte zu ihnen: »Im Auftrag meines Vaters habe ich viele gute Taten vor euch ausgeführt. Für welche davon wollt ihr mich steinigen*?« ³³Sie gaben ihm zur Antwort: »Wir steinigen dich nicht wegen deiner guten Taten, sondern weil du Gott beleidigst. Du gibst dich als Gott aus, obwohl du nur ein Mensch bist.«

[34] Jesus antwortete: »In eurem eigenen Gesetz* steht geschrieben: ›Ich habe zu euch gesagt: Ihr seid Götter.‹ [35] Was in den heiligen Schriften* steht, ist unumstößlich, das wissen wir. Gott nannte also die, an die er sein Wort richtete, Götter. [36] Mich aber hat der Vater bevollmächtigt und mit seiner Botschaft in die Welt gesandt. Wie könnt ihr da behaupten, ich beleidige ihn, wenn ich sage, daß ich Gottes Sohn* bin? [37] Wenn das, was ich tue, nicht die Taten meines Vaters sind, braucht ihr mir nicht zu glauben. [38] Sind sie es aber, dann solltet ihr wenigstens diesen Taten glauben, wenn ihr mir selbst schon nicht glauben wollt. Ihr sollt endlich begreifen, daß der Vater in mir lebt und ich im Vater lebe.«

[39] Von neuem versuchten sie, Jesus festzunehmen, aber er entkam ihnen. [40] Er überquerte den Jordan und ging an die Stelle zurück, wo Johannes früher getauft hatte. Er blieb dort, [41] und viele Menschen kamen zu ihm und sagten: »Johannes wies sich nicht durch Wunder aus; aber alles, was er über diesen Mann gesagt hat, entspricht der Wahrheit.« [42] Viele von den Menschen, die dort waren, faßten Vertrauen zu Jesus.

Lazarus stirbt

11 Lazarus aus Betanien wurde krank. – Betanien ist das Dorf, in dem Maria und ihre Schwester Marta wohnten. [2] Maria war es, die später die Füße des Herrn mit dem kostbaren Öl übergossen und dann mit ihrem Haar getrocknet hat. Der kranke Lazarus war ihr Bruder. – [3] Die Schwestern ließen Jesus mitteilen: »Dein Freund ist krank.« [4] Als Jesus das hörte, sagte er: »Die Krankheit wird nicht zum Tod führen, sondern zeigen, wie mächtig Gott ist. Durch sie wird Gott die Herrlichkeit seines Sohnes* sichtbar machen.«

[5] Jesus liebte Marta und ihre Schwester und Lazarus. [6] Aber als er die Nachricht erhielt, daß Lazarus krank sei, blieb er noch zwei Tage an demselben Ort. [7] Dann sagte er zu seinen Jüngern: »Wir gehen nach Judäa zurück!« [8] Sie antworteten: »Es ist noch nicht lange her, da hätten dich die Leute dort beinahe gesteinigt*. Und nun willst du zu ihnen zurückkehren?« [9] Jesus sagte: »Der Tag hat zwölf Stunden. Wenn ein Mann am hellen Tag wandert, stolpert

er nicht, weil er das Tageslicht sieht. [10] Lauft ihr aber ohne mich in der Nacht, so stolpert ihr, weil ihr das Licht nicht bei euch habt.«

[11] Jesus fügte hinzu: »Unser Freund Lazarus ist eingeschlafen. Aber ich werde hingehen und ihn aufwecken.« [12] Seine Jünger antworteten: »Wenn er schläft, wird er wieder gesund.« [13] Jesus hatte sagen wollen, daß Lazarus gestorben sei; sie aber meinten, er spreche vom gewöhnlichen Schlaf. [14] Darum sagte Jesus ihnen offen: »Lazarus ist tot. [15] Doch euretwegen bin ich froh, daß ich nicht bei ihm war. Auf diese Weise werdet ihr lernen, mir zu vertrauen. Und jetzt wollen wir zu ihm gehen.« [16] Thomas, der auch Zwilling genannt wird, sagte zu den anderen Jüngern: »Laßt uns mitgehen und mit ihm sterben!«

Jesus ist das Leben

[17] Als Jesus nach Betanien kam, lag Lazarus schon vier Tage im Grab. [18] Das Dorf war keine drei Kilometer von Jerusalem entfernt, [19] und viele Leute aus Judäa hatten Marta und Maria aufgesucht, um die beiden zu trösten. [20] Als Marta hörte, daß Jesus sich dem Dorf näherte, ging sie ihm entgegen. Maria blieb im Haus. [21] Marta sagte zu Jesus: »Wenn du bei uns gewesen wärst, hätte mein Bruder nicht sterben müssen. [22] Aber ich weiß, daß Gott dir auch jetzt keine Bitte abschlägt.« [23] »Dein Bruder wird auferstehen«, sagte Jesus zu ihr. [24] »Ich weiß«, erwiderte sie, »am letzten Tag, wenn alle auferstehen, wird auch er ins Leben zurückkehren.« [25] Jesus sagte zu ihr: »*Ich* bin die Auferstehung und das Leben. Wer mich annimmt, wird leben, auch wenn er stirbt, [26] und wer lebt und sich auf mich verläßt, wird niemals sterben. Glaubst du das?« [27] Sie antwortete: »Ja, ich glaube, daß du der versprochene Retter* bist. Du bist der Sohn* Gottes, der in die Welt kommen sollte.«

[28] Nach diesen Worten ging Marta zu ihrer Schwester zurück, nahm sie beiseite und sagte zu ihr: »Jesus ist hier und fragt nach dir!« [29] Als Maria das hörte, stand sie schnell auf und lief zu ihm hinaus. [30] Jesus hatte das Dorf selbst noch nicht erreicht. Er war immer noch an der Stelle, wo Marta ihn getroffen hatte. [31] Die Leute, die bei Maria im Haus waren, um sie zu trösten, sahen, wie sie

aufsprang und hinauseilte. Sie meinten, daß Maria zum Grab gehen wollte, um zu weinen, und folgten ihr.

³²Als Maria zu Jesus kam und ihn sah, warf sie sich vor ihm nieder. »Wenn du bei uns gewesen wärst, hätte mein Bruder nicht sterben müssen«, sagte sie zu ihm. ³³Jesus sah sie weinen; auch die Leute, die mit ihr gekommen waren, weinten. Er wurde zornig und war sehr erregt. ³⁴»Wo liegt er?« fragte er. »Komm, wir zeigen es dir!« sagten sie. ³⁵Jesus kamen die Tränen. ³⁶Da sagten sie: »Er muß ihn sehr geliebt haben!« ³⁷Aber einige meinten: »Den Blinden hat er sehend gemacht. Warum hat er nicht verhindert, daß Lazarus gestorben ist?«

³⁸Aufs neue wurde Jesus zornig. Er ging zum Grab. Es bestand aus einer Höhle, und der Eingang war mit einem Stein verschlossen. ³⁹»Nehmt den Stein weg!« befahl er. Marta, die Schwester des Toten, wandte ein: »Herr, es riecht doch schon! Er liegt seit vier Tagen im Grab.« ⁴⁰Jesus sagte zu ihr: »Ich habe dir doch gesagt, daß du die Herrlichkeit* Gottes sehen wirst, wenn du nur Vertrauen hast.« ⁴¹Sie nahmen den Stein weg. Jesus blickte zum Himmel auf und sagte: »Ich danke dir, Vater, daß du meine Bitte erfüllst. ⁴²Ich weiß, daß du mich immer erhörst. Aber wegen der Leute hier spreche ich es aus – damit sie glauben, daß du mich gesandt hast.« ⁴³Nach diesen Worten rief er laut: »Lazarus, komm heraus!« ⁴⁴Der Tote kam heraus; seine Hände und Füße waren mit Binden umwickelt, und sein Gesicht war mit einem Tuch verhüllt. Jesus sagte: »Nehmt ihm das ab, damit er weggehen kann!«

Einer soll für das Volk sterben

⁴⁵Viele Leute aus Judäa, die bei Maria zu Besuch waren, hatten das miterlebt und faßten Vertrauen zu Jesus. ⁴⁶Aber einige von ihnen gingen zu den Pharisäern* und berichteten ihnen, was Jesus getan hatte. ⁴⁷Da beriefen die führenden Priester* mit den Pharisäern eine Sitzung des Rates* ein und sagten: »Was sollen wir machen? Dieser Mann tut so viele Wunder. ⁴⁸Wenn wir ihn weitermachen lassen, werden sich ihm noch alle anschließen. Dann werden die Römer einschreiten und uns die Verfügungsgewalt über Tempel und Volk entziehen.«

⁴⁹Kajaphas, einer von ihnen, der in jenem Jahr der

Oberste Priester* war, sagte: »Wo habt ihr euren Verstand? [50] Seht ihr nicht, daß es günstiger für euch ist, wenn einer für alle stirbt, als wenn das ganze Volk vernichtet wird?« [51] Das sagte er nicht aus eigenem Wissen. Weil er in jenem Jahr Oberster Priester war, sagte er in prophetischer Eingebung voraus, daß Jesus für das jüdische Volk sterben werde – [52] und nicht nur für dieses Volk, sondern auch, um die verstreuten Kinder Gottes zusammenzuführen.

[53] Von diesem Tag an waren sie fest entschlossen, Jesus zu töten. [54] Er zeigte sich deshalb nicht mehr öffentlich in Judäa, sondern ging von dort weg in eine Gegend nahe der Wüste, in eine Stadt namens Efraïm. Dort blieb er mit seinen Jüngern.

[55] Es war kurz vor dem Passafest*, und viele Bewohner aus dem ganzen Land zogen nach Jerusalem hinauf. Sie wollten sich vor dem Fest nach den vorgeschriebenen Regeln reinigen*. [56] Sie suchten Jesus ausfindig zu machen. Als sie im Tempel zusammentrafen, fragten sie einander: »Was meint ihr? Er kommt doch bestimmt nicht zum Fest!« [57] Die führenden Priester und Pharisäer hatten nämlich angeordnet: »Jeder, der seinen Aufenthaltsort kennt, soll es melden!« Denn sie wollten ihn verhaften.

Jesus wird in Betanien geehrt
(Mt 26,6–13; Mk 14,3–9)

12 Sechs Tage vor dem Passafest* ging Jesus nach Betanien. Dort wohnte Lazarus, den er vom Tod auferweckt hatte. [2] Man hatte ein Festessen für Jesus vorbereitet. Marta half bedienen, während Lazarus mit Jesus und den anderen zu Tisch lag*. [3] Da nahm Maria eine Flasche mit reinem, kostbarem Nardenöl*, goß es Jesus über die Füße und trocknete sie mit ihrem Haar. Das ganze Haus duftete nach dem Öl. [4] Judas Iskariot, einer von den Jüngern, der Jesus später verriet, sagte: [5] »Warum wurde dieses Öl nicht für dreihundert Silberstücke° verkauft und das Geld an die Armen verteilt?« [6] Er sagte das nicht, weil er den Armen etwas Gutes tun wollte, sondern weil er ein Dieb war. Er verwaltete die gemeinsame Kasse und griff oft zur eigenen Verwendung hinein. [7] Aber Jesus sagte: »Laß sie in Ruhe! Sie hat es für den Tag meines Be-

gräbnisses getan. ⁸Arme wird es immer bei euch geben,
aber mich habt ihr nicht mehr lange bei euch.«

Lazarus in Gefahr

⁹Eine große Anzahl von Leuten hatte gehört, daß Jesus in
Betanien war, und sie gingen dorthin. Sie kamen nicht nur
seinetwegen, sondern auch weil sie Lazarus sehen wollten,
den Jesus vom Tod auferweckt hatte. ¹⁰Da beschlossen
die führenden Priester*, auch Lazarus zu töten; ¹¹denn
seinetwegen hatten sich viele Juden von ihnen abgewandt
und schlossen sich Jesus an.

Jesus zieht in Jerusalem ein
(Mt 21,1-11; Mk 11,1-11; Lk 19,28-40)

¹²Am nächsten Tag hörte die große Menge, die zum Passafest* gekommen war, daß sich Jesus auf dem Weg nach
Jerusalem befand. ¹³Da nahmen sie Palmzweige, zogen
ihm entgegen vor die Stadt und riefen: »Gepriesen sei
Gott! Heil dem, der in seinem Auftrag kommt! Heil dem
König Israels!« ¹⁴Jesus hatte einen Esel gefunden und ritt
darauf, so wie es schon in den heiligen Schriften* heißt:

¹⁵ »Fürchte dich nicht, du Zionsstadt!
    Dein König kommt!
    Er reitet auf einem Esel.«

¹⁶Damals verstanden seine Jünger dieses Wort noch
nicht; aber als Jesus in Gottes Herrlichkeit aufgenommen
war, erinnerten sie sich daran. Die Menge hatte genau das für
ihn getan, was in den heiligen Schriften angekündigt war.

¹⁷Als Jesus Lazarus aus dem Grab gerufen und vom
Tod auferweckt hatte, waren viele dabeigewesen und hatten es weitererzählt. ¹⁸Darum kam ihm jetzt eine so große
Menschenmenge entgegen. Sie hatten von dem Wunder
gehört, das er vollbracht hatte. ¹⁹Die Pharisäer* aber sagten zueinander: »Da sieht man doch, daß wir so nicht weiterkommen! Alle Welt läuft ihm nach!«

Vertreter der nichtjüdischen Welt suchen Jesus

²⁰Unter denen, die zum Fest nach Jerusalem gekommen
waren, um Gott anzubeten, befanden sich auch einige
Nichtjuden. ²¹Sie gingen zu Philippus, der aus Betsaida in
Galiläa stammte, und sagten zu ihm: »Wir möchten gerne

Jesus kennenlernen.« ²²Philippus sagte es Andreas, und sie gingen beide zu Jesus. ²³Er antwortete ihnen: »Die Stunde ist gekommen! Jetzt wird die Herrlichkeit des Menschensohns* sichtbar werden. ²⁴Ich sage euch: Das Weizenkorn muß in die Erde fallen und sterben, sonst bleibt es ein einzelnes Korn. Aber wenn es stirbt, bringt es viel Frucht. ²⁵Wer sein Leben liebt, der wird es verlieren. Wer aber sein Leben in dieser Welt geringachtet, wird es für das ewige Leben bewahren. ²⁶Wer mir dienen will, muß denselben Weg gehen wie ich, und wo ich bin, wird mein Diener dann auch sein. Mein Vater wird jeden, der mir dient, auszeichnen.«

Jesus spricht von seinem Tod

²⁷»Mir ist jetzt sehr bange. Was soll ich tun? Soll ich sagen: ›Vater, laß diese Stunde an mir vorbeigehen‹? Aber ich bin doch gekommen, um sie durchzustehen. ²⁸Vater, bring deinen Namen zu Ehren!« Da sprach eine Stimme vom Himmel: »Ich habe meinen Namen schon zu Ehren gebracht und werde es wieder tun.«

²⁹Die Menge, die dort stand, hörte die Stimme, und einige sagten: »Es hat gedonnert!« Andere meinten: »Ein Engel hat mit ihm gesprochen.« ³⁰Aber Jesus sagte zu ihnen: »Diese Stimme rief nicht meinetwegen, sondern euretwegen. ³¹Jetzt fällt die Entscheidung über diese Welt*. Jetzt wird der Herrscher* dieser Welt gestürzt. ³²Wenn ich von der Erde erhöht° werde, will ich alle zu mir holen.« ³³Mit diesem Wort deutete er an, welche Todesart er erleiden sollte.

³⁴Die Menge wandte ein: »Das Gesetz* sagt uns, daß der versprochene Retter* für immer bleibt. Wie kannst du dann sagen, daß der Menschensohn* erhöht werden muß? Wer ist überhaupt dieser Menschensohn?« ³⁵Jesus antwortete: »Das Licht wird noch kurze Zeit unter euch sein. Geht euren Weg, solange es hell ist, damit die Dunkelheit euch nicht überfällt! Wer im Dunkeln geht, weiß nicht, wohin sein Weg führt. ³⁶Haltet euch an das Licht, solange ihr es habt! Dann werdet ihr Menschen, die im Licht leben.«

Die Menge lehnt Jesus ab

Nachdem Jesus das gesagt hatte, ging er fort und verbarg

sich vor ihnen. [37] Obwohl er sich durch so viele Wunder vor ihnen ausgewiesen hatte, vertrauten sie ihm nicht. [38] So traf ein, was der Prophet Jesaja vorausgesagt hatte: »Herr, wer hat unserer Botschaft Glauben geschenkt? Wem ist die Macht des Herrn sichtbar geworden?« [39] Jesaja hat auch gesagt, warum sie nicht glauben konnten: [40] »Gott hat ihre Augen geblendet und ihre Herzen verschlossen. ›So kommt es‹, sagt Gott, ›daß sie mit ihren Augen nicht sehen und mit ihrem Verstand nichts begreifen und nicht zu mir kommen, damit ich sie heile.‹«

[41] Jesaja sprach hier von Jesus. Er konnte das sagen, weil er seine Herrlichkeit im voraus gesehen hatte. [42] Es gab zwar viele führende Juden, die Vertrauen zu Jesus hatten, aber wegen der Pharisäer* sprachen sie nicht öffentlich darüber; denn sie wollten nicht aus der Synagogengemeinde* ausgeschlossen werden. [43] Der Beifall von Menschen war ihnen lieber als die Anerkennung von Gott.

Jesus spricht das entscheidende Wort

[44] Jesus rief laut: »Wer mir vertraut, der vertraut nicht mir, sondern dem, der mich gesandt hat. [45] Wer mich sieht, der sieht den, der mich gesandt hat. [46] Ich bin als Licht in die Welt gekommen, damit jeder, der mir vertraut, nicht im Dunkeln bleibt. [47] Wer hört, was ich sage, und sich nicht danach richtet, den verurteile ich nicht; denn ich bin nicht als Richter in die Welt gekommen, sondern als Retter. [48] Wer mich ablehnt und nicht annimmt, was ich sage, der hat seinen Richter schon gefunden: das Wort, das ich gesprochen habe, wird ihn am letzten Tag verurteilen. [49] Was ich euch gesagt habe, stammt nicht von mir; der Vater, der mich gesandt hat, hat mir aufgetragen, was ich zu sagen und zu reden habe. [50] Und ich weiß, daß mein Gehorsam gegenüber diesem Auftrag euch ewiges Leben bringt. Ich sage nur, was der Vater mir aufgetragen hat.«

Jesus wäscht seinen Jüngern die Füße

13 Unmittelbar vor dem Passafest* wußte Jesus, daß für ihn die Zeit gekommen war, diese Welt zu verlassen und zum Vater zu gehen. Er hatte die Menschen in der Welt, die zu ihm gehörten, immer geliebt, und er liebte sie bis zum Ende.°

² Jesus und seine Jünger waren beim Abendessen. Der Teufel hatte Judas, dem Sohn von Simon Iskariot, schon den Gedanken eingegeben, Jesus zu verraten. ³ Jesus wußte, daß der Vater ihm die Macht über alle Dinge gegeben hatte. Er wußte, daß er von Gott gekommen war und bald wieder bei ihm sein würde. ⁴ Er stand vom Tisch auf, zog sein Oberkleid aus, band sich ein Tuch um ⁵ und goß Wasser in eine Schüssel. Dann machte er sich daran, seinen Jüngern die Füße zu waschen und mit dem Tuch abzutrocknen.

⁶ Als er zu Simon Petrus kam, sagte der: »Du, Herr, willst mir die Füße waschen, du mir?« ⁷ Jesus antwortete ihm: »Was ich tue, kannst du jetzt noch nicht verstehen, aber später wirst du es begreifen.« ⁸ Petrus widersetzte sich: »Niemals sollst du mir die Füße waschen!« Jesus antwortete: »Wenn ich dir nicht die Füße wasche, hast du keinen Anteil an dem, was ich bringe.« ⁹ Da sagte Simon Petrus: »Wenn es so ist, dann wasche mir nicht nur die Füße, sondern auch die Hände und den Kopf!« ¹⁰ Aber Jesus erwiderte: »Wer gebadet hat, der ist ganz rein und braucht sich nur noch die Füße zu waschen.° Ihr seid alle rein – bis auf einen.« ¹¹ Jesus wußte, wer ihn verraten würde. Deshalb sagte er: »Ihr seid alle rein, bis auf einen.«

¹² Nachdem Jesus ihnen die Füße gewaschen hatte, zog er sein Oberkleid wieder an und kehrte zu seinem Platz am Tisch zurück. »Begreift ihr, was ich eben für euch getan habe?« fragte er sie. ¹³ »Ihr nennt mich Lehrer und Herr. Ihr habt recht, das bin ich. ¹⁴ Ich bin euer Herr und Lehrer, und doch habe ich euch eben die Füße gewaschen. Von jetzt an sollt ihr euch gegenseitig die Füße waschen. ¹⁵ Ich habe euch ein Beispiel gegeben, damit auch ihr so handelt, wie ich an euch gehandelt habe. ¹⁶ Ich sage euch: ein Diener ist nicht größer als sein Herr, und ein Bote ist nicht größer als sein Auftraggeber. ¹⁷ Das wißt ihr jetzt; Freude ohne Ende ist euch gewiß, wenn ihr auch danach handelt!

¹⁸ Ich meine nicht euch alle. Ich weiß, wen ich erwählt habe; aber was die heiligen Schriften* vorausgesagt haben, muß eintreffen: ›Einer, der mein Brot gegessen hat, hat sich gegen mich gewandt.‹ ¹⁹ Ich sage euch dies jetzt, bevor es eintrifft. Wenn es dann so kommt, werdet ihr

glauben, daß *ich* der bin, an dem sich alles entscheidet.
²⁰ Ich versichere euch: Wer einen Menschen aufnimmt,
den ich gesandt habe, der nimmt mich auf. Und wer mich
aufnimmt, der nimmt den auf, der mich gesandt hat.«

Jesus und sein Verräter

(Mt 26,20-25; Mk 14,17-21; Lk 22,21-23)

²¹ Als Jesus das gesagt hatte, wurde er sehr traurig und sagte ihnen ganz offen: »Ich versichere euch: einer von euch
wird mich verraten.« ²² Seine Jünger sahen sich ratlos an,
sie konnten sich nicht vorstellen, wen er meinte. ²³ Der
Jünger, den Jesus besonders lieb hatte, saß neben ihm.
²⁴ Simon Petrus gab ihm durch ein Zeichen zu verstehen:
»Frag du ihn, von wem er spricht!« ²⁵ Da rückte er näher
an Jesus heran und fragte: »Herr, wer ist es?« ²⁶ Jesus
antwortete: »Ich werde ein Stück Brot eintauchen,
und wem ich es gebe, der ist es.« Er nahm ein Stück Brot,
tauchte es ein und gab es Judas, dem Sohn von Simon
Iskariot.
²⁷ Sobald Judas das Brot genommen hatte, nahm der Satan von ihm Besitz. Jesus sagte zu ihm: »Beeile dich und
tu, was du zu tun hast!« ²⁸ Keiner von den übrigen am
Tisch begriff, was Jesus zu ihm sagte. ²⁹ Da Judas das Geld
verwaltete, dachten manche, Jesus habe ihn beauftragt,
die nötigen Einkäufe für das Fest zu machen, oder er habe ihn angewiesen, den Armen etwas zu geben. ³⁰ Judas aß
das Stück Brot, dann ging er sofort hinaus. Es war Nacht.

Das neue Gebot

³¹ Nachdem Judas sie verlassen hatte, sagte Jesus:
»Jetzt wird die Herrlichkeit des Menschensohns* sichtbar und durch ihn Gottes eigene Herrlichkeit. ³² Wenn
aber der Menschensohn die Herrlichkeit Gottes sichtbar
gemacht hat, dann wird Gott ihm dafür auch seine eigene
Herrlichkeit schenken. Und das wird bald geschehen.
³³ Ich bin nicht mehr lange bei euch, meine Kinder; dann
werdet ihr mich suchen. Aber ich sage euch dasselbe, was
ich schon den anderen gesagt habe: Wohin ich gehe, dorthin könnt ihr nicht kommen.
³⁴ Ich gebe euch jetzt ein neues Gebot, das Gebot der
Liebe. Ihr sollt einander genauso lieben, wie ich euch ge-

liebt habe. ³⁵ Wenn ihr einander liebt, werden alle erkennen, daß ihr meine Jünger seid.«

Jesus und Petrus
(Mt 26,31-35; Mk 14,27-31; Lk 22,31-34)

³⁶ »Wohin willst du gehen?« fragte ihn Simon Petrus. Jesus antwortete: »Wohin ich gehe, dorthin kannst du mir jetzt nicht folgen, aber später wirst du nachkommen.« ³⁷ »Warum kann ich jetzt nicht mitkommen?« fragte Petrus. »Ich bin bereit, für dich zu sterben!« ³⁸ »Für mich sterben?« erwiderte Jesus. »Ich will dir sagen, was du tun wirst: Bevor der Hahn kräht, wirst du dreimal behaupten, daß du mich nicht kennst.«

Jesus ist der Weg zum Vater

14 Dann sagte Jesus zu allen: »Erschreckt nicht, habt keine Angst! Vertraut Gott, und vertraut auch mir! ² Im Haus meines Vaters gibt es viele Wohnungen, und ich gehe jetzt, um dort einen Platz für euch bereitzumachen. Wenn es nicht so wäre, hätte ich euch nicht mit der Ankündigung beunruhigt, daß ich weggehe. ³ Ich gehe also, um einen Platz für euch bereitzumachen. Dann werde ich zurückkommen und euch zu mir nehmen, damit auch ihr seid, wo ich bin. ⁴ Den Weg zu dem Ort, an den ich gehe, kennt ihr ja.«

⁵ Thomas sagte zu ihm: »Wir wissen nicht einmal, wohin du gehst! Wie sollen wir dann den Weg dorthin kennen?« ⁶ Jesus antwortete: »*Ich* bin der Weg, der zur Wahrheit und zum Leben führt. Einen anderen Weg zum Vater gibt es nicht. ⁷ Wenn ihr mich kennt, werdet ihr auch meinen Vater kennen. Schon jetzt kennt ihr ihn und habt ihn gesehen.«

⁸ Philippus sagte zu ihm: »Zeige uns den Vater! Mehr brauchen wir nicht.« ⁹ Jesus antwortete: »Nun bin ich so lange mit euch zusammengewesen, Philippus, und du kennst mich immer noch nicht? Jeder, der mich gesehen hat, hat den Vater gesehen. Wie kannst du dann sagen: ›Zeige uns den Vater‹? ¹⁰ Glaubst du nicht, daß du in mir dem Vater begegnest? Was ich zu euch gesprochen habe, das stammt nicht von mir. Der Vater, der immer in mir ist, vollbringt durch mich seine Taten. ¹¹ Glaubt mir: ich lebe

im Vater und der Vater in mir. Wenn ihr mir nicht auf
mein Wort hin glaubt, dann glaubt mir wegen dieser
Taten.

¹²Ich versichere euch: Jeder, der mir vertraut, wird
auch die Taten vollbringen, die ich tue. Ja, seine Taten
werden meine noch übertreffen, denn ich gehe zum Vater. ¹³Dann werde ich alles tun, worum ihr bittet, wenn ihr
euch dabei auf mich beruft. So wird durch den Sohn die
Herrlichkeit des Vaters sichtbar werden. ¹⁴Wenn ihr euch
auf mich beruft, werde ich euch jede Bitte erfüllen.«

Jesus verspricht den heiligen Geist

¹⁵»Wenn ihr mich liebt, werdet ihr meine Weisungen befolgen. ¹⁶Ich werde den Vater bitten, daß er euch einen
Stellvertreter* für mich gibt, den Geist der Wahrheit, der
für immer bei euch bleibt. ¹⁷Die Welt* kann ihn nicht bekommen, denn sie sieht ihn nicht und kennt ihn nicht.
Aber ihr kennt ihn, und er wird bei euch bleiben und in
euch leben.

¹⁸Ich lasse euch nicht wie Waisenkinder allein, sondern
werde zu euch zurückkommen. ¹⁹Es dauert noch eine
kurze Zeit, dann wird die Welt mich nicht mehr sehen.
Aber ihr werdet mich sehen, und ihr werdet leben, weil
ich lebe. ²⁰Wenn dieser Tag kommt, werdet ihr erkennen,
daß ich in meinem Vater lebe und daß ihr in mir lebt und
ich in euch. ²¹Wer meine Weisungen annimmt und sie befolgt, der liebt mich wirklich. Und wer mich liebt, den
wird auch mein Vater lieben. Auch ich werde ihn lieben
und ihm zeigen, wer ich bin.«

²²Judas – nicht der Judas Iskariot – sagte: »Warum
willst du das nur uns zeigen und nicht der Welt?« ²³Jesus
antwortete ihm: »Wer mich liebt, der wird sich nach meinem Wort richten; dann wird ihn auch mein Vater lieben,
wir werden zu ihm kommen und bei ihm wohnen. ²⁴Wer
mich nicht liebt, der richtet sich nicht nach meinen Worten. Die Botschaft, die ihr gehört habt, kommt nicht
von mir, sondern von meinem Vater, der mich gesandt
hat.

²⁵Ich habe euch dies gesagt, solange ich noch bei euch
bin. ²⁶Der Vater wird euch in meinem Namen einen Stellvertreter* für mich senden, den heiligen Geist*. Dieser

wird euch an alles erinnern, was ich euch gesagt habe, und euch helfen, es zu verstehen.

²⁷ Zum Abschied gebe ich euch den Frieden, *meinen* Frieden, nicht den Frieden, den die Welt gibt. Erschreckt nicht, habt keine Angst! ²⁸ Ihr habt gehört, wie ich zu euch sagte: ›Ich verlasse euch und werde wieder zu euch kommen.‹ Wenn ihr mich wirklich liebtet, würdet ihr euch freuen, daß ich zum Vater gehe; denn er ist mächtiger als ich. ²⁹ Ich habe euch das alles im voraus gesagt. Wenn es dann eintrifft, werdet ihr euch daran erinnern und mir vertrauen. ³⁰ Ich werde nicht mehr viel mit euch reden, weil der Herrscher* dieser Welt schon auf dem Weg ist. Er hat keine Macht über mich, ³¹ aber die Welt soll erkennen, daß ich den Vater liebe. Darum handle ich so, wie es mir mein Vater aufgetragen hat.

Und nun steht auf! Wir wollen gehen!«

Jesus ist der wahre Weinstock

15 »*Ich* bin der wahre Weinstock, und mein Vater ist der Weinbauer. ² Er entfernt jede Rebe an mir, die keine Frucht bringt; aber die fruchttragenden Reben reinigt er, damit sie noch mehr Frucht bringen. ³ Ihr seid schon rein geworden durch die Botschaft, die ich euch verkündet habe. ⁴ Bleibt mit mir vereint, dann werde auch ich mit euch vereint bleiben. Nur wenn ihr mit mir vereint bleibt, könnt ihr Frucht bringen, genauso wie eine Rebe nur Frucht bringen kann, wenn sie am Weinstock bleibt.

⁵ *Ich* bin der Weinstock, und ihr seid die Reben. Wer in mir lebt, so wie ich in ihm, der bringt reiche Frucht. Denn ohne mich könnt ihr nichts vollbringen. ⁶ Wer nicht mit mir vereint bleibt, der wird wie eine abgeschnittene Rebe fortgeworfen und vertrocknet. Solche Reben werden gesammelt und ins Feuer geworfen, wo sie verbrennen. ⁷ Wenn ihr mit mir vereint bleibt und meine Worte in euch lebendig sind, könnt ihr den Vater um alles bitten, was ihr wollt, und ihr werdet es bekommen. ⁸ Wenn ihr reiche Frucht bringt, erweist ihr euch als meine Jünger, und so wird die Herrlichkeit meines Vaters sichtbar.

⁹ Ich liebe euch so, wie der Vater mich liebt. Bleibt in dieser Liebe! ¹⁰ Wenn ihr mir gehorcht, dann bleibt ihr in meiner Liebe, so wie ich meinem Vater gehorcht habe

und mich nicht von seiner Liebe löse. ¹¹Ich habe euch
dies gesagt, damit meine Freude euch erfüllt und an eurer
Freude nichts mehr fehlt.

¹²Dies ist mein Gebot: Ihr sollt einander so lieben, wie
ich euch geliebt habe. ¹³Niemand liebt mehr als der, der
sein Leben für seine Freunde opfert. ¹⁴Ihr seid meine
Freunde, wenn ihr tut, was ich euch auftrage. ¹⁵Ich werde
euch nicht mehr Diener nennen; denn ein Diener weiß
nicht, was sein Herr tut. Vielmehr nenne ich euch Freunde; denn ich habe euch alles mitgeteilt, was ich von meinem Vater gehört habe. ¹⁶Nicht ihr habt mich erwählt,
sondern ich habe euch erwählt. Ich habe euch dazu bestimmt, reiche Frucht zu bringen. Es soll Frucht sein, die
Bestand hat. Was ihr vom Vater unter Berufung auf mich
erbittet, wird er euch geben. ¹⁷Ich gebe euch nur dieses
eine Gebot: Ihr sollt einander lieben!«

Der Haß der Welt

¹⁸»Wenn die Welt* euch haßt, dann denkt daran, daß sie
mich zuerst gehaßt hat. ¹⁹Die Welt würde euch als ihre
Kinder lieben, wenn ihr zu ihr gehörtet. Aber ich habe
euch aus der Welt herausgerufen, und ihr gehört nicht zu
ihr. Aus diesem Grund haßt euch die Welt. ²⁰Denkt an
das, was ich euch gesagt habe: Kein Diener ist größer als
sein Herr. Wie sie mich verfolgt haben, werden sie auch
euch verfolgen. So wenig sie meinem Wort geglaubt haben, werden sie dem euren glauben.

²¹Das alles werden sie euch antun, weil ihr euch zu mir
bekennt. Sie kennen nämlich den nicht, der mich gesandt
hat. ²²Sie hätten keine Schuld, wenn ich nicht gekommen
wäre und zu ihnen gesprochen hätte. So aber haben sie
keine Entschuldigung mehr. ²³Wer mich haßt, der haßt
auch meinen Vater. ²⁴Sie hätten keine Schuld, wenn ich
nicht Taten unter ihnen vollbracht hätte, die noch kein
Mensch getan hat. Es steht fest, daß sie meine Taten gesehen haben, und trotzdem hassen sie mich und meinen Vater. ²⁵Aber das muß so sein, damit in Erfüllung geht, was
in ihrem Gesetz* steht: ›Sie haßten mich ohne jeden
Grund.‹

²⁶Der Stellvertreter* wird kommen. Es ist der Geist*
der Wahrheit, der vom Vater kommt. Ich werde ihn zu

euch senden, wenn ich beim Vater bin, und er wird als
Zeuge für mich eintreten. ²⁷ Und auch ihr werdet meine
Zeugen sein, denn ihr seid von Anfang an bei mir gewesen.

16 Ich habe euch dies gesagt, damit ihr nicht an mir
irre werdet. ² Man wird euch aus den Synagogengemeinden* ausschließen. Es wird sogar soweit kommen,
daß jeder, der euch tötet, mit dieser Tat Gott zu dienen
meint. ³ Das alles werden sie euch antun, weil sie weder
mich noch den Vater erkannt haben. ⁴ Aber ich habe es
euch gesagt. Wenn es eintrifft, werdet ihr an meine Worte
denken.«

Die Aufgabe des heiligen Geistes

»Ich habe euch dies alles zu Anfang nicht gesagt, weil ich
ja bei euch war. ⁵ Jetzt werde ich zu dem gehen, der mich
gesandt hat. Aber niemand von euch fragt mich, wohin
ich gehe. ⁶ Ihr seid nur traurig, weil ich euch dies alles gesagt habe. ⁷ Aber glaubt mir, es ist gut für euch, daß ich
fortgehe; denn sonst wird der Stellvertreter* nicht zu
euch kommen. Wenn ich aber fortgehe, dann werde ich
ihn zu euch senden.

⁸ Wenn er kommt, wird er den Menschen dieser Welt*
beweisen, daß sie schuldig sind, und ihnen zeigen, was
Sünde ist und Gottes Gerechtigkeit und sein Gericht.
⁹ Ihre Sünde besteht darin, daß sie mir nicht vertrauen.
¹⁰ Gottes Gerechtigkeit erweist sich darin, daß er mir recht
gibt; denn ich gehe zum Vater, und ihr werdet mich nicht
mehr sehen. ¹¹ Gottes Gericht aber zeigt sich daran, daß
der Herrscher* dieser Welt schon verurteilt ist.

¹² Ich hätte euch noch vieles zu sagen, doch das würde
euch jetzt überfordern. ¹³ Aber wenn der Geist* der Wahrheit kommt, wird er euch in die ganze Wahrheit einführen. Was er euch sagen wird, hat er nicht von sich selbst,
sondern er wird euch sagen, was er hört. Er wird euch in
Zukunft den Weg weisen. ¹⁴ Er wird meine Herrlichkeit*
sichtbar machen; denn was er an euch weitergibt, hat er
von mir. ¹⁵ Alles, was der Vater hat, gehört auch mir. Darum habe ich gesagt: Was der Geist an euch weitergibt, hat
er von mir.«

Glück und Traurigkeit

[16]»Es dauert noch eine kurze Zeit, und ihr werdet mich nicht mehr sehen. Dann wird wieder eine kurze Zeit vergehen, und ihr werdet mich wiedersehen.«

[17] Unter seinen Jüngern erhob sich die Frage: »Wie sollen wir diese Worte verstehen, und das andere: ›Ich gehe zum Vater‹? [18] Was bedeutet ›eine kurze Zeit‹? Wir verstehen nicht, was er sagt.« [19] Jesus merkte, daß sie ihn fragen wollten. Darum sagte er zu ihnen: »Ich habe euch gesagt: ›Es dauert noch eine kurze Zeit, und ihr werdet mich nicht mehr sehen. Dann wird wieder eine kurze Zeit vergehen, und ihr werdet mich wiedersehen.‹ Macht ihr euch darüber Gedanken? [20] Ich will es euch ganz deutlich sagen: Ihr werdet jammern und weinen; aber die Welt wird sich freuen. Ihr werdet traurig sein; doch eure Trauer wird sich in Freude verwandeln. [21] Wenn eine Frau ein Kind zur Welt bringt, leidet sie Schmerzen; aber wenn das Kind geboren ist, vergißt sie die Schmerzen und ist nur noch glücklich, daß ein Mensch zur Welt gekommen ist. [22] So wird es auch mit euch sein: Jetzt seid ihr traurig. Aber ich werde euch wiedersehen. Dann wird euer Herz voll Freude sein, und diese Freude kann euch niemand nehmen.

[23] Wenn dieser Tag kommt, werdet ihr mich nichts mehr fragen. Ich versichere euch: der Vater wird euch alles geben, worum ihr bittet, wenn ihr euch dabei auf mich beruft. [24] Bisher habt ihr nichts unter Berufung auf mich erbeten. Bittet, und er wird euch beschenken, damit an eurer Freude nichts mehr fehlt.«

Der Sieg über die Welt

[25]»Ich habe euch dies alles mit Hilfe von Bildern gesagt. Die Zeit wird kommen, daß ich nicht mehr in Bildern zu euch rede, sondern in unverhüllten Worten zu euch über den Vater spreche. [26] Dann werdet ihr ihn unter Berufung auf mich bitten. Ich sage nicht, daß *ich* den Vater für euch bitten werde; [27] denn der Vater liebt euch. Er liebt euch, weil ihr mich liebt und mir glaubt, daß ich von Gott gekommen bin. [28] Ich bin vom Vater in die Welt gekommen. Jetzt verlasse ich die Welt wieder und gehe zum Vater.«

[29] Da sagten seine Jünger zu ihm: »Jetzt sprichst du of-

fen zu uns, ohne Bilder zu gebrauchen. ³⁰ Wir haben jetzt
verstanden, daß du alles weißt. Du weißt schon vorher,
was man dich fragen möchte. Darum glauben wir, daß du
von Gott gekommen bist.« ³¹ Jesus antwortete ihnen:
»Jetzt glaubt ihr; ³² aber die Zeit wird kommen, ja, sie ist
schon da, daß man euch auseinandertreiben wird. Ihr werdet alle nach Hause flüchten und mich allein lassen. Trotzdem bin ich nicht allein, weil mein Vater bei mir ist.

³³ Dies alles habe ich euch gesagt, damit ihr in meinem
Frieden geborgen seid; denn in der Welt* wird man euch
hart zusetzen. Verliert nicht den Mut: Ich habe die Welt
besiegt!«

Jesus betet für seine Jünger

17 Als Jesus diese Rede beendet hatte, blickte er zum
Himmel auf und sagte: »Vater, meine Stunde ist gekommen! Enthülle die Herrlichkeit deines Sohnes, damit
der Sohn* deine Herrlichkeit enthüllen kann. ² Du hast
ihm ja die Macht über alle Menschen gegeben, damit er
denen, die du ihm anvertraut hast, ewiges Leben schenkt.
³ Und das ewige Leben besteht darin, dich zu erkennen,
den einzig wahren Gott, und den, den du gesandt hast, Jesus Christus. ⁴ Ich habe deine Herrlichkeit auf der Erde
sichtbar gemacht; denn ich habe die Aufgabe erfüllt, die
du mir übertragen hast. ⁵ Vater, gib mir nun wieder die
Herrlichkeit, die ich schon bei dir hatte, bevor die Welt
geschaffen wurde!

⁶ Ich habe dich den Menschen bekanntgemacht, die du
mir in der Welt anvertraut hast. Sie gehörten dir, und du
hast sie mir gegeben. Sie haben dein Wort ernst genommen ⁷ und wissen jetzt, daß alles, was du mir gegeben hast,
wirklich von dir stammt. ⁸ Ich habe ihnen die Worte mitgeteilt, die ich von dir erhalten hatte, und sie haben sie aufgenommen. Sie haben klar erkannt, daß ich wirklich von
dir gekommen bin, und zweifeln nicht daran, daß du mich
gesandt hast.

⁹ Für sie bete ich. Ich bete nicht für die Welt*, sondern
für die Menschen, die du mir gegeben hast; denn sie gehören dir. ¹⁰ Alles, was ich habe, gehört dir, so wie mir alles
gehört, was du hast. Durch sie wird meine Herrlichkeit
sichtbar. ¹¹ Ich bin jetzt auf dem Weg zu dir. Ich bleibe

nicht länger in der Welt, aber sie bleiben in der Welt. Heiliger Vater, beschütze sie durch deine göttliche Macht, damit sie eins werden, so wie du und ich eins sind. [12]Solange ich bei ihnen war, habe ich sie beschützt und bewahrt durch die göttliche Macht, die du mir gegeben hast. Keiner von ihnen ist verlorengegangen, abgesehen von dem, der verlorengehen mußte, damit die Voraussage der heiligen Schriften* in Erfüllung ging.

[13]Und jetzt bin ich auf dem Weg zu dir. Ich sage dies alles, solange ich noch in der Welt bin, damit meine Freude ihnen in ganzer Fülle zuteil wird. [14]Ich habe ihnen deine Botschaft verkündet. Die Welt haßt sie, weil sie nicht zu ihr gehören, ebenso wie ich nicht zu ihr gehöre. [15]Ich bitte dich nicht, sie aus der Welt wegzunehmen; aber ich möchte, daß du sie vor dem Bösen in Schutz nimmst. [16]Sie gehören nicht zur Welt, so wie ich nicht zu dieser Welt gehöre. [17]Weihe sie durch die Wahrheit zum Dienst. Dein Wort ist diese Wahrheit. [18]Ich sende sie in die Welt, wie du mich in die Welt gesandt hast. [19]Ich weihe mein Leben für sie zum Opfer, damit sie durch die Wahrheit zum Dienst geweiht sind.

[20]Ich bete nicht nur für sie, sondern für alle, die durch ihr Wort von mir hören und mir vertrauen werden. [21]Ich bete darum, daß sie alle eins seien. So wie du in mir bist und ich in dir, Vater, so sollen auch sie in uns eins sein! Dann wird die Welt glauben, daß du mich gesandt hast. [22]Ich habe ihnen die gleiche Herrlichkeit gegeben, die du mir gegeben hast, damit sie so untrennbar eins sind wie du und ich. [23]Ich lebe in ihnen, und du lebst in mir; so sollen sie zu einer vollkommenen Einheit werden, damit die Welt erkennt, daß du mich gesandt hast und daß du sie ebenso liebst wie mich.

[24]Vater, du hast sie mir gegeben, und ich will, daß sie dort sind, wo ich bin, damit sie meine Herrlichkeit sehen können. Diese Herrlichkeit hast du mir gegeben, weil du mich liebtest, bevor die Welt geschaffen wurde. [25]Treuer Vater, die Welt hat dich nicht erkannt; aber ich habe dich immer gekannt, und diese hier haben erkannt, daß du mich gesandt hast. [26]Ich habe ihnen gezeigt, wer du bist, und werde es weiter tun. So wird die Liebe, die du zu mir hast, auch sie erfüllen, und ich werde in ihnen leben.«

Jesus wird verhaftet
(Mt 26,47-56; Mk 14,43-50; Lk 22,47-53)

18 Nachdem Jesus dieses Gebet gesprochen hatte, brach er mit seinen Jüngern auf. Sie überquerten den Kidronbach. Auf der anderen Seite befand sich ein Garten, und Jesus ging mit seinen Jüngern hinein. ²Der Verräter Judas kannte diesen Ort gut, denn Jesus war dort oft mit seinen Jüngern zusammengewesen. ³So kam Judas dorthin, begleitet von römischen Soldaten und von einigen Tempelwächtern, die von den führenden Priestern* und den Pharisäern* mitgeschickt worden waren. Sie waren bewaffnet und trugen Laternen und Fackeln. ⁴Jesus wußte genau, was mit ihm geschehen würde. Er trat ihnen entgegen und fragte sie: »Wen sucht ihr?« ⁵»Jesus von Nazaret!« antworteten sie. »*Ich* bin es!« sagte Jesus.

Der Verräter Judas stand bei ihnen. ⁶Als Jesus zu ihnen sagte: »*Ich* bin es«, wichen sie zurück und fielen zu Boden. ⁷Jesus fragte sie wieder: »Wen sucht ihr?« »Jesus von Nazaret!« antworteten sie. ⁸»Ich habe euch doch gesagt, daß *ich* es bin«, sagte Jesus. »Wenn ihr also mich sucht, dann laßt diese anderen gehen.« ⁹So bestätigte sich, was Jesus früher gesagt hatte: »Keiner von denen, die du mir gegeben hast, Vater, ist verlorengegangen.«

¹⁰Simon Petrus hatte ein Schwert. Er zog es und schlug einem Diener des Obersten Priesters* ein Ohr ab. Der Diener hieß Malchus. ¹¹Jesus sagte zu Petrus: »Steck dein Schwert weg! Diesen Leidenskelch hat mein Vater für mich bestimmt. Muß ich ihn dann nicht trinken?«

Jesus wird Hannas vorgeführt
(Mt 26,57-58; Mk 14,53-54; Lk 22,54)

¹²Die Soldaten mit ihrem Offizier und die jüdischen Wächter verhafteten Jesus, fesselten ihn ¹³und brachten ihn zuerst zu Hannas. Hannas war der Schwiegervater von Kajaphas, der in jenem Jahr das Amt des Obersten Priesters* ausübte. ¹⁴Kajaphas hatte früher den führenden Männern geraten, es sei besser, einen einzelnen Mann für das Volk sterben zu lassen.

Petrus verleugnet Jesus
(Mt 26,69-70; Mk 14,66-68; Lk 22,55-57)

¹⁵ Simon Petrus und ein anderer Jünger folgten Jesus. Der andere Jünger war mit dem Obersten Priester* gut be- kannt, deshalb konnte er mit Jesus bis in den Innenhof des Hauses gehen. ¹⁶ Petrus blieb draußen am Tor stehen. Der andere Jünger, der Bekannte des Obersten Priesters, kam wieder zurück, verhandelte mit dem Mädchen am Tor und nahm dann Petrus mit hinein. ¹⁷ Das Mädchen am Tor fragte Petrus: »Bist du nicht auch ein Jünger dieses Mannes?« »Nein, das bin ich nicht«, antwortete Petrus.
¹⁸ Es war kalt. Die Diener und Wächter hatten deshalb einen Stoß Holzkohlen angezündet, standen um das Feuer herum und wärmten sich. Petrus ging hin, stellte sich zu ihnen und wärmte sich auch.

Hannas verhört Jesus

¹⁹ Der Oberste Priester* fragte Jesus nach seinen Jüngern und nach seiner Lehre. ²⁰ Jesus antwortete: »Ich habe im- mer offen vor aller Welt gesprochen. Ich habe in den Synagogen* und im Tempel gelehrt, wo sich alle Juden treffen, und habe niemals etwas im geheimen gesagt. ²¹ Warum fragst du dann mich? Frag doch die Leute, die meine Worte gehört haben! Sie wissen es.«
²² Als Jesus das gesagt hatte, schlug ihn einer von den Wächtern ins Gesicht und sagte: »Wie kannst du es wagen, so mit dem Obersten Priester zu sprechen?« ²³ Jesus erwi- derte ihm: »Wenn ich etwas Falsches gesagt habe, dann weise es mir nach! Bin ich aber im Recht, so darfst du mich nicht schlagen.«
²⁴ Hannas aber schickte Jesus in Fesseln zum Obersten Priester Kajaphas.

Petrus verleugnet Jesus noch einmal
(Mt 26,71-75; Mk 14,69-72; Lk 22,58-62)

²⁵ Petrus stand noch immer beim Feuer und wärmte sich. Da sagten die anderen zu ihm: »Bist du nicht auch ein Jünger von dem da drin?« Aber Petrus erwiderte: »Nein, ich bin es nicht!« ²⁶ Ein Diener des Obersten Priesters*, ein Verwandter des Mannes, dem Petrus das Ohr abge-

schlagen hatte, bestand darauf: »Ich habe dich doch mit ihm in dem Garten gesehen!« [27] Wieder stritt Petrus es ab, und im selben Augenblick krähte ein Hahn.

Jesus wird Pilatus vorgeführt
(Mt 27,1-2.11-14; Mk 15,1-5; Lk 23,1-5)

[28] Am frühen Morgen brachten sie Jesus vom Haus des Obersten Priesters* Kajaphas zum Palast des römischen Prokurators*. Die Juden gingen nicht in den Palast hinein, weil ihre Reinheitsvorschriften* ihnen das verboten. Andernfalls hätten sie nicht das Passafest* feiern können. [29] Pilatus kam zu ihnen heraus und fragte: »Was für Anklagen habt ihr gegen diesen Mann?« [30] Sie antworteten: »Wir hätten ihn nicht zu dir gebracht, wenn er kein Verbrecher wäre.« [31] »Dann nehmt ihn doch«, sagte Pilatus, »und verurteilt ihn nach eurem eigenen Gesetz.« »Aber wir dürfen ja niemand hinrichten!« erwiderten sie. [32] So ging in Erfüllung, was Jesus gesagt hatte, als er von der Art seines Todes sprach.

[33] Pilatus ging in den Palast zurück und ließ Jesus vorführen. »Bist du der König der Juden?« fragte er ihn. [34] Jesus antwortete: »Bist du selbst auf diese Frage gekommen, oder haben dir andere von mir erzählt?« [35] Pilatus erwiderte: »Hältst du mich etwa für einen Juden? Dein eigenes Volk und die führenden Priester* haben dich mir übergeben. Was hast du getan?« [36] Jesus sagte: »Mein Königtum stammt nicht von dieser Welt*. Sonst würden meine Untertanen dafür kämpfen, daß ich den Juden nicht in die Hände falle. Nein, mein Königtum ist von ganz anderer Art!« [37] Da fragte Pilatus ihn: »Du bist also doch ein König?« Jesus antwortete: »Ja, ich bin ein König. Ich wurde geboren und kam in die Welt, damit ich die Wahrheit bekanntmache. Wer zur Wahrheit gehört, hört auf mich.« [38] »Wahrheit?« meinte Pilatus, »was ist das?«

Jesus wird zum Tod verurteilt
(Mt 27,15-31; Mk 15,6-20; Lk 23,13-25)

Pilatus ging wieder zu den Juden hinaus und sagte zu ihnen: »Ich sehe keinen Grund, ihn zu verurteilen. [39] Es ist aber üblich, daß ich jedes Jahr am Passafest* einen Gefangenen freilasse. Soll ich euch den König der Juden freigeben?« ⁴⁰ Sie schrien: »Nein, den nicht! Wir wollen Barabbas!« Barabbas aber war ein Straßenräuber.

19 Da ließ Pilatus Jesus abführen und auspeitschen. ² Die Soldaten flochten aus Dornenzweigen eine Krone und setzten sie Jesus auf. Sie hängten ihm einen roten Mantel um, ³ traten vor ihn hin und riefen: »Der König der Juden, er lebe hoch!« Dabei schlugen sie ihm ins Gesicht.

⁴ Dann ging Pilatus noch einmal zu der Menge hinaus und sagte: »Ich bringe ihn euch hier heraus, damit ihr seht, daß ich keinen Grund zu seiner Verurteilung finden kann.« ⁵ Als Jesus herauskam, trug er die Dornenkrone und den roten Mantel. Pilatus sagte zu den Juden: »Da, seht ihn euch an, den Menschen!« ⁶ Als die führenden Priester* und die Wächter ihn sahen, schrien sie im Chor: »Kreuzigen! Kreuzigen!« Pilatus sagte zu ihnen: »Kreuzigt ihn doch selbst! Ich finde keinen Grund, ihn zu verurteilen.« ⁷ Die Juden hielten ihm entgegen: »Wir haben ein Gesetz. Nach diesem Gesetz muß er sterben, weil er behauptet, er sei Gottes Sohn*.«

⁸ Als Pilatus das hörte, bekam er noch mehr Angst. ⁹ Er ging in den Palast zurück und fragte Jesus: »Woher kommst du?« Aber Jesus antwortete ihm nicht. ¹⁰ Pilatus sagte zu ihm: »Willst du nicht mit mir reden? Denk daran, daß ich die Macht habe, dich freizugeben, aber auch die Macht, dich ans Kreuz nageln zu lassen!« ¹¹ Jesus antwortete: »Du hast nur Macht über mich, weil sie dir von Gott gegeben wurde. Darum haben die, die mich dir ausgeliefert haben, eine größere Schuld auf sich geladen.« ¹² Wegen dieser Worte versuchte Pilatus noch einmal, ihn freizulassen. Aber die Menge schrie: »Wenn du ihn freiläßt, bist du kein Freund des Kaisers! Wer sich als König ausgibt, stellt sich gegen den Kaiser!«

¹³ Als Pilatus das hörte, ließ er Jesus herausführen. Er setzte sich auf den Richterstuhl an der Stelle, die Steinpflaster heißt, auf hebräisch*: Gabbata. ¹⁴ Es war der Tag vor dem Passafest, etwa zwölf Uhr mittags. Pilatus sagte zu den Juden: »Da habt ihr euren König!« ¹⁵ Sie schrien: »Fort mit ihm! Ans Kreuz!« Pilatus fragte sie: »Euren König soll ich kreuzigen lassen?« Die führenden Priester antworteten: »Unser einziger König ist der Kaiser in Rom!«

¹⁶ Da gab Pilatus ihnen nach und befahl, Jesus zu kreuzigen.

Jesus wird gekreuzigt
(Mt 27,32-44; Mk 15,21-32; Lk 23,26-43)

Die Soldaten übernahmen Jesus. ¹⁷ Er mußte sein Kreuz selber aus der Stadt hinaustragen, bis zu dem Ort, der ›Schädel‹ genannt wird – auf hebräisch* heißt er Golgota. ¹⁸ Dort nagelten sie Jesus ans Kreuz. Rechts und links von ihm wurden zwei andere Männer gekreuzigt. ¹⁹ Pilatus ließ ein Schild am Kreuz anbringen; darauf stand: »Jesus von Nazaret, der König der Juden«. ²⁰ Der Ort, wo Jesus gekreuzigt wurde, war nicht weit von der Stadt entfernt, deshalb lasen viele diese Aufschrift. Sie war in hebräischer, lateinischer und griechischer Sprache abgefaßt. ²¹ Die führenden Priester* sagten zu Pilatus: »Schreib nicht: ›Der König der Juden‹, sondern: ›Dieser Mann hat behauptet: Ich bin der König der Juden.‹« ²² Pilatus sagte: »Was ich geschrieben habe, bleibt stehen.«

²³ Nachdem die Soldaten Jesus ans Kreuz genagelt hatten, nahmen sie seine Kleider und teilten sie in vier Teile. Jeder erhielt einen Teil. Das Untergewand aber war in einem Stück gewebt und hatte keine Naht. ²⁴ Die Soldaten sagten zueinander: »Wir wollen es nicht zerreißen; das Los soll entscheiden, wer es bekommt.« So traf ein, was in den heiligen Schriften* vorausgesagt war: »Sie haben meine Kleider unter sich verteilt. Mein Gewand haben sie verlost.« Genau das taten die Soldaten.

²⁵ Nahe bei dem Kreuz, an dem Jesus hing, standen vier Frauen: seine Mutter und deren Schwester sowie Maria, die Frau von Klopas, und Maria aus Magdala. ²⁶ Jesus sah seine Mutter dort stehen und daneben den Jünger, den er liebte. Da sagte er zu seiner Mutter: »Er ist jetzt dein Sohn!« ²⁷ Und zu dem Jünger sagte er: »Sie ist jetzt deine Mutter!« Von da an nahm der Jünger sie bei sich auf.

Jesus stirbt
(Mt 27,45-56; Mk 15,33-41; Lk 23,44-49)

²⁸ Jesus wußte, daß nun alles zu Ende gebracht war. Damit die Voraussage in den heiligen Schriften* in Erfüllung ging, sagte er: »Ich habe Durst!« ²⁹ In der Nähe stand ein

Gefäß mit Essig*. Die Soldaten tauchten einen Schwamm hinein, steckten ihn auf einen Ysopzweig* und hielten ihn Jesus an die Lippen. ³⁰Er nahm davon und sagte: »Jetzt ist alles vollendet.« Dann neigte er den Kopf und starb.

Jesus wird die Seite durchstochen

³¹Die führenden Männer baten Pilatus: »Laß doch den Hingerichteten die Beine brechen und sie vom Kreuz abnehmen.« Sie sagten das, weil es Freitag war und sie die Toten nicht über den Sabbat* am Kreuz hängen lassen wollten. Der kommende Sabbat war außerdem ein ganz besonders hoher Feiertag. ³²Die Soldaten gingen hin und brachen die Beine der beiden Männer, die mit Jesus zusammen gekreuzigt worden waren. ³³Als sie zu Jesus kamen, merkten sie, daß er schon tot war. Darum brachen sie seine Beine nicht. ³⁴Aber einer der Soldaten stach ihm mit seinem Speer in die Seite. Da kam Blut und Wasser heraus. ³⁵Der Mann, der dies sah, hat es bezeugt. Wir wissen, daß er die Wahrheit gesagt hat, und er selbst weiß es auch. Deshalb könnt ihr euch darauf verlassen. ³⁶Das geschah, damit eintraf, was in den heiligen Schriften* vorausgesagt war: »Sie werden ihm keinen Knochen brechen.« ³⁷Und an einer anderen Stelle heißt es: »Sie werden auf den blicken, den sie durchbohrt haben.«

Jesus wird ins Grab gelegt
(Mt 27,57-61; Mk 15,42-47; Lk 23,50-56)

³⁸Als das geschehen war, bat Josef aus Arimathäa Pilatus um die Erlaubnis, den Toten vom Kreuz abzunehmen. Josef war ein Jünger Jesu, aber nur heimlich, weil er vor den führenden Männern Angst hatte. Pilatus überließ ihm den Leichnam, und Josef ging und nahm ihn vom Kreuz ab. ³⁹Auch Nikodemus, der Jesus einmal nachts aufgesucht hatte, kam mit; er brachte ungefähr hundert Pfund Myrrhenharz mit Aloe. ⁴⁰Die beiden Männer nahmen den Leichnam Jesu und wickelten ihn mit den Duftstoffen in Leinenbinden, wie es der jüdischen Begräbnissitte entspricht. ⁴¹Bei der Stelle, wo Jesus hingerichtet worden war, befand sich ein Garten. Darin war eine neue Grabhöhle, in

der noch niemand gelegen hatte. ⁴²Dort hinein legten sie Jesus, weil es der Tag vor dem Sabbat* war und weil das Grab in der Nähe lag.

Das leere Grab
(Mt 28,1-8; Mk 16,1-8; Lk 24,1-12)

20 Am Tag nach dem Sabbat* ging Maria aus Magdala in aller Frühe, als es noch dunkel war, zum Grab. Sie sah, daß der Stein vom Eingang entfernt war. ²Da lief sie zu Simon Petrus und zu dem Jünger, den Jesus liebte, und berichtete ihnen: »Man hat den Herrn aus dem Grab genommen, und wir wissen nicht, wohin er gebracht worden ist.«

³Petrus und der andere Jünger machten sich auf den Weg und gingen zum Grab. ⁴Beide beeilten sich sehr, aber der andere Jünger lief schneller als Petrus und war als erster am Grab. ⁵Er beugte sich vor und sah die Leinenbinden liegen, aber er ging nicht hinein. ⁶Als Simon Petrus nachkam, ging er sofort in die Grabhöhle hinein. Er sah die Leinenbinden ⁷und das Tuch, das sie Jesus um den Kopf gebunden hatten. Dieses Tuch lag nicht bei den Binden, sondern war für sich zusammengefaltet. ⁸Nun ging auch der andere Jünger hinein, der zuerst am Grab angekommen war. Er sah alles und kam zum Glauben. ⁹Denn bis dahin hatten sie die heiligen Schriften* immer noch nicht verstanden. Dort steht ja, daß Jesus vom Tod auferstehen muß. ¹⁰Danach gingen die beiden nach Hause zurück.

Jesus erscheint Maria aus Magdala
(Mt 28,9-10; Mk 16,9-11)

¹¹Maria stand noch vor dem Grab und weinte. Dabei beugte sie sich vor und schaute hinein. ¹²Da sah sie zwei weißgekleidete Engel. Sie saßen an der Stelle, wo Jesus gelegen hatte, einer am Kopfende und einer am Fußende. ¹³»Warum weinst du?« fragten die Engel. Maria antwortete: »Sie haben meinen Herrn fortgetragen, und ich weiß nicht, wohin sie ihn gebracht haben!«

¹⁴Als sie sich umdrehte, sah sie Jesus dastehen. Aber sie wußte nicht, daß es Jesus war. ¹⁵Er fragte sie: »Warum weinst du? Wen suchst du?« Sie dachte, er sei der Gärt-

ner, und sagte zu ihm: »Wenn du ihn fortgenommen hast,
so sage mir, wohin du ihn gebracht hast. Ich möchte hingehen und ihn holen.« ¹⁶»Maria!« sagte Jesus zu ihr. Sie
wandte sich ihm zu und sagte: »Rabbuni!« Das ist hebräisch* und heißt: Mein Herr! ¹⁷Jesus sagte zu ihr: »Halte
mich nicht zurück! Ich bin noch nicht zu meinem Vater
zurückgekehrt. Aber geh zu meinen Brüdern° und sag ihnen von mir: Ich gehe zu dem, der mein und euer Vater
ist, mein Gott und euer Gott.« ¹⁸Maria aus Magdala ging
zu den Jüngern und sagte: »Ich habe den Herrn gesehen!«
Und sie berichtete ihnen, was er ihr aufgetragen hatte.

Jesus erscheint seinen Jüngern
(Mt 28,16-20; Mk 16,14-18; Lk 24,36-49)

¹⁹Es war spät abends an jenem Sonntag. Die Jünger hatten Angst vor den führenden Männern, deshalb hatten sie
die Türen abgeschlossen. Da kam Jesus und trat in ihre
Mitte. »Ich bringe euch Frieden!« sagte er. ²⁰Dann zeigte
er ihnen seine Hände und seine Seite. Sie freuten sich
sehr, als sie den Herrn sahen. ²¹Noch einmal sagte Jesus
zu ihnen: »Ich bringe euch Frieden! Wie der Vater mich
gesandt hat, so sende ich nun euch.« ²²Dann hauchte
er sie an und sagte: »Empfangt Gottes heiligen Geist*!
²³Wem ihr die Schuld erlaßt, dem ist sie von Gott vergeben. Wem ihr sie nicht erlaßt, dem ist sie auch von Gott
nicht vergeben.«

Jesus und Thomas

²⁴Als Jesus kam, war Thomas, genannt der Zwilling, einer
der zwölf Jünger, nicht dabeigewesen. ²⁵Später erzählten
ihm die anderen: »Wir haben den Herrn gesehen!« Thomas sagte zu ihnen: »Ich werde es so lange nicht glauben,
bis ich die Spuren von den Nägeln an seinen Händen gesehen habe. Ich will erst mit meinem Finger die Spuren von
den Nägeln fühlen und meine Hand in seine Seitenwunde
legen.«
²⁶Eine Woche später waren die Jünger wieder im Haus
versammelt, und Thomas war bei ihnen. Die Türen waren
abgeschlossen. Jesus kam, trat in ihre Mitte und sagte:
»Ich bringe euch Frieden!« ²⁷Dann wandte er sich an Thomas: »Leg deinen Finger hierher und sieh dir meine Hän-

de an! Streck deine Hand aus und lege sie in meine Seitenwunde! Hör auf zu zweifeln und glaube, daß ich es bin!«
²⁸ Da antwortete Thomas: »Mein Herr und mein Gott!«
²⁹ Jesus sagte zu ihm: »Bist du jetzt überzeugt, weil du
mich gesehen hast? Freuen dürfen sich alle, die mich
nicht sehen und mir trotzdem vertrauen!«

Der Zweck dieses Buches

³⁰ Jesus tat vor den Augen seiner Jünger noch viele andere
Wunder, durch die er ihnen seine Macht und Hoheit zeigte. Sie stehen nicht in diesem Buch. ³¹ Was aber in diesem
Buch steht, wurde aufgeschrieben, damit ihr daran festhaltet,° daß Jesus der Sohn* Gottes ist, der versprochene
Retter*. Wenn ihr euer Vertrauen auf ihn setzt, habt ihr
durch ihn das Leben.

Ein Nachtrag: Jesus erscheint sieben Jüngern

21 Später zeigte sich Jesus seinen Jüngern noch einmal am See von Tiberias. Das geschah so: ² Simon
Petrus, Thomas, der auch Zwilling genannt wurde, Natanaël aus Kana in Galiläa, die Söhne von Zebedäus und zwei
andere Jünger waren zusammen. ³ Simon Petrus sagte zu
den anderen: »Ich gehe fischen!« »Wir kommen mit«, sagten sie zu ihm. Sie gingen hinaus und stiegen ins Boot;
aber während der ganzen Nacht fingen sie nichts.
⁴ Als die Sonne aufging, stand Jesus am Ufer. Die Jünger wußten aber nicht, daß es Jesus war. ⁵ Er redete sie
an: »Kinder, habt ihr nicht ein paar Fische?« »Keinen einzigen!« antworteten sie. ⁶ Er sagte zu ihnen: »Werft euer
Netz an der rechten Bootsseite aus! Dann werdet ihr Erfolg haben.« Sie warfen das Netz aus und fingen so viele
Fische, daß sie das Netz nicht ins Boot ziehen konnten.
⁷ Der Jünger, den Jesus liebte, sagte zu Petrus: »Es ist der
Herr!« Als Petrus das hörte, warf er sich das Oberkleid
über und sprang ins Wasser. Er hatte nämlich zum Arbeiten sein Oberkleid ausgezogen.
⁸ Sie waren etwa hundert Meter vom Land entfernt. Die
anderen Jünger ruderten das Boot an Land und zogen das
Netz mit den Fischen hinter sich her. ⁹ Als sie an Land gingen, sahen sie ein Holzkohlenfeuer mit Fischen darauf,
auch Brot lag dabei. ¹⁰ Jesus sagte zu ihnen: »Bringt ein

paar von den Fischen, die ihr eben gefangen habt!« [11] Simon Petrus stieg ins Boot und zog das Netz an Land. Es war voll von großen Fischen, genau hundertdreiundfünfzig. Aber das Netz riß nicht, obwohl es so viele waren. [12] Jesus sagte zu ihnen: »Kommt her und eßt!« Keiner von den Jüngern wagte zu fragen: »Wer bist du?« Sie wußten, daß es der Herr war. [13] Jesus trat zu ihnen, nahm das Brot und verteilte es unter sie, ebenso die Fische.

[14] Dies war das dritte Mal, daß sich Jesus seinen Jüngern zeigte, seit er vom Tod auferstanden war.

Jesus und Petrus

[15] Nachdem sie gegessen hatten, sagte Jesus zu Simon Petrus: »Simon, Sohn von Johannes, liebst du mich mehr als die anderen hier?« Petrus antwortete: »Ja, Herr, du weißt, daß ich dich liebe.« Jesus sagte zu ihm: »Sorge für meine Lämmer!« [16] Ein zweites Mal sagte Jesus zu ihm: »Simon, Sohn von Johannes, liebst du mich?« »Ja, Herr, du weißt, daß ich dich liebe«, antwortete er. Jesus sagte zu ihm: »Führe meine Schafe!« [17] Ein drittes Mal fragte Jesus: »Simon, Sohn von Johannes, liebst du mich?« Petrus wurde traurig, weil er ihn ein drittes Mal fragte: »Liebst du mich?« Er sagte zu ihm: »Herr, du weißt alles, du weißt auch, daß ich dich liebe.« Jesus sagte zu ihm: »Sorge für meine Schafe! [18] Ich versichere dir: Als du jung warst, hast du deinen Gürtel selbst umgebunden und bist gegangen, wohin du wolltest, aber wenn du einmal alt bist, wirst du deine Hände ausstrecken, und ein anderer wird dich binden und dich dorthin führen, wohin du nicht gehen willst.« [19] Mit diesen Worten deutete Jesus an, mit was für einem Tod Petrus einst Gott ehren werde. Dann sagte Jesus zu ihm: »Geh mit mir!«

Jesus und der andere Jünger

[20] Petrus drehte sich um und sah hinter sich den Jünger, den Jesus liebte. Es war derselbe, der während des letzten Mahles neben Jesus gesessen und ihn gefragt hatte: »Herr, wer wird dich verraten?« [21] Als Petrus ihn sah, fragte er Jesus: »Was geschieht denn mit dem?« [22] Jesus antwortete ihm: »Wenn ich will, daß er so lange lebt, bis ich wiederkomme, was geht dich das an? Geh du den Weg,

den ich dir vorausgegangen bin!« ²³ Deswegen verbreitete
sich unter den Christen das Gerücht, daß dieser Jünger
nicht sterben werde. Aber Jesus hatte nicht gesagt, daß er
nicht sterben werde, sondern: »Wenn ich will, daß er so
lange lebt, bis ich wiederkomme, was geht dich das an?«

²⁴ Er ist der Jünger, der diese Geschehnisse bezeugt und
auch aufgeschrieben hat. Wir wissen, daß er die Wahrheit
sagt.

Abschluß des Nachtrags

²⁵ Es gibt noch vieles andere, was Jesus getan hat. Wenn
alles einzeln aufgeschrieben würde – ich denke, die ganze
Welt könnte die Bücher nicht fassen, die man schreiben
müßte.

DIE GESCHICHTE DER APOSTEL

Lukas schreibt die Fortsetzung seines Berichts

1 Verehrter Theophilus,
in meiner ersten Schrift habe ich alles berichtet, was
Jesus tat und lehrte, von Anfang an ²bis zu dem Tag, an
dem er in den Himmel aufgenommen wurde. Zuvor gab er
den Männern, die er, geleitet vom heiligen Geist*, als
Apostel* ausgewählt hatte, Anweisungen für die Zukunft.
³Ihnen hatte er sich nach seinem Tod wiederholt gezeigt
und ihnen die Gewißheit gegeben, daß er lebte. Während
vierzig Tagen kam er immer wieder zu ihnen und sprach
mit ihnen darüber, wie Gott seine Herrschaft* aufrichten
und sein Werk vollenden werde.

Jesus nimmt Abschied von seinen Jüngern

⁴Als Jesus wieder einmal bei ihnen war, gab er ihnen die
Anweisung: »Bleibt in Jerusalem und wartet auf den heiligen Geist*, den euch mein Vater versprochen hat und den
ich euch angekündigt habe. ⁵Johannes hat mit Wasser
getauft, aber ihr werdet schon bald mit dem Geist Gottes
getauft werden.«

⁶Da fragten sie ihn: »Herr, wirst du dann die Herrschaft* Gottes in Israel aufrichten?« ⁷Jesus antwortete:
»Den Zeitpunkt dafür hat mein Vater selbst festgelegt; ihr
braucht ihn nicht zu kennen. ⁸Aber ihr werdet vom Geist
Gottes erfüllt werden. Der wird euch fähig machen, überall als meine Zeugen aufzutreten: in Jerusalem und in
ganz Judäa, in Samarien und bis ans äußerste Ende der
Erde.«

⁹Während er das sagte, wurde er vor ihren Augen emporgehoben. Eine Wolke nahm ihn auf, so daß sie ihn
nicht mehr sehen konnten.

¹⁰Als sie noch nach oben starrten, standen plötzlich
zwei weißgekleidete Männer neben ihnen. ¹¹»Ihr Galiläer«, sagten sie, »warum steht ihr hier und schaut nach
oben? Dieser Jesus, der von euch weg in den Himmel auf-

genommen wurde, wird auf dieselbe Weise wiederkommen, wie ihr ihn habt weggehen sehen.«

Die Lücke im Apostelkreis wird geschlossen

[12] Danach kehrten die Apostel* vom Ölberg, der etwa eine halbe Stunde vor der Stadt liegt, nach Jerusalem zurück. [13] Dort gingen sie in das Obergemach des Hauses, wo sie von nun an beisammen blieben. Es waren: Petrus, Johannes, Jakobus und Andreas, Philippus und Thomas, Bartholomäus, Matthäus und Jakobus, der Sohn von Alphäus, weiter Simon, der zur Partei der Zeloten* gehört hatte, und Judas, der Sohn von Jakobus. [14] Auch die Frauen waren dabei und Maria, die Mutter Jesu, dazu seine Brüder. Sie alle verbrachten die Zeit im gemeinsamen Gebet.

[15] An einem dieser Tage stand Petrus auf und ergriff das Wort – es waren etwa hundertundzwanzig Menschen versammelt. [16] »Liebe Brüder«, sagte er, »was die heiligen Schriften* über Judas vorausgesagt haben, mußte eintreffen. Dort hat der Geist* Gottes durch David im voraus von dem Verräter gesprochen, der den Männern, die Jesus verhaften sollten, den Weg wies. [17] Dieser Verräter gehörte zu uns und hatte denselben Auftrag wie wir. [18] Mit dem Geld für seine böse Tat kaufte er sich ein Feld, auf dem er zu Tode stürzte. Sein Leib platzte auf, und die Eingeweide traten heraus. [19] Alle Bewohner von Jerusalem hörten davon, und sie nannten das Grundstück in ihrer Sprache nur noch Hakeldamach, das bedeutet ›Blutacker‹. [20] Es heißt ja schon in den Psalmen: ›Sein Haus soll leerstehen, keiner soll darin wohnen.‹ Dort wird aber auch gesagt: ›Seine Aufgabe soll ein anderer übernehmen.‹ [21-22] Wir brauchen also einen aus unserer Mitte, der mit uns zusammen bezeugen kann, daß Jesus, der Herr, auferstanden ist. Es muß einer sein, der von Anfang an dabei war und alles miterlebt hat, was Jesus tat und lehrte, von der Zeit an, als er sich von Johannes taufen ließ, bis zu dem Tag, an dem er in den Himmel aufgenommen wurde.«

[23] Die Versammelten schlugen zwei Männer vor: Josef, auch Barsabbas oder Justus genannt, und Matthias. [24] Dann beteten sie: »Herr, du kennst die Menschen durch

und durch. Zeige uns, welchen von diesen beiden du ausgewählt hast. ²⁵Judas hat uns verlassen, um dorthin zu gehen, wohin er gehört. Wer von ihnen soll seinen Platz einnehmen?« ²⁶Darauf ließen sie das Los entscheiden. Es fiel auf Matthias, und er wurde als zwölfter in den Kreis der Apostel aufgenommen.

Der Geist Gottes kommt

2 Am jüdischen Pfingstfest* waren wieder alle, die zu Jesus hielten, versammelt. ²Plötzlich hörte man ein mächtiges Rauschen, wie wenn ein Sturm vom Himmel herabweht. Das Rauschen erfüllte das ganze Haus, in dem sie waren. ³Dann sah man etwas wie Feuer, das sich zerteilte, und auf jeden von ihnen ließ sich eine Flammenzunge nieder. ⁴Alle wurden vom Geist* Gottes erfüllt und begannen in verschiedenen Sprachen zu reden, jeder wie es ihm der Geist Gottes eingab.

⁵Nun lebten in Jerusalem fromme Juden aus aller Welt. ⁶Als sie das mächtige Rauschen hörten, strömten sie alle zusammen. Sie waren bestürzt, denn jeder hörte die versammelten Jünger in seiner eigenen Sprache reden. ⁷Außer sich vor Staunen riefen sie:»Die Leute, die da reden, sind doch alle aus Galiläa! ⁸Wie kommt es, daß wir sie in unserer Muttersprache reden hören? ⁹Unter uns sind Parther, Meder und Elamiter, Leute aus Mesopotamien° und Kappadozien, aus Pontus und aus der Provinz Asien*, ¹⁰aus Phrygien und Pamphylien, aus Ägypten, dem libyschen Zyrene und aus Rom, ¹¹aus Kreta und Arabien, Menschen jüdischer Herkunft und solche, die sich der jüdischen Gemeinde angeschlossen haben. Und trotzdem hört jeder sie in seiner eigenen Sprache die großen Taten Gottes verkünden.

¹²Erstaunt und verwirrt fragten sie einander, was das bedeute. ¹³Andere machten sich darüber lustig und meinten:»Die Leute sind doch betrunken!«

Die Pfingstpredigt des Apostels Petrus

¹⁴Da standen Petrus und die elf anderen Apostel* auf, und Petrus rief laut:»Ihr Juden aus aller Welt und alle Bewohner Jerusalems! Hört mir zu und laßt euch erklären, was hier vorgeht. ¹⁵Diese Leute sind nicht betrunken; es

ist ja erst neun Uhr früh. [16]Hier geschieht vielmehr, was Gott durch den Propheten Joël angekündigt hat:

[17]›Wenn die letzte Zeit anbricht, sagt Gott, werde ich alle Menschen mit meinem Geist* erfüllen. Männer und Frauen in Israel werden dann zu Propheten, Alte wie Junge haben Träume und Visionen. [18]Allen, die mir dienen, Männern und Frauen, gebe ich meinen Geist, und sie werden als Propheten reden. [19]Am Himmel und auf der Erde lasse ich wunderbare Zeichen erscheinen: man sieht Blut, Feuer und dichte Rauchwolken, [20]die Sonne verfinstert sich, und der Mond wird blutrot. So kündigt sich der große strahlende Tag des Herrn an. [21]Wer sich dann zum Herrn bekennt und seinen Namen anruft, wird gerettet.‹

[22]Ihr Leute von Israel, hört, was ich euch zu sagen habe! Jesus von Nazaret kam zu euch im Auftrag Gottes; das konntet ihr an den wunderbaren Taten sehen, die Gott durch ihn geschehen ließ. Ihr habt alles miterlebt, [23]und doch habt ihr ihn durch Menschen, die Gott nicht kennen, ans Kreuz schlagen lassen. Aber so hatte Gott es vorherbestimmt. [24]Er hat ihn auch aus der Gewalt des Todes befreit und wieder zum Leben erweckt; der Tod konnte ihn unmöglich gefangenhalten. [25]Schon David hat von ihm gesagt:

›Ich habe den Herrn immer vor Augen.
Er steht mir zur Seite,
darum fühle ich mich sicher.
[26]Das erfüllt mein Herz mit Freude
und läßt mich jubelnd singen.
Selbst wenn ich sterbe, habe ich die Zuversicht,
[27]daß du, Herr, mich nicht bei den Toten läßt;
du gibst deinen treuen Diener nicht der Verwesung
     preis.
[28]Du hast mir den Weg zum Leben gezeigt;
in deiner Nähe bin ich froh und glücklich.‹

[29]Brüder, ich darf offen zu euch über unseren großen König David sprechen. Er starb und wurde begraben, und sein Grab ist noch heute bei uns zu sehen. [30]Aber er war ein Prophet, und Gott hatte ihm feierlich zugesagt, einer seiner Nachkommen werde auf Gottes Thron sitzen. [31]David sah also voraus, was Gott vorhatte, und seine Worte beziehen sich auf die Auferstehung des verspro-

chenen Retters*. Von diesem gilt: ›Gott ließ ihn nicht bei den Toten, und sein Körper ist nicht verwest.‹

³² Diesen Jesus also hat Gott vom Tod erweckt, das können wir alle bezeugen. ³³ Er wurde zu dem Ehrenplatz an Gottes rechter Seite erhoben und erhielt von seinem Vater die versprochene Gabe, den heiligen Geist*, damit er ihn an uns weitergibt. Was ihr hier seht und hört, sind die Wirkungen dieses Geistes. ³⁴ David ist ja nicht in den Himmel aufgenommen worden. Er sagt vielmehr:

›Gott, der Herr, sagte zu meinem Herrn:
³⁵ Setze dich an meine rechte Seite!
Ich will dir deine Feinde unterwerfen,
sie als Schemel unter deine Füße legen.‹

³⁶ Alle Menschen in Israel sollen daran erkennen, daß Gott diesen Jesus, den ihr gekreuzigt habt, zum Herrn und Retter der Welt gemacht hat.«

³⁷ Dieses Wort traf die Zuhörer mitten ins Herz, und sie fragten Petrus und die anderen Apostel: »Brüder, was sollen wir tun?« ³⁸ Petrus antwortete: »Kehrt jetzt um und macht einen neuen Anfang! Laßt euch alle auf den Namen* Jesu Christi taufen! Dann wird Gott euch eure Schuld vergeben und euch seinen heiligen Geist schenken. ³⁹ Was Gott versprochen hat, ist für euch und eure Kinder bestimmt und für alle, die jetzt noch fern sind und die der Herr, unser Gott, hinzurufen wird.«

⁴⁰ Petrus beschwor und ermahnte sie noch weiter: »Laßt euch retten vor dem Verderben, das über diese schuldbeladene Generation hereinbricht!« ⁴¹ Viele nahmen seine Worte zu Herzen und ließen sich taufen. Etwa dreitausend Menschen führte der Herr an diesem Tag der Gemeinde zu.

Das Leben der Gemeinde

⁴² Sie alle blieben ständig beisammen; sie ließen sich von den Aposteln* unterweisen und teilten alles miteinander, feierten das Mahl* des Herrn und beteten gemeinsam. ⁴³ Durch die Apostel geschahen viele wunderbare Taten, und jedermann in Jerusalem spürte, daß hier wirklich Gott am Werk war. ⁴⁴ Alle, die zum Glauben gekommen waren, taten ihren ganzen Besitz zusammen. ⁴⁵ Wenn sie etwas brauchten, verkauften sie Grundstücke und Wert-

gegenstände und verteilten den Erlös unter die Bedürftigen in der Gemeinde. [46]Tag für Tag versammelten sie sich im Tempel, und in ihren Häusern feierten sie in jubelnder Freude und mit reinem Herzen das gemeinsame Mahl*. [47]Sie priesen Gott und wurden vom ganzen Volk geachtet. Der Herr führte ihnen jeden Tag weitere Menschen zu, die er retten wollte.

Heilung eines Gelähmten

3 Einmal gingen Petrus und Johannes in den Tempel. Es war drei Uhr, die Zeit für das Nachmittagsgebet. [2]Am Schönen Tor des Tempelvorhofs saß ein Mann, der von Geburt an gelähmt war. Jeden Tag ließ er sich dorthin tragen und bettelte die Leute an, die in den Tempel gingen. [3]Als Petrus und Johannes vorbeikamen, bat er sie um eine Gabe. [4]Sie wandten sich ihm zu, und Petrus sagte: »Sieh uns an!« [5]Er tat es und erwartete, daß sie ihm etwas geben würden. [6]Aber Petrus sagte: »Geld habe ich nicht; doch was ich habe, will ich dir geben. Im Namen Jesu Christi aus Nazaret: Steh auf, du kannst jetzt gehen!« [7]Er faßte den Gelähmten bei der Hand und half ihm auf. Im gleichen Augenblick erstarkten dessen Füße und Gelenke; [8]mit einem Sprung war er auf den Beinen und machte ein paar Schritte. Dann folgte er Petrus und Johannes in den Tempel, lief umher, sprang vor Freude und dankte Gott mit lauter Stimme.

[9]Alle Menschen dort sahen, wie er umherging und Gott dankte. [10]Als sie in ihm den Bettler erkannten, der sonst immer am Schönen Tor gesessen hatte, waren sie betroffen und ganz außer sich über das, was mit ihm geschehen war.

Petrus spricht im Tempel

[11]Sie beobachteten, daß der Geheilte sich eng an Petrus und Johannes hielt, und folgten ihnen voll Staunen in die Salomohalle*. [12]Petrus aber sagte zu der Menge, die dort zusammengeströmt war:

»Ihr Leute von Israel, warum staunt ihr? Was starrt ihr uns so an? Denkt nur nicht, wir hätten aus eigener Kraft oder mit unserer Frömmigkeit erreicht, daß der Mann hier gehen kann! [13] Der Gott unserer Vorfahren Abraham, Isaak und Jakob hat Jesus, seinen bevollmächtigten Diener, zu göttlicher Herrlichkeit erhoben – denselben Jesus, den ihr dem Tod ausgeliefert habt. Obwohl Pilatus ihn freilassen wollte, habt ihr auf seiner Verurteilung bestanden. [14] Er war heilig und schuldlos, aber ihr habt euch gegen ihn entschieden und lieber die Freigabe eines Mörders verlangt. [15] So habt ihr den, der das Leben gebracht hat, getötet. Doch Gott hat ihn vom Tod erweckt, das können wir bezeugen. [16] Das Vertrauen auf diesen Jesus hat den Mann, der hier steht und den ihr alle kennt, gesund gemacht. Der Name Jesus hat in ihm Glauben geweckt und ihm die volle Gesundheit geschenkt, die ihr an ihm seht.

[17] Ich weiß wohl, meine Brüder: Ihr habt so gehandelt, ihr und eure Führer, weil ihr es nicht besser gewußt habt. [18] Aber Gott selbst hat gewollt, daß der versprochene Retter* leiden mußte. Durch alle Propheten hat er es vorausgesagt, und durch euch ließ er es in Erfüllung gehen. [19] Kehrt jetzt um und wendet euch Gott zu, damit er eure Schuld auslöscht! [20] Dann wird er die Heilszeit anbrechen lassen und euch den vorherbestimmten Retter* schicken. [21] Jesus ist dieser Retter, und nach Gottes Willen nimmt er den Platz im Himmel ein, bis alles eintreffen wird, was Gott von Anfang an durch seine heiligen Propheten ankündigen ließ.

[22] Von ihm hat Mose gesagt: ›Der Herr, euer Gott, wird euch einen Propheten senden, der mir gleicht; aus eurer Mitte wird er ihn berufen. Auf ihn sollt ihr hören und alles befolgen, was er euch sagt. [23] Wer nicht auf diesen Propheten hört, wird aus dem Volk Gottes ausgestoßen.‹ [24] Auch was Samuel und alle späteren Propheten angekündigt haben, hat sich in unserer Zeit erfüllt. [25] Für euch ist es geschehen; denn ihr seid die Nachkommen der Propheten, und mit euren Vorfahren hat Gott seinen Bund* geschlossen. Er hat ja zu Abraham gesagt: ›Durch deinen Nachkommen werde ich alle Sippen des Landes segnen.‹ [26] So hat Gott seinen bevollmächtigten Diener nun zuerst zu euch gesandt, nachdem er ihn vom Tod erweckt hat. Durch ihn werdet ihr gesegnet, wenn ihr euch von eurem bösen Tun abkehrt.«

Petrus und Johannes vor dem jüdischen Rat

4 Während Petrus und Johannes noch zu der Menge sprachen, traten ihnen die Priester und die Sadduzäer* mit dem Kommandanten der Tempelwache entgegen. [2]Sie waren aufgebracht, weil die Apostel* zum Volk von der Auferstehung der Toten sprachen; die Apostel bezeugten nämlich, daß Jesus vom Tod auferstanden sei. [3]Darum nahmen sie die beiden fest und sperrten sie über Nacht ins Gefängnis; es war nämlich schon Abend. [4]Aber viele, die die Apostel gehört hatten, ließen sich überzeugen, und die Gemeinde wuchs auf fünftausend Mitglieder an.

[5]Am nächsten Tag kamen in Jerusalem die führenden Priester, die Ratsältesten* und die Gesetzeslehrer* zusammen, [6]dazu der Oberste Priester* Hannas mit Kajaphas, Johannes, Alexander und allen, die sonst noch den Kreisen der führenden Priester* angehörten. [7]Sie ließen die Apostel vorführen und fragten sie: »Woher hattet ihr die Kraft, diesen Mann zu heilen? In wessen Namen habt ihr es getan?«

[8]Petrus antwortete ihnen, vom heiligen Geist* erfüllt: »Führer und Älteste unseres Volkes! [9]Wenn wir uns hier vor Gericht dafür verantworten müssen, daß wir Gutes getan und diesem Kranken geholfen haben, [10]dann sollt ihr und alle Leute in Israel wissen: Durch die Macht des Namens* Jesu Christi aus Nazaret steht der Mann hier gesund vor euch. Ihr habt diesen Jesus gekreuzigt, aber Gott hat ihn vom Tod erweckt. [11]Auf ihn bezieht sich das Wort in den heiligen Schriften*: ›Der Stein, den die Bauleute – das seid ihr! – als unbrauchbar weggeworfen haben, ist zum tragenden Stein geworden.‹ [12]Jesus Christus und sonst keiner kann die Rettung bringen. Auf der ganzen Welt hat Gott keinen anderen Namen bekanntgemacht, durch den wir gerettet werden könnten.«

[13]Die Mitglieder des jüdischen Rates* waren überrascht, mit welcher Sicherheit Petrus und Johannes sich verteidigten, obwohl sie offenkundig keine Gelehrten waren, sondern einfache Leute. Sie wußten, daß die beiden mit Jesus zusammengewesen waren, [14]und sie sahen den

Geheilten neben ihnen. So konnten sie ihre Aussage nicht anfechten. [15] Sie schickten die beiden aus dem Sitzungssaal und berieten miteinander: [16] »Was sollen wir mit ihnen machen? Ganz Jerusalem hat inzwischen erfahren, daß sie diese Heilung vollbracht haben; wir können sie also nicht leugnen. [17] Aber damit die Sache nicht noch weiter bekannt wird, wollen wir ihnen mit Nachdruck verbieten, zu irgend jemand über diesen Jesus zu sprechen.« [18] Sie riefen also die beiden wieder herein und verboten ihnen streng, in Zukunft öffentlich von Jesus zu sprechen und seinen Namen bekanntzumachen.

[19] Aber Petrus und Johannes erwiderten ihnen: »Entscheidet selbst, ob es vor Gott recht ist, euch mehr zu gehorchen als ihm! [20] Wir können nicht verschweigen, was wir gesehen und gehört haben.« [21] Da drohten sie ihnen noch einmal und ließen sie dann gehen. Sie wagten nicht, sie zu bestrafen; denn das ganze Volk pries Gott für das, was geschehen war. [22] Der Mann, der auf so wunderbare Weise geheilt wurde, war nämlich über vierzig Jahre lang gelähmt gewesen.

Bitte um Stärke

[23] Nach ihrer Freilassung gingen Petrus und Johannes zur versammelten Gemeinde und erzählten dort, was die führenden Priester* und Ratsältesten* gesagt hatten. [24] Danach beteten alle gemeinsam zu Gott: »Herr, du hast Himmel, Erde und Meer geschaffen und alles, was lebt. [25] Durch den heiligen Geist* hast du unseren Vorfahren, deinen Diener David, sagen lassen:

> ›Was soll das Toben der Menschen?
> Wozu schmieden die Völker vergebliche Pläne?
> [26] Die Herrscher der Erde lehnen sich auf,
> die Machthaber verbünden sich
> gegen den Herrn und seinen Erwählten.‹

[27] Tatsächlich haben sich hier in Jerusalem Herodes und Pontius Pilatus, die Juden und Angehörige der fremden Völker zusammengetan gegen Jesus, deinen Bevollmächtigten, den du erwählt hast. [28] Aber sie konnten nur vollziehen, was du längst geplant und vorherbestimmt hattest. [29] Höre nun, Herr, wie sie uns drohen! Gib uns, deinen Dienern, jetzt die Kraft, deine Botschaft mutig und ent-

schlossen zu verkünden! [30] Hilf uns, Kranke zu heilen und andere Wundertaten im Namen deines bevollmächtigten Dieners Jesus zu tun!«

[31] Als sie geendet hatten, bebte plötzlich die Erde an ihrem Versammlungsort, und alle wurden vom heiligen Geist erfüllt. Ohne Furcht verkündeten sie allen die Botschaft Gottes.

Brüderliches Teilen in der Gemeinde

[32] Die ganze Gemeinde war ein Herz und eine Seele. Wenn einer Vermögen hatte, betrachtete er es nicht als persönliches, sondern als gemeinsames Eigentum. [33] Durch ihr Wort und die Wunder, die sie vollbrachten, bezeugten die Apostel* Jesus als den auferstandenen Herrn, und Gott beschenkte die ganze Gemeinde reich mit den Wirkungen, die von seinem Geist* ausgehen. [34] Niemand aus der Gemeinde brauchte Not zu leiden. Sooft es an etwas fehlte, verkaufte irgendeiner sein Grundstück oder sein Haus [35] und brachte den Erlös zu den Aposteln. Jeder bekam davon so viel, wie er nötig hatte.

[36-37] So machte es auch Josef, ein Levit aus Zypern, den die Apostel Barnabas nannten, das heißt ›der Mann, der anderen Mut macht‹. Er verkaufte seinen Acker, brachte das Geld und legte es den Aposteln zu Füßen.

Hananias und Saphira betrügen den heiligen Geist

5 Auch ein Mann namens Hananias und seine Frau Saphira verkauften ein Stück Land. [2] Hananias aber behielt mit Wissen seiner Frau einen Teil des Geldes zurück. Das übrige brachte er und legte es den Aposteln* zu Füßen. [3] Doch Petrus sagte zu ihm: »Hananias, warum hast du dein Herz dem Satan geöffnet? Warum betrügst du den heiligen Geist* und behältst einen Teil vom Erlös deines Feldes für dich? [4] Du hättest ja das Land behalten können, und nachdem du es verkauft hattest, auch das Geld. Warum hast du dich auf dieses falsche Spiel eingelassen? Du hast nicht Menschen, sondern Gott betrogen!«

[5] Als Hananias diese Worte hörte, brach er zusammen und starb. Alle, die davon erfuhren, erschraken. [6] Ein paar

junge Leute standen auf, wickelten den Toten in ein Tuch,
trugen ihn hinaus und begruben ihn.

[7] Etwa drei Stunden später kam seine Frau. Sie wußte
noch nicht, was geschehen war. [8] Petrus fragte sie: »Sag
mir doch, habt ihr den Acker zu diesem Preis verkauft?«
»Ja«, antwortete sie, »zu diesem Preis.« [9] Da sagte Petrus:
»Warum habt ihr euch verabredet, den Geist des Herrn
herauszufordern? Die Leute, die deinen Mann begraben
haben, kommen gerade zurück; ich höre schon ihre
Schritte vor der Tür. Sie werden auch dich hinaustragen!«
[10] Da brach auch sie auf der Stelle zusammen und starb.
Die jungen Leute kamen herein, sahen die tote Frau, trugen sie hinaus und begruben sie neben ihrem Mann. [11] Die
ganze Gemeinde und alle, die davon hörten, erschraken
sehr.

Das Ansehen der Gemeinde wächst

[12] Durch die Apostel* geschahen viele wunderbare Taten
unter dem Volk. Die Gemeinde war einmütig in der Salomohalle* beisammen. [13] Von den Außenstehenden wagte
niemand, sich unter sie zu mischen; aber alle sprachen
mit Achtung von ihnen. [14] Immer mehr Männer und Frau-
en bekannten sich zu Jesus als dem Herrn und schlossen
sich der Gemeinde an. [15] Man trug die Kranken auf die
Straße und legte sie dort auf Betten und Matten. Wenn
Petrus vorbeiging, sollte wenigstens sein Schatten auf den
einen oder anderen von ihnen fallen. [16] Auch aus der Umgebung von Jerusalem brachten viele Leute Kranke und
Besessene*, und alle wurden gesund.

Die Apostel werden verfolgt

[17] Der Oberste Priester* und die Sadduzäer*, die alle auf
seiner Seite standen, wurden neidisch und beschlossen
einzugreifen. [18] Sie ließen die Apostel* verhaften und ins
Gefängnis werfen. [19] Doch gleich in der ersten Nacht öffnete ein Engel des Herrn die Gefängnistore, führte die
Apostel heraus und sagte zu ihnen: [20] »Geht in den Tempel und verkündet allen die Botschaft von dem Leben, das
Jesus gebracht hat!« [21] Die Apostel gehorchten, gingen
früh am Morgen in den Tempel und sprachen zu den
Menschen.

Der Oberste Priester und die Sadduzäer hatten inzwischen den jüdischen Rat*, alle Ältesten* des Volkes Israel, zu einer Sitzung zusammengerufen. Sie schickten in das Gefängnis, um die Apostel holen zu lassen. [22]Aber die Abgesandten kamen unverrichteter Dinge zurück und berichteten: [23]»Wir fanden das Gefängnis fest verschlossen, und die Wachen standen auf ihrem Posten. Aber als wir aufmachten, war das Gefängnis leer.«

[24]Der Kommandant der Tempelwache und die führenden Priester* waren ratlos und konnten sich nicht erklären, was mit den Aposteln geschehen war. [25]Da kam ein Mann und berichtete: »Die Männer, die ihr ins Gefängnis gesperrt habt, sind im Tempel und sprechen zum Volk!« [26]Der Kommandant ging mit der Tempelwache hin, um sie zu holen. Sie vermieden es aber, Gewalt anzuwenden; denn sie hatten Angst, das Volk würde sie steinigen*.

[27]So brachten sie die Apostel vor den jüdischen Rat, und der Oberste Priester hielt ihnen vor: [28]»Wir haben euch deutlich genug befohlen, nicht mehr öffentlich von diesem Mann zu sprechen und seinen Namen bekanntzumachen. Und was tut ihr? Ihr redet und redet, bis auch der letzte in Jerusalem es gehört hat. Uns macht ihr für seinen Tod verantwortlich und wollt die Strafe Gottes über uns bringen!«

[29]Aber Petrus und die anderen Apostel antworteten: »Man muß Gott mehr gehorchen als den Menschen. [30]Den Jesus, den ihr ans Kreuz geschlagen und hingerichtet habt, hat der Gott unserer Vorfahren vom Tod erweckt. [31]Er hat ihn als Herrscher und Retter zu dem Ehrenplatz an seiner rechten Seite erhoben. Durch ihn will er Israel dazu bringen, daß es umkehrt und ihm seine Schuld vergeben werden kann. [32]Das haben wir zu bezeugen, und durch uns bezeugt es der heilige Geist*, den Gott denen gegeben hat, die ihm gehorchen.«

[33]Als die Ratsmitglieder das hörten, wurden sie zornig und beschlossen, die Apostel zu töten. [34]Da meldete sich ein Pharisäer namens Gamaliël zu Wort, ein Gesetzeslehrer*, der beim ganzen Volk in hohem Ansehen stand. Er verlangte, daß die Angeklagten vorübergehend aus dem Saal gebracht würden, [35]und sagte dann zu dem versammelten Rat: »Ihr Männer aus Israel, überlegt noch einmal

genau, wie ihr mit diesen Leuten verfahren wollt. ³⁶ Vor
einiger Zeit trat Theudas auf und behauptete, eine besondere Sendung zu haben. Etwa vierhundert Männer schlossen sich ihm an; aber dann fand er den Tod, seine Anhänger liefen auseinander, und alles war zu Ende. ³⁷ Danach
kam zur Zeit der Volkszählung der Galiläer Judas und rief
zum Aufstand auf. Er brachte eine stattliche Schar von
Anhängern zusammen; aber auch er kam um, und alle,
die ihm gefolgt waren, zerstreuten sich. ³⁸ Darum rate ich
euch: Geht nicht gegen diese Leute vor! Laßt sie laufen!
Denn wenn hinter ihrer Sache nur Menschen stehen, löst
sich alles von selbst wieder auf. ³⁹ Steht aber Gott dahinter, dann seid ihr machtlos gegen sie, und am Ende zeigt
es sich, daß ihr gegen Gott selbst gekämpft habt.«

Die Ratsmitglieder mußten Gamaliël recht geben.
⁴⁰ Man rief die Apostel wieder herein, peitschte sie aus
und ließ sie frei, verbot ihnen aber, weiterhin öffentlich
von Jesus zu sprechen und seinen Namen bekanntzumachen. ⁴¹ Die Apostel verließen den Rat voll Freude, weil
Gott sie für wert gehalten hatte, für diesen hohen Namen
zu leiden. ⁴² Unbeirrt verkündeten sie Tag für Tag im Tempel und in den Häusern die Gute Nachricht, daß Jesus der
versprochene Retter* ist.

Sieben Helfer für die Apostel

6 Einige Zeit später, als die Zahl der Jünger Jesu° immer größer wurde, kam es zu einem Streit zwischen
ihren griechisch-sprechenden Gliedern und denen mit hebräischer* Muttersprache. Die griechische Gruppe be-
schwerte sich darüber, daß ihre Witwen bei der täglichen
Verteilung von Lebensmitteln zu kurz kamen. ² Da riefen
die zwölf Apostel* die ganze Gemeinde zusammen und
sagten: »Liebe Brüder! Wir müssen die Botschaft Gottes
verkünden und dürfen uns nicht durch den Dienst an
bedürftigen Gemeindegliedern davon abhalten lassen.
³ Darum wählt aus eurer Mitte sieben vertrauenswürdige
Männer, denen Gott seinen heiligen Geist* und Weisheit
gegeben hat; ihnen wollen wir diese Aufgabe übertragen.
⁴ Wir können uns dann ganz dem Gebet und der Verkündigung widmen.«

⁵ Alle waren mit dem Vorschlag einverstanden. Sie wähl-

ten Stephanus, einen Mann mit festem Glauben, erfüllt vom heiligen Geist; außerdem Philippus, Prochorus, Nikanor, Timon, Parmenas und Nikolaus, einen Mann aus der Stadt Antiochia, der zum Judentum übergetreten war. ⁶Diese sieben brachte die Gemeinde zu den Aposteln. Die beteten für sie und legten ihnen die Hände auf.

⁷Die Botschaft Gottes aber breitete sich auch weiterhin aus. Die Zahl der Christen in Jerusalem stieg von Tag zu Tag. Auch viele Priester nahmen die Gute Nachricht von Jesus an.

Stephanus wird verhaftet

⁸Stephanus vollbrachte erstaunliche Wunder unter dem Volk. Gott hatte ihm die Kraft dazu gegeben. ⁹Einige Männer aus der jüdischen Gemeinde der ›Freigelassenen‹ sowie Juden aus Zyrene und Alexandria und aus Zilizien und der Provinz Asien* diskutierten mit Stephanus und wollten ihn widerlegen; ¹⁰aber durch die Weisheit, die der heilige Geist* ihm geschenkt hatte, war Stephanus ihnen weit überlegen, und sie mußten sich geschlagen geben.

¹¹Darum bestachen sie ein paar Leute, sie sollten überall verbreiten, daß er Mose und sogar Gott beleidigt habe. ¹²Damit brachten sie das Volk, die Ratsältesten* und die Gesetzeslehrer* gegen Stephanus auf. Man packte ihn und schleppte ihn vor den jüdischen Rat*. ¹³Dort ließen sie falsche Zeugen auftreten, die behaupteten: »Dieser Mann hält unaufhörlich Reden gegen unseren heiligen Tempel und gegen das Gesetz*. ¹⁴Wir haben selbst gehört, wie er sagte: ›Jesus von Nazaret wird den Tempel einreißen und die Gebote abschaffen, die uns Mose gegeben hat.‹«

¹⁵Alle im Rat blickten gespannt auf Stephanus. Sie sahen, daß sein Gesicht leuchtete wie das eines Engels.

Stephanus rechtfertigt sich

7 Der Oberste Priester* fragte: »Stimmt das, was diese Männer gegen dich vorbringen?« ²Stephanus antwortete:

»Brüder und Väter, hört mich an! Gott, dem alle Ehre gehört, erschien unserem Ahnherrn Abraham, als er noch in Mesopotamien lebte und noch nicht nach Haran gezogen war, ³und sagte zu ihm: ›Verlaß deine Heimat und deine Verwandtschaft und zieh in das Land, das ich dir zeigen werde!‹ ⁴So verließ Abraham das Land der Babylonier und zog nach Haran. Nachdem dann sein Vater gestorben war, brachte Gott ihn hierher in dieses Land, in dem ihr heute lebt. ⁵Doch gab er ihm keinen Grundbesitz, nicht einen Fußbreit, sondern versprach ihm das Land für seine Nachkommen, und das zu einem Zeitpunkt, als Abraham noch kinderlos war. ⁶Weiter sagte er zu ihm: ›Deine Nachkommen werden als Fremde in einem Land leben, das ihnen nicht gehört; vierhundert Jahre lang wird man sie hart behandeln und zu Sklavendiensten zwingen. ⁷Aber ich werde das Volk, das sie unterdrückt, bestrafen. Dann werden sie von dort wegziehen und mir hier in diesem Land dienen.‹ ⁸Er schloß mit Abraham den Bund*, dessen Zeichen die Beschneidung* ist. Darauf zeugte Abraham seinen Sohn Isaak und beschnitt ihn acht Tage nach der Geburt; Isaak tat dasselbe mit seinem Sohn Jakob und dieser mit seinen zwölf Söhnen, unseren Stammvätern.

⁹Jakobs Söhne aber waren eifersüchtig auf ihren Bruder Josef und verkauften ihn als Sklaven nach Ägypten. Doch Gott war mit Josef ¹⁰und half ihm aus allen Schwierigkeiten. Er schenkte ihm große Weisheit, so daß der Pharao ihm die Verwaltung ganz Ägyptens und die Aufsicht über die königlichen Güter anvertraute. ¹¹Da kam eine schwere Hungersnot über ganz Ägypten und auch über das Land Kanaan, und unsere Vorfahren hatten nichts mehr zu essen. ¹²Als Jakob hörte, daß es in Ägypten noch Getreide gab, schickte er seine Söhne, unsere Stammväter, dorthin. ¹³Als sie noch ein zweites Mal dorthin kamen, gab sich Josef seinen Brüdern zu erkennen, und so lernte der Pharao die Familie Josefs kennen. ¹⁴⁻¹⁵Denn Josef lud seinen Vater Jakob mit allen Kindern und Enkeln ein, nach Ägypten überzusiedeln. Auf diese Weise kam Jakob mit seiner ganzen Familie nach Ägypten, insgesamt 75 Personen. Er und unsere Stammväter lebten dort bis zu ihrem Tod. ¹⁶Als sie starben, wurden sie nach Sichem überführt und in dem Familiengrab bestattet, das Abraham von der Sippe Hamors durch Kauf erworben hatte.

¹⁷Dann kam die Zeit, daß Gott die Zusage einlösen wollte, die er einst Abraham gegeben hatte. Die Nachkommen Jakobs waren inzwischen in Ägypten zu einem großen Volk geworden. ¹⁸Nun übernahm ein neuer König die Herrschaft, der von Josef nichts mehr wußte. ¹⁹Nach einem heimtückischen Plan wollte er unser Volk ausrotten. Er zwang unsere Vorfahren, ihre neugeborenen Kinder auszusetzen; keines sollte am Leben bleiben. ²⁰In dieser Zeit kam Mose zur Welt. Gott hatte Gefallen an ihm. Drei Monate lang konnte er in seinem Elternhaus bleiben. ²¹Als er dann ausgesetzt werden mußte, rettete ihn die Tochter des Pharaos und ließ ihn als ihren eigenen Sohn aufziehen. ²²Er studierte alle Wissenschaften der Ägypter und wurde ein wortmächtiger und tatkräftiger Mann.

²³Als Mose vierzig Jahre alt war, stieg der Wunsch in ihm auf, sich um seine Landsleute zu kümmern. ²⁴Er kam gerade dazu, als ein Israelit von einem Ägypter ohne Grund geschlagen wurde. Da griff er ein und tötete den Ägypter. ²⁵Er dachte, die Israeliten würden verstehen, daß Gott sie durch ihn befreien wollte; aber sie begriffen es nicht. ²⁶Am nächsten Tag kam Mose wieder und sah, wie zwei Israeliten miteinander stritten. Er wollte sie versöhnen und sagte: ›Hört her, ihr seid doch Brüder! Warum schlagt ihr einander?‹ ²⁷Aber der eine, der ohne Grund auf den anderen einschlug, stieß Mose beiseite und fragte: ›Wer hat dich zu unserem Aufseher und Richter ernannt? ²⁸Willst du mich etwa auch umbringen wie gestern den Ägypter?‹ ²⁹Als Mose das hörte, floh er aus Ägypten und blieb im Land Midian. Dort wurden ihm zwei Söhne geboren.

³⁰Vierzig Jahre vergingen. Da war Mose eines Tages in der Wüste am Berg Sinai, und dort erschien ihm ein Engel in einem brennenden Dornbusch. ³¹Mose wunderte sich und wollte den brennenden Busch genauer ansehen. Doch da hörte er die Stimme des Herrn: ³²›Ich bin der Gott deiner Vorfahren, der Gott Abrahams, Isaaks und Jakobs.‹ Mose zitterte vor Angst und wagte nicht aufzuschauen. ³³Gott aber sagte: ›Zieh deine Schuhe aus, denn du stehst auf heiligem Boden. ³⁴Ich habe gesehen, wie mein Volk in Ägypten mißhandelt wird. Ich habe gehört,

wie es um Hilfe schreit, und bin gekommen, um es zu retten. Deshalb schicke ich dich jetzt nach Ägypten!‹

³⁵ Eben den Mose, den die Israeliten ablehnten, berief Gott durch den Engel im brennenden Dornbusch zu ihrem Anführer und Befreier. ›Wer hat dich zu unserem Aufseher und Richter ernannt?‹ hielten sie ihm entgegen. ³⁶ Und gerade er führte das Volk in die Freiheit. Vierzig Jahre lang vollbrachte er erstaunliche Wunder – in Ägypten, am Roten Meer* und in der Wüste. ³⁷ Er war es auch, der den Israeliten verkündete: ›Gott wird euch einen Propheten senden, der mir gleicht; aus eurer Mitte wird er ihn berufen.‹ ³⁸ Und als das Volk in der Wüste am Berg Sinai vor Gott versammelt war, stand er als Vermittler zwischen dem Engel*, der auf dem Berg zu ihm sprach, und unseren Vorfahren. Er empfing von Gott die Weisungen, die zum Leben führen und gab sie an uns weiter.

³⁹ Unsere Vorfahren aber wollten Mose nicht gehorchen, sondern lehnten sich gegen ihn auf und wollten nach Ägypten zurückkehren. ⁴⁰ Sie sagten zu Aaron: ›Mach uns einen Gott, der uns schützt und führt! Niemand weiß, was aus diesem Mose geworden ist, der uns aus Ägypten hierhergebracht hat.‹ ⁴¹ Sie machten sich ein Stierbild*, brachten ihm Opfer dar und feierten ein Fest zu Ehren ihres selbstgemachten Götzen. ⁴² Da wandte sich Gott von ihnen ab und ließ es zu, daß sie die Sterne am Himmel anbeteten, wie man das in den Schriften der Propheten nachlesen kann: ›Vierzig Jahre lang habt ihr Israeliten in der Wüste Tiere als Opfer dargebracht, aber nicht mir! ⁴³ Das Zelt des Götzen Moloch habt ihr mitgeführt und den Stern eures Götzen Romfa – Bilder, die ihr euch gemacht hattet, um sie anzubeten. Deshalb werde ich euch in die Verbannung führen, noch über Babylon hinaus!‹

⁴⁴ Unsere Vorfahren hatten in der Wüste aber auch das heilige Zelt*. Sie hatten es nach der Anweisung Gottes gefertigt nach dem Modell, das Gott Mose gezeigt hatte. ⁴⁵ Die folgende Generation brachte dieses Zelt mit, als sie unter der Führung Josuas das Land besetzte, aus dem Gott die früheren Bewohner vor den Israeliten vertrieb. Jede neue Generation übernahm es von der vorhergehenden, bis zur Zeit Davids. ⁴⁶ Dieser gewann Gottes Gunst

und bat ihn, ihm einen neuen Platz für das Zeltheiligtum
der Israeliten zu zeigen. ⁴⁷ Salomo aber maßte sich an,
Gott ein Haus zu bauen.

⁴⁸ Der höchste Gott wohnt jedoch nicht in Häusern, die
von Menschen gemacht sind. Durch den Propheten Jesaja
hat er gesagt: ⁴⁹›Der Himmel ist mein Thron, die Erde
mein Fußschemel. Was für ein Haus wollt ihr da für mich
bauen? Wo ist die Wohnung, in der ich Raum finden
könnte? ⁵⁰ Habe ich nicht mit eigener Hand Himmel und
Erde geschaffen?‹

⁵¹ Ihr Starrköpfe, am Körper seid ihr beschnitten*, aber
euer Herz ist unbeschnitten, und eure Ohren sind verschlossen für Gottes Botschaft. Genau wie eure Vorfahren widersetzt ihr euch ständig dem Geist* Gottes. ⁵² Gibt
es einen einzigen Propheten, den sie nicht verfolgt haben?
Sie haben die Boten Gottes umgebracht, die das Kommen
des einzig Gerechten im voraus angekündigt hatten. Den
habt ihr nun verraten und ermordet! ⁵³ Gott hat euch
durch Vermittlung von Engeln sein Gesetz* gegeben;
aber ihr habt es nicht befolgt!«

Stephanus wird gesteinigt

⁵⁴ Bei diesen Worten gerieten die Mitglieder des jüdischen
Rates* über Stephanus in solche Wut, daß sie mit den
Zähnen knirschten. ⁵⁵ Stephanus aber blickte zum Himmel empor, vom Geist* Gottes erfüllt. Dort sah er Gott in
seiner Herrlichkeit und Jesus an seiner rechten Seite
⁵⁶ und rief: »Ich sehe den Himmel offen, und an der rechten Seite Gottes steht der Menschensohn*!« ⁵⁷ Als sie das
hörten, schrien sie laut und hielten sich die Ohren zu. Alle
miteinander stürzten sich auf ihn ⁵⁸ und schleppten ihn
vor die Stadt, um ihn zu steinigen*. Die Zeugen legten
ihre Oberkleider vor einem jungen Mann namens Saulus
ab, damit er sie bewachte. ⁵⁹ Während sie ihn steinigten,
betete Stephanus: »Herr Jesus, nimm meinen Geist auf!«
⁶⁰ Dann kniete er nieder und rief laut: »Herr, strafe sie
nicht für diese Schuld!« Mit diesen Worten starb er.

8 Saulus aber war völlig einverstanden mit dieser Hinrichtung.

Die Gemeinde wird verfolgt

An diesem Tag begann für die Christen in Jerusalem eine harte Verfolgung. Mit Ausnahme der Apostel* flohen alle nach Judäa und Samarien. ²Ein paar fromme Männer begruben Stephanus und hielten eine große Totenklage* für ihn.

³Saulus aber wollte die Gemeinde des Herrn vernichten. Er durchsuchte die Häuser und ließ Männer und Frauen ins Gefängnis werfen.

Die Gute Nachricht kommt nach Samarien

⁴Die Geflüchteten verbreiteten überall die Gute Nachricht von Jesus. ⁵Unter ihnen war auch Philippus. Er kam nach Samaria, der Hauptstadt Samariens, und verkündete, daß in Jesus der versprochene Retter* gekommen sei. ⁶Alle nahmen einmütig seine Botschaft an; denn sie konnten mit eigenen Augen und Ohren die Wunder sehen und hören, die er vollbrachte. ⁷Mit lautem Geschrei verließen böse Geister* die Besessenen, und viele Gelähmte und Verkrüppelte wurden geheilt. ⁸In der ganzen Stadt herrschte große Freude.

⁹Dort lebte auch ein Mann namens Simon, der das Volk der Samaritaner mit seinen Zauberkünsten umgarnte. Er gab sich als etwas Besonderes aus ¹⁰und hatte großen Zulauf aus allen Schichten der Bevölkerung. Die Leute sagten: »In diesem Mann lebt die Kraft eines Gottes; die ›Große Kraft‹ ist in ihm leibhaftig erschienen!« ¹¹Sie hielten große Stücke von ihm, weil er sie schon so oft mit Proben seiner Kunst in Erstaunen versetzt hatte. ¹²Als aber dann Philippus kam und zu ihnen von der anbrechenden Herrschaft* Gottes und der Macht des Namens Jesu Christi sprach, glaubten sie ihm, und Männer wie Frauen ließen sich taufen. ¹³Auch Simon kam zum Glauben und wurde getauft. Er schloß sich eng an Philippus an und staunte über die mächtigen Wundertaten, die er ihn vollbringen sah.

Der Magier Simon wird zurechtgewiesen

¹⁴Die Apostel* in Jerusalem hörten, daß die Leute in Samarien die Botschaft Gottes angenommen hatten. Des-

halb schickten sie Petrus und Johannes dorthin. ¹⁵ Die beiden kamen nach Samaria und beteten zu Gott, daß er den Getauften seinen Geist* schenke. ¹⁶ Denn sie waren zwar auf den Namen* des Herrn Jesus getauft worden, aber noch keiner hatte den heiligen Geist empfangen. ¹⁷ Dann legten Petrus und Johannes ihnen die Hände auf, und sie wurden von Gottes Geist erfüllt.

¹⁸ Als Simon sah, daß die Menschen den heiligen Geist empfingen, wenn die Apostel ihnen die Hände auflegten, bot er Petrus und Johannes Geld an ¹⁹ und sagte: »Verleiht doch auch mir diese Fähigkeit!« ²⁰ Aber Petrus fuhr ihn an: »Zur Hölle mit dir und deinem Geld! Meinst du vielleicht, du könntest kaufen, was Gott schenkt? ²¹ Du hast keinen Anteil an unserer Sache und kein Recht darauf, weil du dich Gott nicht aufrichtig zuwendest. ²² Kehr um und gib deine bösen Absichten auf! Bitte den Herrn, daß er dir diese Verirrung vergibt! ²³ Denn ich sehe, du bist voller Schlechtigkeit und ganz vom Bösen beherrscht!« ²⁴ Da bat Simon die Apostel: »Betet doch für mich zum Herrn, damit er mir die Strafe erläßt.«

²⁵ Nachdem Petrus und Johannes in der Stadt Samaria die Botschaft Gottes bezeugt hatten, kehrten sie wieder nach Jerusalem zurück. Unterwegs verkündeten sie in vielen Dörfern Samariens die Gute Nachricht von Jesus.

Philippus und der Äthiopier

²⁶ Philippus aber erhielt durch einen Engel des Herrn den Auftrag: »Geh nach Süden, bis du auf die einsame Straße kommst, die von Jerusalem nach Gaza hinabführt!« ²⁷⁻²⁸ Er machte sich sofort auf den Weg. Nun war dort gerade ein hochgestellter Mann aus Äthiopien auf der Heimreise, der Finanzverwalter der äthiopischen Königin, die den Titel Kandake führt, ein Eunuch*. Er war nach Jerusalem gekommen, um den Gott Israels anzubeten, und fuhr jetzt wieder zurück. Unterwegs in seinem Wagen las er im Buch des Propheten Jesaja.

²⁹ Der Geist* Gottes sagte zu Philippus: »Folge diesem Wagen!« ³⁰ Philippus lief hin und hörte, wie der Mann laut im Buch des Propheten Jesaja las. Da fragte er ihn: »Verstehst du denn, was du da liest?« ³¹ Der Äthiopier sagte: »Wie kann ich es verstehen, wenn mir niemand hilft!« Und

er forderte Philippus auf, zu ihm in den Wagen zu steigen.
³²Die Stelle, die er gelesen hatte, lautete:

»Wie ein Lamm, wenn es zum Schlachten geführt wird,
wie ein Schaf, wenn es geschoren wird, duldete er alles
schweigend, ohne zu klagen. ³³Er wurde verurteilt und
hingerichtet; aber mitten in der äußersten Erniedrigung
verschaffte Gott ihm sein Recht. Er wurde von der Erde
weggenommen, und seine Nachkommen kann niemand
zählen.«

³⁴Der Äthiopier fragte: »Bitte, sag mir doch: Um wen
geht es denn hier? Meint der Prophet sich selbst oder
einen anderen?« ³⁵Philippus ergriff die Gelegenheit und
verkündete ihm, von dem Prophetenwort ausgehend, die
Gute Nachricht von Jesus.

³⁶Unterwegs. kamen sie an einer Wasserstelle vorbei,
und der Äthiopier sagte: »Da gibt es Wasser! Spricht etwas dagegen, daß ich mich taufen lasse?«° ³⁸Er ließ den
Wagen anhalten. Philippus ging mit ihm ins Wasser hinein
und taufte ihn. ³⁹Als sie aus dem Wasser heraussstiegen,
wurde Philippus vom Geist des Herrn weggenommen, und
der Äthiopier sah ihn nicht mehr. Von Freude erfüllt, setzte
er seine Reise fort.

⁴⁰Philippus fand man in Aschdod wieder. Von dort bis
nach Cäsarea verbreitete er in allen Städten die Gute
Nachricht von Jesus.

Die Bekehrung von Saulus

9 Unterdessen ging Saulus noch immer heftig gegen die
Jünger° des Herrn vor und tat alles, um sie auszurot-
ten. ²Er ließ sich vom Obersten Priester* Empfehlungsbriefe an die jüdische Gemeinde in Damaskus geben.
Auch dort wollte er nach Anhängern des neuen Glaubens
suchen und sie gefangen nach Jerusalem bringen, Männer
wie Frauen.

³Auf dem Weg nach Damaskus, kurz vor der Stadt, umstrahlte ihn plötzlich ein Licht vom Himmel. ⁴Er stürzte
zu Boden und hörte eine Stimme: »Saul, Saul, warum verfolgst du mich?« ⁵»Wer bist du, Herr?« fragte er. »Ich bin
Jesus, den du verfolgst«, sagte die Stimme. ⁶»Doch nun
steh auf und geh in die Stadt! Dort wirst du erfahren, was
du tun sollst.«

⁷ Den Männern, die Saulus begleiteten, verschlug es die
Sprache. Sie hörten zwar die Stimme, aber sie sahen niemand. ⁸ Als Saulus aufstand und die Augen öffnete, konnte er nicht mehr sehen. Da nahmen sie ihn an der Hand
und führten ihn nach Damaskus. ⁹ Drei Tage lang war er
blind. Während dieser Zeit aß und trank er nichts.

¹⁰ In Damaskus lebte ein Jünger Jesu namens Hananias.
Dem erschien der Herr und sagte: »Hananias!« »Ja, Herr«,
antwortete er. ¹¹ Der Herr sagte: »Geh in die Gerade Straße in das Haus von Judas und frage nach Saulus aus Tarsus. Er ist dort und betet. ¹² In einer Vision hat er gesehen,
wie ein Mann namens Hananias zu ihm kommt und ihm
die Hände auflegt, damit er wieder sehen kann.« ¹³ Hananias antwortete: »Herr, ich habe von vielen Seiten gehört,
wie dieser Mann deine Anhänger in Jerusalem grausam
verfolgt hat. ¹⁴ Er ist mit der Vollmacht der führenden
Priester* nach Damaskus gekommen und will alle verhaften, die sich zu deinem Namen bekennen.« ¹⁵ Der Herr
sagte zu ihm: »Geh unbesorgt hin, ich habe ihn als mein
Werkzeug ausgesucht. Er soll meinen Namen den nichtjüdischen Völkern und ihren Herrschern bekanntmachen
und auch dem Volk Israel. ¹⁶ Und ich werde ihm zeigen,
wieviel er für mich leiden muß.«

¹⁷ Da ging Hananias in jenes Haus und legte Saulus die
Hände auf. »Bruder Saul«, sagte er, »der Herr hat mich
geschickt – Jesus selbst, der dir unterwegs erschienen ist.
Du sollst wieder sehen können und mit dem heiligen
Geist* erfüllt werden.« ¹⁸ Im selben Augenblick fiel es
Saulus wie Schuppen von den Augen, und er konnte wie-
der sehen. Er stand auf und ließ sich taufen. ¹⁹ Dann aß er
etwas und kam wieder zu Kräften.

Saulus verkündet Jesus in Damaskus

Saulus blieb ein paar Tage bei der Gemeinde in Damaskus. ²⁰ Er ging sofort in die Synagogen* und verkündete
dort Jesus als den Sohn* Gottes. ²¹ Alle, die ihn hörten,
fragten erstaunt: »Ist das nicht der Mann, der in Jerusalem alle verfolgt hat, die sich zu Jesus bekannten? Er ist
doch eigens hergekommen, um auch hier die Anhänger
dieses Mannes festzunehmen und den führenden Priestern* auszuliefern!« ²² Aber Saulus ließ sich nicht irrema-

chen und wies aus den heiligen Schriften* nach, daß Jesus
der versprochene Retter* ist. Die Juden in Damaskus waren bestürzt.

²³ Nach einiger Zeit beschlossen sie, Saulus zu töten.
²⁴ Aber er erfuhr von ihrem Anschlag. Weil man ihm Tag
und Nacht an den Stadttoren auflauerte, ²⁵ ließen ihn seine Freunde eines Nachts in einem Korb die Stadtmauer
hinunter.

Saulus in Jerusalem

²⁶ Saulus ging nach Jerusalem und wollte sich dort den Jüngern Jesu° anschließen. Aber sie hatten noch immer Angst
vor ihm; denn sie konnten es nicht glauben, daß er wirklich
ein Jünger geworden war. ²⁷ Da verwendete sich Barnabas
für ihn und brachte ihn zu den Aposteln*. Er erzählte ihnen,
wie der Herr sich Saulus auf dem Weg nach Damaskus gezeigt und zu ihm gesprochen hatte, und wie mutig Saulus
dann in Damaskus Jesus als den Herrn verkündet hatte. ²⁸ Da
durfte Saulus bei ihnen aus und ein gehen.

Auch in Jerusalem verkündete er offen Jesus als den
Herrn. ²⁹ Insbesondere sprach und diskutierte er mit den
griechisch-sprechenden Juden. Die aber wollten ihn umbringen. ³⁰ Als die Christen in Jerusalem das erfuhren,
brachten sie ihn nach Cäsarea und schickten ihn von dort
nach Tarsus.

³¹ Die Gemeinde des Herrn in Judäa, Galiläa und Samarien erlebte nun eine friedliche Zeit. Sie festigte sich, und
ihre Glieder lebten im Gehorsam gegenüber Gott. Der
heilige Geist* stand ihr bei und ließ die Zahl der Christen
stetig wachsen.

Petrus in Lydda und Joppe

³² Petrus besuchte die einzelnen Gemeinden und kam dabei auch nach Lydda. ³³ Zu der Gemeinde dort gehörte ein
Mann namens Äneas, der gelähmt war und seit acht Jahren das Bett nicht mehr verlassen konnte. ³⁴ »Äneas«, sagte
Petrus zu ihm, »Jesus Christus hat dich geheilt. Steh auf
und mach dein Bett!« Im selben Augenblick konnte Äneas aufstehen. ³⁵ Alle Bewohner von Lydda und der ganzen
Scharon-Ebene sahen ihn gesund umhergehen und nahmen Jesus als ihren Herrn an.

³⁶ In Joppe wohnte eine Christin mit Namen Tabita. Ihr griechischer Name war Dorkas, das heißt Gazelle. Sie hatte viel Gutes getan und den Armen geholfen. ³⁷ Nun aber war sie krank geworden und gestorben. Man hatte sie gewaschen und im Obergemach aufgebahrt. ³⁸ Von Joppe war es nicht weit nach Lydda, und als bekannt wurde, daß Petrus gerade dort war, schickte man zwei Boten zu ihm und ließ ihn bitten, so schnell wie möglich zu kommen.

³⁹ Petrus ging sofort mit, und als er in Joppe ankam, führte man ihn in das Obergemach. Die Witwen der Gemeinde drängten sich um ihn und zeigten ihm unter Tränen die Kleidungsstücke, die Tabita für sie gemacht hatte. ⁴⁰ Petrus aber schickte sie alle aus dem Zimmer, kniete nieder und betete. Dann wandte er sich der Toten zu und sagte: »Tabita, steh auf!« Sie öffnete die Augen, und als sie Petrus erblickte, setzte sie sich auf. ⁴¹ Er reichte ihr die Hand und half ihr auf die Füße. Dann rief er die Witwen und die ganze Gemeinde herein und führte ihnen die lebendige Tabita zu.

⁴² Die Nachricht verbreitete sich im ganzen Ort, und viele Menschen nahmen Jesus als ihren Herrn an. ⁴³ Petrus blieb längere Zeit in Joppe; er wohnte bei einem Gerber namens Simon.

Petrus hat eine Vision

10 In Cäsarea lebte ein römischer Hauptmann namens Kornelius, der zum sogenannten Italischen Regiment gehörte. ² Er glaubte an Gott und hielt sich mit seiner ganzen Familie zur jüdischen Gemeinde. Er tat viel für notleidende Juden und betete regelmäßig. ³ An einem Nachmittag gegen drei Uhr hatte er eine Vision. Er sah deutlich, wie ein Engel Gottes bei ihm eintrat und ihn mit seinem Namen anredete. ⁴ Erschrocken blickte er den Engel an und fragte: »Was bedeutet das, Herr?« Der Engel antwortete: »Gott hat wohl bemerkt, wie treu du betest und wieviel Gutes du den Armen tust. ⁵ Schicke darum Boten nach Joppe und laß einen gewissen Simon zu dir bitten, der den Beinamen Petrus trägt. ⁶ Er ist zu Gast bei einem Gerber Simon, der sein Haus unten am Meer hat.« ⁷ Als der Engel wieder fortgegangen war, rief Kornelius zwei Diener und einen frommen Soldaten aus seinem per-

sönlichen Gefolge. [8] Er erzählte ihnen, was er erlebt hatte,
und schickte sie nach Joppe.

[9] Am nächsten Tag, als sie Joppe schon fast erreicht hatten, ging Petrus gegen Mittag auf das flache Dach des
Hauses, um zu beten. [10] Da bekam er Hunger und wollte
gerne etwas essen. Während man das Essen zubereitete,
hatte er eine Vision. [11] Er sah, wie der Himmel sich öffnete und etwas herabkam, das wie ein großes Tuch aussah,
das an vier Ecken gehalten wird. [12] Darin waren alle Arten
von vierfüßigen Tieren, Kriechtieren und Vögeln. [13] Eine
Stimme rief: »Petrus, schlachte und iß!« [14] Aber Petrus
antwortete: »Das kann ich nicht, Herr! Ich habe noch nie
etwas Verbotenes oder Unreines* gegessen.« [15] Doch die
Stimme sagte: »Was Gott für rein erklärt, das erkläre du
nicht für unrein!« [16] Dies geschah dreimal; dann verschwand alles wieder im Himmel.

Petrus betritt ein nichtjüdisches Haus

[17] Während Petrus ratlos darüber nachdachte, was das bedeuten sollte, hatten sich schon die Boten aus Cäsarea zu
Simons Haus durchgefragt und standen vor dem Tor.
[18] »Ist hier ein Simon mit dem Beinamen Petrus zu Gast?«
riefen sie. [19] Petrus grübelte noch über den Sinn seiner Vision, da sagte ihm der Geist* Gottes: »Drei Männer wollen zu dir! [20] Geh hinunter und folge ihnen ohne Bedenken; ich habe sie geschickt.« [21] Da ging er hinunter und
sagte zu ihnen: »Ich bin der, den ihr sucht. Was führt euch
hierher?« [22] »Wir kommen vom Hauptmann Kornelius«,
sagten sie. »Er führt ein vorbildliches Leben und hält sich
zur jüdischen Gemeinde; die Juden reden nur das Beste
über ihn. Ein Engel Gottes hat ihm aufgetragen, dich in
sein Haus einzuladen und zu hören, was du zu sagen
hast.«

[23] Petrus bat die Männer ins Haus, und sie blieben über
Nacht. Am anderen Morgen machte er sich mit ihnen auf
den Weg; einige Christen aus Joppe begleiteten ihn. [24] Am
Tag darauf kamen sie nach Cäsarea. Kornelius hatte seine
Verwandten und engsten Freunde zusammengerufen und
erwartete sie. [25] Als Petrus durchs Hoftor trat, kam er ihm
entgegen und warf sich vor ihm nieder. [26] Doch Petrus zog
ihn hoch und sagte: »Steh auf, ich bin auch nur ein

Mensch!« ²⁷ Er sprach noch weiter mit Kornelius und betrat dabei das Haus. Als er die vielen Leute sah, ²⁸ sagte er zu ihnen: »Ihr wißt, daß ein Jude nicht mit einem Nichtjuden verkehren und vollends nicht sein Haus betreten darf. Aber mir hat Gott gezeigt, daß man keinen Menschen als unrein* oder unberührbar betrachten soll. ²⁹ Deshalb habe ich eure Einladung ohne Bedenken angenommen. Und jetzt sagt mir, warum ihr mich gerufen habt!«

³⁰ Kornelius antwortete: »Es war vor drei Tagen, ungefähr zur selben Zeit wie heute, um drei Uhr nachmittags. Ich betete hier im Haus, als plötzlich ein Mann in leuchtendem Gewand vor mir stand ³¹ und sagte: ›Kornelius, Gott hat wohl bemerkt, wie treu du betest und wieviel Gutes du den Armen tust. ³² Schicke darum Boten nach Joppe und laß Simon mit dem Beinamen Petrus zu dir bitten! Er ist zu Gast beim Gerber Simon unten am Meer!‹ ³³ Ich habe sofort zu dir geschickt und freue mich, daß du gekommen bist. Nun sind wir alle hier vor Gott versammelt und bereit zu hören, was der Herr dir aufgetragen hat.«

Petrus bezeugt zum erstenmal Jesus vor Nichtjuden

³⁴ Petrus begann zu sprechen: »Wahrhaftig, jetzt begreife ich, daß Gott keine Unterschiede macht! ³⁵ Er liebt alle Menschen, ganz gleich, zu welchem Volk sie gehören, wenn sie ihn nur ernst nehmen und nach seinem Willen leben. ³⁶ Er hat dem Volk Israel die Botschaft bekanntgemacht, daß er Frieden gestiftet hat durch Jesus Christus, der der Herr ist über alle. Davon habt ihr gehört, ³⁷ und ihr habt erfahren, was sich im jüdischen Land zugetragen hat, beginnend in Galiläa, nachdem Johannes zur Taufe aufgerufen hatte. ³⁸ Ihr wißt von Jesus aus Nazaret, den Gott erwählt und mit seinem Geist* und seiner Kraft erfüllt hat. Überall tat er Gutes und heilte alle, die der Teufel in seiner Gewalt hatte; denn Gott stand ihm bei. ³⁹ Wir können alles bezeugen, was er im jüdischen Land und in Jerusalem getan hat. Die Juden brachten ihn ans Kreuz, ⁴⁰ aber Gott erweckte ihn am dritten Tag vom Tod, so daß er sich unter uns als der Auferstandene zeigen konnte. ⁴¹ Er zeigte sich jedoch nicht dem ganzen Volk, sondern nur uns Aposteln*, die Gott zuvor als Zeugen ausgewählt

hatte. Nach seiner Auferstehung aßen und tranken wir mit ihm, ⁴²und er gab uns den Auftrag, dem Volk Israel zu bezeugen, daß er von Gott zum Richter über die Lebenden und die Toten eingesetzt ist. ⁴³Alle Propheten haben von ihm gesprochen und haben vorausgesagt, daß jeder, der ihm vertraut, durch ihn Vergebung seiner Schuld empfangen kann.«

Auch Nichtjuden erhalten den heiligen Geist

⁴⁴Während Petrus noch sprach, kam der heilige Geist* auf alle herab, die ihm zuhörten. ⁴⁵Die Christen jüdischer Herkunft, die mit Petrus aus Joppe gekommen waren, gerieten außer sich vor Staunen, daß Gott auch den Nichtjuden seinen Geist schenkte. ⁴⁶Sie hörten nämlich, wie die Versammelten in unbekannten Sprachen* redeten und Gott priesen. Petrus aber sagte: ⁴⁷»Diese Leute wurden genau wie wir vom heiligen Geist erfüllt. Wer kann ihnen dann die Taufe verweigern?« ⁴⁸Und er befahl, sie auf den Namen* Jesu Christi zu taufen. Danach baten sie ihn, noch ein paar Tage bei ihnen zu bleiben.

Petrus berichtet in Jerusalem

11 Die Apostel* und die anderen Christen in Judäa hörten, daß auch die Nichtjuden die Botschaft Gottes angenommen hatten. ²Als nun Petrus nach Jerusalem zurückkehrte, machten sie ihm Vorwürfe: ³»Du bist zu Leuten gegangen, die nicht zu unserem Volk gehören! Du hast sogar mit ihnen gegessen!« ⁴Da erzählte ihnen Petrus ausführlich, was geschehen war:

⁵»Als ich eines Tages in Joppe betete, hatte ich eine Vision. Ich sah etwas vom Himmel herabkommen, das sah aus wie ein großes Tuch, das an den vier Ecken gehalten wird. ⁶Als ich genau hinschaute, sah ich darin alle Arten von vierfüßigen und wilden Tieren, von Kriechtieren und Vögeln. ⁷Da hörte ich eine Stimme: ›Petrus, schlachte und iß!‹ ⁸Aber ich sagte: ›Das kann ich nicht, Herr! Ich habe noch nie in meinem Leben etwas Verbotenes oder Unreines* gegessen.‹ ⁹Doch die Stimme von oben ertönte noch einmal: ›Was Gott für rein erklärt, das erkläre du nicht für unrein!‹ ¹⁰Dies geschah dreimal, und schließlich verschwand alles wieder im Himmel. ¹¹In diesem Augenblick

kamen drei Boten aus Cäsarea vor das Haus, in dem ich wohnte. [12] Der Geist* Gottes befahl mir, ihnen ohne Bedenken zu folgen. So ging ich nach Cäsarea, und die sechs Brüder, die ich hierher mitgebracht habe, begleiteten mich. Als wir zu Kornelius kamen, [13] erzählte er uns, er habe in seinem Haus einen Engel Gottes gesehen, der ihm sagte: ›Schick jemand nach Joppe und laß Simon Petrus holen! [14] Was er dir zu sagen hat, wird dir und deiner ganzen Familie die Rettung bringen.‹ [15] Ich hatte noch kaum begonnen, zu ihnen zu sprechen, da kam der heilige Geist auf sie herab, genau wie damals am Anfang auf uns. [16] Da fiel mir ein, daß der Herr gesagt hatte: ›Johannes hat mit Wasser getauft, aber ihr werdet mit dem Geist Gottes getauft werden.‹ [17] Es ist klar: Gott hat ihnen das gleiche Geschenk gegeben wie uns, nachdem sie genau wie wir Jesus Christus als ihren Herrn angenommen hatten. Mit welchem Recht hätte ich mich da Gott in den Weg stellen können?«

[18] Als die Apostel und die anderen Christen in Jerusalem das hörten, gaben sie ihren Widerstand auf. Sie priesen Gott und sagten: »Also hat Gott auch den Nichtjuden die Möglichkeit gegeben, zu ihm umzukehren und das wahre Leben zu gewinnen.«

Die Gemeinde in Antiochia

[19] Die Christen, die in der Verfolgungszeit nach der Ermordung von Stephanus aus Jerusalem geflohen waren, kamen zum Teil bis nach Phönizien, Zypern und Antiochia. Sie verbreiteten die Botschaft von Jesus zunächst nur unter den Juden. [20] Aber einige von ihnen, die aus Zypern und Zyrene stammten, kamen nach Antiochia und verkündeten dort auch den Nichtjuden die Gute Nachricht von Jesus. [21] Gott stand ihnen zur Seite, so daß viele Menschen Jesus als ihren Herrn annahmen.

[22] Die Gemeinde in Jerusalem hörte davon und schickte Barnabas nach Antiochia. [23] Als er hinkam und sah, was Gott in seiner großen Güte dort gewirkt hatte, freute er sich und ermahnte die Glaubenden, an ihrem Vorsatz festzuhalten und dem Herrn treu zu bleiben. [24] Denn Barnabas war ein tüchtiger Mann, erfüllt mit dem heiligen Geist* und mit lebendigem Glauben. So kam es, daß noch

mehr Menschen sich der Gemeinde anschlossen und Jesus als Herrn annahmen.

²⁵ Barnabas aber ging nach Tarsus, um Saulus zu suchen; ²⁶ und als er ihn gefunden hatte, nahm er ihn mit nach Antiochia. Ein ganzes Jahr lang wirkten beide gemeinsam in der Gemeinde und unterwiesen viele Menschen im Glauben. Hier in Antiochia kam zuerst die Bezeichnung ›Christen‹ für die Anhänger Jesu auf.

Die Geldsammlung für Jerusalem

²⁷ Etwa zu dieser Zeit kamen Propheten* von Jerusalem nach Antiochia. ²⁸ Einer von ihnen, Agabus, sagte mit Hilfe des heiligen Geistes* eine große Hungersnot in der ganzen Welt voraus, wie sie dann unter der Regierung des Kaisers Klaudius eintraf. ²⁹ Die Christen in Antiochia beschlossen, ihren Brüdern in Judäa zu helfen, jeder, so gut er konnte. ³⁰ Sie schickten ihre Spenden durch Barnabas und Saulus an die Gemeindevorsteher* in Jerusalem.

Jakobus wird hingerichtet, Petrus gefangengenommen

12 Etwa um diese Zeit begann König Herodes° gegen einige führende Männer der Gemeinde vorzugehen. ² Zuerst ließ er Jakobus, den Bruder von Johannes, enthaupten. ³ Als er merkte, daß sich das Volk darüber freute, ließ er auch Petrus festnehmen, gerade während des Passafestes*.

⁴ Petrus wurde ins Gefängnis gebracht; zu seiner Bewachung wurden vier Gruppen zu je vier Soldaten eingesetzt, die einander ablösen sollten. Herodes wollte ihm nach dem Fest öffentlich den Prozeß machen.

⁵ Während Petrus im Gefängnis war, betete die Gemeinde Tag und Nacht für ihn zu Gott.

Petrus wird aus dem Gefängnis befreit

⁶ In der Nacht, bevor Herodes ihn vor Gericht stellen wollte, schlief Petrus zwischen zwei Wachsoldaten. Er war mit zwei Ketten an die Wand gefesselt. Vor der Tür der Zelle waren zwei weitere Posten aufgestellt. ⁷ Plötzlich stand da ein Engel des Herrn, und die ganze Zelle war von strahlendem Licht erfüllt. Er weckte Petrus durch einen Stoß in die Seite und sagte: »Schnell, steh auf!« Im gleichen

Augenblick fielen Petrus die Ketten von den Händen.
[8] Der Engel drängte: »Leg den Gürtel um und zieh die
Sandalen an!« Petrus tat es, und der Engel befahl: »Nimm
den Mantel und komm mit!«

[9] Petrus folgte ihm nach draußen. Er wußte nicht, daß
dies alles Wirklichkeit war, sondern meinte zu träumen.
[10] Sie kamen ungehindert am ersten Wachtposten vorbei,
ebenso am zweiten, und standen schließlich vor dem eisernen Tor, das in die Stadt führte. Das Tor sprang von selbst
auf, und sie traten hinaus. Sie eilten durch eine Gasse,
dann war der Engel plötzlich verschwunden. [11] Als Petrus
zu sich kam, sagte er: »Es ist also wirklich wahr! Der Herr
hat mir einen Engel geschickt, um mich vor Herodes zu
retten und vor dem zu bewahren, was die Juden sich er-
hofft haben!«

[12] Als ihm das klargeworden war, ging er zu dem Haus,
in dem Maria, die Mutter des Johannes mit dem Beinamen Markus, wohnte. Dort hatten sich viele Christen zum
gemeinsamen Gebet versammelt. [13] Petrus klopfte an das
Hoftor, und die Dienerin Rhode kam, um zu öffnen. [14] Als
sie aber Petrus an der Stimme erkannte, vergaß sie vor
Freude, das Tor aufzumachen, rannte ins Haus und rief:
»Petrus steht draußen!« [15] »Du bist nicht ganz bei Verstand!« sagten die im Haus, und als Rhode darauf bestand, meinten sie: »Dann ist es sein Schutzengel*!«
[16] Petrus aber klopfte und klopfte, bis sie schließlich
aufmachten. Als sie ihn erkannten, gerieten sie ganz
außer sich. [17] Er bat mit einer Handbewegung um Ruhe
und erklärte ihnen, wie ihn der Herr aus dem Gefängnis
befreit hatte. »Erzählt das Jakobus und den anderen Brüdern!« sagte er. Dann verließ er Jerusalem.

[18] Als es Tag wurde, gab es bei den Wachen eine große
Aufregung, weil Petrus verschwunden war. [19] Herodes ließ
überall nach ihm suchen, aber vergeblich. Da ließ er die
Wachsoldaten verhören und hinrichten.

Der Tod Herodes Agrippas I.

Herodes verließ nun Jerusalem, um einige Zeit in Cäsarea
zu bleiben. [20] Die Bewohner von Tyrus und Sidon hatten
seinen Zorn auf sich gezogen; deshalb schickten sie eine
Abordnung zu ihm, um ihn wieder zu versöhnen. Sie wa-

ren nämlich für ihre Lebensmittelversorgung auf Liefe-
rungen aus seinem Gebiet angewiesen. Sie gewannen den
Palastverwalter Blastus dafür, daß er beim König ein Wort
für sie einlegte, ²¹und Herodes bestimmte einen Tag, an
dem er die Sache entscheiden wollte. Er legte seine königlichen Gewänder an, nahm auf der Tribüne Platz und hielt
vor ihnen eine große Rede. ²²Das Volk aber rief: »So redet ein Gott, nicht ein Mensch!« ²³Im selben Augenblick
schlug ihn der Engel des Herrn, weil er sich als einen Gott
feiern ließ, anstatt dem wahren Gott die Ehre zu geben.
Der König wurde von Würmern gefressen und starb.

²⁴Aber immer mehr Menschen nahmen die Botschaft
Gottes an.

Saulus und Barnabas werden ausgesandt
(Erste Paulusreise: Kapitel 13–14)

²⁵Nachdem Barnabas und Saulus die Geldspende in Jerusalem übergeben hatten, kehrten sie nach Antiochia zurück. Sie brachten Johannes mit dem Beinamen Markus
aus Jerusalem mit.

13 In der Gemeinde von Antiochia gab es eine Reihe
von Propheten* und Lehrern: neben Barnabas waren es Simeon der Afrikaner, Luzius von Zyrene, Manaën,
der zusammen mit dem Fürsten Herodes erzogen worden
war, und Saulus. ²Als sie einmal einige Zeit mit Fasten*
und Beten zubrachten, sagte ihnen der heilige Geist*:
»Gebt mir Barnabas und Saulus für die besondere Aufgabe frei, zu der ich sie berufen habe!« ³Nach einer weiteren Zeit des Fastens und Betens legten sie den beiden die
Hände auf und sandten sie aus.

Saulus und Barnabas in Zypern

⁴So wurden Barnabas und Saulus vom heiligen Geist* auf
den Weg geschickt. Sie reisten zunächst nach Seleuzia und
von dort mit dem Schiff weiter nach Zypern. ⁵Als sie nach
Salamis kamen, verkündeten sie die Botschaft Gottes in
den jüdischen Synagogen*. Als Helfer hatten sie Johannes
Markus mitgenommen.

⁶Sie durchzogen die ganze Insel und kamen nach Paphos. Dort trafen sie einen Juden namens Barjesus, der
war ein Magier und falscher Prophet. ⁷Er war befreundet

mit dem römischen Statthalter der Insel, Sergius Paulus,
einem gebildeten Mann. Dieser hatte Barnabas und Saulus rufen lassen und wollte die Botschaft Gottes hören.
⁸Aber Elymas, wie er sich auch nannte – das bedeutet
›Magier‹ –, trat dazwischen und suchte mit allen Mitteln
zu verhindern, daß der Statthalter zum Glauben kam.

⁹Saulus, der mit seinem griechischen Namen Paulus
heißt, wurde vom Geist Gottes erfüllt. Er sah den Magier
scharf an ¹⁰und sagte:»Du Sohn des Teufels, du bist voll
List und Tücke und kämpfst gegen alles Gute. Willst du
nicht aufhören, die Absichten Gottes zu durchkreuzen?
¹¹Der Herr wird dich dafür bestrafen: Du sollst blind sein
und eine Zeitlang das Sonnenlicht nicht mehr sehen.« Im
selben Augenblick fand sich der Magier in die tiefste
Dunkelheit getaucht. Er tappte umher und suchte einen,
der ihn an der Hand führte.

¹²Als der Statthalter sah, was geschehen war, kam er
zum Glauben; denn er war tief beeindruckt davon, wie
mächtig sich die Lehre von Jesus erwiesen hatte.

Die Predigt in der Synagoge von Antiochia in Pisidien

¹³Paulus und seine Begleiter bestiegen in Paphos ein
Schiff und fuhren nach Perge in Pamphylien. Dort trennte
sich Johannes Markus von ihnen und kehrte nach Jerusalem zurück. ¹⁴Die beiden anderen reisten von Perge zu
Fuß nach Antiochia in Pisidien. Am Sabbat* gingen sie
dort in die Synagoge* und setzten sich unter die Zuhörer.
¹⁵Nachdem man aus dem Gesetz* und den Schriften der
Propheten vorgelesen hatte, ließen die Synagogenvorsteher* den Gästen sagen:»Brüder, wenn ihr der Gemeinde
ein ermutigendes Wort zu sagen habt, dann sprecht!«
¹⁶Da stand Paulus auf, bat mit einer Handbewegung um
Ruhe und fing an:

»Ihr Israeliten und ihr anderen, die ihr deren Glauben
teilt, hört mich an! ¹⁷Der Gott Israels hat unsere Vorfahren erwählt und zu einem großen Volk gemacht, während
sie als Fremde in Ägypten lebten. Mit hoch erhobenem
Arm führte er sie aus Ägypten, ¹⁸und vierzig Jahre lang
erhielt er sie in der Wüste am Leben. ¹⁹Er vernichtete vor
ihnen sieben Völker und gab ihnen deren Land, das Land
Kanaan, zum Besitz. ²⁰Das war 450 Jahre, nachdem unse-

re Vorfahren nach Ägypten gekommen waren. Dann gab er ihnen Richter bis zur Zeit des Propheten Samuel. [21]Als sie einen König wollten, gab er ihnen Saul, den Sohn Kischs aus dem Stamm Benjamin. Nach vierzigjähriger Herrschaft aber [22]verstieß er Saul und machte David zu ihrem König. Von ihm sagte er: ›David, den Sohn Isais, habe ich erwählt, und ich weiß, daß er mir Freude machen wird. Er wird alles ausführen, was ich will.‹ [23]Und einen Nachkommen Davids hat Gott dem Volk Israel als Retter gesandt, wie er es versprochen hatte. Jesus ist dieser Retter. [24]Bevor er auftrat, hatte Johannes ganz Israel dazu aufgerufen, sich taufen zu lassen und ein neues Leben anzufangen. [25]Als Johannes am Ende seiner Wirksamkeit stand, sagte er zu den Leuten: ›Ich bin nicht der, auf den ihr wartet. Aber er kommt nach mir; ich bin nicht gut genug, ihm die Schuhe aufzubinden.‹

[26]Liebe Brüder, ihr Nachkommen Abrahams und ihr anderen hier, die ihr deren Glauben teilt: Jetzt hat Gott seine Zusage eingelöst und uns die Botschaft von unserer Rettung gesandt. [27]Die Bewohner Jerusalems und ihre führenden Männer haben Jesus nicht erkannt, die haben auch die Worte der Propheten nicht verstanden, die jeden Sabbat vorgelesen werden. Aber sie haben die prophetischen Voraussagen gerade durch ihr Todesurteil über Jesus erfüllt. [28]Obwohl sie kein todeswürdiges Verbrechen an ihm fanden, forderten sie von Pilatus seine Hinrichtung. [29]Nachdem sie so alles getan hatten, was in den heiligen Schriften* über Jesus vorhergesagt ist, nahmen sie ihn vom Kreuz und legten ihn in ein Grab. [30]Gott aber hat ihn vom Tod erweckt, [31]und als Auferstandener zeigte er sich während vielen Tagen den Männern, die mit ihm von Galiläa nach Jerusalem gekommen waren. Diese sind heute seine Zeugen vor dem Volk Israel.

[32-33]So bringen wir euch nun diese Gute Nachricht: Gott hat Jesus vom Tod erweckt und hat damit die Zusage, die er unseren Vorfahren gab, uns, ihren Nachkommen, gegenüber eingelöst. Daß er ihn vom Tod erwecken würde, findet man im zweiten Psalm angekündigt: ›Du bist mein Sohn, heute habe ich dich dazu gemacht!‹ [34]Daß er ihn mit der Auferweckung aber für immer dem Tod und der Verwesung entrissen hat, deutet er mit den Wor-

ten an: ›Ich gebe euch die heiligen und unvergänglichen Gaben, die ich David versprochen habe.‹ ³⁵Darum sagt David auch an einer anderen Stelle: ›Du gibst deinen treuen Diener nicht der Verwesung preis.‹

³⁶Nun hatte David eine Aufgabe an seiner eigenen Zeit. Als er sie erfüllt hatte und starb, wurde er neben seinen Vorfahren begraben und fiel der Verwesung anheim. ³⁷Aber Jesus, den Gott vom Tod erweckt hat, ist nicht im Grab verwest. ³⁸Laßt euch also sagen, Brüder, daß euch durch diesen Jesus die Vergebung eurer Schuld angeboten wird. Unter dem Gesetz* Moses konntet ihr nicht vor Gott bestehen; ³⁹aber wenn ihr Jesus vertraut, wird eure ganze Schuld getilgt. ⁴⁰Gebt also acht, daß sich nicht an euch erfüllt, was bei den Propheten vorhergesagt wird: ⁴¹›Seht euch vor, ihr Spötter, wundert euch und geht zugrunde! Denn zu euren Lebzeiten werde ich etwas tun – wenn es euch jemand erzählt, werdet ihr ihm nicht glauben.‹«

⁴²Beim Hinausgehen lud man Paulus und Barnabas ein, am folgenden Sabbat weiterzusprechen. ⁴³Viele Juden und Leute, die zum Judentum übergetreten waren, schlossen sich nach dem Gottesdienst Paulus und Barnabas an. Die beiden ermahnten sie, unbeirrbar an dem Glauben festzuhalten, den Gott ihnen in seiner Gnade geschenkt hatte.

Konflikt mit den Juden

⁴⁴Am nächsten Sabbat* kamen fast alle Bewohner der Stadt in die Synagoge*, um die Botschaft von Jesus zu hören. ⁴⁵Als die Juden den Andrang sahen, wurden sie wütend. Sie widersprachen Paulus und beschimpften ihn. ⁴⁶Paulus und Barnabas aber sagten ihnen deutlich und offen: »Euch mußte als ersten die Botschaft Gottes verkündet werden. Aber weil ihr nichts davon wissen wollt und euch damit selbst um das ewige Leben bringt, wenden wir uns jetzt an die Nichtjuden. ⁴⁷Der Herr hat uns das befohlen; denn er sagt: ›Ich mache euch zum Licht für die anderen Völker, damit alle bis ans Ende der Erde durch euch meine rettende Hilfe erfahren.‹«

⁴⁸Als die Nichtjuden das hörten, freuten sie sich und dankten Gott für seine rettende Botschaft. Alle, die

für das ewige Leben bestimmt waren, kamen zum Glauben.

⁴⁹ Die Botschaft Gottes verbreitete sich in der ganzen Gegend. ⁵⁰ Aber die Juden hetzten vornehme Frauen, die sich zur jüdischen Gemeinde hielten, und die führenden Männer der Stadt gegen Paulus und Barnabas auf. Die beiden wurden aus der Stadt ausgewiesen und mußten die Gegend verlassen. ⁵¹ Vor der Stadt schüttelten sie den Staub* von ihren Füßen und gingen nach Ikonion. ⁵² Die Christen in Antiochia aber waren von Freude und heiligem Geist* erfüllt.

Paulus und Barnabas in Ikonion

14 In Ikonion gingen Paulus und Barnabas wieder in die Synagoge* und sprachen dort so eindringlich, daß viele zum Glauben kamen, Juden wie auch Nichtjuden, die sich zur jüdischen Gemeinde hielten. ² Aber die übrigen Juden, die sich nicht überzeugen lassen wollten, hetzten die nichtjüdische Bevölkerung der Stadt gegen die Christen auf. ³ Trotzdem konnten Paulus und Barnabas einige Zeit in der Stadt bleiben. Im Vertrauen auf den Herrn verkündeten sie die Botschaft von seiner rettenden Gnade, und der Herr bestätigte ihr Wort durch die wunderbaren Taten, die er sie vollbringen ließ.

⁴ Die Stadt war in zwei Lager gespalten: die einen waren für die Juden, die anderen für die Apostel*. ⁵ Schließlich fehlte nicht mehr viel, und eine aufgebrachte Menge von Juden und Nichtjuden wäre mit den führenden Männern der Stadt über die Apostel hergefallen und hätte sie gesteinigt*. ⁶ Aber Paulus und Barnabas merkten, was sich da vorbereitete, und flohen nach Lystra und Derbe, zwei Städten in Lykaonien. ⁷ Dort und in der weiteren Umgebung verkündeten sie die Gute Nachricht.

Paulus und Barnabas in Lystra und Derbe

⁸ In Lystra sahen Paulus und Barnabas einen Mann sitzen, der seit seiner Geburt gelähmt war. Seine Füße waren kraftlos; er hatte in seinem ganzen Leben noch keinen Schritt getan. ⁹ Er hörte zu, wie Paulus sprach. Als dieser sah, daß der Mann das feste Vertrauen hatte, er könnte geheilt werden, ¹⁰ sagte er laut: »Steh auf, stell dich auf-

recht auf deine Beine!« Der Mann sprang auf und begann umherzugehen.

[11] Als die Volksmenge sah, was Paulus getan hatte, riefen alle in ihrer lykaonischen Sprache: »Die Götter haben Menschengestalt angenommen und sind zu uns herabgestiegen!« [12] Sie nannten Barnabas Zeus und Paulus Hermes, weil er das Wort geführt hatte. [13] Der Priester aus dem Zeus-Tempel vor der Stadt brachte Stiere und Blumenkränze ans Stadttor und wollte mit der Menge ein Opferfest zu Ehren der Apostel* feiern.

[14] Als Barnabas und Paulus merkten, was sie vorhatten, zerrissen sie entsetzt ihre Kleider, drängten sich unter die Menge und riefen: [15]»Ihr Leute, was macht ihr da? Wir sind doch Menschen wie ihr! Wir wollen euch die Gute Nachricht bringen, damit ihr euch abwendet von den Göttern, die keine sind, und euch dem lebendigen Gott zuwendet – dem Gott, der Himmel, Erde, Meer und alles, was lebt, geschaffen hat. [16] Früher hat er die Menschen ihre eigenen Wege gehen lassen. [17] Aber er hat sich schon immer als euer Wohltäter gezeigt: Er gibt euch den Regen und läßt die Ernte reifen; er gibt euch zu essen und macht euch froh und glücklich.«

[18] Nur mit Mühe konnten sie die Leute davon abhalten, ihnen Opfer darzubringen. [19] Doch dann kamen einige Juden aus Antiochia in Pisidien und aus Ikonion. Sie brachten die Menge auf ihre Seite und steinigten* Paulus. Darauf schleiften sie ihn aus der Stadt hinaus; denn sie hielten ihn für tot. [20] Doch als die Christen sich um ihn drängten, kam er wieder zu sich und ging in die Stadt. Am nächsten Tag machte er sich mit Barnabas auf den Weg nach Derbe.

Rückkehr nach Antiochia in Syrien

[21] Paulus und Barnabas verkündeten in Derbe die Gute Nachricht und konnten viele Menschen für Jesus gewinnen. Dann kehrten sie über Lystra und Ikonion nach dem pisidischen Antiochia zurück. [22] Hier machten sie den Christen Mut und ermahnten sie, unbeirrt am Glauben festzuhalten. »Wir müssen viel Schweres durchmachen, bevor wir in Gottes neue Welt kommen«, sagten sie ihnen. [23] In jeder Gemeinde setzten sie Gemeindevorsteher* ein,

und mit Fasten* und Beten stellten sie alle Glaubenden
unter den Schutz dessen, den sie als ihren Herrn angenommen hatten.

Dann reisten sie durch Pisidien nach Pamphylien. ²⁵ Sie
verkündeten ihre Botschaft in Perge und gingen weiter
nach Attalia. ²⁶ Von dort aus kehrten sie mit dem Schiff
zum Ausgangspunkt ihrer Reise, nach Antiochia, zurück.
Hier waren sie der Gnade Gottes anbefohlen worden für
das Werk, das sie nun vollendet hatten.

²⁷ Nach ihrer Ankunft riefen sie die ganze Gemeinde
zusammen und berichteten, was Gott alles durch sie getan
und daß er auch Nichtjuden die Tür zum Glauben geöffnet hatte. ²⁸ Paulus und Barnabas blieben nun längere Zeit
in der Gemeinde in Antiochia.

Müssen die Nichtjuden auf das Gesetz verpflichtet werden?

15 Nun kamen einige Christen aus Judäa nach Antiochia und erklärten den Brüdern: »Ihr könnt nicht
gerettet werden, wenn ihr euch nicht beschneiden* laßt,
wie es das Gesetz* Moses vorschreibt.« ² Mit dieser Forderung riefen sie eine große Unruhe in der Gemeinde hervor, und Paulus und Barnabas hatten eine heftige Auseinandersetzung mit ihnen. Schließlich wurde beschlossen,
die beiden sollten mit einigen Christen aus Antiochia nach
Jerusalem gehen und den Aposteln* und Gemeindevorstehern* die Streitfrage vorlegen.

³ Paulus und Barnabas wurden von der Gemeinde feierlich verabschiedet. Sie zogen durch Phönizien und Samarien und erzählten überall, wie auch die Nichtjuden Jesus
als ihren Herrn angenommen hatten. Darüber freuten
sich alle Brüder. ⁴ Bei der Ankunft in Jerusalem wurden
Paulus und Barnabas von der versammelten Gemeinde,
den Aposteln und den Gemeindevorstehern herzlich be-
grüßt. Sie berichteten ihnen, was Gott durch sie unter den
Nichtjuden getan hatte. ⁵ Aber einige Pharisäer*, die Christen geworden waren, meldeten Bedenken an: »Man muß
sie beschneiden«, sagten sie, »und von ihnen fordern, daß
sie das Gesetz Moses befolgen!«

Petrus: »Gott hat schon entschieden«

⁶ Die Apostel und die Gemeindevorsteher traten zusammen, um vor der gesamten Gemeinde die Frage zu erörtern. ⁷ Nach einer langen Diskussion stand Petrus auf und sagte: »Liebe Brüder! Wie ihr wißt, hat Gott mich als einen der Euren schon vor langer Zeit dazu ausersehen, daß Menschen aus anderen Völkern durch mich die Gute Nachricht hören und Jesus als ihren Herrn annehmen. ⁸ Und Gott, der die Herzen aller Menschen kennt, hat bestätigt, daß auch die Nichtjuden dessen würdig sind; denn er hat ihnen genauso seinen Geist* gegeben wie uns. ⁹ Durch den Glauben hat er sie im Innersten rein* gemacht. Dadurch hat er den Unterschied zwischen ihnen und uns Juden beseitigt. ¹⁰ Warum fordert ihr nun Gott heraus und legt ihnen eine Last auf, die weder unsere Vorfahren noch wir selbst tragen konnten? ¹¹ Wir selbst sind doch genau wie sie darauf angewiesen, daß wir durch das Vertrauen auf die Gnade des Herrn Jesus gerettet werden.«

Jakobus macht sich zum Anwalt der nichtjüdischen Christen

¹² Aus der ganzen Versammlung kam kein Wort des Widerspruchs, und alle hörten aufmerksam zu, als Paulus und Barnabas von den wunderbaren Taten berichteten, die sie mit Gottes Hilfe unter den Nichtjuden vollbracht hatten. ¹³ Als die beiden geendet hatten, stand Jakobus auf und sagte:

»Hört mir zu, liebe Brüder! ¹⁴ Simon hat uns erzählt, wie Gott selbst eingegriffen hat, um sich aus den Nichtjuden ein Volk zu sammeln, das ihn ehrt. ¹⁵ Das stimmt mit den Worten der Propheten überein, denn dort heißt es: ¹⁶›Danach will ich mich euch zuwenden, sagt der Herr, und das zerfallene Haus Davids wieder aufbauen. Aus den Trümmern will ich es von neuem errichten, ¹⁷ damit auch die übrigen Menschen nach mir fragen, alle Völker, die ich zu meinem Eigentum erklärt habe. Ich, der Herr, werde tun, ¹⁸ was ich seit Urzeiten beschlossen habe.‹ ¹⁹ Darum bin ich der Ansicht, wir sollten die Menschen aus anderen Völkern, die sich Gott zuwenden, nicht mit dem

ganzen jüdischen Gesetz belasten. ²⁰Wir wollen ihnen nur
vorschreiben, daß sie kein Fleisch von Tieren essen, die als
Opfer für die Götzen geschlachtet worden sind, denn es
ist unrein*; weiter sollen sie sich vor Blutschande* hüten,
kein Fleisch von erwürgten Tieren und kein Tierblut genießen. ²¹Diese Vorschriften Moses° sind seit alten Zeiten in jeder Stadt bekannt; denn sie werden jeden Sabbat*
überall in den Synagogen* vorgelesen.«

Beschluß und Brief an die nichtjüdischen Christen

²²Darauf beschlossen die Apostel* und Gemeindevorsteher* zusammen mit der ganzen Gemeinde, einige ausge-
wählte Männer mit Paulus und Barnabas nach Antiochia
zu schicken. Sie bestimmten dafür Judas mit dem Beinamen Barsabbas und Silas, zwei führende Männer der Gemeinde, ²³und gaben ihnen folgenden Brief mit:
»Die Apostel und Gemeindevorsteher grüßen als Brüder alle ihre Brüder nichtjüdischer Abstammung in Antiochia, Syrien und Zilizien. ²⁴Wir haben erfahren, daß einige
aus Jerusalem euch mit ihren Reden verwirrt und beunruhigt haben. Sie hatten aber keinen Auftrag von uns.
²⁵Deshalb haben wir einstimmig beschlossen, Abgesandte
zu euch zu schicken. Sie sollen unsere Brüder Barnabas
und Paulus begleiten, ²⁶die ihr Leben für Jesus Christus,
unseren Herrn, aufs Spiel gesetzt haben. ²⁷Wir haben Judas und Silas ausgewählt, damit sie euch persönlich unseren Beschluß bestätigen können. ²⁸Es erschien nämlich
dem heiligen Geist* und uns richtig, euch keine weitere
Last aufzuladen außer den folgenden Regeln, die ihr unbedingt beachten müßt: ²⁹Eßt kein Fleisch von Tieren, die
als Opfer für die Götzen geschlachtet worden sind; ge-
nießt kein Blut, eßt kein Fleisch von erwürgten Tieren
und hütet euch vor Blutschande*. Wenn ihr diese Regeln
beachtet, tut ihr recht. Lebt wohl!«
³⁰Die beiden Abgesandten reisten zusammen mit Paulus und Barnabas nach Antiochia. Vor der versammelten
Gemeinde übergaben sie den Brief. ³¹Als er vorgelesen
wurde, freuten sich alle über den tröstlichen Bescheid.
³²Judas und Silas, die selbst Propheten* waren, sprachen
lange mit ihren Glaubensbrüdern, ermahnten und stärk-
ten sie. ³³Sie blieben noch einige Zeit dort; dann wurden

sie von den Brüdern herzlich verabschiedet, um nach
Jerusalem zurückzukehren.°

³⁵ Paulus und Barnabas blieben längere Zeit in Antiochia. Zusammen mit vielen anderen unterwiesen sie die
Gemeinde und verkündeten die Botschaft Gottes.

Beginn der zweiten Paulusreise (15,36–18,22)

³⁶ Einige Zeit später sagte Paulus zu Barnabas: »Wir wollen noch einmal alle Orte besuchen, in denen wir die Botschaft Gottes verkündet haben, und sehen, wie es den
Brüdern geht!« ³⁷ Barnabas wollte Johannes Markus mitnehmen, ³⁸ aber Paulus lehnte es ab, noch einmal mit ihm
zusammenzuarbeiten; denn er hatte sie auf der vorhergehenden Reise in Pamphylien im Stich gelassen und die Zu-
sammenarbeit abgebrochen. ³⁹ Es kam zu einer heftigen
Auseinandersetzung, und Paulus und Barnabas trennten
sich. Barnabas fuhr mit Markus nach Zypern, ⁴⁰ Paulus
aber wählte sich Silas als Begleiter. Die Brüder wünschten
ihm eine gute Reise unter dem Schutz des Herrn. ⁴¹ Er zog
durch Syrien und Zilizien und stärkte in allen Gemeinden
die Christen in ihrem Glauben.

Paulus gewinnt Timotheus als Begleiter

16 Paulus kam über Derbe nach Lystra. Dort lebte
ein Christ mit Namen Timotheus. Seine Mutter,
selbst Christin, war jüdischer Herkunft, der Vater dagegen
Grieche. ² Timotheus stand bei den Brüdern in Lystra und
Ikonion in gutem Ruf. ³ Paulus wollte ihn gern als seinen
Begleiter auf die Reise mitnehmen. Mit Rücksicht auf die
Juden in der Gegend beschnitt* er ihn; denn es war über-
all bekannt, daß sein Vater ein Grieche war.

⁴ In den Städten, durch die sie kamen, übergaben sie
den Gemeinden die Vorschriften, die die Apostel* und die
Gemeindevorsteher* in Jerusalem erlassen hatten, und ermahnten sie, danach zu leben. ⁵ Die Gemeinden aber wurden im Glauben gestärkt und wuchsen täglich.

Paulus in Troas: Der Ruf nach Europa

⁶ Danach zogen sie weiter durch Phrygien und Galatien;
denn der heilige Geist* erlaubte ihnen nicht, in der Provinz Asien* die Gute Nachricht zu verkünden. ⁷ Als sie an

die Grenze von Mysien kamen, wollten sie nach Bithynien weiterziehen, aber auch daran hinderte sie der Geist Jesu. [8] So wanderten sie durch Mysien und kamen nach Troas. [9] Dort hatte Paulus in der Nacht eine Vision: Er sah einen Mann aus Mazedonien vor sich, der ihn bat: »Komm zu uns herüber und hilf uns!« [10] Daraufhin suchten wir sofort nach einem Schiff, das uns nach Mazedonien mitnehmen konnte. Denn wir waren sicher, daß Gott uns gerufen hatte, den Menschen dort die Gute Nachricht zu bringen.

Paulus in Philippi: Die Bekehrung Lydias

[11] Wir fuhren von Troas auf dem kürzesten Weg nach der Insel Samothrake, und am zweiten Tag erreichten wir Neapolis. [12] Von dort gingen wir landeinwärts nach Philippi, einer Stadt im ersten Bezirk Mazedoniens, einer Ansiedlung von römischen Bürgern.° Wir hielten uns einige Tage dort auf [13] und warteten auf den Sabbat*. Dann gingen wir vor das Tor an den Fluß. Wir vermuteten, daß sich dort Juden zum Gebet versammeln würden. Wir setzten uns und sprachen mit den Frauen, die gekommen waren. [14] Eine von ihnen war Lydia; sie stammte aus Thyatira und handelte mit Purpurstoffen. Sie hielt sich zur jüdischen Gemeinde. Der Herr weckte ihre Aufmerksamkeit, und sie hörte genau zu, als Paulus sprach. [15] Sie ließ sich mit allen ihren Leuten taufen. Darauf lud sie uns in ihr Haus ein und sagte: »Wenn ihr überzeugt seid, daß ich Jesus als Herrn angenommen habe, dann müßt ihr meine Gäste sein!« Sie drängte uns, mit ihr zu kommen.

Paulus und Silas im Gefängnis

[16] Eines Tages trafen wir auf dem Weg zur Gebetsstätte eine Sklavin. Aus ihr redete ein Geist, der die Zukunft wußte. Mit ihren Prophezeiungen brachte sie ihren Besitzern viel Geld ein. [17] Das Mädchen lief hinter Paulus und uns anderen her und rief: »Diese Leute sind Diener des höchsten Gottes! Sie können euch sagen, wie ihr gerettet werdet.« [18] Das ging einige Tage so, bis Paulus es nicht länger anhören konnte. Er drehte sich um und sagte zu dem Geist: »Ich befehle dir im Namen Jesu Christi: Fahre von ihr aus!« Im gleichen Augenblick verließ sie der Wahrsagegeist.

[19]Als die Besitzer der Sklavin merkten, daß der Geist, der ihnen soviel Geld gebracht hatte, aus dem Mädchen ausgefahren war, packten sie Paulus und Silas. Sie schleppten die beiden auf den Marktplatz vor das städtische Gericht [20]und verklagten sie vor den obersten Beamten: »Diese Juden hier stiften Unruhe in unserer Stadt. [21]Sie wollen Sitten einführen, die gegen unsere Ordnung sind und die wir als römische Bürger nicht annehmen dürfen.« [22]Auch das Volk war aufgebracht und verlangte ihre Bestrafung. Die Beamten ließen Paulus und Silas die Kleider vom Leib reißen und gaben Befehl, sie auszupeitschen. [23]Nachdem man ihnen viele Schläge verabreicht hatte, warf man sie ins Gefängnis. Dem Gefängniswärter wurde eingeschärft, sie sicher zu verwahren. [24]So kamen sie in die hinterste Zelle, und ihre Füße wurden in den Holzblock eingeschlossen.

[25]Um Mitternacht beteten Paulus und Silas und priesen Gott in Lobgesängen. Die anderen Gefangenen hörten es. [26]Plötzlich erschütterte ein heftiges Erdbeben das Gefängnis. Die Türen sprangen auf, und allen Gefangenen fielen die Fesseln ab. [27]Der Gefängniswärter fuhr aus dem Schlaf. Als er die Türen offenstehen sah, dachte er, die Gefangenen seien geflohen. Er zog sein Schwert und wollte sich töten.

[28]Da rief Paulus, so laut er konnte: »Tu dir nichts an! Wir sind alle noch hier.« [29]Der Wärter rief nach Licht, stürzte in die Zelle und warf sich zitternd vor Paulus und Silas nieder. [30]Dann führte er sie hinaus und fragte: »Ihr Herren, was muß ich tun, um gerettet zu werden?« [31]»Nimm Jesus als deinen Herrn an und vertraue ihm«, antworteten sie, »dann wirst du gerettet und deine Angehörigen mit dir!« [32]Und sie sagten ihm und allen anderen in seinem Haus die Botschaft Gottes.

[33]Der Gefängniswärter nahm Paulus und Silas noch in derselben Stunde mit sich und wusch ihre Wunden. Anschließend ließ er sich mit seiner ganzen Familie taufen. [34]Dann führte er die beiden hinauf in seine Wohnung und bewirtete sie. Er und alle seine Leute waren glücklich, daß sie zum Glauben an Gott gefunden hatten.

[35]Als es Tag wurde, schickten die Stadtobersten die Gerichtsboten mit der Weisung, die beiden Männer freizulas-

sen. ³⁶ Der Gefängniswärter sagte zu Paulus: »Ich habe
Befehl bekommen, euch freizulassen. Ihr könnt also unbehelligt weggehen.« ³⁷ Aber Paulus rief den Boten nach:
»Man hat uns ohne Urteil öffentlich ausgepeitscht, obwohl wir das römische Bürgerrecht* haben, und hat uns
ins Gefängnis geworfen. Und nun will man uns heimlich
abschieben? Nein, die Verantwortlichen sollen persönlich
kommen und uns freilassen!«
³⁸ Die Gerichtsboten meldeten das ihren Vorgesetzten.
Als diese hörten, daß Paulus und Silas römische Bürger
seien, erschraken sie. ³⁹ Sie kamen selbst und entschuldig-
ten sich. Dann führten sie die beiden aus dem Gefängnis
und baten sie, die Stadt zu verlassen. ⁴⁰ Vorher gingen
Paulus und Silas noch einmal zu Lydia. Sie trafen dort
die Brüder und machten ihnen Mut. Danach reisten sie
weiter.

Der Konflikt in Thessalonich

17 Über Amphipolis und Appollonia kamen Paulus
und Silas nach Thessalonich, wo es eine jüdische
Gemeinde gab. ² Wie immer ging Paulus in die Synagoge*
und sprach zu den Versammelten. An drei aufeinander-
folgenden Sabbaten* ³ erklärte und zeigte er ihnen anhand
der heiligen Schriften*, daß der versprochene Retter* leiden und sterben und danach vom Tod auferstehen mußte.
»Und dieser versprochene Retter«, sagte Paulus, »ist Jesus. Den verkündige ich euch.« ⁴ Von den Juden ließen
sich nur wenige überzeugen; aber von den Griechen, die
sich zur jüdischen Gemeinde hielten, schloß eine große
Anzahl sich Paulus und Silas an, darunter auch viele einflußreiche Frauen.
⁵ Da wurden die Juden wütend. Sie holten sich von der
Straße ein paar Männer, die zu allem fähig waren, und
brachten mit ihrer Hilfe die ganze Stadt in Unruhe. Sie zogen mit ihnen vor das Haus Jasons und wollten Paulus
und Silas herausholen, um sie vor die Volksversammlung
zu stellen. ⁶ Als sie die beiden nicht finden konnten,
schleppten sie Jason und ein paar andere Christen vor die
Stadtobersten und riefen: »Diese Leute stiften in der ganzen Welt Unruhe. Jetzt sind sie auch in unsere Stadt gekommen, ⁷ und Jason hat sie aufgenommen. Sie verletzen

die Gesetze des Kaisers und behaupten, ein anderer sei
der wahre König, nämlich Jesus.« [8] Mit diesen Worten ver-
setzten sie das Volk und die Stadtobersten in große Aufregung. [9] Jason und die anderen mußten eine Kaution
stellen, bevor sie freigelassen wurden.

Kurzer Aufenthalt in Beröa

[10] Sobald es dunkel wurde, brachten die Christen Paulus
und Silas auf den Weg nach Beröa. Auch dort gingen die
beiden bei der ersten Gelegenheit in die Synagoge*. [11] Die
Juden in Beröa waren aufgeschlossener als die in Thessalonich. Sie hörten mit großer Aufmerksamkeit zu und lasen jeden Tag in den heiligen Schriften* nach, ob das, was
Paulus sagte, auch zutraf. [12] Viele Juden nahmen Jesus als
ihren Herrn an, auch viele einflußreiche Griechen, Frauen
wie Männer.

[13] Als die Juden in Thessalonich erfuhren, daß Paulus
auch in Beröa die Botschaft Gottes verkündete, kamen sie
und hetzten auch hier das Volk gegen ihn auf. [14] Deshalb
brachten die Christen Paulus schnell an die Küste; Silas
und Timotheus aber blieben in Beröa. [15] Die Begleiter
brachten Paulus bis nach Athen und kamen dann mit der
Anweisung zurück, Silas und Timotheus sollten so bald
wie möglich nachkommen.

Paulus in Athen

[16] Während Paulus in Athen auf die beiden wartete, war er
im Innersten betroffen, weil die Stadt voll von Götzenbil-
dern war. [17] Er redete in der Synagoge* zu den Juden und
auch zu den Griechen, die sich zur jüdischen Gemeinde
hielten, und sprach jeden Tag mit den Leuten, die er auf
dem Marktplatz antraf. [18] Darunter waren auch einige Phi-
losophen der epikureïschen und stoischen Richtung, die
mit ihm diskutierten. Einige von ihnen meinten: »Was will
dieser Schwätzer eigentlich?« Andere sagten: »Er scheint
irgendwelche fremden Götter zu verkünden.« Paulus hatte nämlich von Jesus und der Auferstehung gesprochen.
[19] Sie nahmen ihn mit sich zum Areopag° und wollten Nä-
heres erfahren. »Uns interessiert deine neue Lehre«, sagten sie. [20] »Manches klingt sehr fremdartig, und wir würden gerne genauer wissen, was es damit auf sich hat.«

²¹ Denn die Athener und die Fremden in Athen kennen keinen besseren Zeitvertreib, als stets das Allerneueste in Erfahrung zu bringen und es weiterzuerzählen.

²² Paulus trat vor sie alle hin und sagte zu ihnen: »Männer von Athen! Ich habe wohl gemerkt, daß ihr die Götter hoch verehrt. ²³ Ich bin durch eure Stadt gegangen und habe mir eure heiligen Stätten angesehen. Dabei habe ich einen Altar entdeckt mit der Inschrift: ›Für den unbekannten Gott‹. Diesen Gott, den ihr verehrt, ohne ihn zu kennen, will ich euch jetzt bekanntmachen. ²⁴ Er ist der Gott, der die Welt geschaffen hat und alles, was darin lebt. Als Herr über Himmel und Erde wohnt er nicht in Tempeln, die ihm die Menschen gebaut haben. ²⁵ Er ist auch nicht darauf angewiesen, von den Menschen versorgt zu werden; denn er selbst gibt ihnen das Leben und alles, was sie zum Leben brauchen. ²⁶ Er hat aus dem ersten Menschen alle Völker der Menschheit hervorgehen lassen, damit sie die Erde bewohnen. Für jedes Volk hat er im voraus bestimmt, wie lange es bestehen und in welchen Grenzen es leben soll. ²⁷ Er wollte, daß die Menschen ihn suchen und sich bemühen, ihn zu finden. Er ist jedem von uns nahe; ²⁸ denn durch ihn leben, handeln und sind wir. Oder wie es eure Dichter ausgedrückt haben: ›Auch wir sind göttlicher Abkunft.‹ ²⁹ Wenn das aber so ist, dürfen wir nicht dem Irrtum verfallen und meinen, die Gottheit gleiche den Bildern aus Gold, Silber und Stein, die von menschlicher Erfindungskraft und Kunstfertigkeit geschaffen wurden. ³⁰ Bisher hat Gott mit Nachsicht darüber hinweggesehen, weil die Menschen es aus Unwissenheit getan haben. Aber jetzt fordert er alle Menschen überall auf, umzukehren und einen neuen Anfang zu machen. ³¹ Denn er hat einen Tag festgesetzt, an dem er die ganze Menschheit gerecht richten will, und zwar durch den Mann, den er dazu bestimmt hat. Ihn hat er vor aller Welt dadurch ausgewiesen, daß er ihn vom Tod erweckt hat.«

³² Als sie Paulus von der Auferstehung reden hörten, lachten ihn einige aus; andere sagten: »Darüber mußt du uns das nächste Mal mehr erzählen.« ³³ Als Paulus darauf die Versammlung verließ, ³⁴ schlossen sich ihm ein paar Männer an und wurden Christen, darunter Dionysius, der dem Areopag° angehörte, und auch eine Frau namens Damaris.

Paulus in Korinth

18 Danach verließ Paulus Athen und ging nach Korinth. ²Dort traf er einen Juden aus Pontus. Er hieß Aquila und war mit seiner Frau Priszilla gerade aus Italien angekommen; denn Kaiser Klaudius hatte alle Juden aus Rom ausweisen lassen. Paulus besuchte die beiden. ³Weil er wie Aquila Zeltmacher* war, blieb er bei ihnen und arbeitete dort. ⁴An jedem Sabbat* sprach er in der Synagoge* und versuchte, Juden und Griechen zu überzeugen.

⁵Als Silas und Timotheus aus Mazedonien nachkamen, konnte Paulus sich ganz seiner eigentlichen Aufgabe widmen. Er bezeugte den Juden, daß Jesus der versprochene Retter* ist. ⁶Als sie ihm aber widersprachen und ihn beschimpften, schüttelte er den Staub* aus seinen Kleidern und sagte: »Ihr habt es euch selbst zuzuschreiben, wenn ihr verlorengeht. Mich trifft keine Schuld. Von jetzt an werde ich mich an die Nichtjuden wenden.«

⁷Er verließ die Synagoge und sprach von nun an in dem danebenliegenden Haus von Titius Justus, einem Griechen, der sich zur jüdischen Gemeinde hielt. ⁸Der Synagogenvorsteher* Krispus nahm mit seiner ganzen Familie Jesus als Herrn an. Viele Korinther, die davon erfuhren, kamen ebenfalls zum Glauben und ließen sich taufen.

⁹Der Herr aber sagte in einer nächtlichen Vision zu Paulus: »Hab keine Angst, sondern verkünde unbeirrt die Gute Nachricht! ¹⁰Ich stehe dir bei. Keiner kann dir etwas anhaben; denn ich habe eine große Gemeinde in dieser Stadt.« ¹¹So blieb Paulus eineinhalb Jahre dort und sagte den Menschen die Botschaft Gottes.

¹²Als Gallio zum neuen Statthalter der römischen Provinz Achaia ernannt wurde, rotteten sich die Juden zusammen und schleppten Paulus vor Gericht. ¹³»Dieser Mann«, sagten sie, »überredet die Leute, Gott auf eine Weise zu verehren, die gegen das Gesetz verstößt.« ¹⁴Paulus wollte gerade mit seiner Verteidigung beginnen, da erklärte Gallio: »Wenn es sich um ein schweres Vergehen oder ein Verbrechen handelte, wäre es meine Pflicht, euch Juden anzuhören. ¹⁵Aber weil es hier um Streitfragen über religiöse Lehren und Autoritäten und um euer eigenes Gesetz* geht, müßt ihr die Angelegenheit schon

unter euch ausmachen. Ich mag in solchen Fragen nicht den Richter spielen.« [16]Damit wies er sie hinaus. [17]Da packten alle Juden ihren Gemeindevorsteher Sosthenes und verprügelten ihn unter Gallios Augen. Doch der kümmerte sich nicht darum.

Rückkehr nach Antiochia und Beginn der dritten Paulusreise (18,23–21,16)

[18]Paulus blieb noch eine Zeitlang bei der Gemeinde in Korinth, dann verabschiedete er sich und wollte mit Priszilla und Aquila nach Syrien fahren. Bevor er in Kenchreä an Bord ging, ließ er sich wegen eines Gelübdes* das Haar abschneiden.

[19-21]Als sie in Ephesus ankamen, ging er in die Synagoge*, um mit den Juden ins Gespräch zu kommen. Sie baten ihn, eine Zeitlang zu bleiben, aber er wollte nicht. »Wenn Gott will, komme ich noch einmal zu euch zurück«, sagte er, und nahm Abschied. Auch Priszilla und Aquila ließ er in Ephesus zurück.

[22]Paulus fuhr mit dem Schiff bis Cäsarea und ging von dort zu Fuß nach Jerusalem. Er machte der Gemeinde einen Besuch und reiste dann weiter nach Antiochia. [23]Auch hier blieb er nicht lange. Er zog durch Galatien und Phrygien und sprach überall den Christen Mut zu.

Apollos in Ephesus und Korinth

[24]Inzwischen kam nach Ephesus ein Jude, der Apollos hieß und aus Alexandria stammte. Er war ein begabter Redner und kannte sich in den heiligen Schriften* gut aus. [25]Er war auch in der christlichen Lehre unterrichtet worden und sprach mit großem Eifer über Jesus. Er wußte genau über ihn Bescheid, doch kannte er nur die Taufe, wie sie Johannes geübt hatte. [26]Ohne Scheu verkündete er Jesus in der jüdischen Synagoge*. Priszilla und Aquila hörten ihn, luden ihn zu sich und erklärten ihm die christliche Lehre noch genauer.

[27]Als Apollos dann nach Achaia gehen wollte, gaben ihm die Christen aus Ephesus einen Brief mit. Darin baten sie die Brüder in Griechenland, ihn freundlich aufzunehmen. Tatsächlich konnte er den Christen dort mit seiner besonderen Gabe viel helfen. [28]In öffentlichen

Streitgesprächen wies er den Widerspruch der Juden zurück und bewies ihnen aus den heiligen Schriften*, daß Jesus der versprochene Retter* ist.

Paulus in Ephesus

19 Während Apollos in Korinth war, reiste Paulus durch das kleinasiatische Hochland und kam nach Ephesus. Er traf dort einige Glaubensgenossen ²und fragte sie: »Habt ihr den heiligen Geist* erhalten, als ihr Jesus als Herrn angenommen habt?« Sie antworteten: »Wir haben noch nie etwas von einem heiligen Geist gehört.« Paulus fragte sie: ³»Was für eine Taufe habt ihr denn empfangen?« »Die Taufe, die auf Johannes zurückgeht«, sagten sie. ⁴Daraufhin erklärte ihnen Paulus: »Johannes hat alle getauft, die ein neues Leben anfangen wollten. Aber er hat auch gesagt, sie sollten sich an den halten, der nach ihm kommt, nämlich an Jesus.«

⁵Als sie das hörten, ließen sie sich auf den Namen* des Herrn Jesus taufen. ⁶Paulus legte ihnen die Hände auf, und sie wurden vom heiligen Geist erfüllt. Sie redeten in unbekannten Sprachen* und verkündeten Weisungen* von Gott. ⁷Es waren etwa zwölf Männer.

⁸In den nächsten drei Monaten ging Paulus regelmäßig in die Synagoge*. Dort verkündete er ohne Scheu, daß Gott durch Jesus seine Herrschaft* aufrichtet, setzte sich mit den Einwänden der Zuhörer auseinander und suchte sie zu überzeugen. ⁹Aber einige verschlossen sich der Botschaft und wollten sich nicht überzeugen lassen. Als sie schließlich vor allen anderen die neue Lehre verspotteten, kehrte Paulus ihnen den Rücken und löste die Christen aus der Synagogengemeinde. Von nun an sprach er täglich im Saal eines Griechen namens Tyrannus, ¹⁰volle zwei Jahre lang. So konnten alle Bewohner der Provinz Asien*, Juden und Griechen, die Botschaft Gottes hören.

Falsche Heiler und Verbrennung der Zauberbücher

¹¹Gott ließ durch Paulus ganz ungewöhnliche Dinge geschehen. ¹²Die Leute nahmen sich sogar die noch schweißfeuchten Kopf- und Halstücher, die er getragen hatte, und legten sie den Kranken auf. Dann verschwan-

den die Krankheiten, und auch die Besessenen wurden von den bösen Geistern* befreit.

[13] Einige Juden, die umherzogen und Besessene heilten, gebrauchten bei ihren Beschwörungen auch den Namen Jesu, des Herrn. Sie sagten zu den bösen Geistern: »Ich beschwöre euch bei dem Jesus, von dem Paulus spricht!« [14] Auch die sieben Söhne des Obersten Priesters* Skevas versuchten es einmal so. [15] Aber der böse Geist in dem Kranken erwiderte: »Ich kenne Jesus und ich kenne auch Paulus. Aber wer seid ihr?« [16] Der Besessene fiel über sie her und schlug sie alle zu Boden. Blutend und halbnackt mußten sie aus dem Haus fliehen.

[17] Die Geschichte wurde in ganz Ephesus bekannt. Juden wie Nichtjuden erschraken, und sie ehrten und priesen den Namen Jesu, des Herrn. [18] Zahlreiche Christen gaben zu, daß sie früher Zauberkünste getrieben hatten. [19] Viele von ihnen brachten ihre Zauberbücher und verbrannten sie öffentlich. Man schätzte, daß die verbrannten Bücher 50 000 Silberstücke* wert waren. [20] So erwies die Botschaft des Herrn ihre Macht und breitete sich immer weiter aus.

Unruhen in Ephesus

[21] Nun entschloß sich Paulus, über Mazedonien und Griechenland nach Jerusalem zu reisen. »Danach«, sagte er, »muß ich auch Rom besuchen.« [22] Seine beiden Mitarbeiter Timotheus und Erastus schickte er nach Mazedonien voraus. Er selbst blieb noch eine Weile in der Provinz Asien*.

[23] In dieser Zeit kam es wegen der neuen Lehre zu schweren Unruhen in Ephesus. [24] Es gab dort nämlich einen Silberschmied namens Demetrius, der silberne Nachbildungen vom Tempel der Göttin Artemis verkaufte; das brachte ihm und den Handwerkern, die er beschäftigte, einen schönen Gewinn. [25] Dieser Demetrius rief alle, die in diesem Gewerbe tätig waren, zusammen und sagte: »Männer, ihr wißt: unser ganzer Wohlstand hängt davon ab, daß wir diese Nachbildungen herstellen. [26] Und ihr werdet erfahren haben, daß dieser Paulus den Leuten einredet: ›Götter, die man mit Händen macht, sind gar keine Götter.‹ Er hat mit seinen Reden nicht nur hier in Ephe-

sus Erfolg, sondern fast überall in der Provinz Asien.
²⁷ Deshalb besteht die Gefahr, daß er nicht nur unseren
Handel in Verruf bringt. Stellt euch vor, es würde so
weit kommen, daß der Tempel der großen Göttin Artemis seine Bedeutung verliert! Stellt euch vor, daß
die Göttin selbst in Vergessenheit gerät, die heute überall in unserer Provinz und in der ganzen Welt verehrt
wird!«

²⁸ Als sie das hörten, wurden sie wütend und riefen:
»Groß ist die Artemis von Ephesus!« ²⁹ Die Unruhe breitete sich in der ganzen Stadt aus. Gaius und Aristarch, die
sich Paulus in Mazedonien angeschlossen hatten, wurden
von der Menge gepackt und zum Theater geschleppt.
³⁰ Paulus wollte sich der Menge stellen, aber die Brüder
ließen ihn nicht aus dem Haus. ³¹ Auch einige hohe Beamte der Provinz, die ihm freundlich gesonnen waren, warnten ihn durch Boten davor, sich im Theater sehen zu
lassen.

³² Unter den dort Zusammengeströmten herrschte die
größte Verwirrung. Alle schrien durcheinander, und die
meisten wußten nicht einmal, worum es ging. ³³ Die Juden
schickten Alexander nach vorn. Einige aus der Menge erklärten ihm den Anlaß. Da winkte er mit der Hand und
wollte vor dem Volk eine Verteidigungsrede für die Juden
halten. ³⁴ Aber als die Leute merkten, daß er Jude war,
schrien sie ihn nieder und riefen zwei Stunden lang im
Chor: »Groß ist die Artemis von Ephesus!«

³⁵ Schließlich gelang es dem Sekretär der Volksversammlung, die Menge zu beruhigen. »Männer von Ephesus«, rief er, »in der ganzen Welt weiß man doch, daß zu
unserer Stadt der berühmte Tempel der Göttin Artemis
gehört und hier ihr vom Himmel gefallenes Bild verehrt
wird. ³⁶ Das kann niemand abstreiten. Beruhigt euch also
und laßt euch zu nichts hinreißen. ³⁷ Ihr habt diese Männer hergeschleppt, obwohl sie weder den Tempel beraubt
noch unsere Göttin beleidigt haben. ³⁸ Wenn Demetrius
und seine Handwerker geschädigt worden sind, dann gibt
es dafür Gerichte und Behörden. Dort können sie ihre
Klage vorbringen. ³⁹ Wenn ihr aber andere Forderungen
habt, muß das auf einer ordentlichen Volksversammlung
geklärt werden. ⁴⁰ Was heute geschehen ist, kann uns

leicht als Rebellion ausgelegt werden. Es gibt keinen Grund für diesen Aufruhr, wir können ihn durch nichts rechtfertigen.« Mit diesen Worten löste er die Versammlung auf.

Rundreise durch Mazedonien und Griechenland

20 Als der Tumult sich gelegt hatte, rief Paulus die Christen zusammen. Er machte ihnen noch einmal Mut und verabschiedete sich von ihnen, um nach Mazedonien zu reisen. ²Dort besuchte er überall die Gemeinden und stärkte sie durch seine Worte. Schließlich kam er nach Griechenland ³und blieb drei Monate dort. Dann wollte er mit einem Schiff nach Syrien fahren. Aber da die Juden einen Anschlag auf ihn planten, entschloß er sich, den Landweg über Mazedonien zu nehmen.

⁴Auf dieser Reise begleiteten ihn sieben Vertreter der Gemeinden: Sopater, der Sohn von Pyrrhus, aus Beröa, Aristarch und Sekundus aus Thessalonich, Gaius aus Derbe sowie Timotheus, und schließlich aus der Provinz Asien* Tychikus und Trophimus. ⁵Diese beiden fuhren nach Troas voraus und erwarteten uns dort. ⁶Wir anderen bestiegen nach dem Passafest* in Philippi ein Schiff und kamen nach fünftägiger Fahrt in Troas an. Dort blieben wir eine Woche.

Letzter Besuch in Troas

⁷Am Abend vor dem Sonntag kamen wir zum Mahl* des Herrn zusammen. Paulus sprach zu den Versammelten, und weil er zum letztenmal mit ihnen zusammen war – denn er wollte am nächsten Tag weiterreisen –, dehnte er seine Rede bis Mitternacht aus. ⁸In unserem Versammlungsraum im obersten Stock brannten zahlreiche Lampen. ⁹Auf der Fensterbank saß ein junger Mann mit Namen Eutychus. Als Paulus so lange sprach, schlief er ein und fiel drei Stockwerke tief aus dem Fenster. Als man ihn aufhob, war er tot.

¹⁰Paulus aber ging hinunter, legte sich auf ihn, umfaßte ihn und sagte: »Macht euch keine Sorgen, er lebt!« ¹¹Dann ging er wieder hinauf, teilte das Brot aus und aß mit ihnen. Er sprach noch lange mit ihnen und verabschiedete sich erst, als die Sonne aufging. ¹²Den jungen

Mann brachte man gesund nach Hause, und alle waren
von großer Freude erfüllt.

Von Troas nach Milet

[13] Wir alle außer Paulus stiegen ins Schiff und fuhren voraus nach Assos. Paulus ging lieber zu Fuß und wollte erst
dort einsteigen. [14] Als er in Assos zu uns stieß, fuhren wir
gemeinsam nach Mitylene. [15] Von da aus ging es am nächsten Tag weiter bis in die Nähe von Chios. Am Tag darauf
kamen wir bis Samos, und noch einen Tag später erreichten wir Milet. [16] Paulus hatte beschlossen, an Ephesus vor-
beizufahren, um nicht zu viel Zeit zu verlieren. Er wollte
so schnell wie möglich weiterkommen, um bis Pfingsten in
Jerusalem zu sein.

Abschied von der Gemeinde in Ephesus

[17] Von Milet aus schickte Paulus den Gemeindevorstehern* in Ephesus eine Nachricht und ließ sie bitten, zu
ihm zu kommen. [18] Als sie da waren, sagte er: »Ihr wißt,
wie ich von dem Tag an, als ich die Provinz Asien* betrat,
bei euch gelebt habe. [19] Mit selbstloser Hingabe habe ich
für den Herrn gearbeitet, manchmal unter Tränen und in
großer Notlage, wenn mich die Juden verfolgten. [20] Ich
habe euch nichts verschwiegen, was für euch wichtig ist,
wenn ich vor der Gemeinde oder in euren Häusern
sprach. [21] Juden wie Nichtjuden habe ich beschworen, zu
Gott umzukehren und Jesus Christus als ihren Herrn anzunehmen. [22] Jetzt gehorche ich dem heiligen Geist* und
gehe nach Jerusalem, und es ist ungewiß, was dort mit mir
geschehen wird. [23] Ich weiß nur: In jeder Stadt, in die ich
komme, kündigt mir der heilige Geist an, daß in Jerusalem Verfolgung und Gefangenschaft auf mich warten.
[24] Aber was liegt schon an meinem Leben! Wichtig ist nur,
daß ich bis zum Schluß den Auftrag erfülle, den mir Jesus,
der Herr, übertragen hat: die Gute Nachricht zu verkünden, daß Gott sich über die Menschen erbarmt hat.

[25] Ich weiß, daß ich jetzt zum letztenmal unter euch bin.
Ihr und alle, denen ich die Botschaft von der anbrechenden Herrschaft* Gottes verkündet habe, werdet mich
nicht wiedersehen. [26] Deshalb erkläre ich heute feierlich
vor euch: Mich trifft keine Schuld, wenn einer von euch

verlorengeht. ²⁷Ich habe nicht versäumt, euch alles zu verkünden, was Gott zu unserer Rettung getan hat und tun
wird. ²⁸Gebt acht auf euch selbst und auf die ganze Herde, die der heilige Geist eurer Leitung und Fürsorge anvertraut hat! Seid treue Hirten der Gemeinde, die Gott
durch das Blut seines eigenen Sohnes* erworben hat.
²⁹Denn ich weiß, wenn ich nicht mehr da bin, werden gefährliche Wölfe bei euch eindringen und unter der Herde
wüten, ³⁰und aus euren eigenen Reihen werden Männer
auftreten und mit verlogenen Reden unter den Glaubenden Anhänger für sich selbst werben. ³¹Darum gebt acht
und denkt immer daran, daß ich mich drei Jahre lang Tag
und Nacht, oft unter Tränen, um jeden einzelnen von
euch bemüht habe.
³²Nun stelle ich euch unter den Schutz Gottes und unter die Botschaft seiner rettenden Gnade. Durch sie wird
er euch im Glauben reifen lassen und euch künftig das
ewige Leben schenken, zusammen mit allen, die ihm gehören. ³³⁻³⁴Ihr wißt, daß ich nie einen Menschen um Geld
oder Kleidung gebeten habe. Mit diesen meinen Händen
habe ich verdient, was meine Begleiter und ich selbst zum
Leben brauchten. ³⁵Ich habe euch stets ein Vorbild gegeben, daß man hart arbeiten muß, um auch den Bedürftigen helfen zu können. Denkt an die Worte des Herrn
Jesus, der gesagt hat: ›Geben macht mehr Freude als
nehmen.‹«
³⁶Nachdem Paulus geendet hatte, kniete er mit ihnen
nieder und betete. ³⁷Als sie ihn zum Abschied umarmten
und küßten, brachen sie in lautes Weinen aus. ³⁸Am meisten bedrückten sie seine Worte: »Ihr werdet mich nicht
wiedersehen.« Dann begleiteten sie ihn zum Schiff.

Paulus reist nach Jerusalem

21 Wir verabschiedeten uns und fuhren ab. Wir kamen bei gutem Wind nach Kos, erreichten am
nächsten Tag Rhodos und dann Patara. ²Dort fanden wir
ein Schiff, das nach Phönizien fuhr, und gingen an Bord.
³Als Zypern in Sicht kam, steuerten wir südlich an der Insel vorbei mit Kurs auf Syrien. In Tyrus mußte das Schiff
die Ladung löschen, und wir gingen an Land.
⁴Wir suchten die Christen am Ort auf und blieben eine

Woche bei ihnen. Vom heiligen Geist* getrieben, warnten sie Paulus vor der Reise nach Jerusalem. ⁵Als unser vorgesehener Aufenthalt zu Ende ging, begleiteten sie uns mit ihren Frauen und Kindern bis vor die Stadt. Am Strand knieten wir mit ihnen nieder und beteten. ⁶Dann verabschiedeten wir uns und bestiegen das Schiff, während sie nach Hause zurückkehrten.

⁷In Ptolemaïs waren wir am Ziel unserer Schiffsreise. Wir besuchten unsere Glaubensgenossen und blieben einen Tag bei ihnen. ⁸Am nächsten Tag gingen wir zu Fuß weiter und erreichten Cäsarea. Dort kehrten wir im Haus des Evangelisten* Philippus ein. Er war einer der sieben Helfer* ⁹und hatte vier Töchter, die ehelos geblieben waren und die Gabe hatten, prophetische Weisungen* zu verkünden.

¹⁰Nach einigen Tagen kam aus Judäa ein Prophet* namens Agabus. ¹¹Er nahm Paulus den Gürtel ab, fesselte sich damit Hände und Füße und sagte: »Das verkündet der heilige Geist: So werden die Juden in Jerusalem den Besitzer dieses Gürtels fesseln und den Fremden ausliefern, die Gott nicht kennen.« ¹²Als wir das hörten, flehten wir allesamt, auch unsere Gastgeber, Paulus an, nicht nach Jerusalem zu gehen. ¹³Er aber sagte: »Warum weint ihr und macht mir das Herz schwer? Ich bin bereit, mich in Jerusalem nicht nur fesseln zu lassen, sondern auch für Jesus, meinen Herrn, zu sterben.« ¹⁴Da Paulus sich nicht überreden ließ, gaben wir nach und sagten: »Wie der Herr will, soll es geschehen!«

¹⁵Danach brachen wir auf und reisten nach Jerusalem. ¹⁶Einige Brüder aus Cäsarea begleiteten uns und brachten uns zu Mnason aus Zypern, bei dem wir wohnen sollten. Er war einer der ersten, die Jesus als Herrn angenommen hatten.

Paulus bei Jakobus in Jerusalem

¹⁷Bei der Ankunft in Jerusalem wurden wir von den Brüdern dort herzlich aufgenommen. ¹⁸Am nächsten Tag ging Paulus mit uns zu Jakobus. Alle Vorsteher* der Gemeinde waren versammelt. ¹⁹Paulus begrüßte sie und gab einen ausführlichen Bericht über das, was Gott durch ihn bei den Nichtjuden vollbracht hatte. ²⁰Als sie das

hörten, priesen sie Gott und sagten dann zu Paulus: »Du
siehst, lieber Bruder, wie es hier steht. Wir haben Tausende von Juden, die Jesus als ihren Herrn angenommen haben, und sie alle halten sich auch als Christen noch streng
an das Gesetz* Moses. ²¹Man hat ihnen erzählt, daß du
die Juden im Ausland dazu bringst, sich von Mose abzuwenden. Sie sollen ihre Kinder nicht mehr beschneiden*
und nicht länger nach den alten Vorschriften leben. ²²Was
sollen wir machen? Sie werden sicher erfahren, daß du
hier bist. ²³Deshalb solltest du unserem Rat folgen. Wir
haben hier vier Männer, die das Gelübde* auf sich genommen haben, eine Zeitlang keinen Wein zu trinken und
sich das Haar nicht schneiden zu lassen. ²⁴Die Zeit ihres
Gelübdes ist gerade abgelaufen. Schließ dich ihnen an und
nimm an den abschließenden Weihen teil. Du kannst die
Kosten für das Opfer übernehmen. Dann werden alle erkennen, daß die Berichte über dich falsch sind und daß du
selbst nach dem Gesetz Moses lebst. ²⁵Wegen der Nichtjuden, die Christen geworden sind, haben wir ja schon eine
Entscheidung getroffen. Wir haben ihnen geschrieben, sie
sollen weder Fleisch vom Götzenopfer* essen noch Blut
genießen, kein Fleisch von erwürgten Tieren anrühren
und sich vor Blutschande* hüten.«
²⁶Paulus folgte dem Rat und nahm die vier Männer mit.
Am nächsten Tag bereitete er sich mit ihnen auf den Tem-
pelbesuch vor. Dann ging er zu den Priestern, um ihnen
zu melden, daß die Zeit ihres Gelübdes abgelaufen sei.
Nach sieben Tagen sollte das abschließende Opfer dargebracht werden.

Paulus im Tempel verhaftet

²⁷Als die sieben Tage fast um waren, sahen Juden aus der
Provinz Asien* Paulus im Tempel. Sie hetzten das Volk
auf, packten Paulus ²⁸und schrien: »Männer von Israel, zu
Hilfe! Da ist er, der überall gegen das Volk Israel, gegen
das Gesetz* Moses und gegen diesen Tempel spricht!
Jetzt hat er sogar Griechen in den Tempel mitgebracht
und diesen heiligen Ort entweiht!« ²⁹Sie hatten nämlich
Paulus in der Stadt mit Trophimus aus Ephesus gesehen
und dachten, er hätte ihn auch in den Tempel mitgenommen. ³⁰Die ganze Stadt geriet in Aufregung; die Leute lie-

fen zusammen, packten Paulus und zerrten ihn aus dem
inneren Bereich des Heiligtums. Sofort wurden die Tore
des inneren Vorhofes* hinter ihnen geschlossen.

³¹ Die Menge stürzte sich auf Paulus und wollte ihn umbringen. Da wurde dem Kommandanten der römischen
Garnison gemeldet: »Ganz Jerusalem ist in Aufruhr!«
³² Er rief sofort Offiziere und Soldaten und eilte zu der
Volksmenge. Als die Leute die Truppen sahen, ließen sie
davon ab, auf Paulus einzuschlagen. ³³ Der Kommandant
nahm Paulus fest und ließ ihn mit zwei Ketten fesseln.
Dann fragte er die Umstehenden: »Wer ist der Mann, und
was hat er getan?« ³⁴ Aber die Leute schrien so wild durcheinander, daß er sich kein genaues Bild von den Vorgängen machen konnte. So befahl er, Paulus in die Kaserne
zu bringen. ³⁵ Am Aufgang zur Kaserne kam die Menge
Paulus gefährlich nahe, so daß die Soldaten ihn tragen
mußten. ³⁶ Denn alle liefen hinterher und riefen: »Schlagt
ihn tot!«

Paulus verteidigt sich vor dem Volk

³⁷ Bevor er in die Kaserne geführt wurde, wandte sich Paulus an den Kommandanten: »Darf ich dir etwas sagen?«
»Du sprichst griechisch?« erwiderte der Kommandant.
³⁸ »Dann bist du also nicht jener Ägypter, der vor einiger
Zeit eine Verschwörung angezettelt und viertausend be-
waffnete Terroristen in die Wüste hinausgeführt hat?«
³⁹ Paulus antwortete: »Ich bin ein Jude aus Zilizien, ein
Bürger der bekannten Stadt Tarsus. Laß mich bitte zu der
Menge reden.« ⁴⁰ Der Kommandant war damit einverstanden.

Paulus stand auf der Freitreppe und bat die Menge mit
einer Handbewegung um Ruhe. Als der Lärm sich gelegt
22 hatte, begann er auf hebräisch* zu reden: ¹ »Ihr
Männer, Brüder und Väter, hört zu, was ich zu
meiner Verteidigung zu sagen habe.« ² Als sie hörten, daß
er hebräisch sprach, wurden sie noch stiller, und Paulus
konnte weiterreden:

³ »Ich bin ein Jude aus Tarsus in Zilizien, aber aufgewachsen hier in Jerusalem. Mein Lehrer war Gamaliël. Er
prägte mir das Gesetz* unserer Vorfahren genau ein, und
ich trat ebenso leidenschaftlich für den Gott Israels ein,

wie ihr es heute tut. ⁴Ich bekämpfte den Glauben der
Christen bis aufs Blut. Männer und Frauen nahm ich fest
und ließ sie ins Gefängnis werfen. ⁵Der Oberste Priester*
und der ganze jüdische Rat* können das bestätigen. Ich
ließ mir von ihnen Empfehlungsbriefe an die jüdische Gemeinde in Damaskus geben; denn ich wollte auch dort die
Anhänger Jesu festnehmen und sie in Ketten zur Bestrafung nach Jerusalem bringen.«

Paulus schildert Bekehrung und Missionsauftrag

⁶»Auf dem Weg nach Damaskus, kurz vor der Stadt, umstrahlte mich plötzlich gegen Mittag ein blendend helles
Licht vom Himmel. ⁷Ich stürzte zu Boden und hörte eine
Stimme zu mir sagen: ›Saul, Saul, warum verfolgst du
mich?‹ ⁸›Wer bist du, Herr?‹ fragte ich. ›Ich bin Jesus von
Nazaret, den du verfolgst‹, sagte die Stimme. ⁹Meine Begleiter sahen wohl das Licht, hörten aber nicht die Stimme, die mit mir redete. ¹⁰Ich fragte: ›Herr, was soll ich
tun?‹ Der Herr sagte: ›Steh auf und geh nach Damaskus!
Dort wirst du erfahren, was Gott dir zu tun bestimmt hat.‹
¹¹Von dem hellen Lichtstrahl war ich blind geworden
und mußte mich von meinen Begleitern nach Damaskus
führen lassen.
¹²Dort lebte ein frommer Mann, Hananias, der sich
streng an das Gesetz* hielt und von allen Juden in der
Stadt geachtet wurde. ¹³Er kam zu mir und sagte: ›Bruder
Saul, du sollst wieder sehen!‹ Im gleichen Augenblick
wurden meine Augen geöffnet, und ich sah ihn vor mir
stehen. ¹⁴Er sagte: ›Der Gott unserer Vorfahren hat dich
dazu erwählt, seinen Plan mit der Welt kennenzulernen.
Du solltest den Einen sehen, der Gottes Willen erfüllt hat,
und seine Stimme hören. ¹⁵Denn du sollst vor allen Menschen für ihn eintreten und ihnen bezeugen, was du gesehen
und gehört hast. ¹⁶Und nun besinn dich nicht lange! Steh auf,
laß dich taufen und lege dabei das Bekenntnis zum Namen*
Jesus ab, damit deine Schuld abgewaschen wird.‹
¹⁷Als ich wieder in Jerusalem war und im Tempel betete, hatte ich eine Erscheinung. ¹⁸Ich sah den Herrn und
hörte ihn sagen: ›Verlaß Jerusalem auf dem schnellsten
Weg, denn die Leute hier werden dir nicht glauben, wenn
du für mich eintrittst.‹ ¹⁹›Herr‹, sagte ich, ›aber sie müßten

es doch; denn sie wissen ja, wie ich früher in den Synagogen* deine Anhänger festnehmen und auspeitschen ließ.
²⁰Als dein Zeuge Stephanus gesteinigt* wurde, war ich
selbst dabei; ich war mit allem einverstanden und bewachte die Kleider seiner Mörder.‹ ²¹Doch der Herr sagte:
›Geh, ich will dich weit hinaus zu fremden Völkern senden!‹«

Paulus wird unterbrochen

²²Bis dahin hatte die Menge Paulus ruhig zugehört. Aber
nun fingen sie alle an zu schreien: »Weg mit ihm, schlagt
ihn tot! Er darf nicht am Leben bleiben!« ²³Sie tobten,
rissen ihre Mäntel ab und warfen Staub in die Luft.

²⁴Der Kommandant befahl, Paulus in die Kaserne zu
bringen. Er wollte ihn unter Peitschenhieben verhören
lassen, um herauszubringen, warum die Juden so wütend
auf ihn waren. ²⁵Als die Soldaten ihn schon festbinden
wollten, sagte Paulus zu dem Offizier, der die Ausführung
überwachte: »Dürft ihr denn einen römischen Bürger*
auspeitschen, noch dazu ohne ein ordentliches Gerichts-
verfahren?« ²⁶Der Offizier lief zum Kommandanten und
sagte: »Weißt du, was du da tust? Der Mann hat das römische Bürgerrecht!«

²⁷Der Kommandant ging selbst zu Paulus und fragte
ihn: »Bist du wirklich römischer Bürger?« Paulus bestätigte es, ²⁸und der Kommandant sagte zu ihm: »Ich mußte
für mein Bürgerrecht viel Geld bezahlen.« »Ich besitze es
schon von Geburt an!« erwiderte Paulus. ²⁹Die Männer,
die ihn verhören sollten, ließen sofort von ihm ab, und
auch der Kommandant bekam es mit der Angst zu tun,
weil er einen römischen Bürger hatte fesseln lassen.

Paulus vor dem jüdischen Rat

³⁰Am anderen Tag machte der Kommandant einen weiteren Versuch, herauszubringen, was die Juden so gegen
Paulus aufgebracht hatte. Er ließ ihn aus der Zelle holen,
rief die führenden Priester* und den ganzen jüdischen
Rat* zusammen und stellte Paulus vor die Versammlung.

23 Paulus aber blickte sie ruhig an und sagte: »Brüder! Mein ganzes Leben lang habe ich Gott gedient, und ich habe mir nichts vorzuwerfen.«

² Darauf befahl der Oberste Priester* Hananias den da-
beistehenden Dienern, Paulus auf den Mund zu schlagen.
³ Paulus aber sagte zu ihm: »Gott wird *dich* schlagen, du
Scheinheiliger! Du bist hier, um nach dem Gesetz ein Urteil über mich zu sprechen, aber du läßt mich gegen alles
Gesetz schlagen!« ⁴ Die Diener sagten: »Wie, du wagst den
Obersten Priester Gottes zu beleidigen?« ⁵ Paulus erwiderte: »Ich habe nicht gewußt, Brüder, daß er der Oberste
Priester ist. Ich weiß wohl, daß in den heiligen Schriften*
steht: ›Ihr sollt den Obersten eures Volkes nicht beschimpfen.‹«
⁶ Weil Paulus wußte, daß die Anwesenden teils Sadduzäer, teils Pharisäer waren, rief er in die Versammlung
hinein: »Brüder, ich bin ein Pharisäer und komme aus
einer Pharisäerfamilie. Ich stehe hier vor Gericht, nur weil
ich daran glaube, daß die Toten auferstehen!«
⁷ Damit spaltete er den Rat in zwei Lager, denn Sadduzäer und Pharisäer fingen sofort an, miteinander zu streiten. ⁸ Die Sadduzäer glauben nämlich im Gegensatz zu
den Pharisäern weder an die Auferstehung noch an Engel
und andere unsichtbare Wesen. ⁹ Das Geschrei wurde immer lauter. Einige Gesetzeslehrer* aus der Gruppe der
Pharisäer traten schließlich vor und erklärten: »Wir können dem Mann nichts vorwerfen. Vielleicht hat er tatsächlich einen Geist oder Engel gehört!«
¹⁰ Der Streit wurde am Ende so heftig, daß der Stadt-
kommandant fürchtete, sie könnten Paulus in Stücke reißen. So ließ er ihn von seinen Soldaten herausholen und
wieder in die Kaserne bringen.
¹¹ In der folgenden Nacht aber trat der Herr zu Paulus
und sagte zu ihm: »Nur Mut! Du bist hier in Jerusalem
für mich eingetreten; du sollst es auch in Rom tun.«

Ein Anschlag gegen Paulus

¹² Am nächsten Morgen beschlossen einige Juden einen
Anschlag gegen Paulus. Sie schworen, nichts zu essen und
zu trinken, bis sie ihn umgebracht hätten. ¹³ Mehr als vierzig Männer beteiligten sich an dieser Verschwörung. ¹⁴ Sie
gingen zu den führenden Priestern* und Ratsältesten*
und weihten sie ein: »Wir haben feierlich geschworen,
nichts zu essen und zu trinken, bis wir Paulus getötet ha-

ben. [15] Schickt also zum Kommandanten der römischen Garnison und laßt Paulus noch einmal vorführen. Gebt vor, ihr wolltet ihn noch genauer verhören. Wir halten uns bereit und bringen ihn dann auf dem Weg hierher um.«

[16] Aber ein Neffe von Paulus, der Sohn seiner Schwester, hörte von dem geplanten Anschlag. Er ging in die Kaserne und erzählte Paulus davon. [17] Der rief einen Offizier und sagte zu ihm: »Bring diesen jungen Mann zum Kommandanten! Er hat eine wichtige Nachricht für ihn.« [18] Der Offizier brachte ihn zum Kommandanten und sagte: »Der Gefangene Paulus hat mich rufen lassen und mich gebeten, diesen jungen Mann zu dir zu führen. Er soll eine wichtige Nachricht für dich haben.«

[19] Der Kommandant nahm den jungen Mann beiseite und fragte ihn: »Was hast du mir zu berichten?« [20] Da erzählte er: »Die Juden wollen dich bitten, Paulus morgen noch einmal vor ihren Rat* zu bringen, damit sie ihn noch genauer verhören können. [21] Aber du darfst ihnen nicht glauben, denn mehr als vierzig Männer planen einen Anschlag. Sie alle haben geschworen, erst wieder zu essen und zu trinken, wenn sie Paulus getötet haben. Sie halten sich bereit und warten nur darauf, daß du ihn herausführen läßt.« [22] Der Kommandant sagte: »Verrate keinem, daß du mir davon erzählt hast!« Dann ließ er den jungen Mann gehen.

Paulus wird nach Cäsarea gebracht

[23] Der Kommandant rief sofort zwei Offiziere und befahl ihnen: »Sorgt dafür, daß zweihundert Schwerbewaffnete, siebzig Reiter und zweihundert Leichtbewaffnete sich für neun Uhr heute abend zum Abmarsch nach Cäsarea fertigmachen. [24] Besorgt ein paar Reittiere für Paulus und bringt ihn sicher zum Prokurator* Felix!« [25] Dann schrieb er folgenden Brief:

[26] »Klaudius Lysias an den hochverehrten Prokurator* Felix: Sei gegrüßt! [27] Den Mann, den ich dir sende, hatten die Juden ergriffen und wollten ihn töten. Als ich erfuhr, daß er römischer Bürger* ist, ließ ich ihn durch meine Wache in Sicherheit bringen. [28] Da ich erfahren wollte, weshalb sie ihn verfolgen, brachte ich ihn vor ih-

ren Rat*. ²⁹Aber es stellte sich heraus, daß er nichts getan hat, worauf Todesstrafe oder Gefängnis steht. Ihre
Vorwürfe beziehen sich nur auf Fragen des jüdischen
Gesetzes*. ³⁰Da ich von einer Verschwörung gegen ihn
erfahren habe, schicke ich ihn zu dir. Ich habe auch
die Kläger angewiesen, ihre Sache gegen ihn bei dir
vorzutragen.«

³¹Die Soldaten brachten Paulus befehlsgemäß noch in
der Nacht bis nach Antipatris. ³²Am nächsten Tag kehrten
die Fußtruppen nach Jerusalem zurück, während die Reiter Paulus weitergeleiteten. ³³Sie brachten ihn nach Cäsarea und übergaben den Brief und den Gefangenen dem
Prokurator Felix. ³⁴Der las den Brief und fragte Paulus,
aus welcher Provinz er stamme. »Aus Zilizien«, sagte Paulus. ³⁵Felix erklärte: »Ich werde dich verhören, wenn deine Ankläger auch hier sind.« Dann befahl er, Paulus an
seinem Amtssitz, in dem von Herodes erbauten Palast, ge-
fangenzuhalten.

Die Führer der Juden klagen Paulus an

24 Nach fünf Tagen kam der Oberste Priester* Hananias mit einigen Ratsältesten* und dem Anwalt
Tertullus nach Cäsarea. Sie erhoben beim Prokurator* Felix Anklage gegen Paulus. ²⁻³Als man Paulus gerufen hatte, begann Tertullus seine Anklagerede:

»Hochverehrter Felix! Dein Verdienst ist es, daß wir
schon so lange in Frieden leben. Dir verdanken wir auch
eine ganze Reihe von wichtigen Reformen in unserem
Land. Das erkennen wir in tiefer Dankbarkeit an. ⁴Ich
will aber deine kostbare Zeit nicht unnötig in Anspruch
nehmen und bitte dich, uns freundlich anzuhören. ⁵Wir
haben in Erfahrung gebracht, daß dieser Paulus ein ganz
gefährlicher Mann ist. Als Anführer der Nazarener-Sekte
stiftet er die Juden in der ganzen Welt zum Aufruhr an.
⁶⁻⁸Er hat auch versucht, den Tempel zu entweihen. Dabei
haben wir ihn festgenommen.° Wenn du ihn verhörst,
wird er dir gegenüber alles zugeben müssen, was wir ihm
vorwerfen.«

⁹Die anderen Juden schlossen sich der Anklage an und
bestätigten alles.

Paulus verteidigt sich

[10] Der Prokurator* gab ein Zeichen, und Paulus begann zu sprechen:

»Weil du seit vielen Jahren in diesem Land der oberste Richter bist, gehe ich voll Zuversicht daran, mich zu verteidigen. [11] Wie du leicht nachprüfen kannst, bin ich erst vor zwölf Tagen nach Jerusalem gekommen und wollte dort am Gottesdienst teilnehmen. [12] Niemand hat gesehen, daß ich diskutiert oder die Leute aufgehetzt hätte, weder im Tempel noch in den Synagogen* oder sonstwo in der Stadt. [13] Für das, was mir hier vorgeworfen wird, gibt es keinerlei Beweise. [14] Ich bin allerdings ein Anhänger jener neuen Richtung, die sie als Sekte bezeichnen. Aber ich diene nur dem Gott unserer Vorfahren und erkenne alles an, was im Gesetz* Moses und in den Prophetenbüchern steht. [15] Ich habe auch genau wie sie die feste Hoffnung, daß die Gestorbenen auferstehen werden, die Guten wie die Bösen. [16] Darum bemühe ich mich auch, immer ein reines Gewissen vor Gott und den Menschen zu haben.

[17] Nach vielen Jahren im Ausland war ich nun nach Jerusalem zurückgekommen. Ich wollte Geldspenden für mein Volk übergeben und Gott Opfer darbringen. [18-19] Als ich gerade das Reinigungsopfer* darbrachte, sahen mich ein paar Juden aus der Provinz Asien* im Tempel. Sie sollten eigentlich hier sein und ihre Klage vorbringen, wenn sie mir etwas vorzuwerfen haben. Ich hatte keine Anhänger um mich gesammelt, es gab auch keinen Aufruhr. [20] Du kannst aber auch diese Männer hier fragen, was für ein Vergehen sie mir im Verhör vor dem jüdischen Rat* denn nachweisen konnten. [21] Es könnte höchstens der eine Satz sein, den ich dem versammelten Rat zurief: ›Ich stehe vor eurem Gericht, weil ich glaube, daß die Toten auferstehen.‹«

[22] Felix, der über die christliche Lehre ziemlich genau Bescheid wußte, ließ die Verhandlung abbrechen und sagte: »Der Fall wird entschieden, sobald der Kommandant Lysias aus Jerusalem eintrifft.« [23] Er ließ Paulus wieder abführen, befahl aber dem Offizier, dem Gefangenen einige Erleichterungen zu gewähren. Seine Freunde sollten die Erlaubnis haben, ihn zu versorgen.

Felix und Drusilla bei Paulus

²⁴Einige Tage später kam Felix mit seiner jüdischen Frau Drusilla in das Gefängnis und ließ Paulus holen; denn er wollte mehr über Jesus und den christlichen Glauben hören. ²⁵Als aber Paulus zuletzt von einem Leben nach Gottes Geboten, von der Zügelung der Leidenschaften und vom kommenden Gericht Gottes sprach, wurde es Felix unbehaglich, und er sagte:»Es ist gut, du kannst jetzt gehen! Wenn ich wieder Zeit habe, lasse ich dich holen.« ²⁶Er hoffte auch im stillen, von Paulus Bestechungsgelder zu bekommen. Darum ließ er ihn von Zeit zu Zeit rufen und unterhielt sich mit ihm.

²⁷Als Felix nach zwei Jahren durch Porzius Festus abgelöst wurde, wollte er den Juden noch einen Gefallen tun und ließ Paulus im Gefängnis.

Paulus appelliert an den Kaiser

25 Drei Tage nach seinem Amtsantritt reiste Festus von Cäsarea nach Jerusalem. ²Die führenden Priester* und die einflußreichsten Juden sprachen wegen Paulus bei ihm vor und baten ihn, ³den Gefangenen nach Jerusalem bringen zu lassen. Sie planten nämlich einen Anschlag und wollten ihn unterwegs töten. ⁴Doch Festus erklärte:»Paulus bleibt in Cäsarea. Ich selbst kehre bald wieder dorthin zurück. ⁵Eure Bevollmächtigten können ja mitkommen und ihre Anklage vorbringen, wenn der Mann wirklich das Recht verletzt hat.«

⁶Festus blieb noch eine gute Woche in Jerusalem und reiste dann nach Cäsarea zurück. Gleich am nächsten Tag eröffnete er die Gerichtsverhandlung und ließ Paulus kommen. ⁷Als dieser erschien, umstellten ihn die Juden aus Jerusalem und brachten viele schwere Anklagen gegen ihn vor. Sie konnten aber keine einzige beweisen. ⁸Paulus verteidigte sich:»Ich habe weder das Gesetz* Moses noch den Tempel oder den römischen Kaiser angegriffen.«

⁹Festus wollte sich bei den Juden beliebt machen und fragte Paulus:»Ist es dir recht, wenn ich den Prozeß nach Jerusalem verlege?« ¹⁰Paulus erwiderte:»Ich stehe hier vor dem kaiserlichen Gericht, das für meinen Fall zustän-

dig ist. Du weißt genau, daß ich mich gegen die Juden in keiner Weise vergangen habe. [11] Wenn ich etwas getan habe, worauf die Todesstrafe steht, bin ich bereit zu sterben. Aber wenn ihre Anklagen falsch sind, darf ich auch nicht an sie ausgeliefert werden. Ich verlange, daß mein Fall vor den Kaiser kommt!«

[12] Festus besprach sich mit seinen Beratern und entschied dann: »Du hast an den Kaiser appelliert, darum sollst du vor den Kaiser gebracht werden.«

Paulus vor Agrippa und Berenike

[13] Einige Zeit später kamen König Agrippa und seine Schwester Berenike nach Cäsarea, um Festus zu besuchen. [14] Nach einigen Tagen brachte Festus den Fall Paulus zur Sprache: »Mein Vorgänger Felix hat mir hier einen Gefangenen hinterlassen. [15] Als ich nach Jerusalem kam, brachten die führenden Priester* und die jüdischen Ratsältesten* schwere Anklagen gegen ihn vor und drängten mich, ihn zu verurteilen. [16] Aber ich machte ihnen klar, daß wir Römer keinen Angeklagten aburteilen, bevor er sich persönlich gegenüber seinen Anklägern verteidigen konnte. [17] Als sie dann hierher kamen, habe ich sofort eine Verhandlung angesetzt und den Mann rufen lassen. [18] Aber die Anklagen, die seine Gegner vorbrachten, gingen gar nicht auf irgendeinen Rechtsbruch, wie ich bis dahin vermuten mußte. [19] Alles drehte sich vielmehr um religiöse Streitfragen und um einen Toten namens Jesus, von dem Paulus behauptet, er lebe. [20] Da ich mich auf solche Fragen nicht genügend verstehe, schlug ich vor, darüber in Jerusalem weiterzuverhandeln. [21] Aber Paulus legte dagegen Beschwerde ein: er wollte vor den Kaiser gebracht werden. Also habe ich Befehl gegeben, ihn weiter in Haft zu halten, bis ich ihn zum Kaiser schicken kann.«

[22] Agrippa sagte zu Festus: »Ich würde den Mann gern einmal kennenlernen.« »Morgen sollst du dazu Gelegenheit haben«, antwortete Festus.

[23] Am nächsten Tag kamen Agrippa und Berenike in fürstlicher Pracht und mit ihrem ganzen Hofstaat in den Audienzsaal, begleitet von den hohen Offizieren und den angesehensten Bürgern der Stadt. Festus ließ Paulus kom-

men [24] und sagte zu den Versammelten: »König Agrippa! Meine verehrten Gäste! Das ist der Mann, gegen den die Juden in Jerusalem und in dieser Stadt bei mir Anklage erhoben haben. Sie fordern seinen Tod. [25] Ich konnte aber nicht feststellen, daß er etwas getan hat, worauf die Todesstrafe steht. Da er selbst an den Kaiser appelliert hat, habe ich beschlossen, ihn nach Rom zu schicken. [26] Aber ich weiß eigentlich nicht, was ich meinem Herrn, dem Kaiser, schreiben soll. Deshalb stelle ich euch den Mann vor, besonders dir, König Agrippa, damit ich durch das Verhör einige Anhaltspunkte für meinen Brief bekomme. [27] Denn es erscheint mir unsinnig, einen Gefangenen nach Rom zu schicken, wenn man nicht eine Aufstellung der Anklagepunkte mitgeben kann.«

Paulus verteidigt sich vor Agrippa

26 Agrippa sagte zu Paulus: »Du darfst reden und dich verteidigen.« Paulus machte eine Handbewegung und begann: [2] »König Agrippa! Ich freue mich, daß ich mich heute vor dir gegen die Angriffe der Juden verteidigen kann, [3] vor allem, weil du dich in ihren Gebräuchen und religiösen Streitfragen auskennst. Bitte, hör mich geduldig an! [4] Alle Juden kennen meinen Lebenslauf; denn ich lebte seit meiner Jugend unter meinem Volk und in Jerusalem. [5] Alle können bezeugen, daß ich schon immer zur strengsten Richtung unseres Glaubens gehört habe, zu den Pharisäern. [6] Nun stehe ich vor Gericht, weil ich fest auf die Zusage vertraue, die Gott unseren Vorfahren gegeben hat. [7] Die zwölf Stämme Israels dienen Gott Tag und Nacht in der Hoffnung, endlich die Erfüllung dieser Zusage zu erleben. Und ich, König Agrippa, werde um derselben Hoffnung willen ausgerechnet von Juden angeklagt! [8] Warum wollt ihr Juden es denn nicht glauben, daß Gott tatsächlich einen Toten auferweckt hat? [9] Ich hatte zu Beginn allerdings auch gemeint, ich müßte dem Bekenntnis zum Namen* Jesu aus Nazaret mit Gewalt entgegentreten. [10] Das habe ich in Jerusalem auch getan. Ausgestattet mit einer Vollmacht der führenden Priester*, brachte ich viele Christen ins Gefängnis und gab meine Stimme gegen sie ab, wenn sie zum Tod verurteilt wurden. [11] In allen Synagogen* habe ich immer

wieder versucht, sie durch Auspeitschen dahin zu bringen,
daß sie ihren Glauben verleugnen. Mein Haß war so groß,
daß ich sie sogar noch über die Grenzen des Landes hinaus verfolgen wollte.«

Paulus erzählt von seiner Bekehrung
und Missionsarbeit

[12]»In dieser Absicht reiste ich im Auftrag der führenden
Priester* und mit ihrer Vollmacht nach Damaskus. [13]Auf
dem Weg dorthin, mein König, umstrahlte mich und meine Begleiter mitten am Tag ein Licht vom Himmel, heller
als die Sonne. [14]Wir stürzten alle zu Boden, und ich hörte
eine Stimme auf hebräisch* rufen: ›Saul, Saul, warum verfolgst du mich? Es ist sinnlos, daß du gegen mich an-
kämpfst!‹ [15]›Wer bist du, Herr?‹ fragte ich, und der Herr
sagte: ›Ich bin Jesus, den du verfolgst. [16]Doch steh nun
auf; denn ich bin dir erschienen, um dich in meinen
Dienst zu nehmen. Du sollst weitersagen, was du heute
gesehen hast und was ich dir noch zeigen werde. [17]Ich
sende dich zu Juden wie Nichtjuden und werde dich vor
ihnen schützen. [18]Du sollst ihnen die Augen öffnen, damit
sie aus der Finsternis ins Licht kommen, aus der Gewalt
des Satans zu Gott. Denn wenn sie mir vertrauen, wird ihnen ihre Schuld vergeben, und sie erhalten ihren Platz unter denen, die Gott erwählt hat.‹

[19]Ich habe mich, König Agrippa, dem nicht widersetzt,
was diese Erscheinung vom Himmel mir befohlen hatte.
[20]Zuerst in Damaskus und Jerusalem und später in ganz
Judäa und bei den nichtjüdischen Völkern rief ich die
Menschen dazu auf, sie sollten umkehren, sich Gott zuwenden und das durch entsprechende Taten zeigen. [21]Ein-
zig deswegen haben mich die Juden im Tempel ergriffen
und zu töten versucht. [22]Aber bis heute hat Gott mir geholfen, und so stehe ich als sein Zeuge vor den Menschen,
den mächtigen und den geringen. Ich verkünde nichts anderes, als was die Propheten und Mose vorausgesagt haben: [23]Der versprochene Retter*, sagten sie, muß leiden
und sterben und wird als der erste unter allen Toten auferstehen, um den Juden wie den Nichtjuden das rettende
Licht zu bringen.«

Das Echo auf die Verteidigungsrede

²⁴Als Paulus sich auf diese Weise verteidigte, rief Festus ihm zu: »Du bist verrückt geworden, Paulus! Das viele Studieren hat dich um den Verstand gebracht!« ²⁵Paulus aber antwortete: »Hochverehrter Festus, ich bin nicht verrückt. Was ich sage, ist wahr und vernünftig. ²⁶Der König weiß, wovon ich rede, und mit ihm kann ich getrost ganz offen darüber sprechen. Ich bin überzeugt, daß ich ihm auch gar nichts Neues sage; denn die Sache hat sich ja nicht irgendwo im Winkel abgespielt! ²⁷König Agrippa, glaubst du den Voraussagen der Propheten? Ich weiß, du glaubst ihnen!« ²⁸Agrippa erwiderte: »Es dauert nicht mehr lange, und du überredest mich noch dazu, daß ich mich selber als Christen ausgebe!« ²⁹»Ob es kurz oder lang dauert«, sagte Paulus, »ich bete zu Gott, daß nicht nur du, sondern alle, die mich hier hören, mir gleich werden – die Fesseln natürlich ausgenommen.«

³⁰Dann standen der König, der Prokurator*, Berenike und die anderen auf ³¹und gingen hinaus. »Der Mann verdient weder den Tod noch das Gefängnis«, war das einmütige Urteil. ³²Und Agrippa sagte zu Festus: »Der Mann könnte freigelassen werden, wenn er nicht an den Kaiser appelliert hätte.«

Schiffsreise nach Rom

27 Als unsere Abreise nach Italien beschlossen war, übergab man Paulus und einige andere Gefangene einem Hauptmann namens Julius aus einem syrischen Regiment, das den Ehrennamen ›Kaiserliches Regiment‹ trug. ²Wir gingen an Bord eines Schiffes aus Adramyttion, das die Häfen an der Küste der Provinz Asien* anlaufen sollte, und fuhren ab. Der Mazedonier Aristarch aus Thessalonich begleitete uns. ³Am nächsten Tag erreichten wir Sidon. Julius war sehr entgegenkommend und erlaubte Paulus, seine Glaubensgenossen dort zu besuchen und sich bei ihnen zu erholen. ⁴Als wir von dort weiterfuhren, hatten wir Gegenwind; darum segelten wir an der Ostseite Zyperns entlang. ⁵Zilizien und Pamphylien ließen wir rechts liegen und erreichten schließlich Myra in Lyzien. ⁶Dort fand der Hauptmann ein Schiff aus

Alexandria, das nach Italien fuhr, und brachte uns an Bord.

[7] Viele Tage lang machten wir nur wenig Fahrt und kamen mit Mühe bis auf die Höhe von Knidos. Dann zwang uns der Wind, den Kurs zu ändern. Wir hielten auf Kreta zu, umsegelten Kap Salmone [8] und erreichten mit knapper Not einen Ort, der Guthafen heißt, nicht weit von der Stadt Lasäa. [9] Wir hatten inzwischen viel Zeit verloren. Das Herbstfasten* war vorbei, und die Schiffahrt wurde gefährlich. Deshalb warnte Paulus seine Bewacher. [10]»Ich sehe voraus«, sagte er, »daß eine Weiterfahrt zu großen Schwierigkeiten führen wird. Sie bringt nicht nur Ladung und Schiff in Gefahr, sondern auch das Leben der Menschen an Bord.« [11] Aber der Hauptmann hörte mehr auf den Kapitän und den Schiffseigentümer als auf das, was Paulus sagte. [12] Außerdem war der Hafen zum Überwintern nicht sehr geeignet. So waren die meisten dafür, wieder in See zu stechen und zu versuchen, noch bis nach Phönix zu kommen. Dieser kretische Hafen ist nach Südwesten und Nordwesten hin offen, und man konnte dort den Winter zubringen.

Sturm auf See

[13] Als ein leichter Südwind einsetzte, nahm man es für ein günstiges Zeichen. Die Anker wurden gelichtet, und das Schiff segelte so dicht wie möglich an der Küste Kretas entlang. [14] Aber bald brach aus der Richtung der Insel ein Sturm los, der gefürchtete Nordost, [15] und riß das Schiff mit. Da es unmöglich war, Kurs gegen den Wind zu halten, ließen wir uns einfach treiben. [16] Im Schutz der kleinen Insel Kauda war der Sturm etwas weniger heftig, und wir konnten mit einiger Mühe das Beiboot einholen. [17] Danach legte man zur Sicherung ein paar Taue fest um das ganze Schiff. Um nicht in die Große Syrte verschlagen zu werden, holten die Seeleute das Hauptsegel ein und ließen das Schiff dahintreiben. [18] Der Sturm setzte dem Schiff stark zu, deshalb warf man am nächsten Tag einen Teil der Ladung ins Meer. [19] Am Tag darauf warfen die Seeleute eigenhändig die Schiffsausrüstung über Bord. [20] Tagelang zeigten sich weder Sonne noch Sterne am Himmel. Der Sturm ließ nicht nach, und so verloren wir am Ende jede Hoffnung auf Rettung.

[21] Niemand wollte mehr etwas essen. Da erhob sich Paulus und sagte: »Ihr hättet auf meine Warnung hören und im Hafen bleiben sollen. Dann wäre uns dies erspart geblieben. [22] Aber jetzt bitte ich euch: Laßt den Mut nicht sinken! Alle werden am Leben bleiben, nur das Schiff geht verloren. [23] In der vergangenen Nacht erschien mir nämlich ein Engel des Gottes, dem ich gehöre und dem ich diene, [24] und sagte zu mir: ›Hab keine Angst, Paulus! Du mußt vor den Kaiser treten, und auch alle anderen, die mit dir auf dem Schiff sind, wird Gott deinetwegen retten.‹ [25] Also seid mutig, Männer! Ich vertraue Gott, daß alles so kommen wird, wie er es zu mir gesagt hat. [26] Wir werden an einer Insel stranden.«

[27] Wir trieben nun schon die vierzehnte Nacht im Sturm auf dem Mittelmeer. Gegen Mitternacht vermuteten die Seeleute Land in der Nähe. [28] Sie warfen ein Lot aus und kamen auf 36 Meter Wassertiefe. Etwas später waren es nur noch 27 Meter. [29] Sie fürchteten, auf ein Küstenriff aufzulaufen, darum warfen sie vom Heck aus vier Anker aus und wünschten sehnlichst den Tag herbei. [30] Aber noch in der Dunkelheit versuchten die Seeleute, das Schiff zu verlassen. Unter dem Vorwand, vom Bug aus Anker auszuwerfen, brachten sie das Beiboot zu Wasser. [31] Aber Paulus warnte den Hauptmann und die Soldaten: »Wenn die Seeleute das Schiff verlassen, habt ihr keine Aussicht auf Rettung mehr.« [32] Da hieben die Soldaten die Taue durch und ließen das Beiboot davontreiben.

[33] Noch bevor der Tag anbrach, forderte Paulus alle auf, doch etwas zu essen: »Ihr wartet nun schon vierzehn Tage auf Rettung und habt die ganze Zeit über nichts gegessen. [34] Ich bitte euch deshalb, eßt etwas; das habt ihr nötig, wenn ihr überleben wollt. Keiner von euch wird auch nur ein Haar von seinem Kopf verlieren.« [35] Dann nahm Paulus Brot, dankte Gott vor allen und begann zu essen. [36] Da bekamen auch sie wieder Mut und aßen ebenfalls. [37] Wir waren insgesamt zweihundertsechsundsiebzig Leute auf dem Schiff. [38] Als alle satt waren, warfen sie die Getreideladung über Bord, um das Schiff zu erleichtern.

Schiffbruch

[39] Bei Tagesanbruch sahen die Seeleute eine Küste, die ihnen unbekannt war. Aber sie entdeckten eine Bucht mit einem flachen Strand und wollten versuchen, das Schiff dort auf Grund zu setzen. [40] Sie kappten die Ankertaue, ließen die Anker im Meer zurück und machten zugleich die Steuerruder klar. Dann hißten sie das Vordersegel, und als das Schiff im Wind wieder Fahrt machte, hielten sie auf die Küste zu. [41] Aber sie liefen auf eine Sandbank auf. Der Bug rammte sich so fest ein, daß das Schiff nicht wieder flott zu machen war, und das Hinterdeck zerbrach unter der Wucht der Wellen.

[42] Die Soldaten beschlossen, alle Gefangenen zu töten, damit keiner durch Schwimmen entkommen könne. [43] Aber der Hauptmann wollte Paulus retten und verhinderte es. Alle sollten versuchen, das Land zu erreichen. Auf seinen Befehl sprangen zuerst die Schwimmer über Bord. [44] Die übrigen sollten sich Planken und anderen Wrackteilen anvertrauen. So kamen wir alle unversehrt an Land.

In Malta

28 Nach unserer Rettung erfuhren wir, daß die Insel Malta hieß. [2] Die Bewohner nahmen uns sehr freundlich auf. Sie luden uns alle ein und machten Feuer, denn es hatte angefangen zu regnen, und es war kalt. [3] Paulus raffte ein Bündel Reisig zusammen und warf es in die Flammen. Da schoß eine Schlange heraus und biß sich an seiner Hand fest. Die Hitze hatte sie aufgescheucht. [4] Die Einheimischen sahen die Schlange an seiner Hand und sagten: »Der Mann muß ein Mörder sein: Dem Meer ist er entkommen, und jetzt trifft ihn die Strafe doch.« [5] Aber Paulus schleuderte die Schlange ins Feuer, und es geschah ihm nichts. [6] Sie warteten darauf, daß er langsam anschwellen oder plötzlich tot umfallen würde. Nachdem sie ihn aber eine Zeitlang beobachtet hatten und nichts dergleichen geschah, kamen sie zu der Ansicht, er müsse ein Gott sein.

[7] In der Nähe des Ortes hatte der höchste Beamte der Insel, Publius, seine Besitzungen. Er nahm uns freundlich

auf, und wir waren für drei Tage seine Gäste. [8] Sein Vater hatte die Ruhr und lag mit Fieber im Bett. Paulus ging zu ihm ins Zimmer, betete über ihm, legte ihm die Hände auf und machte ihn gesund. [9] Darauf kamen alle anderen Kranken der Insel und ließen sich heilen. [10] Sie gaben uns viele Geschenke, und bei der Abfahrt brachten sie uns alles, was wir für die Reise brauchten.

Von Malta nach Rom

[11] Nach drei Monaten fuhren wir mit einem Schiff aus Alexandria weiter, das in einem Hafen Maltas überwintert hatte und »Die Dioskuren« hieß. [12] Wir kamen nach Syrakus, wo wir drei Tage blieben. [13] Von dort ging es weiter nach Rhegion. Am Tag darauf kam Südwind auf, und wir brauchten bis Puteoli nur zwei Tage. [14] In der Stadt fanden wir Christen, die uns einluden, eine Woche bei ihnen zu bleiben.

Und dann kamen wir nach Rom. [15] Die Christen dort hatten von unserer Ankunft gehört und kamen uns bis nach ›Drei Tavernen‹, einige sogar bis nach Appiusmarkt entgegen. Als Paulus sie sah, fühlte er sich sehr ermutigt und dankte Gott.

Paulus in Rom

[16] In Rom bekam Paulus die Erlaubnis, sich eine Privatunterkunft zu suchen. Er hatte nur einen Soldaten als Wache.

[17] Nach drei Tagen lud er die führenden Juden der Stadt ein. Als alle beisammen waren, sagte er: »Liebe Brüder! Obwohl ich nichts gegen unser Volk oder das Gesetz* unserer Vorfahren getan habe, wurde ich in Jerusalem festgenommen und an die Römer ausgeliefert. [18] Die Römer haben mich verhört und wollten mich freilassen, weil sie keinen Grund fanden, mich zum Tod zu verurteilen. [19] Doch weil die Juden dagegen protestierten, blieb mir nur der Ausweg, an den Kaiser zu appellieren. Ich hatte dabei aber nicht die Absicht, mein Volk anzuklagen. [20] Das wollte ich euch sagen, und darum habe ich euch hergebeten. Ich bin gefangen, weil ich das verkünde, worauf ganz Israel hofft.«

[21] Sie antworteten ihm: »Uns hat niemand aus Judäa

über dich geschrieben; es ist auch kein Bruder gekommen, der uns offiziell oder privat etwas Belastendes über
dich mitgeteilt hätte. [22] Wir würden aber gern deine An-
sichten hören, denn wir haben erfahren, daß die Glau-
bensrichtung, zu der du gehörst, überall auf Widerspruch
stößt.« [23] Sie verabredeten sich für ein andermal.

Am festgesetzten Tag kamen noch mehr von ihnen zu
Paulus in seine Unterkunft. Vom Morgen bis in die späte
Nacht erklärte und bezeugte er ihnen, daß Gott angefangen hat, seine Herrschaft* aufzurichten. Mit Worten aus
dem Gesetz Moses und den Schriften der Propheten versuchte er, sie von Jesus zu überzeugen. [24] Einige ließen
sich auch überzeugen, andere wollten ihm nicht glauben.
[25] Sie konnten sich darüber nicht einig werden, und so gingen sie weg.

Paulus sagte noch zu ihnen: »Ich sehe, es ist wahr, was
der heilige Geist* durch den Propheten Jesaja zu euren
Vorfahren gesagt hat: [26] ›Geh zu diesem Volk und sage:
Hört nur zu, ihr versteht doch nichts; seht hin, soviel ihr
wollt, ihr erkennt doch nichts! [27] Denn dieses Volk ist im
Innersten verstockt. Sie halten sich die Ohren zu und
schließen die Augen, damit sie ja nicht sehen, hören und
begreifen. Sonst würden sie zu mir umkehren, und ich
könnte sie heilen.‹«

[28] Paulus fügte hinzu: »Ich muß euch sagen, daß Gott
die versprochene Rettung jetzt zu den anderen Völkern
geschickt hat. Und die werden hören!«°

[30] Zwei Jahre lang blieb Paulus in seiner Wohnung und
konnte dort jedermann empfangen. [31] Er sprach offen und
ungehindert darüber, wie Gott angefangen hat, seine
Herrschaft aufzurichten, und lehrte sie alles über Jesus
Christus, den Herrn.

DER BRIEF DES APOSTELS PAULUS AN DIE GEMEINDE IN ROM

Die Gute Nachricht für alle Völker

1 Diesen Brief schreibt Paulus, der Jesus Christus dient. Gott hat mich, Paulus, zum Apostel* berufen; er hat mich dazu erwählt, seine Gute Nachricht bekanntzumachen. Denn nun ist eingetroffen, ²was er durch seine Propheten in den heiligen Schriften* angekündigt hatte: ³⁻⁴Er hat seine Zusagen eingelöst durch seinen Sohn*, unseren Herrn Jesus Christus, von dem wir bekennen:

Er ist seiner irdischen Herkunft nach ein Nachkomme König Davids,

seiner göttlichen Heiligkeit nach ist er der Sohn Gottes; in diese Machtstellung hat Gott ihn eingesetzt, indem er ihn als den ersten vom Tod erweckte.

⁵Durch Jesus Christus wurde mir die Gnade erwiesen, Apostel zu sein. Zur Ehre seines Namens soll ich Menschen aus allen Völkern dafür gewinnen, daß sie die Gute Nachricht annehmen und sich Gott im Gehorsam unterstellen. ⁶Zu diesen Menschen zählt auch ihr; denn er hat euch dazu berufen, daß ihr Jesus Christus gehört.

⁷Ich grüße alle in Rom, die von Gott geliebt und dazu berufen sind, sein Volk zu sein. Ich bitte Gott, unseren Vater, und Jesus Christus, den Herrn, euch Gnade und Frieden zu schenken!

Paulus möchte nach Rom kommen

⁸Vor allem anderen danke ich meinem Gott durch Jesus Christus für euch alle; denn in der ganzen Welt erzählt man von eurem Glauben. ⁹⁻¹⁰Jedesmal, wenn ich bete, denke ich an euch und bitte Gott darum, daß er mir endlich die Möglichkeit gibt, euch zu besuchen. Gott kann bezeugen, daß ich damit die Wahrheit sage – er, dem ich mit ganzem Herzen diene, indem ich die Botschaft von seinem Sohn* bekanntmache. ¹¹Ich würde euch gerne persönlich kennenlernen, um euch mit den Gaben zu dienen, die mir der Geist* Gottes geschenkt hat. Dadurch

möchte ich euch Mut machen – [12] oder besser: Wir wollen uns gegenseitig durch unseren Glauben Mut machen, ihr mir und ich euch.

[13] Ich kann euch versichern, Brüder: Ich hatte schon oft einen Besuch bei euch geplant, aber bis jetzt ließ Gott es nicht dazu kommen. Wie bei den anderen Völkern wollte ich auch bei euch Römern Menschen für Christus gewinnen. [14] Ich bin allen verpflichtet: den Menschen mit einer hohen Kultur wie den Unzivilisierten, den Gebildeten und den Unwissenden. [15] Darum liegt mir daran, auch euch in Rom die Gute Nachricht Gottes zu verkünden.

Die Macht der Guten Nachricht

[16] Zu dieser Guten Nachricht bekenne ich mich offen und ohne Furcht; denn in ihr wirkt Gottes Macht. Sie bringt allen Menschen Rettung, die ihr glauben; den Juden zuerst, aber ebenso den Menschen aus den anderen Völkern. [17] Durch die Gute Nachricht macht Gott seine große Treue bekannt. In ihr zeigt er, wie er selbst dafür sorgt, daß die Menschen vor ihm bestehen können. Der Weg dazu ist vom Anfang bis zum Ende das bedingungslose Vertrauen auf ihn. So steht es in den heiligen Schriften*: »Wer Gott vertraut, kann vor ihm bestehen und wird leben.«

Die Schuld der Menschheit

[18] Gottes Strafgericht ist schon offenbar. Sein heiliger Zorn trifft alle, die ihn nicht ehren und seinen Willen mißachten. Sie kennen die Wahrheit, aber sie verleugnen sie durch ihr Verhalten. [19] Denn was Menschen über Gott wissen können, ist ihnen bekannt. Gott selbst hat es ihnen bekanntgemacht. [20] Zwar kann niemand Gott sehen; aber er zeigt sich den Menschen in seinen Werken. Weil er die Welt geschaffen hat, können sie seine ewige Macht und sein göttliches Wesen erkennen, wenn sie sich nicht dafür verschließen. Sie haben also keine Entschuldigung.

[21] Aber obwohl sie Gott kannten, gaben sie ihm nicht die Ehre, die ihm zusteht, und dankten ihm nicht. Ihre Gedanken gingen in die Irre, und in ihren unverständigen Herzen wurde es finster. [22] Sie bildeten sich etwas auf ihre Klugheit ein, aber in Wirklichkeit wurden sie zu Narren.

[23] Anstatt den ewigen Gott zu verehren, beteten sie Bilder von sterblichen Menschen, Vögeln, vierfüßigen Tieren und Schlangen an.

[24] Darum hat Gott sie ihren Leidenschaften preisgegeben, so daß sie ihre eigenen Körper schänden. [25] Sie beteten an, was Gott geschaffen hat, anstatt ihn selbst als Schöpfer zu ehren – gepriesen sei er für immer und ewig! Amen. Und weil sie dadurch die Wahrheit über Gott gegen eine Lüge eintauschten, [26] lieferte er sie entehrenden Leidenschaften aus. So kam es dahin, daß ihre Frauen den natürlichen Geschlechtsverkehr mit dem widernatürlichen vertauschten, [27] und ebenso gaben die Männer den natürlichen Verkehr mit Frauen auf und entbrannten in Leidenschaft zueinander. Männer entehren sich durch den Umgang mit Männern. So werden sie an ihrem eigenen Körper für die Verwirrung ihres Denkens bestraft.

[28] Weil diese Menschen es für unnötig hielten, nach Gott zu fragen und ihn ernst zu nehmen, hat Gott sie ihrem untauglich gewordenen Verstand überlassen, so daß sie tun, was sich nicht gehört. [29] Jede Art von Unrecht und Schlechtigkeit häuft sich bei ihnen. Sie sind voll Gier, Gehässigkeit und Neid. Sie morden, streiten und betrügen. Sie stellen einander Fallen, sie reden gehässig über ihre Mitmenschen [30] und bringen sie in schlechten Ruf. Sie hassen Gott. Sie sind gewalttätig, überheblich und prahlerisch. Sie denken sich immer neue Untaten aus. Sie gehorchen ihren Eltern nicht [31] und folgen nur der eigenen Willkür. Sie halten ihre Versprechen nicht, sie kennen weder Liebe noch Erbarmen. [32] Dabei wissen sie genau, daß alle, die so leben, nach dem Urteil Gottes den Tod verdienen. Trotzdem bleiben sie dabei und geben auch noch denen Beifall, die ebenso handeln.

Gottes Strafgericht gilt allen

2 Aber auch ihr, die ihr dieses Treiben mißbilligt, habt keine Entschuldigung. Wenn ihr die anderen verurteilt, sprecht ihr damit euch selbst das Urteil; denn ihr handelt genauso wie sie. [2] Es stimmt: Gott verurteilt die Menschen, die solche Dinge tun, zu Recht. [3] Aber wie wollt ihr seinem Strafgericht entkommen, wenn ihr selbst genau das tut, was ihr den anderen vorwerft? [4] Verachtet

ihr seine große Freundlichkeit, Nachsicht und Geduld? Merkt ihr nicht, daß Gott euch durch seine Freundlichkeit zur Umkehr bringen will? ⁵Aber ihr seid voll Trotz und nehmt euch seine Güte nicht zu Herzen. Damit macht ihr die Strafe nur noch schwerer, die euch an Gottes Gerichtstag trifft.

An diesem Tag wird Gott sein gerechtes Urteil öffentlich bekanntmachen. ⁶Er wird jedem Menschen den Lohn geben, der seinen Taten entspricht. ⁷Den einen gibt er ewiges Leben – es sind die, die unermüdlich das Gute tun und nach Anerkennung bei Gott und Unvergänglichkeit streben. ⁸Die anderen dagegen trifft Gottes schwerer Zorn – es sind die, die nur ihrer Selbstsucht leben, die nicht der Wahrheit folgen, sondern dem Unrecht. ⁹Über alle, die Unrecht tun, verhängt Gott Angst und Leiden, über die Juden zuerst, aber ebenso über die Menschen aus den anderen Völkern. ¹⁰Wer dagegen das Gute tut, ob Jude oder nicht, dem wird Gott ewige Herrlichkeit, Ehre und Frieden schenken.

¹¹Gott macht keine Unterschiede. ¹²Die Menschen, die gesündigt haben, ohne das Gesetz* Gottes zu kennen, werden auch ohne Gesetz zugrunde gehen. Die Juden dagegen, die dieses Gesetz kennen und trotzdem sündigen, werden aufgrund des Gesetzes verurteilt werden. ¹³Wenn einer vor Gottes Gericht bestehen will, genügt es nicht, daß er das Gesetz kennt, er muß auch danach handeln. ¹⁴Die anderen Völker haben das Gesetz Gottes nicht; aber es gibt unter ihnen Menschen, die aus natürlichem Empfinden heraus tun, was das Gesetz verlangt. Obwohl es ihnen nicht bekanntgemacht worden ist, tragen sie es in sich selbst. ¹⁵Ihr Verhalten zeigt, daß ihnen die Forderungen des Gesetzes ins Herz geschrieben sind, und dasselbe beweist ihr Gewissen, dessen Stimme sie abwechselnd anklagt oder verteidigt. ¹⁶Wenn Gott über die geheimen Gedanken der Menschen Gericht halten wird, kommt das alles an den Tag. So bezeugt es die Botschaft, die Jesus Christus mir aufgetragen hat.

Die Schuld auch der Juden

¹⁷Wie steht es nun mit euch Juden? Ihr führt euren Namen als Ehrennamen. Ihr verlaßt euch darauf, daß ihr das

Gesetz* habt, und seid stolz darauf, daß ihr zu Gott in einem besonderen Verhältnis steht. [18]Ihr kennt seinen Willen; sein Gesetz sagt euch ja, was ihr tun sollt und was nicht. [19]Ihr traut euch zu, Blinde zu führen und denen Licht zu bringen, die im Dunkeln tappen. [20]Den Unverständigen gebt ihr Anweisungen und unterrichtet die Unwissenden.

Tatsächlich besitzt ihr mit dem Gesetz alles, was der Mensch über Gott und seinen Willen wissen muß. [21]Ihr belehrt also die anderen; aber ihr vergeßt darüber, euch selbst zu belehren. Ihr sagt: »Bestehlt niemand!« – und stehlt selbst. [22]Ihr sagt: »Zerstört keine Ehe!« – und hintergeht einander. Ihr verabscheut die Götzen – und bereichert euch an dem, was ihr aus ihren Tempeln stehlt. [23]Ihr bildet euch etwas darauf ein, daß Gott euch sein Gesetz gegeben hat; aber ihr lebt nicht danach und macht Gott damit Schande. [24]Die heiligen Schriften* haben es vorausgesagt: »Durch euch kommt der Name Gottes bei den Völkern in Verruf.«

[25]Auch eure Beschneidung* nützt euch nur, wenn ihr das Gesetz befolgt. Sonst wird sie ungültig, und ihr seid in Gottes Augen zu Unbeschnittenen geworden. [26]Dann gilt aber auch das Umgekehrte: Wenn ein Unbeschnittener nach den Vorschriften des Gesetzes lebt, ist er in Gottes Augen ein Beschnittener geworden. [27]Darum werden Menschen aus den unbeschnittenen Völkern über euch Juden das Urteil sprechen. Ihr verstoßt gegen das Gesetz Gottes, obwohl ihr es schriftlich habt und beschnitten seid. Sie dagegen befolgen Gottes Gesetz, obwohl sie nicht beschnitten sind. [28-29]Zum Volk Gottes gehört nicht, wer äußerlich ein Jude ist, sondern wer es innerlich ist. Es kommt nicht darauf an, daß er an seinem Körper beschnitten wurde, sondern daß sein Herz es ist. Denn vor Gott zählt nicht die Beschneidung, die nach dem Buchstaben des Gesetzes erfolgt, sondern die Beschneidung, die durch den Geist* Gottes geschieht. Der wahre Jude ist der, der nicht bei Menschen Anerkennung sucht, sondern bei Gott.

Niemand kann mit Gott rechten

3 Haben dann die Juden gegenüber den anderen Völkern noch etwas voraus? Hat es für sie noch irgendeine Bedeutung, daß sie beschnitten* sind? ²Allerdings hat es eine Bedeutung, sogar eine große. Erstens hat Gott zu ihnen gesprochen und ihnen sein Wort anvertraut. ³Es stimmt zwar, daß einige von ihnen Gott untreu wurden. Aber kann das Gottes Treue aufheben? ⁴Das ist ausgeschlossen! Vielmehr wird sich zeigen, daß Gott zu seinen Zusagen steht, auch wenn kein Mensch ihm treu bleibt. In den heiligen Schriften* heißt es ja: »Es wird sich zeigen, Herr, daß dein Wort gilt. Du wirst recht behalten, wenn dich einer zur Rechenschaft zieht.«

⁵Aber ist dann nicht unsere Untreue gerechtfertigt, wenn sie Gottes Treue erst richtig herausstellt? Und ist Gott nicht ungerecht, wenn er uns noch bestraft? Ich frage, wie Menschen eben fragen, ⁶und ich antworte: Gott ist nicht ungerecht! Sonst könnte er nicht der Richter der ganzen Welt sein. ⁷Wenn aber durch unsere Untreue die Treue Gottes erst voll zur Geltung kommt und sein Ruhm vergrößert wird, kann er uns dann noch als Sünder verurteilen? ⁸Warum sollen wir nicht sagen: »Tun wir doch Böses, damit Gutes dabei herauskommt!« Einige verleumden mich und unterstellen mir solche Grundsätze. Mit vollem Recht wird Gott sie dafür bestrafen.

Kein Mensch kann vor Gott bestehen

⁹Drücke ich mich etwa um eine klare Auskunft? Durchaus nicht!° Ich habe schon gesagt, daß die Juden genauso wie die anderen Völker in der Gewalt der Sünde sind. ¹⁰In den heiligen Schriften* heißt es:

»Kein Mensch kann vor Gott bestehen;
¹¹ keiner ist verständig und fragt nach Gottes Willen.
¹² Alle sind vom rechten Weg abgekommen;
allesamt sind sie zu nichts zu gebrauchen.
Keiner von ihnen tut das Rechte, nicht einmal einer.
¹³ Was sie sagen, bringt Tod und Verderben;
von ihrer Zunge kommen bösartige Lügen.
Ihre Worte sind tödlich wie Natterngift;
¹⁴ Flüche und Drohungen sprudeln aus ihrem Mund.

¹⁵ Vor keiner Untat schrecken sie zurück:
   sie vergießen das Blut unschuldiger Menschen;
¹⁶ wo sie gehen, hinterlassen sie Verwüstung.
¹⁷ Um Glück und Frieden für andere kümmern sie sich
   nicht.
¹⁸ Sie kennen keine Ehrfurcht vor Gott.«

¹⁹ Nun kennen wir die Regel: Was im Gesetz* Gottes steht, gilt für die, denen das Gesetz gegeben ist. Keiner soll sich herausreden können. Die ganze Menschheit ist vor Gott schuldig. ²⁰ Kein Mensch hat getan, was das Gesetz fordert, darum kann keiner vor Gott bestehen. Durch das Gesetz wird nur die Macht der Sünde sichtbar.

Gott selbst hat eingegriffen

²¹ Aber jetzt ist eingetreten, was das Gesetz* selbst und die Propheten im voraus angekündigt hatten: Gott hat so gehandelt, wie es seinem Wesen entspricht. Er hat selbst dafür gesorgt, daß die Menschen vor ihm bestehen können. Er hat das Gesetz beiseite geschoben ²² und will die Menschen annehmen, wenn sie einzig und allein auf das vertrauen, was er durch Jesus Christus getan hat.

Das gilt ohne Ausnahme für alle, die dieses Vertrauen haben. Vor Gott gibt es keinen Unterschied. ²³ Alle sind schuldig geworden und haben die Herrlichkeit* verscherzt, die Gott ihnen geschenkt hatte. ²⁴ Aber Gott hat mit ihnen Erbarmen und nimmt sie wieder an. Das ist ein reines Geschenk. Durch Jesus Christus hat er uns aus der Gewalt der Sünde befreit.

²⁵⁻²⁶ Ihn hat Gott vor aller Welt als Versöhnungszeichen aufgerichtet. Sein Blut, das am Kreuz vergossen wurde, bringt Frieden mit Gott für alle, die dieses Angebot im Vertrauen annehmen. In seiner großen Güte vergibt Gott den Menschen alle Verfehlungen, die sie bisher begangen haben. So zeigt er, daß seine Treue unwandelbar ist.

Ja, in unserer gegenwärtigen Zeit wollte Gott zeigen, wie er zu seinen Zusagen steht. Er bleibt sich selbst treu, indem er alle als treu anerkennt, die sich einzig und allein auf das verlassen, was er durch Jesus getan hat.

²⁷ Haben wir Juden also irgendeinen Grund, uns über die anderen Völker zu erheben? Gewiß nicht! Wodurch wird das ausgeschlossen? Etwa durch das Gesetz, sofern

es ein Tun fordert? Nein, vielmehr durch das Gesetz, sofern es zum Vertrauen auffordert. [28] Für uns steht fest: Gott nimmt die Menschen an, obwohl sie die Forderungen des Gesetzes nicht erfüllt haben. Er nimmt jeden an, der sich auf das verläßt, was Er durch Jesus Christus getan hat. [29] Oder ist Gott nur für die Juden da? Ist er nicht ebenso der Gott der anderen Völker? Ganz gewiß ist er das. [30] Es gibt nur einen einzigen Gott. Juden wie Nichtjuden nimmt er ohne Unterschied an, wenn sie einzig und allein ihm vertrauen.

[31] Man wirft mir vor, daß ich damit das Gesetz außer Kraft setze. Das Gegenteil ist richtig! Gerade so bringe ich zur Geltung, was das Gesetz sagt.°

Das Beispiel Abrahams

4 Wie war es denn mit unserem Vorfahren Abraham? [2] Hat Gott ihn etwa aufgrund seiner Taten angenommen? Abraham hatte zwar Taten vorzuweisen, auf die er sich berufen konnte – nur Gott gegenüber nicht! [3] In den heiligen Schriften* heißt es: »Abraham vertraute auf die Zusage Gottes, und so fand er Gottes Anerkennung.« [4] Ein Arbeiter bekommt seinen Lohn nicht als Geschenk, sondern er hat aufgrund seiner Leistungen einen Anspruch darauf. [5] Vor Gott ist das anders. Wer keine Leistungen vorzuweisen hat, aber dem vertraut, der den Schuldigen freispricht, findet durch sein Vertrauen bei Gott Anerkennung. [6] Das sagte auch David, als er von der Freude derer sprach, die Gott annimmt, obwohl sie es durch nichts verdient haben:

[7] »Freuen dürfen sich alle,
denen Gott ihr Unrecht vergeben
und ihre Verfehlungen zugedeckt hat!
[8] Freuen darf sich jeder,
dem der Herr seine Schuld nicht anrechnet!«

[9] Gilt das nur für die Beschnittenen* oder auch für die Unbeschnittenen? Ich habe schon gesagt: Weil Abraham sich auf die Zusage Gottes verließ, fand er Gottes Anerkennung. [10] Wann geschah das? War er damals schon beschnitten, oder war er es noch nicht? Er war es noch nicht! [11] Die Beschneidung erhielt Abraham vielmehr als Bestätigung. Durch sie wurde besiegelt, daß Gott ihn

schon vor seiner Beschneidung um seines Vertrauens willen angenommen hatte. So ist Abraham der Vater aller geworden, die Gott vertrauen, ohne beschnitten zu sein. Genau wie Gott Abraham angenommen hat, als er noch nicht beschnitten war, so nimmt er auch sie an. [12]Gewiß ist Abraham auch der Vater der Beschnittenen. Aber nicht alle Beschnittenen sind Abrahams Kinder, sondern nur die, die Gott ebenso vertrauen wie unser Vater Abraham, als er noch nicht beschnitten war.

Es kommt nur auf das Vertrauen an

[13]Gott versprach Abraham, seine Nachkommen sollten die ganze Welt zum Besitz erhalten. Auch diese Zusage bekam Abraham nicht deshalb, weil er das Gesetz* befolgt hatte, sondern weil er Gott vertraute. [14]Wenn Gottes Zusage für die bestimmt wäre, die sich auf ihren Gehorsam gegenüber dem Gesetz verlassen, dann hätte Gott das Vertrauen entwertet, und seine Zusage wäre hinfällig.

[15]Das Gesetz ruft nur Gottes Zorn hervor; denn erst durch das Gesetz kommt es zu Übertretungen. [16]Darum hat Gott seine Zusage an das Vertrauen gebunden. Was er zugesagt hatte, sollte ein reines Gnadengeschenk sein. Auf diese Weise gilt allen Nachkommen Abrahams, was Gott versprochen hat; nicht nur denen, die das Gesetz haben, sondern auch denen, die wie Abraham auf Gottes Zusage vertrauen. Wir alle haben Abraham zum Vater. [17]Denn Gott hat zu ihm gesagt: »Ich habe dich zum Vater vieler Völker gemacht.«

Abraham vertraute dem, der die Toten lebendig macht und aus dem Nichts alles ins Dasein ruft. [18]Er hoffte, obwohl es keinen Grund zur Hoffnung gab, und vertraute darauf, daß Gott ihn zum Vater vieler Völker machen werde. Denn Gott hatte zu ihm gesagt: »Deine Nachkommen werden so zahlreich sein wie die Sterne.« [19-20]Abraham war damals fast hundert Jahre alt. Es war ihm klar, daß er keine Kinder mehr zeugen konnte; auch seine Frau Sara konnte keine Kinder mehr bekommen. Trotzdem zweifelte er nicht an dieser Zusage, sondern ehrte Gott mit unerschütterlichem Vertrauen. [21]Er verließ sich darauf, daß Gott die Macht hat, zu tun, was er verspricht. [22]Darum heißt es von Abraham: »Er fand Gottes Anerkennung.« ²³Dieses Wort gilt nicht nur für Abraham selbst, ²⁴sondern auch für uns. Auch uns will Gott annehmen, wenn wir uns auf ihn verlassen. Er ist ja auch der Gott, der Jesus, unseren Herrn, aus dem Tod zum Leben erweckt hat. ²⁵Ihn ließ er sterben, um unsere Schuld zu tilgen, und er hat ihn zum Leben erweckt, damit wir vor ihm bestehen können.

Friede mit Gott

5 Gott hat uns also angenommen, weil wir uns ganz auf ihn verlassen. Jetzt ist Frieden zwischen ihm und uns. Das verdanken wir Jesus Christus, unserem Herrn; ²denn er öffnete uns den Zugang zu der Gnade Gottes, die wir im Vertrauen angenommen haben und die jetzt unser Leben bestimmt. Nun sind wir voll Freude und Zuversicht, weil wir fest damit rechnen, daß Gott uns an seiner Herrlichkeit* teilnehmen läßt. ³Sogar daß wir jetzt noch leiden müssen, ist uns ein Grund zur Freude. Denn wir wissen, daß Leiden zur Standhaftigkeit führt; ⁴Standhaftigkeit aber führt zur Bewährung, und in der Bewährung festigt sich unsere Hoffnung. ⁵Diese Hoffnung aber gibt uns die Gewißheit, daß Gott uns nicht fallen läßt. Er hat ja unsere Herzen mit seiner Liebe erfüllt, als er uns den heiligen Geist* geschenkt hat.

⁶Als wir noch in der Gewalt der Sünde waren, ist Christus für uns, die Feinde Gottes, gestorben. ⁷Wer ist schon bereit, auch nur für einen schuldlosen Menschen zu sterben? Allenfalls könnte sich einer entschließen, für einen besonders guten Menschen den Tod auf sich zu nehmen. ⁸Christus aber starb für uns, als wir noch Gottes Feinde waren. Damit hat Gott uns gezeigt, wie sehr er uns liebt. ⁹Wenn wir aber schon jetzt bei Gott angenommen sind, weil Christus für uns starb, dann werden wir erst recht durch ihn vor Gottes zukünftigem Strafgericht bewahrt werden. ¹⁰Als wir noch Gottes Feinde waren, hat Gott durch den Tod seines Sohnes* unsere Feindschaft überwunden. Nachdem wir nun Gottes Freunde geworden sind, wird uns das neue Leben seines vom Tod auferweckten Sohnes erst recht vor seinem Strafgericht schützen. ¹¹Aber schon jetzt sind wir von Freude und Zuversicht erfüllt, weil wir Gott nicht mehr gegen uns haben. Das

verdanken wir Jesus Christus, unserem Herrn, der uns
den Frieden mit Gott gebracht hat.

Adam und Christus

[12] Wie die Sünde durch einen einzigen Menschen in die
Welt kam, so auch die Rettung aus der Gewalt der Sünde.
Die Sünde dieses einen brachte den Tod mit sich, und alle
gerieten unter die Herrschaft des Todes; denn sie haben
ohne Ausnahme selbst gesündigt. [13] Schon bevor das Gesetz* erlassen wurde, war die Sünde in der Welt; aber solange es kein Gesetz gibt, wird sie nicht angerechnet.
[14] Trotzdem hatte der Tod schon in der Zeit von Adam bis
Mose alle Menschen in seiner Gewalt, auch wenn sie
nicht wie Adam gegen ein Gebot Gottes verstoßen hatten.
Adam ist das Gegenbild zu dem anderen, der kommen
sollte. [15] Aber das, was Gott uns durch diesen anderen
schenkt, steht in keinem Verhältnis zu der Verfehlung
Adams. Alle mußten sterben, weil einer Gott nicht gehorcht hatte. Aber durch den einen Menschen Jesus Christus schenkt Gott uns seine Gnade, die so reich ist, [16] daß
sie die Folgen von Adams Schuld mehr als aufwiegt.
Durch das Strafurteil über die Verfehlung dieses einen
kam es zur Verurteilung aller; aber Gottes unverdientes
Geschenk überwindet eine Unzahl von Verfehlungen und
bringt allen den Freispruch. [17] Durch den Ungehorsam des
einen Menschen begann der Tod zu herrschen. Aber wieviel mehr geschieht durch den einen Menschen Jesus
Christus! Alle, die Gottes überreiche Gnade annehmen
und die es sich schenken lassen, von Gott angenommen
zu sein, werden durch ihn das Leben bei Gott gewinnen
und zusammen mit ihm herrschen.

[18] Also: Durch den Ungehorsam des einen Menschen
kam es dazu, daß alle verurteilt wurden. Ebenso bringt
der Gehorsam des einen für alle Freispruch und Leben.
[19] Weil ein einziger ungehorsam war, wurden alle vor Gott
schuldig. Ebenso werden alle von Gott freigesprochen,
weil der eine gehorsam war. [20] Das Gesetz ist nachträglich
hinzugekommen, so daß die Sünde sich erst richtig entfalten konnte. Aber wo die Sünde ihr volles Maß erreicht
hat, dort übersteigt Gottes Liebe alles Maß. [21] Am Tod
zeigt sich, wie mächtig die Sünde ist. Wie mächtig Gottes

Liebe ist, zeigt sich am Leben, das keinen Tod mehr kennt. Dieses Leben verdanken wir unserem Herrn Jesus Christus, durch den wir von unserer Schuld frei geworden sind.

Mit Christus gestorben – mit ihm leben

6 Was folgt daraus für uns? Sollen wir ruhig weitersündigen, damit die Liebe Gottes sich um so mächtiger erweisen kann? ²Nein, ganz gewiß nicht! Für die Sünde sind wir tot. Wie können wir dann weiter unter ihrer Herrschaft leben? ³Durch die Taufe sind wir alle mit Jesus Christus verbunden worden. Wißt ihr nicht, was das bedeutet? Die Taufe verbindet uns mit seinem Tod. ⁴Als wir getauft wurden, wurden wir mit ihm begraben. Aber wie er durch die wunderbare Macht Gottes, des Vaters, vom Tod auferweckt wurde, so können und sollen auch wir jetzt ein neues Leben führen.

⁵Wie wir mit Christus im Tod vereint waren, sollen wir auch zusammen mit ihm leben. ⁶Wir wissen ganz sicher: Was wir früher waren, ist mit Christus am Kreuz gestorben. Unser von der Sünde beherrschtes Ich ist damit tot, und wir müssen nicht länger Sklaven der Sünde sein. ⁷Denn von einem Toten hat die Sünde nichts mehr zu fordern. ⁸Wenn wir aber zusammen mit Christus gestorben sind, werden wir auch zusammen mit ihm leben; davon sind wir fest überzeugt. ⁹Wir wissen ja, daß Christus vom Tod auferweckt wurde und nie mehr stirbt. Der Tod hat keine Macht mehr über ihn. ¹⁰Ein für allemal starb Christus für die Sünde. Jetzt lebt er für Gott. ¹¹Genauso müßt ihr von euch selbst denken: Ihr seid tot für die Sünde, aber weil ihr mit Jesus Christus verbunden seid, lebt ihr für Gott.

¹²Laßt also euren vergänglichen Körper nicht von der Sünde beherrscht werden! Gehorcht nicht euren Leidenschaften! ¹³Liefert keinen Teil eures Körpers der Sünde aus, damit sie ihn nicht als Waffe gegen das Gute benutzen kann. Stellt euch vielmehr Gott zur Verfügung als Menschen, die aus dem Tod ins neue Leben gelangt sind. Gott soll euch mit all euren Fähigkeiten als Waffe im Kampf für das Gute benutzen können. ¹⁴Die Sünde hat künftig keine Macht mehr über euch. Denn

ihr lebt nicht unter dem Gesetz*, sondern unter der Gnade Gottes.

Nicht mehr Sklaven der Sünde

[15] Oder können wir etwa ruhig sündigen, weil wir ja unter der göttlichen Gnade und nicht unter dem Gesetz* leben? Auf keinen Fall! [16] Ihr wißt doch: Wem ihr euch als Sklaven unterstellt, dem müßt ihr auch gehorchen. Entweder stellt ihr euch auf die Seite der Sünde; dann werdet ihr sterben. Oder ihr stellt euch auf die Seite des Gehorsams; dann werdet ihr vor Gottes Gericht bestehen können. [17] Gott sei Dank! Früher wart ihr Sklaven der Sünde; aber jetzt gehorcht ihr von ganzem Herzen der Wahrheit, wie sie euch gelehrt worden ist. [18] Ihr seid vom Dienst der Sünde befreit und steht nun im Dienst des Guten.

[19] Ich gebrauche das Bild vom Sklavendienst, damit ihr besser versteht, worauf es ankommt. Früher hattet ihr euch der Unreinheit und dem Unrecht zur Verfügung gestellt. Das führte zu einem Leben, an dem Gott keine Freude haben konnte. Ebenso müßt ihr euch jetzt dem Guten zur Verfügung stellen; denn das führt zu einem Leben, das Gott gefällt. [20] Solange ihr Sklaven der Sünde wart, wart ihr dem Guten gegenüber frei. [21] Aber was kam dabei heraus? Ihr schämt euch jetzt, wenn ihr daran denkt; denn am Ende stand der Tod. [22] Aber jetzt seid ihr von der Sünde frei geworden und gehört Gott. So kommt es, daß ihr tut, was Gott gefällt, und am Ende erwartet euch ewiges Leben. [23] Die Sünde zahlt ihren Lohn: den Tod. Gott dagegen macht uns ein unverdientes Geschenk: durch Jesus Christus, unseren Herrn, schenkt er uns ein Leben, das keinen Tod mehr kennt.

Tot für das Gesetz

7 Brüder, ihr versteht doch etwas vom Recht und wißt: Das Gesetz hat für einen Menschen nur Geltung, solange er lebt. [2] Eine verheiratete Frau zum Beispiel ist durch das Gesetz an ihren Mann gebunden, solange dieser lebt. Wenn der Mann stirbt, hat das Gesetz, durch das sie an ihn gebunden war, keine Gültigkeit mehr für sie. [3] Wenn sie sich also zu Lebzeiten ihres Mannes mit einem anderen einläßt, ist sie eine Ehebrecherin. Stirbt aber der

Mann, dann ist das Gesetz für sie nicht mehr verbindlich. Sie begeht keinen Ehebruch, wenn sie mit einem anderen Mann zusammenlebt.

⁴ So steht es auch mit euch, Brüder! Weil ihr mit Christus gestorben seid, seid ihr dem Gesetz* gegenüber tot. Jetzt gehört ihr einem anderen, nämlich dem, der vom Tod erweckt worden ist. Darum sollen wir nun auch so leben, daß Gott dadurch geehrt wird.

⁵ Als wir noch nach unseren eigenen Wünschen lebten, war unser Körper in der Gewalt von Leidenschaften, die zur Sünde führen. Eben das Gesetz hatte diese Leidenschaften wachgerufen. So taten wir, was zum Tod führt. ⁶ Aber jetzt sind wir vom Gesetz befreit; wir sind tot für das Gesetz, das uns früher gefangen hielt. Darum dienen wir Gott nicht mehr auf die alte Weise nach dem Buchstaben des Gesetzes. Sein Geist* macht uns fähig, ihm auf eine neue Weise zu dienen.

Das Gesetz und die Sünde

⁷ Folgt daraus, daß das Gesetz* auf die Seite der Sünde gehört? Das kann nicht sein! Aber ohne das Gesetz hätten wir Menschen die Sünde nie kennengelernt. Die selbstsüchtigen Wünsche wären nicht in uns erwacht, wenn das Gesetz nicht gesagt hätte: »Sei nicht begehrlich!« ⁸ Die Sünde machte sich das Gebot zunutze und stachelte mit seiner Hilfe alle nur möglichen Begierden in uns an. Wo es kein Gesetz gibt, ist die Sünde tot. ⁹ Einst kannten wir noch kein Gesetz. Damals *lebten* wir; aber als das Gebot kam, lebte die Sünde auf, ¹⁰ und wir mußten sterben. Das Gebot, das uns Leben schenken sollte, brachte uns den Tod. ¹¹ Denn die Sünde benutzte es, um uns zu überlisten und zu töten. ¹² Das Gesetz gehört also auf die Seite Gottes; seine Gebote sind heilig, gerecht und gut.

¹³ Soll das heißen, daß das Gute, das Gesetz, uns den Tod gebracht hat? Das kann nicht sein! Vielmehr benutzte die Sünde dieses gute Gesetz, um uns zu töten. So sollte es dahin kommen, daß die Sünde ihr wahres Gesicht enthüllt. Sie sollte durch das Gebot dazu gebracht werden, ihre ganze Verderbtheit zu entfalten.

¹⁴ Es steht außer Zweifel, daß das Gesetz von Gott kommt. Aber wir sind schwache Menschen, als Sklaven

an die Sünde verkauft. ¹⁵ Deshalb sind wir in unserem Handeln nicht frei; wir tun nämlich nicht, was wir eigentlich wollen, sondern was wir verabscheuen. ¹⁶ Wenn wir aber das Böse, das wir tun, gar nicht wollen, dann erkennen wir damit an, daß das Gesetz gut ist.

Wir sind nicht Herr über uns selbst

¹⁷ Wir selbst sind es also gar nicht, die das Böse tun. Vielmehr tut es die Sünde, die von uns Besitz ergriffen hat. ¹⁸ Wir wissen genau: In uns selbst, so wie wir von Natur aus sind, ist nichts Gutes zu finden. Wir bringen es zwar fertig, das Rechte zu wollen; aber wir sind zu schwach, es zu tun. ¹⁹ Wir tun nicht das Gute, das wir gerne tun möchten, sondern das Böse, das wir verabscheuen. ²⁰ Wenn wir aber tun, was wir nicht wollen, dann verfügen nicht wir selbst über uns, sondern die Sünde, die von uns Besitz ergriffen hat.

²¹ Wir sehen also, daß sich alles nach folgender Regel abspielt: Ich will das Gute tun, aber es kommt nur Böses dabei heraus. ²² In meinem Bewußtsein stimme ich dem Gesetz* Gottes freudig zu. ²³ Aber ich sehe, daß mein Tun einem anderen Gesetz folgt. Dieses Gesetz liegt im Streit mit dem Gesetz, dem meine Vernunft zustimmt. Es macht mich zum Gefangenen der Sünde, deren Gesetz mein Handeln bestimmt. ²⁴⁻²⁵ Wir stimmen zwar mit der Vernunft dem Gesetz Gottes zu, aber mit unserem Tun folgen wir dem Gesetz der Sünde.

Wir unglückseligen Menschen! Wer rettet uns aus dieser entsetzlichen Verstrickung? Wer entreißt uns dem sicheren Tod?

Gott hat es getan! Ihm sei Dank durch Jesus Christus, unseren Herrn!

Neues Leben aus Gottes Geist

8 Darum: Wer mit Jesus Christus verbunden ist, braucht das Strafgericht Gottes nicht mehr zu fürchten. ² Denn das Gesetz, das durch den Geist* und in der Verbindung mit Jesus Christus zum Leben führt, hat euch befreit vom Gesetz, das durch die Sünde in den Tod führt.° ³ Was das Gesetz* nicht vollbringen konnte, weil wir Menschen ganz der Macht der Sünde verfallen sind,

das hat Gott selbst getan. Um die Sünde zu überwinden, die das menschliche Dasein beherrscht, sandte er seinen Sohn in dieses Dasein als leibhaftigen Menschen. Durch den Tod dieses Menschen vollstreckte er das Urteil an der Sünde in ihrem eigenen Machtbereich, [4]damit nun durch uns die Forderung des Gesetzes erfüllt werden kann.

Denn unser Leben wird jetzt vom Geist Gottes bestimmt und nicht mehr von unserer selbstsüchtigen Natur. [5]Wenn jemand nach seiner Natur lebt, liegt ihm alles daran, die eigenen Wünsche zu befriedigen. Wenn dagegen der Geist Gottes in ihm lebt, liegt ihm alles daran, diesem Geist in sich Raum zu geben. [6]Die eigenen Wünsche führen zum Tod. Der Geist Gottes dagegen schenkt Leben und Frieden.

[7]Der Mensch, so wie er von sich aus ist, lehnt sich gegen Gott auf. Er gehorcht nicht dem Gesetz Gottes, ja er kann es gar nicht. [8]Denn es ist völlig ausgeschlossen, daß einer den Willen Gottes erfüllt, wenn er seinem eigenen Willen folgt. [9]Ihr aber steht nicht mehr unter der Herrschaft eures selbstsüchtigen Willens, sondern unter der Leitung des Geistes. Sonst hätte ja der Geist Gottes nicht wirklich von euch Besitz ergriffen. Wer nicht den Geist hat, den Christus schenkt, der gehört nicht zu ihm. [10]Wenn Christus in euch wirkt, dann seid ihr zwar wegen eurer Sünde dem Tod verfallen, aber weil Gott euch angenommen hat, schenkt sein Geist euch das Leben. [11]Denn wenn der Geist dessen in euch lebt, der Jesus vom Tod erweckt hat, dann wird Gott auch durch den Geist in euch den Körper, der dem Tod verfallen ist, lebendig machen.

[12]Brüder! Wir stehen also nicht mehr unter dem Zwang, unserer menschlichen Natur zu folgen. [13]Wenn ihr nach eurem eigenen Willen lebt, werdet ihr sterben. Leben werdet ihr nur, wenn ihr den Geist Gottes in euch wirken laßt, damit er euren selbstsüchtigen Willen tötet.

[14]Alle, die sich von Gottes Geist leiten lassen, sind Gottes Kinder. [15]Ihr müßt euch also nicht mehr vor Gott fürchten. Er hat euch seinen Geist gegeben, und das zeigt euch, daß ihr nicht seine Sklaven, sondern seine Kinder seid. Weil sein Geist in uns lebt, sagen wir zu Gott: »Abba! Vater!« [16]Und Gottes Geist bestätigt unserem Geist, daß wir wirklich Gottes Kinder sind. [17]Wenn wir aber

Gottes Kinder sind, dann wird Gott uns auch schenken, was er seinen Kindern versprochen hat. Er will uns das Leben in Herrlichkeit schenken, das er Christus gegeben hat. Wenn wir wirklich mit Christus leiden, dann sollen wir auch seine Herrlichkeit mit ihm teilen.

Die große Hoffnung

[18] Ich bin überzeugt: Die künftige Herrlichkeit, die Gott für uns bereithält, ist so groß, daß alles, was wir jetzt leiden müssen, in gar keinem Verhältnis dazu steht. [19] Alle Geschöpfe warten sehnsüchtig darauf, daß Gott seine Kinder vor aller Welt mit dieser Herrlichkeit ausstattet. [20] Er hat ja die ganze Schöpfung der Vergänglichkeit preisgegeben, nicht weil sie selbst schuldig geworden war, sondern weil er sie in das Strafgericht über den Menschen miteinbezogen hat. Er hat aber seinen Geschöpfen die Hoffnung gegeben, [21] daß sie eines Tages vom Fluch der Vergänglichkeit erlöst werden. Sie sollen dann nicht mehr Sklaven des Todes sein, sondern am befreiten Leben der Kinder Gottes teilhaben. [22] Wir wissen, daß die ganze Schöpfung bis jetzt noch vor Schmerzen stöhnt wie eine Frau bei der Geburt. [23] Aber auch wir, denen Gott doch schon als Anfang des neuen Lebens – gleichsam als Anzahlung – seinen Geist* geschenkt hat, warten sehnsüchtig darauf, daß Gott uns als seine Kinder bei sich aufnimmt und uns vom Fluch der Vergänglichkeit befreit.

[24] In der Hoffnung ist unsere Rettung schon vollendet – aber nur in der Hoffnung. Wenn wir schon hätten, worauf wir warten, brauchten wir nicht mehr zu hoffen. Wer hofft denn auf etwas, das schon da ist? [25] Also hoffen wir auf das, was wir noch nicht sehen, und warten geduldig darauf.

[26] Der Geist Gottes kommt uns dabei zu Hilfe. Wir sind schwach und wissen nicht einmal, wie wir angemessen zu Gott beten sollen. Darum tritt der Geist bei Gott für uns ein mit einem Flehen, das sich nicht in Menschenworten ausdrücken läßt. [27] Aber Gott, der unser Herz kennt, weiß auch, was der Geist ihm sagen will. Denn der Geist tritt so für das Volk Gottes ein, wie es Gott gefällt.

[28] Wir wissen: Wenn jemand Gott liebt, muß alles dazu beitragen, daß er das Ziel erreicht, zu dem Gott ihn nach

seinem Plan berufen hat. [29] Gott hat alle, die er ausgewählt hat, dazu bestimmt, seinem Sohn* gleich zu werden. Denn als der Auferstandene soll er der erste unter vielen Brüdern sein. [30] Alle aber, die Gott im voraus dazu bestimmt hat, die hat er auch berufen. Und wenn er jemand berufen hat, dann sorgt er auch dafür, daß er vor ihm bestehen kann. Und wer vor ihm bestehen kann, dem gibt er Anteil an seiner eigenen Herrlichkeit.

Nichts kann uns von Gottes Liebe trennen

[31] Was sollen wir noch weiter sagen? Gott ist auf unserer Seite, wer kann uns dann noch etwas anhaben? [32] Er verschonte nicht einmal seinen eigenen Sohn*, sondern ließ ihn für uns alle sterben. Wird er uns dann mit ihm nicht alles schenken? [33] Niemand kann die Menschen anklagen, die Gott erwählt hat. Denn Gott selbst spricht sie frei. [34] Niemand kann sie verurteilen. Jesus Christus ist ja für sie gestorben. Mehr noch: er ist vom Tod erweckt worden. Er sitzt an Gottes rechter Seite und tritt für uns ein.

[35] Kann uns dann noch etwas von Christus und seiner Liebe trennen? Etwa Leiden, Not, Verfolgung, Hunger, Entbehrung, Gefahr oder Tod? [36] Denn es heißt ja: »Weil wir zu dir gehören, sind wir ständig in Todesgefahr. Wir werden angesehen wie Schafe, die man bedenkenlos abschlachten kann.« [37] Nein, mitten in all dem triumphieren wir mit Hilfe dessen, der uns seine Liebe erwiesen hat. [38] Ich bin gewiß, daß uns nichts von dieser Liebe trennen kann: weder Tod noch Leben, weder Engel noch andere Mächte*, weder Gegenwärtiges noch Zukünftiges, [39] weder etwas im Himmel noch etwas in der Hölle. Durch Jesus Christus, unseren Herrn, hat Gott uns seine Liebe geschenkt. Darum gibt es in der ganzen Welt nichts, was uns jemals von Gottes Liebe trennen kann.

Hat Gott sein erwähltes Volk verstoßen?

9 Für das, was ich jetzt sage, rufe ich Christus zum Zeugen an. Auch mein Gewissen, in dem der heilige Geist* zu mir spricht, bestätigt mir, daß ich die Wahrheit sage. [2-3] Ich leide in meinem Herzen tief und unausgesetzt um meine Brüder, die Menschen meines Volkes. Für sie würde ich sogar die ewige Trennung von Christus auf

mich nehmen. ⁴Denn sie sind Israel, Gottes erwähltes
Volk, das er als seinen Sohn* angenommen und dem er
seine Herrlichkeit* gezeigt hat. Ihnen hat er seine Zusagen gemacht und das Gesetz* gegeben. Bei ihnen hat er
seinen Tempel, und ihnen hat er die künftige Rettung zugesagt. ⁵Sie sind die Nachkommen von Abraham, Isaak
und Jakob, und sogar Christus, der versprochene Retter*,
zählt nach seiner menschlichen Herkunft zu ihnen. Für all
dies sei Gott, der Herr über alle, für immer und ewig gepriesen! Amen.

⁶Es ist undenkbar, daß Gottes Wort hinfällig geworden
wäre. Aber nicht alle Israeliten gehören zu Gottes Volk.
⁷Die Abstammung von Abraham macht sie noch nicht zu
wirklichen Kindern Abrahams. Gott sagte zu Abraham:
»Nur durch Isaak gebe ich dir die Nachkommen, die ich
dir versprochen habe.« ⁸Das heißt: Nicht die natürliche
Abstammung macht zu Kindern Gottes. Nur wer so wie
Isaak aufgrund von Gottes Zusage geboren wird, zählt zu
den echten Nachkommen Abrahams. ⁹Und es war eine
göttliche Zusage, mit der die Geburt Isaaks angekündigt
wurde: »Nächstes Jahr um diese Zeit komme ich wieder,
dann hat Sara einen Sohn.«

¹⁰Genauso war es bei den Kindern Rebekkas. Ihre Söhne hatten beide unseren Vorfahren Isaak zum Vater.
¹¹⁻¹²Gott aber wollte klarstellen, daß die Erwählung nur
von seinem freien Entschluß abhängt. Deshalb sagte er zu
Rebekka: »Der Erstgeborene wird dem Zweiten dienen.«
Er sagte das vor ihrer Geburt, lange bevor einer von beiden etwas Gutes oder Böses getan hatte. Seine Wahl gründete sich nicht auf irgendein menschliches Tun, sondern
sie kam aus seinem freien Willen. ¹³Es heißt ja auch an
anderer Stelle: »Jakob habe ich meine Liebe zugewandt,
Esau aber hat meinen Haß zu spüren bekommen.«

¹⁴Folgt daraus, daß Gott ungerecht ist? Keineswegs!
¹⁵Er sagte ja zu Mose: »Ich erweise meine Gunst, wem ich
will; und ich schenke mein Erbarmen, wem ich will.« ¹⁶Es
kommt also nicht auf den Willen und die Anstrengung des
Menschen an, sondern nur auf Gottes Erbarmen. ¹⁷So
ließ Gott auch dem Pharao sagen: »Ich habe dich zum König gemacht, um an dir meine Macht zu zeigen und meinen Namen der ganzen Welt bekanntzumachen.« ¹⁸Gott

verfährt also ganz nach seinem freien Willen: Dem einen
schenkt er seine Gnade, und den anderen macht er so
starrsinnig, daß er sich gegen ihn verschließt.

Gott erwählt, wen er will

[19] Man wird mir entgegenhalten: »Warum zieht uns Gott
dann für unser Tun zur Rechenschaft? Wenn er einfach über
uns verfügt, dann *können* wir ja nicht anders!« [20] Aber bedenkt doch, wer wir sind! Wie dürfen wir uns anmaßen, Gott
zu kritisieren? Sagt vielleicht ein Werk zu seinem Schöpfer:
»Warum hast du mich so gemacht?« [21] Denkt an den Töpfer:
Er hat das Recht, seinen Ton nach Belieben zu verwenden.
Er kann aus ein und demselben Tonklumpen zwei ganz
verschiedene Gefäße machen: eines für die festliche Tafel,
ein anderes als Behälter für den Abfall.

[22] Gott wollte an den einen seinen Zorn zeigen und seine Macht erweisen; aber selbst sie, die zum Untergang
bestimmt waren, ertrug er mit großer Geduld. [23] An den
anderen wollte er zeigen, wie unermeßlich seine Herrlichkeit ist – an denen nämlich, über die er sich erbarmt und
die er im voraus zur Teilnahme an seiner Herrlichkeit bestimmt hat. [24] Das sind wir, die er berufen hat aus allen
Völkern, nicht nur aus dem Volk der Juden.

[25] Er hat ja schon durch den Propheten Hosea gesagt:
»Wart ihr zuvor nicht mein Volk, so sage ich jetzt zu euch:
›Ihr seid mein Volk‹; und wart ihr zuvor die Nicht-Gelieb-
ten, so will ich euch jetzt in Liebe annehmen. [26] Die, zu
denen ich gesagt hatte: ›Ihr seid nicht mein Volk‹, werden
dann ›Söhne des lebendigen Gottes‹ genannt werden.«

[27] Über das Volk Israel aber sagt der Prophet Jesaja:
»Selbst wenn die Israeliten so zahlreich wären wie der
Sand am Meer, nur ein kleiner Rest würde gerettet. [28] Der
Herr wird seinen Plan unter den Völkern der Erde voll
und zugleich einschränkend ausführen.« [29] Es ist so, wie
Jesaja vorausgesagt hat: »Hätte der Herr der Welt nicht
einen kleinen Rest von uns übrig gelassen, so wäre es uns
wie Sodom und Gomorra ergangen.«

Jesus Christus – der Stein des Anstoßes

[30] Was folgt daraus? Es ist offenbar so: Menschen aus den
anderen Völkern sind von Gott angenommen worden, ob-

wohl sie sich nicht darum bemüht hatten. Gott hat sie angenommen, weil sie sich ganz auf ihn verließen. [31] Das Volk Israel aber, das sich abmühte, durch Befolgung des Gesetzes* vor Gottes Urteil zu bestehen, hat dieses Ziel nicht erreicht. [32] Warum nicht? Weil sie Gott nicht bedingungslos vertrauten, sondern durch ihr eigenes Tun vor ihm bestehen wollten. So kamen sie zu Fall an dem ›Stein des Anstoßes‹, [33] von dem Gott sagt: »Ich lege auf dem Zionsberg ein festes Fundament, einen Stein, an dem sie sich stoßen, einen Felsblock, an dem sie zu Fall kommen. Aber wer ihm vertraut, wird nicht untergehen.«

10 Ich wünsche von ganzem Herzen, Brüder, daß mein Volk gerettet wird. Dafür bete ich zu Gott. [2] Ich kann ihnen bezeugen, wie eifrig sie sich bemühen, den Willen Gottes zu tun. Aber ihr Eifer beruht nicht auf der richtigen Einsicht. [3] Sie haben nicht erkannt, daß Menschen nur aufgrund der Treue Gottes vor ihm bestehen können. Sie suchten das durch ihr eigenes Tun zu erreichen und haben sich deshalb der Treue Gottes nicht bedingungslos ausgeliefert. [4] Aber seit Christus gekommen ist, ist das Gesetz nicht mehr der Weg zu Gott.° Jetzt gilt: Gott nimmt alle an, die einzig und allein ihm vertrauen.

[5] Für die, die aufgrund des Gesetzes vor Gott bestehen wollen, gilt, was Mose schreibt: »Wer die Gebote befolgt, gewinnt dadurch das Leben.« [6] Für die, die Gott aufgrund ihres Vertrauens annimmt, gilt dagegen: »Ihr braucht nicht zu fragen: ›Wer wird in den Himmel hinaufsteigen?‹« – nämlich, um Christus herabzuholen. [7] »Ihr braucht auch nicht zu fragen: ›Wer wird in die Totenwelt* hinabsteigen?‹« – nämlich, um Christus aus dem Tod zurückzuholen. [8] Vielmehr heißt es: »Gottes Botschaft ist euch ganz nahe; sie ist in eurem Mund und in eurem Herzen.«

Damit ist die Botschaft gemeint, die wir verkünden: Vor Gott gilt einzig und allein das Vertrauen. [9] Wenn ihr also mit dem Mund bekennt: »Jesus ist der Herr«, und mit dem Herzen darauf vertraut, daß Gott ihn vom Tod erweckt hat, werdet ihr gerettet. [10] Wer mit dem Herzen vertraut, wird von Gott angenommen; und wer mit dem Mund bekennt, wird gerettet. [11] Darum heißt es: »Wer ihm vertraut, wird nicht untergehen.« [12] Das gilt für alle; es gibt hier keinen Unterschied zwischen Juden und Nichtjuden. Beide haben denselben Herrn. Er beschenkt alle reich, die sich zu ihm bekennen. [13] In den heiligen Schriften* heißt es ja auch: »Wer sich zum Herrn bekennt, wird gerettet.«

Hat Israel eine Entschuldigung?

[14] Sie können sich aber nur zu ihm bekennen, wenn sie ihm vertrauen. Und sie können ihm nur vertrauen, wenn sie die rettende Botschaft gehört haben. Dazu muß ihnen die Botschaft vorher verkündet worden sein, [15] und es müssen Boten mit dieser Botschaft ausgesandt worden sein. Aber das ist doch geschehen! Es ist eingetroffen, was vorausgesagt war: »Welche Freude ist es, wenn die Boten kommen und die Gute Nachricht bringen!«

[16] Aber nicht alle haben diese Gute Nachricht angenommen. Schon der Prophet Jesaja sagt: »Herr, wer glaubt denn unserer Botschaft?« [17] Der Glaube entsteht also aus der Botschaft, die verkündet wird; die Botschaft aber kommt aus dem Wort, das Christus selbst spricht.

[18] Haben vielleicht die Juden die Botschaft nicht gehört? Aber natürlich haben sie die Botschaft gehört; in den heiligen Schriften* heißt es ja: »Der Ruf geht weit über die Erde, bis hin zu ihren äußersten Grenzen.«

[19] Oder haben sie vielleicht die Botschaft nicht verstanden? Darauf hat Mose die Antwort: »Ich will euch auf ein Un-Volk eifersüchtig machen, sagt Gott. Ich reize euch zum Zorn über ein Volk, das keine Erkenntnis hat.« [20] Jesaja aber wagt sogar zu sagen: »Ich ließ mich finden von denen, die mich nicht suchten, sagt Gott. Ich habe mich denen gezeigt, die nicht nach mir fragten.« [21] Über Israel dagegen heißt es an derselben Stelle: »Die ganze Zeit über habe ich einladend die Hände ausgestreckt nach einem Volk, das widerspenstig ist und nichts von mir wissen will.«

Ein Teil wurde angenommen

11 Ich frage nun: Hat Gott sein eigenes Volk verstoßen? Das kann nicht sein! Ich selbst bin ja ein Israelit, ein Nachkomme Abrahams aus dem Stamm Benjamin. [2] Gott hat das Volk, das er von Anfang an erwählt

hatte, nicht verstoßen. Ihr erinnert euch doch, wie der Prophet Elija sich bei Gott über dieses Volk beklagte: ³»Herr!« sagte er, »sie haben deine Propheten umgebracht und deine Altäre niedergerissen. Ich allein bin übriggeblieben, und nun wollen sie auch mich noch töten!« ⁴Was gab Gott ihm zur Antwort? »Nein, siebentausend habe ich übrigbleiben lassen, lauter Männer, die den falschen Gott Baal nicht angebetet haben.« ⁵So ist es auch jetzt. Aus Erbarmen hat Gott eine kleine Anzahl ausgewählt. ⁶Seine Wahl gründet sich nicht auf ihre Taten; sonst wäre ja sein Erbarmen kein wirkliches Erbarmen.

⁷Wie steht es also? Das jüdische Volk als ganzes hat nicht bekommen, worum es sich müht. Aber die haben es bekommen, die Gott aus diesem Volk ausgewählt hat. Die übrigen können den Ruf Gottes nicht hören. ⁸Von ihnen heißt es: »Gott hat ihnen einen verblendeten Geist gegeben, so daß sie mit ihren Augen nicht sehen und mit ihren Ohren nicht hören, bis zum heutigen Tag.« ⁹Und David sagt: »Ihre Opferfeiern sollen ihnen zur Schlinge und zum Fallstrick werden, zum Verderben und zum Strafgericht. ¹⁰Laß sie blind werden, damit sie nichts mehr sehen. Beuge ihren Rücken für immer unter das Sklavenjoch!«

Kein Grund zur Überheblichkeit

¹¹Ich frage nun: Sind die Juden damit unwiderruflich verworfen? Nein; sondern weil sie nicht hörten, kam die Rettung zu den anderen Völkern. Dadurch sollen die Juden eifersüchtig gemacht werden. ¹²Ihre Schuld brachte der Welt reichen Gewinn, und ihre Abkehr war für die anderen Völker eine Quelle des Segens. Wie groß wird dann erst der Segen für die Welt sein, wenn ganz Israel sich Jesus Christus zuwendet!

¹³⁻¹⁴Ich richte mich jetzt an die Nichtjuden unter euch. Mein Auftrag als Apostel* gilt den nichtjüdischen Völkern, und ich bin dankbar dafür. Denn vielleicht kann ich durch meine Missionsarbeit die Angehörigen meines eigenen Volkes eifersüchtig machen und so wenigstens einige von ihnen retten. ¹⁵Als sie verstoßen wurden, bedeutete das für die ganze Welt den Frieden mit Gott. Was wird erst geschehen, wenn sie wieder angenommen werden! Dann werden die Toten lebendig.

¹⁶Wenn nach der Ernte das erste Brot als Opfer Gott
dargebracht worden ist, gilt alles Brot, das noch von dieser
Ernte gebacken wird, als Gott geweiht. Wenn die Wurzeln
des Baumes Gott geweiht sind, sind es auch die Zweige.
¹⁷Einige Zweige des edlen Ölbaums wurden ausgebrochen, und unter die übrigen seid ihr als neue Zweige aufgepfropft worden. Obwohl ihr von einem wilden Ölbaum
stammt, habt ihr jetzt Anteil an den guten Säften des echten Ölbaums.
¹⁸Darum dürft ihr die Zweige nicht verachten, die ausgebrochen wurden. Worauf wollt ihr euch etwas einbil-
den? Nicht ihr tragt die Wurzel, sondern die Wurzel trägt
euch! ¹⁹Ihr werdet sagen: »Die Zweige sind ausgebrochen
worden, um uns Platz zu machen!« ²⁰Ihr habt recht. Sie
wurden aber ausgebrochen, weil sie das Angebot Gottes
nicht annahmen. Und ihr seid aufgepfropft, weil ihr euch
fest auf dieses Angebot verlaßt. Seid also nicht überheblich, sondern fürchtet euch lieber! ²¹Gott hat die Juden
nicht verschont, obwohl sie die natürlichen Zweige sind.
Meint ihr, daß er euch milder beurteilt?
²²Ihr erkennt daran die Güte und zugleich die Strenge
Gottes. Streng ist er zu denen, die sich von ihm abwenden. Euch erweist er seine Güte; ihr dürft nur nicht aufhören, euch ganz auf diese Güte zu verlassen. Sonst werdet auch ihr herausgebrochen. ²³Sobald die Juden das
Angebot Gottes nicht länger abweisen, werden sie wieder
aufgepfropft. Gott hat sehr wohl die Macht dazu. ²⁴Ihr
Menschen aus den anderen Völkern seid als Zweige eines
wilden Ölbaums gegen alle natürliche Ordnung dem edlen
Ölbaum aufgepfropft worden. Dann kann Gott erst recht
die Juden als die natürlichen Zweige wieder in den Baum
einpflanzen, von dem sie stammen.

Zuletzt wird ganz Israel gerettet

²⁵Ich will euch in Gottes Plan einweihen, Brüder, damit
ihr euch nicht von eurer eigenen Klugheit zu falschen
Schlüssen verleiten laßt. Gott hat zwar bestimmt, daß ein
Teil des jüdischen Volkes seinen Ruf nicht hören kann.
Aber das gilt nur so lange, bis alle, die aus den anderen
Völkern berufen sind, den Weg zu ihm gefunden haben.
²⁶Dann wird auch ganz Israel gerettet werden. Es heißt ja:

»Vom Zionsberg kommt der Befreier, der die Schuld der
Auflehnung von den Nachkommen Jakobs nehmen wird.
²⁷ Denn das ist der Bund*, den ich mit ihnen schließen
will, sagt Gott: Ich werde ihnen alle Verfehlungen vergeben.«

²⁸ Sie sind Gottes Feinde geworden, damit ihr die Gute
Nachricht hören konntet. Aber weil Gott ihre Stammväter erwählt hat, bleiben sie seine Freunde. ²⁹ Wenn Gott
jemand seine Gnade geschenkt und ihn berufen hat, wi-
derruft er das nicht. ³⁰ Ihr anderen habt Gott früher nicht
gehorcht; aber weil sie ungehorsam waren, hat Gott jetzt
euch sein Erbarmen geschenkt. ³¹ Also gehorchen nun *sie*
Gott nicht, weil er *euch* sein Erbarmen schenken wollte;
aber auch *sie* sollen jetzt Erbarmen finden. ³² Gott hat alle
ohne Ausnahme dem Ungehorsam ausgeliefert, weil er
alle begnadigen will.

Kein Mensch begreift Gottes Gedanken

³³ Wie unerschöpflich ist Gottes Reichtum!
   Wie unergründlich tief ist seine Weisheit!
   Wie unerforschlich ist alles, was er tut!
   Ob er verurteilt oder Gnade erweist –
   in beidem ist er gleich unbegreiflich.
³⁴ Wer kennt die Gedanken des Herrn?
   Braucht er etwa einen, der ihn berät?
³⁵ Wer hat Gott jemals etwas gegeben,
   wofür er eine Gegenleistung fordern könnte?
³⁶ Gott hat alle Dinge geschaffen.
   Sie bestehen durch ihn
   und haben in ihm ihr Ziel.
   Gepriesen sei er für immer und ewig! Amen.

Unser Leben als Gottesdienst

12 Brüder, weil Gott so viel Erbarmen mit uns hatte,
rufe ich euch zu: Stellt euer ganzes Leben Gott zur
Verfügung! Bringt ihm euch selbst als lebendiges Opfer
dar, an dem er Freude hat! So vollzieht ihr den Gottesdienst, der Gott wirklich gemäß ist. ² Paßt euch nicht den
Maßstäben dieser Welt* an. Laßt euch vielmehr im Innersten von Gott umwandeln. Laßt euch eine neue Gesinnung schenken. Dann könnt ihr erkennen, was Gott von

euch will. Ihr wißt dann, was gut und vollkommen ist und was Gott gefällt.

Gaben und Dienste in der Gemeinde

³ Weil Gott mich in seiner Gnade zum Apostel* berufen hat, wende ich mich an jeden einzelnen von euch. Keiner soll höher von sich denken, als es angemessen ist. Bleibt bescheiden und sucht das rechte Maß! Gott hat jedem seinen Anteil an den Gaben zugeteilt, die der Glaube schenkt. Daran hat jeder einen Maßstab, wie er von sich denken soll.
⁴ Denkt an den menschlichen Körper: Er hat viele verschiedene Teile, und jeder Teil hat seine besondere Aufgabe; aber der Körper bleibt deshalb doch einer. ⁵ Genauso ist es mit uns: Obwohl wir viele sind, bilden wir durch die Verbindung mit Christus ein Ganzes. Als einzelne aber stehen wir zueinander wie Teile, die sich gegenseitig ergänzen. ⁶ Wir haben verschiedene Gaben, so wie Gott sie uns in seiner Gnade zugeteilt hat. Diese Gaben sollen wir auch in der rechten Weise nutzen.

Der eine empfängt von Gott Weisungen* für die Gemeinde; was er sagt, muß dem gemeinsamen Bekenntnis entsprechen. ⁷⁻⁸ Der andere hat die Fähigkeit, der Gemeinde zu dienen, wo Hilfe gebraucht wird; ein anderer die Fähigkeit, sie im Glauben zu unterweisen oder zum Tun des Guten zu ermuntern. Jeder soll bei seiner Gabe bleiben und sie für die Gemeinde fruchtbar machen. Wer die Unterstützung für bedürftige Gemeindeglieder verteilt, muß es korrekt und unparteiisch tun. Wer Aufgaben für die Gemeinde übernimmt, darf es nicht an Eifer fehlen lassen. Wer anderen Gutes tut, soll es mit Freude tun.

Weisungen für ein Leben aus Gottes Geist

⁹ Eure Liebe muß aufrichtig sein. Verabscheut das Böse, tut mit ganzer Hingabe das Gute! ¹⁰ In der Gemeinde soll einer den anderen als Bruder herzlich lieben und ihn höher stellen als sich selbst. ¹¹ Werdet nicht nachlässig, sondern laßt euch von Gottes Geist* durchdringen und dient bereitwillig dem Herrn. ¹² Seid fröhlich in der Hoffnung, standhaft in aller Bedrängnis, unermüdlich im Gebet.

¹³ Sorgt für die Brüder und Schwestern, die es nötig haben, und wetteifert in der Gastfreundschaft.

¹⁴ Wünscht denen, die euch verfolgen, Gutes. Bittet Gott für sie, statt seine Strafe auf sie herabzurufen. ¹⁵ Freut euch mit den Fröhlichen und weint mit den Traurigen. ¹⁶ Haltet in Einigkeit zusammen. Strebt nicht nach Ehre und Ansehen, sondern wendet euch den Geringen und Unterdrückten zu. Bildet euch nichts auf eure Erkenntnisse ein.

¹⁷ Wenn euch jemand Unrecht tut, dann zahlt es ihm nicht mit gleicher Münze heim. Nehmt euch vor, allen Menschen Gutes zu erweisen. ¹⁸ Soweit es an euch liegt, tut alles, um mit jedermann in Frieden zu leben. ¹⁹ Verschafft euch nicht selbst euer Recht, liebe Freunde, sondern überlaßt das dem Strafgericht Gottes. Denn es heißt: »Ich, der Herr, habe mir die Vergeltung vorbehalten, ich selbst werde sie bestrafen.« ²⁰ Handelt nach dem Wort in den heiligen Schriften*: »Wenn dein Feind hungrig ist, dann gib ihm zu essen, und wenn er Durst hat, gib ihm zu trinken. Damit wirst du ihn beschämen.« ²¹ Laß dich vom Bösen nicht besiegen, sondern überwinde es durch das Gute.

Pflichten gegenüber dem Staat

13 Jeder soll sich der Ordnungsmacht des Staates fügen. Denn es gibt keine staatliche Gewalt, die nicht von Gott verliehen wird. ² Wer sich also gegen die staatliche Gewalt auflehnt, widersetzt sich der Anordnung Gottes und wird dafür bestraft werden.

³ Wer das Gute tut, braucht die Herrschenden nicht zu fürchten. Das müssen nur die, die Böses tun. Wenn ihr also ohne Angst vor der Staatsgewalt leben wollt, dann tut, was recht ist, und ihr werdet ihre Anerkennung finden. ⁴ Denn sie steht im Dienst Gottes, um euch beim Tun des Guten zu helfen. Wenn ihr aber Unrecht tut, müßt ihr euch vor ihr fürchten. Denn die Vollmacht zu strafen steht ihr rechtmäßig zu. Im Auftrag Gottes vollstreckt sie das Urteil an denen, die Böses tun. ⁵ Darum müßt ihr euch der Staatsgewalt unterordnen, nicht nur aus Furcht vor dem Zorn Gottes, sondern auch, weil euer Gewissen euch dazu anhält.

⁶Weil die staatliche Ordnungsmacht im Dienst des Guten steht, zahlt ihr ja auch Steuern. Die Vertreter der Staatsgewalt erfüllen einen Auftrag Gottes, indem sie ständig für die Einhaltung der Rechtsordnung sorgen. ⁷Gebt also jedem, was ihr ihm schuldig seid! Wem Steuern zustehen, dem zahlt Steuern, wem Zoll zusteht, dem zahlt Zoll. Wem Respekt zusteht, dem erweist Respekt, und wem Ehre zusteht, dem erweist Ehre.

Leben im Licht

⁸Bleibt keinem etwas schuldig – außer der Schuld, die ihr nie abtragen könnt: der Liebe, die ihr einander erweisen sollt. Wer den anderen liebt, hat den Willen Gottes erfüllt. ⁹Die Gebote »Zerstöre keine Ehe, morde nicht, beraube niemand, blicke nicht begehrlich auf das, was einem anderen gehört« – diese Gebote und alle anderen sind in dem einen Satz zusammengefaßt: »Liebe deinen Mitmenschen wie dich selbst.« ¹⁰Wer seinen Mitmenschen liebt, fügt ihm kein Unrecht zu. Den anderen lieben bedeutet also: das ganze Gesetz* Gottes erfüllen.

¹¹Macht ernst damit! Ihr wißt doch, was die Stunde geschlagen hat. Es ist Zeit für euch, aus dem Schlaf aufzuwachen! Denn der Zeitpunkt unserer endgültigen Rettung ist jetzt näher als damals, als wir zum Glauben kamen. ¹²Die Nacht geht zu Ende, bald ist es Tag. Deshalb wollen wir nicht Dinge tun, die in die Dunkelheit gehören, sondern mit den Waffen des Lichtes kämpfen. ¹³Wir wollen so leben, wie es zum hellen Tag paßt. Keine Sauf- und Freßgelage, keine sexuelle Zügellosigkeit, kein Streit und keine Eifersucht! ¹⁴Laßt Jesus Christus, den Herrn, euer ganzes Handeln bestimmen! Macht euch nicht zu Sklaven eurer Wünsche und Triebe!

Das Zusammenleben in der Gemeinde

14 Haltet Gemeinschaft mit denen, die einen schwachen Glauben haben! Streitet nicht mit ihnen, wenn ihr anderer Meinung seid! ²Der eine hat keine Bedenken, alles zu essen. Der andere hat Angst, sich zu versündigen, und ißt lieber nur Pflanzenkost*. ³Wer Fleisch ißt, soll den anderen nicht verachten, aber wer kein Fleisch ißt, soll den anderen auch nicht verurteilen; denn

Gott hat ihn ja in seine Gemeinschaft aufgenommen.
⁴Wie kommst du dazu, den Diener eines anderen zur
Rechenschaft zu ziehen? Nur sein eigener Herr kann
entscheiden, ob er sich bewährt oder nicht. Er wird sich
gewiß bewähren, weil der Herr ihm beisteht.

⁵Für den einen haben bestimmte Tage eine besondere
Bedeutung; für den anderen sind alle Tage gleich. Es
kommt nur darauf an, daß jeder nach seiner Überzeugung
handelt. ⁶Wer bestimmte Tage beachtet, tut es, um den
Herrn zu ehren. Wer alles ißt, will genauso den Herrn ehren, denn er dankt ja Gott für das, was er ißt. Und auch
wer es ablehnt, bestimmte Dinge zu essen, will den Herrn
ehren. Auch er dankt Gott dafür.

⁷Keiner von uns lebt für sich selbst. Genauso stirbt
auch keiner für sich selbst. ⁸Wenn wir leben, leben wir für
den Herrn, und wenn wir sterben, sterben wir für den
Herrn. Wir gehören dem Herrn im Leben und im Tod.
⁹Denn Christus ist gestorben und wieder lebendig geworden, um über die Lebenden und die Toten zu herrschen.

¹⁰Warum verurteilt ihr dann euren Bruder? Oder warum verachtet ihr ihn? Wir alle werden vor Gott stehen
und von ihm gerichtet werden. ¹¹In den heiligen Schriften* heißt es: »So gewiß ich, der Herr, lebe: Jeder wird
vor mir niederknien und mir die Ehre geben.« ¹²Jeder von
uns wird Gott für sein eigenes Tun Rechenschaft ablegen
müssen.

Rücksicht auf den schwachen Bruder

¹³Wir wollen daher aufhören, uns gegenseitig zu verurteilen. Wenn ihr euch im Glauben stark fühlt, dann achtet
darauf, alles zu vermeiden, was eure Brüder verwirrt oder
ihren Glauben in Gefahr bringt. ¹⁴Zwar steht für mich
unerschütterlich fest, daß es nichts gibt, durch dessen Berührung der Mensch vor Gott unrein* wird. Ich kann
mich dafür auf Jesus, den Herrn, berufen. Aber wenn
einer davon überzeugt ist, daß ihn etwas unrein macht,
dann *ist* es für ihn auch unrein.

¹⁵Wenn ihr durch euer Verhalten einen Bruder dazu
bringt, etwas zu essen, was seine Überzeugung ihm verbietet, dann lebt ihr nicht mehr in der Liebe. Christus ist
auch für diesen Bruder gestorben. Bringt ihn nicht durch

euer Essen ins Verderben! [16]Seht zu, daß niemand
schlecht redet über das, was Gott euch geschenkt hat.
[17]Denn wo Gott seine Herrschaft* aufrichtet, geht es
nicht um Essen und Trinken, sondern darum, daß man
von Gott angenommen ist, um den Frieden und um die
Freude, die der heilige Geist* schenkt. [18]Wer Christus auf
diese Weise dient, findet die Zustimmung Gottes, und die
der Menschen dazu.

[19]Wir wollen also alles daran setzen, daß wir in Frieden
miteinander leben und uns gegenseitig weiterhelfen.
[20]Zerstört nicht Gottes Werk wegen eines Nahrungsmit-
tels! Es gibt zwar keines, dessen Genuß den Menschen
vor Gott unrein macht. Aber es ist schlimm für einen
Menschen, wenn er etwas mit schlechtem Gewissen ißt.
[21]Deshalb ist es besser, kein Fleisch zu essen und keinen
Wein zu trinken und auch sonst alles zu unterlassen, was
einen Bruder zur Sünde verleiten könnte.

[22]Behaltet euren starken Glauben für euch und be-
gnügt euch damit, daß Gott ihn kennt! Es ist gut, wenn
einer seiner Glaubensüberzeugung folgt und sich dabei
nichts vorzuwerfen hat. [23]Wenn jedoch einer mit schlechtem Gewissen ißt, dann ist er schon verurteilt. Denn er
handelt nicht in Übereinstimmung mit seiner Glaubensüberzeugung. Und alles Tun, das nicht aus dem Glauben
kommt, ist Sünde.

Das Beispiel Christi

15 Also müssen wir, die einen starken Glauben haben, die Bedenken der Schwachen ernst nehmen
und dürfen unsere Stärke nicht selbstgefällig zur Schau
stellen. [2]Jeder soll vielmehr Mitgefühl für seinen Bruder
haben, damit die Gemeinde aufgebaut wird. [3]Auch Christus selbst war ja mitfühlend und nicht selbstgefällig. Es
heißt von ihm: »Die Worte, mit denen man dich, Gott, lästert, treffen mich.« [4]Was in den heiligen Schriften* steht,
wurde geschrieben, damit wir daraus lernen. Es soll uns
Mut zusprechen, damit wir standhaft bleiben und das Ziel
erreichen, auf das wir hoffen. [5]Ich bete zu Gott, der
Standfestigkeit und Mut schenkt, daß er euch allen
die gleiche Gesinnung gibt, so daß ihr dem Beispiel folgt,
das Jesus Christus gegeben hat. [6]Dann könnt ihr alle

einmütig Gott, den Vater unseres Herrn Jesus Christus, preisen.

Alle werden gemeinsam Gott preisen

⁷ Laßt einander also gelten und nehmt euch gegenseitig an, so wie Christus euch angenommen hat. Tut es wie er, um Gott zu ehren. ⁸ Denkt daran: Christus ist ein Diener der Juden geworden, um Gottes Treue zu bezeugen. Durch ihn hat Gott die Zusagen eingelöst, die er ihren Vorfahren gegeben hatte. ⁹ Die anderen Völker aber haben Gott für sein unerwartetes Erbarmen zu danken. So haben es die heiligen Schriften* vorausgesagt; denn es heißt dort: »Dafür will ich dich, Herr, preisen unter den Völkern und deinen Ruhm besingen.«

¹⁰ Weiter heißt es: »Jubelt, ihr Völker, zusammen mit Gottes erwähltem Volk!« ¹¹ Und weiter: »Preist den Herrn, alle Völker; rühmt ihn, ihr Nationen alle!« ¹² Und der Prophet Jesaja sagt: »Der Nachkomme Isais wird aufstehen, um über die Völker zu herrschen. Auf ihn werden alle Völker ihre Hoffnung setzen.«

¹³ Ich bitte Gott, der uns Hoffnung gibt, daß er euch durch euren Glauben mit Freude und Frieden erfüllt und daß eure Hoffnung durch die Kraft des heiligen Geistes* immer unerschütterlicher wird.

Warum Paulus so offen schreibt

¹⁴ Liebe Brüder! Ich bin sicher, daß ihr auch ohne meine Ermahnung das Rechte tut. Ihr kennt den Willen Gottes; darum könnt ihr euch selbst gegenseitig ermahnen. ¹⁵ Ich habe in diesem Brief zum Teil sehr offen geredet, aber ich wollte euch nur an das erinnern, was ihr schon wißt. Dazu ermächtigt mich der Auftrag, den Gott mir in seiner Gnade gegeben hat. ¹⁶ Denn er hat mich dazu berufen, daß ich Jesus Christus unter den nichtjüdischen Völkern verkünde. In meinem priesterlichen Dienst an der Guten Nachricht mühe ich mich darum, daß die Menschen dieser Völker eine Opfergabe für Gott werden, die ihm Freude macht. Durch den heiligen Geist* werden sie zu einer Gabe, die er gerne annimmt.

¹⁷ Auf das, was ich so in Verbindung mit Jesus Christus vollbracht habe, kann ich vor Gott stolz sein. ¹⁸ Menschen

aus allen Völkern haben sich Gott im Gehorsam unterstellt. Ich nehme das nicht als meine Leistung in Anspruch; Christus hat es bewirkt durch mein Reden und Tun, ¹⁹ durch erstaunliche Wunder, in denen Gottes Geist seine Macht erwies. Deshalb war es mir möglich, von Jerusalem aus im weiten Bogen bis nach Illyrien die Gute Nachricht von Christus überall hinzubringen. ²⁰ Dabei war es für mich eine Ehrensache, die Gute Nachricht nur dort zu verbreiten, wo man noch nichts von Christus gehört hatte. Ich wollte nicht auf einem Fundament aufbauen, das ein anderer gelegt hatte. ²¹ Vielmehr richtete ich mich nach dem Wort des Propheten: »Gerade die sollen ihn kennenlernen, denen noch nichts von ihm gesagt worden ist. Eben die sollen von ihm hören, die noch nie von ihm gehört haben.«

Paulus will nach Rom kommen

²² Weil ich von dieser Aufgabe ganz ausgefüllt war, fand ich bisher noch keine Gelegenheit, zu euch zu kommen. ²³ Aber jetzt gibt es in diesem Gebiet für mich nichts mehr zu tun. Es ist schon lange mein Wunsch, euch zu besuchen, ²⁴ wenn ich nach Spanien reise. So hoffe ich nun, daß ich euch auf dem Weg dorthin sehen kann. Ihr könntet mich für die Weiterreise mit allem Nötigen ausstatten. Doch vorher möchte ich mit euch zusammensein und mich dadurch stärken.

²⁵ Zunächst gehe ich jetzt nach Jerusalem, um der Gemeinde dort eine Unterstützung zu bringen. ²⁶ Die Christen in Mazedonien und Achaia haben beschlossen, für die Armen der Gemeinde in Jerusalem eine Spende zu sammeln. ²⁷ Sie stehen ja auch in deren Schuld. Die Christen in Jerusalem haben ihre geistlichen Gaben mit den anderen Völkern geteilt; dafür müssen die anderen Völker ihnen mit irdischen Gaben aushelfen. ²⁸ Wenn ich diese Aufgabe erfüllt und ihnen die Spende gewissenhaft ausgehändigt habe, möchte ich über Rom nach Spanien reisen. ²⁹ Ich weiß, daß ich den vollen Segen Christi mitbringe, wenn ich zu euch komme.

³⁰ Brüder, im Namen unseres Herrn Jesus Christus und bei der Liebe, die der heilige Geist* gibt, bitte ich euch inständig: Betet für mich zu Gott! Bittet ihn mit mir zusammen, ³¹ daß ich vor den Nachstellungen der Ungläubigen

in Judäa gerettet werde und daß mein Dienst für Jerusalem von den Christen dort gut aufgenommen wird. [32] Dann kann ich voll Freude zu euch kommen und mich in eurer Gemeinschaft stärken, wenn Gott es will.

[33] Gott schenke euch allen seinen Frieden! Amen.

Persönliche Grüße

16 Ich empfehle euch unsere Schwester Phöbe, die der Gemeinde in Kenchreä dient. [2] Nehmt sie im Namen des Herrn auf und begegnet ihr so, wie es unter Christen selbstverständlich ist. Gebt ihr jede Hilfe, die sie braucht. Sie selbst hat vielen Menschen geholfen, auch mir.

[3] Grüßt das Ehepaar Aquila und Priska, meine Mitarbeiter im Dienst für Jesus Christus. [4] Sie haben ihr Leben für mich aufs Spiel gesetzt. Nicht nur ich schulde ihnen dafür Dank, sondern auch alle Gemeinden in der nichtjüdischen Welt. [5] Grüßt auch die Gemeinde in ihrem Haus.

Grüßt meinen lieben Freund Epänetus. Er war der erste aus der Provinz Asien*, der zum Glauben kam. [6] Grüßt Maria, die so viel für euch getan hat. [7] Grüßt meine jüdischen Landsleute Andronikus und Junias, die mit mir gefangen waren. Sie nehmen unter den Aposteln* einen hervorragenden Platz ein und waren schon vor mir Christen geworden.

[8] Grüßt mir Ampliatus, mit dem ich durch den Herrn in Freundschaft verbunden bin. [9] Grüßt Urbanus, unseren Mitarbeiter im Dienst für Christus, und meinen lieben Freund Stachys. [10] Grüßt Apelles, dessen Treue zu Christus erprobt ist. Grüßt die Leute im Haus von Aristobul. [11] Grüßt meinen Landsmann Herodion und die Brüder im Haus von Narzissus. [12] Grüßt auch Tryphäna und Tryphosa, die im Dienst des Herrn stehen; und grüßt die liebe Persis, die sich im Dienst des Herrn unermüdlich eingesetzt hat. [13] Grüßt Rufus, den der Herr erwählt hat, und seine Mutter, die auch an mir wie eine Mutter gehandelt hat. [14] Grüßt Asynkritus, Phlegon, Hermes, Patrobas, Hermas und alle Brüder bei ihnen. [15] Grüßt Philologus und Julia, Nereus und seine Schwester, Olympas und alle aus der Gemeinde Gottes, die bei ihnen sind.

[16] Grüßt euch gegenseitig mit dem Bruderkuß*. Alle christlichen Gemeinden lassen euch grüßen.

Letzte Anweisungen

[17] Ich bitte euch sehr, meine Brüder: Nehmt euch in acht vor denen, die Spaltungen hervorrufen und die Gemeinde im Glauben verwirren! Was sie tun und lehren, widerspricht dem, was ihr gelernt habt. Geht ihnen aus dem Weg! [18] Solche Menschen dienen nicht Christus, unserem Herrn, sondern ihrem Bauch. Mit schmeichelnden Worten und eingängigen Reden führen sie arglose Menschen in die Irre.

[19] Überall hat man davon gehört, daß ihr euch im Gehorsam Gott unterstellt habt. Darum bin ich glücklich über euch. Nun möchte ich, daß ihr immer vertrauter werdet mit dem Guten und euch von allem Bösen rein haltet. [20] Es dauert nicht mehr lange, bis Gott, der uns Frieden schenkt, euch den endgültigen Sieg über den Satan geben wird.

Jesus Christus, unser Herr, schenke euch seine Gnade!

[21] Mein Mitarbeiter Timotheus läßt euch grüßen, ebenso grüßen euch meine Landsleute Luzius, Jason und Sosipater. [22] Ich, Tertius, habe diesen Brief geschrieben und grüße euch als einer, der mit euch durch den Herrn verbunden ist. [23] Mein Gastgeber Gaius, in dessen Haus sich die ganze Gemeinde trifft, grüßt euch. Es grüßen Erastus, der Stadtkämmerer, und unser Bruder Quartus.

Abschließendes Lobgebet °

[25] Laßt uns Gott danken! Denn er kann euch im Glauben standhaft machen. Das geschieht durch die Gute Nachricht, die ich weitergebe. Sie ist die Botschaft von Jesus Christus und enthüllt das Geheimnis, das seit uralter Zeit verborgen war, [26] jetzt aber ans Licht gekommen ist. Die Schriften der Propheten bezeugen es, und auf Befehl des ewigen Gottes ist es nun allen Völkern bekanntgemacht worden, damit sie die Gute Nachricht annehmen und sich Gott im Gehorsam unterstellen.

[27] Der Gott, der allein weise ist und den wir durch Jesus Christus kennen, sei für immer und ewig gepriesen! Amen.

DER ERSTE BRIEF DES APOSTELS PAULUS AN DIE GEMEINDE IN KORINTH

Eingangsgruß

1 Paulus, den Gott zum Apostel* Jesu Christi berufen hat, und der Bruder Sosthenes schreiben diesen Brief ²an die Gemeinde Gottes in Korinth. Wir grüßen dort alle, die durch die Verbindung mit Jesus Christus für Gott ausgesondert und zu Gottes Volk berufen sind. Darüber hinaus gilt unser Brief allen, die sich zu Jesus Christus, unserem gemeinsamen Herrn, bekennen, wo sie auch sind:

³Wir bitten Gott, unseren Vater, und Jesus Christus, den Herrn, euch Gnade und Frieden zu schenken!

Dank für Gottes Geschenk

⁴Ich danke meinem Gott ständig für euch, denn er hat euch durch Jesus Christus seine Liebe erwiesen. ⁵Das zeigt sich daran, daß ihr reich geworden seid in allem, was die Gemeinschaft mit Jesus Christus schenkt, in jeder Art von Verkündigung und Erkenntnis. ⁶Weil die Botschaft von Christus zum festen Grund eures Glaubens geworden ist, ⁷fehlt euch keine von den Gaben, die der Geist* Gottes schenkt. Und so wartet ihr voll Zuversicht darauf, daß Jesus Christus, unser Herr, sich in seiner Herrlichkeit zeigt. ⁸Er wird euch auch helfen, bis zum Ende fest auf diesem Grund zu stehen, so daß euch an seinem Gerichtstag niemand anklagen kann. ⁹Gott selbst hat euch dazu berufen, für immer mit seinem Sohn* Jesus Christus, unserem Herrn, verbunden zu sein, und Gott steht zu seinem Wort.

Spaltungen in der Gemeinde

¹⁰Brüder, im Namen Jesu Christi, unseres Herrn, rufe ich euch auf: Seid einig! Bildet keine Gruppen, die sich gegenseitig bekämpfen! Haltet in gleicher Gesinnung und Überzeugung zusammen! ¹¹Durch Leute aus dem Haus unserer Schwester Chloë habe ich erfahren, liebe Brüder, daß es unter euch Streitigkeiten gibt. ¹²Ihr wißt, was ich

meine. Der eine sagt: »Ich gehöre zu Paulus!« Der andere:
»Ich zu Apollos!« Der dritte: »Ich zu Petrus!« Und wieder
ein anderer: »Ich zu Christus!« ¹³ Christus läßt sich doch
nicht zerteilen! Ist vielleicht Paulus für euch am Kreuz gestorben? Oder wurdet ihr auf seinen Namen* getauft?
¹⁴ Ich danke Gott, daß ich außer Krispus und Gaius niemand von euch getauft habe, ¹⁵ sonst würdet ihr am Ende
noch sagen, daß *ich* durch die Taufe zu eurem Herrn geworden sei! ¹⁶ Doch, ich habe auch noch Stephanas und
seine Familie getauft. Aber sonst weiß ich wirklich keinen
mehr, den ich getauft hätte.

Die Botschaft vom Kreuz

¹⁷ Christus hat mich nicht beauftragt zu taufen, sondern
die Gute Nachricht zu verkünden. Wenn ich aber die Gute Nachricht mit Worten tiefsinniger Weisheit darstelle,
dann nehme ich dem Tod, den Christus gestorben ist, seinen ganzen Sinn. ¹⁸ Denn es kann nicht anders sein: Für
die, die verlorengehen, muß die Botschaft vom Kreuzestod als barer Unsinn erscheinen. Wir aber, die gerettet
werden, erfahren darin Gottes Macht. ¹⁹ Gott hat gesagt:
»Ich will die Weisheit der Weisen zunichte machen und
die Klugheit der Klugen verwerfen.«
²⁰ Wo bleiben da die Weisen? Wo die Kenner der heiligen Schriften*? Wo die gewandten Diskussionsredner?
Was für diese Welt* als göttliche Weisheit gilt, das hat
Gott als reinen Unsinn erwiesen. ²¹ Denn obwohl Gottes
Weisheit sich in der ganzen Schöpfung zeigt, haben die
Menschen mit ihrer eigenen Weisheit Gott nicht erkannt.
Darum beschloß er, durch die Botschaft vom Kreuzestod,
die der menschlichen Weisheit als Unsinn erscheint, alle
zu retten, die diese Botschaft annehmen.
²² Die Juden verlangen Wunder, die Griechen Erkenntnis. ²³ Wir aber verkünden, daß Christus, der Gekreuzigte,
der Retter* ist. Für die Juden ist das eine Gotteslästerung,
für die Griechen barer Unsinn. ²⁴ Aber alle, die berufen
sind, Juden wie Nichtjuden, erfahren in Christus Gottes
Macht und erkennen in ihm Gottes Weisheit. ²⁵ Gott
handelt gegen alle Vernunft – und ist doch weiser als alle
Menschen. Gott zeigt sich schwach – und ist doch stärker
als alle Menschen.

Wie Gott handelt

²⁶ Schaut doch euch selbst an, Brüder! Wen hat Gott denn da berufen? Kaum einer von euch ist ein gebildeter oder mächtiger oder angesehener Mann. ²⁷ Gott hat sich vielmehr die Einfältigen und Machtlosen ausgesucht, um die Klugen und Mächtigen zu demütigen. ²⁸ Er hat sich die Geringen und Verachteten ausgesucht, die nichts gelten, denn er wollte die zu nichts machen, die vor den Menschen etwas sind. ²⁹ Niemand soll vor Gott mit irgend etwas auftrumpfen können.

³⁰ Euch aber hat Gott zur Gemeinschaft mit Jesus Christus berufen. Der ist unsere Weisheit, die von Gott kommt. Durch ihn können wir vor Gott bestehen. Durch ihn hat Gott uns zu seinem Volk gemacht und von unserer Schuld befreit. ³¹ Es sollte so sein, wie es in den heiligen Schriften* steht: »Wer auf etwas stolz sein will, soll stolz sein auf das, was der Herr getan hat.«

Paulus erinnert an sein erstes Auftreten

2 Brüder, als ich zum erstenmal bei euch war und euch Gottes geheimnisvolle Wahrheit verkündete, tat ich dies ja auch nicht mit großartigen und tiefsinnigen Reden. ² Ich hatte mir vorgenommen, euch nichts anderes zu bringen als Jesus Christus, und zwar Jesus Christus, den Gekreuzigten. ³ Als schwacher Mensch trat ich vor euch und war voll Angst und Sorge. ⁴ Mein Wort und meine Botschaft wirkten nicht durch Redekunst und Gedankenreichtum, sondern weil Gottes Geist* darin seine Kraft erwies. ⁵ Euer Glaube sollte sich nicht auf Menschenweisheit gründen, sondern auf Gottes Macht.

Der Geist kennt Gottes geheime Gedanken

⁶ Weisheit bringe auch ich – für alle, die reif genug sind. Aber ich bringe ihnen nichts, was für diese Welt* als Weisheit gilt und für ihre Machthaber,° deren Macht vergeht. ⁷ Vielmehr bringe ich Gottes geheimnisvolle Weisheit. Schon bevor Gott die Welt schuf, faßte er den Plan, uns an seiner Herrlichkeit Anteil zu geben. Aber er hielt diesen Plan verborgen. ⁸ Keiner von den Beherrschern dieser Welt erfuhr etwas davon. Sonst hätten sie den Herrn,

der Gottes Herrlichkeit teilt, nicht ans Kreuz gebracht.
⁹ Es heißt ja: »Was keiner jemals gesehen oder gehört hat,
was keiner jemals für möglich gehalten hat, das hält Gott
für die bereit, die ihn lieben.«

¹⁰ Uns aber hat Gott sein Geheimnis bekanntgemacht.
Sein Geist*, den er uns gab, hat es uns enthüllt. Denn die-
ser Geist erforscht alles, auch die geheimsten Gedanken
Gottes. ¹¹ Wie die Gedanken eines Menschen nur seinem
eigenen Geist bekannt sind, so weiß auch nur der Geist
Gottes, was in Gott vorgeht. ¹² Wir haben aber nicht den
Geist dieser Welt erhalten, sondern den Geist, der von
Gott kommt. Darum wissen wir, was Gott für uns getan
hat.

¹³ Davon reden wir nicht in Worten, wie sie menschliche
Weisheit lehrt, sondern in Worten, die der Geist Gottes
eingibt. Von dem, was Gott tut, reden wir so, wie sein
Geist es uns lehrt. ¹⁴ Ein Mensch, der nur über seine natürlichen Fähigkeiten verfügt, lehnt ab, was der Geist
Gottes enthüllt. Es kommt ihm unsinnig vor. Er kann
nichts damit anfangen, weil man es nur mit Hilfe des Geistes beurteilen kann. ¹⁵ Wer dagegen den Geist hat, kann
über alles urteilen, und ihn selbst kann kein anderer beurteilen. ¹⁶ Es heißt ja: »Wer kennt den Geist des Herrn?
Wer will sich herausnehmen, ihn zu belehren?« Und wir
haben diesen Geist!

Alle arbeiten an demselben Werk

3 Zu euch, Brüder, konnte ich bisher nicht reden wie zu
Menschen, die vom Geist* bestimmt sind. Ich mußte
euch behandeln wie Menschen, die von ihrer selbstsüchtigen Natur bestimmt werden und im Glauben noch Kinder
sind. ² Darum gab ich euch Milch, keine feste Nahrung,
weil ihr die noch nicht vertragen konntet. Auch jetzt
könnt ihr das noch nicht; ³ denn ihr steht immer noch im
Bann eurer selbstsüchtigen Natur. Ihr rivalisiert miteinander und streitet euch. Das beweist doch, daß ihr nicht aus
dem Geist Gottes lebt, sondern so handelt wie alle anderen Menschen auch! ⁴ Wenn der eine sagt: »Ich gehöre
zu Paulus« und der andere: »Ich zu Apollos« – handelt
ihr da nicht wie Menschen, die nichts von Gottes Geist
wissen?

⁵ Wer ist schon Apollos? Oder wer ist Paulus? Sie sind Gottes Helfer, durch die ihr zum Glauben gekommen seid. Jedem von uns beiden hat Gott seine besondere Aufgabe gegeben. ⁶ Ich habe gepflanzt, Apollos hat begossen; aber Gott hat es wachsen lassen. ⁷ Es zählt also nicht, wer pflanzt oder wer begießt; es kommt alles auf Gott an, der es wachsen läßt. ⁸ Beide arbeiten an demselben Werk: der, der pflanzt, und der, der begießt; doch wird Gott jeden nach seinem persönlichen Einsatz belohnen.

Gott fordert Rechenschaft

⁹ Wir sind also Gottes Mitarbeiter, ihr aber seid Gottes Feld. Oder mit einem anderen Bild: Ihr seid Gottes Bau. ¹⁰ Nach dem Auftrag, den mir Gott in seiner Gnade gegeben hat, habe ich wie ein umsichtiger Bauleiter das Fundament gelegt. Andere bauen nun darauf weiter. Aber jeder soll sehen, wie er weiterbaut! ¹¹ Das Fundament ist gelegt: Jesus Christus. Niemand kann ein anderes legen. ¹²⁻¹³ Es wird auch nicht verborgen bleiben, was einer darauf baut. Der Tag des Gerichts wird ans Licht bringen, ob es Gold ist oder Silber, kostbare Steine, Holz, Stroh oder Schilf. An diesem Tag wird die Arbeit eines jeden im Feuer auf ihren Wert geprüft. ¹⁴ Wenn das, was einer gebaut hat, die Feuerprobe besteht, wird er belohnt. ¹⁵ Wenn es aber verbrennt, wird er bestraft. Er selbst wird zwar gerettet, aber so wie einer, der gerade noch aus dem Feuer herausgeholt wird.

¹⁶ Wißt ihr nicht, daß ihr als Gemeinde der Tempel Gottes seid und daß der Geist* Gottes in euch wohnt? ¹⁷ Wer den Tempel Gottes zugrunde richtet, den wird Gott auch zugrunde richten. Denn der Tempel Gottes ist heilig, und dieser Tempel seid ihr.

Kein Grund zur Verherrlichung von Menschen

¹⁸ Niemand soll sich etwas vormachen: Wenn sich einer von euch nach den Maßstäben dieser Welt* für weise hält, dann muß er erst einmal sein ganzes Wissen aufgeben, um wirklich weise zu werden. ¹⁹ Was die Menschen für Tiefsinn halten, ist in den Augen Gottes Unsinn. In den heiligen Schriften* heißt es: »Gott fängt die Klugen im Netz ihrer eigenen Schlauheit.« ²⁰ Und es heißt auch: »Der

Herr kennt die Gedanken der Weisen und weiß, wie sinnlos sie sind.«

[21] Darum soll sich keiner etwas auf einen Menschen ein-
bilden und mit seinem Lehrer prahlen. Euch gehört doch
alles, [22] ob es nun Paulus ist oder Apollos oder Petrus;
euch gehört die ganze Welt, das Leben und der Tod, die
Gegenwart und die Zukunft. Alles gehört euch, [23] ihr aber
gehört Christus, und Christus gehört Gott.

Wem das Urteil über Paulus zusteht

4 Ihr seht also, wie man von uns denken muß. Wir sind
Menschen, die Christus in seinen Dienst gestellt hat,
um Gottes Geheimnisse zu verwalten. [2] Von einem Verwalter verlangt man, daß er zuverlässig ist. [3] Ob ich das
bin, könnt ihr nicht beurteilen. Das kann kein menschliches Gericht. Auch ich selbst maße mir kein Urteil darüber an. [4] Zwar ist mein Gewissen rein, aber damit bin ich
noch nicht freigesprochen. Mein Richter ist der Herr.
[5] Urteilt also nicht voreilig, bevor der Herr kommt, der das
Verborgene ans Licht bringen und die geheimsten Gedanken enthüllen wird. Dann wird jeder von Gott das Lob erhalten, das er verdient.

Das Beispiel des Apostels

[6] Brüder, ich habe von Apollos und mir gesprochen. An
unserem Beispiel wollte ich euch zeigen, was der Grundsatz bedeutet: »Nicht über das hinausgehen, was geschrieben steht!« Keiner soll sich wichtig machen und seinen
Lehrer gegen den eines anderen ausspielen. [7] Wer gibt dir
denn das Recht, dir etwas einzubilden? Kommt nicht alles, was du hast, von Gott? Wie kannst du dann damit auftrumpfen, als hättest du es von dir selbst?

[8] Aber ihr seid ja schon satt. Ihr seid ja schon reich. Ihr
seid schon am Ziel – ohne mich. Wenn ihr nur schon dort
wärt, dann wäre auch ich mit dabei! [9] Aber es sieht so aus,
als hätte Gott uns Aposteln* den allerletzten Platz angewiesen. Wir stehen da wie Verbrecher, die zum Tod in der
Arena verurteilt sind. Ein Schauspiel sind wir für die ganze Welt, für Engel und Menschen. [10] Wir sind um Christi
willen unwissend, aber ihr seid durch Christus klug. Wir
sind schwach, aber ihr seid stark. Wir sind verachtet, aber

ihr seid geehrt. ¹¹Bis zu diesem Augenblick leiden wir
Hunger und Durst, wir gehen in Lumpen und werden geschlagen, heimatlos ziehen wir von Ort zu Ort. ¹²Wir arbeiten hart für unseren Unterhalt. Wir segnen, wenn man
uns verflucht; wir ertragen es, wenn man uns verfolgt;
¹³wenn man uns beschimpft, antworten wir mit freundlichen Worten. Es ist, als müßten wir den Schmutz der ganzen Welt auf uns nehmen. Wir sind der Auswurf der
Menschheit – bis zu dieser Stunde!

¹⁴Ich sage das nicht, um euch zu beschämen. Ich möchte euch nur auf den rechten Weg bringen. Ihr seid doch
meine geliebten Kinder! ¹⁵Selbst wenn ihr als Christen
Tausende von Erziehern hättet, ihr habt doch nur einen
Vater. Als ich euch die Gute Nachricht brachte, bin ich
für das Leben, das ihr durch Jesus Christus habt, euer
Vater geworden. ¹⁶Darum bitte ich euch: Folgt meinem
Beispiel! ¹⁷Weil mir daran liegt, habe ich Timotheus zu
euch geschickt. Als Christ ist er mein geliebter Sohn, und
ich kann mich auf ihn verlassen. Er wird euch daran erinnern, wie ich selbst lebe und welche Weisungen ich euch
für euer Leben in Verbindung mit Jesus Christus gegeben
habe. Es sind dieselben, die ich überall den Gemeinden
einpräge.

¹⁸Einige von euch machen sich wichtig und sagen: »Er
selbst traut sich ja nicht her!« ¹⁹Aber ich werde in kürze-
ster Zeit zu euch kommen, wenn der Herr es zuläßt. Dann
werde ich sehen, was hinter den Worten dieser Wichtig-
tuer steckt. ²⁰Denn wo Gott seine Herrschaft* aufrichtet,
geschieht das nicht in Worten, sondern im Erweis seiner
Macht. ²¹Was ist euch lieber? Soll ich mit dem Stock zu
euch kommen oder mit Liebe und Nachsicht?

Ein beschämender Fall

5 Eines vor allem muß ich euch sagen: Ich höre, daß bei
euch ein unglaublicher Fall von Unzucht vorliegt.
Nicht einmal unter den Völkern, die das Gesetz* Gottes
nicht kennen, ist es erlaubt, daß einer mit seiner Stiefmut-
ter zusammenlebt! ²Und ihr bildet euch auf diesen Beweis von ›Freiheit‹ auch noch etwas ein! Ihr solltet vielmehr erschüttert und traurig sein und diesen Menschen
aus eurer Gemeinschaft ausstoßen. ³⁻⁴Ich selbst jedenfalls

habe schon gehandelt. Ich bin zwar körperlich weit entfernt, aber im Geist bin ich bei euch und habe in Übereinstimmung mit Jesus, dem Herrn, mein Urteil gefällt. Es lautet: Wenn ihr zusammenkommt und ich mit der Kraft unseres Herrn Jesus im Geist bei euch bin, ⁵müßt ihr diesen Menschen dem Satan übergeben. Der soll die verdiente Strafe an ihm vollziehen und ihn töten, damit dieser Mann, der einmal den Geist* empfangen hatte, am Gerichtstag des Herrn doch noch gerettet wird.

⁶Ihr habt wahrhaftig keinen Grund, groß aufzutrumpfen. Ihr wißt, daß ein klein wenig Sauerteig* genügt, um den ganzen Teig sauer zu machen. ⁷Reinigt euch also! Entfernt den alten Sauerteig, damit ihr ein frischer, ungesäuerter Teig werdet! Und das seid ihr doch, seit Christus als unser Passalamm* geopfert wurde. ⁸Laßt uns darum auch entsprechend feiern: nicht mit Brot aus dem alten Sauerteig der Sünde und Schlechtigkeit, sondern mit dem ungesäuerten Brot der Reinheit und Wahrheit.

⁹In meinem früheren Brief habe ich euch geschrieben, ihr sollt nichts mit Menschen zu tun haben, die Unzucht treiben. ¹⁰Natürlich dachte ich dabei nicht an Leute, die außerhalb der Gemeinde stehen, genauso wenig, wenn ich von Geldgierigen, Räubern und Götzenanbetern sprach. Sonst müßtet ihr ja diese Welt* überhaupt verlassen. ¹¹Ich schreibe euch darum jetzt ausdrücklich: Ihr sollt mit keinem Umgang haben, der sich Bruder nennt und trotzdem Unzucht treibt oder am Geld hängt oder Götzen verehrt, der ein Verleumder, Trinker oder Räuber ist. Mit solch einem sollt ihr auch nicht zusammen essen. ¹²⁻¹³Über die Außenstehenden zu Gericht zu sitzen, ist nicht meine Aufgabe; das wird Gott selbst tun. Eure Aufgabe aber ist es, die eigenen Leute zur Rechenschaft zu ziehen. Es heißt doch in den heiligen Schriften*: »Ihr müßt die Bösen aus eurer Mitte entfernen!«

Gerichtsverfahren gegen Brüder

6 Wenn einer von euch mit einem Mitchristen Streit hat, wie kann er da vor ungläubige Richter gehen, anstatt die Gemeinde entscheiden zu lassen? ²Ihr wißt doch, daß das Volk Gottes einst die Menschheit richten wird. Und da seid ihr nicht fähig, über Kleinigkeiten zu urteilen? ³Wißt ihr nicht, daß uns sogar das Urteil über Engel zusteht? Dann doch erst recht über Streitigkeiten des täglichen Lebens! ⁴Und ihr laßt solche Fragen von Leuten entscheiden, auf die ihr herabseht! ⁵Ich sage dies, damit ihr euch schämt. Hat unter euch keiner soviel Verstand, daß er einen Streit zwischen Brüdern schlichten kann? ⁶Muß wirklich ein Bruder gegen den anderen prozessieren, und das auch noch vor Ungläubigen?

⁷Es ist schon schlimm genug, daß ihr überhaupt Prozesse gegeneinander führt. Warum laßt ihr euch nicht lieber Unrecht tun? Warum laßt ihr euch nicht lieber übervorteilen? ⁸Statt dessen tut ihr selbst Unrecht und übervorteilt andere, und das unter Brüdern!

⁹Denkt daran: für Menschen, die Unrecht tun, hat Gott keinen Platz in seiner neuen Welt. Macht euch nichts vor! Menschen, die Unzucht treiben oder Götzen anbeten, die die Ehe brechen oder mit Partnern aus dem eigenen Geschlecht verkehren, ¹⁰Diebe, Wucherer, Trinker, Verleumder und Räuber werden nicht in Gottes neue Welt kommen. ¹¹Solche gab es früher auch unter euch. Aber jetzt seid ihr reingewaschen, ihr seid Gottes heiliges Volk geworden und könnt vor seinem Urteil bestehen. Denn ihr seid mit Jesus Christus, dem Herrn, verbunden und habt den Geist* unseres Gottes erhalten.

Der ganze Mensch gehört Gott

¹²Ihr wendet ein: »Mir ist alles erlaubt!« Mag sein, aber nicht alles ist gut für euch. Alles ist mir erlaubt; aber das darf nicht dazu führen, daß ich meine Freiheit an irgend etwas verliere. ¹³Man kann sagen: »Die Nahrung ist für den Magen und der Magen für die Nahrung.« Gott wird ja doch allen beiden ein Ende machen. Aber unser Körper ist deshalb noch lange nicht für die Unzucht da, sondern für den Herrn, der auch der Herr über unseren Körper ist. ¹⁴Denn so wie Gott Christus, den Herrn, vom Tod erweckt hat, so wird seine Macht auch uns zum neuen Leben erwecken.

¹⁵Wißt ihr nicht, daß euer Körper ein Teil vom Leib* Christi ist? Kann ich ihn da einfach mit dem Leib einer Hure verbinden? Das darf nicht sein! ¹⁶Ihr müßt doch wissen, daß einer, der sich mit einer Hure einläßt, mit ihr

ein Leib geworden ist. In den heiligen Schriften* heißt es ja: »Die zwei sind dann ein Leib.« [17] Aber wer sich mit dem Herrn verbindet, ist mit ihm *ein Geist.*

[18] Hütet euch um jeden Preis vor der Unzucht! Alle anderen Sünden, die ein Mensch begehen kann, betreffen nicht seinen Körper. Wer aber Unzucht treibt, vergeht sich an seinem eigenen Körper. [19] Wißt ihr denn nicht, daß euer Körper der Tempel des heiligen Geistes* ist? Gott hat euch seinen Geist gegeben, der jetzt in euch wohnt. Darum gehört ihr nicht mehr euch selbst. [20] Gott hat euch als sein Eigentum erworben. Macht ihm also Ehre durch die Art, wie ihr mit eurem Körper umgeht!

Wie steht es mit der Ehe?

7 Nun aber zu dem, was ihr geschrieben habt! Ihr sagt: »Das beste ist es, wenn ein Mann überhaupt keine Frau berührt.« [2] Ich dagegen sage: Damit ihr nicht der Unzucht verfallt, sollte jeder Mann seine Ehefrau haben und jede Frau ihren Ehemann. [3] Der Mann soll seine Frau nicht vernachlässigen, und die Frau soll sich ihrem Mann nicht versagen. [4] Die Frau verfügt nicht über ihren Körper, sondern der Mann; ebenso verfügt der Mann nicht über seinen Körper, sondern die Frau. [5] Keiner soll sich dem anderen entziehen – höchstens wenn ihr euch einig werdet, eine Zeitlang auf den ehelichen Verkehr zu verzichten, um euch dem Gebet zu widmen. Aber danach sollt ihr wieder zusammenkommen; sonst verführt euch der Satan, weil der Trieb in euch zu mächtig ist. [6] Das ist keine bindende Vorschrift, sondern ein Zugeständnis. [7] Viel lieber wäre es mir, wenn alle ehelos lebten wie ich. Aber Gott gab jedem seine besondere Gabe, dem einen diese, dem anderen jene.

[8] Den Unverheirateten und Verwitweten sage ich: Es ist am besten, wenn sie meinem Vorbild folgen und allein bleiben. [9] Aber wenn ihnen das zu schwer fällt, sollen sie heiraten. Das ist besser, als wenn sie von unbefriedigtem Verlangen verzehrt werden.

[10] Für die Verheirateten aber habe ich eine verbindliche Vorschrift. Sie stammt nicht von mir, sondern von Christus, dem Herrn: Eine Frau darf sich nicht von ihrem Mann trennen. [11] Hat sie sich von ihm getrennt, so muß

sie unverheiratet bleiben oder sich wieder mit ihrem Mann aussöhnen. Ebensowenig darf ein Mann seine Frau fortschicken.

[12] Was ich nun noch sage, ist nicht eine Anweisung des Herrn, sondern meine eigene Meinung. Wenn ein Christ eine ungläubige Frau hat, die weiterhin bei ihm bleiben will, soll er sich nicht von ihr trennen. [13] Dasselbe gilt für eine Christin, die einen ungläubigen Mann hat. [14] Sie wird durch die Ehe mit ihm nicht befleckt, denn der ungläubige Mann wird durch die Verbindung mit ihr rein. Das entsprechende gilt für einen christlichen Mann mit einer ungläubigen Frau. Sonst müßtet ihr auch eure Kinder als unrein betrachten, aber in Wirklichkeit sind sie doch rein. [15] Wenn aber der ungläubige Teil auf der Trennung besteht, dann gebt ihn frei. In diesem Fall ist der christliche Teil, Mann oder Frau, nicht an die Ehe gebunden. Gott hat euch zu einem Leben im Frieden berufen. [16] Weißt du denn, Frau, ob du deinen Mann retten kannst? Oder weißt du, Mann, ob du deine Frau retten kannst?

Jeder bleibe an seinem Platz

[17] Im übrigen soll jeder sich nach dem Maß richten, das der Herr ihm zugeteilt hat; das will sagen: Er bleibe an dem Platz, an dem er war, als Gott ihn berief. Diese Anweisung gebe ich in allen Gemeinden.

[18] Wenn einer beschnitten war, als er berufen wurde, soll er nicht versuchen, die Beschneidung* rückgängig zu machen. Wenn er unbeschnitten war, soll er sich nicht beschneiden lassen. [19] Es ist vor Gott völlig gleichgültig, ob einer beschnitten ist oder nicht. Es kommt nur darauf an, daß er nach Gottes Geboten lebt.

[20] Jeder diene Gott an dem Platz, an dem sein Ruf ihn erreicht hat. [21] Warst du ein Sklave*, als Gott dich zum Glauben rief, so mach dir nichts daraus; doch wenn sich dir die Gelegenheit bietet freizuwerden, dann nutze sie um so mehr dazu, dem Herrn zu dienen. [22] Ein Sklave, der zur Gemeinde des Herrn berufen ist, ist schon frei, weil er dem Herrn gehört. Umgekehrt hat Christus den, der als freier Mann berufen wurde, zu seinem Sklaven gemacht. [23] Christus hat dafür bezahlt, daß ihr jetzt ihm gehört.

Darum macht euch nicht zu Sklaven menschlicher Maßstäbe!

²⁴ Jeder von euch, Brüder, soll an dem Platz bleiben, an
dem er war, als Gott ihn rief, und er soll diesen Platz so
ausfüllen, wie es Gott gefällt.

Bereit für den Herrn

²⁵ Wie sollen sich nun aber die Unverheirateten verhalten?
Ich habe dafür keine Anweisung des Herrn, doch sage ich
euch meine Meinung als einer, den der Herr in seinem Erbarmen zu seinem Beauftragten gemacht hat, dem man
vertrauen kann.

²⁶ Ich meine also, daß es in der gegenwärtigen Notzeit
das beste ist, wenn jemand unverheiratet bleibt. ²⁷ Wenn
du eine Frau hast, dann versuche nicht, dich von ihr zu
trennen. Aber wenn du keine hast, so bemühe dich auch
nicht darum, eine zu finden. ²⁸ Wenn du trotzdem heira-
test, ist das keine Sünde, auch für das Mädchen nicht. Ich
möchte euch nur die Belastungen ersparen, die auf die
Eheleute warten. ²⁹ Denn das müßt ihr wissen, Brüder:
Die Tage dieser Welt* sind gezählt. Darum gilt für die
Zeit, die uns noch bleibt: Wer verheiratet ist, soll innerlich so frei sein, als wäre er unverheiratet. ³⁰ Wer traurig
ist, lasse sich nicht von seiner Trauer gefangennehmen,
und wer fröhlich ist, nicht von seiner Freude. Kauft ein,
als ob ihr das Gekaufte nicht behalten würdet, ³¹ und geht
euren Beschäftigungen so nach, daß ihr nicht darin aufgeht. Denn die gegenwärtige Welt wird nicht mehr lange
bestehen.

³² Ich möchte, daß ihr frei von unnötigen Sorgen seid.
Wenn einer unverheiratet ist, bemüht er sich, zu leben,
wie es dem Herrn gefällt. ³³ Aber wenn einer verheiratet
ist, sorgt er sich um andere Dinge; denn er möchte tun,
was seiner Frau gefällt. ³⁴ So zieht es ihn nach beiden Seiten. Ebenso ist es mit der Frau. Wenn sie unverheiratet
ist, ist sie darum besorgt, daß ihr Tun und ihre Gedanken
dem Herrn gefallen. Wenn sie dagegen verheiratet ist, hat
sie andere Sorgen; denn sie möchte tun, was ihrem Mann
gefällt.

³⁵ Ich sage das nicht, um euch zu bevormunden, sondern

weil ich euch helfen will. Denn ich möchte, daß ihr so leben könnt, wie es dem Herrn gefällt, und ganz für ihn da seid.

[36] Wenn nun einer meint, er begehe ein Unrecht an seiner Braut, wenn er sie nicht heiratet, und wenn sein Verlangen nach ihr zu stark ist, dann sollen die beiden ruhig heiraten. Es ist keine Sünde. [37] Wer aber innerlich so fest ist, daß er nicht vom Verlangen bedrängt wird und sich ganz in der Gewalt hat, der soll sich nicht von dem Entschluß abbringen lassen, seine Braut nicht zu berühren. [38] Wer seine Braut heiratet, handelt gut; aber wer sie nicht heiratet, handelt noch besser.

[39] Eine Frau ist gebunden, solange ihr Mann lebt. Wenn er stirbt, ist sie frei, und sie kann heiraten, wen sie will. Nur soll sie einen christlichen Mann wählen. [40] Sie wird jedoch glücklicher sein, wenn sie unverheiratet bleibt. Das ist kein Befehl, sondern nur ein Rat; aber ich glaube, daß auch ich den Geist* Gottes habe.

Darf man Opferfleisch essen?

8 Ihr wollt wissen, wie man es mit dem Fleisch von Tieren halten soll, die als Opfer für die Götzen geschlachtet worden sind.

Ich weiß natürlich, daß wir alle die wahre Gotteserkenntnis haben. Aber das Wissen macht eingebildet; nur die Liebe baut die Gemeinde auf. [2] Wenn sich jemand darauf beruft, daß er Gott kennt, zeigt er damit, daß er noch nicht weiß, was Erkenntnis Gottes ist. [3] Wer dagegen Gott liebt, den kennt und liebt Gott.

[4] Was also das Essen von Opferfleisch* betrifft: Es ist ganz richtig, daß es keine Götzen gibt, sondern nur einen einzigen Gott, [5] auch wenn es im Himmel und auf der Erde Mächte gibt, die als Götter verehrt werden. Tatsächlich gibt es unzählige Götter und unsichtbare Mächte*; [6] aber für uns gibt es trotzdem nur *einen* Gott: den Vater und Schöpfer, den Ursprung aller Dinge und das Ziel unseres Lebens. Es gibt für uns auch nur einen Herrn, nämlich Jesus Christus, durch den alles geschaffen wurde und durch den uns das neue Leben geschenkt wird.

[7] Aber nicht jeder hat diese Erkenntnis. Manche sind durch Gewohnheit noch an ihre alten Vorstellungen ge-

bunden. Wenn sie Opferfleisch essen, tun sie es in der Meinung, daß sie damit tatsächlich den Götzen anerkennen, dem das Opfer dargebracht wurde. Darum belastet es ihr Gewissen, wenn sie von solchem Fleisch essen.

[8] Nun liegt es auf keinen Fall an einem Nahrungsmittel, wie wir zu Gott stehen. Wenn wir Bedenken haben, davon zu essen, sind wir vor Gott nicht weniger wert; und wenn wir davon essen, sind wir vor ihm nicht mehr wert. [9] Wer keine Bedenken hat, soll aber achtgeben, daß sein Verhalten nicht den schwachen Bruder zu Fall bringt.

[10] Angenommen, du hast die richtige Erkenntnis und nimmst im Tempel eines Götzen an einem Opfermahl* teil. Dort sieht dich jemand, der diese Erkenntnis nicht hat. Wird ihn das nicht ermutigen, gegen seine Überzeugung vom Opferfleisch zu essen? [11] Dieser Schwache geht also durch deine Erkenntnis zugrunde. Dabei ist er doch dein Bruder, für den Christus gestorben ist!

[12] Ihr versündigt euch an Christus, wenn ihr euch so an euren Brüdern versündigt und ihr schwaches Gewissen mißhandelt. [13] Wenn ein Nahrungsmittel dazu führt, daß mein Bruder schuldig wird, will ich lieber nie mehr Fleisch essen. Denn ich will nicht, daß mein Bruder verlorengeht!

Paulus verzichtet auf seine Vorrechte

9 Nehmt euch ein Beispiel an mir. Bin ich nicht frei? Bin ich nicht ein Apostel*? Habe ich nicht Jesus, unseren Herrn, gesehen? Seid ihr nicht der Beweis meines Wirkens für den Herrn? [2] Auch wenn andere mich nicht als Apostel anerkennen – für euch bin ich es! Meine Beglaubigung als Apostel seid ihr selbst, weil ihr Christen geworden seid.

[3] Hier ist meine Antwort an die Leute, die über mich zu Gericht sitzen: [4] Hätte ich nicht darauf Anspruch, für meinen Dienst Essen und Trinken zu bekommen? [5] Hätte ich nicht das Recht, eine christliche Ehefrau auf meine Reisen mitzunehmen, wie es die anderen Apostel tun und die Brüder des Herrn und auch Petrus? [6] Sind Barnabas und ich vielleicht die einzigen, die für ihren Lebensunterhalt selbst aufkommen müssen? [7] Wer zieht denn schon auf eigene Kosten in den Krieg? Wer pflanzt einen Wein-

berg, ohne von seinen Trauben zu essen? Wer hütet Schafe, ohne von ihrer Milch zu trinken?
⁸Ich berufe mich nicht nur auf das, was allgemein üblich ist. Das Gesetz* Gottes sagt dasselbe. ⁹Mose hat es
aufgeschrieben: »Einem dreschenden Ochsen darfst du
das Maul nicht zubinden.« Kümmert sich Gott vielleicht
um die Ochsen, ¹⁰oder meint er nicht vielmehr *uns* bei allem, was er sagt? So ist es: Von uns ist hier die Rede. Wer
pflügt und erntet, soll damit rechnen können, selbst einen
Teil vom Ertrag zu bekommen. ¹¹Ich habe geistliche* Gaben, den Samen der Botschaft Gottes, unter euch ausgesät. Ist es zu viel verlangt, wenn ich dafür natürliche Gaben ernte, nämlich was ich zum Leben brauche? ¹²Andere
fordern es bedenkenlos von euch. Ich hätte ein viel größeres Anrecht darauf.

Und doch habe ich von meinem Recht keinen Gebrauch gemacht. Ich komme selbst für alles auf, um der
Guten Nachricht von Christus kein Hindernis in den Weg
zu legen. ¹³Ihr wißt, daß die Priester, die im Tempel
Dienst tun, ihren Lebensunterhalt von den Einkünften
des Tempels bekommen; und wer am Altar den Opferdienst verrichtet, bekommt einen Teil von den Opfergaben. ¹⁴Genauso hat es der Herr für uns angeordnet: Wer
die Gute Nachricht verbreitet, soll davon leben können.
¹⁵Aber ich habe von diesem Recht nie Gebrauch gemacht.

Ich will auch jetzt nicht etwa meinen Anspruch geltend
machen. Eher wollte ich sterben. Meinen Ruhm soll mir
niemand nehmen! ¹⁶Denn wenn ich nur die Gute Nachricht verkünde, habe ich noch keinen Grund, mich zu rühmen. Ich kann gar nicht anders – weh mir, wenn ich sie
nicht weitergebe! ¹⁷Wenn ich sie aus eigenem Antrieb
verkünden würde, könnte ich dafür einen Lohn erwarten.
Aber ich tue es nicht freiwillig, sondern weil ich den Auftrag dazu habe. ¹⁸Worin besteht also mein Lohn? Mein
Lohn ist, daß ich die Gute Nachricht ohne Entgelt verbreite und auf das verzichte, was mir dafür zusteht.

Alles für die Gute Nachricht

¹⁹Obwohl ich also frei und von niemand abhängig bin, habe ich mich zum Sklaven aller gemacht, um möglichst viele für Christus zu gewinnen. ²⁰Wenn ich mit Juden zu tun

habe, lebe ich wie ein Jude, um sie zu gewinnen. Ich selbst bin nicht mehr an das Gesetz* Moses gebunden; aber wenn ich unter Menschen bin, die noch daran gebunden sind, lebe ich wie sie nach dem Gesetz, um sie für Christus zu gewinnen. ²¹Wenn ich dagegen Menschen gewinnen möchte, die nicht nach dem Gesetz leben, beachte auch ich es nicht. Das bedeutet nicht, daß ich das Gesetz Gottes verwerfe, aber ich bin an das Gesetz Christi gebunden! ²²Wenn ich mit Menschen zu tun habe, deren Glaube noch schwach ist, werde ich wie sie, um sie zu gewinnen. Ich stelle mich allen gleich, um überall wenigstens einige zu retten. ²³Das alles tue ich für die Gute Nachricht, damit auch ich selbst Anteil an dem bekomme, was sie verspricht.

²⁴Ihr wißt doch, daß an einem Wettlauf viele Läufer teilnehmen; aber nur einer bekommt den Preis. Darum lauft so, daß ihr den Preis gewinnt! ²⁵Jeder, der an einem Wettlauf teilnehmen will, nimmt harte Einschränkungen auf sich. Er tut es für einen Siegeskranz, der verwelkt. Aber auf uns wartet ein Siegeskranz, der niemals verwelkt. ²⁶Darum laufe ich wie einer, der ein Ziel hat. Darum kämpfe ich wie einer, der nicht in die Luft schlägt. ²⁷Ich treffe mit meinen Schlägen den eigenen Körper, so daß ich ihn ganz in die Gewalt bekomme. Ich möchte nicht andere zum Wettkampf auffordern und selbst als untauglich ausscheiden.

Ein warnendes Beispiel

10 Ihr solltet euch klarmachen, Brüder, wie es unseren Vorfahren in der Wüste ergangen ist. Sie waren alle unter der Wolke, und alle durchquerten das Meer. ²Sie alle wurden durch die Wolke und das Meer auf Mose getauft. ³Alle aßen auch dieselbe geistliche* Speise und tranken denselben geistlichen Trank. ⁴Sie tranken aus dem geistlichen Felsen, der mit ihnen ging, und dieser Felsen war kein anderer als Christus. ⁵Trotzdem verwarf Gott die meisten von ihnen und ließ sie in der Wüste sterben.

⁶Dies soll uns warnen, damit wir nicht wie sie unser Verlangen auf das Böse richten. ⁷Betet also keine Götzen an, wie es ein Teil von ihnen getan hat! Es heißt ja von ihnen: »Sie setzten sich zum Essen und Trinken nieder, und

danach tanzten sie um den goldenen Stier.« ⁸Treibt nicht
Unzucht wie ein Teil von ihnen; damals starben an einem
Tag dreiundzwanzigtausend. ⁹Stellt Christus nicht auf die
Probe wie ein Teil von ihnen; sie kamen durch Schlangen
um. ¹⁰Lehnt euch nicht gegen Gott auf wie ein Teil von ih-
nen; der Todesengel vernichtete sie.

¹¹Dies alles geschah mit ihnen, damit wir eine Lehre
daraus ziehen. Es ist zu unserer Warnung aufgeschrieben
worden; denn wir leben in der letzten Zeit. ¹²Darum seid
auf der Hut! Wer meint, daß er sicher steht, soll aufpas-
sen, daß er nicht fällt. ¹³Die Proben, auf die euer Glaube
bisher gestellt worden ist, sind über das gewöhnliche Maß
noch nicht hinausgegangen. Aber Gott hält sein Versprechen und läßt nicht zu, daß die Prüfung über eure Kraft
geht. Wenn er euch auf die Probe stellen läßt, sorgt er
auch dafür, daß ihr bestehen könnt.

Entweder – oder

¹⁴Liebe Freunde, nehmt also nicht an den Götzenopfern*
teil! ¹⁵Ihr seid ja verständige Leute; beurteilt selbst, was
ich sage. ¹⁶Denkt an den Abendmahlsbecher, über dem
wir das Dankgebet sprechen: Gibt er uns nicht teil an
dem Blut, das Christus für uns vergossen hat? Denkt an
das Brot, das wir austeilen: Gibt es uns nicht teil an seinem Leib? ¹⁷Es ist nur ein einziges Brot. Darum bilden
wir alle, auch wenn wir viele sind, einen einzigen Leib*;
denn wir essen alle von dem einen Brot.

¹⁸Seht doch, wie es bis heute beim Volk Israel ist: Alle,
die vom Fleisch der Opfertiere essen, kommen in engste
Verbindung mit Gott, dem das Opfer dargebracht wird.
¹⁹Will ich damit etwa sagen, daß es mit dem Opferfleisch
eine besondere Bewandtnis hat? Oder daß der Götze,
dem das Opfer dargebracht wird, für uns etwas bedeutet?
²⁰Nein! Aber was die Götzenverehrer opfern, gilt nicht
Gott, sondern den Dämonen. Ich möchte aber nicht, daß
ihr euch mit Dämonen verbindet.

²¹Ihr könnt nicht aus dem Becher des Herrn trinken
und zugleich aus dem Becher der Dämonen. Ihr könnt
nicht am Tisch des Herrn essen und am Tisch der Dämonen. ²²Oder wollen wir den Herrn herausfordern? Sind
wir etwa stärker als er?

Rücksicht auf den Bruder

²³ Ihr sagt: »Alles ist erlaubt!« Mag sein, aber nicht alles ist deshalb auch schon gut. Alles ist erlaubt, aber nicht alles fördert die Gemeinde. ²⁴ Ihr sollt nicht an euch selbst denken, sondern an die anderen.

²⁵ Ihr könnt jedes Fleisch essen, das auf dem Markt verkauft wird. Es ist nicht nötig, daß ihr eine Gewissenssache daraus macht und nachforscht, woher das Fleisch kommt. ²⁶ Denn es heißt: »Dem Herrn gehört die ganze Erde mit allem, was darauf lebt.«

²⁷ Auch wenn ein Ungläubiger euch zum Essen einlädt und ihr die Einladung annehmt, könnt ihr essen, was man euch anbietet. Es ist nicht nötig, daß ihr aus Gewissensgründen nachforscht, woher das Fleisch kommt. ²⁸ Nur wenn euch jemand sagt: »Das Fleisch ist von einem Opfer«, sollt ihr nicht davon essen. Unterlaßt es mit Rücksicht auf den, der euch darauf hingewiesen hat, und mit Rücksicht auf das Gewissen. ²⁹ Ich meine natürlich nicht euer eigenes Gewissen, sondern das des anderen.

Das Gewissen eines anderen darf sich allerdings nicht zum Richter über meine Freiheit machen. ³⁰ Ich genieße das Opferfleisch mit Dank gegen Gott. Keiner hat das Recht, mir den Glauben abzusprechen, wenn ich etwas esse, wofür ich Gott danke.

³¹ Ich sage also: Wenn ihr eßt oder trinkt oder sonst etwas tut, so tut alles zur Ehre Gottes. ³² Lebt so, daß ihr für keinen ein Glaubenshindernis seid, weder für Juden noch für Nichtjuden noch für die Gemeinde Gottes. ³³ Macht es so wie ich: Ich versuche stets, allen Menschen entgegenzukommen. Ich denke nicht an meinen eigenen Vorteil, sondern an den Vorteil aller, damit sie gerettet werden.

11 Folgt meinem Beispiel, so wie ich dem Beispiel folge, das Christus uns gegeben hat!

Die Frau beim Gottesdienst

² Ich muß euch dafür loben, daß ihr immer an mich denkt und die Anweisungen befolgt, die ich euch weitergegeben habe. ³ Ich muß euch aber auch noch dies sagen:

Jeder Mann ist unmittelbar Christus unterstellt, die Frau aber dem Mann; und Christus steht unter Gott.°

⁴Deshalb gilt: Ein Mann, der im öffentlichen Gottesdienst betet oder Weisungen* Gottes verkündet und dabei seinen Kopf bedeckt, entehrt Christus und sich selbst.°
⁵Eine Frau dagegen entehrt ihren Mann und sich selbst, wenn sie im öffentlichen Gottesdienst betet oder Weisungen Gottes verkündet und dabei den Kopf nicht bedeckt hält. Es ist genauso, als ob sie kahlgeschoren wäre. ⁶Wenn sie kein Kopftuch trägt, kann sie sich gleich die Haare abschneiden lassen. Ist es etwa nicht entehrend für eine Frau, sich die Haare abschneiden oder den Kopf kahlscheren zu lassen? Dann soll sie auch ihren Kopf verhüllen.

⁷Der Mann dagegen soll seinen Kopf nicht bedecken; denn der Mann ist das Abbild Gottes und spiegelt die Herrlichkeit Gottes wider. In der Frau spiegelt sich nur die Würde des Mannes. ⁸Der Mann wurde nicht aus der Frau geschaffen, sondern die Frau aus dem Mann. ⁹Der Mann wurde auch nicht für die Frau geschaffen, wohl aber die Frau für den Mann. ¹⁰Deshalb muß die Frau als Zeichen ihrer Bevollmächtigung ein Kopftuch tragen und damit der Ordnung genügen, über die die Engel wachen. ¹¹Vor dem Herrn ist allerdings die Frau nichts ohne den Mann und der Mann nichts ohne die Frau. ¹²Zwar wurde die Frau aus dem Mann geschaffen; aber der Mann wird von der Frau geboren. Und beide kommen von Gott, der alles geschaffen hat.

¹³Urteilt selbst: Gehört es sich für eine Frau, in einem öffentlichen Gottesdienst zu beten, ohne daß sie eine Kopfbedeckung trägt? ¹⁴Schon die Natur lehrt euch, daß langes Haar für den Mann eine Schande ist, ¹⁵aber eine Ehre für die Frau. Die Frau hat langes Haar erhalten, um sich zu verhüllen. ¹⁶Falls aber einer mit mir darüber streiten möchte, kann ich nur eines sagen: Weder ich noch die Gemeinden Gottes kennen eine andere Sitte im Gottesdienst.

Das Abendmahl

¹⁷In der folgenden Sache gibt es nichts zu diskutieren: Ich muß es tadeln, daß eure Gemeindeversammlungen mehr Schaden als Nutzen bringen. ¹⁸Zunächst hat man mir erzählt, daß es Spaltungen gibt, wenn ihr zusammenkommt.

Ich glaube, daß der Bericht mindestens teilweise zutrifft. ¹⁹Es muß ja zu Spaltungen unter euch kommen, damit man sehen kann, wer sich im Glauben bewährt hat.

²⁰Wenn ihr nun zusammenkommt, feiert ihr in Wirklichkeit gar nicht das Mahl* des Herrn. ²¹Jeder nimmt erst einmal seine eigene Mahlzeit ein, und während der eine hungert, ist der andere schon betrunken. ²²Könnt ihr nicht in euren Wohnungen essen und trinken? Oder verachtet ihr die Gemeinde Gottes und wollt die beschämen, die nichts haben? Was soll ich dazu sagen? Soll ich euch loben? In diesem Punkt lobe ich euch nicht!

²³Vom Herrn selbst stammt die Anweisung, die ich an euch weitergegeben habe: In der Nacht, in der Jesus, der Herr, ausgeliefert wurde, nahm er das Brot, ²⁴sprach darüber das Dankgebet, brach es in Stücke und sagte: »Das ist mein Leib, der für euch geopfert wird. Tut das immer wieder, damit unter euch gegenwärtig ist, was ich für euch getan habe!«° ²⁵Ebenso nahm er nach dem Essen den Becher und sagte: »Dieser Becher ist der neue Bund* Gottes, der mit meinem Blut besiegelt wird. Sooft ihr daraus trinkt, tut es, damit unter euch gegenwärtig ist, was ich für euch getan habe!«

²⁶Sooft ihr also dieses Brot eßt und aus diesem Becher trinkt, verkündet ihr den Tod des Herrn, bis er kommt. ²⁷Wer aber auf unwürdige Weise° das Brot des Herrn ißt und aus seinem Becher trinkt, der macht sich am Leib und am Blut des Herrn schuldig. ²⁸Darum soll sich jeder prüfen, bevor er das Brot ißt und aus dem Becher trinkt. ²⁹Wenn er sich nicht klarmacht, daß er es mit dem Leib des Herrn zu tun hat, zieht er sich mit seinem Essen und Trinken die Verurteilung zu. ³⁰Darum sind viele von euch schwach und krank, und eine ganze Anzahl sind schon gestorben. ³¹Wenn wir uns selbst zur Rechenschaft ziehen, muß Gott uns nicht auf diese Weise bestrafen. ³²Wenn er uns aber bestraft, dann tut er es zu unserer Warnung, damit wir nicht im letzten Gericht zusammen mit den anderen verurteilt werden.

³³Meine Brüder, wenn ihr also zusammenkommt, um das Mahl des Herrn zu feiern, dann wartet, bis alle da

sind. ³⁴ Wer Hunger hat, soll vorher zu Hause essen. Sonst
bringt ihr durch eure Teilnahme am Mahl des Herrn das
Gericht Gottes über euch.

Alles weitere werde ich regeln, wenn ich komme.

Fähigkeiten, die der Geist Gottes schenkt

12 Ich komme nun zu den Fähigkeiten, die der Geist*
Gottes schenkt.

Ihr sollt in dieser Sache ganz klar sehen, Brüder! ² Als
ihr noch Ungläubige wart, habt ihr etwas Ähnliches erlebt. Ihr wißt, wie ihr vor den toten Götzen in Ekstase geraten seid. ³ Darum müßt ihr unterscheiden: Wenn der
Geist Gottes von einem Menschen Besitz ergreift, kann
dieser nicht sagen: »Jesus sei verflucht!« Umgekehrt kann
keiner sagen: »Jesus ist der Herr!«, wenn er nicht vom heiligen Geist erfüllt ist.

⁴ Es gibt verschiedene Gaben; doch ein und derselbe
Geist teilt sie aus. ⁵ Es gibt verschiedene Dienste; doch ein
und derselbe Herr gibt den Auftrag dazu. ⁶ Es gibt verschiedene Fähigkeiten; doch ein und derselbe Gott
schafft sie alle. ⁷ Was nun der Geist in jedem einzelnen
von uns wirkt, das ist zum Nutzen aller bestimmt. ⁸ Einer
erhält vom Geist die Gabe, göttliche Weisheit zu verkünden, der andere, Erkenntnis Gottes zu vermitteln. ⁹ Derselbe Geist gibt dem einen besondere Glaubenskraft und
dem anderen die Kraft zu heilen. ¹⁰ Der Geist ermächtigt
den einen, Wunder zu tun; den anderen macht er fähig,
Weisungen* von Gott zu empfangen. Wieder ein anderer
kann unterscheiden, was aus dem Geist Gottes kommt
und was nicht. Den einen befähigt der Geist, in unbekannten Sprachen* zu reden; einem anderen gibt er die
Fähigkeit, das Gesagte zu deuten. ¹¹ Aber das alles bewirkt
ein und derselbe Geist. Aus freiem Ermessen gibt er jedem seine besondere Fähigkeit.

Viele Glieder – ein Leib

¹² Man kann die Gemeinde Christi mit einem Leib vergleichen, der viele Glieder hat. Obwohl er aus so vielen Teilen
besteht, ist der Leib doch einer. ¹³ Denn wir alle, Juden
und Nichtjuden, Sklaven und Freie, sind in der Taufe
durch denselben Geist* in den einen Leib Christi einge-

gliedert worden, und wir haben auch alle an demselben
Geist Anteil bekommen.

[14] Ein Körper besteht nicht aus einem einzigen Teil, sondern aus vielen Teilen. [15] Wenn der Fuß erklärt: »Ich gehöre nicht zum Leib, weil ich nicht die Hand bin« – hört er
damit auf, ein Teil des Körpers zu sein? [16] Oder wenn das
Ohr erklärt: »Ich gehöre nicht zum Leib, weil ich nicht
das Auge bin« – hört es damit auf, ein Teil des Körpers zu
sein? [17] Wie könnte ein Mensch hören, wenn er nur aus
Augen bestünde? Wie könnte er riechen, wenn er nur aus
Ohren bestünde? [18] Nun hat Gott aber jedem Teil seine
besondere Aufgabe im Ganzen des Körpers zugewiesen.
[19] Wenn alles nur ein einzelner Teil wäre, wo bliebe da der
Leib? [20] Aber nun gibt es viele Teile, und alle an einem
einzigen Leib.

[21] Das Auge kann nicht zur Hand sagen: »Ich brauche
dich nicht!« Und der Kopf kann nicht zu den Füßen sagen: »Ich brauche euch nicht!« [22] Gerade die Teile des
Körpers, die schwächer scheinen, sind besonders wichtig.
[23] Die Teile, die als unansehnlich gelten, kleiden wir mit
besonderer Sorgfalt, und genauso machen wir es bei denen, die Anstoß erregen. [24] Die anderen Teile haben das
nicht nötig. Gott hat unseren Körper zu einem Ganzen
zusammengefügt und hat dafür gesorgt, daß die geringe-
ren Teile besonders geehrt werden. [25] Denn er wollte, daß
es keine Uneinigkeit im Körper gibt, sondern jeder Teil
sich um den anderen kümmert. [26] Wenn irgendein Teil des
Körpers leidet, dann leiden alle anderen mit ihm. Und
wenn irgendein Teil geehrt wird, freuen sich alle anderen
mit.

[27] Ihr alle seid zusammen der Leib* Christi; jeder einzelne von euch ist ein Teil davon. [28] Jedem hat Gott seinen
bestimmten Platz zugewiesen. Zuerst kommen die Apostel*, dann die Propheten*, dann die Lehrer*. Dann kommen die, die Wunder tun oder heilen können, die helfen
oder verwalten oder in unbekannten Sprachen* reden.
[29] Nicht alle sind Apostel, nicht alle Propheten, nicht alle
Lehrer. Nicht jeder kann Wunder tun, [30] Kranke heilen, in
unbekannten Sprachen reden oder diese Sprachen übersetzen. [31] Bemüht euch um die höheren Gaben!

Nichts geht über die Liebe

Ich zeige euch jetzt etwas, das noch weit wichtiger ist als
alle diese Fähigkeiten.

13 Wenn ich die Sprachen aller Menschen spräche
und sogar die Sprache der Engel kennte,
aber ich hätte keine Liebe –,
dann wäre ich doch nur ein dröhnender Gong,
nicht mehr als eine lärmende Pauke.

2 Auch wenn ich göttliche Eingebungen hätte
und alle Geheimnisse Gottes wüßte
und hätte den Glauben, der Berge versetzt,
aber ich wäre ohne Liebe –,
dann hätte das alles keinen Wert.

3 Und wenn ich all meinen Besitz verteilte
und nähme den Tod in den Flammen auf mich,°
aber ich hätte keine Liebe –,
dann wäre es alles umsonst.

4 Wer liebt, ist geduldig und gütig.
Wer liebt, der ereifert sich nicht,
er prahlt nicht und spielt sich nicht auf.

5 Wer liebt, der verhält sich nicht taktlos,
er sucht nicht den eigenen Vorteil
und läßt sich nicht zum Zorn erregen.
Wer liebt, der trägt keinem etwas nach;

6 es freut ihn nicht, wenn einer Fehler macht,
sondern wenn er das Rechte tut.

7 Wer liebt, der gibt niemals jemand auf,
in allem vertraut er und hofft er für ihn;
alles erträgt er mit großer Geduld.

8 Niemals wird die Liebe vergehen.
Prophetische Weisung* hört einmal auf,
das Reden in Sprachen des Geistes* verstummt,
auch das Wissen um die Geheimnisse Gottes
wird einmal ein Ende nehmen.

9 Denn unser Wissen von Gott ist Stückwerk,
und unser prophetisches Reden ist Stückwerk.

10 Doch wenn sich die ganze Wahrheit zeigt,
dann ist es mit dem Stückwerk vorbei.

11 Anfangs, als ich noch ein Kind war,
da redete ich wie ein Kind,

ich fühlte und dachte wie ein Kind.
Dann aber wurde ich ein Mann
und legte die kindlichen Vorstellungen ab.
¹²Jetzt sehen wir nur ein unklares Bild
wie in einem trüben Spiegel;
dann aber stehen wir Gott gegenüber.
Jetzt kennen wir ihn nur unvollkommen;
dann aber werden wir ihn völlig kennen,
so wie er uns jetzt schon kennt.
¹³Auch wenn alles einmal aufhört –
Glaube, Hoffnung und Liebe nicht.
Diese drei werden immer bleiben;
doch am höchsten steht die Liebe.

Vom rechten Gebrauch der Geistesgaben

14 Bemüht euch also darum, daß euch die Liebe geschenkt wird! Von den Gaben des Geistes* wünscht euch besonders die Fähigkeit, prophetische Weisungen* zu erhalten. ²Wer in unbekannten Sprachen* redet, der spricht nicht zu Menschen, sondern zu Gott. Keiner versteht ihn. Durch die Wirkung des Geistes redet er geheimnisvolle Worte. ³Wer aber Weisungen von Gott empfängt, kann sie an andere weitergeben. Er hat für sie Hilfe, Ermunterung und Trost. ⁴Wenn einer in unbekannten Sprachen spricht, hat nur er selbst etwas davon. Wer Weisungen Gottes weitergibt, dient der ganzen Gemeinde.

⁵Ich wünschte, daß ihr alle in Sprachen des Geistes reden könntet; aber noch lieber wäre es mir, ihr alle würdet prophetische Weisungen empfangen. Das ist viel wichtiger, als in unbekannten Sprachen zu reden. Denn davon hat die Gemeinde nur etwas, wenn es einer übersetzen kann.

⁶Was nützt es euch, Brüder, wenn ich zu euch komme und in unbekannten Sprachen rede? Ihr habt nur etwas davon, wenn ich euch göttliche Wahrheiten enthülle oder Erkenntnisse bringe, oder wenn ich Weisungen von Gott oder Lehren weitergebe. ⁷Denkt an die Musikinstrumente, an eine Flöte oder Harfe. Wenn sich die Töne nicht deutlich unterscheiden, kann keiner die Melodie erkennen. ⁸Und wenn der Trompeter kein klares Signal gibt, wird keiner zum Kampf antreten. ⁹Bei euch ist es genau-

so: Wenn ihr undeutliche Laute von euch gebt, kann keiner verstehen, was ihr sagt. Ihr sprecht dann in den Wind. [10] Es gibt unzählige Sprachen in der Welt; jedes Volk hat seine eigene. [11] Aber wenn ich die Sprache nicht kenne, ist der Mann, der sie spricht, für mich ein Ausländer, und ich bin es für ihn.

[12] So ist es auch mit euch. Ihr legt großen Wert auf die Gaben des Geistes; aber ihr müßt euch vor allem um die bemühen, die beim Aufbau der Gemeinde helfen. Dann wird es euch an nichts fehlen. [13] Wenn einer in unbekannten Sprachen spricht, soll er um die Gabe bitten, sie auch übersetzen zu können. [14] Wenn er in solchen Sprachen redet, betet der heilige Geist in ihm, aber sein Verstand ist nicht daran beteiligt und trägt nichts zum Aufbau der Gemeinde bei. [15] Was folgt daraus? Ich kann beides: mit dem Geist beten und mit dem Verstand. Ich kann mit dem Geist singen und auch mit dem Verstand. [16] Wenn du aber Gott in der Sprache des Geistes preist, wie kann dann einer, der diese Sprache nicht versteht, zu deinem Gebet das »Amen« sagen? Er weiß ja gar nicht, was du sagst. [17] Der andere hat nichts davon, auch wenn du ein noch so schönes Gebet sprichst.

[18] Ich danke Gott, daß ich mehr als ihr alle in Sprachen des Geistes rede. [19] Aber in der Gemeindeversammlung spreche ich lieber fünf verständliche Sätze, um andere im Glauben zu unterweisen, als zehntausend Wörter, die keiner versteht.

[20] Brüder, denkt nicht wie Kinder! Im Handeln sollt ihr unschuldig wie Kinder sein, aber im Denken müßt ihr erwachsen sein. [21] In den heiligen Schriften* sagt Gott: »Ich werde zu diesem Volk in unbekannten Sprachen reden und durch den Mund von Fremden. Aber auch dann werden sie nicht auf mich hören.« [22] Das Reden in anderen Sprachen ist also ein Zeichen für die Ungläubigen, nicht für die Glaubenden. Bei den prophetischen Botschaften ist es umgekehrt: sie sind ein Zeichen nicht für die Ungläubigen, sondern für die, die glauben.

[23] Stellt euch vor, die ganze Gemeinde versammelt sich, und jeder fängt an, in unbekannten Sprachen zu reden. Wenn nun Neulinge oder Ungläubige hereinkommen, werden sie euch bestimmt für verrückt erklären. [24] Nehmt

dagegen an, daß ihr Botschaften von Gott weitergebt. Wenn dann ein Ungläubiger oder ein Neuling herein- kommt, wird ihn alles, was er hört, von seiner Schuld überzeugen. Er wird sich von allen zur Rechenschaft ge- zogen sehen. ²⁵ Seine geheimen Gedanken kommen ans Licht. Er wird sich niederwerfen, wird Gott anbeten und bekennen: »Gott ist mitten unter euch!«

Die Ordnung bei der Gemeindeversammlung

²⁶ Brüder, was folgt daraus für euch? Wenn ihr zum Got- tesdienst zusammenkommt, hat jeder etwas beizutragen: der eine singt ein Lied, ein anderer legt die heiligen Schrif- ten* aus, ein dritter hat eine Weisung* von Gott. Wieder einer spricht in Sprachen* des Geistes, und ein anderer hat die Erklärung dazu. Aber alles muß dem Aufbau der Gemeinde dienen. ²⁷ In Sprachen des Geistes sollen zwei oder höchstens drei sprechen, einer nach dem anderen. Einer muß die Übersetzung geben. ²⁸ Gibt es keinen, der übersetzen kann, soll der Betreffende schweigen. Er soll dann zu Hause reden, wo nur er selbst und Gott es hören. ²⁹ Auch von denen, die Weisungen Gottes empfangen, sol- len nur zwei oder drei reden. Die anderen sollen das Ge- sagte beurteilen. ³⁰ Vielleicht erhält einer eine Botschaft, während ein anderer spricht; dann soll der andere aufhö- ren zu reden. ³¹ Ihr könnt doch einer nach dem anderen sprechen. Dann haben alle etwas von eurer Unterweisung und Ermahnung. ³² Wer Weisungen von Gott empfängt, hat es in seiner Gewalt, wann er sie weitergibt. ³³ Gott schafft doch nicht Unordnung, sondern Frieden.

Wie es bei allen christlichen Gemeinden üblich ist, ³⁴ sollen die Frauen in euren Versammlungen schweigen. Sie sollen nicht reden, sondern sich unterordnen, wie es auch das Gesetz* vorschreibt. ³⁵ Wenn sie etwas genauer wissen wollen, sollen sie zu Hause ihren Ehemann fragen. Denn es schickt sich nicht für eine Frau, daß sie in eurer Versammlung spricht. ³⁶ Wollt ihr euch dem widersetzen? Ist denn die Gute Nachricht von eurer Gemeinde in die Welt ausgegangen? Oder ist sie nur zu euch gekom- men?

³⁷ Wer von euch glaubt, daß Gott zu ihm spricht oder daß er den Geist Gottes besitzt, der muß einsehen, daß

meine Anweisungen vom Herrn kommen. [38]Wenn er das nicht anerkennt, wird Gott ihn auch nicht anerkennen.

[39]Meine Brüder, bittet darum, daß ihr Weisungen von Gott empfangt. Verbietet keinem das Reden in Sprachen des Geistes; [40]nur soll alles anständig und geordnet zugehen.

Christus ist auferstanden...

15 Brüder, ich möchte euch an die Gute Nachricht erinnern, die ich euch verkündet habe. Ihr habt sie doch angenommen und habt euch auf sie gegründet. [2]Ihr werdet auch durch sie gerettet, wenn ihr sie so festhaltet, wie ich sie euch übermittelt habe. Andernfalls wärt ihr vergeblich zum Glauben gekommen!

[3]Ich habe an euch weitergegeben, was ich selbst erhalten habe, nämlich als erstes und grundlegendes:

Christus ist für unsere Sünden gestorben, wie es in den heiligen Schriften* vorausgesagt war, [4]und wurde begraben.

Er ist am dritten Tag vom Tod erweckt worden, wie es in den heiligen Schriften vorausgesagt war, [5]und hat sich Petrus gezeigt, danach dem ganzen Kreis der zwölf Jünger.

[6]Später sahen ihn über fünfhundert Brüder auf einmal; einige sind inzwischen gestorben, aber die meisten leben noch. [7]Dann erschien er Jakobus und schließlich allen Aposteln*.

[8]Ganz zuletzt aber ist er auch mir erschienen, obwohl ich das am allerwenigsten verdient hatte. [9]Ich bin der geringste unter den Aposteln; denn ich habe die Gemeinde Gottes verfolgt. Deshalb verdiente ich gar nicht, ein Apostel zu sein. [10]Aber durch Gottes Erbarmen bin ich es dennoch geworden, und sein gnädiges Eingreifen war nicht vergeblich. Ich habe sogar mehr getan als alle anderen Apostel zusammen. Doch das war nicht meine eigene Leistung: Gott selbst hat durch mich gewirkt.

[11]Mit den anderen Aposteln bin ich in dieser Sache völlig einig. Wir alle geben die Gute Nachricht so weiter, wie ich es eben angeführt habe, und so habt ihr sie auch angenommen.

… deshalb werden auch wir auferstehen

[12] Das also ist unsere Botschaft: Gott hat Christus vom Tod erweckt. Wie können dann einige von euch behaupten, daß die Toten nicht auferstehen werden? [13] Wenn es keine Auferstehung gäbe, dann wäre auch Christus nicht auferstanden. [14] Und wenn Christus nicht auferstanden wäre, dann hätte weder unsere Verkündigung einen Sinn noch euer Glaube. [15] Wir wären dann als falsche Zeugen für Gott aufgetreten; denn wir hätten gegen die Wahrheit bezeugt, daß er Christus vom Tod erweckt hat. Wenn es stimmt, daß Gott die Toten nicht auferwecken wird, dann hat er auch Christus nicht vom Tod erweckt. [16] Wenn die Toten nicht auferstehen, ist auch Christus nicht auferstanden. [17] Ist aber Christus nicht auferstanden, so ist euer ganzer Glaube vergeblich. Eure Schuld ist dann nicht von euch genommen, [18] und wer im Vertrauen auf Christus starb, ist dann verloren. [19] Wenn wir nur für das jetzige Leben auf Christus hoffen, sind wir bedauernswerter als irgend jemand sonst auf der Welt.

[20] Aber Christus *ist* vom Tod erweckt worden, und das gibt uns die Gewähr dafür, daß auch die übrigen Toten auferstehen werden. [21] Ein einziger Mensch hat der ganzen Menschheit den Tod gebracht; und so bringt auch ein einziger die Auferstehung vom Tod. [22] Alle Menschen gehören zu Adam, darum müssen sie sterben; aber durch die Verbindung mit Christus bekommen sie das neue Leben.

Alles in seiner Ordnung

[23] Das alles geschieht nach der vorbestimmten Ordnung. Als erster wurde Christus vom Tod erweckt. Wenn er wiederkommt, werden die auferweckt, die zu ihm gehören. [24] Dann kommt das Ende, wenn Christus alle gottfeindlichen Mächte vernichtet hat und Gott, dem Vater, die Herrschaft übergibt. [25] Denn Christus muß so lange herrschen, bis er sich alle seine Feinde unterworfen hat. [26] Als letzten Feind vernichtet er den Tod. [27] Denn es heißt in den heiligen Schriften*: »*Alles* hat Gott ihm unterstellt.« Nun ist klar, daß das Wort »alles« den nicht einschließt, der ihm dies alles unterstellt hat. [28] Wenn der Sohn* Got-

tes sich alles unterworfen hat, dann ordnet er sich dem unter, der ihn zum Herrn über alles gemacht hat. Dann ist Gott allein der Herr, der alles und in allen wirkt.

Ruf zur Besinnung

[29] Überlegt euch doch einmal: Es gibt in eurer Gemeinde Menschen, die sich für die ungetauft Verstorbenen taufen lassen. Was wollen sie damit erreichen, wenn die Toten nicht auferstehen? Warum lassen sie sich dann für sie taufen? [30] Und warum setze ich mich jede Stunde der Todesgefahr aus? [31] So gewiß es ist, daß ich vor Jesus Christus, unserem Herrn, stolz auf euch bin, Brüder, so gewiß sehe ich dem Tod täglich ins Auge! [32] In Ephesus habe ich mich in einen Kampf auf Leben und Tod eingelassen. Wenn ich keine Hoffnung hätte, hätte ich mir das ersparen können. Wenn die Toten nicht wieder lebendig werden, dann halten wir uns doch lieber an das Sprichwort: »Laßt uns essen und trinken, denn morgen sind wir tot!«

[33] Macht euch nichts vor! »Schlechter Umgang verdirbt den Charakter.« [34] Werdet wieder nüchtern und lebt, wie es Gott gefällt. Ich muß es zu eurer Schande sagen: Einige von euch wissen nicht, wer Gott ist.

Wie sollen wir uns das vorstellen?

[35] Aber vielleicht fragt einer: »Wie soll denn das zugehen, wenn die Toten auferstehen? Was für einen Körper werden sie dann haben?«

[36] Wie kannst du nur so fragen! Wenn du einen Samen ausgesät hast, muß er zuerst sterben, damit die Pflanze leben kann. [37] Du säst nicht die ausgewachsene Pflanze, sondern nur den Samen, ein Weizenkorn oder irgendein anderes Korn. [38] Gott aber gibt jedem Samen den Pflanzenkörper, den er für ihn bestimmt hat. Jede Samenart erhält ihre besondere Gestalt. [39] Auch die Lebewesen haben ja nicht alle ein und dieselbe Gestalt. Menschen haben eine andere Gestalt als Tiere, Vögel eine andere als Fische.

[40] Außer den Körpern auf der Erde aber gibt es auch noch solche am Himmel. Die Himmelskörper haben eine andere Schönheit als die Körper auf der Erde, [41] und auch unter ihnen gibt es Unterschiede: Die Sonne leuchtet anders als der Mond, der Mond anders als die Sterne, und

auch die einzelnen Sterne unterscheiden sich voneinander.

⁴²So könnt ihr euch auch ein Bild von der Auferstehung der Toten machen. Was in die Erde gelegt wird, ist vergänglich; aber was zum neuen Leben erweckt wird, ist unvergänglich. ⁴³Was in die Erde gelegt wird, ist schwach und häßlich; aber was zum neuen Leben erweckt wird, ist stark und schön. ⁴⁴Was in die Erde gelegt wird, war von natürlichem Leben beseelt; aber was zu neuem Leben erwacht, wird ganz vom Geist* Gottes beseelt sein. Wenn es einen natürlichen Körper gibt, muß es auch einen vom Geist beseelten Körper geben. ⁴⁵Es heißt ja: »Adam, der erste Mensch, wurde von natürlichem Leben beseelt.« Christus dagegen, mit dem Gottes neue Welt beginnt, wurde zum Geist, der lebendig macht. ⁴⁶Aber zuerst kommt die Natur, dann der Geist, nicht umgekehrt. ⁴⁷Der erste Adam wurde aus Erde gemacht. Der zweite Adam kam vom Himmel. ⁴⁸Die irdischen Menschen sind wie der irdische Adam, die himmlischen Menschen wie der himmlische Adam. ⁴⁹Jetzt gleichen wir dem Menschen, der aus Erde gemacht wurde. Später werden wir dem gleichen, der vom Himmel gekommen ist.

Wenn Christus kommt

⁵⁰Brüder, das ist ganz sicher: Menschen aus Fleisch und Blut können nicht in Gottes neue Welt gelangen. Ein vergänglicher Körper kann nicht unsterblich werden. ⁵¹⁻⁵²Ich sage euch jetzt ein Geheimnis: Wir werden nicht alle sterben. Aber wenn die Posaune den Richter der Welt ankündigt, werden wir alle verwandelt. Das geht so schnell, wie man mit der Wimper zuckt. Wenn die Posaune ertönt, werden die Verstorbenen zu unvergänglichem Leben erweckt. Wir aber, die wir dann noch am Leben sind, bekommen einen neuen Körper. ⁵³Unser vergänglicher Körper, der dem Tod verfallen ist, muß in einen unvergänglichen Körper verwandelt werden, über den der Tod keine Macht hat. ⁵⁴Wenn das geschieht, wird das Prophetenwort wahr:

»Der Tod ist vernichtet!
Der Sieg ist vollkommen!
⁵⁵ Tod, wo ist dein Sieg?
Tod, wo ist deine Macht?«

⁵⁶Die Macht des Todes kommt von der Sünde. Die Sünde aber hat ihre Kraft aus dem Gesetz*. ⁵⁷Dank sei Gott, daß er uns durch Jesus Christus, unseren Herrn, den Sieg schenkt!

⁵⁸Meine lieben Brüder! Werdet fest und unerschütterlich in eurem Glauben. Tut stets euer Bestes für die Sache des Herrn. Ihr wißt, daß der Herr euren Einsatz belohnen wird.

Die Sammlung für die Glaubensgenossen

16 Ich komme jetzt zu der Geldsammlung für die Gemeinde in Jerusalem. Ihr müßt es so halten, wie ich es auch den Gemeinden in Galatien gesagt habe: ²Jeden Sonntag legt ihr etwas auf die Seite, jeder von euch so viel, wie er entbehren kann. Bewahrt es auf; dann muß man nicht erst sammeln, wenn ich komme. ³Nach meiner Ankunft werde ich die Männer, die ihr aussucht, mit Empfehlungsschreiben nach Jerusalem schicken, um eure Spende zu übergeben. ⁴Wenn es sich empfiehlt, daß ich selbst mitkomme, werden wir gemeinsam reisen.

Die Pläne des Apostels

⁵Ich komme über Mazedonien zu euch. Dort werde ich nur durchreisen, ⁶bei euch dagegen möchte ich, wenn möglich, eine Zeitlang bleiben, vielleicht den ganzen Winter über. Dann könnt ihr mich für die Weiterreise mit allem Nötigen ausstatten. ⁷Ich möchte euch nicht nur flüchtig auf der Durchreise besuchen. Ich hoffe, daß ich einige Zeit bei euch verbringen kann, wenn der Herr es erlaubt.

⁸Ich habe vor, noch bis Pfingsten in Ephesus zu bleiben. ⁹Hier haben sich mir große Möglichkeiten für ein erfolgreiches Wirken eröffnet, und ich muß mich mit vielen Gegnern auseinandersetzen.

¹⁰Wenn Timotheus zu euch kommt, dann seht darauf, daß ihr ihn nicht entmutigt. Denn er arbeitet genau wie ich für den Herrn. ¹¹Keiner soll ihn verachten. Ihr müßt ihm helfen, seine Reise ungehindert fortzusetzen, damit er zu mir zurückkommt. Ich erwarte ihn zusammen mit den anderen Brüdern. ¹²Dem Bruder Apollos habe ich lange zugeredet, mit den Brüdern zusammen zu euch zu

reisen, aber er konnte sich nicht dazu entschließen. Wenn es ihm besser paßt, wird er kommen.

Schlußworte und Grüße

[13] Seid wachsam! Steht im Glauben fest! Seid mutig und stark! [14] Alles, was ihr tut, soll von der Liebe bestimmt sein.

[15] Ihr wißt, Brüder: Stephanas und seine Familie waren die ersten Christen in Achaia, und sie haben sich ganz für den Dienst an der Gemeinde zur Verfügung gestellt. Darum bitte ich euch: [16] Ordnet euch solchen Menschen unter und achtet alle, die in der Gemeinde mitarbeiten und Aufgaben übernehmen. [17] Ich freue mich, daß Stephanas, Fortunatus und Achaikus bei mir sind. Sie haben mich dafür entschädigt, daß ich nicht bei euch sein kann. [18] Sie haben mich aufgemuntert, so wie sie es auch mit euch getan haben. Solche Menschen sollt ihr achten.

[19] Die Gemeinden der Provinz Asien* lassen euch grüßen. Das Ehepaar Aquila und Priska und die Gemeinde, die sich in ihrem Haus versammelt, grüßen alle, mit denen sie durch den Herrn verbunden sind. [20] Alle Brüder lassen grüßen.

Grüßt einander mit dem Bruderkuß*!

[21] Mit eigener Hand schreibe ich euch hier meinen Gruß. [22] Wer den Herrn verachtet, der soll verflucht sein, auf ewig von Gott getrennt! Maranata* – Unser Herr, komm!

[23] Jesus, der Herr, schenke euch seine Gnade! [24] Meine Liebe gilt euch allen. Durch Jesus Christus sind wir miteinander verbunden.

DER ZWEITE BRIEF DES APOSTELS PAULUS AN DIE GEMEINDE IN KORINTH

Eingangsgruß

1 Paulus, den Gott zum Apostel* Jesu Christi berufen hat, und der Bruder Timotheus schreiben diesen Brief an die Gemeinde Gottes in Korinth und an alle Christen in der Provinz Achaia:

² Wir bitten Gott, unseren Vater, und Jesus Christus, den Herrn, euch Gnade und Frieden zu schenken!

Paulus dankt Gott

³ Gepriesen sei Gott, der Vater unseres Herrn Jesus Christus! Er ist ein Vater, dessen Güte unerschöpflich ist und der uns nie verzweifeln läßt. ⁴ Auch wenn ich viel durchstehen muß, gibt er mir immer wieder Mut. Darum kann ich auch anderen Mut machen, die Ähnliches durchstehen müssen. Ich kann sie ermutigen, so wie Gott mich selbst ermutigt hat.

⁵ Ich teile die Leiden Christi in reichem Maß. Aber ebenso reich ist die Ermutigung, die mir durch ihn geschenkt wird. ⁶ Wenn ich leide, so geschieht es zu eurem Besten, damit euer Mut gestärkt wird. Und wenn ich ermutigt werde, so geschieht es, damit ihr Mut bekommt, die gleichen Leiden wie ich geduldig zu ertragen. ⁷ Ich bin ganz zuversichtlich, wenn ich an euch denke; denn ich weiß: Wie ihr meine Leiden teilt, so habt ihr auch teil an der Zuversicht, die mir geschenkt wird.

⁸ Ihr sollt wissen, Brüder, daß ich in der Provinz Asien* in einer ausweglosen Lage war. Die Last, die ich zu tragen hatte, war so groß, daß es über meine Kraft ging. Ich hatte keine Hoffnung mehr, mit dem Leben davonzukommen. ⁹ Ich fühlte mich wie einer, der sein Todesurteil empfangen hat. Aber das geschah, damit ich nicht auf mich selbst vertraue, sondern mich allein auf Gott verlasse, der die Toten lebendig macht. ¹⁰ Und tatsächlich hat er mich vor dem sicheren Tod gerettet. Er wird es auch in Zukunft tun. Ich setze meine Hoffnung auf ihn: Er wird mich wie-

der retten. [11]Auch eure Gebete für mich tragen dazu bei. Aus vielen Herzen wird dann der Dank für das, was Gott an mir getan hat, zu Gott aufsteigen.

Warum Paulus nicht nach Korinth zurückkam

[12]Wenn ich auf etwas stolz bin, dann darauf, daß mein Gewissen mir bezeugt: Mein Verhalten war stets von derselben Eindeutigkeit und Zuverlässigkeit bestimmt, mit der Gott selbst handelt. Ich lasse mich nicht von menschlicher Klugheit leiten, sondern von der Gnade Gottes. Das gilt vor allem für meine Beziehungen zu euch. [13]Was ich in meinen Briefen schreibe, meine ich genau so, wie ihr es lest und versteht. Ich hoffe, daß ihr es einmal ganz verstehen werdet; [14]zum Teil habt ihr mich ja schon verstanden. Ihr wißt: wenn Jesus, unser Herr, kommt, dürft ihr auf mich so stolz sein wie ich auf euch.

[15-16]Im Vertrauen darauf hatte ich die Absicht, euch auf dem Weg nach Mazedonien zu besuchen. Ich wollte zum zweitenmal mit dem Segen Gottes zu euch kommen und danach auf der Rückreise von Mazedonien noch einmal bei euch sein. Ihr solltet mich dann für die Reise nach Judäa mit allem Nötigen ausrüsten. [17]Waren meine Pläne etwa leichtfertig? Oder habe ich es nicht ganz ernst gemeint? Sagte ich Ja und dachte Nein? [18]Gott ist mein Zeuge, daß ich euch gegenüber stets sage, was ich denke! [19]Jesus Christus, der Sohn* Gottes, den Silvanus, Timotheus und ich bei euch bekanntgemacht haben, ist keiner, der Ja sagt und Nein meint. Im Gegenteil: er ist durch und durch Ja. [20]Mit ihm sagt Gott Ja zu allen seinen Zusagen. Darum sprechen wir auch unter Berufung auf ihn das Amen zur Ehre Gottes. [21]Gott hat uns zusammen mit euch auf diesen festen Grund gestellt: auf Christus. Er hat uns angenommen [22]und uns sein Siegel aufgedrückt. Er hat uns seinen Geist* geschenkt als Unterpfand für das, was er uns noch geben will.

[23]Ich rufe Gott als Zeugen an: er soll mich zur Rechenschaft ziehen, wenn ich nicht die Wahrheit sage! Nur um euch zu schonen, bin ich nicht wieder nach Korinth gekommen. [24]Denn ich betrachte mich nicht als Richter über euren Glauben. Meine Aufgabe ist es doch, zu eurer Freude beizutragen! Im Glauben steht ihr ja fest.

2 Ich wollte nicht noch einmal zu euch kommen und euch nur wieder traurig machen. ²Wenn ich das tue, bleibt mir ja niemand, der mich wieder froh machen kann. ³Genau das habe ich euch geschrieben. Ich wollte nicht kommen und erleben, daß die mich traurig machen, die mir eigentlich Freude bereiten sollten. Denn ich bin ganz sicher: Es freut euch, wenn ihr mir Freude machen könnt. ⁴Ich war sehr bedrückt und niedergeschlagen und habe euch unter Tränen geschrieben. Aber ich wollte euch nicht betrüben. Ihr solltet vielmehr sehen, wie sehr ich gerade euch liebe.

Verzeihung für den Bestraften

⁵Wenn einer von euch jemand Kummer bereitet hat, so hat er ihn nicht mir bereitet, sondern euch allen. Oder doch einem großen Teil von euch, damit ich nicht übertreibe. ⁶Immerhin hat die Mehrheit von euch sein Verhalten inzwischen aufs schärfste mißbilligt. Das genügt! ⁷Jetzt müßt ihr ihm verzeihen. Ihr müßt ihn ermutigen, damit er nicht unter der Last der Verzweiflung zusammenbricht. ⁸Ich bitte euch also: Beschließt, ihn wieder in Liebe anzunehmen! ⁹Mit meinem Schreiben wollte ich eure Treue erproben und sehen, ob ihr meinen Anweisungen in allem Folge leistet. ¹⁰Wenn ihr ihm verzeiht, verzeihe ich ihm auch. Wenn ich überhaupt etwas zu verzeihen habe, tue ich es um euretwillen vor Christus. ¹¹Der Satan soll uns nicht überlisten. Wir kennen seine Absichten nur zu gut.

Paulus in Troas

¹²Ich war bis nach Troas gekommen und verkündete dort die Gute Nachricht von Christus. Die Menschen waren für die Botschaft sehr aufgeschlossen; ¹³aber ich war unruhig, weil mein Mitarbeiter Titus nicht eintraf. Darum nahm ich Abschied und reiste nach Mazedonien.

Triumphzug mit Christus

¹⁴Ich danke Gott, daß er mich überall im Triumphzug° Christi mitführt. So macht er seine Wahrheit durch mich an allen Orten bekannt, wie einen Wohlgeruch, der sich ausbreitet. ¹⁵Von mir geht zur Ehre Gottes der Wohlge-

ruch der Botschaft von Christus aus. Er erreicht die Ge-
retteten und die, die verlorengehen. ¹⁶ Für die Verlorenen
ist es ein tödlicher Duft, an dem sie sterben. Für die Ge-
retteten ist es ein Duft, der sie zum Leben führt. Wer ist
einer solchen Aufgabe gewachsen? ¹⁷ Viele verbreiten die
Botschaft Gottes, wie man ein Geschäft betreibt. Ich dagegen verkünde sie völlig uneigennützig. Ich rede als
einer, der Christus dient. Was ich sage, kommt von Gott,
dem ich mich dafür verantwortlich weiß.

Das Gesetz und der Geist

3 Hört sich das an, als ob ich mich schon wieder selbst
anpreise? Oder brauche ich vielleicht Empfehlungsschreiben an euch oder von euch, wie gewisse Leute sie
nötig haben? ² Ihr selbst seid mein Empfehlungsschreiben
– in eurem° Herzen steht es geschrieben. Jeder kann es
lesen und verstehen. ³ Jeder kann sehen, daß ihr ein Brief
Christi seid, ein Brief, den er durch meinen Dienst geschrieben hat. Dieser Brief ist nicht mit Tinte geschrieben,
sondern mit dem Geist* des lebendigen Gottes. Er steht
nicht auf Steintafeln, sondern in den Herzen von Menschen.

⁴ Ich traue mir soviel zu, weil Gott mich durch Christus
dazu fähig macht. ⁵ Aus eigener Kraft bin ich einem sol-
chen Auftrag nicht gewachsen. Alles, was ich kann,
kommt von Gott. ⁶ Er hat mich befähigt, seinen neuen
Bund* überall bekanntzumachen. Durch diesen Bund gibt
Gott nicht ein geschriebenes Gesetz, sondern seinen
Geist*. Der Buchstabe des Gesetzes führt zum Tod; der
Geist aber führt zum Leben.

⁷ Das Gesetz wurde mit Buchstaben in steinerne Tafeln
eingegraben. Obwohl es zum Tod führte, war der Glanz
auf dem Gesicht Moses so stark, daß das israelitische Volk
ihn nicht ertragen konnte. Und das ist doch nur ein vergänglicher Glanz. Wenn also schon der Auftrag, der den
Tod brachte, mit soviel Herrlichkeit verbunden gewesen
ist, ⁸ wie herrlich muß dann erst der Auftrag sein, der
durch den Geist zum Leben führt! ⁹ Wenn schon der Auftrag, der den Menschen die Verurteilung brachte, Gottes
Herrlichkeit* ausstrahlt, wieviel mehr Herrlichkeit wird
dann mit dem Auftrag verbunden sein, der ihnen den

Freispruch bringt! ¹⁰Verglichen mit diesem überwältigenden Glanz ist jener andere Glanz gar nichts. ¹¹Schon das, was vergehen muß, hat Gottes Herrlichkeit ausgestrahlt. Wieviel mehr wird dann die Herrlichkeit Gottes von dem ausstrahlen, was für immer besteht!

¹²Weil ich diese Hoffnung habe, kann ich so reden, wie ich es getan habe. ¹³Ich brauche es nicht wie Mose zu machen, der sein Gesicht mit einem Tuch bedeckt hat. Denn die Israeliten sollten nicht sehen, daß das Leuchten wieder verschwand. ¹⁴Aber sie sind ja auch mit Blindheit geschlagen. Wenn sie das Alte Testament lesen, liegt für sie bis heute dieselbe Decke über seinen Worten; denn sie wird nur durch Christus weggenommen. ¹⁵Auch über ihrem Verstand liegt bis heute eine Decke, wenn sie das Gesetz Moses lesen. ¹⁶Aber was für Mose galt, gilt auch für jeden von ihnen: »Wenn er sich dem Herrn zuwendet, wird die Verhüllung weggenommen.«

¹⁷Der Herr aber, von dem dieses Wort spricht, wirkt durch seinen Geist. Und wo der Geist des Herrn ist, da ist Freiheit. ¹⁸Wir alle sehen mit unverhülltem Gesicht die Herrlichkeit des Herrn. Dabei werden wir selbst in das verwandelt, was wir sehen, und bekommen mehr und mehr Anteil an seiner Herrlichkeit. Das bewirkt der Herr durch seinen Geist.

Kein Grund zur Überheblichkeit

4 Gott hat sich über mich erbarmt und mir diesen Auftrag anvertraut. Darum verliere ich nicht den Mut. ²Ich meide alle dunklen Machenschaften. Ich arbeite nicht mit Kunstgriffen und verdrehe nicht das Wort Gottes. Vielmehr mache ich seine Wahrheit unverfälscht bekannt. Das ist meine »Empfehlung« gegenüber jedem, der sein Gewissen vor Gott prüft.

³Die Gute Nachricht, die ich verkünde, ist nur für die dunkel, die verlorengehen. ⁴Der Satan, der diese Welt* beherrscht, hat sie mit Blindheit geschlagen, so daß sie dieser Guten Nachricht nicht glauben und ihren hellen Glanz nicht sehen können. In diesem Glanz enthüllt sich die Herrlichkeit Christi, und in Christus wird Gott selbst sichtbar. ⁵Ich verkünde also nicht mich selbst, sondern Jesus Christus als den Herrn. Ich selbst bin nur ein Diener –

euer Diener um Jesu willen. ⁶Gott hat einst gesagt: »Aus der Dunkelheit soll Licht aufleuchten!« So hat er jetzt sein Licht in meinem Herzen aufleuchten lassen, damit die Menschen die göttliche Herrlichkeit erkennen, die Jesus Christus ausstrahlt.

⁷Ich bin nur ein zerbrechliches Gefäß für einen so kostbaren Inhalt. Denn man soll ganz deutlich sehen, daß die übermenschliche Kraft von Gott kommt und nicht von mir. ⁸Obwohl ich von allen Seiten bedrängt bin, werde ich nicht erdrückt. Obwohl ich oft nicht mehr weiter weiß, verliere ich nicht den Mut. ⁹Ich werde verfolgt, aber Gott verläßt mich nicht. Ich werde niedergeworfen, aber ich komme wieder auf. ¹⁰Ich erleide fortwährend das Sterben Jesu an meinem eigenen Leib. Aber das geschieht, damit auch das Leben, zu dem Jesus erweckt wurde, an mir sichtbar werden kann. ¹¹Um Jesu willen bin ich die ganze Zeit in Todesgefahr. Ebenso soll auch das Leben Jesu an meinem vergänglichen Körper sichtbar werden. ¹²Ich bin dem Tod ausgeliefert; aber euch wird dafür das Leben geschenkt.

¹³In den heiligen Schriften* heißt es: »Weil ich auf Gott vertraue, darum rede ich.« Das gilt auch für mich. Weil ich Gott vertraue, lasse ich nicht davon ab, seine Gute Nachricht zu verkünden. ¹⁴Gott hat Jesus vom Tod erweckt, und ich weiß, daß er mich genauso wie Jesus auferwecken und zusammen mit euch vor seinen Thron stellen wird. ¹⁵Ich tue das alles ja nur euretwegen. Überall soll die Gnade Gottes bekanntgemacht werden, damit immer mehr Menschen Gott danken und ihm die Ehre geben.

Die Heimat bei Gott

¹⁶Darum verliere ich nicht den Mut. Die Lebenskräfte, die ich von Natur habe, werden aufgerieben; aber das Leben, das Gott mir schenkt, erneuert sich jeden Tag. ¹⁷Die Leiden, die ich jetzt ertragen muß, wiegen nicht schwer und gehen vorüber. Sie werden mir eine Herrlichkeit bringen, die alle Vorstellungen übersteigt und kein Ende hat. ¹⁸Ich baue nicht auf das, was man sieht, sondern auf das, was jetzt noch keiner sehen kann. Denn was wir jetzt sehen, besteht nur eine gewisse Zeit. Das Unsichtbare aber besteht ewig.

5 Wir wissen: Wenn das Zelt, in dem wir jetzt leben, nämlich unser Körper, abgebrochen wird, hat Gott eine andere Umhüllung für uns bereit; ein Haus, das nicht von Menschen gebaut ist und das in Ewigkeit bestehen bleibt. ² Solange wir noch auf der Erde leben, fühlen wir uns bedrückt und sehnen uns danach, mit dieser himmlischen Behausung umhüllt zu werden. ³ Sonst würden wir ja nackt dastehen, wenn wir den irdischen Körper ablegen müssen. ⁴ Solange wir noch in diesem Körper leben, sind wir bedrückt und voll Angst. Doch wir wollen nicht von unserem sterblichen Körper befreit werden: wir wollen in den unvergänglichen Körper hineinschlüpfen. Was an uns vergänglich ist, soll vom Leben verschlungen werden. ⁵ Und tatsächlich wirkt Gott schon jetzt in uns, damit das geschehen kann; denn er hat uns als Unterpfand seinen Geist* gegeben.

⁶ Deshalb bin ich in jeder Lage zuversichtlich. Ich weiß: Solange ich in diesem Körper lebe, bin ich vom Herrn getrennt. ⁷ Wir leben ja noch in der Zeit des Glaubens, noch nicht in der des Schauens. ⁸ Ich bin aber voll Zuversicht und würde am liebsten sogleich meinen Körper verlassen, um beim Herrn zuhause zu sein. ⁹ Aber gerade weil ich mich danach sehne, setze ich alles daran, zu tun, was ihm gefällt, ob ich nun in diesem Körper lebe oder zuhause bin beim Herrn. ¹⁰ Denn wir alle müssen vor Christus erscheinen, wenn er Gericht hält. Dann wird jeder bekommen, was er verdient, je nachdem, ob er in seinem irdischen Leben Gutes getan hat oder Schlechtes.

Gottes Friedensangebot in Christus

¹¹ Wenn ich also Menschen zu gewinnen suche, so vergesse ich nie, daß ich dem Herrn Rechenschaft ablegen muß. Gott kennt mich durch und durch. Ich hoffe aber, daß ihr mich genauso kennt. ¹² Es geht mir nicht darum, schon wieder mich selbst anzupreisen. Vielmehr möchte ich euch zeigen, daß ihr Grund habt, auf mich stolz zu sein. Dann wißt ihr, wie ihr die zum Schweigen bringen könnt, die auf äußere Vorzüge stolz sind, aber wenn man ihnen ins Herz sieht, haben sie nichts vorzuweisen. ¹³ Auch ich habe ekstatische Erlebnisse, aber das ist eine Sache zwischen Gott und mir. Euch gegenüber muß ich meinen

nüchternen Verstand gebrauchen. ¹⁴Die Liebe, die Christus uns erwiesen hat, bestimmt mein ganzes Handeln. Es ist doch so: Einer ist für uns alle in den Tod gegangen, also sind sie alle gestorben. ¹⁵Weil er für sie gestorben ist, gehört ihr Leben nicht mehr ihnen selbst, sondern dem, der für sie gestorben und zum Leben erweckt worden ist.

¹⁶Darum beurteile ich jetzt niemand mehr nach menschlichen Maßstäben. Auch Christus nicht, den ich einst so beurteilt habe. ¹⁷Wer zu Christus gehört, ist ein neuer Mensch geworden. Was er früher war, ist vorbei; etwas ganz Neues hat begonnen. ¹⁸Das hat Gott getan. Obwohl wir seine Feinde waren, hat er durch Christus mit uns Frieden gemacht. Und mir hat er den Auftrag gegeben, diese Friedensbotschaft zu verbreiten. ¹⁹In Christus hat er selbst gehandelt und hat aus dem Weg geschafft, was die Menschen von ihm trennte. Er rechnet ihnen ihre Verfehlungen nicht an. Das läßt er öffentlich unter uns bekanntmachen.

²⁰Im Auftrag Christi wende ich mich darum an alle Menschen. Gott selbst ruft sie, wenn ich zu ihnen sage: »An Christi Stelle bitte ich euch: Nehmt das Friedensangebot an, das Gott euch macht!« ²¹Gott hat Christus, der ohne Sünde war, an unserer Stelle als Sünder verurteilt, damit wir um Christi willen freigesprochen werden.

6 Als ein Mitarbeiter Gottes bitte ich euch: Verspielt nicht die Gnade Gottes, die ihr empfangen habt! ²Gott sagt: »Wenn die Zeit kommt, daß ich mich über euch erbarme, erhöre ich euch; wenn der Tag eurer Rettung da ist, helfe ich euch.« Gebt acht, jetzt ist die Zeit der Gnade! Heute ist der Tag der Rettung!

Alles für die Gute Nachricht

³Keiner soll an meinem Verhalten Anstoß nehmen können. Denn ich möchte nicht, daß schlecht über meinen Auftrag gesprochen wird. ⁴An meiner ganzen Lebensführung soll man mich als Mitarbeiter Gottes erkennen. Das ist meine »Empfehlung«. In seinem Dienst ertrage ich geduldig Sorgen, Nöte und Schwierigkeiten. ⁵Ich werde geschlagen und eingesperrt. Man hetzt das Volk gegen mich auf. Ich arbeite mich ab und verzichte auf Schlaf und Nahrung. ⁶Als Gottes Mitarbeiter erweise ich mich durch

ein einwandfreies Leben, durch die Erkenntnisse, die mir gegeben sind, durch Geduld und Freundlichkeit, ferner zeige ich es durch die Fähigkeiten, die der Geist* Gottes schenkt, durch aufrichtige Liebe, [7] durch das Verkünden der Wahrheit und durch die Kraft, die von Gott kommt. Meine Waffe für Angriff und Verteidigung ist, daß ich tue, was vor Gott und Menschen recht ist. [8] Ich werde geehrt und beleidigt. Man redet über mich Schlechtes und Gutes. Die einen halten mich für einen Betrüger, die anderen glauben mir, daß ich es ehrlich meine. [9] Für die einen bin ich undurchschaubar, aber die anderen haben mir ins Herz gesehen. Ich bin ein Sterbender, und trotzdem lebe ich. Ich werde mißhandelt, aber ich komme nicht um. [10] Man macht mir Kummer, und doch bin ich immer fröhlich. Ich bin arm wie ein Bettler, und mache doch viele Menschen reich. Ich besitze nichts und habe doch alles.

[11] Meine lieben Korinther, ich habe kein Blatt vor den Mund genommen. Ich habe euch mein Herz weit geöffnet. [12] Es stimmt nicht, daß ihr keinen Platz darin habt. Ihr steht nur deshalb draußen, weil ihr euch selbst aussperrt. [13] Ich spreche zu euch als zu meinen Kindern. Begegnet mir so, wie ich euch begegne! Öffnet auch ihr eure Herzen weit!

Warnung vor schädlichen Einflüssen

[14] Laßt euch nicht vor den Karren des Unglaubens spannen! Recht und Unrecht passen genauso wenig zusammen wie Licht und Dunkelheit. [15] Sind etwa Christus und der Teufel in Einklang zu bringen? Was verbindet Glauben und Unglauben? [16] Was haben die Götzen im Tempel Gottes zu suchen? Wir alle sind doch der Tempel des lebendigen Gottes!

Gott hat gesagt: »Ich will bei ihnen wohnen und mitten unter ihnen leben. Ich will ihr Gott sein, und sie sollen mein Volk sein.« [17] Deshalb sagt er auch: »Zieht weg von hier, trennt euch von ihnen! Berührt nichts Unreines! Dann werde ich euch meine Liebe zuwenden. [18] Ich will euer Vater sein, und ihr sollt meine Söhne und Töchter sein. Das sagt der Herr der ganzen Welt.«

7 Meine lieben Freunde! Diese Zusagen gelten uns. Wir wollen uns darum von allem rein machen, was Körper

oder Seele beschmutzt. Wir wollen den Willen Gottes
ernst nehmen und uns bemühen, so zu werden, wie er uns
haben möchte.

Bitte um Versöhnung

² Gebt mir Raum in euren Herzen! Ich habe doch keinem
von euch Unrecht getan. Ich habe keinen zugrunde gerichtet und keinen ausgebeutet. ³ Ich sage das nicht, um
euch zu verurteilen. Ich habe euch ja schon gesagt, daß
mein Herz für euch weit geöffnet ist. Ihr seid im Leben
und im Tod mit mir verbunden. ⁴ Ich habe volles Vertrau-
en zu euch und bin sogar stolz auf euch. Trotz aller Not
bin ich zuversichtlich und voll überschwenglicher Freude.

Trauer und Freude

⁵ Auch° als ich nach Mazedonien kam, fand ich keine Ruhe. Von allen Seiten stürmte es auf mich ein: von außen
Feinde, von innen Sorgen. ⁶ Doch Gott, der die Niederge-
schlagenen ermutigt, hat mir durch die Ankunft von Titus
neuen Mut gegeben. ⁷ Es war aber nicht nur seine Ankunft – noch viel mehr bedeutet es für mich, daß ihr Titus
so ermutigt habt. Er hat mir erzählt, wie gern ihr mich sehen wollt, wie sehr ihr das Vorgefallene bedauert und wie
rückhaltlos ihr bereit seid, euch auf meine Seite zu stellen.
Das hat mich noch glücklicher gemacht.

⁸ Ich habe euch durch meinen Brief weh getan; aber ich
bedaure es nicht, daß ich ihn geschrieben habe. Als ich
hörte, wie hart er euch getroffen hat, tat es mir zwar leid,
⁹ aber jetzt freue ich mich darüber. Natürlich nicht, weil
mein Brief euch Schmerz bereitet hat, sondern weil dieser
Schmerz euch zur Besinnung gebracht hat. Es war ein
Schmerz von der Art, die Gott gebrauchen kann. Deshalb
war es nicht zu eurem Schaden, daß ich euch so geschrieben habe. ¹⁰ Denn wenn ein solcher Tadel einen Schmerz
hervorruft, wie Gott ihn haben will, führt das zu einer
Reue, die keiner je bereut, und das bedeutet seine Rettung. Wenn dagegen ein solcher Tadel aufgenommen wird,
wie es bei Menschen üblich ist, dann bereitet er einen
Schmerz, der letzten Endes zum Tod führt. ¹¹ Meine Worte haben euch einen Schmerz bereitet, wie Gott ihn haben
will. Seht doch, welchen Gewinn euch das gebracht hat!

Wieviel guten Willen zeigt ihr jetzt! Wie eifrig seid ihr bemüht, eure Unschuld zu beweisen! Der Unwille über den
Schuldigen, die Furcht vor meinem Zorn, die Sehnsucht
nach meiner Gegenwart und der Eifer, den Schuldigen zu
bestrafen – das alles ist daraus erwachsen. Damit habt ihr
gezeigt, daß ihr in dieser Sache unschuldig seid.
¹²Es ging mir also bei meinem Brief nicht um den, der
Unrecht getan hat oder den, dem Unrecht geschehen ist.
Ihr solltet Gelegenheit bekommen, vor Gott zu beweisen,
daß ihr voll zu mir steht. ¹³So ist es geschehen, und das
hat mich ermutigt.

Und erst recht habe ich mich gefreut über die Freude,
mit der Titus von euch zurückkam. Denn er war ganz
glücklich über euch alle. ¹⁴Ich hatte euch vor ihm gelobt,
und ihr habt mich nicht enttäuscht. Wie ich euch stets die
Wahrheit gesagt habe, so hat sich auch mein Lob Titus gegenüber bewahrheitet. ¹⁵Jetzt liebt er euch noch mehr als
zuvor. Er hat ja erlebt, wie ihr ihn mit Angst und Bangen
aufnahmt und wie bereitwillig ihr euch meinen Anord-
nungen gefügt habt. ¹⁶Ich bin sehr froh, daß ich mich ganz
auf euch verlassen kann.

Die Sammlung für die Gemeinde in Jerusalem

8 Ich will euch berichten, Brüder, was Gottes Gnade in
den Gemeinden in Mazedonien bewirkt hat. ²Sie hatten viel zu leiden und wurden ernsthaft auf die Probe gestellt. Aber ihre Freude war so groß, daß sie trotz ihrer
großen Armut eine erstaunliche Hilfsbereitschaft zeigten.
³Ihr könnt mir glauben: Sie gaben, soviel sie konnten, ja
noch mehr, und sie taten es ohne Aufforderung. ⁴Sie wollten unbedingt an der Sammlung für die Gemeinde in Jerusalem teilnehmen und hielten das für eine besondere Aus-
zeichnung. ⁵Sie taten noch mehr, als ich gehofft hatte. Im
Gehorsam gegen Gott schenkten sie sich selbst, zuerst
dem Herrn und dann mir.

⁶Deshalb habe ich Titus zugeredet, daß er sich bei euch
um diese Sache kümmert. Er hat ja schon damit angefangen. Nun soll er euch helfen, diesen Liebesdienst zu Ende
zu bringen. ⁷Ihr habt alles im Überfluß: Glauben, kraft-
volles Wort, Erkenntnis, guten Willen und die gegenseitige
Liebe, die ich euch vorgelebt und unter euch geweckt ha-

be. Ich möchte, daß euer Beitrag zu diesem Liebesdienst ebenso reich wird.

⁸ Ich gebe euch keinen Befehl. Ich sage euch nur, wie hilfsbereit andere sind, um euch dadurch anzuspornen. Ihr sollt zeigen, wie ernst es euch mit eurer Liebe ist. ⁹ Ihr wißt, was Jesus Christus, unser Herr, für euch getan hat. Er war reich und wurde für euch arm; denn er wollte euch durch seine Armut reich machen.

¹⁰ Ich gebe euch nur meinen Rat. Ich meine, es ist zu eurem eigenen Besten, daß ihr euch an der Sammlung beteiligt. Ihr habt euch ja schon im vorigen Jahr dazu entschlossen und habt auch schon damit angefangen. ¹¹ Bringt es jetzt zum guten Ende und seid beim Ausführen so eifrig wie beim Planen. Gebt, was ihr geben könnt! ¹² Den guten Willen habt ihr gezeigt. Gott wird euren Beitrag an dem messen, was ihr habt, und nicht an dem, was ihr nicht habt. ¹³ Ihr sollt nicht selbst Mangel leiden, damit anderen geholfen wird. Aber im Augenblick habt ihr mehr als die anderen. ¹⁴ Darum ist es nur recht, daß ihr denen helft, die in Not sind. Wenn ihr dann einmal in Not seid und sie mehr haben als ihr, sollen sie euch helfen. So kommt es zu einem Ausgleich zwischen euch. ¹⁵ In den heiligen Schriften* heißt es: »Wer viel gesammelt hatte, hatte nicht zuviel, und wer wenig gesammelt hatte, hatte nicht zu wenig.«

Die Helfer bei der Sammlung

¹⁶ Ich danke Gott dafür, daß er meinen Eifer für euch auf Titus übertragen hat. Titus hat nicht nur meinen Vorschlag angenommen; ¹⁷ er war noch viel eifriger und hatte schon von sich aus beschlossen, zu euch zu reisen. ¹⁸ Mit ihm schicke ich den Bruder, der wegen seines Wirkens für die Gute Nachricht bei allen Gemeinden in hohem Ansehen steht. ¹⁹ Die Gemeinden haben ihn dazu bestimmt, mich zu begleiten, wenn ich diese Liebesgabe überbringe, die ich jetzt sammeln lasse. Das vergrößert den Ruhm des Herrn und zerstreut meine Bedenken. ²⁰ Man könnte mich ja verdächtigen, wenn ich eine so große Summe allein verwalte. ²¹ Und ich möchte nicht nur vor dem Herrn, sondern auch vor den Menschen unbescholten dastehen.

²² Ich schicke noch einen anderen Bruder mit ihnen. Ich

habe ihn oft erprobt, und jedesmal war er sehr eifrig. Jetzt ist er noch viel eifriger als sonst, eine so hohe Meinung hat er von euch. Nehmt sie alle freundlich auf! ²³Titus ist mein Gefährte und mein Mitarbeiter im Dienst an euch. Die anderen Brüder kommen im Auftrag der Gemeinden und sind Menschen, die Christus Ehre machen. ²⁴Zeigt ihnen, daß eure Liebe echt ist und ich euch zu Recht gelobt habe. Dann sehen es auch alle Gemeinden.

Noch einmal: Zur Sammlung für Jerusalem

9 Ich brauche euch über den Liebesdienst für die Gemeinde in Jerusalem ja nicht mehr ausführlich zu schreiben. ²Ich weiß, daß ihr helfen wollt. Ich habe euch schon bei den Mazedoniern gelobt: »Die Brüder in Korinth sammeln seit dem vorigen Jahr!« Euer Eifer hat die meisten von ihnen angesteckt. ³Ich schicke jetzt einige Brüder zu euch; denn ich will nicht enttäuscht werden, weil ich euch gelobt und erklärt habe: »Sie haben schon gesammelt.« ⁴Wie stehe ich da, wenn dann Leute von Mazedonien mit mir kommen und feststellen, daß es gar nicht so ist! Ich werde mich schämen müssen – und erst ihr selbst! ⁵Darum hielt ich es für nötig, die Brüder zu bitten, daß sie mir vorausreisen und die angekündigte Spende auch wirklich einsammeln. Man soll es eurer Spende anmerken, daß sie aus dankbarem Herzen kommt und nicht eine erzwungene Abgabe ist.

Gott gibt, damit wir geben können

⁶Denkt daran: Wer spärlich sät, wird nur wenig ernten. Aber wer mit vollen Händen sät, auf den wartet eine reiche Ernte. ⁷Jeder soll so viel geben, wie er sich vorgenommen hat. Es soll ihm nicht leid tun, und er soll es nicht nur geben, weil er sich dazu gezwungen fühlt. Gott liebt fröhliche Geber. ⁸Er kann euch so reich beschenken, daß ihr nicht nur jederzeit genug habt für euch selbst, sondern auch noch anderen reichlich Gutes tun könnt. ⁹Dann gilt von euch, was in den heiligen Schriften* steht: »Großzügig gibt er den Bedürftigen; seine Wohltätigkeit wird in Ewigkeit nicht vergessen werden.«

¹⁰Gott, der dem Sämann Saatgut und Brot gibt, wird auch euch Samen geben und ihn wachsen lassen, damit

eure Wohltätigkeit eine reiche Ernte bringt. [11]Er wird
euch so reich machen, daß ihr jederzeit freigebig sein
könnt. Dann werden viele Gott wegen der Gaben danken,
die wir ihnen von euch übergeben. [12]Es geht ja bei diesem
Liebesdienst nicht nur darum, der Gemeinde in Jerusalem
zu helfen. Noch wichtiger ist, daß viele Menschen Gott
dafür danken. [13]Wenn ihr euch in dieser Sache bewährt,
werden die Christen in Jerusalem Gott dafür preisen. Sie
werden ihm danken, daß ihr so treu zur Guten Nachricht
von Christus steht und so selbstverständlich mit ihnen
und mit allen teilt. [14]Und weil sie sehen, daß Gott euch in
so überreichem Maß seine Gnade erwiesen hat, werden
sie für euch beten und sich nach euch sehnen. [15]Laßt uns
Gott danken für sein Geschenk! Es ist so groß, daß man
es gar nicht beschreiben kann.

Paulus verteidigt sein Amt

10 Ich, Paulus, muß jetzt von mir selber reden. Ich bin
angeblich kleinlaut, wenn ich bei euch bin, aber
aus der Ferne spiele ich den starken Mann. Ich bitte euch
bei der Güte und Freundlichkeit Christi: [2]Zwingt mich
nicht, meine Stärke zu zeigen, wenn ich komme! Ich habe
keine Angst vor denen, die mir menschliche Schwächen
und mangelnde geistliche Vollmacht vorwerfen. [3]Ich bin
zwar nur ein Mensch, aber ich kämpfe nicht nach
Menschenart. [4]Ich benutze in meinem Kampf nicht die
Waffen menschlicher Selbstsucht, sondern die mächtigen
Waffen Gottes. Mit ihnen zerstöre ich feindliche Festun-
gen: ich bringe falsche Gedankengebäude zum Einsturz
[5]und reiße den Hochmut nieder, der sich der Erkenntnis
Gottes entgegenstellt. Jeden Gedanken, der sich gegen
Gott auflehnt, nehme ich gefangen und unterstelle ihn
dem Befehl Christi. [6]Ich stehe bereit, alle Widersetzlichen
zu bestrafen, sobald ihr als Gemeinde zum vollen Gehorsam gefunden habt.

[7]Seht doch den Tatsachen ins Auge! Wenn einer bei
euch den Anspruch erhebt, Christus zu gehören, darf er
nicht übersehen: Ich gehöre Christus ebenso wie er. [8]Ich
könnte sogar noch mehr für mich in Anspruch nehmen
und von der Vollmacht Gebrauch machen, die der Herr
mir gegeben hat. Damit würde ich mich bestimmt nicht

übernehmen. Aber ich erhielt meinen Auftrag, um euch
zu helfen, und nicht, um euch zugrunde zu richten. [9] Es
soll nicht so aussehen, als ob ich euch mit meinen Briefen
einschüchtern wollte. [10] Sie sagen ja schon: »Die Briefe,
die er schreibt, sind bedeutend und eindrucksvoll; aber
wenn er persönlich bei uns ist, macht er eine erbärmliche
Figur, und sein Wort hat keine Kraft.« [11] Wer so denkt,
dem sage ich: Genau so, wie meine Briefe auf euch wirken, werde ich handeln, wenn ich zu euch komme.

[12] Ich wage allerdings nicht, mich mit denen in eine Reihe zu stellen, die sich selbst anpreisen. Ich kann mich
selbstverständlich nicht mit ihnen messen. Sie sind so unverständig, daß sie ihre eigenen Maßstäbe aufrichten und
sich an sich selbst messen. [13] Ich dagegen rühme mich
nicht ohne alles Maß. Gott hat mich mit der Guten Nachricht bis zu euch gelangen lassen. Das ist der Maßstab,
nach dem ich mich beurteile. [14] Ich übertreibe meine Leistung nicht, denn ich bin ja tatsächlich mit der Guten
Nachricht von Christus bis zu euch gekommen! [15] Ich verliere also nicht das Maß. Ich prahle nicht mit der Arbeit,
die andere getan haben. Ich hoffe vielmehr, daß euer
Glaube wächst und ich dann noch weit mehr Ruhm ernten kann – aber nach dem Maßstab, den ich mir gesetzt
habe. [16] Auch über Korinth hinaus werde ich dann die Gute Nachricht verkünden können, anstatt daß ich mit einer
Arbeit prahle, die ein anderer schon vor mir getan hat.
[17] In den heiligen Schriften* heißt es: »Wer auf etwas stolz
sein will, soll stolz sein auf das, was der Herr getan hat.«
[18] Als bewährt gilt einer, wenn der Herr ihn lobt, und
nicht, wenn er sich selbst anpreist.

Paulus und die falschen Apostel

11 Erlaubt mir trotzdem, daß ich einmal so tue, als
wäre ich nicht ganz bei Verstand, und mich selbst
anpreise. Ihr erlaubt es doch! [2] Ich wache ja ebenso eifersüchtig über euch wie Gott selbst. Ihr seid wie ein Mädchen, das ich einem einzigen Mann versprochen habe, um
es ihm unberührt zuzuführen, nämlich Christus. [3] Eva
wurde durch die klugen Lügen der Schlange verführt. Ich
fürchte, daß eure Gedanken genauso verwirrt werden und
ihr Christus nicht mehr rein und ungeteilt liebt. [4] Ihr laßt

es euch gefallen, wenn einer kommt und euch einen anderen Jesus verkündet als den, den ich euch gebracht habe. Ihr laßt euch gerne einen anderen Geist* geben als den, den ihr zuerst empfangen habt, und nehmt eine andere Gute Nachricht an als die, die ihr von mir gehört habt.

⁵Ich bin fest überzeugt, daß ich euren Superaposteln* in nichts nachstehe. ⁶Vielleicht bin ich kein Meister im Reden, aber in der Erkenntnis nehme ich es mit jedem auf. Das habe ich euch gegenüber zu jeder Zeit und in jeder Lage bewiesen.

⁷Aber vielleicht war es unrecht von mir, daß ich euch die Gute Nachricht ohne jede Gegenleistung verkündete? Wenn ich mich damit erniedrigt habe, so geschah es nur zu euren Gunsten. ⁸Für meinen Dienst an euch habe ich mich von anderen Gemeinden bezahlen lassen. Ja, ich habe sie um euretwillen beraubt. ⁹Solange ich bei euch war, habe ich keinen von euch belästigt, wenn ich in Not war. Denn die Brüder, die aus Mazedonien kamen, brachten mir, was ich brauchte. Ich wollte euch auf keinen Fall zur Last fallen. So werde ich es auch in Zukunft halten. ¹⁰Ich verspreche euch bei der Wahrheit Christi, die in mir lebt: Meinen Ruhm in diesem Punkt wird mir niemand in der ganzen Provinz Achaia nehmen! ¹¹Warum bestehe ich darauf? Etwa weil ich euch nicht liebe? Gott weiß, daß ich es tue!

¹²Wenn ich auch in Zukunft nichts von euch annehme, so hat das einen anderen Grund. Eure Superapostel suchen nur eine Gelegenheit, mich zu sich herabzuziehen. Sie verweisen voll Stolz darauf, daß sie von der Gemeinde unterhalten werden; sie nehmen das als einen Beweis ihrer Autorität und wollen mich dazu bringen, daß ich mich ihnen gleichstelle. ¹³In Wirklichkeit sind sie falsche Apostel; sie sind Betrüger, die sich nur für Apostel Christi ausgeben. ¹⁴Das braucht euch nicht zu wundern. Sogar der Satan verstellt sich und gibt sich für einen Engel aus! ¹⁵Es ist also nichts Besonderes, wenn auch seine Helfer sich verstellen und als Diener Gottes auftreten. Aber am Ende werden sie nach ihren Taten bestraft.

Was Paulus vorzuweisen hat

¹⁶Ich wiederhole: Niemand soll glauben, ich sei nicht ganz bei Verstand. Aber wenn es einer meint, dann soll er mich

eben so nehmen, damit ich mich auch ein klein wenig anpreisen kann. [17] Was ich jetzt sage, ist nicht im Sinne des Herrn gesagt. Ich spreche wie ein Unzurechnungsfähiger, wenn ich mich darauf einlasse. [18] Aber weil so viele sich auf ihre Vorzüge berufen, will ich es auch einmal tun. [19] Ihr seid ja vernünftig – und laßt euch deshalb von jedem Verrückten alles gern gefallen! [20] Ihr duldet es, wenn einer euch unterdrückt, euch einwickelt und ausbeutet, euch verachtet und ins Gesicht schlägt. [21] Ich muß zu meiner Schande gestehen: dazu war ich zu schüchtern.

Ich rede jetzt wirklich wie ein Verrückter: Womit andere prahlen, damit kann ich auch prahlen. [22] Sie sind echte Hebräer? Das bin ich auch. Sie sind Israeliten? Das bin ich auch. Sie sind Nachkommen Abrahams? Das bin ich auch. [23] Sie sind Diener Christi? Ich rede im Wahnsinn: ich bin es noch mehr! Ich habe viel härter für Christus gearbeitet. Ich bin öfter im Gefängnis gewesen. Ich bin viel mehr ausgepeitscht worden. Oft bin ich in Todesgefahr gewesen. [24] Fünfmal habe ich von den Juden die neununddreißig Schläge bekommen. [25] Dreimal wurde ich ausgepeitscht, einmal bin ich gesteinigt worden. Ich habe drei Schiffbrüche erlebt; das eine Mal trieb ich eine Nacht und einen Tag auf dem Meer. [26] Auf meinen vielen Reisen haben mich Hochwasser und Räuber bedroht. Juden und Nichtjuden haben mir nachgestellt. Es gab Gefahren in den Städten und in der Wüste, Gefahren auf hoher See und Gefahren bei falschen Brüdern. [27] Ich habe Mühe und Not durchgestanden. Ich habe oft schlaflose Nächte gehabt; ich bin hungrig und durstig gewesen. Oft habe ich überhaupt nichts zu essen gehabt oder ich habe gefroren, weil ich nicht genug anzuziehen hatte. [28] Ich könnte noch vieles aufzählen; aber ich will nur noch eines nennen: die Sorge um alle Gemeinden, die mir täglich zu schaffen macht. [29] Wenn irgendwo einer schwach ist, bin ich es mit ihm. Und wenn einer an Gott irre wird, trifft es mich tief.

[30] Wenn ich schon prahlen muß, will ich mit meiner Schwäche prahlen. [31] Gott, der Vater unseres Herrn Jesus, weiß, daß ich nicht lüge. Gepriesen sei er für alle Zeiten! [32] Als ich in Damaskus war, stellte der Bevollmächtigte des Königs Aretas Wachen an die Stadttore, um mich zu ver-

haften. ³³Aber durch eine Maueröffnung wurde ich in einem Korb hinuntergelassen und entkam.

Der größte Vorzug

12 Ihr zwingt mich dazu, daß ich mein Selbstlob noch weiter treibe. Zwar hat niemand einen Nutzen davon; aber sprechen wir jetzt von den Visionen und Offenbarungen, die der Herr schenkt. ²Ich kenne einen bestimmten Christen, der vor vierzehn Jahren in den dritten Himmel* versetzt wurde. Ich weiß nicht, ob er körperlich dort war oder nur im Geist; das weiß nur Gott. ³⁻⁴Ich bin jedenfalls sicher, daß dieser Mann ins Paradies* versetzt wurde, auch wenn ich nicht weiß, ob er körperlich dort gewesen ist oder nur im Geist. Das weiß nur Gott. Dort hörte er geheimnisvolle Worte, die kein Mensch aussprechen kann. ⁵Im Blick auf diesen Mann will ich prahlen. Im Blick auf mich selbst prahle ich nur mit meiner Schwäche. ⁶Wollte ich aber für mich selbst damit prahlen, so wäre das kein Anzeichen, daß ich den Verstand verloren habe; denn ich sage die reine Wahrheit. Trotzdem verzichte ich darauf; denn jeder soll mich nach dem beurteilen, was er von mir hört und sieht, und nicht höher von mir denken.

⁷Ich habe unbeschreibliche Dinge geschaut. Aber damit ich mir nichts darauf einbilde, hat Gott mir ein schweres Leiden gegeben: Der Engel des Satans darf mich schlagen, damit ich nicht überheblich werde. ⁸Dreimal habe ich zum Herrn gebetet, daß er mich davon befreit. ⁹Aber er hat mir gesagt:»Du brauchst nicht mehr als meine Gnade. Je schwächer du bist, desto stärker erweist sich an dir meine Macht.« Jetzt trage ich meine Schwäche gern, ja ich bin stolz darauf, damit die Kraft Christi sich an mir erweisen kann. ¹⁰Weil er mir zu Hilfe kommt, freue ich mich über mein Leiden, über Mißhandlungen, Notlagen, Verfolgungen und Schwierigkeiten. Denn gerade wenn ich schwach bin, bin ich stark.

Paulus sorgt sich um die Korinther

¹¹Jetzt habe ich mich tatsächlich wie ein Unzurechnungsfähiger aufgeführt. Aber ihr habt mich ja dazu gezwungen. Es wäre doch eure Sache gewesen, meine Vorzüge

herauszustreichen! Auch wenn ich nichts bin, stehe ich
euren Superaposteln* in keiner Weise nach. [12] In aller Geduld habe ich mich bei euch als Apostel ausgewiesen,
durch Wunder und andere Zeichen meiner Vollmacht.
[13] Habe ich euch in irgendeinem Punkt schlechter behandelt als die übrigen Gemeinden? Ich weiß nur, daß ich
euch nicht mit der Forderung nach Unterhalt zur Last gefallen bin. Verzeiht mir, daß ich so ungerecht war!

[14] Zum drittenmal will ich jetzt zu euch kommen. Ich
werde auch diesmal keine Forderungen an euch stellen.
Euch selbst möchte ich, nicht euer Geld! Schließlich sollen nicht die Kinder für ihre Eltern sorgen, sondern die
Eltern für ihre Kinder. [15] Euch zugut würde ich gerne alles
hergeben, auch mein eigenes Leben. Wollt ihr mich weniger lieben, weil ich euch mehr liebe als die anderen?

[16] Ihr müßt zugeben, daß ich euch nicht zur Last gefallen bin. Oder war ich vielleicht listig und hinterhältig?
[17] Habe ich euch durch einen meiner Boten ausgebeutet?
[18] Ich schickte euch Titus und den anderen Bruder. Könnt
ihr behaupten, daß Titus euch ausgebeutet hat? Handeln
wir nicht beide im gleichen Sinn und gehen denselben
Weg?

[19] Ihr denkt vielleicht schon lange, daß ich mich wie ein
Angeklagter vor euch verteidige. Aber ich rede vor Gott
als einer, der Christus gehört. Ich tue das zu eurem Besten, liebe Freunde! [20] Ich habe Angst, daß ich euch bei
meiner Ankunft nicht so antreffe, wie ich euch haben
möchte. Dann findet auch ihr mich anders, als ihr mich
haben wollt. Ich befürchte, daß ich Neid und Streit vorfin-
de, Unbeherrschtheit, Selbstsucht, Beleidigungen, Verleumdungen, Überheblichkeit und Unordnung. [21] Ich
möchte nicht, daß mich Gott vor euch demütigt, wenn ich
wieder zu euch komme. Ich möchte nicht traurig sein
müssen über die vielen, die gesündigt haben und sich
nicht gebessert haben. Reinigt euch von allem, was euch
beschmutzt, und sagt dem ausschweifenden und wüsten
Leben ab!

Letzte Warnungen und Grüße

13 Ich besuche euch jetzt zum drittenmal. Dann ver-
fahre ich nach dem Grundsatz: »Aufgrund von

zwei oder drei Zeugenaussagen wird der Schuldspruch gefällt.« ²Für die von euch, die gesündigt haben, und für alle
anderen wiederhole ich, was ich schon während meines
zweiten Besuchs angekündigt habe: Wenn ich das nächste
Mal komme, werde ich niemand schonen. ³Dann habt ihr
den Beweis dafür, daß Christus durch mich spricht. Christus ist euch gegenüber nicht schwach, sondern erweist
unter euch seine Macht. ⁴Als er am Kreuz starb, war er
schwach. Aber jetzt lebt er durch Gottes Macht. Auch ich
bin mit Christus schwach. Aber ihr werdet sehen, daß ich
durch Gottes Macht mit ihm lebe.

⁵Prüft euch, ob ihr noch im Glauben steht! Macht
selbst die Probe! Ihr müßt es doch an euch merken, ob Jesus Christus unter euch ist; sonst hättet ihr ja versagt.
⁶Ich hoffe aber, ihr werdet noch sehen, daß ich nicht versagt habe. ⁷Ich bete zu Gott, daß ihr keinerlei Unrecht
tut. Nicht, damit man daran meinen Erfolg sieht. Ihr sollt
das Rechte tun, auch wenn ich wie ein Versager dastehe.
⁸Ich kann nicht gegen die Wahrheit kämpfen, sondern nur
für sie. ⁹Ich freue mich ja, wenn ich schwach bin und ihr
stark seid. Genau darum bete ich zu Gott: Ich bitte ihn,
daß er euch auf den rechten Weg bringt.

¹⁰Dies alles schreibe ich euch, solange ich noch fern
von euch bin. Ich möchte nicht streng mit euch umgehen
müssen, wenn ich komme. Die Vollmacht, die der Herr
mir gab, habe ich nicht bekommen, um die Gemeinde zu
zerstören, sondern um sie aufzubauen.

¹¹Lebt wohl, Brüder! Nehmt meine Worte zu Herzen
und laßt euch wieder auf den rechten Weg bringen. Seid
einer Meinung und lebt in Frieden miteinander! Dann
wird Gott, der uns seine Liebe und seinen Frieden
schenkt, bei euch sein.

¹²Grüßt einander mit dem Bruderkuß*! Die ganze Gemeinde läßt euch grüßen.

¹³Die Gnade unseres Herrn Jesus Christus und die Liebe Gottes und die Hilfe des heiligen Geistes* sei mit euch
allen!

DER BRIEF DES APOSTELS PAULUS AN DIE GEMEINDEN IN GALATIEN

Ein ungewöhnlicher Briefeingang

1 Paulus, der Apostel*, schreibt diesen Brief an die Gemeinden in Galatien:

Meinen Auftrag als Apostel habe ich nicht von Menschen erhalten und auch nicht durch menschliche Vermittlung; ich erhielt ihn von Jesus Christus und von Gott, dem Vater, der Jesus vom Tod erweckt hat. ²Alle Brüder, die bei mir sind, grüßen mit mir zusammen die Gemeinden in Galatien.

³Um Gnade und Frieden beten wir für euch zu Gott, unserem Vater, und zu Jesus Christus, dem Herrn, ⁴der sich für unsere Schuld geopfert hat. Er hat sein Leben hingegeben, um uns aus der gegenwärtigen Welt* zu befreien, die vom Bösen beherrscht wird. So wollte es Gott, unser Vater, ⁵der dafür in alle Ewigkeit gepriesen sei! Amen.

Es gibt nur die eine Gute Nachricht

⁶Ich wundere mich über euch! Gott hat euch durch die Gute Nachricht zu einem Leben in der Gnade berufen, die Christus gebracht hat. Aber schon nach so kurzer Zeit kehrt ihr ihm, der euch berufen hat, den Rücken und wendet euch einer anderen Guten Nachricht zu. ⁷Es gibt in Wirklichkeit gar keine andere; es gibt nur gewisse Leute, die euch verwirren. Sie wollen die Gute Nachricht von Christus verdrehen. ⁸Aber nicht einmal ich selbst oder ein Engel vom Himmel darf euch eine Gute Nachricht bringen, die der widerspricht, die ich euch gebracht habe. Wer es tut, der soll verflucht sein, auf ewig von Gott getrennt! ⁹Ich habe es euch schon früher eingeschärft und wiederhole es jetzt: Wer euch eine andere Gute Nachricht bringt als die, die ihr angenommen habt, der soll verflucht sein, auf ewig von Gott getrennt!

¹⁰Können sie mir jetzt vorwerfen, ich beschwatze Menschen? Dann könnten sie doch gleich sagen, ich beschwat-

ze Gott!° Rede ich etwa den Menschen nach dem Mund? Ich gehöre Christus und diene ihm – wie kann ich da noch nach dem Beifall der Menschen fragen!

Paulus steht den anderen Aposteln nicht nach

[11] Das eine müßt ihr wissen, Brüder: Die Gute Nachricht, die ich verkünde, ist nicht von Menschen erdacht. [12] Ich jedenfalls habe sie nicht von Menschen übernommen oder gelernt. Jesus Christus ist mir erschienen und hat sie mir anvertraut.

[13] Ihr wißt doch, was für ein eifriger Anhänger der jüdischen Religion ich früher gewesen bin. Bis zum äußersten verfolgte ich die Gemeinde Gottes und tat alles, um sie zu vernichten. [14] Ich befolgte die Vorschriften des Gesetzes* peinlich genau und übertraf darin viele meiner Altersgenossen. Fanatischer als alle setzte ich mich für die überlieferten Lehren ein.

[15-16] Aber dann hat Gott mich seinen Sohn* sehen lassen, damit ich ihn überall unter den Völkern bekanntmache. Dazu hatte er mich schon vor meiner Geburt bestimmt, und so berief er mich in seiner Gnade zu seinem Dienst. Als das geschah, besann ich mich nicht lange und fragte keinen Menschen um Rat. [17] Ich ging auch nicht nach Jerusalem zu denen, die vor mir Apostel* waren, sondern begab mich nach Arabien und kehrte von dort wieder nach Damaskus zurück. [18] Erst drei Jahre später reiste ich nach Jerusalem, um Petrus kennenzulernen, und blieb zwei Wochen bei ihm. [19] Von den anderen Aposteln sah ich nur Jakobus, den Bruder des Herrn. [20] Ich sage euch die reine Wahrheit; Gott weiß es. [21] Dann ging ich nach Syrien und Zilizien. [22] Die christlichen Gemeinden in Judäa kannten mich persönlich nicht. [23] Sie hatten nur gehört: »Der Mann, der uns verfolgte, verkündet jetzt den Glauben, den er früher ausrotten wollte!« [24] Darum dankten sie Gott dafür, daß er dies an mir bewirkt hatte.

Die anderen Apostel erkennen Paulus an

2 [1-2] Vierzehn Jahre später ging ich aufgrund einer Weisung des Herrn wieder nach Jerusalem, diesmal mit Barnabas. Auch Titus nahm ich mit. Ich legte dort Re-

chenschaft ab über das, was ich als Gute Nachricht bei
den anderen Völkern verkünde. Besonders verständigte
ich mich mit den maßgebenden Männern; denn ich wollte
nicht, daß meine ganze Arbeit vergeblich sei. [3]Nicht einmal mein Begleiter Titus, der ein Grieche ist, wurde von
ihnen gezwungen, sich beschneiden* zu lassen. [4]Es waren
allerdings auch einige falsche Brüder da, die uns schon
früher nachspioniert hatten. Sie wollten sich zu Richtern
über die Freiheit machen, die wir durch Jesus Christus haben, und hätten uns gerne wieder unter das Gesetz* gezwungen. [5]Aber ich habe ihnen nicht einen Augenblick
nachgegeben. Die Gute Nachricht sollte euch unverfälscht erhalten bleiben!

[6]Die Männer, die als maßgebend gelten, machten mir
keinerlei Auflagen. – Für mich sind sie übrigens nicht
maßgebend aufgrund dessen, was sie früher einmal waren;° Gott hat deswegen keinen Unterschied zwischen ihnen und mir gemacht. – [7]Sie erkannten, daß Gott mich
beauftragt hat, die Gute Nachricht den nichtjüdischen
Völkern zu bringen, so wie er Petrus beauftragt hat, sie
den Juden zu bringen. [8]Denn Gott wirkte durch Petrus
bei seiner Arbeit unter den Juden und hat ihn so als Apostel* für die Juden bestätigt. Auf dieselbe Weise hat er
mich als Apostel für die anderen Völker bestätigt. [9]Die
Männer, die als die Säulen° gelten, Jakobus, Petrus und
Johannes, sahen daran, daß Gott mir einen besonderen
Auftrag gegeben hat. So gaben sie mir und Barnabas die
Hand zum Zeichen der Gemeinschaft. Wir einigten uns,
daß Barnabas und ich unter den anderen Völkern die Gute Nachricht verkünden sollten und sie unter den Juden.
[10]Sie baten nur, daß wir die verarmte Gemeinde in Jerusalem unterstützten. Darum habe ich mich auch wirklich
bemüht.

Der Streit in Antiochia: Nur der Glaube rettet!

[11]Als dann Petrus nach Antiochia kam, trat ich ihm offen
entgegen, weil er sich ins Unrecht gesetzt hatte. [12]Zuerst
nämlich hatte er zusammen mit den nichtjüdischen Brüdern an den gemeinsamen Mahlzeiten* teilgenommen.
Als dann aber Leute aus dem Kreis um Jakobus kamen,
sonderte er sich ab und wollte aus Furcht vor ihnen nicht

mehr mit den Nichtjuden zusammen essen. [13] Auch die anderen Juden blieben gegen ihre Überzeugung den gemeinsamen Mahlzeiten fern, so daß sogar Barnabas angesteckt wurde und genau wie sie seine Überzeugung verleugnete. [14] Als ich sah, daß sie die Wahrheit der Guten Nachricht preisgaben, sagte ich zu Petrus vor der ganzen Gemeinde:

»Obwohl du ein Jude bist, hast du bisher das jüdische Gesetz* nicht beachtet und wie ein Nichtjude gelebt. Und jetzt willst du auf einmal die nichtjüdischen Brüder zwingen, wie die Juden nach dem Gesetz zu leben? [15] Es stimmt, wir sind von Geburt Juden und nicht Angehörige der Völker, die das Gesetz Gottes nicht kennen. [16] Aber wir wissen, daß niemand vor Gott bestehen kann mit dem, was er tut. Nur der findet bei Gott Anerkennung, der Gottes Gnadenangebot annimmt und auf Jesus Christus vertraut. Deshalb haben auch wir unser Vertrauen auf Jesus Christus gesetzt, damit wir aufgrund dieses Vertrauens die Anerkennung Gottes finden und nicht aufgrund der Erfüllung des Gesetzes; denn durch die Befolgung des Gesetzes kann kein Mensch vor Gott bestehen.«

[17] Wenn aber wir als Juden ebenfalls durch Christus vor Gott zu bestehen suchen, geben wir zu, daß wir genauso wie die Menschen der anderen Völker Sünder sind. Kann man dann sagen, daß Christus die Sünde begünstigt? Auf keinen Fall! [18] Vielmehr gilt: Wenn ich das Gesetz außer Kraft setze und nicht mehr befolge, es danach aber doch wieder für gültig erkläre, mache ich mich selbst zum Sünder, der das Gesetz übertreten hat. [19] Aber das Gesetz kann nichts mehr von mir fordern; denn ich bin für das Gesetz tot; das Gesetz selbst hat mir den Tod gebracht. Jetzt kann ich für Gott leben. Ich bin mit Christus am Kreuz gestorben; [20] darum lebe nun nicht mehr ich, sondern Christus lebt in mir. Sofern ich noch in dieser Welt* lebe, lebe ich im Vertrauen auf den Sohn* Gottes, der mir seine Liebe erwiesen und sein Leben für mich gegeben hat. [21] Ich weise Gottes Gnade nicht zurück. Wenn wir vor Gott damit bestehen könnten, daß wir das Gesetz erfüllen, dann wäre ja Christus vergeblich gestorben!

Nur der Glaube schenkt Leben

3 Ihr unvernünftigen Galater! Wer hat euch derart verhext? Ich habe euch doch Jesus Christus, den Gekreuzigten, in aller Deutlichkeit vor Augen gestellt. ²Sagt mir nur das eine: Hat Gott euch seinen Geist* gegeben, weil ihr das Gesetz* befolgt habt oder weil ihr die Gute Nachricht gehört habt und auf Jesus Christus vertraut? ³Warum begreift ihr denn nicht? Was der Geist Gottes in euch angefangen hat, das wollt ihr jetzt aus eigener Kraft zu Ende führen? ⁴War denn alles vergeblich, was ihr erlebt habt? Es kann nicht vergeblich gewesen sein! ⁵Gott gibt euch seinen Geist und läßt Wunder bei euch geschehen – tut er das, weil ihr das Gesetz befolgt oder weil ihr Jesus Christus vertraut?

⁶Wie war es denn bei Abraham? »Er vertraute auf die Zusage Gottes, und so fand er Gottes Anerkennung.« ⁷Ihr seht also, wer die echten Nachkommen Abrahams sind. Es sind die Menschen, die sich auf Gottes Zusage verlassen. ⁸Weil die heiligen Schriften* vorausgesehen haben, daß Gott die fremden Völker aufgrund ihres Vertrauens annehmen werde, verkünden sie Abraham im voraus die Gute Nachricht: »Durch dich werden alle Völker der Erde gesegnet werden.« ⁹Daraus folgt: Alle, die Gott ebenso vertrauen wie Abraham, werden zusammen mit Abraham gesegnet.

¹⁰Wer dagegen durch Erfüllung des Gesetzes bei Gott Anerkennung zu finden sucht, lebt unter einem Fluch. Denn es heißt: »Fluch über jeden, der nicht alle Bestimmungen dieses Gesetzes genau befolgt!« ¹¹Es ist aber unmöglich, daß jemand das Gesetz befolgen und dadurch vor Gott bestehen kann; denn es heißt ja auch: »Wer *Gott vertraut,* kann vor ihm bestehen und wird leben.« ¹²Beim Gesetz jedoch geht es nicht um das Vertrauen; denn von ihm gilt: Wer *seine Vorschriften befolgt,* der wird leben.«

¹³Christus hat uns von dem Fluch losgekauft, unter dem unser Leben stand, solange das Gesetz in Kraft war. Denn er hat an unserer Stelle den Fluch auf sich genommen. »Wer am Holz hängt, ist von Gott verflucht«, heißt es im Gesetz. ¹⁴So kam durch ihn der Segen, der Abraham zugesagt wurde, zu allen Völkern. Denn alle, die sich

auf Jesus Christus verlassen, sollen den Geist* erhalten, den Gott versprochen hat.

Wie steht es mit dem Gesetz?

[15] Brüder, denkt doch einmal daran, wie es bei uns Menschen ist! Da kann doch keiner eine rechtsgültige Verfügung für ungültig erklären oder etwas hinzufügen. [16] Nun gab Gott seine Zusage Abraham und seinen Nachkommen. Genau genommen hat er aber zu Abraham nicht gesagt: »*Deinen* Nachkommen gilt diese Zusage«, als ob viele gemeint wären, sondern er hat gesagt: »*Deinem* Nachkommen«.° Er sprach nur von einem, nämlich von Christus. [17] Ich will damit folgendes sagen: Gott hat Abraham eine rechtsgültige Zusage gemacht. Das Gesetz*, das vierhundertdreißig Jahre später kam, kann sie nicht ungültig machen. Es kann die Zusage nicht aufheben. [18] Hinge das, was Gott Abraham zugesichert hat, wirklich von der Befolgung des Gesetzes ab, dann käme es nicht mehr aus der Zusage. Gott aber hat sich Abraham gegenüber dadurch gnädig erwiesen, daß er ihm eine freie Zusage gemacht hat. [19] Wozu ist dann noch das Gesetz erlassen worden? Damit sich die Macht der Sünde in der Vielzahl der Sünden entfalten konnte. Das Gesetz sollte gelten, bis der Nachkomme Abrahams da wäre, für den die Zusage bestimmt ist. Das Gesetz ist durch Engel* erlassen worden, und ein Vermittler hat es verkündet. [20] Man braucht aber keinen Vermittler, wo nur eine einzige Person handelt; und Gott ist Einer.

Das Gesetz hat seine Zeit

[21] Widerspricht dann das Gesetz* der göttlichen Zusage? Keineswegs! Es wurde ja nicht ein Gesetz erlassen, das zum Leben führen kann. Nur dann könnten die Menschen aufgrund des Gesetzes vor Gott bestehen. [22] In den heiligen Schriften* heißt es aber, daß die ganze Menschheit in der Gewalt der Sünde ist. Was Gott versprochen hat, sollte den Menschen vielmehr durch Jesus Christus geschenkt werden. Alle, die ihm vertrauen würden, sollten es bekommen.

[23] Bevor uns Gott den Weg des Vertrauens geöffnet hat,

waren wir im Gefängnis des Gesetzes eingesperrt. ²⁴Das Gesetz hielt uns unter strenger Aufsicht. Das dauerte so lange, bis Christus kam. Denn einzig und allein durch das Vertrauen sollten wir Gottes Anerkennung finden. ²⁵Jetzt ist es soweit; darum stehen wir nicht mehr unter dem Gesetz.

²⁶Ihr seid also Gottes Kinder, weil ihr zum Vertrauen gefunden habt und mit Jesus Christus verbunden seid. ²⁷Als ihr in der Taufe Christus übereignet wurdet, habt ihr Christus angezogen wie ein Gewand.° ²⁸Es hat darum nichts mehr zu sagen, ob einer Jude ist oder Nichtjude, ob er Sklave ist oder frei, ob Mann oder Frau. Durch eure Verbindung mit Jesus Christus seid ihr alle zu *einem* Menschen geworden. ²⁹Wenn ihr aber Christus gehört, seid ihr auch Abrahams Nachkommen und bekommt, was Gott Abraham versprochen hat.

4 Ich will euch das an einem Beispiel deutlich machen: Solange der rechtmäßige Erbe minderjährig ist, hat er nicht mehr zu sagen als ein Sklave, auch wenn ihm in Wirklichkeit alles gehört. ²Bis zu dem Zeitpunkt, den der Vater im Testament festgelegt hat, ist er von Vormund und Besitzverwaltern abhängig. ³So standen auch wir früher unter der Herrschaft der kosmischen Mächte*. ⁴Als aber die festgesetzte Zeit gekommen war, sandte Gott seinen Sohn*. Der wurde als ein Mensch geboren und unter das Gesetz gestellt, ⁵um alle zu befreien, die unter der Herrschaft des Gesetzes standen. Durch ihn wollte Gott uns als seine Kinder annehmen.

⁶Weil ihr nun Gottes Kinder seid, gab Gott euch den Geist* seines Sohnes ins Herz. Der ruft aus uns: »Abba! Vater!« ⁷Ihr seid also nicht länger Sklaven, sondern Kinder. Wenn ihr aber Kinder seid, seid ihr nach Gottes Willen auch Erben und bekommt, was Gott den Nachkommen Abrahams versprochen hat.

Paulus sorgt sich um die Galater

⁸Denkt an die Zeit, als ihr Gott noch nicht gekannt habt: Wie Sklaven dientet ihr damals Göttern, die keine sind. ⁹Jetzt kennt ihr Gott – ich sollte besser sagen: Gott kennt euch! Wie könnt ihr dann zu diesen schwachen und armseligen Mächten* zurückkehren? Wollt ihr von neuem ih-

re Sklaven sein? [10] Ihr achtet auf bestimmte Tage, Monate und Jahre. [11] Ihr macht mir Sorge! Soll meine ganze Mühe um euch vergeblich gewesen sein?

[12] Ich bitte euch, Brüder: Werdet so frei wie ich! Ich bin um euretwillen ja auch so frei geworden, wie ihr wart. Ihr habt mir nie eine Kränkung zugefügt. [13] Ihr erinnert euch daran, wie ich zum erstenmal bei euch war und euch die Gute Nachricht brachte. Ich war krank, [14] und mein Zustand stellte euch auf eine harte Probe. Trotzdem habt ihr mich nicht verachtet oder verabscheut. Im Gegenteil, ihr habt mich wie einen Engel Gottes aufgenommen, ja wie Jesus Christus selbst. [15] Damals habt ihr euch glücklich gepriesen. Wo ist das nun geblieben? Ich kann euch bezeugen: Wenn es möglich gewesen wäre, hättet ihr euch sogar die Augen ausgerissen und sie mir gegeben. [16] Bin ich jetzt euer Feind geworden, weil ich euch die Wahrheit vorhalte?

[17] Ihr werdet von Leuten umworben, die es nicht gut mit euch meinen. Sie wollen euch nur von mir trennen, damit ihr ihnen nachlauft. [18] Auf andere zu hören ist gut; aber ihr müßt den richtigen Leuten Gehör schenken, und zwar immer – nicht nur, wenn ich bei euch bin. [19] Meine Kinder, noch einmal leide ich für euch die Schmerzen, die eine Mutter bei der Geburt aussteht. Denn es soll dahin kommen, daß man an euch als Gemeinde sehen kann, wer Christus ist. [20] Könnte ich jetzt nur bei euch sein und so zu euch reden, daß es euch ins Herz dringt! Ich bin völlig ratlos, was ich mit euch machen soll!

Zweierlei Söhne Abrahams

[21] Ihr wollt euch dem Gesetz* unterwerfen. Ich frage euch: Hört ihr nicht, was das Gesetz sagt? [22] Im Gesetzbuch Moses steht: Abraham bekam zwei Söhne, einen von der Sklavin Hagar und einen von der freien Frau, Sara. [23] Der erste verdankte sein Leben der natürlichen Zeugungskraft, der zweite verdankte es der Zusage Gottes. [24] Diese Erzählung hat einen tieferen Sinn: Die beiden Mütter bedeuten zwei verschiedene Ordnungen Gottes. Die eine Ordnung, für die Hagar steht, wurde am Berg Sinai erlassen und bringt Sklaven hervor. [25] Das Wort Hagar bezeichnet nämlich in Arabien den Berg Sinai. Genauso

ist es mit dem jetzigen Jerusalem: Es lebt mit seinen Kindern in der Sklaverei. ²⁶ Das Jerusalem im Himmel dagegen ist frei. Das ist unsere Mutter! ²⁷ Von ihr heißt es: »Freue dich, obwohl du keine Kinder hast! Jauchze laut, obwohl du nie geboren hast! Denn die Verstoßene wird mehr Kinder haben als die, die mit ihrem Mann zusammenlebt.«

²⁸ Brüder, mit euch ist es wie mit Isaak: Ihr seid Gottes Kinder aufgrund seiner Zusage. ²⁹ Aber schon damals verfolgte der Sohn, der aus den Kräften der Natur geboren wurde, den anderen, der sein Leben aus Gottes Geist* hatte. So ist es auch jetzt. ³⁰ Aber was steht in den heiligen Schriften*? »Jage diese Sklavin und ihren Sohn fort; denn der Sohn der Freien soll nicht mit dem Sohn der Sklavin das Erbe teilen.« ³¹ Wir aber sind nicht die Kinder der Sklavin, Brüder, sondern der Freien!

5 Christus hat uns befreit; er will, daß wir auch frei bleiben. Steht also fest und laßt euch nicht wieder zu Sklaven machen!

Laßt euch eure Freiheit nicht nehmen!

² Hört mich an! Ich, Paulus, sage euch: Wenn ihr euch beschneiden* laßt, habt ihr von Christus nichts mehr zu erwarten. ³ Ich sage noch einmal mit Nachdruck jedem, der sich beschneiden läßt: Er ist verpflichtet, das ganze Gesetz* zu befolgen. ⁴ Wenn ihr vor Gott bestehen wollt, indem ihr das Gesetz befolgt, habt ihr die Verbindung mit Christus verloren und die Gnade vertan.

⁵ Wir dagegen verlassen uns allein auf das, was Gott für uns getan hat. Weil wir seinen Geist* erhalten haben, hoffen wir fest darauf, daß wir vor seinem Urteil bestehen werden. ⁶ Seit Jesus Christus gekommen ist, zählt nicht mehr, ob einer beschnitten ist oder nicht. Es zählt nur noch das Vertrauen, das sich in tätiger Liebe auswirkt.

⁷ Ihr kamt so gut voran! Wer hat euch aufgehalten, daß ihr der Wahrheit nicht mehr folgen wollt? ⁸ Man will euch überreden; aber das kommt nicht von Gott, der euch berufen hat. ⁹ Denkt daran: »Ein klein wenig Sauerteig* macht den ganzen Teig sauer.« ¹⁰ Ich vertraue aber auf den Herrn, und das gibt mir die Zuversicht, daß ihr auf den

rechten Weg zurückkehren werdet. Der, der euch irre-
macht, wird sein Urteil empfangen, ganz gleich, wer er ist.
¹¹ Wenn ich wirklich verkünden werde, man müsse sich
beschneiden lassen, warum werde ich dann verfolgt, Brüder? Dann brauchte sich ja niemand mehr darüber zu
empören, daß wir nur durch den Gekreuzigten bei Gott
Anerkennung finden. ¹² Wenn sie schon so viel Wert aufs
Beschneiden legen, dann sollen sie sich doch gleich ka-
strieren lassen, die Leute, die euch aufhetzen!

Zur Liebe befreit

¹³ Gott hat euch zur Freiheit berufen, Brüder! Aber mißbraucht sie nicht als Freibrief für Selbstsucht und Lieblo-
sigkeit. Vielmehr soll sich einer dem anderen unterordnen. ¹⁴ Das ganze Gesetz* ist erfüllt, wenn dieses eine
Gebot befolgt wird: »Liebe deinen Mitmenschen wie dich
selbst.« ¹⁵ Wenn ihr einander wie wilde Tiere beißt und
freßt, dann paßt nur auf, daß ihr euch nicht gegenseitig
verschlingt.

¹⁶ Ich will damit sagen: Lebt aus der Kraft, die der
Geist* Gottes gibt; dann müßt ihr nicht euren selbstsüchtigen Wünschen folgen. ¹⁷ Die menschliche Selbstsucht
kämpft gegen den Geist Gottes, und der Geist Gottes gegen die menschliche Selbstsucht; die beiden liegen im
Streit miteinander, so daß ihr das Gute nicht tun könnt,
das ihr doch eigentlich wollt. ¹⁸ Wenn aber der Geist Gottes euer Leben bestimmt, dann steht ihr nicht mehr unter
dem Zwang des Gesetzes.

¹⁹ Wohin die menschliche Selbstsucht führt, kann jeder
sehen: zu Unzucht, Verdorbenheit und Ausschweifungen,
²⁰ Götzendienst und Zauberei, Streit, Gehässigkeit, Rivali-
tät, Jähzorn, Geltungsdrang, Uneinigkeit und Spaltungen,
²¹ Neid, Trunk- und Freßsucht und noch vieles dergleichen. Ich warne euch, wie ich es schon früher getan habe:
Wer solche Dinge tut, für den ist kein Platz in Gottes neuer Welt.

²² Der Geist Gottes dagegen läßt als Frucht eine Fülle
von Gutem wachsen, nämlich Liebe, Freude, Frieden, Geduld, Freundlichkeit, Güte, Treue, ²³ Nachsicht und
Selbstbeherrschung. Wer so lebt, hat das Gesetz nicht gegen sich. ²⁴ Das gilt von allen, die zu Jesus Christus gehö-

ren; denn sie haben ihre Selbstsucht mit allen Leidenschaften und Begierden ans Kreuz genagelt.

Die Last teilen

²⁵ Wenn nun Gottes Geist* von uns Besitz ergriffen hat,
dann wollen wir auch aus diesem Geist unser Leben führen. ²⁶ Wir wollen nicht nach vergänglicher Ehre streben,
uns nicht voreinander aufspielen und gegenseitig beneiden.

6 Auch wenn ein Bruder von einer Verfehlung ereilt
wird, müßt ihr zeigen, daß der Geist Gottes euch leitet. Bringt einen solchen Menschen mit Nachsicht wieder
auf den rechten Weg. Paßt auf, daß ihr nicht selbst zu Fall
kommt! ² Einer soll dem anderen helfen, seine Lasten zu
tragen. So erfüllt ihr das Gesetz Christi. ³ Wer sich über
den anderen erhebt, obwohl er doch gar keine Ursache
dazu hat, betrügt sich selbst. ⁴ Jeder soll darauf achten,
daß sein eigenes Tun vor Gott bestehen kann; dann wird
er nicht damit großtun, daß er vielleicht besser ist als ein
anderer. ⁵ Jeder hat genug an dem zu tragen, was er selbst
vor Gott verantworten muß.

⁶ Wer im christlichen Glauben unterwiesen wird, soll
dafür, so gut er kann, zum Lebensunterhalt seines Leh-
rers beitragen.

⁷ Macht euch nichts vor! Gott läßt keinen Spott mit sich
treiben. Jeder wird ernten, was er gesät hat. ⁸ Wer sich von
seiner Selbstsucht leiten läßt, wird den Tod ernten. Wer
sich von Gottes Geist leiten läßt, wird unvergängliches Leben ernten. ⁹ Wir wollen nicht müde werden zu tun, was
gut und recht ist. Wenn die Zeit da ist, werden wir auch
die Ernte einbringen; wir dürfen nur nicht aufgeben.
¹⁰ Solange wir also noch Zeit haben, wollen wir allen Menschen Liebe erweisen, besonders denen, die mit uns durch
den Glauben verbunden sind.

Ein eigenhändiges Schlußwort

¹¹ Das Folgende schreibe ich euch eigenhändig, ihr seht es
an den großen Buchstaben:
¹² Diese Leute drängen euch zur Beschneidung*, um
sich dadurch Vorteile zu verschaffen. Sie tun es nur, damit
sie für ihr Bekenntnis zum Gekreuzigten nicht von den

Juden verfolgt werden. [13]Sie treten für die Beschneidung ein; aber sie selbst leben gar nicht nach dem Gesetz*. Ihr sollt euch nur beschneiden lassen, damit sie etwas vorzuweisen haben. [14]Ich aber will nichts anderes vorweisen als das Kreuz unseres Herrn Jesus Christus. Weil er am Kreuz gestorben ist, ist die Welt für mich tot und bin ich tot für die Welt. [15]Darum hat es nichts zu sagen, ob einer beschnitten ist oder nicht. Es kommt allein darauf an, daß Gott neue Menschen aus uns macht. [16]Allen, die sich an diesen Grundsatz halten, schenke Gott seinen Frieden und sein Erbarmen. Sie sind das wahre Gottesvolk Israel.

[17]In Zukunft soll mir keiner mehr das Leben schwermachen! Ich bin mit Jesus im Leiden verbunden; das zeigen die Narben an meinem Körper.

[18]Jesus Christus, unser Herr, bewahre euch, liebe Brüder, in seiner Gnade! Amen.

DER BRIEF DES APOSTELS PAULUS AN DIE GEMEINDE IN EPHESUS

Eingangsgruß

1 Paulus, den Gott zum Apostel* Jesu Christi berufen hat, schreibt diesen Brief an das Volk Gottes in Ephesus,° das durch den Glauben mit Jesus Christus verbunden ist:

²Ich bitte Gott, unseren Vater, und Jesus Christus, unseren Herrn, euch Gnade und Frieden zu schenken!

Gottes Liebe in Christus

³Preis und Dank sei Gott, dem Vater unseres Herrn Jesus Christus! Denn durch Christus hat er uns Anteil gegeben an der himmlischen Welt, durch ihn hat er uns mit der ganzen Fülle seiner Gaben beschenkt.

⁴ Er liebte uns schon, bevor er die Welt schuf.
　　Für ihn gehörten wir mit Christus zusammen vor
　　　　aller Zeit.
　　So hat er uns dazu erwählt, sein Volk zu sein
　　und heilig und fehlerlos vor ihm zu stehen.
⁵ Aus freiem Willen entschloß er sich,
　　uns als seine Kinder anzunehmen –
　　durch Jesus Christus und im Blick auf ihn,
⁶ damit wir seine große Güte preisen,
　　seine Gnade, die er uns erwiesen hat
　　durch Christus, seinen geliebten Sohn*.
⁷ Ihn ließ er sterben zu unserer Rettung.
　　Unsere ganze Schuld hat er uns vergeben,
　　weil Christus sein Blut vergossen hat.
　　So zeigte uns Gott den ganzen Reichtum seiner
　　　　Gnade;
⁸ und in seiner Güte schenkte er uns Weisheit
　　und Einsicht, um sein Handeln zu erkennen.
⁹⁻¹⁰ Was er von Anfang an gewollt hat,
　　hat er den Seinen jetzt bekanntgemacht:

Seit jeher war es seine Absicht,
durch Christus alle Zeiten zu vollenden
und alles, was im Himmel und auf Erden lebt,
zu vereinen unter Christus als dem Haupt.

[11] Durch Christus haben wir Anteil erhalten an dem, was Gott seinem Volk versprochen hat. Dazu hatte Gott, der alles nach seinem Plan und Willen ausführt, uns von Anfang an bestimmt. [12] Wir sollten ein lebendiger Lobpreis seiner Herrlichkeit werden. Das *sind* wir, wenn wir unsere ganze Hoffnung auf Christus setzen.

[13] Durch ihn habt auch ihr das Wort der Wahrheit gehört: die Gute Nachricht, die euch Rettung bringt, – und habt dieses Wort im Glauben angenommen. Durch ihn hat Gott euch den heiligen Geist* gegeben, den er seinem Volk versprochen hat, und hat euch damit sein Zeichen aufgedrückt. [14] Dieser Geist bürgt uns dafür, daß wir auch alles andere bekommen werden, was Gott seinem Volk zugesagt hat. Gott will uns die volle Befreiung schenken, durch die wir für immer sein Eigentum werden, damit wir seine große Herrlichkeit preisen.

Dank und Bitte

[15] Weil das so ist und weil ich von eurer Zuwendung zu Jesus, dem Herrn, und eurer Liebe zu allen Christen gehört habe, [16] danke ich Gott unermüdlich für euch. Ich denke immer an euch, wenn ich bete. [17] Und ich bitte den Gott unseres Herrn Jesus Christus, den Vater, dem alle Macht und Hoheit gehört, euch Weisheit zu geben, so daß ihr ihn und seine Weisheit erkennen könnt. [18] Er öffne euch die Augen, damit ihr das Ziel seht, zu dem ihr berufen seid. Er lasse euch erkennen, wie reich er euch beschenken will und zu welcher Herrlichkeit er euch in Gemeinschaft mit seinem ganzen Volk bestimmt hat. [19] Ihr sollt begreifen, wie überwältigend groß die Kraft ist, mit der er in uns, den Glaubenden, wirkt.

Denn es ist dieselbe gewaltige Kraft, [20] mit der er in Christus am Werk war, als er ihn vom Tod erweckte und in der himmlischen Welt an seine rechte Seite setzte. [21] Dort herrscht Christus jetzt über alle unsichtbaren Mächte* und Gewalten ohne Unterschied. Weder in dieser noch in der kommenden Welt gibt es eine Macht, die

ihm nicht unterworfen ist. ²²Gott hat alles ohne Ausnahme in seine Gewalt gegeben. Ihn aber, den Herrn über alles, gab er der Gemeinde zum Haupt. ²³Die Gemeinde ist
sein Leib*; er, der das All erfüllt, wirkt in ihr mit der ganzen Fülle seiner Lebensmacht.

Vom Tod zum Leben

2 Auch ihr habt an diesem Leben teil. In der Vergangenheit wart ihr tot; denn ihr wart Gott ungehorsam
und habt gesündigt. ²Ihr habt nach der Art dieser Welt*
gelebt und habt dem Herrscher* dieser Welt gehorcht, der
sein Reich zwischen Himmel und Erde hat. Er hat noch
jetzt die Menschen in seiner Gewalt, die sich Gott nicht
unterstellen. ³Wir alle haben früher so wie sie gelebt und
uns von unseren selbstsüchtigen Wünschen leiten lassen.
Wir haben getan, was unsere Triebe und unser Eigenwille
verlangten. Darum waren wir wie die anderen Menschen
von uns aus dem Strafgericht Gottes verfallen.

⁴Aber Gott ist reich an Erbarmen. Er hat uns seine ganze Liebe geschenkt. ⁵Durch unseren Ungehorsam waren
wir tot; aber er hat uns mit Christus zusammen lebendig
gemacht. Bedenkt: Aus reiner Gnade hat er euch gerettet! ⁶Zusammen mit Jesus Christus hat er uns vom Tod
erweckt und in sein himmlisches Reich versetzt. ⁷In den
kommenden Zeiten wird das enthüllt werden. Dann wird
der unendliche Reichtum seiner Gnade sichtbar in der
Liebe, die er uns durch Jesus Christus erwiesen hat.

⁸Es ist tatsächlich reine Gnade, daß ihr gerettet seid.
Ihr selbst könnt nichts dazu tun, als im Vertrauen anzunehmen, was Gott euch schenkt. ⁹Ihr habt es nicht durch
irgendein Tun verdient; denn Gott will nicht, daß sich jemand vor ihm auf seine eigenen Leistungen berufen kann.
¹⁰Wir selbst sind ganz und gar Gottes Werk. Durch Jesus
Christus hat er uns so geschaffen, daß wir nun Gutes tun
können. Er hat sogar die guten Taten schon geschaffen,
die wir nun auch *tun* sollen.

Durch Christus geeint

¹¹Denkt daran, was ihr früher gewesen seid! Ihr gehört ja
zu den Völkern, die von den Juden die ›Unbeschnittenen‹
genannt werden; aber sie selbst haben doch nur die Be-

schneidung*, die Menschen vollziehen können. [12] Ihr jedenfalls wart früher von Christus getrennt. Ihr wart Fremde und
gehörtet nicht zu Gottes erwähltem Volk. Die Zusagen, die
Gott seinem Volk gemacht hatte, galten für euch nicht. Ohne
Hoffnung und ohne Gott lebtet ihr in der Welt. [13] Damals
wart ihr dem wahren Leben fern, jetzt aber seid ihr ihm nahe
durch die Verbindung mit Jesus Christus. Durch das Blut,
das er vergossen hat, ist das geschehen.

[14] Er ist es, der uns allen den Frieden gebracht und Juden und Nichtjuden zu einem einzigen Volk verbunden
hat. Durch sein Sterben hat er die Mauer eingerissen, die
die beiden trennte und zu Feinden machte. [15] Denn er hat
das jüdische Gesetz* mit seinen Forderungen beseitigt. So
hat er Frieden gestiftet. Er hat die getrennten Teile der
Menschheit mit sich verbunden und daraus den einen
neuen Menschen geschaffen. [16] Er hat die beiden in einem
einzigen Leib* – der Gemeinde – vereinigt und hat ihnen
durch seinen Tod am Kreuz den Frieden mit Gott gebracht. Am Kreuz hat er alle Feindschaft ein für allemal
ausgelöscht.

[17] Diese Friedensbotschaft hat Christus allen verkündet,
euch, die ihr fern wart, und ebenso denen, die nahe waren. [18] Durch ihn dürfen wir beide, Juden und Nichtjuden,
in einem Geist vor Gott, den Vater, treten.

[19] Ihr Menschen aus den anderen Völkern seid also
nicht länger Fremde und Gäste. Ihr gehört mit zum Volk
Gottes und seid in Gottes Hausgemeinschaft aufgenommen. [20] Ihr seid in den Bau eingefügt, dessen Fundament
die Apostel* und Propheten* bilden; der Schlußstein aber
ist Jesus Christus. [21] Er hält das ganze Gebäude zusammen, und durch ihn wächst es zu einem heiligen Tempel,
der ganz und gar von ihm, dem Herrn, bestimmt ist.
[22] Durch die Verbindung mit ihm seid auch ihr in diesen
Tempel eingefügt, der sich durch den Geist* Gottes auf-
baut.

Der besondere Auftrag des Apostels

3 Deshalb bete ich, Paulus, für euch zu Gott. Ich bin im
Gefängnis, weil ich Jesus Christus diene. Um euretwillen leide ich dies alles. [2] Ihr habt gehört, wie Gott mich
für seinen Plan in Dienst genommen und mir in seiner

Gnade den Auftrag gegeben hat, die Gute Nachricht
euch, den Nichtjuden, zu verkünden. ³Ohne menschliche
Vermittlung hat er mir das Geheimnis enthüllt, von dem
ich soeben schon in Kürze gesprochen habe. ⁴Wenn dieser Brief bei euch vorgelesen wird, könnt ihr daran erkennen, welche Einsicht in das Geheimnis Christi mir
geschenkt worden ist. ⁵Frühere Generationen kannten
dieses Geheimnis noch nicht; aber jetzt hat Gott es seinen
Aposteln* und Propheten* durch seinen Geist* enthüllt.
⁶Dies ist das Geheimnis: Durch Jesus Christus bekommen die anderen Völker von Gott dasselbe Vorrecht wie
das Volk Israel. Sie gehören mit dem erwählten Volk zusammen zum Leib* Christi. Auch ihnen gelten die Zusagen, die Gott seinem Volk gemacht hat.

Dies alles wird ihnen durch die Gute Nachricht verkündet, ⁷in deren Dienst ich stehe. In seiner Gnade hat Gott
mir meinen Auftrag gegeben und so an mir seine Macht gezeigt. ⁸Gerade mir als dem geringsten von allen Glaubenden hat er den Auftrag anvertraut, den anderen Völkern
die Gute Nachricht von dem unergründlichen Reichtum zu
bringen, der uns durch Christus geschenkt wird. ⁹Ich sollte
ans Licht bringen,° wie Gott seinen verborgenen Plan verwirklicht. Er, der alles geschaffen hat, hat diesen Plan vor
aller Zeit gefaßt und als sein Geheimnis bewahrt. ¹⁰Jetzt
macht er ihn den Mächten* und Gewalten in der himmlischen Welt bekannt. An der Gemeinde Christi sollen sie
seine Weisheit in ihrem ganzen Reichtum erkennen. ¹¹So
entspricht es Gottes ewigem Plan, den er im Blick auf Jesus
Christus, unseren Herrn, gefaßt hatte.

¹²Weil wir uns auf diesen Herrn verlassen, dürfen wir
zuversichtlich und vertrauensvoll vor Gott treten. ¹³Darum bitte ich euch: Laßt euch nicht irremachen durch das,
was ich leiden muß. Es geschieht zu eurem Besten, damit
ihr an der Herrlichkeit Anteil bekommt, die für euch bestimmt ist.

¹⁴Deshalb knie ich vor Gott nieder und bete zu ihm.
Er ist der Vater, ¹⁵von dem alle Wesen in der himmlischen
und in der irdischen Welt ihr Leben haben. ¹⁶Ich bitte
ihn, daß er euch aus dem Reichtum seiner Herrlichkeit
beschenkt und euch durch seinen Geist innerlich stark
macht. ¹⁷Ich bitte ihn, daß Christus durch das Vertrauen,

das ihr zu ihm habt, in euch lebt, und daß ihr fest in der gegenseitigen Liebe wurzelt und euer ganzes Leben darauf baut. [18]Ich bitte ihn, daß ihr zusammen mit dem ganzen Volk Gottes begreifen lernt, was in Wahrheit das Geheimnis Gottes ist.° [19]Ihr sollt erkennen, wie unermeßlich die Liebe ist, die Christus zu uns hat und die alles Begreifen weit übersteigt. Dann wird die ganze göttliche Lebensmacht euch mehr und mehr erfüllen.

[20]Gott kann unendlich viel mehr an uns tun, als wir jemals von ihm erbitten oder auch nur ausdenken können. So mächtig ist die Kraft, mit der er in uns wirkt. [21]Gepriesen sei er in der Gemeinde und durch Jesus Christus in alle Ewigkeit! Amen.

Die Einheit der Kirche

4 Nun bitte ich euch als einer, der für den Herrn im Gefängnis ist: Lebt so, wie es sich für Menschen gehört, die Gott zu seinem Volk berufen hat. [2]Erhebt euch nicht über die anderen, sondern seid immer freundlich und geduldig. Sucht in Liebe miteinander auszukommen. [3]Bemüht euch darum, die Einheit zu bewahren, die der Geist* Gottes euch geschenkt hat. Der Frieden, der von Gott kommt, soll euch alle verbinden! [4]Ihr alle seid *ein* Leib*, in euch allen lebt *ein* Geist, ihr habt alle *eine* Hoffnung, die euch Gott gegeben hat, als er euch in seine Gemeinde rief. [5]Es gibt für euch nur *einen* Herrn, nur *einen* Glauben und nur *eine* Taufe. [6]Und ihr kennt nur den *einen* Gott, den Vater von allem, was lebt. Er steht über allen. Er wirkt durch alle und in allen.

[7]Jeder von uns hat seinen besonderen Anteil an den Gaben erhalten, die Christus in seiner Gnade ausgeteilt hat. [8]Von ihm heißt es in den heiligen Schriften*:

»Er ist in den Himmel hinaufgestiegen
und hat Gefangene mit sich geführt.
Er hat den Menschen Gaben ausgeteilt.«

[9]Wenn es heißt, daß er hinaufgestiegen ist, dann setzt das voraus, daß er zuerst herabgekommen ist. [10]Er ist auf die Erde herabgekommen und dann wieder hinaufgestiegen. Er hat alle Himmel* unter sich gelassen und erfüllt jetzt das ganze Weltall mit seiner Lebensmacht. [11]Und auch die versprochenen Gaben hat er ausgeteilt: Er hat die

einen zu Aposteln* gemacht, andere zu Propheten*, wieder andere zu Evangelisten*, zu Vorstehern oder Lehrern der Gemeinde. [12] Deren Aufgabe ist es, das Volk Gottes für seinen Dienst bereitzumachen und den Leib Christi aufzubauen. [13] So soll es dahin kommen, daß wir alle durch denselben Glauben und durch die gemeinsame Erkenntnis des Sohnes* Gottes verbunden werden. Dann bilden wir zusammen den vollkommenen Menschen, der Christus ist, und wachsen in die ganze Fülle hinein, die Christus in sich umfaßt.

[14] Wir sind dann nicht mehr Kinder, die von jeder beliebigen Behauptung umhergeworfen werden wie ein Schiff von Wind und Wellen. Wer im Glauben unmündig ist, wird das Opfer betrügerischer Menschen, die andere durch falsche Vorspiegelungen auf Irrwege locken. [15] Wir dagegen wollen zu der Wahrheit stehen, die Gott uns bekanntgemacht hat, und in Liebe zusammenhalten. So werden wir in allem zu Christus emporwachsen, der unser Haupt ist. [16] Von ihm her wird der ganze Leib zu einer Einheit zusammengefügt und durch verbindende Glieder zusammengehalten und versorgt. Jeder einzelne Teil erfüllt seine Aufgabe, und so wächst der ganze Leib und baut sich durch die Liebe auf.

Das neue Leben der Christen

[17] Das aber sage ich euch im Auftrag des Herrn mit allem Nachdruck: Ihr dürft nicht mehr wie Heiden leben, die von ihrem verkehrten Denken in die Irre geführt werden. [18] Weil sie Gott nicht kennen und nichts von ihm wissen wollen, sind sie blind für die Wahrheit und haben keinen Anteil an dem Leben, das von Gott kommt. [19] Weil sie keinen Halt mehr haben, überlassen sie sich dem Laster. Sie treiben jede Art von Unzucht und sind von unersättlicher Habgier.

[20] Ihr wißt, daß sich ein solches Leben nicht mit Christus verträgt, wie ihr ihn kennengelernt habt. [21] Ihr habt doch alles über ihn gehört, und man hat euch darin unterrichtet; die Lehre und das Vorbild Jesu ist euch zuverlässig bezeugt worden. [22] Ihr wißt also, daß ihr nicht so weiterleben könnt, wie ihr früher gelebt habt. Legt den alten Menschen ab, der sich von seinen selbstsüchtigen Wün-

schen verlocken läßt! Sie sind trügerisch und bringen ihm nur den Tod. ²³ Laßt eure Gesinnung vom Geist* Gottes erneuern! ²⁴ Zieht den neuen Menschen an, den Gott nach seinem Bild geschaffen hat und der so lebt, wie Gott es haben will. Der Weg dazu ist euch durch das Wort der Wahrheit eröffnet, das nicht trügt.

²⁵ Hört also auf zu lügen und betrügt einander nicht; denn wir alle sind Glieder am Leib* Christi. ²⁶ Versündigt euch nicht, wenn ihr in Zorn geratet, und versöhnt euch wieder miteinander, bevor die Sonne untergeht. ²⁷ Sonst bekommt der Teufel Macht über euch. ²⁸ Wer vom Diebstahl gelebt hat, muß jetzt damit aufhören. Er soll seinen Lebensunterhalt durch eigene Arbeit verdienen und zusehen, daß er auch noch etwas für die Armen übrig hat. ²⁹ Laßt kein giftiges Wort über eure Lippen kommen. Seht lieber zu, daß ihr für die anderen in jeder Lage das rechte Wort habt, das ihnen weiterhilft. ³⁰ Beleidigt nicht durch euer Verhalten den heiligen Geist*, den Gott euch gegeben hat. Denn er bürgt euch dafür, daß Gott zu seiner Zeit eure Rettung vollenden wird. ³¹ Weg also mit aller Verbitterung, mit Aufbrausen, Zorn und jeder Art von Beleidigung! Schreit einander nicht an. Legt jede feindselige Gesinnung ab. ³² Seid freundlich und hilfsbereit zueinander und vergebt euren Mitmenschen, so wie Gott euch durch Christus vergeben hat.

Leben im Licht

5 Nehmt Gott selbst zum Vorbild! Ihr seid doch seine geliebten Kinder. ² Euer ganzes Leben soll von der Liebe bestimmt sein. Denkt daran, wie Christus uns geliebt und sein Leben für uns gegeben hat, als ein Opfer, das Gott gerne annahm.

³ Weil ihr Gott gehört, schickt es sich nicht, daß bei euch von Unzucht, Ausschweifung und Habgier auch nur gesprochen wird. ⁴ Es paßt auch nicht zu euch, gemeine, dumme oder schlüpfrige Reden zu führen. Benutzt eure Zunge lieber, um Gott zu danken! ⁵ Ihr müßt wissen: Wer Unzucht treibt, ein ausschweifendes Leben führt oder von Habgier erfüllt ist – und Habgier ist eine Art Götzendienst –, für den ist kein Platz in der neuen Welt, in der Christus zusammen mit Gott herrschen wird.

⁶ Laßt euch nicht durch trügerische Worte irreführen! Alle, die solche Dinge tun, ziehen sich damit das Strafgericht Gottes zu. ⁷ Mit solchen Menschen sollt ihr nichts zu tun haben. ⁸ Auch ihr wart einst im Dunkeln, aber jetzt seid ihr im Licht, weil ihr mit dem Herrn verbunden seid. Lebt nun auch als Menschen, die im Licht stehen! ⁹ Aus dem Licht erwächst als Frucht jede Art von Güte, Rechtschaffenheit und Treue. ¹⁰ Fragt immer, was dem Herrn gefällt! ¹¹ Beteiligt euch nicht an dem finsteren Treiben, das nur verdorbene Frucht hervorbringt. Im Gegenteil, deckt es auf! ¹² Man muß sich schämen, auch nur zu nennen, was manche heimlich tun. ¹³ Wenn es aber vom Licht der Wahrheit aufgedeckt wird, kommt es ans Licht. ¹⁴ Was aber ans Licht kommt, wird selbst Licht. Darum singen wir:

> »Wach auf, du Schläfer!
> Steh auf vom Tod!
> Und Christus, deine Sonne,
> geht für dich auf.«

¹⁵ Darum achtet genau auf eure Lebensweise. Lebt nicht wie Unwissende, sondern wie Menschen, die wissen, worauf es ankommt, ¹⁶ und deshalb ihre Zeit in der rechten Weise nutzen. Denn wir leben in einer bösen Welt*. ¹⁷ Seid also nicht uneinsichtig, sondern begreift, was der Herr von euch erwartet.

¹⁸ Betrinkt euch nicht; denn der Wein macht haltlos. Laßt euch lieber vom Geist* Gottes erfüllen. ¹⁹ Ermuntert einander mit Psalmen und Lobliedern, wie der Geist sie euch eingibt. Singt und dankt dem Herrn von ganzem Herzen! ²⁰ Dankt Gott, dem Vater, zu jeder Zeit für alles im Namen unseres Herrn Jesus Christus.

Gegenseitige Unterordnung: Männer und Frauen

²¹ Einer soll sich dem anderen unterordnen, wie es die Ehrfurcht vor Christus verlangt.

²² Ihr Frauen, ordnet euch euren Männern unter! Dadurch zeigt ihr, daß ihr euch dem Herrn unterordnet. ²³ Denn der Mann steht über der Frau, so wie Christus über der Gemeinde steht. Christus als dem Haupt verdankt die Gemeinde, die sein Leib* ist, ihre Rettung.

[24] Wie nun die Gemeinde Christus untergeordnet ist, so müssen auch die Frauen sich ihren Männern in allem unterordnen.

[25] Ihr Männer, liebt eure Frauen so, wie Christus seine Gemeinde geliebt hat! Er hat sein Leben für sie gegeben, [26] um sie zu seinem Volk zu machen. Er hat sie durch das Wasser der Taufe und das die Taufe begleitende Wort gereinigt. [27] Denn er wollte sie als seine Braut in makelloser Schönheit vor sich stellen, ohne Flecken und Falten oder einen anderen Fehler. Sie sollte heilig und vollkommen sein. [28] So müssen auch die Männer ihre Frauen lieben wie ihren eigenen Körper. Denn ein Mann, der seine Frau liebt, liebt sich selbst. [29] Keiner haßt doch seinen Körper; im Gegenteil, er nährt und pflegt ihn. So tut es auch Christus mit der Gemeinde. [30] Wir alle sind ja zusammen sein Leib. [31] Ihr kennt das Wort: »Deshalb verläßt ein Mann Vater und Mutter, um mit seiner Frau zu leben. Die zwei sind dann eins, mit Leib und Seele.« [32] In diesem Wort liegt ein tiefes Geheimnis. Ich beziehe es auf Christus und seine Gemeinde. [33] Es gilt aber auch für euch: Jeder von euch muß seine Frau so lieben wie sich selbst. Die Frau aber soll ihren Mann achten.

Kinder und Eltern

6 Ihr Kinder, gehorcht euren Eltern und bezeugt dadurch eure Unterordnung unter den Herrn. So ist es recht und billig. [2] »Ehre Vater und Mutter« ist das erste Gebot, dem eine Zusage folgt: [3] »Dann wird es dir gutgehen, und du wirst lange leben auf dieser Erde.«

[4] Ihr Eltern, behandelt eure Kinder nicht so, daß sie widerspenstig werden! Erzieht sie mit Wort und Tat nach den Maßstäben, die der Herr gesetzt hat.

Sklaven und Herren

[5] Ihr Sklaven*, gehorcht euren irdischen Herren! Ehrt und fürchtet sie. Dient ihnen so aufrichtig, als dientet ihr Christus. [6] Tut es nicht nur äußerlich, um euch bei ihnen einzuschmeicheln. Betrachtet euch vielmehr als Sklaven Christi, die den Willen Gottes gerne tun. [7] Tut eure Arbeit mit Lust und Eifer, als Leute, die nicht Menschen dienen, sondern dem Herrn. [8] Denkt daran: Der Herr wird jeden

für seine guten Taten belohnen, gleichgültig ob er Sklave ist oder frei.

⁹ Ihr Herren, behandelt eure Sklaven im gleichen Geist! Verzichtet auf Drohungen. Denkt daran, daß ihr einen Herrn im Himmel habt, der auch *ihr* Herr ist. Vor ihm gibt es keine Unterschiede; er ist ein unparteiischer Richter.

Die Waffen Gottes

¹⁰ Noch ein letztes Wort: Werdet stark durch die Verbindung mit dem Herrn! Laßt euch stärken von seiner Kraft! ¹¹ Legt die Waffen an, die Gott euch gibt, dann können euch die Schliche des Teufels nichts anhaben. ¹² Denn wir kämpfen nicht gegen Menschen. Wir kämpfen gegen unsichtbare Mächte* und Gewalten, gegen die bösen Geister zwischen Himmel und Erde, die jetzt diese dunkle Welt* beherrschen. ¹³ Darum greift zu den Waffen Gottes! Wenn dann der schlimme Tag kommt, werdet ihr wohlgerüstet sein und den Angriffen des Feindes standhalten können.

¹⁴ Seid also bereit! Legt die Wahrheit Gottes als Gürtel um. Zieht das Tun des Guten als Panzer an. ¹⁵ Tragt als Schuhe die Bereitschaft, die Gute Nachricht vom Frieden mit Gott zu verkünden. ¹⁶ Haltet das feste Vertrauen als den Schild vor euch, mit dem ihr die Brandpfeile des Satans abfangen könnt. ¹⁷ Die Gewißheit eurer Rettung sei euer Helm und das Wort Gottes das Schwert, das der Geist* euch gibt.

¹⁸ Vergeßt dabei nicht das Gebet! Bittet Gott immerzu mit dem Beistand seines Geistes. Bleibt wach und hört nicht auf, für das ganze Volk Gottes zu beten. ¹⁹ Betet auch für mich, daß ich Gottes Botschaft verkünden und sein Geheimnis ungehindert bekanntmachen kann, das in der Guten Nachricht enthüllt worden ist. ²⁰ Auch jetzt im Gefängnis bin ich ein Botschafter in ihrem Dienst. Betet darum, daß ich sie frei und offen verkünden kann, wie es mir aufgetragen ist.

Grüße

²¹⁻²² Damit ihr erfahrt, wie es mir geht, schicke ich euch den Bruder Tychikus. Ich schätze ihn sehr, denn er ist treu

im Dienst des Herrn. Er soll euch von mir erzählen und euch dadurch Mut machen.

²³ Allen Brüdern wünsche ich den Frieden und die Liebe und das unerschütterliche Vertrauen, die von Gott, dem Vater, kommen und von Jesus Christus, dem Herrn. ²⁴ Gott in seiner Gnade sei mit allen, die unseren Herrn Jesus Christus lieben, und schenke ihnen unvergängliches Leben!

DER BRIEF DES APOSTELS PAULUS AN DIE GEMEINDE IN PHILIPPI

Eingangsgruß

1 Paulus und Timotheus, die im Dienst Jesu Christi stehen, schreiben diesen Brief an alle in Philippi, die durch Jesus Christus zu Gottes Volk geworden sind, an die ganze Gemeinde mit ihren Leitern und Helfern*:
² Wir bitten Gott, unseren Vater, und Jesus Christus, den Herrn, euch Gnade und Frieden zu schenken!

Paulus betet für die Gemeinde

³ Immer, wenn ich für euch bete, bin ich voll Dank gegen Gott. ⁴ In jedem meiner Gebete denke ich an euch, und es erfüllt mich mit Freude, ⁵ daß ihr euch so eifrig für die Gute Nachricht einsetzt, seit dem Tag, an dem ihr sie angenommen habt, bis heute. ⁶ Ich bin ganz sicher: Gott wird sein Werk, das er bei euch angefangen hat, auch vollenden bis zu dem Tag, an dem Jesus Christus kommt.
⁷ Wenn ich an euch denke, bin ich voll Zuversicht. Ich kann gar nicht anders, denn ich trage euch alle in meinem Herzen, gerade jetzt, da ich für die Gute Nachricht im Gefängnis bin und sie vor Gericht verteidige und ihre Wahrheit bezeuge. Ihr alle habt teil an der Gnade, die Gott mir damit erweist. ⁸ Er weiß auch, wie sehr ich mich nach euch allen sehne. Ich liebe euch so, wie Jesus Christus euch liebt.
⁹ Ich bete zu Gott, daß er euch Einsicht und Urteilsvermögen schenkt, damit eure Liebe immer vollkommener wird. ¹⁰ Dann könnt ihr in jeder Lage entscheiden, was das Rechte ist, und werdet an dem Tag, an dem Christus Gericht hält, rein und ohne Fehler dastehen, ¹¹ reich an guten Taten, die Jesus Christus zum Ruhm und zur Ehre Gottes durch euch wirkt.

Christus und seine Gute Nachricht

¹² Ihr sollt wissen, Brüder, daß meine Gefangenschaft sogar zur Verbreitung der Guten Nachricht beigetragen hat. ¹³ Die Beamten am Sitz des Statthalters° und alle, die mei-

nen Prozeß verfolgt haben, wissen jetzt, daß ich angeklagt bin, weil ich Christus diene. ¹⁴Auch hat meine Verhandlung die Mehrzahl unserer Brüder in ihrem Vertrauen zum Herrn gestärkt. Sie sagen die Botschaft Gottes jetzt noch mutiger weiter.

¹⁵Manche tun es zwar nur aus Neid und Streitsucht; aber andere verkünden Christus in der besten Absicht. ¹⁶Sie tun es aus Liebe zu mir; denn sie wissen, daß es mein Auftrag ist, vor Gericht die Gute Nachricht zu verteidigen. ¹⁷Die anderen allerdings verbreiten die Botschaft von Christus in unehrlicher und eigennütziger Absicht. Sie wollen mir in meiner Gefangenschaft Kummer bereiten.

¹⁸Aber was macht das? Auch wenn sie es mit Hintergedanken tun und nicht aufrichtig – die Hauptsache ist, daß Christus auf jede Weise bekanntgemacht wird. Darüber freue ich mich, und ich werde mich auch künftig freuen. ¹⁹Denn ich weiß, daß der Prozeß – gleichgültig, wie er ausgeht – zu meiner Rettung führt. Das verbürgen mir eure Gebete und der Geist* Jesu Christi, der mir beisteht. ²⁰Ich hoffe und erwarte voll Zuversicht, daß Gott mich nicht versagen läßt. Ich vertraue darauf, daß auch jetzt, so wie bisher stets, Christus durch mich groß gemacht wird, ob ich nun am Leben bleibe oder sterbe.

²¹Denn Leben, das ist für mich Christus; darum ist Sterben für mich nur Gewinn. ²²Wenn ich am Leben bleibe, kann ich jedoch noch weiter für Christus wirken. Deshalb weiß ich nicht, was ich wählen soll. ²³Es zieht mich nach beiden Seiten: Ich möchte am liebsten dieses Leben hinter mir lassen und bei Christus sein; das wäre bei weitem das beste. ²⁴Aber es ist wichtiger, daß ich noch hier ausharre, weil ihr mich braucht.

²⁵Deshalb bin ich auch sicher, daß ich euch allen erhalten bleibe. Dann kann ich euch helfen, daß ihr weiterkommt und die volle Freude erlebt, die der Glaube schenkt. ²⁶Wenn ich erst wieder bei euch bin, habt ihr noch mehr Grund, stolz und zuversichtlich zu sein im Blick auf das, was Jesus Christus durch mich an euch getan hat.

Für Christus leiden

²⁷Das wichtigste ist: Lebt als Gemeinde so, daß ihr der

Guten Nachricht von Christus Ehre macht, ob ich euch nun besuchen und sehen kann oder ob ich nur aus der Ferne von euch höre. Haltet alle in derselben Gesinnung zusammen! Kämpft einmütig für den Glauben, der in der Guten Nachricht gründet. [28]Laßt euch von den Gegnern nicht einschüchtern! Gott will ihnen durch eure Standhaftigkeit zeigen, daß sie verloren sind, ihr aber gerettet werdet. [29]Gott hat euch die Gnade erwiesen, daß ihr nicht nur auf Christus vertrauen, sondern auch für ihn leiden dürft. [30]Ihr habt jetzt denselben Kampf zu bestehen wie ich. Was das für ein Kampf ist, habt ihr früher miterlebt und hört es jetzt aus der Ferne.

Der Weg Christi als Maßstab für das Leben der Christen

2 Bei euch gibt es doch das ermutigende Wort im Auftrag Christi, es gibt den tröstenden Zuspruch, der aus der Liebe kommt, es gibt den Beistand des heiligen Geistes*, es gibt herzliche Verbundenheit. [2]Dann macht mich vollends glücklich und habt alle dieselbe Gesinnung, dieselbe Liebe und Eintracht! Verfolgt alle dasselbe Ziel! [3]Handelt nicht aus Selbstsucht oder Eitelkeit! Keiner soll sich über den anderen erheben, sondern ihn mehr achten als sich selbst. [4]Verfolgt nicht eure eigenen Interessen, sondern seht auch auf das, was den anderen nützt. [5]Habt im Umgang miteinander stets vor Augen, was für einen Maßstab Jesus Christus gesetzt hat:

[6] Er war in allem Gott gleich,
und doch hielt er nicht daran fest,
zu sein wie Gott.
[7] Er gab es willig auf
und wurde einem Sklaven gleich.
Er wurde ein Mensch in dieser Welt
und teilte das Leben der Menschen.
[8] Im Gehorsam gegen Gott
erniedrigte er sich so tief,
daß er sogar den Tod auf sich nahm,
ja, den Verbrechertod am Kreuz.
[9] Darum hat Gott ihn auch erhöht
und ihm den Ehrennamen verliehen,
der ihn hoch über alle stellt.

¹⁰ Vor Jesus müssen alle niederknien –
    alle, die im Himmel sind,
    auf der Erde und unter der Erde;
¹¹ alle müssen feierlich bekennen:
    »Jesus Christus ist der Herr!«
    So sollen sie Gott, den Vater, ehren.

Lichter in der Nacht

¹² Liebe Freunde! Ihr habt doch immer auf mich gehört.
Tut es nicht nur, wenn ich bei euch bin, sondern jetzt erst
recht, da ich von euch entfernt bin. Arbeitet an euch
selbst in der Furcht vor Gott, damit ihr gerettet werdet!
¹³ Ihr könnt es, denn Gott gibt euch nicht nur den guten
Willen, sondern er selbst arbeitet an euch, damit seine
Gnade bei euch ihr Ziel erreicht. ¹⁴ Tut, was Gott gefällt,
ohne Wenn und Aber! ¹⁵ Dann seid ihr rein und fehlerlos
und erweist euch als Gottes vollkommene Kinder mitten
unter verirrten und verdorbenen Menschen. Unter ihnen
werdet ihr leuchten wie die Sterne am nächtlichen Himmel, ¹⁶ wenn ihr euch nur an die Botschaft haltet, die das
Leben schenkt. Dann werde ich stolz auf euch sein können, wenn Christus kommt, weil meine Arbeit und Mühe
nicht vergeblich gewesen sind.

¹⁷ Ich stehe vor Gott wie ein Priester, der ihm euren
Glauben als Opfer darbringt. Vielleicht werde ich da-
bei selbst geopfert. Aber auch wenn es dazu kommt,
werde ich mich freuen und werde nicht aufhören, eure
Freude zu teilen. ¹⁸ Freut ihr euch ebenso und teilt meine
Freude!

Timotheus und Epaphroditus

¹⁹ Ich hoffe im Vertrauen auf Jesus, den Herrn, daß ich Timotheus bald zu euch schicken kann. Dann kann er mir
auch von euch das Neueste berichten und mich beruhigen. ²⁰ Ich habe keinen, der so zuverlässig ist wie er und so
selbstlos für euch sorgt. ²¹ Die anderen kümmern sich alle
nur um ihre eigenen Dinge und nicht um die Sache Jesu
Christi. ²² Ihr wißt selbst, wie Timotheus sich bewährt hat.
Wie ein Sohn seinem Vater hilft, hat er sich mit mir zusammen für die Gute Nachricht eingesetzt. ²³ Ich hoffe,
daß ich ihn zu euch schicken kann, sobald ich sehe, wie

mein Prozeß ausgehen wird. ²⁴Ich vertraue aber auf den
Herrn, daß ich euch in Kürze selbst besuchen kann.

²⁵Ich habe es für notwendig gehalten, den Bruder
Epaphroditus zu euch zurückzuschicken, meinen Mitarbeiter und Mitstreiter, den Überbringer eurer Gabe, den
ihr mir zum Helfer in meiner gegenwärtigen Notlage bestimmt hattet. ²⁶Er sehnte sich so sehr nach euch allen
und war in Sorge, weil ihr von seiner Krankheit gehört
habt. ²⁷Es stand tatsächlich schlimm um ihn; er war dem
Tode nah. Aber Gott hat sich über ihn erbarmt – und
nicht nur über ihn, sondern auch über mich. Habe ich
doch schon Kummer genug! ²⁸Um so schneller schicke
ich jetzt Epaphroditus zu euch zurück, damit ihr euch
freut, ihn wohlbehalten wiederzusehen, und ich selbst
eine Sorge weniger habe. ²⁹Empfangt ihn als Bruder und
nehmt ihn voll Freude auf. Solchen Menschen müßt ihr
Achtung entgegenbringen. ³⁰Denn im Dienst für Christus
wäre er fast zu Tode gekommen. Er hat sein Leben ge-
wagt, um mir den Dienst zu leisten, den ihr selbst mir
nicht leisten konntet.

Warnung vor Irrlehrern: Nur Christus rettet!

3 Ich komme zum Schluß, Brüder! Freut euch, weil ihr
mit dem Herrn verbunden seid!
Ich wiederhole, was ich euch schon früher geschrieben
habe. Mir ist das keine Last, und ihr wißt es dann um so
sicherer. ²Nehmt euch in acht vor diesen Bösewichten,
diesen falschen Missionaren, diesen Zerschnittenen! ³Ich
nenne sie so, denn die wirklich Beschnittenen* sind wir,
die der Geist* Gottes befähigt, Gott in der rechten Weise
zu dienen. Denn wir verlassen uns nicht auf menschliche
Vorzüge, sondern auf Jesus Christus.
⁴Auch ich könnte mich auf menschliche Vorzüge berufen. Ich hätte dazu sogar mehr Grund als irgendein anderer. ⁵Ich wurde beschnitten, als ich eine Woche alt war.
Ich bin von Geburt ein Israelit aus dem Stamm Benjamin,
ein Hebräer von reinster Abstammung. Was die Stellung
zum Gesetz* angeht, gehörte ich zur strengen Richtung
der Pharisäer*. ⁶Mein Eifer ging so weit, daß ich die
christliche Gemeinde verfolgte. Gemessen an dem, was
das Gesetz vorschreibt, stand ich vor Gott ohne Fehler da.

⁷Aber dies alles, was mir früher als großer Vorzug erschien, habe ich durch Christus als Nachteil und Schaden erkannt. ⁸Ich betrachte überhaupt alles andere als Verlust im Vergleich mit dem überwältigenden Gewinn, daß ich Jesus Christus als meinen Herrn kenne. Durch ihn hat für mich alles andere seinen Wert verloren, ja ich halte es für bloßen Dreck. Nur noch Christus besitzt für mich einen Wert. ⁹Zu ihm möchte ich um jeden Preis gehören. Deshalb will ich nicht mehr durch die Befolgung des Gesetzes, aufgrund meines eigenen Tuns, vor Gott bestehen, sondern nur noch, indem ich mich an das halte, was er durch Christus für mich getan hat. Darauf allein will ich vertrauen. ¹⁰Ich möchte nichts anderes mehr kennen als Christus, damit ich die Kraft seiner Auferstehung erfahre, so wie ich auch sein Leiden mit ihm teile. Ich sterbe mit ihm seinen Tod ¹¹und habe die feste Hoffnung, daß ich auch an seiner Auferstehung teilhaben werde.

Wir sind noch unterwegs!

¹²Ich meine nicht, daß ich schon vollkommen bin und das Ziel erreicht habe. Ich laufe aber auf das Ziel zu, um es zu ergreifen, nachdem Jesus Christus von mir Besitz ergriffen hat. ¹³Ich bilde mir nicht ein, Brüder, daß ich es schon geschafft habe. Aber ich lasse alles hinter mir und sehe nur noch, was vor mir liegt. ¹⁴Ich halte geradewegs auf das Ziel zu, um den Siegespreis zu gewinnen. Dieser Preis ist das neue Leben, zu dem Gott mich durch Jesus Christus berufen hat.

¹⁵Alle, die sich für Vollkommene halten, sollen mit mir zusammen so denken. Wenn ihr etwa anderer Meinung seid, wird euch Gott auch das noch offenbaren. ¹⁶Aber laßt uns auf keinen Fall zurückfallen hinter das, was wir erreicht haben!

¹⁷Haltet euch an mein Vorbild, Brüder! Nehmt euch ein Beispiel an denen, die so leben, wie ihr es an mir seht. ¹⁸Ich habe euch schon oft gesagt und wiederhole es jetzt unter Tränen: Es gibt viele, die sich durch ihre Lebensführung als Feinde des Kreuzes Christi erweisen. ¹⁹Sie laufen in ihr Verderben. Ihr Bauch ist ihr Gott. Sie sind stolz auf das, was ihnen Schande macht. Sie haben nur Irdisches im Sinn. ²⁰Wir dagegen sind Bürger des Himmels.

Von dorther erwarten wir auch unseren Retter, Jesus Christus, den Herrn. ²¹Er wird unseren schwachen, vergänglichen Körper verwandeln, daß er genauso herrlich wird wie der Körper, den er selbst seit seiner Auferstehung hat. Denn er hat die Macht, alles seiner Herrschaft zu unterwerfen.

Freude und Frieden

4 Deshalb bleibt standhaft, meine geliebten Brüder, und haltet fest, was euch durch den Herrn geschenkt ist. Ich sehne mich so sehr nach euch! Ihr seid doch meine Freude und mein Siegeskranz.

²Evodia und Syntyche ermahne ich, daß sie sich als Schwestern im Glauben vertragen. ³Ich bitte dich, mein Syzygus – du machst deinem Namen Ehre! –,° daß du ihnen dabei hilfst. Die beiden haben sich mit mir für die Verbreitung der Guten Nachricht eingesetzt, zusammen mit Klemens und meinen anderen Mitarbeitern, deren Namen im Buch des Lebens stehen.

⁴Freut euch immerzu, weil ihr mit dem Herrn verbunden seid, und noch einmal sage ich: Freut euch! ⁵Alle sollen sehen, wie freundlich und gütig ihr zueinander seid. Der Herr kommt bald! ⁶Macht euch keine Sorgen, sondern wendet euch in jeder Lage an Gott und bringt eure Bitten vor ihn. Tut es mit Dank für das Gute, das er euch schon erwiesen hat. ⁷Der Frieden Gottes, der alles menschliche Begreifen weit übersteigt, wird euer Denken und Wollen im Guten bewahren, weil ihr mit Jesus Christus verbunden seid.

⁸Im übrigen, meine Brüder: Richtet eure Gedanken auf das, was gut ist und Lob verdient, was wahr, edel, gerecht, rein, liebenswert und schön ist. ⁹Lebt so, wie ich es euch gelehrt und weitergegeben habe und wie ihr es von mir gehört und an mir gesehen habt. Gott, der Frieden schenkt, wird euch beistehen!

Dank für die Unterstützung

¹⁰Es war für mich eine große Freude und ein Geschenk vom Herrn, daß ich wieder einmal ein Zeichen eures Gedenkens erhalten habe. Ihr habt ja die ganze Zeit an mich gedacht, aber ihr konntet es nicht zeigen. ¹¹Ich sage das

nicht etwa, weil ich in Not war. Ich habe gelernt, mich in jede Lage zu fügen. ¹²Ich kann leben wie ein Bettler und auch wie ein König; mit allem bin ich vertraut. Ich kenne Sattsein und Hungern, ich kenne Mangel und Überfluß. ¹³Allem bin ich gewachsen, weil Christus mich stark macht.

¹⁴Aber es war freundlich von euch, mir jetzt in meiner schwierigen Lage zu helfen. ¹⁵Ihr in Philippi wißt ja: Am Anfang meiner Missionstätigkeit, als ich die Gute Nachricht von Mazedonien aus weitertrug, wart ihr die einzige Gemeinde, von der ich als Gegenleistung für meinen Dienst etwas annahm. ¹⁶Schon nach Thessalonich und dann noch mehrmals habt ihr mir etwas für meinen Unterhalt geschickt. ¹⁷Denkt nicht, daß es mir auf euer Geld ankommt. Mir liegt daran, daß sich euer eigenes Guthaben vermehrt – ich meine: daß euer Glaube einen Ertrag bringt, der euch bei Gott gutgeschrieben wird.

¹⁸Ich bestätige, daß ich durch Epaphroditus den ganzen Betrag erhalten habe. Es ist mehr als genug; ich habe nun alles, was ich brauche. Diese Gabe ist wie ein Opfer, dessen Duft zu Gott aufsteigt und an dem er seine Freude hat.

¹⁹Gott, dem ich diene, wird euch alles geben, was ihr braucht. Durch Jesus Christus beschenkt er uns mit dem Reichtum seiner Herrlichkeit. ²⁰Gott, unser Vater, sei gepriesen für immer und ewig! Amen.

Grüße

²¹Grüßt jeden einzelnen in der Gemeinde, alle, die mit mir durch Jesus Christus verbunden sind! Die Brüder, die bei mir sind, lassen euch grüßen. ²²Die ganze hiesige Gemeinde schickt euch Grüße, besonders die Brüder, die im kaiserlichen Dienst stehen.

²³Unser Herr Jesus Christus bewahre euch in seiner Gnade!

DER BRIEF DES APOSTELS PAULUS
AN DIE GEMEINDE IN KOLOSSÄ

Eingangsgruß

1 Paulus, den Gott zum Apostel* Jesu Christi berufen
hat, und der Bruder Timotheus schreiben diesen Brief
² an alle in Kolossä, die durch die Verbindung mit Christus
zu Gottes Volk und zu unseren Brüdern im Glauben geworden sind:

Wir bitten Gott, unseren Vater, euch Gnade und Frieden zu schenken!

Dank und Bitte

³ Immer, wenn wir für euch beten, danken wir Gott, dem
Vater unseres Herrn Jesus Christus. ⁴ Wir haben von
eurem Glauben gehört, der euch mit Jesus Christus verbindet, und von eurer Liebe zum ganzen Volk Gottes.
⁵ Dieser Glaube und diese Liebe fließen aus der festen
Hoffnung auf das Leben, das Gott im Himmel für euch
bereithält. Er hat es euch durch das Wort der Wahrheit,
die Gute Nachricht, zugesichert. ⁶ Diese Gute Nachricht
ist nicht nur bei euch, sondern in der ganzen Welt bekannt. Überall breitet sie sich aus und bringt Frucht. Sie
tut es auch bei euch, seit dem Tag, an dem euch Gottes
Gnade verkündet worden ist und ihr von der Wahrheit
dieser Botschaft überzeugt worden seid. ⁷ Unser Freund
Epaphras, der mit uns Christus dient, hat euch diese Botschaft zuerst verkündet. Er ist treu in seinem Dienst für
Christus, den er an euch tut. ⁸ Er selbst hat uns von der
Liebe erzählt, die der Geist* Gottes in euch geweckt hat.

⁹ Deshalb beten wir auch immer für euch, seit wir von
euch gehört haben. Wir bitten Gott, daß er euch durch
seinen Geist mit aller Weisheit und Einsicht erfüllt und
euch zu erkennen gibt, was sein Wille ist. ¹⁰ Dann könnt
ihr so leben, wie es dem Herrn Ehre macht, und tut stets,
was ihm gefällt. Euer Leben wird als Frucht viele gute Taten hervorbringen, und auch in der Erkenntnis von Gottes
Willen werdet ihr immer weiter fortschreiten. ¹¹⁻¹² Gott

möge euch stärken mit seiner ganzen Kraft und göttlichen
Macht, damit ihr alles geduldig und standhaft ertragen
könnt und ihm, dem Vater, voll Freude dankt. Denn er
hat euch befähigt, an der Herrlichkeit teilzuhaben, die er
für sein Volk im Reich des Lichtes bereithält. ¹³Er hat uns
aus der Gewalt der dunklen Mächte* gerettet und uns unter die Herrschaft seines geliebten Sohnes* gestellt.
¹⁴Durch ihn hat er uns befreit. Seinetwegen vergibt er uns
unsere Schuld.

¹⁵ Er ist das Bild des unsichtbaren Gottes,
    der erstgeborene Sohn des Vaters;
    er ist der Anfang aller Schöpfung.
¹⁶ Durch ihn ist alles geschaffen worden,
    was im Himmel und auf der Erde lebt,
    alles, was man sehen kann,
    und auch die unsichtbaren Mächte und
    Gewalten.
    Alles hat Gott durch ihn geschaffen,
    und in ihm findet alles sein letztes Ziel.
¹⁷ Er war vor allem anderen da,
    und alle Dinge bestehen durch ihn.
¹⁸ So ist er das Haupt des Leibes*,
    und dieser Leib ist die Gemeinde.
    Er ist der Anfang der neuen Schöpfung,
    denn er ist der erste von allen Toten,
    der zu neuem Leben geboren wurde;
    in allem muß er der Erste sein.
¹⁹ Es gefiel Gott, in ihm Wohnung zu nehmen
    mit der ganzen Fülle seiner Macht
²⁰ und durch ihn alle Feindschaft zu überwinden.
    Unter ihm als dem Haupt soll Frieden werden –
    der Frieden, den er gestiftet hat,
    als er am Kreuz sein Blut vergoß.
    Dieser Frieden umfaßt die Menschen auf der Erde
    und genauso die überirdischen Mächte.

²¹⁻²²Das gilt auch für euch. Einst wart ihr Gott fern, ihr
wart ihm feind und habt das durch eure bösen Taten gezeigt. Aber weil Christus in einem menschlichen Leib den
Tod auf sich nahm, hat Gott mit euch Frieden gemacht.
Als sein Volk steht ihr jetzt rein und fehlerlos vor ihm da.
²³Ihr müßt nur im Glauben fest und unerschütterlich blei-

ben und dürft euch nicht von der Hoffnung abbringen lassen, die euch durch die Gute Nachricht geschenkt ist.

Der ganzen Welt ist diese Gute Nachricht verkündet worden. Und mich, Paulus, hat Gott damit beauftragt, sie bekanntzumachen.

Der Dienst des Apostels

[24] Ich bin froh, daß ich jetzt für euch leiden darf. Denn so trage ich dazu bei, daß das Maß der Leiden, die wir mit Christus erdulden müssen, voll wird. Ich leide ja für den Leib* Christi, für die Gemeinde. [25] Gott hat mich in ihren Dienst gestellt und mir den Auftrag gegeben, seine Botschaft zu euch zu bringen. [26] Ich soll euch das Geheimnis enthüllen, das er seit Urzeiten vor Engeln und Menschen verborgen gehalten hatte; jetzt aber hat er es seiner Gemeinde bekanntgemacht. [27] Ihr wollte er zeigen, was für eine unermeßliche Herrlichkeit er für Menschen aus allen Völkern bereithält. Denn dies ist das Geheimnis: Christus wird unter euch Nichtjuden verkündet, und um seinetwillen dürft ihr darauf hoffen, daß Gott euch an seiner Herrlichkeit Anteil gibt.

[28] Diesen Christus mache ich allen Menschen bekannt. Ich unterrichte und ermahne alle mit der ganzen Weisheit, die mir gegeben ist. Denn ich will jeden einzelnen soweit bringen, daß er durch die Verbindung mit Christus vollkommen wird. [29] Dafür kämpfe ich und mühe mich ab. Christus, der sich in mir als mächtig erweist, gibt mir die Kraft dazu.

2 Ihr müßt wissen, daß ich mich auch um euch in dieser Weise mühe und sorge und ebenso um die Gemeinde in Laodizea, obwohl ihr mich nicht persönlich kennt. [2] Ich möchte, daß ihr Mut bekommt und in Liebe zusammenhaltet. Ihr sollt in den vollen Besitz der Erkenntnis kommen und Gottes Geheimnis begreifen. Dieses Geheimnis ist Christus. [3] In ihm sind alle Schätze der göttlichen Weisheit verborgen.

[4] Ich sage das, damit euch keiner mit seiner Überredungskunst hinters Licht führt. [5] Im Geist bin ich bei euch, obwohl ich fern von euch bin. Ich freue mich zu sehen, wie fest ihr zusammenhaltet und wie unerschütterlich euer Vertrauen auf Christus ist.

In Christus haben wir alles

⁶ Ihr habt Jesus Christus als den Herrn angenommen. Lebt nun so, daß ihr in ständiger Verbindung mit ihm bleibt! ⁷ Seid in ihm verwurzelt und baut euer Leben ganz auf ihn! Bleibt im Glauben fest und laßt euch nicht von dem abbringen, was euch als Richtschnur des Glaubens gelehrt worden ist. Seid voll Dank für das, was Gott euch geschenkt hat.

⁸ Gebt acht, daß euch keiner durch die Vorspiegelung höherer Erkenntnis betrügt. Das alles ist nur von Menschen erdacht. Es handelt nur von den kosmischen Mächten*; mit Christus hat es nichts zu tun. ⁹⁻¹⁰ Christus ist Herr über alle Mächte und Gewalten. In ihm wohnt Gott mit der ganzen Fülle seines Wesens, und nur durch ihn habt ihr Anteil an dieser Fülle.

¹¹ Durch die Verbindung mit ihm seid ihr nun auch Beschnittene. Ich spreche nicht von der Beschneidung*, die am Körper vorgenommen wird. Bei der Beschneidung durch Christus habt ihr gleichsam den ganzen Körper, der unter der Herrschaft der Sünde steht, abgelegt. ¹² Denn ihr seid durch die Taufe mit Christus begraben worden, und ihr seid auch schon mit ihm zusammen zum neuen Leben gelangt. Denn durch den Glauben habt ihr euch der Macht Gottes anvertraut, der Christus vom Tod erweckt hat. ¹³ Einst wart ihr tot, denn ihr wart unbeschnitten, das heißt, in ein Leben voll Schuld verstrickt. Aber jetzt hat Gott euch mit Christus zusammen lebendig gemacht. Er hat uns unsere ganze Schuld vergeben. ¹⁴ Den Schuldschein, der uns mit seinen Forderungen belastet hatte, hat er für ungültig erklärt. Er hat ihn ans Kreuz genagelt und damit für immer beseitigt. ¹⁵ Die unsichtbaren Mächte hat er entwaffnet und sie zu ihrer Schande vor aller Welt in seinem Triumphzug mitgeführt.

Befreit durch Christus

¹⁶ Laßt euch also von keinem vorschreiben, was ihr essen oder trinken sollt. Auch um Feiertage wie Neumond* oder Sabbat* braucht ihr euch nicht zu kümmern. ¹⁷ Dies ist alles nur ein Schatten von dem, was in Christus Wirk-

lichkeit ist. [18] Laßt euch nicht irremachen von Leuten, die in ihren Visionen die Engelmächte schauen und die sich daraufhin in besonderen Frömmigkeitsübungen gefallen, um diese Mächte durch ihre Verehrung günstig zu stimmen. Solche Leute sind ohne jeden Grund eingebildet. Sie verlassen sich auf sich selbst, [19] anstatt sich an Christus zu halten, der der Herr über alles ist. Von ihm als dem Haupt aus wird der ganze Leib*, die Gemeinde, zusammengehalten und versorgt, damit er zur vollen Größe emporwächst, wie es Gott gefällt.

[20] Ihr seid mit Christus gestorben, deshalb haben die kosmischen Mächte* keine Gewalt mehr über euch. Warum lebt ihr dann so, als wärt ihr ihnen immer noch unterworfen? Ihr laßt euch vorschreiben: [21]»Dies sollst du nicht anfassen, das sollst du nicht kosten, jenes sollst du nicht berühren!« [22]Alle diese Dinge sind doch zum Gebrauch und Verzehr bestimmt. Warum laßt ihr euch dann von Menschen darüber Vorschriften machen? [23]Es sieht nur so aus, als ob diese Verehrung der unsichtbaren Mächte, die Frömmigkeitsübungen und die Kasteiung des Körpers Zeichen besonderer Weisheit seien. In Wirklichkeit führen sie nicht zu der erstrebten Ehrenstellung vor Gott, sondern dienen nur der Befriedigung der menschlichen Selbstsucht und Eitelkeit.

Ein neues Leben durch Christus

3 Ihr seid mit Christus zum Leben erweckt. Richtet euch also nach oben aus, wo Christus ist! Gott hat ihm den Ehrenplatz an seiner rechten Seite gegeben. [2]Richtet eure Gedanken nach oben und nicht auf die irdischen Dinge! [3]Ihr seid schon gestorben, und euer Leben ist mit Christus bei Gott verborgen. [4]Wenn einmal Christus, euer Leben, allen sichtbar wird, dann werdet auch ihr selbst in der ganzen Herrlichkeit sichtbar werden, die euch jetzt schon geschenkt ist.

[5]Darum tötet alles, was an euch noch irdisch ist: Unzucht, Zügellosigkeit, Leidenschaften, Begierden und die Habsucht. Habsucht ist soviel wie Götzendienst. [6]Wegen dieser Dinge kommt das Gericht Gottes über die Menschen, die ihm nicht gehorchen. [7]Zu diesen habt auch ihr einst gehört, als ihr noch von all dem beherrscht wart.

[8] Aber jetzt müßt ihr das alles ablegen, auch Zorn und Aufbrausen, Haß, Beleidigung und Verleumdung. [9] Keiner soll mehr den anderen belügen. Zieht euer altes Ich mit seinen Gewohnheiten aus [10] und zieht das neue Ich an, das Gott euch schenkt. Laßt euch von Gott zu neuen Menschen machen, die nach seinem Bild geschaffen sind und seinen Willen erfüllen.

[11] Wo das geschieht, zählt es nicht mehr, ob einer Jude ist oder nicht, ob er beschnitten* ist oder unbeschnitten, ob er ungebildet oder gar völlig unzivilisiert ist, ob er Sklave ist oder frei. Es gibt nur noch Christus, der in allen lebt und der alles wirkt.

[12] Führt also euer Leben als Menschen, die Gott erwählt hat, um ihnen seine Liebe zu erweisen und sie zu seinem Volk zu machen. Seid mitfühlend, freundlich, ehrerbietig, nachsichtig und geduldig. [13] Kommt miteinander aus! Tragt es keinem nach, wenn er euch Unrecht getan hat; sondern vergebt einander, wie der Herr euch vergeben hat. [14] Tut alles in der Liebe! Sie verbindet euch und führt euch dadurch zur Vollkommenheit. [15] Der Frieden, den Christus schenkt, soll euer ganzes Denken und Tun bestimmen. In diesen Frieden hat Gott euch alle miteinander gerufen, denn ihr seid ja durch Christus *ein* Leib*. Dankt Gott dafür! [16] Laßt die Gute Nachricht von Christus ihren ganzen Reichtum bei euch entfalten. Helft einander, sie immer besser zu verstehen, und ermahnt euch gegenseitig mit aller Weisheit. Singt Gott von Herzen Psalmen, Hymnen und Lieder, die der Geist* eingibt. Dankt ihm so für die Gnade, die er euch geschenkt hat. [17] Alles, was ihr tut und was ihr sagt, soll im Aufblick zu Jesus, dem Herrn, geschehen. Euer ganzes Leben soll ein einziger Dank sein, den ihr Gott, dem Vater, durch Jesus Christus darbringt.

Anweisungen für die einzelnen

[18] Ihr Frauen, ordnet euch euren Männern unter, wie es vor dem Herrn recht ist!

[19] Ihr Männer, liebt eure Frauen und laßt nicht euren Ärger an ihnen aus!

[20] Ihr Kinder, gehorcht euren Eltern in allem! So ist es recht vor dem Herrn.

²¹ Ihr Eltern, behandelt eure Kinder nicht so, daß sie mutlos und scheu werden!

²² Ihr Sklaven*, gehorcht in allem euren menschlichen Herren! Tut es nicht nur äußerlich, um euch bei ihnen einzuschmeicheln. Dient ihnen aufrichtig, wie es die Ehrfurcht vor dem Herrn verlangt. ²³ Tut alles von Herzen, als Leute, die dem Herrn und nicht Menschen dienen. ²⁴ Denkt daran: Der Herr wird euch dafür als Lohn geben, was er seinem Volk versprochen hat. Dient mit eurem Tun Christus, dem Herrn! ²⁵ Wer Unrecht tut, wird dafür bestraft werden. Das gilt auch für Sklaven. Gott ist ein unparteiischer Richter.

4 Ihr Herren, behandelt eure Sklaven, wie es recht und billig ist! Denkt daran, daß auch ihr einen Herrn im Himmel habt!

Weitere Anweisungen

² Laßt nicht nach im Beten und werdet nicht müde, Gott zu danken! ³ Betet auch für uns, daß Gott uns Gelegenheit gibt, die Botschaft von Christus zu verkünden. Ihretwegen bin ich jetzt im Gefängnis. ⁴ Bittet Gott darum, daß ich sein Geheimnis offenbar machen kann, wie es mein Auftrag ist.

⁵ Verhaltet euch klug gegenüber denen, die nicht zur Gemeinde gehören, und nutzt die Zeit. ⁶ Redet immer so, daß sie gerne zuhören. Sucht nach dem treffenden Wort. Für jeden sollt ihr die rechte Antwort bereit haben.

Grüße

⁷ Über mein Ergehen wird euch Bruder Tychikus ausführlich berichten. Ich schätze ihn hoch, denn er dient wie ich dem Herrn und ist treu in diesem Dienst. ⁸ Ich schicke ihn zu euch, damit er euch von uns berichtet und euch Mut macht. ⁹ Ich schicke auch euren Landsmann, den treuen und geliebten Bruder Onesimus, mit. Sie werden euch alles erzählen, was hier vorgeht.

¹⁰ Aristarch, der mit mir im Gefängnis ist, läßt euch grüßen, ebenso Markus, der Vetter von Barnabas. Ich habe euch schon Anweisungen für ihn gegeben. Nehmt ihn freundlich auf, wenn er zu euch kommt! ¹¹ Auch Jesus mit dem Beinamen Justus läßt euch grüßen. Diese drei sind

die einzigen Christen jüdischer Herkunft, die zusammen
mit mir für die Verbreitung der Guten Nachricht arbeiten.
Sie sind mir ein wirklicher Trost geworden.

[12] Es grüßt euch euer Landsmann Epaphras, der im
Dienst Jesu Christi steht. Er betet immer inständig für
euch, daß ihr euch als reife Christen bewährt und ganz davon beseelt seid, in allem den Willen Gottes zu tun. [13] Ich
kann bezeugen, wie sehr er sich in seinen Gebeten für
euch einsetzt und für die Christen in Laodizea und Hiëra-
polis. [14] Es grüßen euch auch der Arzt Lukas, unser lieber
Freund, und Demas.

[15] Grüßt die Brüder in Laodizea und besonders Nympha
und die Gemeinde in ihrem Haus. [16] Wenn dieser Brief bei
euch vorgelesen worden ist, dann schickt ihn nach Laodizea, damit er auch dort verlesen wird. Und lest auch den
Brief, den ich nach Laodizea geschrieben habe. [17] Sagt Archippus: Sei treu im Dienst für den Herrn und erfülle den
Auftrag, den du erhalten hast.

[18] Mit eigener Hand schreibe ich, Paulus, hier meinen
Gruß. Vergeßt meine Ketten nicht! Gott bewahre euch in
seiner Gnade!

DER ERSTE BRIEF DES APOSTELS PAULUS AN DIE GEMEINDE IN THESSALONICH

Eingangsgruß

1 Paulus, Silvanus und Timotheus schreiben diesen Brief an die Gemeinde in Thessalonich, die Gott, dem Vater, und dem Herrn Jesus Christus gehört:
Wir bitten Gott, euch Gnade und Frieden zu schenken!

Die Christen in Thessalonich als Vorbild

2-3 Jedesmal, wenn wir beten, denken wir an euch und danken Gott, unserem Vater, für euch alle. Wir erinnern uns ständig daran, wie bewährt euer Glaube ist und wie tätig eure Liebe und wie unerschütterlich eure Hoffnung darauf, daß Jesus Christus, unser Herr, kommt. ⁴Wir wissen ja auch, Brüder, daß Gott euch liebt und euch dazu erwählt hat, ihm zu gehören. ⁵Denn als wir euch die Gute Nachricht verkündeten, erwies sie sich unter euch nicht als bloßes Wort. Gott selbst zeigte in ihr seine Macht. Sein heiliger Geist* stand uns bei und gab uns Mut und Überzeugungskraft. Ihr wißt ja, wie wir unter euch zu eurem Besten gewirkt haben.

⁶Ihr seid unserem Beispiel gefolgt und damit dem Beispiel unseres Herrn. Obwohl ihr schwere Anfeindungen ertragen mußtet, habt ihr die Botschaft mit der Freude angenommen, die der Geist Gottes schenkt. ⁷So seid ihr ein Vorbild für alle Christen in Mazedonien und Achaia geworden. ⁸Nicht nur ist die Botschaft unseres Herrn von euch aus dorthin gelangt, sondern es hat sich auch schon überall herumgesprochen, daß ihr euch Gott zugewandt habt. Wir brauchen niemand etwas davon zu erzählen. ⁹Wo wir auch hinkommen, spricht man davon, was für Folgen unser Besuch bei euch gehabt hat. Überall erzählt man, wie ihr euch von den Götzen abgekehrt habt, um dem wahren und lebendigen Gott zu dienen, ¹⁰und wie ihr nun auf Jesus, seinen Sohn*, wartet. Er, den Gott vom Tod erweckt hat, wird uns vor dem bevorstehenden Gericht Gottes retten.

Paulus erinnert an die Anfänge

2 Ihr wißt selbst, Brüder, daß unser Wirken bei euch nicht vergeblich gewesen ist. [2] Ihr erinnert euch: Zuvor hatten wir in Philippi viel ausstehen müssen und waren mißhandelt worden. Aber unser Gott gab uns den Mut, euch seine Gute Nachricht ohne Furcht zu verkünden, obwohl es auch bei euch zu harten Auseinandersetzungen kam. [3] Wenn wir zum Glauben rufen, folgen wir ja nicht irgendwelchen Hirngespinsten. Wir tun es auch nicht in eigennütziger und betrügerischer Absicht. [4] Gott hat uns seine Gute Nachricht anvertraut, weil er uns als zuverlässig erkannt hat. In seinem Auftrag reden wir. Wir wollen nicht Menschen gefallen, sondern ihm, der unsere geheimsten Gedanken kennt.

[5] Ihr wißt, wir haben euch nicht etwa nach dem Mund geredet. Genauso wenig ging es uns um den eigenen Vorteil – Gott kann es bezeugen! [6] Wir wollten auch nicht von Menschen geehrt werden, weder von euch noch von irgend jemand sonst. [7] Als Apostel* Christi hätten wir zwar das Recht gehabt, von euch unseren Unterhalt zu fordern. Aber wir waren zu euch so freundlich° wie eine Mutter zu ihren Kindern. [8] Wir hatten euch so liebgewonnen, daß wir bereit waren, euch nicht nur Gottes Gute Nachricht zu bringen, sondern sogar unser eigenes Leben für euch hinzugeben.

[9] Ihr erinnert euch doch, Brüder, daß wir keine Mühe gescheut haben. Während wir euch Gottes Gute Nachricht verkündeten, haben wir Tag und Nacht für unseren Lebensunterhalt gearbeitet, um keinem von euch zur Last zu fallen. [10] Wir rufen euch und Gott als Zeugen dafür an: Unser Verhalten gegen euch, die ihr die Gute Nachricht angenommen habt, war selbstlos und in jeder Hinsicht unanfechtbar. [11] Ihr wißt: Wir waren zu jedem einzelnen von euch wie ein Vater zu seinen Kindern. [12] Wir haben euch ermutigt und angespornt, ja, wir haben euch beschworen, so zu leben, daß ihr Gott Ehre macht. Er hat euch doch dazu berufen, in der neuen Welt seine Herrlichkeit mit ihm zu teilen.

[13] Wir danken Gott unaufhörlich dafür, daß ihr die Botschaft, die wir euch brachten, nicht als Menschenwort

aufgenommen habt, sondern als Wort Gottes, das sie tatsächlich ist. Und als Wort Gottes erweist sie sich auch
wirksam unter euch, die ihr sie im Glauben angenommen
habt. [14]Das zeigt sich daran, Brüder, daß es euch ebenso
ergangen ist wie den christlichen Gemeinden in Judäa. Ihr
habt von euren Landsleuten dasselbe zu erdulden, was sie
von ihren jüdischen Landsleuten erdulden mußten. [15]Die-
se haben schon Jesus, den Herrn, getötet und ebenso die
Propheten. Auch uns verfolgen sie. Sie mißfallen Gott
und sind allen Menschen feindlich gesinnt. [16]Denn sie
wollen verhindern, daß wir den anderen Völkern die Gute
Nachricht verkünden, die sie retten kann. So machen sie
das Maß ihrer Sünden voll. Aber jetzt hat Gottes Strafgericht sie erreicht.

Paulus in Sorge

[17]Eine kurze Zeit mußten wir euch entbehren, Brüder!
Wir waren zwar nur äußerlich von euch getrennt, nicht in
unseren Herzen; aber wir sehnten uns so sehr nach euch,
daß wir nach einer Möglichkeit suchten, euch wiederzusehen. [18]Wir hatten die feste Absicht, zu euch zu kommen.
Ich, Paulus, versuchte es mehrere Male. Aber der Satan
hinderte uns daran. [19]Ihr gehört doch zu denen, die unsere Hoffnung und unsere Freude sind. Ihr seid unser Siegespreis, auf den wir stolz sein können, wenn Jesus, unser
Herr, kommt. [20]Ja, ihr seid unsere Ehre und unsere
Freude!

3 Schließlich hielt ich es nicht länger aus. Ich beschloß,
allein in Athen zu bleiben, [2]und schickte den Bruder
Timotheus zu euch. Er ist Gottes Mitarbeiter bei der Verbreitung der Guten Nachricht von Christus. Er sollte euch
stärken und ermutigen, [3]damit sich keiner durch die Verfolgungen, denen ihr ausgesetzt seid, vom Glauben abbringen läßt. Ihr wißt ja, daß wir leiden müssen. [4]Als wir
noch bei euch waren, haben wir euch vorausgesagt, daß
man uns verfolgen wird. Das ist nun eingetreten, und ihr
habt es an euch selbst erfahren. [5]Darum hielt ich es nicht
länger aus und schickte Timotheus zu euch, um zu erfahren, wie es um euren Glauben steht. Ich war in Sorge, der
Versucher könnte euch zu Fall gebracht haben. Dann
wäre unsere ganze Arbeit vergeblich gewesen.

Beruhigung durch Timotheus

⁶ Soeben ist Timotheus von euch zurückgekehrt und hat uns gute Nachricht über euren Glauben und eure Liebe gebracht. Er hat uns erzählt, daß ihr immer an uns denkt und euch ebensosehr nach uns sehnt, wie wir uns nach euch sehnen. ⁷ Ihr steht im Glauben fest, Brüder, und das hat uns mitten in unserer Angst und Sorge neuen Mut gegeben. ⁸ Wir leben wieder auf, weil wir wissen, daß ihr unbeirrt zum Herrn haltet. ⁹ Wir können unserem Gott nicht genug für euch danken und für die große Freude, die er uns an euch erleben läßt. ¹⁰ Tag und Nacht bitten wir ihn von ganzem Herzen, daß wir euch wiedersehen dürfen. Denn wir möchten euch gerne helfen, daß an eurem Glauben nichts mehr fehlt.

¹¹ Wir bitten Gott, unseren Vater, und Jesus, unseren Herrn, uns den Weg zu euch zu ebnen. ¹² Der Herr lasse eure Liebe zueinander und zu allen Menschen wachsen und überströmen, so daß sie so stark wird wie unsere Liebe zu euch. ¹³ Er mache euch innerlich stark, damit ihr vor Gott, unserem Vater, rein und vollkommen dasteht, wenn Jesus, unser Herr, mit allen seinen Engeln kommt. Amen.

Ein Leben, das Gott gefällt

4 Noch eines, Brüder! Ihr habt von uns gelernt, wie ihr leben sollt, um Gott zu gefallen; und ihr lebt auch schon so. Nun bitten und ermuntern wir euch im Namen Jesu, des Herrn, daß ihr darin auch weiterhin Fortschritte macht. ² Ihr wißt, welche Anweisungen wir euch in seinem Auftrag gegeben haben. ³ Gott will, daß ihm euer ganzes Leben gehört. Das bedeutet, daß ihr euch von Unzucht reinhalten sollt. ⁴ Jeder von euch Männern soll lernen, mit seiner Frau so zusammenzuleben, wie es Gott und den Menschen gefällt. ⁵ Ihr sollt nicht blind eurer Leidenschaft folgen wie die, die Gott nicht kennen. ⁶ Es soll auch keiner in die Ehe eines Bruders einbrechen und ihm Unrecht antun.° Wir haben euch das schon früher gesagt, und wir haben euch gewarnt: Wer solche Dinge tut, den wird der Herr bestrafen. ⁷ Gott hat uns nicht berufen, damit wir ein zuchtloses Leben führen, sondern damit wir ihm mit unserer Lebensführung Ehre machen. ⁸ Wer also diese Anwei-

sungen in den Wind schlägt, lehnt sich nicht gegen einen
Menschen auf, sondern gegen Gott, der euch seinen heiligen Geist* gegeben hat.

⁹Über die Liebe zu den Brüdern brauchen wir euch
nichts zu schreiben. Gott selbst hat euch gelehrt, einander
zu lieben. ¹⁰Ihr erweist solche Liebe ja auch allen Brüdern
in ganz Mazedonien. Wir bitten euch, daß ihr darin auch
weiterhin Fortschritte macht. ¹¹Betrachtet es als Ehrensache, daß ihr ein geregeltes Leben führt. Kümmert euch
um eure eigenen Angelegenheiten und arbeitet für euren
Lebensunterhalt. Wir haben euch das schon früher gesagt.
¹²Lebt so, daß ihr denen keinen Anstoß gebt, die nicht
zur Gemeinde gehören, und daß ihr niemand zur Last
fallt.

Wenn Jesus wiederkommt

¹³Wir wollen euch nicht im unklaren lassen, Brüder, wie
es mit denen steht, die gestorben sind. Dann braucht ihr
nicht traurig zu sein wie die anderen, die keine Hoffnung
haben. ¹⁴Wir glauben, daß Jesus gestorben und auferstanden ist. Ebenso gewiß wird Gott auch die, die im Vertrau-
en auf Jesus gestorben sind, mit Jesus zusammen zu sich
holen.

¹⁵Ihr könnt ganz ruhig sein: Die, die schon gestorben
sind, werden gegenüber uns, die beim Kommen des Herrn
noch am Leben sind, nicht benachteiligt sein. Ich kann
mich dafür auf ein Wort des Herrn berufen, das besagt:
¹⁶Wenn Gottes Befehl ergeht, der oberste Engel ruft und
die himmlische Posaune ertönt, wird der Herr selbst vom
Himmel kommen. Zuerst werden dann alle, die im Vertrauen auf ihn gestorben sind, aus dem Grab auferstehen.
¹⁷Danach werden wir, die noch am Leben sind, mit ihnen
zusammen auf Wolken dem Herrn entgegengeführt, um
ihn zu empfangen. Dann werden wir für immer mit ihm
zusammensein. ¹⁸Macht euch damit gegenseitig Mut!

Jederzeit bereit sein!

5 Über den Zeitpunkt, zu dem das geschehen wird,
Brüder, brauchen wir euch nichts zu schreiben. ²Ihr
selbst wißt, daß der Herr so unvorhergesehen kommt wie
ein Dieb in der Nacht. ³Wenn die Menschen sagen wer-

den: »Alles ist ruhig und sicher«, wird plötzlich der Untergang über sie hereinbrechen wie die Wehen über eine schwangere Frau. Keiner wird entrinnen.

⁴Aber ihr lebt ja nicht in der Dunkelheit, Brüder, so daß euch der Tag des Herrn wie ein Dieb überraschen könnte. ⁵Ihr alle seid vielmehr Menschen, die zum Licht und zum Tag gehören. Weil wir nun nicht mehr in der Nacht oder der Dunkelheit leben, ⁶sollen wir auch nicht schlafen wie die anderen, sondern wach und nüchtern sein. ⁷Wer schläft, tut es in der Nacht, und ebenso, wer sich betrinkt. ⁸Aber wir gehören zum Tag und wollen deshalb nüchtern sein. Wir wollen Glauben und Liebe als Panzer anlegen und die Hoffnung auf Rettung als Helm. ⁹Denn Gott hat uns nicht dazu bestimmt, daß wir seinem Strafgericht verfallen, sondern daß wir durch Jesus Christus, unseren Herrn, gerettet werden.

¹⁰Christus ist für uns gestorben, damit wir zusammen mit ihm das Leben erlangen. Das gilt in jedem Fall, ob wir noch leben, wenn er kommt, oder ob wir schon vorher gestorben sind.

¹¹Macht euch also gegenseitig Mut! Einer soll dem anderen weiterhelfen, wie ihr es ja schon tut.

Abschließende Anweisungen

¹²Brüder, wir bitten euch: Ehrt alle, die sich für euch abmühen, die Gemeindevorsteher* und alle, die euch den rechten Weg zeigen. ¹³Wegen der Arbeit, die sie für euch tun, sollt ihr ihnen mit Achtung und Liebe begegnen.

Lebt in Frieden miteinander! ¹⁴Wir bitten euch weiter, Brüder: Ermahnt alle, die ein ungeregeltes Leben führen. Ermutigt die Ängstlichen. Helft den Schwachen und habt Geduld mit allen. ¹⁵Seht darauf, daß keiner Unrecht mit Unrecht zurückzahlt. Gebt euch Mühe, im Umgang miteinander und mit allen Menschen das Rechte zu tun.

¹⁶Freut euch immerzu! ¹⁷Laßt nicht nach im Beten. ¹⁸Dankt Gott in jeder Lebenslage. Das will Gott von denen, die mit Jesus Christus verbunden sind.

¹⁹Unterdrückt nicht das Wirken des heiligen Geistes*! ²⁰Verachtet nicht die Weisungen*, die er euch gibt. ²¹Prüft aber alles, und nehmt nur an, was gut ist. ²²Von jeder Art des Bösen haltet euch fern!

Schlußwort und Grüße

[23] Gott, der uns seinen Frieden schenkt, vollende euch als
sein Volk und bewahre euch unversehrt an Geist, Seele
und Leib, damit ihr fehlerlos seid an dem Tag, an dem Jesus Christus, unser Herr, kommt. [24] Gott, der euch berufen hat, wird euch auch vollenden; denn er steht zu seinem Wort.

[25] Betet auch für uns, Brüder! [26] Grüßt alle in der Gemeinde mit dem Bruderkuß*. [27] Ich beschwöre euch bei
dem Herrn, diesen Brief vor allen Brüdern zu verlesen. [28] Jesus Christus, unser Herr, bewahre euch in seiner
Gnade!

DER ZWEITE BRIEF DES APOSTELS PAULUS AN DIE GEMEINDE IN THESSALONICH

Eingangsgruß

1 Paulus, Silvanus und Timotheus schreiben diesen Brief an die Gemeinde in Thessalonich, die Gott, unserem Vater, und dem Herrn Jesus Christus gehört:

²Wir bitten Gott, unseren Vater, und Jesus Christus, den Herrn, euch Gnade und Frieden zu schenken!

Christus kommt zum Gericht

³Wir müssen Gott immerzu für euch danken, Brüder! Wir haben allen Grund dazu, denn euer Glaube wächst, und die Liebe, die ihr alle füreinander habt, nimmt stetig zu. ⁴Mit Stolz erzählen wir in den Gemeinden Gottes, wie standhaft ihr in allen Verfolgungen und Leiden an eurem Glauben festhaltet. ⁵Daran zeigt sich schon jetzt Gottes gerechtes Gericht. Denn ihr dürft sicher sein, daß ihr in Gottes neue Welt kommen werdet, für die ihr jetzt leidet. ⁶Gott ist gerecht: Über die, die euch Leiden bereiten, wird er Leiden verhängen. ⁷Aber euch, die ihr jetzt leidet, wird er mit uns zusammen aus aller Not befreien.

Das wird geschehen, wenn Jesus, der Herr, mit seinen mächtigen Engeln vom Himmel kommt und alle ihn sehen werden. ⁸Er kommt mit Feuerflammen und richtet die, die Gott nicht ehren und nicht auf die Gute Nachricht von Jesus, unserem Herrn, hören. ⁹Zur Strafe werden sie für immer vom Herrn und seiner Macht und Herrlichkeit getrennt. ¹⁰Das geschieht an dem Tag, an dem er kommt, um von allen, die ihm gehören und ihm vertrauen, geehrt und umjubelt zu werden. Auch ihr werdet mit dabeisein, denn ihr habt ja der Botschaft geglaubt, die wir euch gebracht haben.

¹¹Darum beten wir auch immer für euch. Wir bitten unseren Gott, euch würdig zu machen für das Leben, zu dem er euch berufen hat. Er bringe alle eure guten Vorsätze durch seine Macht ans Ziel und vollende das Leben,

das ihr aus dem Glauben führt. [12] Dann wird Jesus, unser Herr, geehrt, und auch ihr selbst habt Ehre durch das, was er in euch wirkt. Das geschehe durch die Gnade unseres Gottes und des Herrn Jesus Christus!

Was zuvor noch geschehen muß

2 Ihr wartet darauf, Brüder, daß Jesus Christus, unser Herr, kommt und wir mit ihm vereinigt werden. Wir bitten euch aber: [2] Laßt euch nicht so rasch verwirren oder erschrecken durch die Behauptung, der Tag, an dem der Herr kommt, stehe unmittelbar bevor. Glaubt es nicht, auch wenn sich einer auf eine göttliche Eingebung beruft oder auf eine Äußerung oder einen Brief, die angeblich von uns stammen. [3] Laßt euch durch nichts und niemand täuschen: Erst müssen viele ihrem Glauben untreu werden, und der Feind* Gottes muß auftreten, der alles Böse in sich vereint und zum Untergang bestimmt ist. [4] Er wird sich gegen alles auflehnen und sich über alles erheben, was als göttlich und verehrungswürdig gilt. Ja, wird seinen Thron im Tempel Gottes aufstellen und wird behaupten, er sei Gott!

[5] Erinnert ihr euch nicht, daß ich euch dies angekündigt habe, als ich noch bei euch war? [6] Inzwischen aber wißt ihr auch, warum es noch nicht eingetroffen ist. Der Feind Gottes kann erst hervortreten, wenn die Zeit dafür reif ist. [7] Die Macht der Auflehnung ist zwar schon am Werk; doch erst muß der den Weg freigeben, der sie bisher noch zurückhält.

Die Erwählten werden gerettet

[8] Dann wird der Feind* Gottes offen hervortreten, aber Jesus, der Herr, wird ihn mit dem Hauch seines Mundes töten. Er wird ihn durch sein bloßes Erscheinen vernichten. [9] Der Feind Gottes wird vom Satan unterstützt, so daß er aufsehenerregende Taten und Wunder vollbringen und die Menschen damit blenden kann. [10] Alle, die verlorengehen, wird er durch seine bösen Künste täuschen. Das ist die Strafe dafür, daß sie ihr Herz nicht der Liebe zur Wahrheit geöffnet haben, die sie retten könnte. [11] Darum liefert Gott sie dem Irrtum aus, so daß sie der Lüge Glauben schenken. [12] Alle, die der Wahrheit nicht geglaubt ha-

ben, sondern am Unrecht Gefallen hatten, werden ihre
Strafe finden.

¹³Aber für euch müssen wir Gott immerzu danken, vom
Herrn geliebte Brüder! Als die ersten° hat er euch erwählt, damit ihr gerettet werdet. Und ihr werdet es, weil
Gottes Geist* in euch wirkt und ihr der Wahrheit Gottes
glaubt. ¹⁴Durch die Gute Nachricht, die wir euch gebracht haben, hat Gott euch dazu berufen, an der Herrlichkeit unseres Herrn Jesus Christus teilzuhaben. ¹⁵Seid
also standhaft, Brüder, und bleibt bei dem, was wir euch
mündlich und brieflich gelehrt haben.

¹⁶Gott, unser Vater, hat euch seine Liebe erwiesen und
euch in seiner Güte eine begründete Hoffnung und damit
Mut für alle Zukunft geschenkt. Wir bitten ihn und unseren Herrn Jesus Christus, ¹⁷euch mutig zu machen und
euch Kraft zu geben zu allem Guten, in Wort und Tat.

Gefahr und Zuversicht

3 Wir kommen zum Schluß. Betet für uns, Brüder! Bittet darum, daß die Botschaft vom Herrn sich rasch
verbreitet und überall so wie bei euch mit Dank gegen
Gott angenommen wird. ²Bittet auch darum, daß Gott
uns vor den Anschlägen böser und schlechter Menschen
rettet. Denn nicht alle lassen sich zum Glauben rufen.

³Aber der Herr ist treu. Er wird euch stark machen und
vor dem Bösen beschützen. ⁴Er gibt uns auch das Vertrauen zu euch, daß ihr jetzt und in Zukunft unseren Anweisungen folgen werdet. ⁵Wir bitten den Herrn, euer
ganzes Denken und Wollen zu lenken auf die Liebe zu
Gott und auf die standhafte Treue zu Christus.

Verpflichtung zur Arbeit

⁶Brüder! Wir befehlen euch im Namen des Herrn Jesus
Christus: Meidet den Umgang mit allen Brüdern, die ihre
täglichen Pflichten vernachlässigen und den Anweisungen
nicht folgen, die sie von uns erhalten haben. ⁷Ihr wißt
doch, wie wir bei euch gelebt haben. Das muß euch ein
Vorbild sein. Wir haben uns nicht vor der Arbeit gedrückt
⁸und haben uns auch von niemand freihalten lassen. Wir
haben keine Mühe gescheut und haben Tag und Nacht für
unseren Lebensunterhalt gearbeitet, um keinem von euch

zur Last zu fallen. [9] Dabei hätten wir ein Recht gehabt, Unterstützung von euch zu verlangen. Aber wir wollten euch ein Beispiel geben, dem ihr nachleben sollt. [10] Als wir bei euch waren, haben wir euch ausdrücklich gesagt: Wer nicht arbeiten will, soll auch nicht essen.

[11] Nun hören wir, daß es einige unter euch gibt, die ein ungeregeltes Leben führen. Sie arbeiten nicht, sondern treiben sich unnütz herum. [12] Wir ermahnen sie im Namen des Herrn Jesus Christus mit allem Nachdruck, daß sie einer geregelten Arbeit nachgehen und ihren Lebensunterhalt selbst verdienen. [13] Euch allen aber sage ich: Werdet nicht müde, das Gute zu tun! [14] Wenn jemand den Anweisungen in diesem Brief nicht folgen will, so merkt ihn euch und geht ihm aus dem Weg, damit er sich schämt. [15] Behandelt ihn aber nicht wie einen Feind, sondern ermahnt ihn als Bruder.

Schlußwort

[16] Der Herr, von dem aller Frieden kommt, schenke euch jederzeit und auf jede Weise seinen Frieden. Der Herr stehe euch allen bei! [17] Den Gruß schreibe ich, Paulus, mit eigener Hand. Dies ist meine Handschrift. Daran erkennt man alle meine Briefe. [18] Jesus Christus, unser Herr, bewahre euch alle in seiner Gnade!

DER ERSTE BRIEF DES APOSTELS PAULUS AN TIMOTHEUS

Eingangsgruß

1 Diesen Brief schreibt Paulus, der Apostel* Jesu Christi. Das bin ich durch einen Befehl von Gott, der unser Retter ist, und von Jesus Christus, auf den wir hoffen. ²Ich schreibe an Timotheus, der mir ein richtiger Sohn geworden ist, weil ich ihn zum Glauben geführt habe:

Ich bitte Gott, den Vater, und Jesus Christus, unseren Herrn, dir Gnade und Frieden zu schenken!

Warnung vor falschen Lehren

³Bleib dem Auftrag treu, den ich dir gab, als ich nach Mazedonien abreiste! Ich habe dich damals gebeten, in Ephesus zurückzubleiben. Du solltest bestimmte Leute dort daran hindern, falsche Lehren zu verbreiten. ⁴Sie sollen sich nicht mit uferlosen Spekulationen über die Anfänge der Welt und die ersten Geschlechterfolgen° befassen; denn das führt nur zu unfruchtbaren Grübeleien, anstatt dem Heilsplan Gottes zu dienen, der auf den Glauben zielt. ⁵Jede Unterweisung der Gemeinde muß zur Liebe hinführen, die aus einem reinen Herzen, einem guten Gewissen und einem aufrichtigen Glauben kommt. ⁶Davon haben sich einige abgewandt und haben sich in leeres Gerede verloren. ⁷Sie wollen Lehrer des göttlichen Gesetzes* sein; aber sie wissen nicht, was sie sagen, und haben keine Ahnung von dem, worüber sie so selbstsicher ihre Behauptungen aufstellen.

⁸Wir dagegen wissen: Das Gesetz ist gut, wenn man es in der rechten Weise gebraucht. ⁹Man darf nämlich eines nicht vergessen: Das Gesetz ist nicht für Menschen da, die tun, was Gott will, sondern für solche, die sich um Recht und Ordnung nicht kümmern. Es ist für Sünder bestimmt, die Gott und seine Gebote verachten, für Leute, die Vater und Mutter töten, Mord ¹⁰und Unzucht begehen und Knaben mißbrauchen, für Menschenhändler und solche, die lügen und falsche Zeugenaussagen machen

oder sonst etwas tun, was im Widerspruch zur rechten Lehre steht. [11] Diese Lehre entspricht der Guten Nachricht, die mir anvertraut worden ist – der Botschaft von der Herrlichkeit, die der ewige und in sich vollkommene Gott uns geben will.

Dank für Gottes Erbarmen

[12] Ich danke Jesus Christus, unserem Herrn, der mir für meinen Auftrag die Kraft gegeben hat, daß er mich für vertrauenswürdig hielt und in seinen Dienst nahm. [13] Früher hatte ich ihn beleidigt, verfolgt und verhöhnt. Aber er hat mit mir Erbarmen gehabt, weil ich nicht wußte, was ich tat. Ich kannte ihn ja noch nicht. [14] Er, unser Herr, hat mir seine Gnade im Überfluß geschenkt und mit ihr den Glauben und die Liebe, die aus der Verbindung mit ihm erwachsen. [15] Es ist ein wahres Wort und verdient volles Vertrauen: Jesus Christus kam in die Welt, um die Sünder zu retten. Ich bin der schlimmste unter ihnen. [16] Deshalb hatte er gerade mit mir Erbarmen und wollte seine ganze Geduld an mir zeigen. Er wollte mit mir ein Beispiel aufstellen, was für Menschen künftig durch das Vertrauen auf ihn zum ewigen Leben kommen können. [17] Gott, der ewige König, der unsterbliche, unsichtbare und einzige Gott, sei dafür in alle Ewigkeit geehrt und gepriesen! Amen.

[18] Mein Sohn Timotheus, ich lege dir den Auftrag ans Herz, den ich dir feierlich übertragen habe. Ich erinnere dich an das, was damals die Propheten* der Gemeinde im Blick auf dich verkündet haben. Ihre Worte sollen dich stärken für den guten Kampf, den du kämpfst. [19] Bewahre den Glauben und ein reines Gewissen! Manche haben in ihrem Glauben Schiffbruch erlitten, weil sie nicht auf die Stimme ihres Gewissens gehört haben. [20] Hymenäus und Alexander gehören zu ihnen. Ich habe sie dem Satan übergeben, damit er sie bestraft. So sollen sie lernen, Gott nicht mehr mit ihrer Lebensführung zu beleidigen.

Der Gottesdienst der Gemeinde

2 Das erste und wichtigste, wozu ich die Gemeinde aufrufe, ist das Gebet. Bringt eure Bitten und Fürbitten und euren Dank vor Gott! Betet für alle Menschen, [2] für

die Regierenden und für alle, die Gewalt haben, damit wir in Ruhe und Frieden leben können, in Ehrfurcht vor Gott und in Rechtschaffenheit. ³So ist es gut und gefällt Gott, unserem Retter. ⁴Er will, daß alle Menschen sich der Wahrheit zuwenden und gerettet werden. ⁵Denn es gibt für alle nur einen Gott, und es gibt nur einen, der zwischen Gott und Mensch die Brücke schlägt: den Menschen Jesus Christus. ⁶Er gab sein Leben, um die ganze Menschheit von ihrer Schuld zu befreien. Damit hat er bestätigt, daß Gott alle Menschen retten will. Das geschah zu der Zeit, die Gott selbst festgesetzt hatte. ⁷Um das öffentlich zu verkünden, hat Gott mich zum Apostel* eingesetzt. So ist es; ich sage die reine Wahrheit. Er hat mich zum Lehrer berufen, damit ich die nichtjüdischen Völker zum Glauben und zur Wahrheit führe.

⁸Ich will, daß überall in den Gottesdiensten die Männer das Gebet sprechen. Die Hände, die sie beim Beten erheben, sollen rein und ihre Herzen sollen frei sein von Schuld, ohne Zorn oder Streitsucht. ⁹Ebenso will ich, daß die Frauen im Gottesdienst passend angezogen sind. Sie sollen sich mit Anstand und Schamgefühl schmücken anstatt mit auffallenden Frisuren, goldenem Schmuck, Perlen oder teuren Kleidern. ¹⁰Gute Taten sollen ihre Zierde sein. So gehört es sich für Frauen, die zeigen wollen, daß sie Gott ehren. ¹¹Die Frauen sollen still zuhören und sich unterordnen. ¹²Ich lasse nicht zu, daß sie vor der Gemeinde sprechen oder sich über die Männer erheben. Sie sollen sich ruhig und still verhalten. ¹³Zuerst wurde Adam geschaffen, dann erst Eva. ¹⁴Es war auch nicht Adam, der vom Verführer getäuscht wurde; die Frau ließ sich täuschen und übertrat das Gebot Gottes. ¹⁵Eine Frau soll Kinder zur Welt bringen; dann wird sie gerettet. Sie muß aber auch an Glauben und Liebe festhalten und in aller Besonnenheit ein Leben führen, wie es Gott gefällt.

Der Leiter der Gemeinde

3 Es ist ein wahres Wort: »Wenn jemand die Leitung einer Gemeinde erstrebt, dann sucht er eine große und schöne Aufgabe.« ²Ein Gemeindeleiter* soll ein Mann sein, an dem es nichts auszusetzen gibt. Er darf nur einmal verheiratet sein. Er muß nüchtern, besonnen und

charakterfest sein. Er muß gastfrei sein und lehren können. [3] Er soll kein Trinker oder gewalttätiger Mensch sein,
sondern ein freundlicher und friedliebender Mann. Er
darf auch nicht am Geld hängen. [4] Er muß ein guter Familienvater sein und Kinder haben, die ihn achten und ihm
gehorchen. [5] Denn wenn jemand seine eigene Familie
nicht zu leiten versteht, wie kann er dann die Sorge für die
Gemeinde Gottes übernehmen? [6] Er darf nicht erst vor
kurzem Christ geworden sein; sonst wird er stolz, und der
Teufel bringt ihn so weit, daß Gott ihn verurteilen muß.
[7] Auch außerhalb der Gemeinde muß er in gutem Ruf stehen; man darf nichts Belastendes über sein Vorleben erzählen können. Sonst kann ihm der Teufel daraus einen
Strick drehen.

Helfer in der Gemeinde

[8] Auch die Helfer* der Gemeinde müssen ehrbare Männer sein. Auf ihr Wort muß man sich verlassen können.
Sie dürfen nicht übermäßig Wein trinken und nicht darauf
aus sein, sich zu bereichern. [9] Sie sollen durch ein untadeliges Leben dem Geheimnis des Glaubens Ehre machen.
[10] Zuerst muß man prüfen, ob sie auch geeignet sind. Nur
wenn keiner ihnen etwas nachsagen kann, dürfen sie zum
Dienst zugelassen werden. [11] Auch ihre Frauen müssen
ehrbar sein, nicht klatschsüchtig, sondern nüchtern und in
allem zuverlässig. [12] Ein Gemeindehelfer darf nur einmal
verheiratet sein. Er muß seine Kinder zum Guten anhalten und sein Hauswesen ordentlich führen. [13] Wer seinen
Dienst als Gemeindehelfer gut versieht, wird in der Gemeinde geehrt und kann zuversichtlich einstehen für den
Glauben, der uns mit Jesus Christus verbindet.

Das große Geheimnis

[14] Dies alles schreibe ich dir, obwohl ich hoffe, dich bald
besuchen zu können. [15] Aber für den Fall, daß mein Kommen sich hinauszögert, sagt dir dieser Brief, wie wir uns in
Gottes Hausgemeinschaft verhalten sollen. Diese Hausgemeinschaft ist die Gemeinde des lebendigen Gottes, der
Pfeiler und das Fundament der Wahrheit. [16] Niemand
kann es bestreiten: Groß und einzigartig ist die Wahrheit,
die Gott uns bekanntmachen ließ:

In der Welt erschienen als schwacher Mensch,
im Himmel von Gott zum Sieger erklärt –
so wurde Christus den Engeln gezeigt
und den Völkern der Erde verkündet.
Überall in der Welt fand er Glauben,
und im Himmel erhielt er die höchste Ehre.

Abwehr falscher Lehren

4 Gott hat durch Propheten* unter uns klar und deutlich voraussagen lassen, daß in den letzten Tagen dieser Welt manche den Glauben preisgeben werden. Sie werden sich Leuten anschließen, die sie mit ihren Eingebungen betrügen, und werden den Lehren dunkler Mächte folgen. ²Diese Leute sind scheinheilige Lügner, die ein schuldbeladenes Gewissen haben. ³Sie lehren, daß man nicht heiraten und auch bestimmte Speisen nicht essen darf. Aber Gott hat diese Speisen geschaffen. Wer Christus angenommen und die Wahrheit erkannt hat, darf sie essen, nachdem er Gott dafür gedankt hat. ⁴Denn alles, was Gott geschaffen hat, ist gut. Wir brauchen nichts davon abzulehnen, sondern dürfen alles essen, wenn wir Gott dafür danken. ⁵Es wird durch das Wort Gottes und durch das Gebet rein*.

⁶Wenn du den Brüdern diese Anweisungen gibst, bist du ein guter Diener Jesu Christi. Als ein solcher nährst du dich vom Wort Gottes und von der wahren Lehre, die du dir zur Richtschnur genommen hast. ⁷Gottlose und kindische Spekulationen über die Anfänge der Welt° mußt du ablehnen. Übe dich lieber darin, Gott zu gehorchen. ⁸Sich in körperlichen Entbehrungen zu üben, bringt nur wenig Nutzen. Aber sich im Gehorsam gegen Gott zu üben, ist für alles gut; denn es bringt Gottes Segen für dieses und für das zukünftige Leben. ⁹Das ist ein wahres Wort und verdient volles Vertrauen. ¹⁰Für dieses Ziel kämpfen und arbeiten wir; denn wir haben unsere Hoffnung auf den lebendigen Gott gesetzt. Er ist der Retter aller Menschen und besonders derer, die Jesus Christus vertrauen.

Timotheus als Vorbild, Lehrer und Seelsorger

¹¹Das sollst du allen gut einschärfen. ¹²Keiner soll dich verachten, weil du noch jung bist. Sei allen Christen ein

Beispiel mit deinem Reden und Tun, deiner Liebe, deinem Glauben und deiner Reinheit. [13]Bis ich komme, lies wie bisher aus den heiligen Schriften* vor, predige und unterrichte. [14]Vernachlässige nicht die Gabe, die Gott dir geschenkt hat, als die Ältesten* dir aufgrund prophetischer Weisungen* die Hände auflegten. [15]Mühe dich um das, was dir aufgetragen ist, damit deine Fortschritte allen sichtbar werden. [16]Achte auf dein Leben und auf deine Lehre; überprüfe sie beide ständig. Dann wirst du dich selbst retten und die, die dir zuhören.

5 Fahre einen Älteren nicht hart an. Wenn du ihn zurechtweisen mußt, dann sprich zu ihm, als ob er dein Vater wäre. Ebenso sollst du die jungen Männer ermahnen wie Brüder, [2]die älteren Frauen wie Mütter und die jungen Frauen wie Schwestern, mit der gebotenen Zurückhaltung.

Die Versorgung der Witwen und ihr Dienst
in der Gemeinde

[3]Begegne den Witwen mit Achtung, wenn es sich um echte Witwen handelt, die niemand unterstützt. [4]Wenn jedoch eine Witwe Kinder oder Enkel hat, sollen die sich zuerst einmal darum bemühen, ihre Pflichten gegenüber der Familie zu erfüllen, und ihrer Mutter oder Großmutter vergelten, was sie an ihnen getan hat. So gefällt es Gott. [5]Eine echte Witwe dagegen, die ganz alleinsteht, hat gelernt, ihre Hoffnung einzig auf Gott zu setzen, und hört nicht auf, Tag und Nacht zu ihm zu beten. [6]Wenn sich eine dem Vergnügen hingibt, ist sie schon tot, auch wenn sie noch lebt. [7]Schärfe das allen Witwen ein, damit ihre Lebensführung zu keinem Tadel Anlaß gibt. [8]Kümmert sich aber jemand nicht um die notleidenden Witwen der eigenen Familie, besonders wenn sie mit ihm zusammenwohnen, dann verleugnet er Christus und ist schlimmer als ein Ungläubiger.

[9]Eine Frau soll erst dann in das Verzeichnis der Witwen eingetragen werden, wenn sie über sechzig Jahre alt ist. Außerdem darf sie nur einmal verheiratet gewesen sein. [10]Sie muß für ihre guten Taten bekannt sein: daß sie ihre Kinder gut erzogen hat und gastfrei gewesen ist, daß sie den Christen die Füße gewaschen und denen geholfen

hat, die in Schwierigkeiten waren; kurz, daß sie sich auf jede Weise bemüht hat, Gutes zu tun. ¹¹ Die jüngeren Witwen nimm nicht in das Verzeichnis auf. Ihr Verlangen kann sie dazu treiben, daß sie sich von Christus abwenden und wieder heiraten wollen. ¹² Sie machen sich dann schuldig, weil sie das Versprechen° nicht halten, das sie Christus gegeben haben. ¹³ Außerdem gewöhnen sie sich ans Nichtstun und gehen von Haus zu Haus; sie werden geschwätzig, mischen sich in fremde Angelegenheiten und reden Dinge, die sich nicht gehören. ¹⁴ Deshalb möchte ich, daß die jüngeren Witwen wieder heiraten, Kinder haben und sich um ihren Haushalt kümmern. Dann geben sie unseren Gegnern keine Gelegenheit, schlecht über uns zu reden. ¹⁵ Einige haben sich schon von Christus abgewandt und folgen dem Satan.

¹⁶ Wenn eine Christin Witwen in ihrer Familie hat, muß sie selbst für sie sorgen und darf diese Last nicht der Gemeinde aufbürden. Die Unterstützung der Gemeinde soll ganz den alleinstehenden Witwen zugute kommen.

Die Ältesten der Gemeinde

¹⁷ Älteste*, die ihren Dienst gut versehen, haben doppelten Lohn verdient, besonders wenn sie als Prediger und Lehrer arbeiten. ¹⁸ In den heiligen Schriften* heißt es: »Einem dreschenden Ochsen darfst du das Maul nicht zubinden.« Es heißt auch: »Wer arbeitet, hat ein Anrecht auf seinen Lohn.«

¹⁹ Eine Klage gegen einen Ältesten höre nur an, wenn sie von zwei oder drei Zeugen bestätigt wird. ²⁰ Wenn einer sich wirklich etwas zuschulden kommen ließ, dann sollst du ihn vor den anderen Ältesten zurechtweisen, damit auch sie gewarnt sind. ²¹ Ich beschwöre dich bei Gott, bei Jesus Christus und bei den heiligen Engeln, daß du in solch einem Fall völlig unparteiisch vorgehst. Sei nicht voreingenommen gegen irgend jemand, aber begünstige auch keinen.

²² Lege niemand zu schnell die Hände auf, um ihn in das Ältestenamt einzusetzen; sonst machst du dich mitschuldig, wenn er sich verfehlt. Sieh zu, daß du dich selbst von jeder Verfehlung reinhältst. ²³ Das heißt nicht, daß du nur Wasser trinken sollst! Nimm ein wenig Wein dazu, um dei-

nen Magen zu stärken; du bist ja so oft krank. ²⁴Die Sünden mancher Menschen sind allen sichtbar und laufen ihnen gleichsam voraus zu Gottes Gericht; bei anderen sind sie schwerer zu erkennen; denn sie kommen erst hinterher. ²⁵Ebenso ist es auch mit den guten Taten: sie sind allen sichtbar, und wenn es einmal nicht der Fall ist, müssen sie schließlich doch ans Licht kommen.

Die Sklaven

6 Die Sklaven*, die zur Gemeinde gehören, müssen ihren Herren mit aller schuldigen Achtung begegnen. Sie sollen niemand Anlaß geben, schlecht über Gott und unsere Lehre zu reden. ²Wenn ein Sklave einen Christen zum Herrn hat, darf er ihn deshalb nicht weniger achten, weil er sein Bruder ist. Er muß ihm sogar noch besser dienen, weil ein Herr, der Christ ist und sich von Gott geliebt weiß, ihm ja auch viel Gutes tut.

Warnung vor falschen Lehrern und vor Habgier

So sollst du lehren, in diesem Sinn sollst du alle ermahnen. ³Wenn jemand etwas anderes lehrt und sich nicht an die heilsamen Worte unseres Herrn Jesus Christus und die allgemeine christliche Lehre hält, ⁴dann ist er eingebildet und unwissend. Er hat einen krankhaften Hang zu Grübeleien und Wortgefechten. Daraus entstehen Neid und Streit, Beleidigungen, böse Verdächtigungen ⁵und fortwährender Zank. Solche Menschen haben ihren gesunden Verstand verloren. Sie sind so weit von der Wahrheit abgeirrt, daß sie meinen, Gott zu dienen sei ein Mittel, sich zu bereichern.

⁶Gewiß bringt es großen Gewinn, Gott zu dienen, wenn man nur sein Herz nicht an irdischen Besitz hängt. ⁷Was haben wir in die Welt mitgebracht? Nichts! Was können wir aus der Welt mitnehmen? Nichts! ⁸Wenn wir also Nahrung und Kleidung haben, soll uns das genügen. ⁹Wer unbedingt reich werden möchte, gerät in Versuchung. Er verfängt sich in unsinnigen und schädlichen Wünschen, die ihn zugrunde richten und ins ewige Verderben stürzen. ¹⁰Denn Geldgier ist eine Wurzel alles Bösen. Manche sind ihr so verfallen, daß sie dem Herrn untreu wurden und sich selbst die schlimmsten Qualen bereiteten.

Das Ziel im Auge behalten!

[11] Du aber stehst im Dienst Gottes und sollst dich von all diesen Dingen fernhalten. Bemühe dich um Gerechtigkeit, Gottesfurcht, Glauben, Liebe, Geduld und Freundlichkeit. [12] Gib dein Bestes im Glaubenskampf, damit du das ewige Leben gewinnst. Zu diesem Leben hat Gott dich berufen, als du vor vielen Zeugen das gute Bekenntnis des Glaubens ablegtest. [13] Ich befehle dir vor Gott, von dem alles Leben kommt, und vor Jesus Christus, der unter Pontius Pilatus das gute Bekenntnis abgelegt hat: [14] Erfülle den Auftrag, der dir gegeben ist, so zuverlässig, daß dich kein Tadel trifft, und bleibe darin treu, bis Jesus Christus, unser Herr, kommt. [15] Wann das geschieht, das bestimmt Gott, der in sich vollkommene und alleinige Herrscher, der König der Könige und Herr aller Herren. [16] Er allein ist unsterblich. Er lebt in unzugänglichem Licht; kein Mensch hat ihn je gesehen, und keiner kann ihn jemals sehen. Ihm gehört Ehre und ewige Macht! Amen.

Mahnung an die Reichen

[17] Ermahne die, die im Sinne dieser Welt* reich sind, nicht überheblich zu werden. Sie sollen ihr Vertrauen nicht auf etwas so Unsicheres wie den Reichtum setzen, der wieder zerrinnen kann, sondern auf Gott, der uns alles reichlich gibt, wenn wir es brauchen. [18] Sie sollen freigebig sein und bereit, mit anderen zu teilen. Wenn sie an guten Taten reich werden, [19] schaffen sie sich einen sicheren Grundstock für die Zukunft, damit sie das wirkliche Leben gewinnen.

Letzte Mahnung an Timotheus

[20] Lieber Timotheus, bewahre unverfälscht, was dir anvertraut worden ist! Wende dich ab von dem gottlosen Geschwätz dieser Leute, die der Wahrheit widersprechen und sich auf eine Erkenntnis* berufen, die gar keine ist. [21] Schon manche, die sich darauf eingelassen haben, sind vom Weg des Glaubens abgekommen.

Gott bewahre euch in seiner Gnade!

DER ZWEITE BRIEF DES APOSTELS
PAULUS AN TIMOTHEUS

Eingangsgruß

1 Diesen Brief schreibt Paulus, den Gott zum Apostel*
Jesu Christi bestimmt hat. Gott hat mir den Auftrag
gegeben, das Leben zu verkünden, das uns durch Jesus
Christus versprochen ist. ²Ich schreibe an Timotheus,
meinen lieben Sohn:

Ich bitte Gott, den Vater, und Jesus Christus, unseren
Herrn, dir Gnade, Erbarmen und Frieden zu schenken!

Dank des Apostels

³Wenn ich an dich denke, bin ich voll Dank gegen Gott,
dem ich mit reinem Gewissen diene, wie es schon meine
Vorfahren taten. Tag und Nacht denke ich dankbar an
dich in meinen Gebeten. ⁴Ich erinnere mich an deine Ab-
schiedstränen und sehne mich danach, dich wiederzusehen, damit ich mich so recht von Herzen freuen kann.
⁵Ich habe deinen aufrichtigen Glauben vor Augen, denselben Glauben, der schon in deiner Großmutter Loïs und
deiner Mutter Eunike lebte und der nun – da bin ich ganz
sicher – auch in dir lebt.

Ermutigung für Timotheus

⁶Darum ermahne ich dich: Laß die Gabe zur vollen Wirkung kommen, die Gott dir geschenkt hat, als ich dir die
Hände auflegte! ⁷Denn der Geist*, den Gott uns gegeben
hat, macht uns nicht zaghaft, sondern gibt uns Kraft, Liebe und Besonnenheit.

⁸Bekenne dich ohne jede Furcht zur Botschaft unseres
Herrn! Bekenne dich auch zu mir, der ich für ihn im Gefängnis sitze, und sei bereit, mit mir für die Gute Nachricht zu leiden. Gott gibt dir die Kraft dazu. ⁹Er hat uns
gerettet und uns dazu berufen, sein Volk zu sein. Das geschah nicht wegen unserer guten Taten, sondern weil er es
so wollte. Schon vor aller Zeit hat er uns durch Jesus

Christus seine Gnade geschenkt. ¹⁰Jetzt aber ist sie sichtbar geworden, weil Jesus Christus, unser Retter, auf die Erde gekommen ist. Er hat dem Tod die Macht genommen und das unvergängliche Leben ans Licht gebracht. Davon berichtet die Gute Nachricht, ¹¹die ich als Apostel* und Lehrer zu verkünden habe.

¹²Darum muß ich auch dies alles erleiden. Aber ich schrecke nicht davor zurück; denn ich weiß, wem ich vertraue. Und ich bin überzeugt, daß er bis zum Tag des Gerichts sicher bewahren kann, was er mir anvertraut hat. ¹³Halte dich an das, was du von mir gehört hast. Nimm dir daran ein Beispiel, wie du selbst reden sollst. Richte dich in allem nach dem Glauben und der Liebe, die aus der Verbindung mit Jesus Christus kommen. ¹⁴Bewahre die Lehre, die dir anvertraut worden ist! Der Geist Gottes, der in uns lebt, wird dir die Kraft dazu geben.

Die Lage des Apostels

¹⁵Du weißt, daß alle in der Provinz Asien* mich im Stich gelassen haben, auch Phygelus und Hermogenes. ¹⁶Ich bitte den Herrn um Erbarmen für die Angehörigen von Onesiphorus. Er hat sich zu mir bekannt, obwohl ich im Gefängnis bin, und hat mich oft ermutigt. ¹⁷Sobald er hier in Rom ankam, hat er nach mir gesucht, bis er mich fand. ¹⁸Und wieviel er in Ephesus für mich getan hat, weißt du selbst. Unser Herr möge ihm helfen, am Tag des Gerichts bei Gott Erbarmen zu finden!

Ein Mensch, wie Jesus Christus ihn braucht

2 Mein Sohn, werde stark durch die Gnade, die dir durch Jesus Christus geschenkt ist. ²Was ich dir vor vielen Zeugen als die Lehre unseres Glaubens übergeben habe, das gib in derselben Weise an zuverlässige Männer weiter, die imstande sind, es anderen zu vermitteln.

³Nimm es auf dich, als treuer Kämpfer Jesu Christi zusammen mit mir für ihn zu leiden. ⁴Ein Soldat, der in den Krieg zieht, kümmert sich nicht mehr um seine Alltagsgeschäfte, sondern es geht ihm einzig darum, die Anerkennung seines Befehlshabers zu finden. ⁵Ein Sportler, der an einem Wettkampf teilnimmt, kann den Preis nur gewinnen, wenn er sich streng den Regeln unterwirft. ⁶Und

ein Bauer muß hart arbeiten, bevor er als erster vom Ertrag des Feldes essen darf. ⁷Du verstehst, was ich damit sagen will. Der Herr wird dir in allem das rechte Verständnis geben.

⁸Halte dir Jesus Christus vor Augen, den versprochenen Retter* aus der Nachkommenschaft Davids. Gott hat ihn vom Tod erweckt. So sagt es die Gute Nachricht, die ich verkünde ⁹und um deretwillen ich leide. Man hat mich sogar wie einen Verbrecher in Fesseln gelegt. Aber das Wort Gottes kann nicht in Fesseln gelegt werden. ¹⁰Ich ertrage das alles für die Menschen, die Gott erwählt hat, damit auch sie durch Jesus Christus gerettet werden und die ewige Herrlichkeit erhalten. ¹¹Denn darauf dürfen wir uns verlassen:

Wenn wir mit Christus gestorben sind,
werden wir auch mit ihm leben.
¹²Wenn wir mit ihm geduldig leiden,
werden wir auch mit ihm herrschen.
Wenn wir aber nicht zu ihm halten,
wird auch er nicht zu uns halten.
¹³Und doch bleibt er treu,
auch wenn wir ihm untreu sind;
denn er kann sich selbst nicht untreu werden.

Ein bewährter Arbeiter

¹⁴Erinnere alle daran und beschwöre sie bei Gott, daß sie sich vor der Gemeinde nicht in fruchtlose Diskussionen einlassen, die den Zuhörern nur Schaden bringen. ¹⁵Sieh darauf, daß du vor Gott mit deinem Tun bestehen kannst und dich als einer bewährst, der Gottes Botschaft unverfälscht weitergibt. ¹⁶Von dem gottlosen Geschwätz gewisser Leute laß dich nicht beeindrucken! Sie werden sich immer noch weiter von Gott entfernen, ¹⁷und ihre Lehre wird wie ein Krebsgeschwür um sich fressen. Ich denke zum Beispiel an Hymenäus und Philetus, ¹⁸die den Weg der Wahrheit verlassen haben und sagen, unsere Auferstehung sei bereits geschehen. Damit bringen sie manche vom wahren Glauben ab.

¹⁹Aber das sichere Fundament, das Gott gelegt hat, kann nicht erschüttert werden. Auf ihm steht geschrieben: »Der Herr kennt die, die zu ihm gehören.« Und wei-

ter: »Wer sagt, daß er zum Herrn gehört, der muß aufhören, Unrecht zu tun.«

²⁰ In einem großen Haushalt gibt es die verschiedensten Gefäße. Einige sind aus Gold oder Silber, andere aus Holz oder Ton. Die einen sind für ehrenvolle Anlässe bestimmt, die anderen dienen als Behälter für den Abfall. ²¹ Diese Leute gleichen dem Abfallkübel! Wer sich von ihnen trennt, wird rein und macht dem Hausherrn Ehre. Er steht ihm zur Verfügung und ist ihm nützlich. Er ist zu jeder guten Tat fähig.

²² Hüte dich vor den Leidenschaften, die einen jungen Menschen in Gefahr bringen. Bemühe dich um Gerechtigkeit, Glauben, Liebe und um Frieden mit denen, die sich mit reinem Gewissen zum Herrn bekennen. ²³ Die unsinnigen und fruchtlosen Grübeleien sollst du abweisen. Geh nicht darauf ein; du weißt, daß das nur zum Streit führt. ²⁴ Einer, der dem Herrn dient, soll aber nicht streiten, sondern allen freundlich begegnen und ihnen den wahren Glauben bezeugen. Er darf sich nicht provozieren lassen, ²⁵⁻²⁶ sondern muß die Gegner verständnisvoll auf den rechten Weg weisen. Vielleicht gibt Gott ihnen die Gelegenheit zur Umkehr und läßt sie zur Besinnung kommen, so daß sie die Wahrheit erkennen. Dann können sie sich aus der Schlinge befreien, in der sie der Teufel gefangen hatte, um sie für seine Absichten zu mißbrauchen.

Zeichen der Zeit

3 Denk daran: Wenn das Ende dieser Welt vor der Tür steht, wird es schwere Zeiten geben. ² Dann werden die Menschen selbstsüchtig, geldgierig, prahlerisch und eingebildet sein. Sie werden ihre Mitmenschen beleidigen, ihren Eltern nicht gehorchen und vor nichts mehr Ehrfurcht haben. Sie sind undankbar, ³ lieblos und unversöhnlich, verleumderisch, unbeherrscht und gewalttätig, sie hassen das Gute, ⁴ sind untreu und unzuverlässig und aufgeblasen vor Überheblichkeit. Sie kümmern sich nicht um das, was Gott Freude macht, sondern suchen nur, was ihre eigene Lust vermehrt. ⁵ Sie geben sich zwar einen frommen Anschein, aber die Kraft wirklicher Frömmigkeit kennen sie nicht.

Halte dich von diesen Menschen fern! ⁶ Einige von ih-

nen gehen sogar in die Wohnungen und suchen Frauen
für sich zu gewinnen, die mit Sünden beladen sind und
von allen möglichen Leidenschaften umgetrieben werden,
[7] solche, die immerzu lernen wollen und doch nie zur Erkenntnis der Wahrheit durchdringen können. [8] So wie die
ägyptischen Zauberer Jannes und Jambres sich Mose wi-
dersetzten, so widersetzen sich diese Verführer der
wahren Lehre. Ihr Denken ist auf Abwege geraten, ihr
Glaube hat die Probe nicht bestanden. [9] Aber sie werden
keinen großen Erfolg haben; es wird noch allen offenbar
werden, daß sie im Unverstand handeln, genauso wie sich
das bei den Ägyptern gezeigt hat.

Das Vorbild des Apostels und die
Weisung der heiligen Schriften

[10] Du aber hast dich an meiner Lehre, meiner Lebensführung und meinem Lebensziel ausgerichtet. Du hast dich
an das Vorbild meines Glaubens, meiner Geduld und meiner Liebe gehalten. Du kennst meine Standhaftigkeit [11] in
allen Verfolgungen und Leiden; du hast es in Antiochia,
Ikonion und Lystra miterlebt. Was mußte ich dort alles
durchstehen – und aus all diesen Gefahren und Leiden
hat mich der Herr gerettet.

[12] Jeder, der in der Verbindung mit Jesus Christus ein
Leben führen will, das Gott gefällt, muß Verfolgungen erleiden. [13] Die Verführer und Schwindler dagegen bringen
es weit – auf dem Weg ins Verderben! Am Ende stehen
sie da als betrogene Betrüger. [14] Halte dich weiterhin an
die Wahrheit, die man dich gelehrt hat und von der du fest
überzeugt bist. Du weißt, wer deine Lehrer waren, [15] und
kennst seit deiner Kindheit die heiligen Schriften*. Sie
können dir helfen, den Weg zur Rettung zu gehen, der
uns durch das Vertrauen auf Jesus Christus eröffnet ist.
[16] Alles, was in den heiligen Schriften* steht, ist von Gottes Geist* eingegeben und verhilft dazu, den Willen Gottes zu erkennen, die eigene Schuld einzusehen, sich Gott
wieder zuzuwenden und ein Leben zu führen, das ihm
gefällt. [17] So trägt es dazu bei, daß der Mensch, der sich
Gott zur Verfügung gestellt hat, zu allem Guten fähig
wird.

Letzter Aufruf an Timotheus

4 Ich ermahne dich nachdrücklich vor Gott und vor Jesus Christus, der alle Menschen richten wird, die Lebenden und die Toten. Ich beschwöre dich, so gewiß Christus erscheinen und seine Herrschaft aufrichten wird: ²Sage den Menschen die Botschaft Gottes, gleichgültig, ob es ihnen paßt oder nicht! Rede ihnen ins Gewissen, weise sie zurecht und ermutige sie! Werde nicht müde, ihnen den rechten Weg zu zeigen! ³Denn es wird eine Zeit kommen, da werden sie die wahre Lehre unerträglich finden und sich Lehrer nach ihrem Geschmack aussuchen, die ihnen nach dem Mund reden. ⁴Sie werden nicht mehr auf die Wahrheit hören, sondern sich fruchtlosen Spekulationen° zuwenden. ⁵Du aber mußt unter allen Umständen ein klares Urteil behalten. Mach dir nichts daraus, wenn du dafür leiden mußt. Verkünde unermüdlich die Gute Nachricht und erfülle die Aufgaben, die dir übertragen sind.

⁶Für mich ist nun die Zeit gekommen, daß ich geopfert werde; mein Abschied ist nahe. ⁷Ich habe in dem Wettkampf, der hinter mir liegt, mein Bestes gegeben. Ich habe die volle Strecke durchlaufen. Ich bin bis zum Ende treu geblieben. ⁸Nun wartet auf mich der Siegespreis: der Herr, der gerechte Richter, wird mich an seinem Gerichtstag belohnen – und nicht nur mich, sondern alle, die sehnlich darauf gewartet haben, daß er kommt.

Das persönliche Schicksal des Apostels

⁹Komm so bald wie möglich zu mir! ¹⁰Demas hat mich verlassen und ist nach Thessalonich gegangen, weil ihm mehr an dieser Welt* gelegen ist als an der kommenden; Kreszens ging nach Galatien und Titus nach Dalmatien. ¹¹Nur Lukas ist noch bei mir. Bring Markus mit; er kann mir gute Dienste leisten. ¹²Tychikus habe ich nach Ephesus geschickt. ¹³Bring, wenn du kannst, meinen Mantel mit, den ich in Troas bei Karpus zurückgelassen habe. Bring auch die Schriftrollen mit, vor allem die aus Pergament.°

¹⁴Alexander, der Schmied, hat mir viel Böses angetan. Der Herr wird ihm nach seinen Taten das Urteil sprechen.

[15] Nimm dich vor ihm in acht; er hat sich unserer Botschaft besonders heftig widersetzt.

[16] Als ich mich zum erstenmal vor Gericht verteidigen mußte, hat keiner zu mir gehalten. Alle haben mich im Stich gelassen. Gott möge es ihnen nicht anrechnen! [17] Aber der Herr stand mir bei und gab mir die Kraft, für seine Botschaft einzutreten. So hat nun diese Botschaft ihren Lauf durch die Völker vollendet, und Menschen aus aller Welt haben sie gehört. Gott hat mich noch einmal aus dem Rachen des Löwen gerettet, [18] und er wird mich auch künftig vor allen bösen Anschlägen retten und mich sicher in sein himmlisches Reich bringen. Gepriesen sei er für immer und ewig! Amen.

Letzte Grüße

[19] Grüße das Ehepaar Priska und Aquila und die Familie von Onesiphorus. [20] Erastus blieb in Korinth. Trophimus habe ich in Milet gelassen, weil er krank war. [21] Sieh zu, daß du noch vor dem Winter hier bist.

Eubulus, Pudens, Linus und Klaudia lassen grüßen, ebenso alle anderen Brüder und Schwestern.

[22] Der Herr stehe euch bei; seine Gnade bewahre euch!

DER BRIEF DES APOSTELS PAULUS AN TITUS

Eingangsgruß

1 Diesen Brief schreibt Paulus, ein Diener Gottes und Apostel* Jesu Christi. Ich soll die Menschen, die Gott als sein Volk ausgewählt hat, zum Glauben und zur wahren Gottesverehrung führen. ²Sie sollen wissen, daß sie auf ein ewiges Leben hoffen dürfen. Gott, der nicht lügt, hat schon vor unendlich langer Zeit die Zusage ausgesprochen, uns dieses Leben zu geben; ³jetzt aber hat er zur vorherbestimmten Zeit diese Zusage in der Guten Nachricht bekanntgemacht. Durch einen Auftrag Gottes, unseres Retters, ist diese Gute Nachricht mir anvertraut worden, damit ich sie verbreite.

⁴Ich schreibe an Titus, der im Glauben wie ein echter Sohn mit mir verbunden ist:

Ich bitte Gott, den Vater, und Jesus Christus, unseren Retter, dir Gnade und Frieden zu schenken!

Die Aufgabe für Titus in Kreta

⁵Ich habe dich in Kreta zurückgelassen, damit du tust, was ich selbst nicht mehr ausführen konnte. In jeder Stadt sollst du Älteste* einsetzen. Denk an meine Anweisungen: ⁶Einem Ältesten darf man nichts nachsagen können. Er darf nur einmal verheiratet sein. Auch seine Kinder sollen sich zur Gemeinde halten, und man soll ihnen nicht vorwerfen können, daß sie liederlich und ungehorsam sind. ⁷Denn ein Gemeindeleiter* darf als Hausverwalter Gottes keinerlei Anlaß zum Tadel geben. Er soll nicht anmaßend oder jähzornig sein, auch kein Trinker oder gewalttätiger Mensch. Er darf nicht darauf aus sein, sich zu bereichern, ⁸sondern soll gastfrei sein und das Gute lieben. Er soll besonnen sein, gerecht, untadelig und streng gegen sich selbst. ⁹Die zuverlässig überlieferte Botschaft muß er so bewahren, wie sie ihm übergeben wurde. Dann kann er seiner Gemeinde durch die rech-

te Lehre weiterhelfen und den Gegnern ihren Irrtum
nachweisen.

[10] Es gibt viele Schwätzer und Verführer, die der Wahrheit nicht folgen, besonders unter den bekehrten Juden.
[11] Man muß sie zum Schweigen bringen; denn durch ihre
verwerflichen Lehren bringen sie ganze Familien vom
rechten Weg ab, und das nur in der schändlichen Absicht,
sich zu bereichern. [12] Einer von ihren eigenen Landsleuten
hat als Prophet über sie gesprochen, als er sagte: »Die
Kreter lügen immer. Sie sind Raubtiere, liegen auf der
faulen Haut und denken nur ans Fressen.« [13] Er hat die
Wahrheit gesagt. Darum mußt du diese Leute hart anfassen, damit sie wieder zum rechten Glauben zurückfinden.
[14] Sie sollen sich nicht mit jüdischen Spekulationen über
die Anfänge der Welt beschäftigen° und sich nicht Reinheitsvorschriften* machen lassen von Menschen, die der
Wahrheit den Rücken gekehrt haben. [15] Wer ein reines
Gewissen hat, für den ist alles rein. Wer Schuld auf dem
Gewissen hat und Gott nicht gehorcht, für den ist nichts
rein; voller Schmutz ist alles, was er fühlt und denkt.
[16] Diese Leute behaupten, Gott zu kennen, aber durch ihre Taten beweisen sie das Gegenteil. Man kann sie nur
verabscheuen, denn sie wollen nicht hören und sind unfähig, irgend etwas Gutes zu tun.

Für jeden das rechte Wort

2 Du aber ermahne die Gemeinden, wie es der wahren
Lehre entspricht! [2] Die älteren Männer fordere auf,
nüchtern, ehrbar und besonnen zu sein, fest gegründet im
rechten Glauben, in der Liebe und in der Hoffnung.
[3] Ebenso sage den älteren Frauen, daß sie ein zuchtvolles
Leben führen. Sie sollen nicht klatschsüchtig oder trunk-
süchtig sein, sondern Vorbilder in allem Guten. [4] Dann
können sie die jüngeren Frauen dazu anleiten, daß sie ihre
Männer und Kinder lieben, [5] besonnen und zuchtvoll leben, ihren Haushalt ordentlich führen und ihren Männern
gehorchen, damit Gottes Botschaft nicht in Verruf
kommt.

[6] Dringe darauf, daß die jungen Männer in jeder Hinsicht Selbstbeherrschung üben. [7] Geh du selbst ihnen mit
gutem Beispiel voran. Lehre die Wahrheit aufrichtig und

mit Würde, [8] in klaren und überzeugenden Worten. Dann können unsere Gegner uns nichts Schlechtes nachsagen und müssen sich beschämt zurückziehen.

[9] Die Sklaven* sollen ihren Herren in allem gehorchen und ihnen zu Willen sein. Sie sollen ihnen nicht widersprechen [10] und nichts unterschlagen, sondern ihnen treu und zuverlässig dienen. Mit allem, was sie tun, sollen sie der Botschaft Gottes, unseres Retters, Ehre machen.

Gottes Liebe führt zu einem neuen Leben

[11] Die rettende Liebe Gottes ist offenbar geworden. Sie gilt allen Menschen, [12] und sie hält uns an zu einem Leben, das ihrer würdig ist. Wir haben uns doch losgesagt von jedem Ungehorsam gegen Gott und von unseren selbstsüchtigen Wünschen, damit wir nun mitten in dieser Welt* ein Leben führen in Selbstbeherrschung, in Liebe zu den Menschen und in Ehrfurcht vor Gott. [13] Vor uns liegt ja die ewige Freude; denn wir warten darauf, daß die Herrlichkeit unseres mächtigen Gottes und unseres Retters Jesus Christus sichtbar wird. [14] Er hat sein Leben für uns gegeben, um uns von aller Schuld zu befreien und zu einem Volk zu machen, das nur ihm gehört und alles daran setzt, das Gute zu tun.

[15] In diesem Sinn sollst du lehren, ermahnen und zurechtweisen. Tu es mit allem Nachdruck! Niemand darf deine Autorität anzweifeln.

Christliches Leben und sein Grund

3 Erinnere die Gemeinden daran, sich der Regierung und den staatlichen Behörden unterzuordnen. Sie sollen ihnen gehorchen und darüber hinaus bereit sein, bei allem Guten mitzuwirken. [2] Ermahne sie, über niemand schlecht zu reden und nicht zu streiten, sondern friedfertig zu sein und allen Menschen freundlich zu begegnen.

[3] Wir wollen nicht vergessen, daß wir selbst früher unverständig und ungehorsam waren. Wir waren vom rechten Weg abgeirrt und wurden von allen möglichen Wünschen und Leidenschaften beherrscht. Wir lebten in Bosheit und Neid, waren hassenswert und haßten uns gegenseitig.

[4] Aber dann erschien die Freundlichkeit und Menschen-

liebe Gottes, unseres Retters. ⁵Wir selbst hatten nichts
vorzuweisen, womit wir sie verdient hätten; doch Gott
hatte Erbarmen mit uns. Er hat uns gerettet und zu neuem Leben geboren durch das Wasser der Taufe und den
heiligen Geist*. ⁶Diesen Geist hat uns Gott in reichem
Maß durch Jesus Christus, unseren Retter, geschenkt.
⁷Weil Christus uns die Begnadigung erwirkt hat, können
wir vor Gott bestehen und dürfen darauf hoffen, daß er
uns ewiges Leben schenkt.

⁸Diese Botschaft ist vertrauenswürdig. Ich erwarte, daß
du mit Nachdruck für sie eintrittst und sie weitergibst.
Dann werden alle, die Gott als ihren Herrn angenommen
haben, sich auch darum mühen, Liebe zu üben. Das ist
gut und bringt den Menschen Nutzen. ⁹Dagegen beteilige
dich nicht an den sinnlosen Grübeleien über die Ge-
schlechterfolgen der Urväter° und an Streitigkeiten über
das jüdische Gesetz*. Das ist nutzlos und führt zu nichts.
¹⁰Wer solche Irrlehren verbreitet, den sollst du zurechtweisen, einmal und noch ein zweites Mal. Hört er dann
immer noch nicht auf dich, so mußt du ihn aus der Gemeinde ausschließen. ¹¹Du siehst ja, daß ihm nicht mehr
zu helfen ist. Wenn er weiter auf dem falschen Weg bleibt,
dann tut er es bewußt und spricht sich selbst das Urteil.

Persönliche Mitteilungen

¹²Sobald ich Artemas oder Tychikus zu dir schicke, komm
möglichst schnell zu mir nach Nikopolis. Ich habe beschlossen, den Winter dort zu verbringen. ¹³Sorge gut für
Zenas, den Rechtskundigen, und für Apollos, damit sie alles bekommen, was sie für ihre Weiterreise brauchen.
¹⁴Auch unsere Gemeinden° müssen lernen, Gutes zu tun,
wo es nötig ist, sonst bringt ihr Glaube keine Frucht.

¹⁵Alle, die bei mir sind, lassen dich grüßen. Grüße die,
die durch den Glauben in Liebe mit uns verbunden sind.

Gott bewahre euch alle in seiner Gnade!

DER BRIEF DES APOSTELS PAULUS AN PHILEMON

Eingangsgruß

Paulus, der für Jesus Christus im Gefängnis ist, und der Bruder Timotheus schreiben diesen Brief an unseren lieben Mitarbeiter Philemon ² sowie an unsere Schwester Aphia, unseren Mitstreiter Archippus und die Gemeinde in Philemons Haus:

³ Wir bitten Gott, unseren Vater, und Jesus Christus, den Herrn, euch Gnade und Frieden zu schenken!

Glaube und Liebe Philemons

⁴ Ich danke meinem Gott jedesmal, Philemon, wenn ich in meinem Gebet an dich denke. ⁵ Denn ich habe von deiner Liebe zu allen Christen gehört und von deinem Glauben, mit dem du dich Jesus, dem Herrn zugewandt hast. ⁶ Ich bete für dich, daß der Glaube, den du mit allen Christen teilst, in dir wirksam wird und du erkennst, wieviel Gutes zur Ehre Christi durch uns geschehen kann. ⁷ Es war mir eine große Freude und hat mich ermutigt, Bruder, von der Liebe zu hören, die du den Brüdern erwiesen und mit der du ihr Herz erfreut hast.

Paulus verwendet sich für Onesimus

⁸ Deshalb möchte ich auch nicht von meiner Vollmacht Gebrauch machen. Ich könnte dir unter Berufung auf Christus befehlen, was du tun sollst; ⁹ aber um der Liebe Raum zu geben, bitte ich dich nur. Ich, Paulus, ein alter Mann, der jetzt auch noch für Jesus Christus gefangen ist, ¹⁰ bitte dich für Onesimus. Hier im Gefängnis habe ich ihn zum Glauben geführt, und so wurde er mein Sohn. ¹¹ Früher hattest du an ihm nur einen Nichtsnutz, aber jetzt kann er dir und mir nützlich sein.

¹² Ich schicke ihn jetzt zu dir zurück – was sage ich: ich schicke dir mein eigenes Herz. ¹³ Ich hätte ihn gerne bei mir behalten; denn er hätte mir an deiner Stelle gute Dienste leisten können, solange ich für die Gute Nach-

richt im Gefängnis bin. [14]Aber ich wollte nicht ohne deine
Zustimmung handeln. Du solltest das Gute ja nicht gezwungen tun, sondern aus freien Stücken.

[15]Vielleicht war er nur deshalb eine Zeitlang von dir getrennt, damit du ihn nun für alle Zeiten wiederhast.
[16]Denn jetzt ist er für dich viel mehr als ein Sklave, nämlich ein geliebter Bruder. Das ist er vor allem für mich;
doch wieviel mehr muß er es dann für dich sein, als
Mensch wie als einer, der dem Herrn gehört!

[17]Wenn ich dein Bruder im Glauben bin, dann nimm
ihn auf, als ob ich es wäre! [18]Wenn er dich geschädigt hat
oder dir etwas schuldet, dann rechne es *mir* an. [19]Ich, Paulus, schreibe hier mit eigener Hand: Ich werde es dir er-
setzen. Ich will nicht davon reden, daß du mir dein ganzes
Leben schuldest. [20]Bitte, lieber Bruder, denk an den
Herrn und sei mir auch einmal von Nutzen!° Erfreue
mein Herz, wie es unter Menschen sein soll, die durch
Christus verbunden sind.

[21]Ich bin sicher, daß du meine Bitte erfüllst! Ich weiß,
du wirst sogar noch mehr tun, als ich erbitte. [22]Halte auch
ein Quartier für mich bereit! Denn ich vertraue darauf,
daß Gott eure Gebete erhört und ich euch wiederge-
schenkt werde.

Grüße

[23]Epaphras, der mit mir für Jesus Christus im Gefängnis
ist, läßt euch grüßen, [24] ebenso meine Mitarbeiter Markus, Aristarch, Demas und Lukas.

[25]Jesus Christus, unser Herr, bewahre euch in seiner
Gnade!

DER BRIEF AN DIE HEBRÄER

Gott hat durch seinen Sohn gesprochen

1 In der Vergangenheit hat Gott oft und auf verschiedene Weise durch die Propheten zu unseren Vorfahren gesprochen. ²Aber jetzt, am Ende der Zeit, hat er zu uns gesprochen durch den Sohn*. Durch ihn hat Gott die Welt geschaffen. Darum hat Gott auch bestimmt, daß ihm am Ende alle Dinge gehören sollen. ³In dem Sohn Gottes leuchtet die Herrlichkeit* Gottes auf, denn er entspricht dem Wesen Gottes vollkommen. Durch sein starkes Wort hält er das Weltall zusammen. Er hat die Menschen von ihrer Schuld befreit und sich im Himmel an die rechte Seite dessen gesetzt, der die höchste Macht hat.

Der Sohn steht über den Engeln

⁴Der Sohn* steht so hoch über den Engeln, wie die Würde, die Gott ihm gegeben hat, höher ist als ihre Würde.
⁵Denn niemals hat Gott zu einem Engel gesagt:
»Du bist mein Sohn,
heute habe ich dich dazu gemacht.«
Gott hat auch von keinem Engel gesagt:
»Ich will sein Vater sein,
und er soll mein Sohn sein.«
⁶Wenn er aber den Sohn mit den Rechten des Erstgeborenen noch einmal in die Welt sendet, wird er sagen:
»Alle Engel Gottes sollen sich vor ihm
niederwerfen.«
⁷Von den Engeln heißt es:
»Gott macht seine Engel zu Stürmen
und seine Diener zu flammendem Feuer.«
⁸Aber zum Sohn sagt er:
»Gott, dein Thron bleibt für alle Zeiten bestehen!
Du regierst dein Reich als gerechter König.
⁹ Du hast das Recht geliebt und das Unrecht gehaßt;
darum hat der Herr, dein Gott, dich erwählt
und dir mehr Ehre und Freude gegeben

als allen, die zu dir gehören.«

¹⁰ Von ihm heißt es auch:

»Am Anfang hast du, Herr, die Erde gegründet
und die Himmel* mit eigenen Händen geformt.

¹¹ Sie werden vergehen, du aber bleibst.
Sie werden alt und zerfallen wie Kleider.

¹² Du wirst sie zusammenrollen wie einen Mantel;
sie werden ausgewechselt wie ein Gewand.
Du aber bleibst derselbe,
und deine Jahre enden nicht.«

¹³ Niemals hat Gott zu einem Engel gesagt:

»Setze dich an meine rechte Seite!
Ich will dir deine Feinde unterwerfen,
sie als Schemel unter deine Füße legen.«

¹⁴ Die Engel sind nur Geister, die Gott dienen. Er schickt
sie denen zu Hilfe, die gerettet werden sollen.

Die große Rettungstat nicht mißachten!

2 Darum müssen wir uns erst recht an das halten, was
wir gehört haben, damit wir nicht am Ziel vorbeitreiben. ²Schon die Botschaft, die einst von Engeln* überbracht wurde, erwies sich als zuverlässig, und wer sich
nicht nach ihr richtete, erhielt die verdiente Strafe. ³Wie
sollten wir dann heil davonkommen, wenn wir Gottes
große Rettungstat mißachten? Sie hat damit angefangen,
daß der Herr sie verkündet hat, und sie ist uns bestätigt
worden von denen, die ihn gehört haben. ⁴Gott selbst
hat dazu seine Beglaubigung gegeben durch wunderbare Zeichen seiner Macht und durch die Gaben
des heiligen Geistes*, die er nach freiem Ermessen ausgeteilt hat.

Der Sohn führt zur Rettung

⁵ Die kommende Welt Gottes, von der wir sprechen, wird
nicht von Engeln beherrscht werden. ⁶Vielmehr sagt einer
ausdrücklich in den heiligen Schriften*:

»Wer ist der Mensch, daß du an ihn denkst?
Wer der Menschensohn*, daß du dich um ihn
kümmerst?

⁷ Du hast ihn eine kurze Zeit erniedrigt,
ihn niedriger sein lassen als die Engel.

Dann aber hast du ihn gekrönt mit Ruhm und Ehre
⁸ und hast ihm alles unterworfen.«

Obwohl es heißt, daß Gott ihm alles unterworfen hat und daß es also nichts gibt, was ihm nicht unterworfen ist, sehen wir jetzt noch nicht, wie er alles beherrscht. ⁹ Aber wir sehen, wie Jesus, der für kurze Zeit niedriger war als die Engel, als Lohn für sein Sterben mit Ruhm und Ehre gekrönt worden ist. Denn Gott hat in seiner Gnade gewollt, daß sein Tod allen Menschen zugute kommen sollte.

¹⁰ Gott ist das Ziel aller Dinge, durch ihn sind sie auch entstanden. Weil er wollte, daß viele Kinder Gottes in sein herrliches Reich gebracht werden, hat er den, der sie dorthin führen sollte, durch Leiden zur Vollendung geführt. So entsprach es seinem Wesen. ¹¹ Er, der die Menschen Gott zuführt, und die, die von ihm Gott zugeführt werden, stammen alle von demselben Vater. Darum schämt er sich nicht, sie seine Brüder zu nennen. ¹² Er sagt zu Gott:

»Ich will dich meinen Brüdern bekanntmachen;
in der Gemeinde will ich dich preisen.«

¹³ Er sagt auch:

»Ich will mich auf Gott verlassen!«

und fährt fort:

»Hier bin ich mit den Kindern, die Gott mir gegeben hat.«

¹⁴ Weil diese Kinder Menschen von Fleisch und Blut sind, wurde Jesus ein Mensch wie sie, um durch seinen Tod den zu vernichten, der über den Tod verfügt, nämlich den Teufel. ¹⁵ So hat er die Menschen befreit, die durch ihre Angst vor dem Tod das ganze Leben lang Sklaven gewesen sind. ¹⁶ Nicht den Engeln hilft er, sondern – wie es in den heiligen Schriften* heißt – den Nachkommen Abrahams. ¹⁷ Deshalb mußte er in jeder Beziehung seinen Brüdern gleichwerden. So konnte er ein barmherziger und zuverlässiger Priester* für sie werden und vor Gott für ihre Schuld Sühne leisten. ¹⁸ Was er selbst erlitten hat und was ihm selbst abverlangt worden ist, befähigt ihn nun, den Menschen zu Hilfe zu kommen, die so wie er auf die Probe gestellt werden.

Jesus steht über Mose

3 Meine Brüder, ihr gehört Gott, denn er hat euch in seine himmlische Welt berufen. Darum schaut auf Jesus, den Bevollmächtigten Gottes und unseren Obersten Priester*, zu dem wir uns bekennen. ²Er war dem, der ihn eingesetzt hat, genauso treu wie Mose, von dem gesagt wird: »Er war Gott treu in seinem ganzen Haus.« ³Doch wie der Mann, der ein Haus baut, mehr geehrt wird als das Haus selbst, so verdient Jesus viel größere Ehre als Mose. ⁴Jedes Haus wird von jemand erbaut. Der aber, der alles erbaut hat, ist Gott. ⁵Mose war ein Hinweis auf Dinge, die erst in Zukunft verkündet werden sollten. Er selbst war treu als Diener ›in seinem ganzen Haus‹. ⁶Christus aber ist es als der Sohn*, der ›über sein Haus‹ gestellt ist. Sein Haus sind wir, wenn wir voll Mut und Freude für das eintreten, worauf wir hoffen.

Die Ruhe Gottes für sein Volk

⁷Darum gilt, was der heilige Geist* sagt:
»Seid heute, wenn ihr meine Stimme hört,
⁸nicht so verstockt wie damals eure Vorfahren,
die sich gegen mich auflehnten
an jenem Tag der Prüfung in der Wüste.
⁹⁻¹⁰Sie haben mich herausgefordert
und mich auf die Probe gestellt,
nachdem sie vierzig Jahre lang gesehen hatten,
was ich tat.
Diese Generation hat mich angewidert;
ich sagte: ›Alles, was sie wollen, ist verkehrt;
nie haben sie meine Wege verstanden.‹
¹¹Schließlich schwor ich in meinem Zorn:
›In meine Ruhe* nehme ich sie niemals auf!‹«

¹²Achtet darauf, liebe Brüder, daß keiner von euch ein widerspenstiges, ungehorsames Herz hat und sich von dem lebendigen Gott abwendet. ¹³Ermutigt einander jeden Tag, solange jenes ›Heute‹ gilt. Dann verhindert ihr, daß einer von euch sich dem Ruf Gottes verschließt, weil ihn die Sünde verführt. ¹⁴Wir gehören zu Christus, wenn wir bis zum Ende an dem Vertrauen festhalten, das wir am Anfang hatten. ¹⁵Es heißt also:

»Seid heute, wenn ihr Gottes Stimme hört,
nicht so verstockt wie damals eure Vorfahren,
die sich gegen Gott aufgelehnt haben.«

[16] Wer hat Gottes Stimme gehört und sich gegen ihn
aufgelehnt? Waren es nicht alle, die Mose aus Ägypten geführt hatte? [17] Wer hat Gott vierzig Jahre lang angewidert? Waren es nicht die, die gesündigt hatten und die
dann tot in der Wüste lagen? [18] Gott hatte feierlich erklärt: »In meine Ruhe nehme ich sie niemals auf!« Wen
anders meinte er damit als die, die sich ihm widersetzt hatten? [19] Wir sehen also, warum sie nicht ans Ziel kamen: sie
sind nicht treu geblieben.

4 Aber die Zusage Gottes, Menschen in seine Ruhe
aufzunehmen, gilt weiter. Darum wollen wir nicht
leichtfertig sein, sondern darauf achten, daß keiner dieses
Geschenk verscherzt. [2] Genau wie die Leute in der Wüste
haben wir die Botschaft von der Ruhe Gottes gehört.
Aber denen hat diese Botschaft nichts genützt. Denn es
genügt nicht, die Zusage Gottes zu hören, man muß sie
auch ernst nehmen. [3] Nur wenn wir treu bleiben, werden
wir in die Ruhe Gottes hineinkommen. Gott hat doch gesagt:

»Ich schwor in meinem Zorn:
›In meine Ruhe nehme ich sie niemals auf!‹«

Aber sind nicht alle Werke Gottes schon seit der Erschaffung der Welt fertig? [4] Es heißt doch vom siebten
Schöpfungstag: »Am siebten Tag ruhte Gott von aller seiner Arbeit.« [5] Doch es heißt auch an der schon genannten
Stelle: »In meine Ruhe nehme ich sie niemals auf!«
[6] Dann muß es also noch Leute geben, die aufgenommen
werden, nachdem die anderen, die die Zusage zuerst gehört haben, durch ihren Ungehorsam ausgeschlossen blieben. [7] Deshalb setzt Gott wieder einen Tag fest. Es ist der
Tag, der ›Heute‹ heißt und von dem David lange danach
sagt:

»Seid heute, wenn ihr seine Stimme hört,
nicht so verstockt!«

[8] Wenn Josua das Volk in die Ruhe hineingeführt hätte,
dann wäre nicht später von einem anderen Tag die Rede.
[9] So muß die Ruhezeit für das Volk Gottes erst noch kommen. [10] Wer in diese Ruhe aufgenommen wird, ruht von

der Arbeit, wie Gott selbst am siebten Schöpfungstag
von seiner Arbeit ruhte. [11]Jeder soll achtgeben, daß er
nicht so wie das Volk damals in der Wüste in Ungehorsam fällt. Dann wird Gott uns alle in diese Ruhe aufnehmen.

[12]Das Wort Gottes ist lebendig und wirksam. Es ist
schärfer als jedes zweischneidige Schwert, es dringt durch
und trennt Seele und Geist, Mark und Bein. Es zieht die
geheimsten Wünsche und Gedanken der Menschen zur
Rechenschaft. [13]Es gibt nichts, was Gott verborgen wäre.
Alles liegt nackt und bloß vor den Augen dessen da, dem
wir Rechenschaft schuldig sind.

Jesus tritt für uns ein

[14]Wir wollen an der Wahrheit festhalten, zu der wir uns
bekennen. Denn wir haben einen Obersten Priester*, der
in die unmittelbare Nähe Gottes gelangt ist, das ist Jesus,
der Sohn* Gottes. [15]Er gehört nicht zu denen, die kein
Verständnis für unsere Schwächen haben. Im Gegenteil,
unser Oberster Priester wurde genau wie wir auf die Probe gestellt und blieb doch ohne Sünde. [16]Darum wollen
wir mit Zuversicht vor den Thron treten, auf dem die Gnade regiert. Dort werden wir immer, wenn wir Hilfe brauchen, Liebe und Erbarmen finden.

5 Jeder Oberste Priester, der unter seinen Mitmenschen ausgewählt wird, hat die Aufgabe, diese vor
Gott zu vertreten und für ihre Schuld Gaben und Opfer
darzubringen. [2]Weil er selbst ein Mensch mit seinen
Schwächen ist, hat er Verständnis für die, die nicht vorsätzlich gesündigt haben. [3]Er muß ja auch für seine eigene
Schuld Opfer darbringen und nicht nur für die des Volkes.
[4]Aber niemand darf sich selbst die Würde nehmen, Oberster Priester zu sein. Er erhält sie nur durch Gottes Berufung, genau wie Aaron. [5]Auch Christus hat sich nicht
selbst die Würde des Obersten Priesters genommen, sondern Gott sagte zu ihm:

»Du bist mein Sohn,
    heute habe ich dich dazu gemacht.«
[6]An einer anderen Stelle sagt er:
    »Du bist mein Priester, so wie Melchisedek,
    und du bleibst es für immer.«

⁷Während seines Lebens auf der Erde betete und flehte Jesus mit lautem Schreien und unter Tränen zu dem, der ihn vom Tod retten konnte, und er bekam Antwort, weil er Gott ehrte. ⁸Obwohl er Gottes Sohn war, hat er durch seine Qualen gelernt, was Gehorsam heißt. ⁹Nachdem er ans Ziel gekommen ist, kann er nun alle, die ihm gehorchen, für immer retten. ¹⁰Denn Gott hat ihn zum Obersten Priester für alle Zeiten eingesetzt, so wie Melchisedek.

Werdet nicht nachlässig!

¹¹Darüber wäre noch viel zu sagen. Aber ihr könnt es kaum fassen, weil ihr so schwer von Begriff seid. ¹²Ihr solltet längst andere unterrichten können; statt dessen habt ihr noch einen nötig, der euch das ABC der Botschaft Gottes erklärt. Ihr braucht noch Milch statt fester Nahrung. ¹³Wer Milch braucht, ist ein Kind, das die Sprache der Erwachsenen noch nicht versteht. ¹⁴Feste Nahrung gibt es nur für die Gereiften, die ihre Sinne geübt und geschärft haben, um Gut und Böse zu unterscheiden.

6 Trotzdem wollen wir jetzt die Anfangslektionen der christlichen Botschaft hinter uns lassen und uns dem zuwenden, was für die im Glauben Erwachsenen bestimmt ist. Wir wollen uns also nicht noch einmal mit den Elementarbegriffen befassen wie der Abkehr von einem Leben, das zum Tod führt, und der Zuwendung zu Gott, ²den verschiedenen Taufen° und der Handauflegung, der Auferstehung der Toten und dem letzten Gericht. ³Laßt uns weitergehen! Wenn Gott es zuläßt, wird es gelingen.

⁴⁻⁶Wer zum Glauben gekommen ist und Gott wieder den Rücken kehrt, kann nicht noch einmal von vorn anfangen. Er war schon im Licht Gottes. Er hat die Gaben des Himmels gekostet und den heiligen Geist* empfangen. Er hat erfahren, wie zuverlässig Gottes Wort ist. Er hat die Kräfte der kommenden Welt gespürt. Wenn er nun Gott den Rücken kehrt, dann nagelt er Gottes Sohn noch einmal ans Kreuz und setzt ihn der öffentlichen Schande aus. ⁷Gott segnet den Boden, der reichlich Regen aufnimmt und Pflanzen wachsen läßt für die, die den

Boden bebauen. [8]Aber der Boden, der nur Dornen und
Unkraut trägt, ist nichts wert. Ihm droht, daß er von Gott
verflucht und zum Schluß verbrannt wird.

[9]Aber für euch, liebe Freunde, sind wir zuversichtlich,
auch wenn wir so hart reden. Wir sind sicher, daß ihr gerettet werdet. [10]Denn Gott ist nicht ungerecht. Er vergißt
nicht, was ihr getan habt. Ihr habt anderen Christen geholfen und tut es noch. Damit zeigt ihr eure Liebe zu ihm.
[11]Wir wünschen nur, daß jeder von euch seinen Eifer bis
zum Ziel behält, damit sich erfüllt, worauf ihr hofft. [12]Wir
möchten nicht, daß ihr nachlässig werdet. Nehmt euch ein
Beispiel an denen, die Vertrauen und Geduld festgehalten
haben und darum empfangen werden, was Gott versprochen hat.

Gottes Versprechen ist zuverlässig

[13]Gott gab Abraham seine Zusage und schwor bei seinem
eigenen Namen, da er bei nichts Höherem schwören
konnte als bei sich selbst. [14]Er sagte: »Ich gebe dir mein
Wort, daß ich dich segnen und dir viele Nachkommen geben werde.« [15]Abraham wartete geduldig; darum erhielt
er, was Gott ihm versprochen hatte.

[16]Wenn Menschen schwören, schwören sie beim Namen eines Größeren, um ihre Aussage zu bekräftigen und
Zweifel daran zu beseitigen. [17]Auch Gott bekräftigte seine Zusage mit einem Eid. Damit hat er den Menschen,
denen sie galt, noch festere Gewißheit gegeben, daß seine
Absicht unumstößlich ist. [18]Er wollte uns doppelte Sicherheit geben. Die Zusage und der Eid können beide
nicht geändert werden; Gott kann darin unmöglich lügen.
Das gibt uns Mut, an dem festzuhalten, was uns zugesagt
ist. [19]Unsere Hoffnung ist für uns ein sicherer und fester
Anker, der hineinreicht bis ins Allerheiligste* hinter dem
Vorhang im himmlischen Tempel. [20]Dorthin ist Jesus als
unser Wegbereiter vorausgegangen; denn er ist für alle
Zeiten unser Oberster Priester* nach der Art Melchisedeks.

Der Priester Melchisedek

7 Dieser Melchisedek war König von Salem und Priester des höchsten Gottes. Als Abraham aus der

Schlacht zurückkam, in der er die Könige besiegt hatte, ging ihm Melchisedek entgegen und segnete ihn. [2]Da gab Abraham ihm den zehnten Teil von allem, was er erbeutet hatte. Melchisedek bedeutet eigentlich ›König der Gerechtigkeit‹. Weil er König von Salem war, heißt er auch ›König des Friedens‹. [3]Man kennt weder seine Eltern noch seinen Stammbaum; seine Lebenszeit hat weder Anfang noch Ende. Er gleicht dem Sohn* Gottes und bleibt Priester für alle Zeit.

[4]Wie groß er ist, seht ihr daran, daß Abraham ihm den zehnten Teil von seiner Beute gab. [5]Nun dürfen ja auch die von Levis Nachkommen, die ebenfalls Priester sind, vom israelitischen Volk den Zehnten* einsammeln. Sie nehmen ihn von ihren eigenen Landsleuten, obgleich sie wie diese von Abraham abstammen. [6]Aber Melchisedek, der gar nicht zu Abrahams Volk gehörte, nahm den Zehnten von Abraham und segnete den, dem Gott seine Zusagen gegeben hatte. [7]Wer segnet, ist ohne Zweifel größer als der, der gesegnet wird. [8]Die Nachkommen Levis, die den Zehnten bekommen, sind sterbliche Menschen. Mit Melchisedek aber nahm einer den Zehnten entgegen, der nach der Aussage der heiligen Schriften* nicht gestorben ist. [9]Man kann sagen: Als Abraham den Zehnten gab, gab ihn auch Levi, dessen Nachkommen nun selbst den Zehnten entgegennehmen. [10]Levi war damals zwar noch nicht geboren, aber er war im Samen seines Vorfahren Abraham gegenwärtig, als dieser mit Melchisedek zusammentraf.

[11]Über das Priestertum der Nachkommen Levis wurden dem israelitischen Volk im Gesetz* klare Anweisungen gegeben. Wäre durch dieses Priestertum die Vollendung erreicht worden, so hätte nicht nochmals ein Priester wie Melchisedek eingesetzt werden müssen. Die Priester von der Art Aarons hätten dann genügt. [12]Wenn aber das Priestertum geändert wird, dann muß auch das Gesetz anders werden. [13]Und tatsächlich gehört unser Herr, auf den sich diese Aussagen beziehen, einem anderen Stamm an. Kein Mitglied seines Stammes hat jemals als Priester am Altar gedient; [14]denn von Geburt gehört unser Herr zum Stamm Juda, den Mose nie genannt hat, wenn er vom Priestertum sprach.

Der zweite Melchisedek

[15] Das levitische Priestertum konnte die Menschen nicht zum Ziel führen. Das wird vollends klar daran, daß Gott einen anderen Priester, nämlich einen von der Art Melchisedeks, eingesetzt hat, [16] der nicht aufgrund menschlicher Gesetzesvorschrift Priester geworden ist, sondern durch sein unvergängliches Leben. [17] Denn in den heiligen Schriften* steht:

»Du bist mein Priester, so wie Melchisedek,
und du bleibst es für immer.«

[18] Die frühere Vorschrift ist außer Kraft gesetzt worden, weil sie schwach und nutzlos war. [19] Denn das Gesetz* Moses konnte die Menschen nicht vollkommen machen und ans Ziel führen. Jetzt haben wir eine bessere Hoffnung gewonnen, die uns wirklich in die Nähe Gottes bringt.

[20] Das wird durch den Schwur Gottes bestätigt. Als die anderen zu Priestern eingesetzt wurden, gab es keinen Schwur. [21] Aber Jesus wurde Priester durch einen Schwur. Der Herr sagte zu ihm:

»Ich habe geschworen und werde meine Zusage nicht
zurücknehmen:

›Du bist Priester und bleibst es für immer.‹«

[22] Durch diesen Unterschied gibt Jesus uns die Gewähr für einen besseren Bund*. [23] Es gibt aber noch einen weiteren Unterschied: Von den anderen Priestern gab es viele, weil sie sterben mußten und der Tod sie hinderte, Priester zu bleiben. [24] Jesus aber lebt für immer, und sein Priestertum ist unvergänglich. [25] Darum kann er endgültig alle retten, die durch ihn zu Gott kommen. Er lebt für immer, um bei Gott für sie einzutreten.

[26] Jesus ist der Oberste Priester, den wir brauchen: Er ist heilig, an ihm ist nichts Verwerfliches, und er hat keinen Fehler. Er wurde von den sündigen Menschen getrennt und in den Himmel erhoben. [27] Er muß nicht wie die anderen Obersten Priester täglich zuerst für die eigenen Sünden und dann für die der anderen opfern. Als er sich selbst opferte, hat er ein für allemal sein Opfer dargebracht. [28] Das Gesetz* Moses machte Menschen voller Fehler zu Priestern; doch der göttliche Eid, der das Ge-

setz abgelöst hat, ernannte dazu den Sohn*, der für ewig
zur Vollendung gelangt ist.

Unser Oberster Priester heißt Jesus

8 Ich komme jetzt zum entscheidenden Punkt: Wir haben einen Obersten Priester*, der auf dem Thron im
Himmel zur rechten Seite der göttlichen Majestät Platz
genommen hat. ²Er dient als Priester im wahren Heiligtum, das vom Herrn und nicht von einem Menschen errichtet worden ist.

³Jeder Oberste Priester wird dazu eingesetzt, Gott Gaben und Opfer darzubringen. Auch unser Oberster Priester muß darum irgend etwas zu opfern haben. ⁴Wäre er
auf der Erde, könnte er nicht Priester sein, denn hier gibt
es schon Priester, die nach den Vorschriften des Gesetzes* Opfergaben darbringen.

⁵Sie dienen allerdings in einem Heiligtum, das nur ein
Schattenbild, nur eine unvollkommene Nachbildung des
wahren Heiligtums darstellt, das im Himmel ist. Denn als
Mose das heilige Zelt* errichtete, sagte Gott zu ihm:
»Halte dich genau an das Vorbild, das dir auf dem Berg
gezeigt worden ist.«

⁶Jesus aber ist zu einem viel höheren Priesterdienst berufen worden als die Priester auf der Erde. Darum verbindet er auch Gott und die Menschen durch einen engeren
Bund*, der sich auf festere Zusagen gründet. ⁷Wäre am
ersten Bund nichts auszusetzen gewesen, so hätte man
keinen zweiten gebraucht. ⁸Aber Gott mußte sein Volk
tadeln:

»Es dauert nicht mehr lange, sagt der Herr, dann werde
ich mit dem Volk von Israel und dem Volk von Juda einen
neuen Bund schließen. ⁹Er wird nicht dem Bund gleichen,
den ich mit ihren Vorfahren geschlossen habe, als ich sie
bei der Hand nahm und aus Ägypten herausführte. Sie haben sich nicht an diesen Bund gehalten; darum habe ich
sie preisgegeben, sagt der Herr. ¹⁰Der Bund, den ich nach
diesen Tagen mit dem Volk Israel schließen werde, wird
anders sein: Ich werde meine Gesetze ihrem Geist einprägen und sie in ihr Herz schreiben. Dann werde ich ihr
Gott sein, und sie sollen mein Volk sein. ¹¹Keiner muß
dann seinen Mitbürger belehren, keiner seinem Bruder

sagen: ›Lerne den Herrn kennen!‹ Denn alle werden wissen, wer ich bin, vom Niedrigsten bis zum Höchsten. [12] Ich will sie trotz ihres Ungehorsams begnadigen und will nie mehr an ihre Schuld denken.«

[13] Wenn Gott von einem neuen Bund spricht, erklärt er damit den ersten für veraltet. Was aber alt und abgenutzt ist, wird bald verschwinden.

Alter und neuer Gottesdienst

9 Nun hatte aber der erste Bund* Vorschriften für den Opferdienst und einen von Menschen errichteten Ort, an dem die Opfer dargebracht wurden. [2] Man hatte zwei Zelte aufgestellt: Das erste war das Heiligtum; in ihm befanden sich der Leuchter und der Tisch mit den Broten. [3] Hinter dem zweiten Vorhang war das andere Zelt, das Allerheiligste*. [4] Darin standen der goldene Altar, auf dem Weihrauch verbrannt wurde, und die Bundeslade*, die ganz mit Gold überzogen war. In ihr lagen der goldene Krug mit dem Manna*, der Stab Aarons, an dem Blüten gewachsen waren, und die zwei Steintafeln mit dem Gesetz des Bundes*. [5] Über der Lade waren die Keruben*, die auf die Gegenwart Gottes hinwiesen. Sie breiteten ihre Flügel über dem Ort aus, an dem die Schuld vergeben wurde. Aber davon soll jetzt nicht im einzelnen die Rede sein.

[6] Das ganze Heiligtum besteht also aus zwei Teilen. Jeden Tag gehen die Priester in das erste Zelt. [7] Das zweite Zelt darf nur der Oberste Priester* betreten, und das auch nur einmal im Jahr. Er nimmt Blut mit und opfert es für sich und für die Menschen, die ohne bösen Willen schuldig geworden sind.

[8] Der heilige Geist* macht mit diesen Anweisungen deutlich: Solange das erste Zelt steht, ist der Weg ins Heiligtum noch nicht offen. [9] Denn das erste Zelt ist nur ein Hinweis auf das, was nun in unserer Zeit Wirklichkeit geworden ist. In ihm werden Opfer und Gaben dargebracht, die ganz unzureichend sind. Wer sie darbringt, kann dadurch in Gottes Augen nicht vollkommen werden. [10] Der Opfernde muß dabei ja auch nur äußerliche Vorschriften beachten: über Essen und Trinken und religiöse Waschungen. Diese Vorschriften waren nur so lange sinnvoll, bis Gott die neue Ordnung aufrichtete.

¹¹Inzwischen ist Christus gekommen. Er ist der Oberste Priester, der in Wirklichkeit die Versöhnung bringt. Er ist durch das Zelt hindurchgegangen, das größer und vollkommener ist, das nicht von Menschen errichtet worden ist und nicht zu dieser Welt gehört. ¹²Ein für allemal ging er in das Allerheiligste*. Er mußte auch nicht das Blut von Böcken und Kälbern mitnehmen; vielmehr ging er mit seinem eigenen Blut hinein. Und so hat er uns für immer von unserer Schuld befreit. ¹³Menschen, die im Sinn der religiösen Vorschriften unrein* sind, werden mit dem Blut von Böcken und Stieren und mit der Asche von einer Kuh besprengt und so äußerlich von der Befleckung gereinigt. ¹⁴Aber durch das Blut Christi wird viel mehr erreicht. Erfüllt vom Geist Gottes brachte Christus sich selbst Gott dar als fehlerloses Opfer. Sein Blut reinigt uns innerlich von unserer Schuld, so daß wir nicht mehr tun müssen, was zum Tod führt, und Gott, dem Geber des Lebens, dienen können.

Christus vermittelt den neuen Bund

¹⁵So hat Christus einen neuen Bund* ermöglicht. Durch diesen Bund wird den Menschen, die von Gott berufen sind, das Leben in der himmlischen Welt zugesagt. Dies ist möglich, weil einer in den Tod ging, um sie von den Folgen ihres Ungehorsams unter dem ersten Bund zu befreien.

¹⁶Mit dem Bund, den Gott schließt, ist es wie mit einem Testament. Wenn es eröffnet werden soll, muß man nachweisen, daß sein Verfasser gestorben ist. ¹⁷Solange der Verfasser lebt, ist ein Testament nicht rechtskräftig; es wird erst durch seinen Tod gültig. ¹⁸So wurde schon der erste Bund nur durch Blut gültig. ¹⁹Mose teilte dem Volk zunächst alle Vorschriften mit, die im Gesetz* festgelegt sind; dann vermischte er das Blut der Kälber und Böcke mit Wasser, Ysop* und roter Wolle und besprengte damit das Gesetzbuch und das ganze Volk. ²⁰Er sagte: »Durch dieses Blut wird der Bund besiegelt, den Gott mit euch geschlossen hat.« ²¹Ebenso besprengte Mose mit dem Blut auch das Zelt und alle Geräte, die beim Gottesdienst gebraucht werden. ²²Tatsächlich wird nach dem Gesetz fast alles mit Blut gereinigt. Schuld wird nur vergeben, wenn dafür Blut geflossen ist.

Christus das einmalige und wirksame Opfer

²³Alle Nachbildungen der himmlischen Wirklichkeit müssen auf solche Weise gereinigt werden; aber für die himmlischen Urbilder selbst sind bessere Opfer nötig. ²⁴Christus ging nicht in ein Heiligtum, das Menschen errichtet haben und das nur eine unvollkommene Nachbildung des wirklichen Heiligtums ist. Er ging in den Himmel selbst, um für uns vor Gott einzutreten. ²⁵Der Oberste Priester* des jüdischen Volkes geht jedes Jahr mit dem Blut eines Tieres in das Heiligtum; aber Christus braucht sich selbst nicht mehrmals zu opfern. ²⁶Sonst hätte er seit Anfang der Welt schon viele Male leiden müssen. Statt dessen erschien er jetzt, am Ende der Zeiten, um ein für allemal die Sünde dadurch zu beseitigen, daß er sich selbst opferte. ²⁷So wie jeder Mensch ein einziges Mal stirbt und dann vor das Gericht Gottes kommt, ²⁸so hat sich auch Christus einmal geopfert, um die Sünden aller Menschen zu beseitigen. Wenn er zum zweitenmal erscheint, wird er nicht wegen der Sünde kommen, sondern um alle zu vollenden, die auf ihn warten.

10 Das Gesetz* gab nur eine schwache Andeutung von dem, was Gott künftig für die Menschen tun wollte. Jahr für Jahr wurden immer wieder dieselben Opfer dargebracht. Wie konnte das Gesetz jemals durch diese Opfer die Menschen, die damit vor Gott traten, vollkommen machen? ²Wenn die Menschen dadurch ein für allemal von ihren Sünden gereinigt worden wären und sich nicht doch noch schuldig gewußt hätten, hätte man mit dem Opfern aufgehört. ³In Wirklichkeit aber wurden die Menschen Jahr für Jahr durch die Opfer wieder an ihre Sünden erinnert. ⁴Das Blut von Stieren und Böcken kann doch niemals die Schuld beseitigen.

⁵Darum sagte Christus, als er in die Welt kam, zu Gott:
»Aus Opfern und Gaben machst du dir nichts;
aber du hast mir einen Leib gegeben.
⁶Über Brandopfer* und Sühneopfer* freust du dich nicht.
⁷Da habe ich gesagt: ›Hier gebe ich mich dir, Gott!
Ich will tun, was du von mir verlangst,
wie es in den heiligen Schriften* vorausgesagt ist!‹«

[8] Zuerst sagte er: »Aus Opfern und Gaben machst du dir nichts, über Brandopfer und Sühneopfer freust du dich nicht«, obwohl alle diese Opfer vom Gesetz vorgeschrieben sind. [9] Dann sagte er: »Hier gebe ich mich dir, Gott! Ich will tun, was du von mir verlangst.« So hebt Christus die alten Opfer auf und setzt sein eigenes an ihre Stelle. [10] Er hat damit getan, was Gott von ihm verlangte. Er hat sich selbst geopfert, und dadurch sind wir ein für allemal von jeder Schuld befreit worden.

[11] Jeder Priester verrichtet seinen Dienst Tag für Tag und bringt viele Male die gleichen Opfer. Aber diese Opfer können die Sünden nicht für immer beseitigen. [12] Christus dagegen hat für alle Sünden ein einziges Opfer gebracht. Dann hat er sich für immer an Gottes rechte Seite gesetzt. [13] Dort wartet er darauf, daß Gott ihm alle Feinde unterwirft. [14] Er hat also die, die von ihm rein gemacht werden, mit einem einzigen Opfer ans Ziel gebracht.

[15] Auch der heilige Geist* ist Zeuge dafür, wenn er sagt: [16] »Der Bund, den ich nach diesen Tagen mit ihnen schließen werde, wird anders sein, sagt der Herr. Ich werde meine Gesetze in ihr Herz schreiben und sie ihrem Geist einprägen. [17] Ich will nie mehr an ihre Sünden und an ihre bösen Taten denken.« [18] Wenn sie aber vergeben sind, ist ein Opfer nicht mehr nötig.

Nicht aufgeben, sondern durchhalten!

[19] Weil Jesus sein Blut geopfert hat, liebe Brüder, haben wir freien Zutritt zum Heiligtum. [20] Er hat uns durch den Vorhang einen neuen Weg zum Leben gebahnt. – Der Vorhang ist sein sterblicher Leib. – [21] Wir haben einen Obersten Priester*, der dem ganzen Haus Gottes vorsteht. [22] Darum wollen wir uns Gott mit offenem Herzen und festem Vertrauen nähern. Denn unser Gewissen ist von aller Schuld gereinigt und unser Körper mit reinem Wasser gewaschen worden. [23] Wir wollen an der Hoffnung festhalten, zu der wir uns bekennen. Wir wollen nicht schwanken; denn Gott, der die Zusagen gegeben hat, steht zu seinem Wort.

[24] Einer soll sich um den anderen kümmern und ihn zur Liebe und zu guten Taten anspornen. [25] Einige haben sich

angewöhnt, den Gemeindeversammlungen fernzubleiben.
Das ist nicht gut; vielmehr müßt ihr einander Mut ma-
chen. Ihr seht doch, daß der Tag näherrückt, an dem der
Herr kommt.

²⁶ Wir haben die Wahrheit kennengelernt. Wenn wir
jetzt wieder vorsätzlich zu sündigen beginnen, gibt es kein
Opfer mehr, um unsere Sünden zu beseitigen. ²⁷ Dann
müssen wir ein schreckliches Gericht fürchten; denn glühendes Feuer wird alle vernichten, die sich gegen Gott
auflehnen. ²⁸ Wer gegen das Gesetz* Moses verstößt, wird
ohne Mitleid getötet, wenn seine Schuld durch zwei oder
drei Zeugenaussagen festgestellt ist. ²⁹ Erst recht hat der
die schlimmste Strafe zu erwarten, der den Sohn* Gottes
verachtet und das Blut des Bundes*, das ihn rein gemacht
hat, als eine billige Sache abtut, und der den Geist* beleidigt, dem er die Gnade verdankt. ³⁰ Wir kennen den, der
gesagt hat: »Ich werde Rache nehmen und sie für alle
Bosheit hart bestrafen.« Es heißt auch: »Der Herr wird
seinem Volk das Urteil sprechen.« ³¹ Dem lebendigen
Gott in die Hände zu fallen, ist schrecklich!

Mut und Vertrauen

³² Denkt daran, wie ihr euch früher bewährt habt, gleich
nachdem ihr die Wahrheit kennengelernt hattet. Damals
mußtet ihr einen langen und harten Kampf bestehen.
³³ Die einen wurden öffentlich beleidigt und mißhandelt,
und die anderen standen zu ihnen. ³⁴ Ihr habt mit den Gefangenen gelitten. Wenn man euer Eigentum fortnahm,
habt ihr es voll Freude ertragen, weil ihr wußtet, daß ihr
einen viel besseren Besitz habt, den man euch nicht nehmen kann.

³⁵ Werft euer Vertrauen nicht weg; denn eine große Belohnung wartet auf euch, wenn ihr treu bleibt. ³⁶ Ihr müßt
standhaft bleiben und tun, was Gott will. Nur dann bekommt ihr, was er versprochen hat. ³⁷ In den heiligen
Schriften* sagt Gott: »Noch eine kurze Zeit dauert es, bis
der, der angekündigt ist, kommt. Er wird sich nicht ver-
späten. ³⁸ Wer mir vertraut und mir die Treue hält, wird leben. Wer aber mutlos aufgibt, mit dem will ich nichts zu
tun haben.«

³⁹ Wir gehören nicht zu den Menschen, die den Mut ver-

lieren und deshalb zugrunde gehen. Vielmehr gehören wir
zu denen, die treu bleiben und das Leben gewinnen.

Beispiele des Vertrauens

11 Gott vertrauen heißt: sich verlassen auf das, was
man hofft, und fest mit dem rechnen, was man
nicht sehen kann. ²Durch solches Vertrauen haben vor-
bildliche Menschen früherer Zeiten bei Gott Anerkennung gefunden.

³Weil wir Gott vertrauen, wissen wir: Die Welt ist
durch sein Wort geschaffen worden; das Sichtbare ist aus
dem Unsichtbaren entstanden.

⁴Weil Abel Gott vertraute, brachte er ihm ein besseres
Opfer dar als sein Bruder Kain. Weil er sich auf Gott verließ, konnte er vor ihm bestehen, und Gott nahm seine
Gaben an. Obwohl Abel tot ist, spricht er durch sein Vertrauen noch heute zu uns.

⁵Weil Henoch Gott vertraute, wurde er zu Gott geholt
und mußte nicht sterben. Keiner konnte ihn finden, weil
Gott ihn weggenommen hatte. Die heiligen Schriften* sagen von ihm, ehe sie von diesem Vorgang berichten, daß
Gott Freude an ihm hatte. ⁶Keiner kann Gott gefallen,
der ihm nicht vertraut. Wer zu Gott kommen will, muß
sich darauf verlassen, daß Gott lebt und die belohnt, die
ihn suchen.

⁷Weil Noach Gott vertraute, konnte er Weisungen empfangen für einen Fall, der erst später eintreten sollte. Er
gehorchte und baute ein Schiff, in dem er mit seiner ganzen Familie gerettet wurde. Weil er sich auf Gott verließ,
trennte er sich von den Menschen, die sich gegen Gott
auflehnten. So fand er bei Gott die Anerkennung, die
dem Vertrauen zuteil wird.

⁸Weil Abraham Gott vertraute, gehorchte er, als Gott
ihn rief. Er machte sich auf den Weg in ein Land, das er
als Geschenk bekommen sollte, und verließ seine Heimat,
ohne zu wissen, wohin er ging. ⁹Weil er Gott vertraute,
lebte er in dem Land, das Gott ihm versprochen hatte, als
ein Fremder. Mit Isaak und Jakob, die dieselbe Zusage bekommen hatten, lebte er in Zelten. ¹⁰Denn er wartete auf
die Stadt mit dem festen Grund, die Gott selbst entworfen
und gebaut hat.

¹¹Weil Abraham Gott vertraute, bekam er die Kraft, Vater zu werden, als er schon alt war und seine Frau Sara eigentlich keine Kinder mehr bekommen konnte. Er verließ sich darauf, daß Gott seine Zusage halten werde. ¹²So bekam dieser eine Mann, der fast schon tot war, so viele Nachkommen, wie es Sterne am Himmel oder Sandkörner am Strand des Meeres gibt.

¹³Abraham, Isaak und Jakob sind im Vertrauen auf Gott gestorben. Sie selbst haben nicht bekommen, was Gott versprochen hatte, aber sie sahen es aus der Ferne und freuten sich darauf. Sie sprachen offen aus, daß sie nur Gäste und Fremde auf der Erde waren. ¹⁴Wer so etwas sagt, bringt zum Ausdruck, daß er eine Heimat sucht. ¹⁵Sie sehnten sich nicht zurück in das Land, das sie verlassen hatten; sonst wären sie wieder zurückgekehrt. ¹⁶Sie sehnten sich vielmehr nach einer besseren Heimat, nach der himmlischen; und deshalb schämt sich Gott nicht, ihr Gott, der Gott Abrahams, Isaaks und Jakobs zu heißen. Er hat ja auch eine Stadt für sie gebaut.

¹⁷Weil Abraham Gott vertraute, brachte er ihm seinen Sohn als Opfer dar, als er von Gott auf die Probe gestellt wurde. Er war bereit, seinen einzigen Sohn zu opfern, obwohl Gott ihm doch versprochen hatte: ¹⁸»Durch Isaak wirst du Nachkommen haben.« ¹⁹Abraham rechnete fest damit, daß Gott Isaak auch wieder lebendig machen konnte. Darum erhielt er seinen Sohn gleichsam vom Tod zurück.

²⁰Weil Isaak Gott vertraute, segnete er Jakob und Esau. Er verließ sich darauf, daß die Segensworte einst in Erfüllung gehen würden.

²¹Weil Jakob Gott vertraute, segnete er kurz vor seinem Tod die beiden Söhne Josefs. Gestützt auf seinen Wanderstab neigte er sich in Ehrfurcht vor Gott.

²²Weil Josef Gott vertraute, konnte er vor seinem Tod über den künftigen Auszug der Israeliten aus Ägypten sprechen und Anweisungen geben, was dann mit seinen Gebeinen geschehen sollte.

²³Weil die Eltern von Mose Gott vertrauten, hielten sie ihn nach seiner Geburt drei Monate lang versteckt. Sie sahen, daß er ein schönes Kind war, und hatten keine Angst, dem Befehl des Königs zu trotzen.

²⁴ Weil Mose Gott vertraute, wehrte er sich, als er erwachsen war, dagegen, daß die Leute ihn ›Sohn der Königstochter‹ nannten. ²⁵ Er zog es vor, mit dem Volk Gottes zu leiden, anstatt für kurze Zeit gut zu leben und dabei Schuld auf sich zu laden. ²⁶ Er war sicher, daß alle Schätze Ägyptens nicht so viel wert waren wie die Verachtung, die einer für Christus auf sich nimmt. Er dachte an die Belohnung, die auf ihn wartete.

²⁷ Weil Mose Gott vertraute, zog er aus Ägypten und fürchtete sich nicht vor dem Zorn des Königs. Er hatte den unsichtbaren Gott vor Augen, als ob er ihn wirklich sehen würde; das gab ihm Mut.

²⁸ Weil Mose Gott vertraute, führte er das Passafest* ein. Er befahl, die Türen mit Blut zu bestreichen, damit der Todesengel die erstgeborenen Söhne der Israeliten verschone.

²⁹ Weil die Israeliten Gott vertrauten, konnten sie das Rote Meer* durchqueren wie trockenes Land. Als die Ägypter das auch versuchten, ertranken sie.

³⁰ Weil die Israeliten Gott vertrauten, stürzten die Mauern von Jericho ein, nachdem das Volk sieben Tage lang um die Stadt gezogen war.

³¹ Weil die Hure Rahab Gott vertraute, nahm sie die israelitischen Kundschafter freundlich auf. Deshalb wurde sie nicht zusammen mit den anderen getötet, die Gott ungehorsam gewesen waren.

³² Soll ich noch mehr aufzählen? Die Zeit würde nicht ausreichen, um von Gideon, Barak, Simson, Jiftach, David, Samuel und den Propheten zu erzählen. ³³ Weil sie Gott vertrauten, kämpften sie gegen Königreiche und siegten. Sie sorgten für Recht und erlebten, daß Gott seine Zusagen erfüllt. Sie hielten Löwen das Maul zu ³⁴ und löschten glühendes Feuer. Sie entgingen dem gewaltsamen Tod. Sie waren schwach und wurden stark. Sie kämpften im Krieg wie Helden und trieben fremde Heere zurück. ³⁵ Frauen, die Gott vertrauten, sahen ihre Toten lebendig wieder.

Einige starben unter der Folter. Sie weigerten sich, die angebotene Freilassung anzunehmen, denn sie hofften auf ein neues und besseres Leben. ³⁶ Andere wurden verspottet und ausgepeitscht, gefesselt und ins Gefängnis gewor-

fen. [37] Sie wurden gesteinigt*, zersägt und mit dem
Schwert hingerichtet. Sie zogen in Schaf- und Ziegenfellen
umher. Sie litten Mangel, wurden verfolgt und mißhandelt. [38] Wie Flüchtlinge irrten sie durch Wüsten und Gebir-
ge und lebten in Höhlen und Erdlöchern. Die Welt war es
nicht wert, daß solche Menschen in ihr lebten.

[39] Diesen allen hat ihr Vertrauen das beste Zeugnis aus-
gestellt, und doch hat keiner von ihnen die Gabe bekommen, die Gott versprochen hatte. [40] Gott hatte unseretwe-
gen einen umfassenderen Plan, denn er wollte nicht, daß
sie ohne uns vollendet würden.

Gott erzieht uns

12 Alle diese Zeugen, die uns wie eine Wolke umgeben, können uns ein Beispiel geben. Darum wollen
wir uns von allem freimachen, was uns beschwert, besonders von der Sünde, die sich so leicht an uns hängt. Wir
wollen durchhalten in dem Lauf, zu dem wir angetreten
sind. [2] Dabei wollen wir Jesus nicht aus den Augen lassen.
Er ist uns auf dem Weg des Vertrauens vorausgegangen
und bringt uns auch ans Ziel. Er hat das Kreuz auf sich
genommen und sich nichts aus diesem schändlichen Tod
gemacht, weil eine so große Freude auf ihn wartete. Jetzt
hat er seinen Platz auf dem Thron an der rechten Seite
Gottes eingenommen.

[3] Denkt daran, was er ertragen mußte und wie er die
ganze Feindschaft der sündigen Menschen auf sich genommen hat. Das wird euch helfen, mutig zu bleiben und
nicht aufzugeben. [4] In eurem Kampf gegen die Sünde ist
es bis jetzt noch nicht auf Leben und Tod gegangen.
[5] Habt ihr die ermutigenden Worte vergessen, die Gott an
euch, seine Kinder, gerichtet hat? »Nimm es an, mein
Sohn, wenn der Herr dich hart anfaßt! Verlier nicht den
Mut, wenn er dich schlägt! [6] Denn wen der Herr liebt, den
erzieht er mit Strenge; und wen er als seinen Sohn annimmt, dem gibt er auch Schläge.«

[7] Ertragt also die Schläge. Gott behandelt euch als seine
Kinder! Gibt es einen Sohn, der nicht von seinem Vater
mit Strenge erzogen wird? [8] Alle seine Kinder hat Gott so
erzogen. Wenn es euch anders ginge, dann wärt ihr ja
nicht seine rechtmäßigen Kinder. [9] Unsere leiblichen Vä-

ter erzogen uns mit Strafen, und wir hatten Respekt vor
ihnen. Erst recht sollen wir uns unserem göttlichen Vater
unterordnen, damit wir das Leben bekommen. [10] Unsere
leiblichen Väter straften uns eine Zeitlang, wie es ihnen
gerade gut schien. Aber Gott handelt an uns zu unserem
Besten, damit wir an seiner Vollkommenheit teilhaben.
[11] In dem Augenblick, in dem wir gestraft werden, sind wir
unglücklich und unzufrieden. Aber später zeigt sich bei allen, die durch diese Strafe erzogen wurden, daß es gut war
und daß sie zu Menschen geworden sind, die das Rechte
tun und Frieden verbreiten.

Der Ernst der Stunde

[12] Rafft euch auf, damit wieder Kraft in eure müden Hände und eure zitternden Knie kommt! [13] Geht gerade Wege,
damit die lahm gewordenen Füße nicht auch noch ver-
renkt, sondern wieder heil werden.

[14] Bemüht euch um Frieden mit allen Menschen und
um ein vollkommenes Leben. Wer das versäumt, wird den
Herrn nicht zu sehen bekommen. [15] Seid auf der Hut, daß
niemand die Gnade Gottes verscherzt und daß nicht jemand unter euch wie eine giftige Wurzel ausschlägt und
viele vergiftet. [16] Niemand von euch soll ein ausschweifendes Leben führen wie Esau. Weil er Gott nicht ehrte, verkaufte er sein Vorrecht als ältester Sohn für eine einzige
Mahlzeit. [17] Als er später den Segen seines Vaters haben
wollte, wurde er abgewiesen. Er konnte nicht ändern, was
er angerichtet hatte, obwohl er sich unter Tränen darum
bemühte.

[18] Ihr seid nicht zu dem Berg Sinai gekommen, den man
berühren konnte. Ihr seid nicht zum lodernden Feuer gekommen, zur Dunkelheit und schwarzen Nacht, zum
Sturm, [19] zum Schall der Posaune und zu der donnernden
Stimme. Als das Volk Israel diese Stimme hörte, bat es
darum, kein weiteres Wort hören zu müssen. [20] Denn sie
konnten den Befehl nicht ertragen, der lautete: »Auch
kein Tier darf den Berg berühren, sonst muß es gesteinigt* werden.« [21] Der Anblick war so furchtbar, daß sogar
Mose sagte: »Ich zittere vor Angst!«

[22] Ihr seid vielmehr zum Berg Zion gekommen und zur
Stadt des lebendigen Gottes. Diese Stadt ist das himm-

lische Jerusalem mit seinen vielen tausend Engeln. ²³ Ihr seid zur Festversammlung von Gottes erstgeborenen Söhnen gekommen, deren Namen im Himmel aufgeschrieben sind. Ihr seid zu Gott gekommen, der alle Menschen richtet, und zu den Geistern der Menschen, die vollendet sind. ²⁴ Ihr seid zu Jesus gekommen, der den neuen Bund* ermöglicht hat, und zu dem reinigenden Blut, das etwas viel Größeres bewirkt als das Blut Abels.

²⁵ Gebt also acht und hört auf den, der jetzt spricht. Das Volk, das am Berg Sinai den nicht hören wollte, der auf der Erde sprach, ist der Strafe nicht entgangen. Wenn wir den zurückstoßen, der vom Himmel spricht, werden wir erst recht nicht ungestraft davonkommen. ²⁶ Damals erschütterte seine Stimme die Erde, aber jetzt hat er angekündigt: »Noch *ein*mal werde ich die Erde zum Beben bringen, und den Himmel dazu!« ²⁷ Die Worte ›noch *ein*mal‹ weisen darauf hin, daß bei dieser Erschütterung die ganze Welt, die Gott geschaffen hat, umgewandelt werden soll. Nur das bleibt unverändert, was nicht erschüttert werden kann. ²⁸ Wir wollen dankbar sein, weil wir eine Heimat bekommen, die uns nicht genommen werden kann. Wir wollen Gott in heiliger Scheu und Ehrfurcht danken und ihm dienen, wie es ihm gefällt. ²⁹ Denn unser Gott ist ein zerstörendes Feuer.

Wie man Gott gefällt

13 Liebt einander weiterhin als Brüder. ² Vergeßt nicht, Brüder aus anderen Gemeinden gastfreundlich bei euch aufzunehmen. Auf diese Weise haben einige, ohne es zu wissen, Engel aufgenommen. ³ Denkt an die Gefangenen, als ob ihr selbst mit ihnen im Gefängnis wärt. Denkt an die Mißhandelten, als müßtet ihr ebenso leiden wie sie.

⁴ Die Ehe soll von allen geachtet werden; Mann und Frau sollen sich gegenseitig treu sein. Gott wird alle verurteilen, die Unzucht treiben und Ehebruch begehen.

⁵ Hängt nicht am Geld, und seid zufrieden mit dem, was ihr habt. Gott hat gesagt: »Niemals werde ich dir meine Hilfe entziehen, nie dich im Stich lassen.« ⁶ Wir wollen zuversichtlich sagen:

»Der Herr steht mir bei;
nun fürchte ich nichts mehr.
Was könnte ein Mensch mir schon tun?«

[7] Vergeßt eure Gemeindevorsteher* nicht, die euch Gottes Botschaft früher verkündet haben. Erinnert euch daran, wie sie gelebt haben und gestorben sind. Folgt dem Beispiel, das sie euch mit ihrer Glaubenstreue gegeben haben. [8] Jesus Christus ist derselbe gestern und heute und für alle Zeiten. [9] Laßt euch nicht durch alle möglichen fremden Lehren verführen. Gottes Gnade wird euch innerlich fest machen. Vorschriften über das, was man essen und nicht essen darf, können das nicht bewirken. Es hat noch niemand genutzt, wenn er solche Regeln befolgt hat.

[10] Wir haben einen Altar, von dem die, die noch dem alten Heiligtum dienen, nicht essen dürfen. [11] Am Versöhnungstag* bringt der Oberste Priester* das Blut der Tiere ins Heiligtum und opfert es zur Beseitigung der Sünden; die Körper der Tiere aber werden außerhalb des Lagers verbrannt. [12] So ist auch Jesus außerhalb der Stadt gestorben, um durch sein Blut das Volk rein zu machen. [13] Darum wollen wir zu ihm vor das Lager hinausgehen und die Schande mit ihm teilen. [14] Denn auf der Erde gibt es keine Stadt, in der wir bleiben können. Wir warten auf die Stadt, die kommen wird.

[15] Durch Jesus wollen wir Gott in jeder Lebenslage Dankopfer darbringen; das heißt: wir wollen uns mit unserem Beten und Singen zu ihm bekennen. [16] Vergeßt nicht, Gutes zu tun und euch gegenseitig zu helfen. Das sind die Opfer, die Gott Freude machen.

[17] Gehorcht euren Gemeindevorstehern* und folgt ihren Anweisungen. Sie wachen über euch und werden über ihren Dienst Rechenschaft geben müssen. Wenn ihr ihnen willig folgt, werden sie ihren Dienst mit Freude tun. Wenn sie dagegen seufzen und stöhnen müssen, kann das böse Folgen für euch haben.

[18] Betet für uns! Wir sind sicher, daß wir ein reines Gewissen haben; denn wir wollen immer nur das Rechte tun. [19] Deshalb bitte ich euch besonders: Betet zu Gott, daß ich euch möglichst bald wiedergegeben werde.

Gebet und Schlußwort

[20] Gott, der uns Frieden schenkt, hat den, der durch seinen Tod zum großen Hirten der Schafe geworden ist und mit seinem Blut den ewigen Bund* besiegelt hat, Jesus, unseren Herrn, vom Tod erweckt. [21] Gott helfe euch auch, all das Gute zu tun, das er haben will; denn er selbst wird in uns schaffen, was ihm gefällt. Das tut er durch Jesus Christus. Darum gehört ihm die Ehre für alle Zeiten. Amen.

[22] Ich bitte euch, liebe Brüder, nehmt das, was ich euch geschrieben habe, bereitwillig an; es soll euch Mut machen! Dieser Brief ist ja nicht lang.

[23] Ihr sollt noch wissen, daß unser Bruder Timotheus aus dem Gefängnis freigelassen wurde. Wenn er rechtzeitig hierherkommt, werde ich ihn mitbringen, wenn ich euch besuche.

[24] Grüßt alle eure Gemeindevorsteher* und das ganze Volk Gottes! Die Brüder aus Italien lassen euch grüßen.

[25] Gott bewahre euch alle in seiner Gnade!

DER BRIEF VON JAKOBUS

Eingangsgruß

1 Jakobus, der Gott und Jesus Christus, dem Herrn, dient, grüßt das Volk Gottes, das über die ganze Welt zerstreut ist und dort in der Fremde lebt.

Glaube und Zweifel

[2] Meine Brüder! Nehmt es als Grund zur Freude, wenn ihr auf vielerlei Weise auf die Probe gestellt werdet. [3] Denn ihr wißt: Wenn euer Glaube auf die Probe gestellt wird, führt euch das zur Standhaftigkeit; [4] die Standhaftigkeit aber soll euch zur Vollkommenheit führen, damit ihr in jeder Hinsicht fehlerlos und untadelig seid.

[5] Wenn aber einer von euch nicht weiß, was er in einem bestimmten Fall tun muß, soll er Gott um Weisheit bitten. Gott wird sie ihm geben, denn er gibt gern und teilt allen großzügig aus. [6] Er muß Gott aber in festem Vertrauen bitten und darf nicht im geringsten zweifeln. Wer zweifelt, gleicht den Meereswogen, die vom Wind gepeitscht und hin und her getrieben werden. [7] Solch ein Mensch kann nicht erwarten, daß er vom Herrn etwas empfängt; [8] denn wer zweifelt, der ist auch unbeständig in allem, was er unternimmt.

Armut und Reichtum

[9] Wer von euch arm und unterdrückt ist, soll stolz darauf sein, daß Gott ihn zur höchsten Ehre erheben wird. [10] Wer dagegen reich und mächtig ist, hat nichts zu erwarten, als daß er ins Elend hinabgestoßen wird. Wie eine Blume auf der Wiese wird er vergehen. [11] Wenn die Sonne emporsteigt und ihre sengenden Strahlen aussendet, verdorren die Blätter, und die Blüte fällt ab; ihre ganze Schönheit ist dahin. Genauso werden die Reichen zugrunde gehen, und mit all ihren Unternehmungen hat es ein Ende.

Woher die Versuchungen kommen

[12] Freuen darf sich, wer auf die Probe gestellt wird und sie besteht; denn Gott wird ihm den Siegeskranz geben: das ewige Leben, das er allen versprochen hat, die ihn lieben. [13] Wenn ein Mensch in Versuchung geführt wird, darf er nicht sagen: »Gott hat mich in Versuchung geführt.« Gott kann nicht zum Bösen verführt werden, und er selbst verführt keinen. [14] Es sind die eigenen Wünsche, die den Menschen ködern und fangen. [15] Wenn einer ihnen nachgibt, wird sein Begehren gleichsam schwanger und gebiert die Sünde. Und wenn die Sünde sich auswächst, führt sie zum Tod.

[16] Meine lieben Brüder, täuscht euch nicht! [17] Lauter gute Gaben, nur vollkommene Gaben kommen von oben, von dem Schöpfer der Gestirne. Bei ihm gibt es kein Zu- und Abnehmen des Lichtes und keine Verfinsterung. [18] Aus seinem freien Willen hat er uns durch das Wort der Wahrheit, die Gute Nachricht, ein neues Leben geschenkt, damit wir als die ersten unter seinen Geschöpfen ans Ziel gelangen.

Hören und Handeln

[19] Denkt daran, liebe Brüder: Jeder soll stets bereit sein zu hören, aber sich Zeit lassen, bevor er redet, und noch mehr, bevor er zornig wird. [20] Denn im Zorn tut keiner, was vor Gott recht ist. [21] Legt also alles Gemeine und Schlechte ab und nehmt das Wort demütig an, das Gott euch ins Herz gepflanzt hat. Denn sein Wort hat die Macht, euch zu retten.

[22] Betrügt euch nicht selbst, indem ihr euch dieses Wort nur anhört. Ihr müßt es in die Tat umsetzen! [23] Wer die Botschaft Gottes nur hört, aber nicht danach handelt, ist wie ein Mensch, der in einen Spiegel blickt: [24] Er sieht sich, wie er ist, und betrachtet sich kurz. Aber dann geht er weg und vergißt sofort, wie er aussieht. [25] Anders der Mensch, der tief und anhaltend in das vollkommene Gesetz* Gottes blickt, das uns frei macht. Er hört nicht nur hin, um es gleich wieder zu vergessen, sondern handelt danach. Er darf sich freuen; denn Gott segnet sein Tun.

[26] Wenn sich jemand einbildet, er ehre Gott, aber seine

Zunge nicht in Zaum halten kann, ist seine ganze Frömmigkeit wertlos, und er betrügt sich selbst. [27] Man ehrt Gott, den Vater, auf die rechte Weise, wenn man den Waisen und Witwen in ihrer Not beisteht und sich nicht an dem ungerechten Treiben dieser Welt* beteiligt.

Warnung vor Vorurteilen

2 Meine Brüder! Ihr setzt euer Vertrauen auf Jesus Christus, unseren Herrn, der Gottes Herrlichkeit teilt. Damit verträgt es sich nicht, daß ihr Unterschiede macht unter denen, die alle in gleicher Weise dieses Vertrauen haben. [2] Da seid ihr zum Gottesdienst versammelt, und es kommt ein reicher Mann mit goldenen Ringen und in vornehmer Kleidung herein und ebenso ein armer Mann in Lumpen. [3] Ihr aber sagt zu dem gutgekleideten Mann respektvoll: »Bitte, hier ist noch ein bequemer Platz!« Und zu dem Armen sagt ihr: »Du kannst dort hinten stehen«, oder auch: »Setz dich hier neben meinen Stuhl auf den Boden!« [4] Wenn ihr solche Unterschiede macht, urteilt ihr nach verkehrten Maßstäben.

[5] Hört gut zu, liebe Brüder! Gott hat doch gerade die erwählt, die in den Augen dieser Welt* arm sind, um sie aufgrund ihres Glaubens reich zu machen. Sie sollen in Gottes neue Welt kommen, die er denen versprochen hat, die ihn lieben. [6] Ihr aber verachtet die Armen! Und wer unterdrückt euch und bringt euch vor Gericht? Die Reichen! [7] Sind sie es nicht, die verächtlich reden über den Namen*, der bei der Taufe über euch ausgerufen wurde?

[8] Handelt nach dem Gesetz*, das Gott, der große König, erlassen hat und in dem es heißt: »Liebe deinen Mitmenschen wie dich selbst!« Dann tut ihr recht. [9] Wenn ihr aber nach äußeren Maßstäben Unterschiede zwischen den Menschen macht, dann spricht das Gesetz euch schuldig. [10] Denn wer auch nur eine einzige Vorschrift des Gesetzes nicht befolgt, verstößt damit gegen das ganze Gesetz. [11] Derselbe Gott, der gesagt hat: »Zerstöre keine Ehe!«, hat auch gesagt: »Morde nicht!« Wenn du also keinen Ehebruch begehst, aber jemand tötest, spricht das Gesetz dich schuldig.

[12] Redet und handelt als Menschen, die einst vor Gottes Gericht nach dem Gesetz beurteilt werden sollen, das

wahrhaft frei macht. [13] Wer selbst kein Erbarmen gehabt hat, über den wird auch Gott erbarmungslos Gericht halten. Wer aber barmherzig war, darf auch vor Gottes Gericht auf Erbarmen hoffen.

Glaube und Liebe

[14] Meine Brüder! Was hat es für einen Wert, wenn jemand behauptet: »Ich vertraue auf Gott, ich habe Glauben!«, aber er hat keine guten Taten vorzuweisen? Kann der bloße Glaube ihn retten? [15] Das wäre gerade so, wie wenn es da Brüder und Schwestern bei euch gäbe, die nichts anzuziehen hätten und hungern müßten. [16] Und dann sagte einer von euch zu ihnen: »Ich wünsche euch das beste; ich hoffe, daß ihr euch warm anziehen und satt essen könnt!« –, er gibt ihnen aber nicht, was sie zum Leben brauchen. Was nützt ihnen der bloße Wunsch und die freundliche Gesinnung? [17] Genauso ist es auch mit dem Glauben: Wenn aus ihm keine Taten hervorgehen, ist er tot.

[18] Aber vielleicht wendet jemand ein: »Des einen Sache ist eben mehr der Glaube, des anderen mehr die Tat!« Darauf antworte ich ihm: Dann zeig mir doch einmal deinen Glauben! Wie willst du das machen, wenn du keine guten Taten vorzuweisen hast? Aber ich will dir meinen Glauben aus meinen Taten beweisen. [19] Du glaubst, daß nur *einer* Gott ist? Gut! Das glauben die Dämonen auch – und zittern vor Angst.

[20] Du gedankenloser Mensch! Willst du nicht einsehen, daß ein Glaube, der nicht zu Taten führt, wirkungslos ist? [21] Fand nicht unser Ahnherr Abraham aufgrund seines Tuns Gottes Anerkennung – nämlich weil er seinen Sohn Isaak als Opfer auf den Altar legte? [22] Du siehst also: Sein Glaube und seine Taten wirkten zusammen; sein Glaube wurde durch sein Tun vollkommen. [23] In diesem Sinne bestätigte sich das Wort in den heiligen Schriften*: »Abraham glaubte der Zusage Gottes, und so fand er Gottes Anerkennung.« Ja, Gott nannte ihn seinen Freund. [24] Ihr seht, daß ein Mensch durch sein Tun bei Gott Anerkennung findet und nicht schon durch seinen Glauben.

[25] Ebenso war es bei der Hure Rahab: Sie nahm die israelitischen Kundschafter auf und zeigte ihnen einen Fluchtweg; aufgrund dieser Tat fand sie Gottes Anerken-

nung. [26] Genau wie der menschliche Leib ohne den Atem tot ist, so ist auch der Glaube ohne entsprechende Taten tot.

Die Zunge

3 Meine Brüder, nicht zu viele von euch sollten Lehrer* der Gemeinde werden wollen. Ihr wißt ja, daß wir Lehrer vor Gottes Gericht nach einem strengeren Maßstab beurteilt werden als die anderen.

[2] Wir alle sind fehlerhafte Menschen. Wenn jemand nie ein verkehrtes Wort redet, dann ist er geradezu vollkommen; dann hat er sich selbst ganz in der Gewalt. [3] Wir legen den Pferden das Zaumzeug ins Maul, damit sie uns gehorchen; so lenken wir ihren ganzen Körper. [4] Oder denkt an ein Schiff: es ist groß und wird von starken Winden getrieben; trotzdem wird es mit einem winzigen Ruder gesteuert, so wie es der Steuermann will. [5] Ebenso ist es mit der Zunge: sie ist nur klein und bringt doch gewaltige Dinge fertig.

Denkt daran, wie klein die Flamme sein kann, die einen großen Wald in Brand setzt! [6] Mit der Zunge ist es wie mit dem Feuer. Sie ist eine Welt voller Unrecht und beschmutzt den ganzen Menschen. Sie setzt unser Leben von der Geburt bis zum Tod in Brand mit einem Feuer, das aus der Hölle selbst kommt. [7] Der Mensch hat es fertiggebracht, alle Tiere zu bändigen: Raubtiere, Vögel, Schlangen und Fische. [8] Aber seine Zunge hat noch keiner bändigen können; sie läßt sich nicht unter Kontrolle bringen.

Sie ist voll von tödlichem Gift. [9] Mit ihr loben wir Gott, unseren Herrn und Vater – und mit ihr verfluchen wir unsere Mitmenschen, die nach Gottes Bild geschaffen sind. [10] Aus demselben Mund kommen Segen und Fluch. Meine Brüder, das darf nicht sein! [11] Keine Quelle läßt aus der gleichen Öffnung genießbares und ungenießbares Wasser fließen. [12] Auf einem Feigenbaum wachsen keine Oliven, an einem Weinstock hängen keine Feigen, und eine salzige Quelle kann kein Süßwasser hervorbringen.

Die Weisheit, die von Gott kommt

[13] Wenn sich jemand unter euch für klug und weise hält, dann muß man das an seiner ganzen Lebensführung er-

kennen. Was er tut, soll von der Freundlichkeit und Bescheidenheit zeugen, die einem Weisen ansteht. [14] Ihr setzt euch in Widerspruch zur Wahrheit, wenn ihr euch mit eurer angeblichen Weisheit brüstet und dabei neidisch und streitsüchtig seid. [15] Diese Art von Weisheit kommt nicht von oben, sie ist irdisch, sinnlich und teuflisch. [16] Wo Neid und Streit herrschen, gibt es Unordnung und jede Art von Gemeinheit. [17] Aber die Weisheit von oben hat teil an der Vollkommenheit Gottes; sie ist freundlich, nachgiebig, zum Frieden bereit. Sie ist voller Erbarmen und bringt viele gute Taten hervor. Sie kennt weder Vorurteil noch Verstellung. [18] Die Saat der Weisheit geht nur bei denen auf, die Frieden suchen, und dort bringt sie Frucht.

Warnung vor Untreue gegen Gott

4 Woher kommen denn die Kämpfe und Streitigkeiten zwischen euch? Sie entspringen den Leidenschaften, die ständig in eurem Innern toben. [2] Ihr verzehrt euch nach etwas, was ihr gerne hättet. Ihr seid neidisch° und eifersüchtig, aber das bringt euch dem ersehnten Ziel nicht näher. Ihr kämpft darum; aber ihr bekommt es nicht, weil ihr Gott nicht darum bittet. [3] Und wenn ihr ihn bittet, bekommt ihr es nicht, weil ihr nur in der Absicht bittet, eure unersättliche Gier zu befriedigen.

[4] Ihr seid treulos gegen Gott wie Ehebrecher! Freundschaft mit dieser Welt* bedeutet Feindschaft gegen Gott. Wißt ihr das nicht? Wer sich also mit der Welt befreundet, der verfeindet sich mit Gott. [5] Es heißt nicht umsonst in den heiligen Schriften*:° »Gott verzehrt sich in Sehnsucht nach dem guten Geist, den er als Schöpfer uns eingepflanzt hat.« [6] Aber in seiner Gnade will er uns noch viel mehr schenken; denn es heißt auch: »Gott widersetzt sich den Überheblichen, aber denen, die gering von sich denken, wendet er seine Liebe zu.«

[7] Deshalb sollt ihr euch Gott im Gehorsam unterstellen. Leistet dem Satan Widerstand, und er wird vor euch fliehen. [8] Nähert euch Gott, und er wird sich euch nähern. Reinigt eure Hände, ihr Sünder! Schenkt Gott eure Herzen, ihr Schwankenden! [9] Klagt über euren Zustand, trauert und weint! Ihr sollt nicht mehr lachen, sondern weinen! Euer Jubel soll sich in Jammer verkehren und

eure Freude in Trauer. ¹⁰Beugt euch tief vor dem Herrn, dann wird er euch großmachen.

Nicht verurteilen

¹¹Meine Brüder, verleumdet einander nicht! Wer seinen Bruder verleumdet oder verurteilt, verurteilt damit das Gesetz* Gottes, das ein solches Verhalten untersagt. Anstatt das Gesetz zu befolgen, wirft er sich zum Richter auf. ¹²Aber nur Gott, der das Gesetz gegeben hat, darf richten. Er allein kann verurteilen oder freisprechen. Für wen hältst du dich, daß du deinen Mitmenschen verurteilst!

Nicht überheblich sein

¹³Nun aber zu euch, die ihr sagt: »Heute oder morgen werden wir in die und die Stadt reisen! Dort werden wir ein Jahr lang Geschäfte machen und viel Geld verdienen.« ¹⁴Woher wißt ihr denn, was morgen sein wird? Was ist euer Leben? Es gleicht einem leichten Nebel, der vom Boden aufsteigt und sich sogleich wieder auflöst. ¹⁵Sagt lieber: »Wenn der Herr es will, werden wir noch leben und dies oder jenes tun.« ¹⁶Ihr seid jetzt stolz und überheblich; aber ein solcher Stolz ist verwerflich.

¹⁷Wer weiß, was er zu tun hat, und tut es nicht, der macht sich schuldig.

Warnung an die Reichen

5 Hört zu, ihr Reichen! Weint und jammert über das Elend, das auf euch zukommt! ²Euer Reichtum verfault, eure Kleider werden von den Motten zerfressen, ³und euer Geld setzt Rost an. Dieser Rost wird euch anklagen und euer Fleisch wie Feuer verzehren. Ihr habt in den letzten Tagen der Welt Reichtümer angehäuft. ⁴Ihr habt den Männern, die auf euren Feldern gearbeitet haben, den verdienten Lohn vorenthalten. Das schreit zum Himmel! Eure Erntearbeiter klagen, und ihre Klage ist bis zu den Ohren des Herrn der Welt gedrungen. ⁵Euer Leben auf der Erde war mit Luxus und Vergnügen ausgefüllt. Während der Schlachttag schon vor der Tür stand, habt ihr euch noch gemästet.° ⁶Ihr habt die Unschuldigen verurteilt und umgebracht, die sich nicht gegen euch wehren konnten.

Geduldig warten

[7] Meine Brüder, habt Geduld, bis der Herr kommt! Seht, wie geduldig der Bauer darauf wartet, daß sein Land das kostbare Getreide hervorbringt! Er weiß, daß erst der Herbstregen und der Frühjahrsregen auf das Land fallen müssen. [8] Auch ihr müßt Geduld haben! Faßt Mut; denn der Tag, an dem der Herr kommt, ist nahe. [9] Klagt nicht übereinander, Brüder; sonst muß Gott euch verurteilen. Der Richter steht schon vor der Tür. [10] Denkt an die Propheten, die im Auftrag des Herrn redeten. Nehmt euch ein Beispiel daran, wie geduldig sie ihre Leiden ertrugen. [11] Unvergängliche Freude ist ihnen gewiß, weil sie standhaft geblieben sind. Ihr habt gehört, wie geduldig Ijob war, und wißt, wie der Herr ihn am Ende belohnt hat. Der Herr ist voller Liebe und Erbarmen.

[12] Meine Brüder! Vor allem laßt das Schwören, wenn ihr irgend etwas beteuern wollt! Schwört weder beim Himmel noch bei der Erde, noch bei sonst etwas. Man muß sich auf euer einfaches Ja oder Nein verlassen können. Sonst verfallt ihr dem Gericht Gottes.

Das Gebet für die Kranken

[13] Hat einer von euch Schweres zu ertragen? Dann soll er beten. Ist jemand glücklich? Dann soll er Loblieder singen. [14] Ist einer von euch krank? Dann soll er die Ältesten* der Gemeinde rufen, damit sie für ihn beten und ihn im Namen des Herrn mit Öl salben. [15] Ihr vertrauensvolles Gebet wird den Kranken retten. Der Herr wird ihn gesund machen und wird ihm vergeben, wenn er Schuld auf sich geladen hat.

[16] Überhaupt soll jeder, der krank ist, den Brüdern seine Verfehlungen bekennen, und sie sollen für ihn beten; dann wird er gesund werden. Das Gebet eines Menschen, der so lebt, wie Gott es verlangt, kann viel bewirken. [17] Elija war ein Mensch wie wir. Er beschwor Gott im Gebet, es nicht regnen zu lassen, da fiel dreieinhalb Jahre kein Tropfen auf das Land. [18] Dann betete er noch einmal; da schenkte der Himmel Regen, und die Erde brachte wieder ihre Früchte hervor.

[19] Meine Brüder! Wenn einer von euch von der Wahr-

heit abirrt, dann seht zu, daß ihr ihn wieder auf den rechten Weg zurückbringt. [20] Denn ihr müßt wissen: Wer einen Sünder von seinem Irrweg abbringt, rettet ihn vor dem Tod und macht viele eigene Sünden gut.

DER ERSTE BRIEF DES APOSTELS PETRUS

Eingangsgruß

1 ¹⁻²Petrus, der Apostel* Jesu Christi, schreibt diesen Brief an alle Christen in Pontus, Galatien, Kappadozien, Asien* und Bithynien. Ihr lebt als Fremde in dieser Welt, mitten unter Ungläubigen. Denn Gott, der Vater, hat euch als sein Volk erwählt, wie er es von Anfang an beschlossen hatte. Er hat euch ausgesondert durch das Wirken des heiligen Geistes*, damit ihr euch Jesus Christus unterstellt und durch sein Blut rein gemacht werdet.

Ich bitte Gott, euch immer mehr mit Gnade und Frieden zu erfüllen!

Hoffnung auf eine herrliche Zukunft

³Gepriesen sei Gott, der Vater unseres Herrn Jesus Christus! In seinem großen Erbarmen hat er uns zum zweiten Mal geboren und mit einer lebendigen Hoffnung erfüllt. Diese Hoffnung hat ihren festen Grund darin, daß Jesus Christus vom Tod auferstanden ist. Sie richtet sich auf das neue Leben, ⁴das er schon jetzt im Himmel für euch bereithält als einen Besitz, der niemals vergeht oder verdirbt oder aufgezehrt wird. ⁵Wenn ihr ihm fest vertraut, wird er seine starke Hand über euch halten und euch bewahren, so daß ihr gerettet werdet und am Ende der Zeit das unvergängliche Leben bekommt, das er euch zugedacht hat.

⁶Deshalb seid ihr voll Freude, auch wenn ihr jetzt für kurze Zeit leiden müßt und auf die verschiedensten Proben gestellt werdet. ⁷Das geschieht nur, damit euer Vertrauen auf Gott sich bewähren kann. Wie das vergängliche Gold im Feuer auf seine Echtheit geprüft wird, so wird euer Vertrauen, das viel kostbarer ist als Gold, im Feuer des Leidens geprüft. Wenn es sich als echt erweist, wird Gott euch mit Ehre und Herrlichkeit belohnen an dem Tag, an dem Jesus Christus sich in seiner Herrlichkeit zeigt. ⁸Ihn liebt ihr, obwohl ihr ihn nie gesehen habt. Ihm

vertraut ihr, obwohl ihr ihn jetzt nicht sehen könnt. Darum seid ihr schon jetzt von unaussprechlicher Freude und seligem Jubel erfüllt. Denn ihr seid gewiß, ⁹daß euer Vertrauen euch die endgültige Rettung, das unvergängliche Leben, bringen wird.

¹⁰⁻¹¹Ihr wißt: Schon die Propheten haben angekündigt, welche Herrlichkeit euch durch Gottes Güte geschenkt werden soll. Der Geist* Christi war schon in ihnen wirksam und zeigte ihnen im voraus die Leiden, die Christus erdulden mußte, und die Herrlichkeit, die ihm daraufhin zuteil wurde. Sie haben eifrig gesucht und geforscht, um herauszufinden, wann und wie dies alles eintreffen würde. ¹²Gott aber ließ sie erkennen, daß sie ihre Offenbarungen nicht für sich selbst empfangen hatten, sondern für euch. Und euch ist dies alles jetzt verkündet worden durch die Boten der Guten Nachricht, die von Gott dafür mit dem heiligen Geist ausgerüstet worden sind. Sogar die Engel* brennen darauf, etwas von diesem Geheimnis zu erfahren.

Aufruf zu einem Leben, das Gott gefällt

¹³Darum haltet euch bereit und bleibt nüchtern! Setzt eure ganze Hoffnung auf das, was Gott euch schenken wird, wenn Jesus Christus sich uns in seiner Herrlichkeit zeigt. ¹⁴Seid Gott gehorsam und lebt nicht mehr euren selbstsüchtigen Wünschen wie damals, als ihr die Wahrheit noch nicht kanntet. ¹⁵⁻¹⁶In allem, was ihr tut, sollt ihr euch als Menschen erweisen, die Gott ausgesondert hat, damit sie ihm gehören. Denn er, der euch berufen hat, hat gesagt: »Ich bin heilig; darum sollt auch ihr heilig sein.«

¹⁷Ihr nennt Gott ›Vater‹, wenn ihr zu ihm betet. Aber denkt daran, daß er alle Menschen ohne Unterschied zur Rechenschaft ziehen wird für das, was sie getan haben. Führt darum ein Leben im Gehorsam gegen ihn, solange ihr noch hier in der Fremde seid. ¹⁸Ihr wißt, um welchen Preis ihr freigekauft worden seid, damit ihr nun nicht mehr ein so sinn- und nutzloses Leben führen müßt, wie ihr es von euren Vorfahren übernommen habt. Nicht mit Silber und Gold seid ihr freigekauft worden – sie verlieren ihren Wert –, ¹⁹sondern mit dem kostbaren Blut eines reinen und fehlerlosen Opferlammes, dem Blut Christi. ²⁰Ihn hatte Gott schon zum Retter bestimmt, bevor er die

Welt schuf. Jetzt aber, am Ende der Zeit, ist er euretwegen in die Welt gekommen. ²¹Durch ihn habt ihr zum Glauben gefunden an den, der ihn vom Tod erweckt und ihm göttliche Herrlichkeit gegeben hat. Und nun setzt ihr euer ganzes Vertrauen und eure ganze Hoffnung auf Gott. ²²Ihr habt euch der rettenden Botschaft Gottes im Gehorsam unterstellt und seid dadurch fähig geworden, eure Brüder aufrichtig zu lieben. Liebt einander auch wirklich von ganzem Herzen! ²³Ihr seid doch neue Menschen geworden, zum zweiten Mal geboren, aber diesmal nicht gezeugt durch den Samen von sterblichen Menschen, sondern durch das Wort Gottes, das lebt und für immer bestehen bleibt. ²⁴Es heißt ja: »Die Menschen sind vergänglich wie das Gras. Mit all ihrer Herrlichkeit ergeht es ihnen nicht anders als den Blumen auf der Wiese. Das Gras verdorrt, und die Blumen verwelken; ²⁵aber das Wort des Herrn bleibt für immer in Kraft.«

Und eben dieses Wort ist euch als die Gute Nachricht verkündet worden.

Der lebendige Stein und das heilige Volk

2 Macht darum Schluß mit allem, was unrecht ist. Hört auf zu lügen und euch zu verstellen, andere zu beneiden oder schlecht über sie zu reden. ²Wie neugeborene Kinder nach Milch schreien, so sollt ihr nach dem unverfälschten Wort Gottes verlangen, um im Glauben zu wachsen und das Ziel, eure Rettung, zu erreichen. ³Ihr habt doch schon gekostet, wie gütig Christus, der Herr, ist.

⁴Kommt zu ihm! Er ist der lebendige Stein, von dem es heißt: »Die Menschen haben ihn als unbrauchbar weggeworfen; aber Gott hat ihn als den wertvollsten Stein ausgesucht.« ⁵Laßt euch selbst als lebendige Steine in den Tempel einfügen, den der Geist* Gottes baut. Laßt euch von Jesus Christus fähig machen, Gott als seine Priester euer Leben als ein Opfer darzubringen, das ihm Freude macht. ⁶In den heiligen Schriften* heißt es:

»Ich lege auf dem Zionsberg einen Stein,
einen ausgesuchten, wertvollen Grundstein.
Wer sich auf ihn verläßt,
wird nicht untergehen.«

⁷ Wertvoll ist dieser Stein für euch, die ihr Jesus Christus als euren Herrn angenommen habt. Aber für die, die ihn ablehnen, gilt:

»Der Stein, den die Bauleute weggeworfen haben,
weil sie ihn für unbrauchbar hielten,
der ist zum tragenden Stein geworden.
⁸ An ihm stoßen sich die Menschen.
Er ist zum Felsblock geworden,
an dem sie zu Fall kommen.«

An ihm stoßen sich alle, die dem Wort Gottes nicht gehorchen. Doch so hatte es Gott für sie bestimmt.

⁹ Ihr aber seid das erwählte Volk, ein Volk von Königen, die Gott als Priester dienen, ein heiliges Volk, das Gott selbst gehört. Er hat euch aus der Dunkelheit in sein wunderbares Licht gerufen, damit ihr seine machtvollen Taten verkündet. ¹⁰ Früher wart ihr nicht Gottes Volk; aber jetzt seid ihr das Volk, das Gott gehört. Früher galt euch nicht das Erbarmen Gottes; aber jetzt habt ihr sein Erbarmen erfahren.

Frei zum Tun des Guten

¹¹ Meine Freunde, denkt daran, daß ihr Gäste und Fremde in dieser Welt seid! Darum gebt den Leidenschaften nicht nach, die ständig mit eurem guten Willen im Streit liegen und euch zerstören wollen. ¹² Euer Leben mitten unter den Menschen, die Gott nicht kennen, darf zu keinem Tadel Anlaß geben. Wenn sie euch alles mögliche Böse nachsagen, sollen eure guten Taten sie eines Besseren belehren. Vielleicht kommen sie dann zur Besinnung und preisen Gott dafür am Tag seines Gerichts.

¹³ Fügt euch um des Herrn willen jeder von Menschen gesetzten Ordnung. Ordnet euch dem Kaiser unter, der an höchster Stelle steht, ¹⁴ und ebenso seinen Vertretern, die er eingesetzt hat, um jeden zu bestrafen, der Unrecht tut, aber den, der das Rechte tut, mit Anerkennung zu belohnen. ¹⁵ Denn Gott will, daß ihr durch eure guten Taten alle Verleumdungen zum Schweigen bringt, die aus Dummheit und Unwissenheit gegen euch vorgebracht werden. ¹⁶ Erweist euch darin als Menschen, die Christus frei gemacht hat, und mißbraucht eure Freiheit nicht, um ein zuchtloses Handeln damit zu entschuldigen. Denkt daran, daß ihr

jetzt Gott gehört. [17]Achtet alle Menschen! Liebt eure Glaubensbrüder! Fürchtet Gott! Ehrt den Kaiser!

Christus als Beispiel

[18]Ihr Sklaven*, ordnet euch euren Herren unter und erweist ihnen den schuldigen Respekt, nicht nur den guten und freundlichen, sondern auch den launischen. [19]Es ist eine Gnade Gottes, wenn jemand ohne Schuld nur deshalb leidet, weil er im Gewissen an Gott gebunden ist. [20]Habt ihr etwa Grund, euch zu rühmen, wenn ihr ein Unrecht begangen habt und dafür geschlagen werdet? Aber wenn ihr das Rechte getan habt und dafür leiden müßt, ist das eine Gnade von Gott. [21]Und eben dazu hat er euch berufen.

Ihr wißt doch: Christus hat für euch gelitten und euch ein Beispiel gegeben. Bleibt auf dem Weg, den er euch voranging; folgt seinen Spuren! [22]Von ihm heißt es: »Er hat kein Unrecht getan; nie ist ein unwahres Wort aus seinem Mund gekommen.« [23]Wenn er beleidigt wurde, gab er es nicht zurück. Wenn er leiden mußte, drohte er nicht mit Vergeltung, sondern vertraute darauf, daß Gott ihm zu seinem Recht verhelfen würde. [24]Alle unsere Sünden hat er am eigenen Leib ans Kreuz hinaufgetragen. Damit sind wir von den Sünden befreit und können nun für das Gute leben. Denkt daran: »Durch seine Wunden sind wir geheilt worden.« [25]Ihr wart wie Schafe, die sich verlaufen haben; jetzt aber seid ihr auf den rechten Weg zurückgebracht worden und folgt dem Hirten, der euch leiten und schützen wird.

Anweisungen für Eheleute

3 Für euch Frauen gilt dieselbe Regel: Ihr müßt euch euren Männern unterordnen. Dann werden die von ihnen, die sich dem Wort der Botschaft verschließen, durch euer Beispiel auch ohne Wort für den Glauben gewonnen. Sie werden überzeugt werden, [2]wenn sie sehen, daß ihr ihnen Respekt erweist und ein vorbildliches Leben führt.

[3]Putzt euch nicht äußerlich heraus mit aufwendigen Frisuren, kostbarem Schmuck oder prächtigen Kleidern. [4]Eure Schönheit soll von innen kommen: Freundlichkeit

und Herzensgüte sind der unvergängliche Schmuck, der in Gottes Augen Wert hat. ⁵Auf diese Weise haben sich auch früher die frommen Frauen geschmückt, die ihre Hoffnung auf Gott setzten. Sie haben sich ihren Männern untergeordnet, ⁶wie zum Beispiel Sara, die Abraham gehorchte und ihn ihren ›Herrn‹ nannte. Ihre Töchter seid ihr, wenn ihr das Rechte tut und euch davon durch keine Drohung abbringen laßt.

⁷Ihr Männer müßt euch entsprechend verhalten. Seid rücksichtsvoll zu euren Frauen! Bedenkt, daß sie der schwächere Teil sind. Achtet und ehrt sie; denn Gott schenkt ihnen das ewige Leben genauso wie euch. Handelt so, daß nichts euren Gebeten im Weg steht.

Für die Gerechtigkeit leiden

⁸Euch allen schließlich sage ich: Haltet in derselben Gesinnung zusammen und habt Mitgefühl füreinander. Liebt einander als Brüder und Schwestern! Seid gütig und zuvorkommend zueinander! ⁹Vergeltet Böses nicht mit Bösem, und gebt Beleidigungen nicht wieder zurück! Im Gegenteil, segnet eure Beleidiger, so gewiß Gott euch dazu berufen hat, in der kommenden Welt die Fülle seines Segens zu empfangen. ¹⁰In den heiligen Schriften* heißt es:

»Wer nach dem wahren Leben verlangt
und glückliche Tage erleben will,
der nehme seine Zunge gut in acht,
daß er nichts Schlechtes und Hinterhältiges sagt.
¹¹ Er kehre sich ab vom Bösen und tue das Gute.
Er mühe sich mit ganzer Kraft darum,
mit allen Menschen in Frieden zu leben.
¹² Denn der Herr hat ein offenes Auge für die,
die das Rechte tun,
und ein offenes Ohr für ihre Bitten.
Aber er wendet sich gegen alle, die Böses tun.«

¹³Kann euch überhaupt jemand Böses antun, wenn ihr euch darum bemüht, das Gute zu tun? ¹⁴Wenn ihr aber trotzdem leiden müßt, weil ihr tut, was Gott will, dürft ihr euch glücklich preisen. Habt keine Angst vor Menschen; laßt euch nicht irremachen! ¹⁵Ehrt Christus in euren Herzen als euren Herrn! Seid immer bereit, Rede und Antwort zu stehen, wenn jemand fragt, warum ihr so von

Hoffnung erfüllt seid. ¹⁶Antwortet freundlich und mit dem gebotenen Respekt – in dem Bewußtsein, daß ihr euch nichts vorzuwerfen habt. Dann werden alle beschämt sein, die euch verleumden. ¹⁷Und wenn Gott es anders beschlossen hat, ist es doch besser, für gute Taten zu leiden als für schlechte.

¹⁸Auch Christus hat ja für die Sünden der Menschen gelitten, der Schuldlose für die Schuldigen, und dies ein für allemal. Damit hat er euch den Weg zu Gott frei gemacht. Als einer, der zu den Menschen gehörte, wurde er getötet. Als einer, der zu Gott gehörte, wurde er lebendig gemacht. ¹⁹Er ging auch zu den Geistern, die in der Totenwelt* gefangengehalten werden, und verkündete ihnen die Gute Nachricht. ²⁰Sie waren ungehorsam gewesen zur Zeit Noachs, als Gott in seiner Geduld mit der Strafe noch zuwartete, solange Noach die Arche* baute. Nur wenige Menschen, nämlich acht, wurden durch das Wasser gerettet, das die Arche trug. ²¹Das ist ein Hinweis auf das Wasser der Taufe, die euch jetzt rettet. Denn der Sinn der Taufe ist ja nicht, daß der Körper vom Schmutz gereinigt wird. Wer sich taufen läßt, bittet damit Gott, sein Gewissen von aller Schuld zu reinigen. Das ist möglich, weil Jesus Christus von den Toten auferstanden ist und jetzt den Ehrenplatz an Gottes rechter Seite eingenommen hat. ²²Er ist zum Himmel aufgestiegen und hat sich dabei alle Engel und himmlischen Mächte* unterworfen.

Ein neues Leben

4 Ihr wißt, daß Christus körperliche Qualen gelitten hat. Macht euch seine Gesinnung zu eigen und seid zum Leiden bereit; denn erst wer körperlich leidet, hat wirklich mit der Sünde Schluß gemacht. ²Wenn ihr dem Beispiel Christi folgt, dann laßt ihr euch für die Zeit, die ihr noch in dieser Welt lebt, vom Willen Gottes leiten und nicht von menschlichen Leidenschaften fortreißen. ³Ihr habt euch lange genug an dem Treiben der Menschen beteiligt, die Gott nicht kennen; ihr habt euch hemmungsloser Gier und Ausschweifung hingegeben, habt an wüsten Freß- und Saufgelagen teilgenommen und an einem abscheulichen Götzendienst. ⁴Jetzt wundern sich die anderen, daß ihr bei ihrem zügellosen Treiben nicht mehr mit-

macht, und beschimpfen euch deswegen. ⁵Aber sie werden sich vor dem verantworten müssen, der schon bereitsteht, um über die Lebenden und die Toten das Urteil zu sprechen. ⁶Deshalb wurde sogar den schon Verstorbenen die Gute Nachricht verkündet, damit sie wie alle Menschen für ihre Taten zur Rechenschaft gezogen werden können, aber auch die Möglichkeit erhalten, zum Leben bei Gott zu gelangen.

Gute Verwalter der Gaben Gottes

⁷Das Ende der Welt ist nahe. Bleibt besonnen und nüchtern, damit ihr beten könnt. ⁸Vor allem laßt nicht nach in der Liebe zueinander. Denn die Liebe macht viele Sünden wieder gut. ⁹Nehmt einander gastfreundlich auf, ohne darüber zu klagen. ¹⁰Fördert euch gegenseitig, jeder mit der Gabe, die Gott ihm geschenkt hat. Dann seid ihr gute Verwalter der reichen Gaben Gottes. ¹¹Wenn einer die Gabe der Rede hat, soll Gott durch ihn zu Wort kommen. Wenn einer die Gabe der helfenden Tat hat, soll er aus der Kraft handeln, die Gott ihm gibt. Alles, was ihr tut, soll durch Jesus Christus zur Ehre Gottes geschehen. Ihm gehört die Herrlichkeit und die Macht für alle Zeiten! Amen.

Mit Christus leiden

¹²Meine lieben Freunde, wundert euch nicht über die harte Probe, die wie ein Feuersturm über euch gekommen ist. Sie kann euch nicht unerwartet treffen; ¹³denn ihr leidet ja nur etwas von dem mit, was Christus gelitten hat. Freut euch darüber, denn ihr sollt auch an seiner Herrlichkeit Anteil bekommen – und dann werdet ihr erst recht von Freude und Jubel erfüllt sein. ¹⁴Ihr dürft euch glücklich preisen, wenn ihr beschimpft werdet, weil ihr euch zu Christus bekennt; denn dann ist der Geist* Gottes bei euch, in dem Gottes Herrlichkeit* gegenwärtig ist.

¹⁵Wenn einer von euch leiden muß, darf es nicht deshalb sein, weil er einen Mord oder Diebstahl oder sonst ein Verbrechen begangen hat oder weil er sich in die Angelegenheiten anderer Leute einmischt. ¹⁶Aber wenn er leidet, weil er ein Christ ist, braucht er sich nicht zu schä-

men. Er soll sich ohne Scheu zum Christennamen bekennen und Gott damit ehren.

[17] Die Zeit ist da für das Gericht Gottes, und es nimmt
seinen Anfang bei seiner Gemeinde. Wenn es aber bei uns
anfängt, wie wird es dann am Ende denen ergehen, die
Gottes Gute Nachricht ablehnen? [18] In den heiligen
Schriften* heißt es: »Sogar wer Gott gehorcht, wird nur
mit knapper Not gerettet. Was wird dann aus dem Sünder,
der Gott verachtet?« [19] Wer also nach dem Willen Gottes
zu leiden hat, soll sich ganz seinem Schöpfer anvertrauen
und nicht davon ablassen, das Rechte zu tun.

Die Gemeinde Gottes

5 Ich bin selbst Ältester* der Gemeinde, und ich habe
teil an den Leiden Christi wie an seiner Herrlichkeit,
die bald sichtbar werden wird. [2] Deshalb ermahne ich
euch: Leitet die Gemeinde, die Herde Gottes, als rechte
Hirten! Gott will, daß ihr euch aus innerem Antrieb um
sie kümmert und nicht nur, weil es eure Pflicht ist. Tut es
mit Lust und Liebe und nicht, um euch zu bereichern!
[3] Betrachtet euch nicht als Herrscher über die Herde, die
euch anvertraut ist, sondern gebt ihr ein Vorbild! [4] Dann
werdet ihr, wenn der oberste Hirt kommt, den Ehren-
kranz erhalten, der nie verwelkt: das Leben in unvergäng-
licher Herrlichkeit.

[5] Euch Jüngeren sage ich: Ordnet euch den Ältesten
unter. Überhaupt müßt ihr – das sage ich allen – im Umgang miteinander jede Überheblichkeit ablegen. Es heißt
doch: »Gott widersetzt sich den Überheblichen, aber denen, die gering von sich denken, wendet er seine Liebe
zu.«

[6] Beugt euch also unter Gottes starke Hand, damit er
euch wieder aufrichten kann, wenn seine Zeit kommt.
[7] Ladet alle eure Sorgen auf ihn ab, denn er sorgt für euch.
[8] Seid wachsam und nüchtern! Euer Feind, der Teufel,
schleicht um die Herde wie ein hungriger Löwe. Er wartet
nur darauf, daß er einen von euch verschlingen kann.
[9] Leistet ihm Widerstand und haltet unbeirrt am Glauben
fest. Denkt daran, daß eure Brüder in der ganzen Welt
dasselbe durchmachen müssen wie ihr.

[10] Gott läßt euch jetzt für eine kurze Zeit leiden; aber er

hat euch durch Jesus Christus dazu berufen, für immer in seiner Herrlichkeit zu leben. In seiner großen Güte wird er euch Kraft geben, so daß euer Glaube stark und fest bleibt und ihr nicht zu Fall kommt. [11]Ihm gehört die Macht für alle Zeiten. Das ist gewiß!

Abschließende Grüße

[12]Ich habe euch diesen kurzen Brief mit Hilfe von Silvanus geschrieben, den ich als treuen Bruder schätze. Ich wollte euch ermutigen und euch bezeugen, daß ihr gerade in eurem Leiden die wahre Gnade Gottes erlebt. Bleibt fest in dieser Gnade!

[13]Eure Schwestergemeinde hier in Babylon°, die so wie ihr von Gott erwählt wurde, grüßt euch; ebenso mein Sohn Markus. [14]Grüßt einander mit dem Bruderkuß*.

Euch allen, die ihr mit Christus verbunden seid, schenke Gott seinen Frieden!

DER ZWEITE BRIEF DES APOSTELS PETRUS

Eingangsgruß

1 Simon Petrus, der Jesus Christus als Apostel* dient, schreibt diesen Brief an alle, die nach dem Willen unseres Gottes und Retters Jesus Christus den gleichen kostbaren Glauben empfangen haben wie wir Apostel selbst: ²Ich bitte Gott, euch reich mit seiner Gnade und seinem Frieden zu beschenken! Das wird geschehen, wenn ihr ihn und Jesus Christus, unseren Herrn, immer besser erkennt.

Ein Ziel, das jede Mühe wert ist

³Durch seine göttliche Macht hat Jesus Christus uns alles geschenkt, was wir für ein Gott wohlgefälliges Leben brauchen. Er hat uns berufen und gab sich uns zu erkennen in seiner Herrlichkeit und wunderwirkenden Kraft. ⁴Durch ihn haben wir wertvolle, unüberbietbare Zusagen erhalten: Wir sollen dem Tod entrinnen, dem diese Welt* durch ihre Leidenschaften verfallen ist, und an seiner göttlichen Unsterblichkeit teilhaben.

⁵Setzt deshalb alles daran, mit eurem Glauben Charakterfestigkeit zu verbinden, mit der Charakterfestigkeit die Einsicht; ⁶mit der Einsicht die Selbstbeherrschung, mit der Selbstbeherrschung die Standhaftigkeit, mit der Standhaftigkeit die Ehrfurcht vor Gott, ⁷mit der Ehrfurcht vor Gott die Liebe zu den Brüdern, und mit ihr die Liebe zu allen Menschen. ⁸Wenn ihr dies alles habt und ständig darin zunehmt, seid ihr davor bewahrt, daß eure Erkenntnis unseres Herrn Jesus Christus unfruchtbar und unwirksam ist. ⁹Wer dagegen all das nicht hat, der kennt auch unseren Herrn nicht. Er hat völlig vergessen, was es bedeutet, daß seine früheren Sünden abgewaschen worden sind.

¹⁰Meine Brüder, Jesus Christus hat euch erwählt und berufen. Setzt alles daran, daß ihr euch dessen würdig erweist! Dann werdet ihr nie vom rechten Weg abkommen,

[11] und Gott bereitet euch einen herrlichen Empfang in dem ewigen Reich unseres Herrn und Retters Jesus Christus.

Unsere Hoffnung ist fest gegründet

[12] Weil ihr ein so herrliches Ziel zu erreichen habt, erinnere ich euch immer wieder daran. Ihr wißt zwar Bescheid und seid fest in der Wahrheit gegründet, die euch bekanntgemacht worden ist. [13] Aber ich halte es für meine Pflicht, euch zu erinnern und euch wach zu halten, solange ich noch bei euch lebe. [14] Denn ich weiß, daß ich das Zelt meines Körpers bald verlassen werde; unser Herr Jesus Christus hat es mir angekündigt. [15] Darum beeile ich mich und sorge vor, damit ihr diese Dinge auch nach meinem Tod nicht vergeßt.

[16] Wir haben uns nicht auf geschickt erfundene Märchen gestützt, als wir euch das Kommen unseres Herrn Jesus Christus in Macht und Herrlichkeit bekanntmachten. Wir haben mit eigenen Augen seine göttliche Hoheit gesehen, [17] als er von Gott, seinem Vater, geehrt und verherrlicht wurde. Gott, der die höchste Macht hat, sagte zu ihm: »Dies ist mein Sohn*, ihm gilt meine Liebe, ihn habe ich erwählt.« [18] Als wir mit ihm auf dem heiligen Berg waren, haben wir diese Stimme vom Himmel gehört.

[19] Durch dieses Erlebnis wissen wir noch sicherer, daß die Voraussagen der Propheten zuverlässig sind, und ihr tut gut daran, auf sie zu achten. Ihre Botschaft ist für euch wie eine Lampe, die in der Dunkelheit brennt, bis der Tag anbricht und das Licht des Morgensterns* eure Herzen hell macht. [20] Denkt aber daran: Keine Voraussage in den heiligen Schriften* läßt sich mit dem eigenen Verstand deuten; [21] denn die Botschaft der Propheten ist nicht von Menschen gemacht. Die Propheten sind vom Geist* Gottes ergriffen worden und haben gesagt, was Gott ihnen eingab.

Falsche Lehrer und ihre Bestrafung

2 Aber genauso wie im Volk Israel falsche Propheten aufgetreten sind, werden auch unter euch falsche Lehrer auftreten, die gefährliche Irrlehren verkünden. Durch ihr Verhalten werden sie den Herrn verraten, der

sie freigekauft hat. Dafür werden sie ganz plötzlich vernichtet werden. ²Doch viele werden dem Beispiel ihres
ausschweifenden Lebens folgen. Wegen dieser falschen
Lehrer wird die wahre Lehre in Verruf geraten. ³In ihrer
Habgier werden sie erfundene Geschichten vortragen, um
daraus Gewinn zu ziehen. Aber ihre Bestrafung ist bei
Gott schon seit langem beschlossene Sache; ihr Untergang wird nicht auf sich warten lassen.

⁴Gott hat ja auch die Engel*, die sich gegen ihn vergangen hatten, nicht geschont, sondern sie in die Hölle geworfen. Dort liegen sie gefesselt in der Finsternis und warten
auf den Tag des Gerichts. ⁵Er hat auch die alte Welt zur
Zeit Noachs nicht geschont, sondern hat die große Flut
über die Welt der sündigen Menschen kommen lassen.
Nur acht hat er gerettet: Noach, der die Menschen zum
Gehorsam gegen Gott aufgerufen hatte, und sieben andere mit ihm. ⁶Auch die Städte Sodom und Gomorra hat
Gott verurteilt und sie in Schutt und Asche sinken lassen.
Er hat an diesem Beispiel gezeigt, wie es allen Sündern ergehen wird. ⁷Nur einen hat er gerettet: den rechtschaffe-
nen Lot, der unter dem zügellosen Leben seiner Mitbürger zu leiden hatte. ⁸Denn täglich mußte er unter diesen
Menschen Dinge sehen und hören, die ihm Qualen bereiteten.

⁹Der Herr weiß, wie er die, die ihn ehren, aus der Bedrängnis rettet. Aber alle, die Unrecht tun, haben am Tag
des Gerichts ihre Strafe zu erwarten. ¹⁰Besonders hart
werden die bestraft, die ihren schmutzigen Begierden folgen und keinen Herrn über sich anerkennen wollen.

Abrechnung mit den falschen Lehrern

Diese falschen Lehrer sind frech und anmaßend. Sie haben keine Hemmungen, überirdische Mächte* zu verspot-
ten. ¹¹Sogar Engel, die noch stärker und mächtiger sind
als diese Mächte, bringen vor Gott keine beleidigenden
Anklagen gegen sie vor. ¹²Aber diese falschen Lehrer
handeln unvernünftig wie die wilden Tiere, die nur geboren werden, damit man sie fängt und tötet. Sie beschimpfen das, wovon sie keine Ahnung haben. Sie werden auch
wie wilde Tiere vernichtet werden. ¹³Das Böse, das sie taten, wird ihnen mit gleicher Münze heimgezahlt.

Sie lieben es, schon am hellen Tag zu schlemmen. Sie sind Schmutz- und Schandflecken, die es genießen, ihre verführerischen Lehren auszubreiten, wenn sie an euren Tischen schmausen. ¹⁴ Ihre Augen hängen voll Begehrlichkeit an jeder Frau; ihr Verlangen zu sündigen ist unersättlich. Sie verführen schwache Menschen. In der Geldgier sind sie unersättlich. Ihre Strafe ist ihnen sicher! ¹⁵ Sie sind vom Weg abgekommen und haben die Richtung verloren; sie sind dem Weg gefolgt, den Bileam, der Sohn Beors, gegangen ist. Er liebte das Geld, das er für seine schlechte Tat erhalten sollte; ¹⁶ aber er wurde wegen seines Ungehorsams bestraft. Ein Tier, das doch eigentlich nicht reden kann, sprach mit menschlicher Stimme und hinderte den Propheten daran, sein unsinniges Vorhaben auszuführen.

¹⁷ Diese Menschen sind wie Quellen, die kein Wasser geben, wie Wolken ohne Regen, die der Wind auseinandertreibt. Gott hat ihnen einen Platz in der tiefsten Finsternis bestimmt. ¹⁸ Sie reden hochtrabende, leere Worte und ziehen durch die Verlockungen eines ausschweifenden Lebens Menschen an sich, die eben erst mit knapper Not dem Leben im Irrtum entkommen sind. ¹⁹ Sie versprechen anderen die Freiheit und sind doch selbst Sklaven der Vergänglichkeit. Denn jeder ist ein Sklave dessen, der ihn besiegt hat. ²⁰ Sie haben unseren Herrn und Retter Jesus Christus kennengelernt und waren mit seiner Hilfe schon einmal aus der Verstrickung in den Schmutz der Welt* freigekommen. Aber dann sind sie wieder von ihren alten Gewohnheiten eingefangen und besiegt worden. Darum sind sie am Schluß weit schlimmer dran als zuvor. ²¹ Es wäre besser gewesen, sie hätten den rechten Weg nie kennengelernt, anstatt ihn kennenzulernen und sich danach wieder von der göttlichen Weisung abzuwenden, die ihnen weitergegeben wurde. ²² Es ist ihnen ergangen, wie das Sprichwort sagt: »Der Hund frißt wieder, was er erbrochen hat.« Oder wie ein anderes Sprichwort sagt: »Die gewaschene Sau wälzt sich wieder im Dreck.«

Der Herr wird wiederkommen

3 Meine Freunde, das ist schon der zweite Brief, den ich euch schreibe. In beiden habe ich versucht, euch wachzurütteln, damit ihr zur Besinnung kommt. ² Erinnert

euch an das, was die heiligen Propheten vorausgesagt haben, und ebenso an das, was euch die Apostel* im Auftrag unseres Herrn und Retters verkündet haben.

³ Ihr müßt euch vor allem darüber im klaren sein: Bevor
es mit der Welt zu Ende geht, werden Menschen auftreten, die nur ihren eigenen Trieben folgen. Sie werden sich
über euch lustig machen ⁴ und sagen: »Er hat doch versprochen wiederzukommen! Wo bleibt er denn? Inzwischen sind unsere Väter gestorben; aber alles ist noch so,
wie es seit Beginn der Welt war!«

⁵ Sie wollen nicht wahrhaben, daß es schon einmal
einen Himmel und eine Erde gab. Gott hatte sie durch
sein Wort geschaffen. Die Erde war aus dem Wasser aufgestiegen, und auf dem Wasser ruhte sie. ⁶ Und durch
Wasser wurde sie auch zerstört: durch die große Flut.
⁷ Ebenso ist es mit der jetzigen Welt: sie besteht nur so
lange, wie Gott es bestimmt hat. Wenn der Tag des Gerichts da ist, wird sie durch Feuer untergehen, und mit ihr
alle, die Gott nicht gehorcht haben.

⁸ Meine Freunde, ihr dürft eines nicht übersehen: Beim
Herrn gilt ein anderes Zeitmaß als bei uns Menschen. Ein
Tag ist für ihn wie tausend Jahre, und tausend Jahre wie
ein einziger Tag. ⁹ Der Herr erfüllt seine Zusagen nicht zö-
gernd, wie manche meinen. Im Gegenteil: er hat Geduld
mit euch, weil er nicht will, daß einige zugrunde gehen. Er
möchte, daß alle Gelegenheit finden, von ihrem falschen
Weg umzukehren.

Ein neuer Himmel und eine neue Erde

¹⁰ Doch der Tag des Herrn kommt unvorhergesehen wie
ein Dieb. Dann werden die Himmel* im Feuersturm vergehen, die Himmelskörper im Feuer verglühen und die
Erde und alles, was auf ihr ist, wird zerschmelzen.°
¹¹ Wenn ihr bedenkt, daß alles auf diese Weise vergehen
wird, was für ein Ansporn muß das für euch sein, ein Leben zu führen, das Gott gefällt! ¹²⁻¹³ Lebt in der Erwartung des großen Tages, den Gott heraufführen wird. Tut
das Eure dazu, daß er bald kommen kann. Denn nur deshalb werden die Himmel in Flammen vergehen und die
Himmelskörper zerschmelzen, damit Gott Neues schaffen
kann. Gott hat uns einen neuen Himmel und eine neue

Erde versprochen. Dort wird es kein Unrecht mehr geben, weil Gottes Wille regiert. Auf diese neue Welt warten wir.

Ermutigung und Warnung

[14] Meine Freunde, weil ihr darauf wartet, darum setzt auch
alles daran, daß ihr in Frieden mit dem Herrn lebt. Bemüht euch, rein und fehlerlos vor ihm zu stehen, wenn er
kommt. [15] Begreift doch: Er zögert nur aus Geduld, damit
ihr gerettet werdet. Genau das hat euch auch unser lieber
Bruder Paulus geschrieben, dem Gott viel Weisheit gegeben hat. [16] Er sagt das in allen seinen Briefen, wenn er
über dieses Thema schreibt. Doch gibt es in ihnen auch
einige schwierige Stellen. Sie werden von unverständigen
und haltlosen Leuten mißdeutet. Aber so verfahren diese
Leute ja auch mit den übrigen heiligen Schriften*. Sie
schaufeln sich damit ihr eigenes Grab.

[17] Meine Freunde, ich habe euch im voraus gewarnt.
Seid auf der Hut und laßt euch von den Täuschungsversu-
chen gewissenloser Menschen nicht in die Irre führen!
Sonst verliert ihr den Halt und stürzt ab. [18] Lebt mehr und
mehr aus der Gnade unseres Herrn und Retters Jesus
Christus und lernt ihn immer tiefer erkennen. Gepriesen
sei er jetzt und in Ewigkeit! Amen.

DER ERSTE BRIEF VON JOHANNES

Das lebenbringende Wort

1 Es war von allem Anfang an da, und wir haben es gehört und mit eigenen Augen gesehen, wir haben es angeschaut und mit unseren Händen betastet: das Wort*, das Leben bringt. ²Das Leben selbst ist sichtbar geworden, und wir haben es gesehen. Wir sind Zeugen dafür und berichten euch von dem ewigen Leben, das beim Vater war und uns enthüllt worden ist. ³Was wir gesehen und gehört haben, geben wir an euch weiter. Wir wollen, daß ihr mit uns verbunden seid und durch uns mit dem Vater und mit seinem Sohn* Jesus Christus. ⁴Dann würde an unserer Freude nichts mehr fehlen, und deshalb schreiben wir diesen Brief.

Gott ist Licht

⁵Jesus hat uns die Botschaft gebracht, die wir euch weitergeben: Gott ist Licht; in ihm gibt es keine Spur von Finsternis. ⁶Wenn wir behaupten, mit Gott verbunden zu sein, und gleichzeitig im Dunkeln leben, dann lügen wir, und unser ganzes Leben ist unwahr. ⁷Leben wir aber im Licht, so wie Gott im Licht ist, dann sind wir miteinander verbunden, und das Blut, das sein Sohn* Jesus für uns vergossen hat, befreit uns von jeder Schuld.

⁸Wenn wir behaupten, ohne Schuld zu sein, betrügen wir uns selbst, und die Wahrheit lebt nicht in uns. ⁹Wenn wir aber unsere Schuld eingestehen, dürfen wir uns darauf verlassen, daß Gott Wort hält: Er wird uns dann unsere Verfehlungen vergeben und alle Schuld von uns nehmen, die wir auf uns geladen haben. ¹⁰Wenn wir behaupten, nie schuldig geworden zu sein, machen wir Gott zum Lügner, und sein Wort lebt nicht in uns.

Christus ist unser Helfer

2 Meine Kinder, ich schreibe euch dies, damit ihr kein Unrecht tut. Sollte aber jemand schuldig werden, so

haben wir einen, der ohne Schuld ist und beim Vater für uns eintritt: Jesus Christus. [2] Weil er sich für uns geopfert hat, kann unsere Schuld, ja sogar die Schuld der ganzen Welt vergeben werden.

[3] Wenn wir Gott gehorchen, können wir gewiß sein, daß wir ihn kennen. [4] Wer behauptet, ihn zu kennen, ihm aber nicht gehorcht, der ist ein Lügner, und die Wahrheit lebt nicht in ihm. [5] Wer aber Gottes Wort befolgt, bei dem hat die Liebe Gottes ihr Ziel erreicht. Daran erkennen wir, daß wir mit ihm verbunden sind. [6] Wer behauptet, ständig mit ihm verbunden zu sein, muß so leben, wie Jesus gelebt hat.

Das neue Gebot

[7] Meine lieben Freunde, ich verkünde euch kein neues Gebot, sondern das alte. Es ist die Botschaft, die ihr gleich zu Anfang gehört habt und seitdem kennt. [8] Und doch ist es auch ein neues Gebot, weil seine Wahrheit sich an Christus und an euch erweist; denn die Dunkelheit nimmt ab, und das wahre Licht leuchtet schon.

[9] Wer behauptet, im Licht zu leben, aber seinen Bruder haßt, der ist immer noch im Dunkeln. [10] Nur wer seinen Bruder liebt, lebt wirklich im Licht. In ihm ist nichts, wodurch er zu Fall kommen könnte. [11] Wer aber seinen Bruder haßt, der lebt in der Dunkelheit. Er tappt im Dunkeln und hat die Richtung verloren; denn die Dunkelheit hat ihn blind gemacht.

[12] Meine Kinder, ich schreibe euch, um euch daran zu erinnern, daß eure Schuld vergeben ist. Das verbürgt der Name Jesus Christus. [13] Ihr Väter, ich erinnere euch daran, daß ihr den erkannt habt, der von allem Anfang an da ist. Und euch, ihr jungen Leute, erinnere ich daran, daß ihr den Satan besiegt habt.

[14] Meine Kinder, ich erinnere euch daran, daß ihr den Vater erkannt habt. Euch, ihr Väter, erinnere ich daran, daß ihr den kennt, der von allem Anfang an da ist. Und euch, ihr jungen Leute, daß ihr Kraft empfangen habt; denn das Wort Gottes ist in euch lebendig, und ihr habt den Satan besiegt.

[15] Ihr sollt die Welt* und das, was zu ihr gehört, nicht lieben. Wer die Welt liebt, in dessen Herz ist kein Platz

mehr für die Liebe zum Vater. [16] Wie sieht es denn in der
Welt aus? Die Menschen lassen sich von ihren Begierden
treiben, sie sehen etwas und wollen es dann haben, sie
sind stolz auf Macht und Besitz. Das alles kommt nicht
vom Vater, sondern gehört zur Welt. [17] Die Welt und alles,
was Menschen in ihr haben wollen, ist vergänglich. Wer
aber tut, was Gott will, wird ewig leben.

Der Christusfeind

[18] Meine Kinder, die letzte Stunde ist angebrochen. Ihr
habt gehört, daß der Christusfeind* kommen wird. Tatsächlich sind schon viele Christusfeinde da. Daran sehen
wir, daß die letzte Stunde gekommen ist. [19] Diese Christusfeinde waren früher mit uns zusammen; aber sie gehörten
nicht wirklich zu uns, sonst wären sie bei uns geblieben.
Sie sind fortgegangen und haben damit bewiesen, daß keiner von ihnen zu uns gehört hat.

[20] Ihr kennt alle die Wahrheit, denn Christus hat euch
seinen Geist* gegeben. [21] Ich schreibe euch also nicht deshalb, weil man euch die Wahrheit noch sagen müßte, sondern gerade, weil ihr sie kennt und wißt, daß aus der
Wahrheit keine Lüge kommen kann.

[22] Wer ist also der Lügner und Christusfeind? Jeder, der
behauptet, daß Jesus nicht Christus, der versprochene
Retter*, ist. Wer das behauptet, lehnt mit dem Sohn*
auch den Vater ab. [23] Wer vom Sohn nichts wissen will,
der hat auch keine Verbindung mit dem Vater. Wer sich
aber zum Sohn bekennt, der ist auch mit dem Vater verbunden. [24] Achtet also darauf, daß ihr in eurem Herzen die
Botschaft bewahrt, die ihr von Anfang an gehört habt.
Wenn das, was ihr von Anfang an gehört habt, in eurem
Herzen bleibt, dann werdet ihr stets mit dem Sohn und
dem Vater verbunden bleiben. [25] Denn eben das ist es, was
Christus uns versprochen hat: ewiges Leben.

[26] Soviel über die Leute, die euch irremachen wollen.
[27] Euch aber hat Christus seinen Geist gegeben. Solange
dieser Geist in euch bleibt, habt ihr keinen anderen Lehrer nötig. Denn er belehrt euch über alles. Was er sagt, ist
wahr und keine Lüge. Tut darum, was der Geist euch
lehrt: Bleibt mit Christus verbunden!

[28] Bleibt mit ihm verbunden, meine Kinder! Dann wer-

den wir voll Zuversicht sein, wenn er erscheint, und brauchen nicht zu fürchten, daß er uns verurteilt, wenn er kommt. ²⁹Ihr wißt, daß Christus nie etwas Unrechtes getan hat. Dann wißt ihr auch, daß jeder, der das Rechte tut, ein Kind Gottes ist.

Kinder Gottes

3 Seht doch, wie sehr uns der Vater geliebt hat! Seine Liebe ist so groß, daß er uns seine Kinder nennt. Und wir sind es wirklich! Die Welt* versteht uns nicht, weil sie Gott nicht kennt. ²Meine lieben Freunde, wir sind schon Kinder Gottes. Was wir einmal sein werden, ist jetzt noch nicht sichtbar. Aber wir wissen: wenn es sichtbar wird, werden wir Gott ähnlich sein; denn wir werden ihn sehen, wie er wirklich ist. ³Jeder, der das voll Vertrauen von ihm erwartet, hält sich von allem Unrecht fern, so wie Christus es getan hat.

⁴Wer sündigt, lehnt sich gegen Gott auf, denn Sünde ist nichts anderes als Auflehnung gegen Gott. ⁵Ihr wißt, daß Christus gekommen ist, um die Sünden der Menschen wegzunehmen. In ihm hat die Sünde keinen Platz. ⁶Wer mit ihm verbunden bleibt, der hört auf zu sündigen. Wer aber weiterhin sündigt, hat ihn weder gesehen noch verstanden.

⁷Laßt euch von niemand irreführen, meine Kinder! Wer das Rechte tut, kann wie Christus vor Gottes Urteil bestehen. ⁸Wer nicht aufhört zu sündigen, gehört dem Teufel, denn der Teufel hat von Anfang an gesündigt. Der Sohn Gottes aber ist auf die Erde gekommen, um die Werke des Teufels zu zerstören.

⁹Wer ein Kind Gottes ist, sündigt nicht mehr, weil Gottes Leben in ihm wirkt. Er kann gar nicht weitersündigen, weil Gott sein Vater ist. ¹⁰Aber wer Unrecht tut oder seinen Bruder nicht liebt, der gehört nicht zu Gott. Daran erkennt man, wer ein Kind Gottes und wer ein Kind des Teufels ist.

Ihr sollt einander lieben!

¹¹Die Botschaft, die ihr von Anfang an gehört habt, lautet: Wir sollen einander lieben! ¹²Wir sollen nicht sein wie Kain, der dem Teufel verfallen war und seinen Bruder er-

mordete. Warum hat er ihn ermordet? Weil seine eigenen Taten schlecht waren, aber die seines Bruders gut.

¹³Wundert euch also nicht, meine Brüder, wenn die Welt* euch haßt. ¹⁴Wir wissen, daß wir die Grenze vom Tod ins neue Leben überschritten haben. Wir erkennen es daran, daß wir unsere Brüder lieben. Wer dagegen nicht liebt, bleibt tot. ¹⁵Wer seinen Bruder haßt, ist ein Mörder. Ihr wißt, daß kein Mörder Anteil am ewigen Leben bekommt. ¹⁶Christus opferte sein Leben für uns; daran haben wir erkannt, was Liebe ist. Auch wir müssen deshalb bereit sein, unser Leben für unsere Brüder zu opfern. ¹⁷Wenn ein reicher Mann seinen Bruder Not leiden sieht und sein Herz vor ihm verschließt, wie kann er dann behaupten, er liebe Gott?

Liebe macht furchtlos

¹⁸Meine Kinder, unsere Liebe darf nicht aus leeren Worten bestehen. Es muß wirkliche Liebe sein, die sich in Taten zeigt. ¹⁹Daran werden wir erkennen, daß Gottes Wahrheit unser Leben bestimmt. Wir können dann Gott gegenüber ein ruhiges Gewissen haben. ²⁰Denn immer wenn unser Gewissen uns verurteilt, wissen wir, daß Gott größer ist als unser Gewissen. Er weiß alles. ²¹Wenn also unser Gewissen uns nicht mehr verurteilen kann, meine Freunde, dann dürfen wir mit Zuversicht zu Gott aufschauen. ²²Wir erhalten von ihm, worum wir bitten, weil wir seine Befehle achten und tun, was ihm gefällt. ²³Sein Gebot ist: Wir sollen seinem Sohn Jesus Christus vertrauen und einander so lieben, wie dieser es uns befohlen hat. ²⁴Wer Gott gehorcht, der bleibt mit Gott verbunden und Gott mit ihm. Durch den Geist*, den er uns gegeben hat, wissen wir, daß Gott in uns lebt.

Der wahre und der falsche Geist

4 Meine lieben Freunde, glaubt nicht allen, die vorgeben, den Geist* zu besitzen! Prüft sie, um herauszufinden, ob ihr Geist von Gott kommt. Denn diese Welt* ist voll von falschen Propheten*. ²An folgendem Merkmal könnt ihr erkennen, ob es sich um den Geist Gottes handelt: Jeder, der anerkennt, daß Jesus Christus ein Mensch von Fleisch und Blut wurde, hat den Geist Gottes. ³Jeder,

der das abstreitet, hat nicht den Geist Gottes, sondern den Geist des Christusfeindes*. Ihr habt gehört, daß dieser kommen soll, und er ist schon da.

⁴Aber ihr gehört zu Gott, meine Kinder, und habt die falschen Propheten besiegt. Der Geist, der in euch wirkt, ist mächtiger als der Geist, der diese Welt* regiert. ⁵Sie gehören zur Welt und reden so, wie es die Welt versteht. Deshalb hört die Welt auf sie. ⁶Aber wir sind Kinder Gottes. Wer Gott kennt, hört auf uns. Wer nicht zu Gott gehört, hört nicht auf uns. So können wir zwischen dem Geist der Wahrheit und dem Geist des Irrtums unterscheiden.

Gott ist Liebe

⁷Liebe Freunde, wir wollen einander lieben, denn die Liebe kommt von Gott. Wer liebt, ist ein Kind Gottes und zeigt, daß er Gott kennt. ⁸Wer nicht liebt, kennt Gott nicht, denn Gott ist Liebe. ⁹Gottes Liebe zu uns hat sich darin gezeigt, daß er seinen einzigen Sohn* in die Welt sandte. Durch ihn wollte er uns das neue Leben schenken. ¹⁰Das Besondere an dieser Liebe ist: Nicht wir haben Gott geliebt, sondern er hat uns geliebt. Er hat seinen Sohn gesandt, der sich für uns opferte, um unsere Schuld von uns zu nehmen. ¹¹Liebe Freunde, wenn Gott uns so sehr geliebt hat, dann müssen auch wir einander lieben. ¹²Niemand hat Gott je gesehen. Aber wenn wir einander lieben, lebt Gott in uns. Dann hat seine Liebe bei uns ihr Ziel erreicht.

¹³Gott hat uns seinen Geist* gegeben. Daran können wir erkennen, daß wir mit ihm verbunden sind und er mit uns. ¹⁴Wir haben es selbst gesehen und sind Zeugen dafür, daß der Vater seinen Sohn als Retter in die Welt gesandt hat. ¹⁵Wer Jesus als den Sohn Gottes anerkennt, der lebt in Gott, und Gott lebt in ihm. ¹⁶Wir jedenfalls wissen es ganz sicher, daß Gott uns liebt.

Gott ist Liebe. Wer in der Liebe lebt, der lebt in Gott, und Gott lebt in ihm. ¹⁷Wenn die Liebe ihr Ziel bei uns erreicht, dann werden wir am Tag des Gerichts zuversichtlich sein, weil wir in dieser Welt so mit Gott verbunden sind, wie Christus es ist. ¹⁸Die Liebe kennt keine Angst. Wahre Liebe vertreibt die Angst. Wer Angst hat und vor der Strafe zittert, bei dem hat die Liebe ihr Ziel noch nicht erreicht.

¹⁹Wir lieben, weil Gott uns zuerst geliebt hat. ²⁰Wenn einer behauptet: »Ich liebe Gott«, und dabei seinen Bruder haßt, dann lügt er. Wenn er seinen Bruder, den er sieht, nicht liebt, dann kann er Gott, den er nicht sieht, erst recht nicht lieben. ²¹Christus gab uns dieses Gebot: Wer Gott liebt, der muß auch seinen Bruder lieben.

Der Sieg über die Welt

5 Wer glaubt, daß Jesus der versprochene Retter* ist, der ist ein Kind Gottes. Wer nun den Vater liebt, der liebt auch dessen Kind. ²Unsere Liebe zu den Kindern Gottes erkennen wir daran, daß wir Gott lieben und ihm gehorchen. ³Die Liebe zu Gott zeigt sich darin, daß wir tun, was er verlangt; und das ist nicht schwer. ⁴Denn alle Kinder Gottes können den Sieg über die Welt* erringen. Durch unseren Glauben haben wir die Welt schon besiegt. ⁵Denn wer kann die Welt besiegen? Nur wer glaubt, daß Jesus der Sohn* Gottes ist!

Die Zeugen für Jesus Christus

⁶Jesus Christus kam zu uns mit dem Wasser seiner Taufe und mit dem Blut seines Todes. Er kam nicht allein mit dem Wasser, sondern mit Wasser und mit Blut. Der Geist* bezeugt dies, und der Geist ist die Wahrheit. ⁷Es gibt also drei Zeugen: ⁸den Geist, das Wasser und das Blut. Die Aussagen dieser drei Zeugen stimmen überein. ⁹Wir glauben menschlichen Zeugen; aber das Zeugnis Gottes hat ein viel stärkeres Gewicht, denn es handelt sich um die Aussage, mit der Gott für seinen Sohn* eingetreten ist. ¹⁰Wer sich auf den Sohn Gottes verläßt, trägt dieses Zeugnis als Besitz in seinem Herzen. Wer Gott nicht glaubt, macht ihn zum Lügner; denn er bezweifelt die Aussage, die Gott über seinen Sohn gemacht hat. ¹¹Diese besagt: Gott hat uns ewiges Leben gegeben, und wir erhalten dieses Leben durch seinen Sohn. ¹²Wer den Sohn Gottes hat, der hat das Leben. Wer aber den Sohn nicht hat, der hat auch das Leben nicht.

¹³Ich schreibe euch dies, damit ihr wißt, daß ihr das ewige Leben habt. Ihr verlaßt euch ja auf den Sohn Gottes.

Die Gewißheit der Kinder Gottes

¹⁴Wir vertrauen ganz fest darauf, daß Gott uns hört, wenn wir ihn um etwas bitten, das seinem Willen entspricht. ¹⁵Wir wissen, daß er uns hört. Darum wissen wir auch, daß er uns gibt, worum wir ihn bitten.

¹⁶Wenn jemand sieht, daß sein Bruder eine Sünde tut, die nicht zum Tod führt, soll er zu Gott beten, und Gott wird dem Bruder das Leben geben. Das betrifft die, deren Sünden nicht zum Tod führen. Es gibt aber eine Sünde, die den Tod bringt. In einem solchen Fall sage ich nicht, daß ihr beten sollt. ¹⁷Jedes Unrecht ist Sünde. Aber nicht jede Sünde führt zum Tod.

¹⁸Wir wissen, daß ein Kind Gottes nicht sündigt. Der Sohn* Gottes schützt es, damit der Satan ihm nicht schaden kann. ¹⁹Wir wissen, daß wir zu Gott gehören; die ganze Welt aber ist in der Gewalt des Satans.

²⁰Wir wissen, daß der Sohn* Gottes gekommen ist. Er hat uns die Augen geöffnet, damit wir den wahren Gott erkennen. Wir sind mit dem wahren Gott durch seinen Sohn Jesus Christus verbunden. Jesus Christus ist der wahre Gott, er ist das ewige Leben.

²¹Meine Kinder, laßt euch nicht mit falschen Göttern ein!

DER ZWEITE BRIEF VON JOHANNES

Eingangsgruß

Vom Ältesten* an die geliebte Gemeinde und ihre Mitglieder,° die ich aufrichtig liebe. Darin bin ich nicht der einzige; alle, die die Wahrheit kennen, lieben euch. ²Denn die Wahrheit bleibt in uns und wird immer bei uns sein.

³Gott der Vater und sein Sohn* Jesus Christus werden uns Gnade, Erbarmen und Frieden geben, damit wir in der Wahrheit und in der Liebe verbunden bleiben.

Wahrheit und Liebe

⁴Ich habe mich sehr gefreut, unter den Mitgliedern der Gemeinde einige zu finden, die sich nach der Wahrheit richten, wie es uns der Vater befohlen hat. ⁵Deshalb bitte ich dich, liebe Gemeinde: Wir wollen einander lieben! Ich schreibe euch das nicht als ein neues Gebot, wir hatten ja dieses Gebot von Anfang an. ⁶Die Liebe, von der ich rede, zeigt sich darin, daß wir uns in unserem Leben nach dem Willen Gottes richten. Ihr habt von Anfang an gehört, wie sein Gebot lautet: Die Liebe muß euer ganzes Leben bestimmen.

⁷Diese Welt* ist voll von Betrügern. Sie bestreiten, daß Jesus Christus ein Mensch von Fleisch und Blut wurde. Daran erkennt man den Betrüger und Christusfeind*. ⁸Nehmt euch in acht, damit ihr nicht verliert, was ihr erarbeitet habt,° sondern den vollen Lohn bekommt. ⁹Wer nicht bei dem bleibt, was Christus gelehrt hat, sondern darüber hinausgeht, hat keine Gemeinschaft mit Gott. Wer sich aber an das hält, was Christus gelehrt hat, der hat mit dem Sohn* auch den Vater. ¹⁰Wenn also jemand zu euch kommt und euch etwas anderes lehrt, dann laßt ihn nicht in euer Haus. Ihr sollt ihn nicht einmal grüßen; ¹¹denn wer ihn grüßt, ist an seinen schlechten Taten mitbeteiligt.

¹²Ich hätte euch noch viel zu sagen, aber ich möchte es nicht schriftlich tun. Ich hoffe, euch zu besuchen und per-

sönlich mit euch zu sprechen. Dann wird an unserer gemeinsamen Freude nichts mehr fehlen.

[13] Die Mitglieder eurer Schwestergemeinde lassen euch grüßen.°

DER DRITTE BRIEF VON JOHANNES

Eingangsgruß

Vom Ältesten* an Gaius, meinen Freund, den ich aufrichtig liebe.

²Lieber Freund! Ich bitte Gott, daß es dir in jeder Hinsicht gut gehe und du gesund seist, so wie ich das von deinem inneren Leben weiß. ³Einige durchreisende Brüder haben mir bezeugt, wie treu du zur Wahrheit stehst und nach ihr lebst. Darüber habe ich mich sehr gefreut. ⁴Nichts macht mich glücklicher, als zu hören, daß meine Kinder der Wahrheit gemäß leben.

Wahre und falsche Christen

⁵Lieber Freund, du bist sehr treu in deinen Bemühungen für die Brüder, obwohl sie von fremden Gemeinden kommen. ⁶Die Brüder haben unserer Gemeinde von deiner Liebe berichtet. Bitte hilf ihnen, daß sie ihre Reise so fortsetzen können, wie es vor Gott recht ist. ⁷Denn sie haben diese Reise im Dienst für Christus angetreten und nehmen von den Ungläubigen keine Unterstützung an. ⁸Darum sind wir verpflichtet, diese Menschen zu unterstützen. So helfen wir bei der Verbreitung der Wahrheit mit.

⁹Ich habe der Gemeinde kurz geschrieben. Aber Diotrephes, der sich die Leitung der Gemeinde anmaßt, hört überhaupt nicht auf mich. ¹⁰Wenn ich komme, werde ich ihm alles vorhalten, was er getan hat. Er lügt und erzählt unglaubliche Dinge über uns. Aber das ist noch nicht alles. Er nimmt die durchreisenden Brüder nicht auf! Wenn einer sie aufnehmen will, verbietet er es ihm und schließt ihn aus der Gemeinde aus.

¹¹Lieber Freund, nimm dir nicht das Schlechte zum Vorbild, sondern das Gute! Wer Gutes tut, gehört zu Gott. Wer Schlechtes tut, kennt Gott nicht.

¹²Von Demetrius berichten alle nur Gutes. Sein Leben in der Wahrheit spricht für ihn. Diese Aussage können

wir nur bestätigen, und du weißt, daß wir die Wahrheit sagen.

Schlußworte

¹³ Ich hätte dir noch viel zu sagen, aber ich will es nicht schriftlich tun. ¹⁴ Ich hoffe, dich bald zu sehen, und dann werden wir uns persönlich über alles aussprechen.

¹⁵ Ich wünsche dir Frieden!

Deine Freunde hier lassen grüßen. Grüße unsere Freunde dort, jeden persönlich!

DER BRIEF VON JUDAS

Eingangsgruß

Judas, der Jesus Christus dient, ein Bruder von Jakobus, schreibt diesen Brief an alle, die Gott berufen hat, die er, unser Vater, liebt und die Jesus Christus beschützt:
² Ich bitte Gott, euch reich mit seinem Erbarmen, seinem Frieden und seiner Liebe zu beschenken!

Falsche Lehrer

³ Meine lieben Freunde, es drängt mich sehr, euch etwas über die Rettung zu schreiben, auf die wir gemeinsam hoffen. Denn ich sehe, es ist nötig, daß ich euch mahnend aufrufe: Tretet entschieden für den überlieferten Glauben ein, der dem Volk Gottes ein für allemal anvertraut worden ist! ⁴ Denn gewissenlose Leute haben sich bei euch eingeschlichen. Sie deuten die Botschaft von der Gnade Gottes als Freibrief für ein zügelloses Leben und verraten damit Jesus Christus, der allein unser Herr und Gebieter ist. Gott hat schon längst die Strafe festgesetzt, die diese Menschen erwartet.

⁵ Obwohl ihr über alles Bescheid wißt, möchte ich euch daran erinnern, daß der Herr zwar *einmal* sein Volk aus Ägypten gerettet, aber dann alle vernichtet hat, die ihm nicht treu geblieben sind. ⁶ Denkt auch an die Engel*, die ihre Herrscherwürde preisgegeben und den Wohnsitz verlassen haben, den Gott ihnen angewiesen hatte. Gott hält sie in unterirdischer Finsternis fest bis zum großen Tag des Gerichts. ⁷ Und vergeßt nicht Sodom und Gomorra und die umliegenden Städte! Ihre Bewohner haben sich auf ganz ähnliche Weise vergangen wie jene Engel und wollten mit Wesen anderer Art geschlechtlich verkehren.° Zur Warnung für alle sind sie mit den Qualen des ewigen Feuers bestraft worden.

⁸ Genauso schänden auch diese Träumer ihren eigenen Körper. Sie wollen keinen Herrn über sich anerkennen und beleidigen die unsichtbaren Mächte*. ⁹ Das hat nicht

einmal der Engelfürst Michael getan. Als der Teufel ihm
den Leichnam Moses streitig machen wollte, wagte er
trotz allem nicht, ihn mit beleidigenden Worten zu verurteilen. Er sagte nur: »Der Herr soll dich strafen!« ¹⁰Aber
diese Menschen spotten über das, was sie gar nicht kennen. Wie die wilden Tiere kennen sie nur ihre Triebe, und
daran werden sie zugrunde gehen. ¹¹Weh ihnen! Sie haben den Weg Kains eingeschlagen. Des Geldes wegen sind
sie auf denselben Abweg geraten wie Bileam. Wie Korach
haben sie sich durch ihre Auflehnung zugrunde gerichtet.
¹²Sie sind ein Schandfleck für eure gemeinsamen Mahlzeiten*, an denen sie unverfroren teilnehmen und es sich
wohl sein lassen. Sie sind wie Hirten, die nur für sich selber sorgen, wie Wolken, die vom Wind vorbeigeweht werden und keinen Regen bringen. Sie sind wie Bäume ohne
jede Frucht, die im Herbst die Blätter abwerfen und dann
auch noch entwurzelt werden – so sind sie zweifach abgestorben. ¹³Sie gleichen den Wogen auf dem Meer: ihre
schändlichen Taten treten hervor wie der Schaum auf der
Brandung. Sie sind wie aus der Bahn geratene Sterne.
Gott hält ihnen einen Platz in der tiefsten Finsternis bereit, wo sie für immer bleiben müssen.

¹⁴Henoch, der siebte Nachkomme Adams, hat auch ihnen die Strafe angekündigt, als er sagte: »Gebt acht! Der
Herr kommt mit vielen tausend heiligen Engeln, ¹⁵um
über alle Menschen Gericht zu halten. Alle Sünder werden dann verurteilt für die Taten, mit denen sie sich gegen
Gott aufgelehnt, und für die gemeinen Worte, mit denen
sie ihn beleidigt haben.«° ¹⁶Diese Menschen sind unzufrieden mit ihrem Schicksal und tadeln Gott, wenn sie
leiden müssen. Sie folgen ihren Trieben, machen große
Worte und sagen den Menschen Schmeicheleien, um sich
Vorteile zu verschaffen.

Warnung und Anweisungen

¹⁷Ihr aber, meine Freunde, sollt euch daran erinnern, was
euch die Apostel* unseres Herrn Jesus Christus im voraus
gesagt haben! ¹⁸Sie haben euch immer wieder eingeschärft: »Bevor es mit der Welt zu Ende geht, werden
Menschen auftreten, denen nichts heilig ist und die nur
ihren eigenen bösen Trieben folgen.« ¹⁹Diese Leute sind

es, die Spaltungen hervorrufen. Sie sind ›Triebmenschen‹,° die keinen Funken von Gottes Geist* haben! [20] Ihr aber, Freunde, müßt an dem hochheiligen Glauben festhalten, den ihr angenommen habt, und euch fest darauf gründen. Betet in der Kraft des heiligen Geistes! [21] Verscherzt nicht die Liebe Gottes und wartet geduldig darauf, daß Jesus Christus, unser Herr, euch in seinem Erbarmen das ewige Leben schenkt.

[22] Mit denen, die im Glauben unsicher geworden sind, habt Erbarmen und kümmert euch um sie. [23] Andere könnt ihr vielleicht gerade noch aus dem Feuer des Gerichts retten. Mit wieder anderen müßt ihr zwar Erbarmen haben, aber euch vor ihnen in acht nehmen, damit ihr Schmutz euch nicht ansteckt.

Abschließender Lobpreis

[24] Gott hat die Macht, euch vor dem Versagen zu bewahren und dahin zu bringen, wo ihr fehlerlos und voll Freude seine Herrlichkeit sehen werdet. [25] Er, der einzige Gott, rettet uns durch Jesus Christus, unseren Herrn. Ihm gehören Herrlichkeit, Hoheit, Macht und Herrschaft von Ewigkeit her, jetzt und in alle Ewigkeit! Amen.

DIE OFFENBARUNG AN JOHANNES

Über dieses Buch

1 In diesem Buch ist aufgeschrieben, was Jesus Christus von Gott enthüllt worden ist. Damit wollte er seinen Dienern zeigen, was sich sehr bald ereignen muß.

Christus sandte seinen Engel zu seinem Diener Johannes und machte ihm dies alles bekannt. ²Johannes ist Zeuge für das, was Gott angekündigt und Jesus Christus ihm in Visionen gezeigt hat. ³Freude ohne Ende ist dem gewiß, der dieses Buch liest, und allen, die diese prophetischen Worte hören und sie beherzigen; denn alle diese Dinge werden bald geschehen.

Grüße an die sieben Gemeinden

⁴Johannes schreibt an die sieben Gemeinden in der Provinz Asien*: Ich wünsche euch Gnade und Frieden von Gott, der ist, der war und der kommt, und von den sieben Geistern* vor seinem Thron ⁵und von Jesus Christus, dem treuen Zeugen, der als erster von allen Toten zu neuem Leben geboren worden ist und über die Könige der Erde herrscht.

Er liebt uns und hat sein Blut für uns vergossen, um uns von unseren Sünden zu befreien. ⁶Er hat uns zu Mitherrschern in seinem Reich gemacht und zu Priestern, die Gott, seinem Vater, dienen dürfen. Darum gehört ihm die Ehre und die Macht für alle Zeiten. Das ist gewiß!

⁷Gebt acht: er kommt mit den Wolken! Alle werden ihn sehen, auch die, die ihn durchbohrt haben. Alle Völker der Erde werden seinetwegen jammern und klagen, das ist ganz gewiß! ⁸Gott der Herr, sagt: »Ich bin der Erste und der Letzte° – der ist und der war und der kommt, der Herr der ganzen Welt.«

Christus erscheint Johannes

⁹Ich bin Johannes, euer Bruder, der mit Jesus verbunden ist wie ihr. Darum lebe ich bedrängt wie ihr, darum kann

ich mit euch durchhalten und werde zusammen mit euch in Gottes neuer Welt sein. Ich bin auf die Insel Patmos verbannt worden, weil ich Gottes Wort und die Wahrheit, die Jesus ans Licht gebracht hat, öffentlich verkündet habe. [10]Am Tag des Herrn° nahm der Geist* Gottes von mir Besitz. Ich hörte hinter mir eine laute Stimme, die wie eine Trompete klang. [11]Sie sagte: »Schreib das, was du siehst, in ein Buch, und schicke es an die sieben Gemeinden in Ephesus, Smyrna, Pergamon, Thyatira, Sardes, Philadelphia und Laodizea.«

[12]Ich wandte mich um und wollte sehen, wer zu mir sprach. Da erblickte ich sieben goldene Leuchter. [13]In ihrer Mitte stand jemand, der wie ein Mensch aussah. Er trug ein langes Gewand und hatte ein breites goldenes Band um die Brust. [14]Das Haar auf seinem Kopf war weiß wie Wolle, ja wie Schnee. Seine Augen glühten wie Feuer. [15]Seine Füße glänzten wie gleißendes Gold, das im Schmelzofen glüht, und seine Stimme klang wie das Brausen eines Wasserfalls. [16]Er hielt sieben Sterne in seiner rechten Hand, und aus seinem Mund kam ein scharfes zweischneidiges Schwert. Sein Gesicht leuchtete wie die helle Sonne.

[17]Als ich ihn sah, fiel ich wie tot vor seinen Füßen zu Boden. Er legte seine rechte Hand auf mich und sagte: »Hab keine Angst! Ich bin der Erste und der Letzte. [18]Ich bin der Lebendige! Ich war tot, doch nun lebe ich in alle Ewigkeit. Ich habe Macht über den Tod und die Totenwelt*. [19]Schreib auf, was du siehst – zuerst das, was die Gegenwart betrifft, und dann, was später geschehen wird. [20]Du siehst die Sterne in meiner rechten Hand und die sieben goldenen Leuchter. Ich sage dir, was sie bedeuten: Die sieben Sterne sind die Engel der sieben Gemeinden, und die sieben Leuchter sind die Gemeinden selbst.«

Die Botschaft an Ephesus

2 »Schreibe an den Engel* der Gemeinde in Ephesus: Diese Botschaft kommt von dem, der die sieben Sterne in seiner rechten Hand hält und zwischen den sieben goldenen Leuchtern einhergeht. [2]Ich kenne euer Tun. Ich weiß, wieviel Mühe ihr euch gebt und wie geduldig ihr seid. Ich weiß, daß ihr keine schlechten Menschen duldet.

Die Leute, die sich als Apostel* ausgeben, aber keine sind, habt ihr geprüft und ihre Lügen aufgedeckt. ³Ihr habt Ausdauer. Um meinetwillen habt ihr gelitten und doch nicht den Mut verloren. ⁴Aber etwas habe ich an euch auszusetzen: Ihr liebt mich nicht mehr wie am Anfang. ⁵Denkt darüber nach, von welcher Höhe ihr herabgestürzt seid! Kehrt um und handelt wieder so wie zu Beginn! Wenn ihr euch nicht ändert, werde ich zu euch kommen und euren Leuchter von seinem Platz stoßen. ⁶Doch eins spricht für euch: Ihr haßt das Treiben der Nikolaïten* genauso wie ich.

⁷Wer hören kann, der achte auf das, was der Geist* den Gemeinden sagt!

Wer den Sieg erlangt, dem gebe ich das Recht, vom Baum des Lebens zu essen, der im Garten Gottes wächst.«

Die Botschaft an Smyrna

⁸»Schreibe an den Engel* der Gemeinde in Smyrna:

Diese Botschaft kommt von dem, der der Erste und der Letzte ist, der tot war und wieder lebt. ⁹Ich weiß, daß ihr verfolgt werdet und daß ihr arm seid. Aber in Wirklichkeit seid ihr reich! Ich kenne die üblen Nachreden, die von Leuten über euch verbreitet werden, die sich als Angehörige des Gottesvolkes° ausgeben. Aber das sind sie nicht, sondern sie gehören zum Satan. ¹⁰Habt keine Angst wegen der Dinge, die ihr noch erleiden müßt. Der Teufel wird einige von euch ins Gefängnis werfen, um euch auf die Probe zu stellen. Zehn Tage lang wird man euch verfolgen. Haltet durch, auch wenn es euch das Leben kostet. Dann werde ich euch als Siegespreis ewiges Leben schenken.

¹¹Wer hören kann, der achte auf das, was der Geist* den Gemeinden sagt!

Wer den Sieg erlangt, dem wird der zweite Tod* nichts anhaben.«

Die Botschaft an Pergamon

¹²»Schreibe an den Engel* der Gemeinde in Pergamon:

Diese Botschaft kommt von dem, der das scharfe zweischneidige Schwert hat. ¹³Ich weiß, daß ihr dort wohnt, wo der Thron des Satans* steht. Ihr seid mir treu geblieben und habt euer Bekenntnis zu mir nicht widerrufen, nicht einmal, als mein treuer Zeuge Antipas bei euch getötet wurde, dort, wo der Satan wohnt. ¹⁴Trotzdem habe ich einiges an euch auszusetzen: Unter euch gibt es Anhänger der Lehre Bileams. Der stiftete Balak an, die Israeliten zur Sünde zu verführen. Da aßen sie Fleisch vom Götzenopfer* und trieben Unzucht. ¹⁵Es gibt unter euch auch einige, die der Lehre der Nikolaïten* folgen. ¹⁶Kehrt um! Sonst komme ich bald zu euch und werde gegen diese Leute mit dem Schwert aus meinem Mund Krieg führen.

¹⁷Wer hören kann, der achte auf das, was der Geist* den Gemeinden sagt!

Wer den Sieg erlangt, dem werde ich von dem verborgenen Manna* geben. Er erhält von mir auch einen weißen Stein. Auf ihm steht ein neuer Name, den nur der kennt, der ihn bekommt.«

Die Botschaft an Thyatira

¹⁸»Schreibe an den Engel* der Gemeinde in Thyatira:

Diese Botschaft kommt von dem Sohn* Gottes, dessen Augen wie Feuer glühen und dessen Füße wie gleißendes Gold glänzen. ¹⁹Ich kenne euer Tun. Ich kenne eure Liebe, euren beständigen Glauben, euren Dienst und eure Ausdauer. Ich weiß, daß ihr jetzt noch mehr tut als früher. ²⁰Aber eins habe ich an euch auszusetzen: Ihr duldet diese Isebel, die sich als Prophetin ausgibt. Mit ihrer Lehre verführt sie meine Diener, Unzucht* zu treiben und Fleisch von Tieren zu essen, die als Götzenopfer* geschlachtet worden sind. ²¹Ich habe ihr Zeit gelassen, sich zu ändern; aber sie will ihr zuchtloses Leben nicht aufgeben. ²²Darum werde ich sie aufs Krankenbett werfen. Alle, die sich mit ihr eingelassen haben, werden Schreckliches aushalten müssen, wenn sie nicht den Verkehr mit dieser Frau abbrechen. ²³Ich werde auch ihre Kinder töten. Dann werden alle Gemeinden wissen, daß ich die geheimsten Gedanken und Wünsche der Menschen kenne. Ich werde mit jedem von euch nach seinen Taten verfahren.

²⁴Aber ihr anderen in Thyatira seid dieser falschen Lehre nicht gefolgt. Ihr habt die sogenannten tiefen Geheim-

nisse* des Satans nicht kennengelernt. Dafür will ich euch keine weitere Prüfung auferlegen. ²⁵Aber haltet fest, was ihr habt, bis ich komme! ²⁶Wer den Sieg erlangt und sich bis zuletzt nach meinen Worten und Taten richtet, dem werde ich Macht über die Völker geben, dieselbe Macht, die ich von meinem Vater erhalten habe: ²⁷er wird die Völker mit eisernem Zepter regieren und zerschlagen wie Tontöpfe. ²⁸Als Zeichen der Macht werde ich ihm den Morgenstern* geben.

²⁹Wer hören kann, der achte auf das, was der Geist* den Gemeinden sagt!«

Die Botschaft an Sardes

3 »Schreibe an den Engel* der Gemeinde in Sardes: Diese Botschaft kommt von dem, dem die sieben Geister* Gottes dienen und der die sieben Sterne in der Hand hält. Ich kenne euer Tun. Ich weiß, daß man euch für eine lebendige Gemeinde hält; aber in Wirklichkeit seid ihr tot. ²Werdet wach und stärkt das, was noch Leben hat, bevor es abstirbt. Ich habe euch geprüft und gefunden, daß euer Tun vor den Augen meines Gottes nicht bestehen kann. ³Denkt an die Gute Nachricht, die ihr gehört habt! Erinnert euch, wie eifrig ihr sie aufgenommen habt! Bleibt ihr treu und lebt wieder wie damals! Wenn ihr nicht wach seid, werde ich euch wie ein Dieb überraschen; ihr werdet nicht wissen, in welcher Stunde ich komme. ⁴Aber einige von euch in Sardes haben sich nicht beschmutzt. Sie sind es wert, weiße Kleider zu tragen und immer bei mir zu sein. ⁵Wer den Sieg erlangt, wird solch ein weißes Kleid tragen. Ich will seinen Namen nicht aus dem Buch des Lebens streichen. Vor meinem Vater und seinen Engeln werde ich offen bekennen, daß er zu mir gehört.

⁶Wer hören kann, der achte auf das, was der Geist* den Gemeinden sagt!«

Die Botschaft an Philadelphia

⁷»Schreibe an den Engel* der Gemeinde in Philadelphia: Diese Botschaft kommt von dem, der heilig und zuverlässig ist. Er hat den Schlüssel Davids*. Wo er öffnet, kann keiner mehr zuschließen, und wo er zuschließt, kann

keiner mehr öffnen. ⁸Ich kenne euer Tun und weiß, daß
eure Kraft klein ist. Trotzdem seid ihr meinen Anweisungen gefolgt und habt zu mir gehalten. Ich habe euch eine
Tür geöffnet, die keiner mehr zuschließen kann. ⁹Hört gut
zu! Ich werde Menschen zu euch schicken, die zum Satan
gehören. Diese Lügner werden behaupten, daß sie zum
Volk Gottes gehören;° aber das ist nicht wahr. Ich werde
dafür sorgen, daß sie sich vor euch niederwerfen und euch
ehren. Sie werden erkennen, daß ich euch liebe. ¹⁰Ihr
habt mein Wort beherzigt, mit dem ich euch zum Durchhalten aufrief. Darum werde ich euch in der Zeit der Versuchung bewahren, die bald über die ganze Erde kommen
und alle Menschen auf die Probe stellen wird. ¹¹Ich bin
schon auf dem Weg. Haltet fest, was ihr habt, sonst bekommen andere den Siegeskranz! ¹²Wer den Sieg erlangt,
den werde ich zu einer Säule im Tempel meines Gottes
machen, und er wird immer dort bleiben. Ich werde den
Namen meines Gottes auf ihn schreiben und den Namen
der Stadt meines Gottes. Diese Stadt ist das neue Jerusalem, das von meinem Gott aus dem Himmel herabkommen wird. Ich werde auch meinen eigenen neuen Namen
auf ihn schreiben.
¹³Wer hören kann, der achte auf das, was der Geist*
den Gemeinden sagt!«

Die Botschaft an Laodizea

¹⁴»Schreibe an den Engel* der Gemeinde in Laodizea:
Diese Botschaft kommt von dem, der Amen* heißt. Er
ist der wahrhaftige und treue Zeuge, von dem alles
kommt, was Gott geschaffen hat. ¹⁵Ich kenne euer Tun.
Ich weiß, daß ihr weder warm noch kalt seid. Wenn ihr
wenigstens eins von beiden wärt! ¹⁶Aber ihr seid weder
warm noch kalt; ihr seid lauwarm. Darum werde ich euch
aus meinem Mund ausspucken. ¹⁷Ihr sagt: ›Wir sind reich
und gut versorgt; uns fehlt nichts.‹ Aber ihr wißt nicht,
wie unglücklich und bejammernswert ihr seid. Ihr seid
arm, nackt und blind. ¹⁸Ich rate euch, von mir reines Gold
zu kaufen; dann werdet ihr reich. Ihr solltet euch auch
weiße Kleider kaufen, damit ihr nicht nackt dasteht und
euch schämen müßt. Kauft Salbe und streicht sie auf eure
Augen, damit ihr sehen könnt! ¹⁹Wen ich liebe, den er-

ziehe ich mit Strenge. Macht also Ernst und kehrt um! ²⁰ Hört gut zu: Ich stehe vor der Tür und klopfe an. Wenn jemand meine Stimme hört und öffnet, werde ich bei ihm einkehren. Ich werde mit ihm essen und er mit mir.

²¹ Wer den Sieg erlangt, dem gebe ich das Recht, mit mir auf meinem Thron zu sitzen, so wie ich als Sieger nun mit meinem Vater auf seinem Thron sitze.

²² Wer hören kann, der achte auf das, was der Geist* den Gemeinden sagt!«

Gottesdienst im Himmel

4 Danach blickte ich auf und sah im Himmel eine offene Tür. Die Stimme, die vorher zu mir gesprochen hatte und die wie eine Trompete klang, sagte: »Komm herauf! Ich werde dir zeigen, was nach diesen Ereignissen geschehen muß.« ² Sofort nahm der Geist* von mir Besitz. Im Himmel stand ein Thron, darauf saß einer. ³ Sein Gesicht glänzte wie die kostbaren Edelsteine Jaspis und Karneol. Über dem Thron stand ein Regenbogen, der leuchtete wie ein Smaragd. ⁴ Um den Thron standen im Kreis vierundzwanzig andere Throne. Darauf saßen vierundzwanzig Älteste*. Sie trugen weiße Kleider und goldene Kronen. ⁵ Von dem Thron gingen Blitze, Rufe und Donnerschläge aus. Vor dem Thron brannten sieben Fackeln, das sind die sieben Geister* Gottes. ⁶ Im Vordergrund war etwas wie ein gläsernes Meer, so klar wie Kristall.

In der Mitte, rings um den Thron, waren vier mächtige Gestalten*, die ringsum voller Augen waren. ⁷ Die erste sah aus wie ein Löwe, die zweite wie ein Stier, die dritte hatte ein Gesicht wie ein Mensch, und die vierte glich einem fliegenden Adler. ⁸ Jede hatte sechs Flügel, die innen und außen mit Augen bedeckt waren. Tag und Nacht singen sie unaufhörlich:

»Heilig, heilig, heilig ist der Herr,
der Gott, der die ganze Welt regiert,
der war und der ist und der kommt!«

⁹ Die vier mächtigen Gestalten singen Lieder zum Lob, Preis und Dank für den, der auf dem Thron sitzt und in alle Ewigkeit lebt. ¹⁰ Jedesmal, wenn sie das tun, werfen sich die vierundzwanzig Ältesten nieder vor dem, der auf dem

Thron sitzt, und beten den an, der ewig lebt. Sie legen ihre
Kronen vor dem Thron nieder und sagen:

¹¹ »Du bist unser Herr und Gott!
Du hast die ganze Welt geschaffen;
weil du es gewollt hast, ist sie entstanden.
Darum bist du allein würdig,
daß alle dich preisen und ehren
und deine Macht anerkennen!«

Das Lamm und das Buch

5 Ich sah eine Buchrolle in der rechten Hand dessen,
der auf dem Thron saß. Sie war innen und außen beschrieben und mit sieben Siegeln verschlossen. ²Und ich
sah einen mächtigen Engel, der mit lauter Stimme fragte:
»Wer ist würdig, die Siegel aufzubrechen und das Buch zu
öffnen?« ³Aber man fand keinen, der es öffnen und hin-
einsehen konnte, weder im Himmel, noch auf der Erde,
noch unter der Erde. ⁴Ich weinte sehr, weil keiner würdig
war, das Buch zu öffnen und hineinzusehen. ⁵Da sagte
einer der Ältesten* zu mir: »Hör auf zu weinen! Der Löwe aus Judas Stamm und Nachkomme Davids* hat den
Sieg errungen. Er kann die sieben Siegel aufbrechen und
das Buch öffnen.«

⁶Da sah ich mitten vor dem Thron, umgeben von den
vier mächtigen Gestalten* und den Ältesten, ein Lamm
stehen. Es sah aus, als ob es geschlachtet wäre. Es hatte
sieben Hörner und sieben Augen; das sind die sieben Geister* Gottes, die in die ganze Welt gesandt worden sind.
⁷Das Lamm ging zu dem, der auf dem Thron saß, und
nahm die Buchrolle aus seiner rechten Hand. ⁸Da warfen
sich die vier mächtigen Gestalten und die vierundzwanzig
Ältesten vor dem Lamm nieder. Jeder Älteste hatte eine
Harfe und eine goldene Schale mit Weihrauch*, das sind
die Gebete des Volkes Gottes. ⁹Sie sangen ein neues
Lied:

»Du bist würdig, das Buch zu nehmen
und seine Siegel aufzubrechen!
Denn du wurdest als Opfer geschlachtet,
und mit deinem vergossenen Blut
hast du Menschen für Gott erworben,
Menschen aus allen Sprachen und Stämmen,

aus allen Völkern und Nationen.

¹⁰ Zu Königen hast du sie gemacht
und zu Priestern für unseren Gott;
und sie werden über die Erde herrschen.«

¹¹ Dann sah und hörte ich Tausende und aber Tausende von Engeln, eine unübersehbare Zahl. Sie standen mit den vier mächtigen Gestalten und den Ältesten um den Thron ¹² und sangen mit lauter Stimme:

»Das geopferte Lamm ist würdig,
Macht zu empfangen, Reichtum und Weisheit,
Kraft und Ehre, Ruhm und Anbetung!«

¹³ Und ich hörte alle Geschöpfe im Himmel, auf der Erde, unter der Erde und im Meer laut mit einstimmen:

»Anbetung und Ehre, Herrlichkeit und Macht
gehören ihm, der auf dem Thron sitzt,
und dem Lamm, für immer und ewig.«

¹⁴ Die vier mächtigen Gestalten antworteten: »Amen!« Und die Ältesten fielen nieder und beteten an.

Die Siegel

6 Dann sah ich, wie das Lamm das erste von den sieben Siegeln aufbrach. Und ich hörte, wie eine der vier mächtigen Gestalten* mit Donnerstimme sagte: »Komm!« ² Ich blickte um mich und sah ein weißes Pferd. Sein Reiter hatte einen Bogen und erhielt eine Krone. Als Sieger zog er aus, um abermals zu siegen.

³ Dann brach das Lamm das zweite Siegel auf. Ich hörte, wie die zweite der mächtigen Gestalten sagte: »Komm!« ⁴ Diesmal kam ein rotes Pferd. Sein Reiter erhielt ein großes Schwert und wurde ermächtigt, Krieg in die Welt zu bringen, damit sich die Menschen gegenseitig töten sollten.

⁵ Dann brach das Lamm das dritte Siegel auf. Ich hörte, wie die dritte der mächtigen Gestalten sagte: »Komm!« Ich blickte um mich und sah ein schwarzes Pferd. Sein Reiter hielt eine Waage in der Hand. ⁶ Da hörte ich eine Stimme aus dem Kreis der vier mächtigen Gestalten rufen: »Zwei Pfund Weizen oder sechs Pfund Gerste für den Lohn eines ganzen Tages.° Nur Öl und Wein zum alten Preis!«

⁷ Dann brach das Lamm das vierte Siegel auf. Ich hörte,

wie die vierte der mächtigen Gestalten sagte: »Komm!«
[8] Da sah ich ein leichenfarbenes Pferd. Sein Reiter hieß
Tod, und die Totenwelt* folgte ihm auf den Fersen. Ein
Viertel der Erde wurde in ihre Hand gegeben. Durch das
Schwert, durch Hunger, Seuchen und wilde Tiere sollten
sie die Menschen töten.

[9] Dann brach das Lamm das fünfte Siegel auf. Da sah
ich unterhalb des Altars die Seelen der Menschen, die
man getötet hatte, weil sie sich zu Gottes Wort bekannt
hatten und als Zeugen Gottes treu geblieben waren. [10] Sie
riefen mit lauter Stimme: »Herr, du bist heilig und hältst,
was du versprichst! Wie lange müssen wir noch warten,
bis du die Völker der Erde vor Gericht rufst und sie be-
strafst, weil sie uns getötet haben?« [11] Jeder von ihnen erhielt ein langes weißes Gewand, und es wurde ihnen gesagt: »Wartet noch eine kurze Zeit, denn eure Zahl ist
noch nicht voll. Von euren Brüdern, die Gott dienen genau wie ihr, müssen noch so viele getötet werden, wie
Gott bestimmt hat.«

[12] Ich sah, wie das Lamm das sechste Siegel aufbrach.
Da gab es ein gewaltiges Erdbeben. Die Sonne wurde so
dunkel wie ein Trauerkleid, und der Mond verfärbte sich
blutrot. [13] Wie unreife Feigen, die ein starker Wind vom
Baum schüttelt, fielen die Sterne vom Himmel auf die Erde. [14] Der Himmel verschwand wie eine Buchrolle, die
man zusammenrollt. Weder Berg noch Insel blieben an ihren Plätzen. [15] Alle Menschen versteckten sich in Höhlen
und zwischen den Felsen der Berge: die Könige und Herrscher, die Heerführer, die Reichen und Mächtigen und alle Sklaven und Freien. [16] Sie riefen den Bergen und Felsen
zu: »Fallt auf uns und verbergt uns vor dem Zorn des
Lammes und vor dem Blick dessen, der auf dem Thron
sitzt! [17] Der Tag, an dem sie abrechnen, ist gekommen.
Wer kann da bestehen?«

Die 144 000 mit dem Siegel auf der Stirn

7 Danach sah ich an den vier äußersten Enden der Erde
vier Engel stehen. Sie hielten die vier Winde zurück,
damit kein Wind auf der Erde, auf dem Meer und in den
Bäumen wehte. [2] Von dorther, wo die Sonne aufgeht, sah
ich einen anderen Engel mit dem Siegel des lebendigen

Gottes in der Hand in den Himmel heraufsteigen. Er
wandte sich mit lauter Stimme an die vier Engel, denen
Gott die Macht gegeben hatte, dem Land und dem Meer
Schaden zuzufügen, ³und sagte: »Verwüstet weder das
Land, noch das Meer, noch die Bäume! Erst müssen wir
die Diener unseres Gottes mit dem Siegel auf der Stirn
kennzeichnen.« ⁴Und ich hörte, wie viele mit dem Siegel
gekennzeichnet wurden. Es waren hundertvierundvierzigtausend aus allen Stämmen des Volkes Israel; ⁵⁻⁸je zwölftausend aus den Stämmen Juda, Ruben, Gad, Ascher,
Naftali, Manasse, Simeon, Levi, Issachar, Sebulon, Josef
und Benjamin.

Die große Menge aus allen Völkern

⁹Danach sah ich eine große Menge Menschen, so viele,
daß keiner sie zählen konnte. Es waren Menschen aus allen Nationen, Stämmen, Völkern und Sprachen. Sie standen in weißen Kleidern vor dem Thron und dem Lamm
und hielten Palmzweige in den Händen. ¹⁰Mit lauter Stimme riefen sie: »Die Rettung kommt von unserem Gott,
der auf dem Thron sitzt, und von dem Lamm!« ¹¹Alle Engel standen im Kreis um den Thron, um die Ältesten* und
um die vier mächtigen Gestalten*. Vor dem Thron warfen
sie sich zu Boden und beteten Gott an. ¹²Sie sprachen:
»Das ist gewiß: Anbetung und Herrlichkeit, Weisheit und
Dank, Ehre, Macht und Stärke gehören unserem Gott für
immer und ewig. Amen!«
   ¹³Einer der Ältesten fragte mich: »Wer sind diese Menschen in weißen Kleidern? Woher kommen sie?« ¹⁴Ich
antwortete: »Herr, ich weiß es nicht. Das mußt du wissen!« Er sagte zu mir: »Diese Menschen haben die große
Verfolgung durchgestanden. Sie haben ihre Kleider im
Blut des Lammes weiß gewaschen. ¹⁵Darum stehen sie
vor dem Thron Gottes und dienen ihm Tag und Nacht in
seinem Tempel. Er, der auf dem Thron sitzt, wird sie
schützen. ¹⁶Sie werden niemals wieder Hunger oder Durst
haben; weder die Sonne noch irgendeine Glut wird
sie versengen. ¹⁷Das Lamm in der Mitte des Thrones
wird ihr Hirt sein und sie an die Quellen führen, deren
Wasser Leben spendet. Und Gott wird alle ihre Tränen
abwischen.«

Das siebte Siegel

8 Als das Lamm das siebte Siegel aufbrach, war es eine halbe Stunde im Himmel ganz still.

²Dann sah ich, wie die sieben Engel vor Gottes Thron sieben Posaunen erhielten.

³Ein anderer Engel kam mit einer goldenen Räucherpfanne und stellte sich vor den Altar. Er erhielt eine große Menge Weihrauch, um ihn auf dem Altar vor Gottes Thron als Opfer darzubringen, zusammen mit den Gebeten aller Menschen, die Gott gehören. ⁴Aus den Händen des Engels, der vor Gott stand, stieg der Weihrauch in die Höhe, zusammen mit den Gebeten des Volkes Gottes. ⁵Dann nahm der Engel die Räucherpfanne, füllte sie mit Feuer vom Altar und warf es auf die Erde. Da blitzte und donnerte es heftig, und die Erde bebte.

Die ersten vier Posaunen

⁶Darauf machten sich die sieben Engel bereit, die sieben Posaunen zu blasen.

⁷Der erste Engel blies seine Posaune. Hagel und Feuer, mit Blut gemischt, fiel auf die Erde. Ein Drittel der Erde und ein Drittel aller Bäume wurden verbrannt; kein Grashalm blieb übrig.

⁸Dann blies der zweite Engel seine Posaune. Etwas, das wie ein großer brennender Berg aussah, wurde ins Meer geworfen. Ein Drittel des Meeres verwandelte sich in Blut. ⁹Ein Drittel aller Meerestiere starb, und ein Drittel aller Schiffe wurde vernichtet.

¹⁰Dann blies der dritte Engel seine Posaune. Ein großer Stern, der wie eine Fackel brannte, stürzte vom Himmel. Er fiel auf ein Drittel der Flüsse und Quellen. ¹¹Der Stern heißt »Bitterkeit«. Ein Drittel des Wassers wurde bitter. Viele Menschen starben an diesem Wasser, weil es vergiftet war.

¹²Dann blies der vierte Engel seine Posaune. Ein Drittel der Sonne, des Mondes und der Sterne wurden durch Schläge getroffen. Ihr Licht verlor ein Drittel seiner Helligkeit, und ein Drittel des Tages und der Nacht wurden finster.

¹³Dann sah ich einen Adler, der hoch in der Luft flog, und hörte ihn mit lauter Stimme rufen: »Schrecken über

Schrecken! Wenn erst die anderen drei Engel ihre Posaunen blasen, wird es denen, die auf der Erde leben, schrecklich ergehen!«

Die fünfte Posaune

9 Dann blies der fünfte Engel seine Posaune. Ich sah einen Stern*, der vom Himmel auf die Erde gestürzt war. Dieser Stern erhielt die Schlüssel zum Abgrund*. [2] Er öffnete den Schacht zum Abgrund, da quoll Rauch daraus hervor wie aus einem großen Ofen und verdunkelte die Sonne und die Luft. [3] Aus dem Rauch kamen Heuschrecken, denen die Kraft von Skorpionen gegeben war. [4] Sie durften weder Gras noch Bäume noch andere Pflanzen beschädigen; sie sollten nur die Menschen quälen, die nicht mit dem Siegel Gottes auf der Stirn gekennzeichnet waren. [5] Es war ihnen verboten, diese Menschen zu töten; sie durften sie nur fünf Monate lang quälen. Die Menschen sollten solche Schmerzen leiden, wie wenn ein Skorpion sie gestochen hätte. [6] Während dieser fünf Monate werden die Menschen den Tod suchen, ihn aber nicht finden. Sie möchten dann gerne sterben, aber der Tod wird vor ihnen fliehen.

[7] Die Heuschrecken sahen aus wie Pferde, die in die Schlacht ziehen. Auf ihren Köpfen trugen sie goldene Kronen, und sie hatten Gesichter wie Menschen. [8] Ihr Haar war wie Frauenhaar und ihre Zähne wie Löwenzähne. [9] Ihre Brust war wie mit einem eisernen Panzer bedeckt. Ihre Flügel machten einen Lärm, als ob viele mit Pferden bespannte Wagen in die Schlacht rollten. [10] Sie hatten Schwänze und Stacheln wie Skorpione. In ihren Schwänzen steckte die Kraft, die Menschen fünf Monate lang zu quälen. [11] Der Engel, der für den Abgrund zuständig ist, herrscht als König über sie. Auf hebräisch* heißt sein Name Abaddon, auf griechisch Apollyon; das bedeutet: der Zerstörer.

[12] Diesem ersten Schrecken werden noch zwei weitere folgen.

Die sechste Posaune

[13] Dann blies der sechste Engel seine Posaune. Ich hörte eine Stimme, die von den vier Hörnern* des goldenen Al-

tars kam, der vor Gott stand. ¹⁴ Die Stimme sagte zu dem sechsten Engel mit der Posaune: »Laß die vier Engel frei, die am Eufrat, dem großen Strom, festgehalten werden!« ¹⁵ Die vier Engel wurden freigelassen. Sie waren auf das Jahr, den Monat, den Tag und die Stunde genau für diesen Zeitpunkt dazu bereitgestellt, um ein Drittel der Menschheit zu töten. ¹⁶ Man nannte mir die Anzahl ihrer berittenen Truppen; es waren zweihundert Millionen. ¹⁷ Ich sah die Reiter mit ihren Pferden: Ihr Brustpanzer war feuerrot, blau und schwefelgelb. Die Pferde hatten Köpfe wie Löwen, und aus ihren Mäulern kamen Feuer, Rauch und Schwefel. ¹⁸ Feuer, Rauch und Schwefel sind die drei Katastrophen, durch die ein Drittel der Menschen vernichtet wurde. ¹⁹ Die tödliche Wirkung der Pferde geht von ihren Mäulern und von ihren Schwänzen aus. Ihre Schwänze sehen aus wie Schlangen mit Köpfen. Mit ihnen fügen sie den Menschen Schaden zu.

²⁰ Aber die Menschen, die nicht bei diesen Katastrophen getötet wurden, änderten sich nicht. Sie hörten nicht auf, die Dämonen und Götzen aus Gold, Silber, Bronze, Stein und Holz anzubeten, diese selbstgemachten Götter, die weder sehen noch hören noch gehen können. ²¹ Nein, sie änderten sich nicht; sie hörten nicht auf zu morden, Zauberei und Unzucht zu treiben und zu stehlen.

Der Engel und das kleine Buch

10 Dann sah ich einen anderen mächtigen Engel vom Himmel auf die Erde hinuntersteigen. Er war von einer Wolke umgeben, und ein Regenbogen stand über seinem Kopf. Sein Gesicht war wie die Sonne, und seine Beine glichen Säulen aus Feuer. ² Er hielt ein kleines Buch geöffnet in der Hand. Seinen rechten Fuß setzte er auf das Meer und seinen linken Fuß auf das Land. ³ Er rief mit einer lauten Stimme, die sich wie Löwengebrüll anhörte, und auf seinen Ruf antworteten die sieben Donner mit Gebrüll. ⁴ Ich wollte aufschreiben, was sie sagten; aber ich hörte eine Stimme vom Himmel: »Was die sieben Donner gesagt haben, sollst du für dich behalten! Schreib es nicht auf!«

⁵ Dann hob der Engel, den ich auf dem Meer und dem Land stehen sah, seine rechte Hand zum Himmel. ⁶ Er

schwor bei dem, der in alle Ewigkeit lebt, der den Himmel, die Erde, das Meer und alle ihre Bewohner geschaffen hat, und sagte: »Die Frist wird nicht mehr verlängert! [7] Wenn der siebte Engel seine Posaune bläst, wird Gott seinen geheimen Plan ausführen, so wie er es seinen Dienern, den Propheten, angekündigt hat.«

[8] Dann sprach die Stimme aus dem Himmel noch einmal zu mir: »Geh und nimm das offene Buch aus der Hand des Engels, der auf dem Meer und dem Land steht!« [9] Ich ging zu dem Engel und bat ihn, mir das Buch zu geben. Er sagte zu mir: »Nimm und iß es! Im Magen wird es dir wehtun, aber in deinem Mund wird es süß sein wie Honig.« [10] Ich nahm das kleine Buch aus seiner Hand und aß es. Es schmeckte wie Honig. Aber als ich es hinuntergeschluckt hatte, krampfte sich mir der Magen zusammen.

[11] Dann sagte mir jemand: »Du mußt noch ein weiteres Mal verkünden, was Gott mit den Völkern, Nationen, Stämmen und Königen vorhat.«

Die zwei Zeugen

11 Dann erhielt ich ein Rohr, das wie ein Meßstab war, und jemand sagte: »Steh auf und miß den Tempelbereich aus und den Altar darin. Zähle, wie viele Menschen dort beten. [2] Aber den äußeren Vorhof des Tempels laß weg! Dort brauchst du nicht zu messen, weil er den Fremden preisgegeben wird. Zweiundvierzig Monate lang werden sie die Heilige Stadt* verwüsten. [3] Ich werde meine zwei Zeugen schicken. Sie tragen Trauerkleidung und werden während dieser zwölfhundertsechzig Tage verkünden, was Gott ihnen aufgetragen hat.«

[4] Diese beiden Zeugen sind die zwei Ölbäume und die zwei Leuchter, die vor dem Herrn der Erde stehen. [5] Wenn jemand versucht, sie zu verletzen, kommt Feuer aus ihrem Mund und vernichtet ihre Feinde. Auf diese Weise werden alle getötet, die ihnen Schaden zufügen wollen. [6] Sie haben die Macht, den Himmel zu verschließen, so daß es nicht regnet, solange sie ihre Botschaft ausrichten. Sie haben auch die Macht, alle Gewässer in Blut zu verwandeln und die Erde mit allen möglichen Katastrophen zu erschüttern, sooft sie wollen.

⁷Wenn sie ihre Botschaft vollständig ausgerichtet haben, wird ein Tier* aus dem Abgrund kommen und gegen sie kämpfen. Es wird sie besiegen und töten. ⁸Ihre Leichen werden auf dem Platz mitten in der großen Stadt liegen, in der ihr Herr gekreuzigt wurde. Der bildliche Name dieser Stadt ist ›Sodom‹ oder ›Ägypten‹. ⁹Menschen aus aller Welt, aus allen Völkern, Stämmen und Sprachen werden sich dreieinhalb Tage lang die beiden Toten ansehen. Man wird nicht zulassen, daß die Toten beerdigt werden. ¹⁰Die Menschen auf der Erde werden sich über den Tod dieser beiden freuen. Sie werden ein Freudenfest feiern und sich gegenseitig Geschenke schicken, denn diese Propheten haben die Menschen gequält.

¹¹Nach dreieinhalb Tagen belebte Gott die beiden Propheten wieder mit seinem Atem, und sie erhoben sich. Alle, die das sahen, erschraken sehr. ¹²Dann hörten die zwei Propheten eine mächtige Stimme vom Himmel, die ihnen befahl: »Kommt herauf!« Ihre Feinde sahen zu, wie sie in einer Wolke zum Himmel hinaufstiegen. ¹³In diesem Augenblick gab es ein heftiges Erdbeben. Ein Zehntel der Stadt wurde zerstört; siebentausend Menschen kamen bei dem Erdbeben ums Leben. Die Überlebenden waren zu Tode erschrocken und unterwarfen sich der Macht Gottes, der im Himmel regiert.

¹⁴Das war der zweite Schrecken. Aber gebt acht, der dritte Schrecken wird bald folgen!

Die siebte Posaune

¹⁵Dann blies der siebte Engel seine Posaune. Da erhoben sich im Himmel laute Stimmen, die sagten: »Jetzt gehört die Herrschaft über die Erde unserem Gott und dem König, den er eingesetzt hat,° und sie werden für immer und ewig regieren.«

¹⁶Die vierundzwanzig Ältesten*, die vor Gott auf ihren Thronen sitzen, warfen sich zu Boden und beteten Gott an. ¹⁷Sie sagten:

»Wir danken dir, Herr, unser Gott,
du Herr der ganzen Welt,
der du bist und der du warst!
Du hast deine große Macht gebraucht
und die Herrschaft angetreten!

¹⁸ Die Völker haben sich aufgelehnt;
darum bist du zornig geworden.
Jetzt ist die Zeit gekommen,
Gericht zu halten über die Toten.
Nun ist die Zeit der Belohnung
für deine Diener, die Propheten*,
und für alle, Hohe und Niedrige,
die dir gehören und dir gehorchen.
Nun ist die Zeit der Bestrafung
für alle, die die Erde zugrunde richten:
Jetzt werden sie selbst zugrunde gerichtet.«

¹⁹ Gottes Tempel im Himmel wurde geöffnet, und man konnte die Lade* mit den Zeichen des Bundes sehen. Dann blitzte es und donnerte und dröhnte; die Erde bebte und schwerer Hagel fiel nieder.

Die Frau und der Drache

12 Darauf sah man am Himmel eine gewaltige Erscheinung: Es war eine Frau, die war mit der Sonne bekleidet, hatte den Mond unter ihren Füßen und trug auf dem Kopf eine Krone von zwölf Sternen. ² Sie stand kurz vor der Geburt, und die Wehen ließen sie vor Schmerz aufschreien.

³ Dann zeigte sich am Himmel eine andere Erscheinung: ein großer, roter Drache* mit sieben Köpfen und zehn Hörnern. Jeder Kopf trug eine Krone. ⁴ Mit seinem Schwanz fegte er ein Drittel der Sterne vom Himmel und schleuderte sie auf die Erde. Er stand vor der Frau, die ihr Kind bekommen sollte, und wollte es verschlingen, sobald es geboren war. ⁵ Die Frau brachte einen Sohn zur Welt, der alle Völker der Erde mit eisernem Zepter regieren sollte. Das Kind wurde sofort nach der Geburt weggeholt und zum Thron Gottes gebracht. ⁶ Die Frau aber flüchtete in die Wüste; dort hatte Gott einen Zufluchtsort vorbereitet, an dem sie zwölfhundertsechzig Tage lang versorgt werden sollte.

⁷ Dann brach im Himmel ein Krieg aus. Michael kämpfte mit seinen Engeln gegen den Drachen. Der Drache schlug mit seinen Engeln zurück; ⁸ aber er wurde besiegt. Er und seine Engel durften nicht länger im Himmel bleiben. ⁹ Der große Drache wurde hinuntergestürzt! Er ist die alte Schlange, die auch Teufel oder Satan genannt wird

und die ganze Welt verführt. Mit allen seinen Engeln wurde er auf die Erde hinuntergestürzt. [10] Dann hörte ich eine mächtige Stimme im Himmel sagen:

»Jetzt ist es geschehen: Unser Gott hat gesiegt!
Jetzt hat er seine Gewalt gezeigt
und seine Herrschaft angetreten!
Jetzt liegt die Macht in den Händen des Königs,
den er selber eingesetzt hat!
Der Ankläger unserer Brüder ist gestürzt;
er, der sie Tag und Nacht vor Gott beschuldigte,
ist nun aus dem Himmel hinausgeworfen.
[11] Unsere Brüder haben ihn besiegt
durch das Blut des Lammes und die Botschaft,
die sie empfangen und bezeugt haben.
Sie waren bereit, ihr Leben zu opfern
und den Tod auf sich zu nehmen.
[12] Darum freue dich, Himmel,
mit allen, die in dir wohnen!
Ihr aber, Land und Meer, müßt zittern,
seit der Teufel dort unten bei euch ist!
Seine Wut ist ungeheuer groß;
denn er weiß, er hat nur noch wenig Zeit!«

[13] Als der Drache sah, daß er auf die Erde geworfen war, begann er, die Frau zu verfolgen, die den Sohn geboren hatte. [14] Aber die Frau erhielt die beiden Flügel des großen Adlers, um an ihren Zufluchtsort in der Wüste zu fliehen. Dort konnte sie dreieinhalb Jahre in Sicherheit vor dem Überfall der bösen Schlange leben. [15] Die Schlange ließ riesige Wassermengen aus ihrem Rachen strömen, um die Frau fortzuschwemmen. [16] Aber die Erde kam der Frau zu Hilfe: Sie öffnete sich und schluckte das Wasser auf, das der Drache aus seinem Rachen ausstieß. [17] Der Drache wurde wütend über die Frau und ging fort, um ihre übrigen Nachkommen zu bekämpfen. Das sind die Menschen, die Gottes Gebote befolgen und der Botschaft von Jesus treu bleiben.

Die zwei Tiere

[18] Dann trat der Drache ans Ufer des Meeres.

13 Und ich sah ein Tier aus dem Meer auftauchen, das hatte zehn Hörner und sieben Köpfe. Auf je-

dem Horn trug es eine Krone, und auf seine Köpfe waren
Herrschertitel geschrieben, die Gott beleidigten. ²Das
Tier sah aus wie ein Leopard, hatte Füße wie Bärentatzen
und einen Rachen wie ein Löwe. Der Drache* verlieh
dem Tier seine eigene Befehlsgewalt, seinen Thron und
seine große Macht. ³Man sah, daß einer der Köpfe des
Tieres eine tödliche Wunde erhalten hatte; aber die Wunde war verheilt. Die ganze Erde staunte über dieses Tier
und gehorchte ihm. ⁴Alle Menschen beteten den Drachen
an, weil er seine Macht dem Tier verliehen hatte. Sie beteten auch das Tier an und sagten: »Wer kommt diesem Tier
gleich? Wer kann es mit ihm aufnehmen?«
⁵Das Tier durfte unerhörte Reden halten, mit denen es
Gott beschimpfte, und es konnte zweiundvierzig Monate
lang seinen Einfluß ausüben. ⁶Es machte Gott und seinen
Namen verächtlich, ebenso sein Heiligtum und alle, die im
Himmel wohnen. ⁷Gott ließ zu, daß es mit seinem Volk
Krieg führte und es besiegte. Alle Völker und Nationen,
Menschen aller Sprachen mußten dem Befehl des Tieres
gehorchen. ⁸Alle Menschen auf der Erde werden es anbeten, alle, deren Namen nicht seit Beginn der Welt im
Lebensbuch des geopferten Lammes stehen.
⁹Wer hören kann, der soll gut zuhören: ¹⁰Wer dazu bestimmt ist, gefangen zu werden, der kommt in Gefangenschaft. Wer dazu bestimmt ist, mit dem Schwert getötet zu
werden, der wird mit dem Schwert getötet. Dann braucht
das Volk Gottes Standhaftigkeit und Treue!
¹¹Dann sah ich ein anderes Tier aus der Erde kommen.
Es hatte zwei Hörner wie ein Lamm, aber es redete wie
ein Drache. ¹²Im Auftrag des ersten Tieres übte es dessen
ganze Macht aus. Es zwang die Erde und alle, die auf ihr
lebten, das erste Tier mit der verheilten Wunde anzubeten. ¹³Das zweite Tier tat große Wunder: Vor allen Menschen ließ es Feuer vom Himmel auf die Erde regnen.
¹⁴Durch die Wunder, die es im Auftrag des ersten Tieres
tun konnte, wurden alle Menschen getäuscht, die auf der
Erde lebten. Das Tier überredete sie, ein Standbild zu Ehren des ersten Tieres zu errichten, das mit dem Schwert
tödlich verwundet worden und wieder ins Leben zurückgekehrt war. ¹⁵Das zweite Tier konnte sogar das Standbild
des ersten Tieres beleben, so daß dieses Bild sprechen

konnte und dafür sorgte, daß alle getötet wurden, die es
nicht anbeteten. ¹⁶Das Tier hatte alle Menschen in seiner
Gewalt: Hohe und Niedrige, Reiche und Arme, Sklaven
und Freie. Sie mußten sich ein Zeichen auf ihre rechte
Hand oder ihre Stirn machen. ¹⁷Nur wer dieses Zeichen
hatte, konnte kaufen oder verkaufen. Das Zeichen bestand aus dem Namen des Tieres oder der Zahl für diesen
Namen.

¹⁸Dazu braucht man Weisheit. Wer Verstand hat, der
kann herausfinden, was die Zahl des Tieres bedeutet,
denn sie steht für den Namen eines Menschen. Es ist die
Zahl sechshundertsechsundsechzig.°

Der Gesang der Freigekauften

14 Ich sah das Lamm auf dem Zionsberg stehen. Bei
ihm waren hundertvierundvierzigtausend Menschen. Sie trugen seinen Namen und den Namen seines
Vaters auf ihrer Stirn. ²Dann hörte ich einen Schall aus
dem Himmel. Es klang wie das Rauschen eines mächtigen
Wasserfalls und wie lautes Donnerrollen, aber zugleich
hörte es sich an wie Musik von Harfenspielern. ³Vor den
vier mächtigen Gestalten* und den Ältesten* und vor
dem Thron sangen sie ein neues Lied. Dieses Lied konnten nur die hundertvierundvierzigtausend Menschen lernen, die von der Erde losgekauft worden sind. ⁴Sie haben
sich rein gehalten vom Verkehr mit Frauen° und folgen
dem Lamm überallhin. Sie sind aus der übrigen Menschheit losgekauft und stellvertretend für alle Gott und dem
Lamm geweiht worden. ⁵Nie hat man aus ihrem Mund
eine Lüge gehört, es ist kein Fehler an ihnen.

Die drei Engel

⁶Dann sah ich einen anderen Engel hoch am Himmel flie-
gen. Er hatte eine Botschaft, die niemals ihre Gültigkeit
verlieren wird. Die sollte er allen Bewohnern der Erde
verkünden, allen Völkern und Nationen, den Menschen
aller Sprachen. ⁷Er rief mit lauter Stimme: »Nehmt Gott
ernst und erweist ihm Ehre! Die Zeit ist gekommen, daß
er die Menschheit vor Gericht stellt. Betet ihn an, der den
Himmel, die Erde, das Meer und die Quellen geschaffen
hat!«

⁸ Dem ersten Engel folgte ein zweiter und sagte: »Gefallen! Das mächtige Babylon* ist gefallen, das alle Völker gezwungen hatte, den schweren Wein seiner Unzucht* zu trinken!«

⁹ Den zwei ersten Engeln folgte ein dritter. Er rief mit lauter Stimme: »Wer das Tier* und das Standbild verehrt und dessen Zeichen auf seiner Stirn oder seiner Hand anbringen läßt, ¹⁰ der wird den Wein Gottes trinken müssen. Es ist der Wein seiner Entrüstung, den er unverdünnt in den Becher seines Zornes gegossen hat. Wer das Tier verehrt, wird vor den Augen des Lammes und der heiligen Engel mit Feuer und Schwefel gequält. ¹¹ Der Rauch von diesem quälenden Feuer steigt für alle Zeiten zum Himmel. Wer das Tier und sein Standbild verehrt und das Kennzeichen seines Namens trägt, der wird Tag und Nacht keine Ruhe finden. ¹² Das Volk Gottes, das Gott gehorcht und treu zu Jesus hält, braucht hier Standhaftigkeit!«

¹³ Dann hörte ich eine Stimme vom Himmel, die sagte: »Schreib auf: Freuen dürfen sich alle, die von jetzt ab im Dienst des Herrn sterben!« »So ist es«, antwortet der Geist*, »sie werden sich von ihrer Mühe ausruhen und sich freuen; denn ihre Taten gehen mit ihnen und sprechen für sie.«

Die Erde ist reif für die Ernte

¹⁴ Ich sah eine weiße Wolke; darauf saß einer, der wie ein Mensch aussah. Er hatte eine goldene Krone auf dem Kopf und eine scharfe Sichel in der Hand. ¹⁵ Dann kam wieder ein Engel aus dem Tempel. Er rief dem, der auf der Wolke saß, mit lauter Stimme zu: »Laß deine Sichel schneiden, und bring die Ernte ein! Die Stunde für die Ernte ist gekommen, die Erde ist reif!« ¹⁶ Da warf der, der auf der Wolke saß, seine Sichel über die Erde, und die Ernte wurde eingebracht.

¹⁷ Ich sah einen anderen Engel aus dem Tempel im Himmel kommen; auch er hatte eine scharfe Sichel. ¹⁸ Ein weiterer Engel kam vom Altar. Es war der Engel, der für das Feuer zuständig ist. Er rief dem mit der scharfen Sichel mit lauter Stimme zu: »Laß deine scharfe Sichel schneiden, und schneide die Trauben im Weinberg der Erde ab!

Sie sind reif!« ¹⁹Der Engel warf seine Sichel über die Erde, die schnitt die Trauben von den Weinstöcken. Er warf
die Trauben in die Weinpresse, die den Zorn Gottes bedeutet. ²⁰Außerhalb der Stadt wurden sie in der Presse
ausgedrückt. Da kam ein Blutstrom aus der Weinpresse,
der stieg so hoch, daß er den Pferden bis an die Zügel
reichte, und floß sechzehnhundert Wegmaße° weit.

Die Engel mit den letzten Katastrophen

15 Dann sah ich eine weitere große und staunenerre-
gende Erscheinung am Himmel: sieben Engel, die
sieben Katastrophen bringen. Dies sind die letzten Katastrophen, mit denen Gottes Zorn zu Ende geht.
²Ich sah etwas wie ein gläsernes Meer, von Feuer
durchglüht. An diesem Meer sah ich alle die stehen, die
den Kampf mit dem Tier* bestanden hatten und seinem
Standbild und der Zahl seines Namens keine Zugeständ-
nisse gemacht hatten. Sie hielten Harfen in den Händen,
die Gott ihnen gegeben hatte. ³Sie sangen das Lied, das
Mose, der Diener Gottes, verfaßt hatte, und das Lied des
Lammes:

>»Herr, unser Gott, du Herr der ganzen Welt,
>wie groß und wunderbar sind deine Taten!
>In allem, was du planst und ausführst,
>bist du wahrhaftig und gerecht,
>du König über alle Völker!
>⁴Wer wagt es, dir, Herr, nicht zu gehorchen
>und deinen Namen nicht zu ehren?
>Alle Völker werden kommen
>und sich vor dir niederwerfen;
>denn deine gerechten Taten
>sind nun für alle sichtbar.«

⁵Danach sah ich, wie im Himmel der Tempel geöffnet
wurde, das heilige Zelt*, in dem Gott anwesend ist. ⁶Die
sieben Engel mit den sieben Katastrophen kamen aus
dem Tempel. Sie waren in reines, weißes Leinen gekleidet
und trugen ein breites goldenes Band um die Brust. ⁷Eine
von den vier mächtigen Gestalten* gab den sieben Engeln
sieben goldene Schalen. Sie waren bis an den Rand gefüllt
mit dem Zorn des Gottes, der in alle Ewigkeit lebt. ⁸Der
Tempel war voller Rauch, der von der Herrlichkeit und

Macht Gottes ausging. Keiner konnte den Tempel betreten, solange nicht die sieben Katastrophen zu Ende waren, die von den sieben Engeln gebracht wurden.

Die Schalen mit dem Zorn Gottes

16 Dann hörte ich eine mächtige Stimme aus dem Tempel, die sagte zu den sieben Engeln: »Geht und gießt die sieben Schalen mit dem Zorn Gottes über die Erde aus!«

² Der erste Engel ging und goß seine Schale auf die Erde. Da bekamen alle, die das Kennzeichen des Tieres* trugen und sein Standbild angebetet hatten, ein schmerzhaftes und schlimmes Geschwür.

³ Der zweite Engel goß seine Schale ins Meer. Da wurde das Wasser zu Blut wie von einem Ermordeten, und alle Lebewesen im Meer gingen zugrunde.

⁴ Der dritte Engel goß seine Schale in die Flüsse und Quellen, da wurden sie zu Blut. ⁵ Ich hörte, wie der Engel, der für das Wasser zuständig ist, sagte: »Du Heiliger, der du bist und warst, in diesen Urteilen hast du dich als gerechter Richter erwiesen. ⁶ Allen, die das Blut des Gottesvolkes und seiner Propheten vergossen haben, hast du Blut zu trinken gegeben. So bekommen sie, was sie verdienen.« ⁷ Dann hörte ich eine Stimme vom Altar her sagen: »So ist es, Herr, unser Gott, du Herr der ganzen Welt; deine Urteile sind wahr und gerecht!«

⁸ Der vierte Engel goß seine Schale auf die Sonne. Da wurde der Sonne erlaubt, die Menschen mit ihren glühenden Feuerstrahlen zu quälen. ⁹ Und die Menschen wurden von glühender Hitze versengt. Sie verfluchten den Namen Gottes, der diese Katastrophen angeordnet hatte; aber sie änderten sich nicht und wollten sich Gott nicht unterwerfen.

¹⁰ Der fünfte Engel goß seine Schale auf den Thron des Tieres. Da wurde es im ganzen Herrschaftsbereich des Tieres dunkel. Die Menschen zerbissen sich vor Schmerzen die Zunge. ¹¹ Sie verfluchten den Gott des Himmels wegen ihrer Qualen und ihrer Geschwüre; aber sie hörten nicht auf mit ihren schändlichen Taten.

¹² Der sechste Engel goß seine Schale in den Eufrat, den großen Strom; da trocknete er aus. So wurde den Köni-

gen, die von Osten her einbrechen, ein Weg gebahnt.
[13] Dann sah ich drei unreine Geister, die Fröschen glichen.
Der Drache*, das Tier und der falsche Prophet spuckten
sie aus ihrem Maul. [14] Es sind die Teufelsgeister, die Wunder tun. Diese drei Geister suchen alle Könige der Erde
auf. Sie wollen sie zum Kampf am großen Tag des allmächtigen Gottes sammeln.

[15] »Gebt acht: ich werde wie ein Dieb kommen! Wer
wach bleibt und seine Kleider anbehält, darf sich freuen.
Er wird nicht nackt gehen und sich vor den anderen schämen müssen, wenn sie ihn sehen.«

[16] Die drei Teufelsgeister versammelten die Könige an
einem Ort, der auf hebräisch* Harmagedon heißt.

[17] Der siebte Engel goß seine Schale in die Luft. Da
kam eine mächtige Stimme von dem Thron im Tempel, die
sagte: »Es ist ausgeführt!« [18] Da blitzte es und donnerte
und dröhnte, und die Erde bebte sehr heftig. Seit es Menschen auf der Erde gibt, hat man ein solches Erdbeben
noch nicht erlebt. [19] Die große Stadt wurde in drei Teile
gespalten, und die Städte aller Länder wurden zerstört.
Gott hatte Babylon* nicht vergessen. Es mußte den Wein
aus dem Becher trinken, der mit dem glühenden Zorn
Gottes gefüllt war. [20] Alle Inseln wurden ausgelöscht, und
die Berge verschwanden. [21] Es hagelte zentnerschwere
Eisbrocken vom Himmel auf die Menschen. Sie verfluchten Gott wegen dieses Hagels, denn er war schrecklich.

Die große Hure

17 Einer der sieben Engel, die die sieben Schalen trugen, kam zu mir und sagte: »Tritt her! Ich werde dir
zeigen, wie die große Hure bestraft wird, die Stadt, die an
vielen Wasserarmen erbaut ist. [2] Die Könige der Erde haben sich mit ihr eingelassen. Alle Menschen sind betrunken geworden, weil sie sich am Wein ihrer Unzucht* be-
rauscht haben.«

[3] Der Geist* Gottes nahm Besitz von mir, und der Engel trug mich in die Wüste. Dort sah ich eine Frau. Sie saß
auf einem scharlachroten Tier, das über und über mit Namen beschrieben war, die Gott beleidigten. Das Tier hatte
sieben Köpfe und zehn Hörner. [4] Die Frau trug ein pur-
pur- und scharlachrotes Gewand und war mit Gold, kost-

baren Steinen und Perlen geschmückt. In ihrer Hand hielt sie einen goldenen Becher. Er war mit unanständigen und schmutzigen Dingen gefüllt, den Zeichen ihrer Zuchtlosigkeit. ⁵Auf ihrer Stirn stand ein Name, der hatte folgende geheime Bedeutung: »Ich bin das große Babylon*, die Mutter aller Hurerei und aller Greuel auf der Erde.« ⁶Ich sah, daß die Frau vom Blut des Volkes Gottes betrunken war. Sie hatte das Blut aller getrunken, die wegen ihrer Treue zu Jesus getötet worden waren.

Ich war starr vor Entsetzen, als ich sie sah. ⁷»Warum bist du so entsetzt?« fragte mich der Engel. »Ich verrate dir das Geheimnis dieser Frau und das Geheimnis des Tieres mit den sieben Köpfen und den zehn Hörnern, auf dem sie sitzt. ⁸Das Tier, das du gesehen hast, ist gewesen und ist jetzt nicht. Es wird bald wieder aus dem Abgrund* auftauchen – um in seinen Untergang zu rennen. Die Menschen, deren Namen nicht seit Beginn der Welt im Buch des Lebens stehen, werden staunen, wenn sie das Tier sehen. Früher war es, jetzt ist es nicht, und eines Tages wird es wieder sein.

⁹Dazu braucht man einen Verstand, der deuten kann. Die sieben Köpfe bedeuten sieben Hügel. Das sind die Hügel, auf denen die Frau sitzt. Sie stehen außerdem für sieben Könige. ¹⁰Davon sind fünf gefallen, einer herrscht noch, und der letzte ist noch nicht erschienen. Wenn er kommt, darf er nur kurze Zeit bleiben. ¹¹Das Tier, das war und doch nicht ist, ist ein achter König. Es ist aber auch einer von den sieben Königen und rennt in seinen Untergang.

¹²Die zehn Hörner, die du gesehen hast, sind zehn Könige, deren Herrschaft noch nicht begonnen hat. Eine Stunde lang werden sie zusammen mit dem Tier königliche Macht bekommen. ¹³Diese zehn verfolgen dasselbe Ziel und übergeben ihre Macht und ihren Einfluß dem Tier. ¹⁴Sie werden gegen das Lamm kämpfen. Aber das Lamm und seine treuen Anhänger, die es selbst erwählt und berufen hat, werden sie besiegen. Denn das Lamm ist der Herr über alle Herren und der König über alle Könige.«

¹⁵Der Engel sagte weiter zu mir: »Du hast das Wasser gesehen, an dem die Frau sitzt. Das sind Völker und

Menschenmassen aller Sprachen. ¹⁶Das Tier und die zehn Hörner, die du gesehen hast, werden die Hure verabscheuen. Sie werden ihr alles fortnehmen, so daß sie nackt ist. Sie werden ihr Fleisch fressen und sie verbrennen. ¹⁷Denn Gott hat ihr Herz so gelenkt, daß sie seine Absichten ausführen. Sie handeln gemeinsam und überlassen dem Tier ihre Herrschaftsgewalt, bis sich Gottes Voraussagen erfüllen.

¹⁸Die Frau, die du gesehen hast, ist die große Stadt, die die Könige der Erde in ihrer Gewalt hat.«

Der Untergang Babylons

18 Danach sah ich einen anderen Engel aus dem Himmel herabkommen. Er hatte große Macht, und sein Glanz erhellte die ganze Erde. ²Er rief mit starker Stimme: »Gefallen! Babylon*, die große Stadt, ist gefallen! Jetzt wird sie von Dämonen und unreinen Geistern* bewohnt. Alle Arten von unreinen* und häßlichen Vögeln hausen in ihren Mauern. ³Alle Menschen haben von ihrem Wein getrunken, dem schweren Wein ausschweifender Leidenschaft. Die Könige der Erde haben mit ihr Unzucht* getrieben. Die Kaufleute der Erde sind durch ihren ungeheuren Wohlstand reich geworden.«

⁴Dann hörte ich aus dem Himmel eine andere Stimme, die sagte: »Auf, mein Volk! Verlaßt diese Stadt! Sonst werdet ihr mitschuldig an ihren Sünden und müßt ihre Strafe mit ihr teilen. ⁵Denn Gott hat ihr schändliches Tun nicht vergessen. Ihre Sünden häufen sich bis an den Himmel! ⁶Behandelt sie so, wie sie es mit euch getan hat; zahlt ihr alles zweifach heim. Gießt ein Getränk in ihren Becher, das doppelt so stark ist wie das, was sie für euch bereithielt. ⁷Gebt ihr so viel Schmerzen und Trauer, wie sie sich Glanz und Luxus geleistet hat. Sie sagt zu sich selbst: ›Als Königin sitze ich hier! Ich bin keine Witwe und werde niemals traurig sein!‹ ⁸Deshalb werden an einem einzigen Tag Krankheit, Unglück und Hunger über sie hereinbrechen, und sie wird im Feuer umkommen. Denn Gott, der Herr, der sie verurteilt hat, ist mächtig.«

⁹Wenn die Könige der Erde, die sich mit ihr eingelassen haben und sich von ihrer Begierde anstecken ließen, den Rauch der brennenden Stadt sehen, werden sie ihretwe-

gen jammern und klagen. ¹⁰Sie werden sich in weiter Entfernung halten, weil sie Angst vor den Qualen der Stadt haben. Sie werden klagen: »Wie schrecklich! Wie furchtbar! Das große und mächtige Babylon! Innerhalb einer Stunde ist das Gericht über dich hereingebrochen!«

¹¹Auch die Kaufleute auf der Erde werden um sie weinen und trauern; denn keiner kauft mehr ihre Waren: ¹²Gold und Silber, kostbare Steine und Perlen, feinstes Leinen, Seide, purpur- und scharlachrote Stoffe; seltene Hölzer, Gegenstände aus Elfenbein, Edelholz, Bronze, Eisen und Marmor; ¹³Zimt, Salbe, Räucherwerk, Myrrhe und Weihrauch; Wein, Öl, feines Mehl und Weizen, Rinder und Schafe, Pferde und Wagen, und sogar lebende Menschen. ¹⁴Das Obst, das sie über alles liebte, gibt es nicht mehr. Ihr Reichtum und ihr verführerischer Glanz sind vergangen, sie wird beides nicht mehr wiederfinden! ¹⁵Die Kaufleute, die durch ihre Geschäfte in dieser Stadt reich geworden sind, werden sich in weiter Entfernung aufhalten, weil sie Angst haben vor den Qualen der Stadt. Sie werden trauern und klagen ¹⁶und sagen: »Wie schrecklich! Wie furchtbar für diese mächtige Stadt! Sie war es gewohnt, sich in feinstes Leinen, in Purpur- und Scharlachstoffe zu kleiden. Sie schmückte sich mit Gold, kostbaren Steinen und Perlen. ¹⁷Und innerhalb einer einzigen Stunde hat sie den ganzen Reichtum verloren!«

Die Kapitäne und die Reisenden, die Matrosen und alle, die ihren Unterhalt auf See verdienen, standen in weiter Entfernung. ¹⁸Als sie den Rauch der brennenden Stadt sahen, riefen sie: »An diese großartige Stadt kam keine heran!« ¹⁹Sie streuten Staub auf ihre Köpfe, weinten und jammerten laut: »Wie schrecklich! Wie furchtbar für diese mächtige Stadt! An ihren Schätzen haben sich alle bereichert, die Schiffe auf dem Meer haben. Und innerhalb einer einzigen Stunde hat sie alles verloren!«

²⁰»Himmel, freu dich über ihren Untergang! Freut euch, Volk Gottes, Apostel* und Propheten*! Gott hat sie verurteilt für alles, was sie euch angetan hat.«

²¹Dann hob ein starker Engel einen Stein auf, der war so groß wie ein Mühlstein. Der Engel warf ihn ins Meer und sagte: »Genauso wird die mächtige Stadt Babylon mit aller Kraft hinuntergeworfen, und keiner wird sie mehr se-

hen. [22] Die Harfenspieler und Sänger, die Flötenspieler und Trompetenbläser wird keiner mehr in deinen Mauern hören, Babylon! Kein Handwerker, der irgendein Handwerk betreibt, wird jemals wieder in dir leben. Das Geräusch der Mühle wird verstummen. [23] Niemals mehr wird in dir eine Lampe brennen. Der Jubel von Braut und Bräutigam wird in dir nicht mehr zu hören sein. Deine Kaufleute waren die einflußreichsten der Erde, und mit deinem falschen Zauber hast du alle Völker verführt! [24] Das Blut der Propheten und des Gottesvolkes ist in dieser Stadt geflossen. Sie ist für das Blut aller Menschen verantwortlich, die auf der Erde ermordet worden sind.«

19 Danach hörte ich im Himmel das laute Rufen einer großen Menge:

»Halleluja – Preist den Herrn!

Heil, Herrlichkeit* und Macht gehören unserem Gott!

[2] Seine Urteile sind wahr und gerecht.

Er hat die große Hure verurteilt,

die mit ihrem schändlichen Treiben

die Erde zugrunde gerichtet hat.

Er hat das Blut seiner Diener gerächt,

das an ihren Händen klebte.«

[3] Und wieder riefen sie: »Halleluja – Preist den Herrn! Der Rauch der brennenden Stadt steigt für alle Zeiten zum Himmel!« [4] Die vierundzwanzig Ältesten* und die vier mächtigen Gestalten* warfen sich nieder und beteten Gott an, der auf dem Thron saß. Sie riefen: »Amen! Halleluja!«

Die Hochzeit des Lammes

[5] Dann sprach eine Stimme vom Thron her:

»Preist unseren Gott, ihr seine Diener

und ihr alle, die ihr ihn verehrt,

Hohe und Niedrige miteinander!«

[6] Dann hörte ich das Rufen einer großen Menge. Es klang wie das Rauschen eines mächtigen Wasserfalls und wie lautes Donnerrollen. Sie riefen:

»Halleluja – Preist den Herrn!

Der Herr hat nun die Herrschaft angetreten,

er, unser Gott, der Herr der ganzen Welt!
⁷ Wir wollen uns freuen und jubeln
und ihm die Ehre erweisen!
Der Hochzeitstag des Lammes ist gekommen;
seine Braut hat sich bereitgemacht.
⁸ Ihr wurde ein herrliches Kleid gegeben
aus reinem, leuchtendem Leinen!«

Das Leinen steht für die Taten des Gottesvolkes, die vor Gottes Urteil bestehen können.

⁹ Dann sagte der Engel zu mir: »Schreib auf: Freuen darf sich, wer zum Hochzeitsmahl des Lammes eingeladen ist.« Und er fügte hinzu: »Dies alles sind zuverlässige Worte Gottes.« ¹⁰ Ich warf mich vor ihm nieder, um ihn anzubeten. Aber er sagte zu mir: »Tu das nicht! Ich bin nur ein Diener wie du und wie deine Brüder, die als Zeugen durch Jesus bestätigt sind. Bete Gott an!«

Die Bestätigung durch Jesus ist der Geist*, der ihnen prophetische Worte eingibt.

Der Reiter auf dem weißen Pferd

¹¹ Dann sah ich den Himmel weit geöffnet. Da stand ein weißes Pferd. Auf ihm saß einer, der heißt der Treue und Wahrhaftige. Er urteilt und kämpft gerecht. ¹² Seine Augen waren wie Flammen, und auf dem Kopf trug er viele Kronen. Ein Name stand auf ihm geschrieben, den nur er selbst kennt. ¹³ Sein Mantel war voller Blut. Der Name, mit dem man ihn ruft, ist »Das Wort Gottes«. ¹⁴ Die Heere des Himmels folgten ihm. Alle ritten auf weißen Pferden und waren in reines weißes Leinen gekleidet. ¹⁵ Aus seinem Mund kam ein scharfes Schwert, mit dem er die Völker besiegen wird. Er wird sie mit eisernem Zepter regieren und sie zertreten, wie man die Trauben in der Weinpresse zertritt. So vollstreckt er den heftigen Zorn Gottes, des Herrn der ganzen Welt. ¹⁶ Auf seinem Mantel und auf seinem bloßen Schenkel stand sein Name: »König der Könige und Herr der Herren«.

¹⁷ Dann sah ich einen Engel, der stand in der Sonne. Er rief allen Vögeln, die hoch am Himmel flogen, mit lauter Stimme zu: »Kommt, versammelt euch für Gottes großes Fest! ¹⁸ Kommt und freßt das Fleisch von Königen, Heerführern und Kriegern! Freßt das Fleisch der Pferde und

ihrer Reiter, das Fleisch von allen Menschen, von Sklaven
und Freien, von Hohen und Niedrigen!«

¹⁹ Dann sah ich das Tier* zusammen mit den Königen
der Erde. Ihre Heere waren angetreten, um gegen den
Reiter und sein Heer zu kämpfen. ²⁰ Das Tier wurde gefangengenommen und auch der falsche Prophet, der im
Auftrag des Tieres die Wunder getan hatte. Durch diese
Wunder hatte er alle verführt, die das Zeichen des Tieres
angenommen und das Standbild des Tieres angebetet hatten. Das Tier und der falsche Prophet wurden bei lebendigem Leib in einen See von brennendem Schwefel
geworfen. ²¹ Ihre Heere wurden durch das Schwert
vernichtet, das aus dem Mund dessen kommt, der auf
dem Pferd reitet. Alle Vögel der Erde wurden satt von
ihrem Fleisch.

Die tausend Jahre

20 Danach sah ich einen Engel aus dem Himmel herabkommen, der hatte den Schlüssel zum Abgrund*
und eine lange Kette in der Hand. ² Er packte den Drachen*, die alte Schlange, die auch Teufel und Satan genannt wird, und fesselte ihn für tausend Jahre. ³ Der Engel warf ihn in den Abgrund, schloß den Eingang ab und
versiegelte ihn. So konnte der Drache die Völker tausend
Jahre lang nicht mehr verführen. Wenn sie um sind, muß
er für eine kurze Zeit freigelassen werden.

⁴ Dann sah ich Thronsessel. Alle, die auf ihnen saßen,
hatten die Vollmacht, Gericht zu halten. Ich sah auch die
Seelen der Menschen, die hingerichtet worden sind, weil
sie öffentlich für Jesus und das Wort Gottes eintraten. Sie
hatten weder das Tier noch sein Standbild angebetet und
trugen auch nicht das Kennzeichen des Tieres auf ihrer
Stirn oder ihrer Hand. Zusammen mit Christus lebten und
herrschten sie tausend Jahre lang. ⁵ Die übrigen Toten
wurden erst wieder lebendig, als die tausend Jahre um
waren.

Dies ist die erste Auferstehung. ⁶ Freuen dürfen sich die
Auserwählten, die an der ersten Auferstehung teilhaben.
Der zweite Tod* kann ihnen nichts anhaben. Sie werden
Gott und Christus als Priester dienen und tausend Jahre
lang mit Christus herrschen.

Die Niederlage des Satans

⁷Wenn die tausend Jahre um sind, wird der Satan aus seinem Gefängnis freigelassen. ⁸Er wird ausziehen, um die Völker an allen vier Enden der Erde zu überreden – das sind Gog und Magog.° Sie sind so zahlreich wie der Sand am Meer, und der Satan wird sie alle zum Kampf sammeln. ⁹Sie ergossen sich über die ganze Erde und umstellten das Lager des Gottesvolkes und die Stadt, die von Gott geliebt wird. Aber es regnete Feuer vom Himmel das sie vernichtete. ¹⁰Dann wurde der Teufel, der sie verführt hatte, in den See von brennendem Schwefel geworfen, in dem schon das Tier und der falsche Prophet waren. Dort werden sie für alle Zeiten Tag und Nacht gequält.

Das abschließende Gericht

¹¹Dann sah ich einen großen weißen Thron und den, der darauf sitzt. Die Erde und der Himmel flüchteten bei seinem Anblick und verschwanden für immer. ¹²Ich sah alle Toten, Hohe und Niedrige, vor dem Thron stehen. Die Bücher wurden geöffnet, in denen alle Taten aufgeschrieben sind. Dann wurde noch ein Buch aufgeschlagen: das Buch des Lebens. Den Toten wurde das Urteil gesprochen; es richtete sich nach ihren Taten, die in den Büchern aufgeschrieben waren. ¹³Auch das Meer hatte seine Toten herausgegeben, und der Tod und die Totenwelt* hatten ihre Toten freigelassen. Alle empfingen das Urteil, das ihren Taten entsprach. ¹⁴Der Tod und die Totenwelt wurden in den See von Feuer geworfen. Dieser See von Feuer ist der zweite Tod*. ¹⁵Jeder, dessen Name nicht im Buch des Lebens stand, wurde in den See von Feuer geworfen.

Der neue Himmel und die neue Erde

21 Dann sah ich einen neuen Himmel und eine neue Erde. Der erste Himmel und die erste Erde waren verschwunden, und das Meer war nicht mehr da. ²Ich sah, wie die Heilige Stadt, das neue Jerusalem, von Gott aus dem Himmel herabkam. Sie war festlich geschmückt wie eine Braut, die auf den Bräutigam wartet. ³Vom Thron her hörte ich eine starke Stimme: »Jetzt wohnt Gott bei

den Menschen! Er wird bei ihnen bleiben, und sie werden sein Volk sein. Gott selbst wird als ihr Gott bei ihnen sein. ⁴Er wird alle ihre Tränen abwischen. Es wird keinen Tod mehr geben und keine Traurigkeit, keine Klage und keine Quälerei mehr. Was einmal war, ist für immer vorbei.«

⁵Dann sagte der, der auf dem Thron saß: »Jetzt mache ich alles neu!« Zu mir sagte er: »Schreib diese Worte auf, denn sie sind wahr und zuverlässig.« ⁶Und er fuhr fort: »Ja, sie sind in Erfüllung gegangen! Ich bin der Erste und der Letzte,° der Anfang und das Ende. Wer durstig ist, dem gebe ich umsonst zu trinken. Ich gebe ihm Wasser aus der Quelle des Lebens. ⁷Wer den Sieg erlangt, wird dieses Geschenk von mir erhalten, und ich werde sein Gott sein, und er wird mein Sohn sein. ⁸Aber die Feiglinge und Treulosen, die Abgefallenen, Mörder und Ehebrecher, die Zauberer, die Götzenverehrer und alle, die sich nicht an die Wahrheit halten, finden ihren Platz in dem See von brennendem Schwefel. Das ist der zweite Tod*.«

Das neue Jerusalem

⁹Einer von den sieben Engeln, die die sieben Schalen mit den sieben letzten Katastrophen getragen hatten, näherte sich mir und sagte: »Komm her! Ich werde dir die Braut zeigen, die Frau des Lammes.« ¹⁰Der Geist* nahm von mir Besitz, und in der Vision trug mich der Engel auf die Spitze eines sehr hohen Berges. Er zeigte mir die Heilige Stadt Jerusalem, die von Gott aus dem Himmel herabgekommen war. ¹¹Sie strahlte die Herrlichkeit Gottes aus und glänzte wie ein kostbarer Stein, wie ein kristallklarer Jaspis. ¹²Sie war von einer sehr hohen Mauer mit zwölf Toren umgeben. Die Tore wurden von zwölf Engeln bewacht, und die Namen der zwölf Stämme Israels waren an die Tore geschrieben. ¹³Nach jeder Himmelsrichtung befanden sich drei Tore, nach Osten, nach Süden, nach Norden und nach Westen. ¹⁴Die Stadtmauer war auf zwölf Grundsteinen errichtet, auf denen die Namen der zwölf Apostel* des Lammes standen.

¹⁵Der Engel, der zu mir sprach, hatte einen goldenen Meßstab, um die Stadt, ihre Tore und ihre Mauern auszumessen. ¹⁶Die Stadt war viereckig angelegt, ebenso lang wie breit. Der Engel maß die Stadt mit seinem Meßstab.

Sie war zwölftausend Wegmaße° lang und ebenso breit und hoch. [17] Er maß auch die Stadtmauer. Nach dem Menschenmaß, das der Engel gebrauchte, war sie hundertvierundvierzig Ellen* hoch. [18] Die Mauer bestand aus Jaspis. Die Stadt selbst war aus reinem Gold erbaut, das so durchsichtig war wie Glas. [19] Die Grundsteine der Stadtmauer waren mit allen Arten von kostbaren Steinen geschmückt. Der erste Grundstein ist ein Jaspis, der zweite ein Saphir, der dritte ein Chalzedon, der vierte ein Smaragd, [20] der fünfte ein Sardonyx, der sechste ein Karneol, der siebte ein Chrysolith, der achte ein Beryll, der neunte ein Topas, der zehnte ein Chrysopras, der elfte ein Hyazinth und der zwölfte ein Amethyst. [21] Die zwölf Tore waren zwölf Perlen. Jedes Tor bestand aus einer einzigen Perle. Die Hauptstraße war aus reinem Gold, so durchsichtig wie Glas.

[22] Einen Tempel sah ich nicht in der Stadt. Gott, der Herr der ganzen Welt, ist selbst ihr Tempel, und das Lamm mit ihm. [23] Die Stadt braucht weder Sonne noch Mond, damit es hell in ihr wird. Die Herrlichkeit* Gottes leuchtet in ihr, und das Lamm ist ihre Sonne. [24] In dem Licht, das von der Stadt ausgeht, werden die Völker leben. Die Könige der Erde werden ihren Reichtum in die Stadt tragen. [25] Ihre Tore werden den ganzen Tag offenstehen, mehr noch: Sie werden nie geschlossen, weil es dort keine Nacht gibt. [26] Pracht und Reichtum der Völker werden in diese Stadt gebracht. [27] Aber nichts Unwürdiges wird Einlaß finden. Wer Schandtaten verübt und lügt, kann die Stadt nicht betreten. Nur wer im Lebensbuch des Lammes aufgeschrieben ist, wird in die Stadt eingelassen.

22 Der Engel zeigte mir auch den Fluß mit dem Wasser des Lebens, der wie Kristall funkelt. Der Fluß entspringt am Thron Gottes und des Lammes [2] und fließt in der Mitte der Hauptstraße durch die Stadt. An beiden Seiten des Flusses wächst der Baum des Lebens. Er bringt zwölfmal im Jahr Frucht, jeden Monat einmal. Mit seinen Blättern werden die Völker geheilt. [3] In der Stadt wird es nichts mehr geben, was unter dem Fluch Gottes steht.

Der Thron Gottes und des Lammes wird in der Stadt stehen. Alle, die dort sind, werden Gott dienen, [4] sie werden ihn sehen, und sein Name wird auf ihrer Stirn stehen.

⁵ Es wird keine Nacht mehr geben, und sie brauchen weder Lampen- noch Sonnenlicht. Gott der Herr wird ihr Licht sein, und sie werden für immer und ewig als Könige herrschen.

Der Herr kommt

⁶ Jesus sagte zu mir: »Diese Worte sind wahr und zuverlässig. Gott der Herr, der den Propheten seinen Geist* gibt, hat seinen Engel gesandt, um seinen Dienern zu zeigen, was bald geschehen muß. ⁷ Gebt acht! Ich bin schon auf dem Weg! Freude ohne Ende ist dem gewiß, der die prophetischen Worte dieses Buches beherzigt.«

⁸ Ich, Johannes, habe das alles gehört und gesehen. Als es vorüber war, warf ich mich vor dem Engel, der mir diese Dinge gezeigt hatte, nieder, um ihn anzubeten. ⁹ Er aber sagte: »Tu das nicht! Ich bin ein Diener Gottes wie du und deine Brüder, die Propheten*, und wie alle, die auf das hören, was in diesem Buch steht. Bete Gott an!«

¹⁰ Dann sagte Jesus zu mir: »Du brauchst das Buch, in dem diese prophetischen Worte stehen, nicht für später zu versiegeln; denn die Zeit ihrer Erfüllung ist nahe. ¹¹ Wer Unrecht tut, mag es weiterhin tun. Wer den Schmutz liebt, mag sich weiter beschmutzen. Wer aber recht handelt, soll auch weiterhin recht handeln. Und wer heilig ist, soll sich noch mehr um Heiligkeit bemühen. ¹² Gebt acht! Ich bin schon auf dem Weg! Ich werde euren Lohn mitbringen. Jeder empfängt das, was seinen Taten entspricht. ¹³ Ich bin der, der alles erfüllt,° der Erste und der Letzte, der Anfang und das Ende.

¹⁴ Wer seine Kleider rein wäscht, den erwartet Freude ohne Ende. Er hat das Recht, die Frucht vom Baum des Lebens zu essen und durch die Tore in die Stadt hineinzugehen. ¹⁵ Aber die Verworfenen, die Zauberer, die Ehebrecher und die Mörder müssen draußen vor der Stadt bleiben. Dort sind auch die Götzenanbeter und alle, die das Falsche lieben und tun.

¹⁶ Ich, Jesus, habe meinen Engel gesandt, um euch in den Gemeinden dies alles bekannt zu machen. Ich bin der Nachkomme aus dem Geschlecht Davids*. Ich bin der leuchtende Morgenstern*.«

¹⁷ Der Geist und die Braut antworten: »Komm!« Jeder,

der dies hört, soll sagen: »Komm!« Wer durstig ist, soll kommen, und wer von dem Wasser des Lebens trinken möchte, wird es geschenkt bekommen.

Schluß

[18] Ich, Johannes, warne jeden, der die prophetischen Worte aus diesem Buch hört: Wer diesen Worten etwas hinzufügt, dem wird Gott die Qualen zufügen, die in diesem Buch beschrieben sind. [19] Wenn aber einer von diesen Worten etwas wegnimmt, wird Gott ihm seinen Anteil an der Frucht vom Baum des Lebens und an der Heiligen Stadt wegnehmen, die in diesem Buch beschrieben sind.

[20] Der aber, der dies alles bezeugt, sagt: »Ganz gewiß, ich bin schon auf dem Weg!«

Ja, Herr Jesus, komm!

[21] Jesus, unser Herr, schenke allen seine Gnade!

NACHWORT

Die Prinzipien dieser Übersetzung

Von einer Übersetzung erwartet man, daß sie die Aussagen ihrer Vorlage unverfälscht, genau und verständlich wiedergibt. Bei der Verschiedenheit der Sprachen ist dieses Ziel nicht einfach dadurch zu erreichen, daß man die Vorlage Wort für Wort in seine eigene Sprache umsetzt. Auch die Forderung, einen Begriff der fremden Sprache jeweils mit ein und demselben Begriff der eigenen Sprache wiederzugeben, geht an der Sprachwirklichkeit vorbei. Sowenig der Satzbau in den verschiedenen Sprachen übereinstimmt, sowenig decken sich die oftmals breit gefächerten Bedeutungen eines Begriffs in der einen Sprache völlig mit denen des entsprechenden Begriffs in der anderen. Wie beim Satzbau, so muß der Übersetzer daher auch bei der Wortwahl den Gesetzen der eigenen Sprache Rechnung tragen und also z.B. aus den möglichen Bedeutungen eines fremdsprachigen Begriffs diejenige zum Ausdruck bringen, die im jeweiligen Zusammenhang des Originals beabsichtigt ist.

Das gilt in besonderem Maß für eine Übersetzung, die – soweit irgend möglich – für jedermann ohne zusätzliche Erklärungen verständlich sein möchte. Ihr Grundsatz heißt: Der Sinngehalt des Textes in der fremden Sprache muß in der eigenen Sprache den angemessenen Ausdruck finden. Dabei muß die sprachliche *Form* des Originaltextes notfalls preisgegeben werden, damit sein *Inhalt* in unserer Sprache zureichend wiedergegeben werden kann. Dieses Übersetzungsprinzip wird ausführlich begründet und mit Beispielen belegt in dem Werk von Eugene A. Nida und Charles R. Taber: »Theorie und Praxis des Übersetzens, unter besonderer Berücksichtigung der Bibelübersetzung«, Stuttgart 1969.

Eine Übersetzung, die nach diesem Grundsatz verfährt, vereint die selbstverständliche Treue zum Original mit dem Bemühen um größtmögliche Verständlichkeit. Sie kann genauer als eine »wörtliche« Übersetzung angeben, was die Aussage des Textes an einer bestimmten Stelle ist. Sie *entfaltet* den originalen Sinn einer Aussage, ohne ihn allerdings in jedem Fall voll ausschöpfen zu können. Insofern ist der Gewinn an Verständlichkeit gelegentlich mit einem Verlust an Bedeutungs- oder Beziehungsfülle erkauft. Eine solche, den Sinn verdeutlichende Übersetzung muß außerdem hin und wieder zwischen den verschiedenen möglichen Deutungen des Originaltextes eine Entscheidung treffen, die andere Deutungen ausschließt. Sie fügt aber in keinem Fall dem Text Informationen aus textfremden Quellen hinzu, und schon gar nicht paßt sie die Aussagen des Textes dem modernen Denken an.

Ein Beispiel für die Entfaltung eines Begriffs bietet die Wiedergabe von »Himmelreich« oder »Reich Gottes«. Die wörtliche Übersetzung wird von den meisten Lesern heute mißverstanden: als ginge es um ein Reich, das im Himmel ist; gemeint ist aber in der Bibel das Herrsein Gottes, der Bereich, in dem dieses Herrsein sich verwirklicht, und alles, was der Mensch auf Grund dieses Herrseins erwarten darf. Je nach dem Textzusammenhang ist deshalb in der vorliegenden Fassung verschieden übersetzt worden (im Blick auf die Gegenwärtigkeit des Gottesreichs: »Gott richtet seine Herrschaft auf«; im Blick auf seine Zukunftsdynamik: »Wenn Gott sein Werk vollendet...«; im Blick auf das Vollendungsziel: »Gottes neue Welt«; vgl. die Sacherklärung zu »Herrschaft Gottes«).

Es gibt allerdings Fälle, in denen die Form des Textes ein wesentliches Moment der Aussage, des Inhalts, darstellt. Das ist vor allem so bei der biblischen Bildersprache und den dichterisch geformten Stücken des Alten Testaments. Hier gilt es, nicht nur den Inhalt wiederzugeben, sondern zugleich ein *passendes Gegenstück für die Form* zu finden: das entsprechende Bild, den angemessenen Rhythmus. Wo die Übersetzung Texte in Versform wiedergibt, ahmt sie deshalb nicht die metrische Form des Originals nach, sondern bedient sich entsprechender Formen aus unserem eigenen Kulturkreis, weil unsere Reaktion auf sprachliche Formen durch eben diese Kultur bedingt ist.

Die Textgrundlage der Übersetzung

Übersetzt wurde aus dem griechischen Grundtext nach den neuesten wissenschaftlichen Ausgaben: der 26. Auflage des *Novum Testamentum Graece* von Nestle-Aland bzw. der 3. Auflage des *Greek New Testament* der United Bible Societies. Diese Ausgaben unterscheiden sich nur durch den Umfang der aufgeführten Lesarten, während der Text selbst in beiden gleichlautend vorliegt. Diese Textfassung wurde – als die mutmaßlich den nicht erhaltenen Urschriften am nächsten stehende Textform – von einem internationalen und interkonfessionellen Team von Fachleuten im Auftrag der Bibelgesellschaften erarbeitet. Wenn die Übersetzung gelegentlich einmal eine andere überlieferte Lesart bevorzugt, geben die *Anmerkungen zum Bibeltext* des Anhangs darüber Rechenschaft.

Die Übersetzer

Das Neue Testament *Die Gute Nachricht* liegt seit 1971 vor. Für die 1982 erschienene Gesamtausgabe *Die Bibel in heutigem Deutsch* wurde der Text noch einmal gründlich durchgesehen und zum Teil einschneidend überarbeitet. Dabei wurden die kritischen und anregenden Stellungnahmen dankbar berücksichtigt, die in großer Zahl eingegangen sind.

An der Revision des Textes haben als Übersetzer mitgewirkt: Hellmut Haug, Rudolf Kassühlke und Joachim Lange (Stuttgart). Dem Redaktionskreis, der die endgültige Fassung des Textes gemeinsam verantwortet, gehörten außer den Übersetzern an: als Vorsitzender Siegfried Meurer (Deutsche Bibelgesellschaft, Stuttgart), als Übersetzungsberater des Weltbundes der Bibelgesellschaften Jan de Waard (Straßburg), als Vertreter des Bibelwerks in der DDR Ekkehard Runge (Berlin).

SACHERKLÄRUNGEN

A

Aaron Der Bruder von → Mose, am Berg Sinai von Gott zum ersten Priester der Israeliten berufen (2 Mose/Exodus 28–30).

Abba → Sohn Gottes.

Abel Nach der biblischen Urgeschichte der zweite Sohn Adams, von seinem älteren Bruder Kain aus Neid erschlagen (1 Mose/Genesis 4). Gott hatte an dem Opfer Abels Gefallen, während er Kains Opfer nicht ansah (Hebräer 11,4). Die Bibel gibt für diesen Unterschied keinen Grund an.

Abraham Das Volk Israel sah in Abraham seinen Stammvater und wußte sich durch ihn von Gott erwählt. Nach 1 Mose/Genesis 12 hat Gott Abraham aus seiner Heimat in Mesopotamien weggerufen und ihm ein Land und eine zahlreiche Nachkommenschaft versprochen. Abraham bekommt jedoch von seiner Frau Sara keine Kinder. Als er 99 Jahre alt ist, wird ihm gesagt, daß die 90jährige Sara ihm noch einen Sohn, Isaak, gebären wird (1 Mose/Genesis 17–18). Abraham glaubt dieser – menschlich gesehen – unmöglichen Zusage und vertraut Gott (Römer 4,18-21). Wenn nun Abraham, folgert Paulus, nur wegen dieses Vertrauens zum Stammvater des Gottesvolks wird, dann gehören nicht nur Israeliten, sondern alle, die wie Abraham ihr Vertrauen allein auf Gott setzen, zum Gottesvolk, also Juden und Nichtjuden (Römer 4,11-12).

Achaia Römische Provinz im Gebiet des heutigen Griechenland mit der Hauptstadt Korinth.

Adam Nach 1 Mose/Genesis 2 und 3 der erste von Gott erschaffene Mensch. Er gehorchte Gottes Befehl nicht, wollte selber wie Gott sein, aß deshalb von der verbotenen Frucht und wurde zur Strafe aus dem → Paradies vertrieben. Nach Paulus hat Adam mit seinem Ungehorsam das Schicksal der ganzen Menschheit geprägt. Seither ist das menschliche Leben hoffnungslos und rettungslos durch Sünde und Tod bestimmt: ein Verhängnis, in das jeder Mensch hineingeboren wird, aus dem er sich nicht befreien kann. Und doch trägt nach Paulus jeder die volle Verantwortung für seine Sünde, denn jeder Mensch will sein eigener Herr sein, sich selbst behaupten – auch und gerade Gott gegenüber. Christus aber hat dieser Verstrickung von Verhängnis und Schuld ein Ende gesetzt. Er ist der »zweite Adam«, der eine neue Menschheit eingeleitet hat. Er holt die Menschen aus ihrer Gottferne in die Gemeinschaft mit Gott zurück, so daß sie Gott gehorsam sein können und damit das wahre Leben haben. Voraussetzung ist nur, daß sie sich von ihm zurückholen lassen, es aufgeben, ihr eigener Herr sein zu wollen und Gott als Herrn anerkennen. (Römer 5,12-21; 1 Korinther 15,21-22.)

Agrippa → Herodes.

Allerheiligstes → Tempel.

Aloe Der getrocknete Saft der in Südarabien gedeihenden Aloe, einer Dickblattpflanze, wurde dazu verwendet, in Grabstätten Wohlgeruch zu verbreiten (vgl. Myrrhe).

Altar → Tempel.

Älteste Die Stellung der ›Ältesten‹ gründete ursprünglich in der Würde des Alters: In Familie und Sippe gilt die Autorität der ›Alten‹. Im palästinischen Judentum nach der Rückkehr aus der babylonischen Verbannung werden wichtige Entscheidungen von einem → Rat aus Priestern, Gesetzeslehrern und Ältesten getroffen. In den jüdischen Gemeinden außerhalb Palästinas war die Verwaltung der → Synagoge einem Ältestenrat unterstellt. Nach diesem Vorbild findet man auch in den jungen Christengemeinden ein Vorsteherkollegium von Ältesten. (Zur weiteren Entwicklung → Gemeindeleiter.)
In der Offenbarung sind die 24 Ältesten eine Art himmlischer Thronrat mit zugleich königlichen und priesterlichen Funktionen. Die Bedeutung der 24-Zahl ist nicht sicher zu ermitteln.

Ältestenrat Das leitende Gremium der jüdischen Gemeinde nach der Rückkehr aus Babylon.

Amen Das (hebräische) Wort hat den Sinn von »so ist es / so sei es!«, wenn es von der Gemeinde zur Bestätigung von Segen oder Fluch ausgerufen wird. In Offenbarung 3,14 ist es Name Christi in der Bedeutung: »fest, zuverlässig«.

Apostel Wahrscheinlich ist der Titel ›Apostel‹ (Ausgesandter) von der jüdischen Einrichtung des ›Gesandten‹ herzuleiten, der für bestimmte Aufträge mit der Vollmacht des Sendenden ausgestattet wurde. Die Missionare der Urchristenheit trugen diesen Titel. In der späteren Überlieferung wird die Apostelzahl auf die zwölf → Jünger und Paulus beschränkt. Die Zahl zwölf erinnert an die zwölf Stämme Israels; die Apostel repräsentieren das neue Gottesvolk.

Arabien In Galater 1,17 meint Paulus vermutlich das Gebiet der Nabatäer südlich von Damaskus.

Arche → Noah.

Archelaus Sohn Herodes I.; → Herodes (3).

Aretas Aretas IV., 9 v. bis 38 n. Chr., König über das östlich-südöstlich von Palästina gelegene Reich der Nabatäer (→ Arabien), das seinen Einfluß zeitweise bis Damaskus ausdehnte.

Artemis Griechische Göttin (lateinisch Diana). Eine Sonderstellung nimmt die Artemis von Ephesus ein. Anders als die griechische Artemis, die Göttin der Wälder und der Jagd war, gehört die kleinasiatische Artemis von Ephesus zum Göttertyp der sog. Großen Mutter, der Spenderin der Fruchtbarkeit in der Natur. Ihr Kultbild mit vielen Brüsten stand in einem prunkvollen Tempel in Ephesus, der als eines der sieben Weltwunder galt.

Asien Die römische Provinz Asia umfaßte den westlichen Teil von Kleinasien mit der Hauptstadt Ephesus. Hier lagen die sieben Gemeinden, an die die Sendschreiben von Offenbarung 2–3 gerichtet sind. In den Makkabäerbüchern bezeichnet ›Asien‹ das Gebiet des Seleuzidenreiches zur Zeit seiner größten Ausdehnung, also Kleinasien und Vorderasien bis zum Indus.

Äthiopien Allgemeinbegriff für ein Land mit dunkelhäutigen Bewohnern. In der Bibel ist damit vor allem Nubien gemeint, das politisch häufig mit

Ägypten vereint war, in neutestamentlicher Zeit das seit 300 v.Chr. selbständige Reich von Meroë (Südostnubien).

Augustus Einer der Titel von Gaius Octavius. Er bedeutet ›Erhabener‹ (griechisch Sebastos). Augustus wurde als Weltheiland gefeiert, da seine Regierungszeit als römischer Kaiser (27 v. bis 14 n. Chr.) in ihren späteren Abschnitten eine Zeit allgemeinen Friedens war.

Aussatz Eine Sammelbezeichnung für verschiedene Hautkrankheiten, zu denen nicht nur die Lepra, sondern auch die Psoriasis, die Schuppenflechte, gehört. Aussatz machte auf jeden Fall kultisch unrein (→ rein). Der Unreine wurde aus der Gemeinschaft der Gesunden, der Reinen, ausgesondert. Über eine Behandlung des Aussatzes ist nichts bekannt; wenn eine Heilung stattfand, galt der Priester als Sachverständiger, der sie bestätigen mußte. Als »Aussatz« bezeichnet und entsprechend behandelt wurde auch Pilz- und Schimmelbefall an Häusern und Gebrauchsgegenständen (3 Mose/Levitikus 13–14).

B

Babylon Im Neuen Testament wird der Name der alten mesopotamischen Hauptstadt als Deckbezeichnung für die römische Weltmacht und ihre Hauptstadt Rom verwendet. Vergleichspunkt ist die Feindschaft gegen das Gottesvolk: der römische Kaiser läßt die Christen verfolgen; die Babylonier haben Jerusalem zerstört und einen Teil des Volkes in die Verbannung geführt.

Beschneidung, beschneiden, beschnitten Die Beschneidung wird bei vielen Völkern geübt, aber unterschiedlich gedeutet. Im alten Israel wurde sie zum Zeichen des → Bundes zwischen Gott und seinem Volk. Vollzogen wird sie durch das Abtrennen der Vorhaut am männlichen Glied; sie wurde in früher Zeit bei Jünglingen, später bei Neugeborenen am 8. Tag nach der Geburt geübt. Mädchen wurden in Israel nicht beschnitten.
In den frühen judenchristlichen Gemeinden entstand die Frage, ob man Nichtjuden, die Christen werden wollten, beschneiden und damit zuerst in das Judentum aufnehmen müsse. Paulus wehrte sich gegen eine solche Forderung mit Leidenschaft.

Besessener → Geist, böser.

Bileam Nach 4 Mose/Numeri 22-24 ein Wahrsager am Eufrat, der von dem Moabiterkönig Balak gedingt wird, um das Volk Israel, das unmittelbar vor der Besitzergreifung des Landes Kanaan steht, zu verfluchen. Unterwegs tritt ihm ein Engel entgegen, der zunächst nur von Bileams Reittier, einer Eselin, gesehen wird (22,21-35; vgl. 2 Petrus 2,15). Er zwingt Bileam, zu segnen statt zu fluchen.

Block Strafgerät, in das der Delinquent unter Verdrehung des Körpers gespannt wurde, bzw. Gerüst, in das im unteren Teil die Füße geschlossen wurden und im oberen die Hände und der Kopf. Eine äußerst schmerzhafte Strafe.

Blutschande Das Alte Testament nennt in 3 Mose/Leviticus 18,6-18 eine Reihe von Verwandtschaftsgraden, die eine eheliche Verbindung ausschließen. Im gleichen Zusammenhang findet sich das Verbot des Götzenopfers (17,7), das Verbot des Blutgenusses (17,10-12) und des Genusses von ungeschächteten Tieren (17,13-16). Alle diese Vorschriften gelten nicht nur für die Israeliten, sondern ebenso für die Fremden, die unter ihnen leben (17,8.10.13.15; 18,26). Nach Apostelgeschichte 15,20

wurden sie auch den Christen aus nicht-jüdischen Völkern auferlegt –
offensichtlich aus Rücksicht auf die gesetzestreuen Judenchristen, die
sich sonst durch den Umgang mit ihnen verunreinigt hätten (→ rein).

Brot, ungesäuertes Brot wurde in Fladenform auf Backplatten oder in der
heißen Aschenglut ohne Verwendung eines weiteren Gerätes gebacken.
Die Fladen waren im Durchmesser etwa 20–50 cm groß und 0,2 bis 1 cm
dick. Das Mehl wurde mit Wasser angerührt und ungesäuert (ohne
Triebmittel) gebacken, zum Teil wurde auch schon Sauerteig verwendet.
Brot, das mit Sauerteig gebacken wurde, durfte im Opferdienst nicht
verwendet werden. Einen hervorragenden Platz hat das ungesäuerte
Brot im → Passafest. Das Fladenbrot wurde nicht geschnitten, sondern
gebrochen.

Brote, geweihte Das Brot, das nach der Vorschrift von 2 Mose/Exodus
25,30 wöchentlich neu auf einem Opfertisch im zentralen Heiligtum der
Israeliten ausgelegt wurde und nur von den Priestern gegessen werden
durfte.

Bruderkuß Wahrscheinlich gab man sich als Zeichen der Verbundenheit in
den frühen christlichen Gemeinden bei der Feier des Abendmahles
einen Kuß auf die Wange, den sogenannten ›heiligen‹ oder ›Bruderkuß‹.
Der heilige Kuß ist auch heute noch in den orthodoxen Kirchen gebräuchlich.

Bund Der Bund zwischen Gott und seinem Volk ist nicht ein Vertrag zwischen gleichgestellten Partnern. Immer geht die Initiative von Gott aus,
der einem einzelnen oder dem Volk Israel seinen Bund anbietet, der
dem Bundespartner Verheißungen zusagt, aber auch Verpflichtungen
auferlegt (1 Mose/Genesis 9,8.17; 15,18; 17,1.4.10; 2 Mose/Exodus
19–24).
Die → Propheten des Alten Testaments, die erleben, wie Israel durch
Götzendienst und soziale Ungerechtigkeit den Bund mit Gott bricht,
kündigen für die Zukunft einen ›neuen Bund‹ an (Jeremia 31,31-34).
Diese Erwartung sieht das Neue Testament in Jesus Christus erfüllt: Er
ist durch seinen Tod am Kreuz der Begründer des Neuen Bundes geworden, der zwischen Gott und dem neuen Bundesvolk aus Juden und
Nichtjuden besteht (1 Korinther 11,25; Hebräer 7–10).

Bundeslade In der alten Zeit das Zeichen des → Bundes zwischen Gott und
seinem Volk Israel. Ihr Aussehen wird verschieden beschrieben (vgl.
2 Mose/Exodus 25,10-22); 587 v.Chr. wurde sie mit dem ersten Tempel
in Jerusalem zerstört.

Bürger, Bürgerrecht Das römische Bürgerrecht hatten ursprünglich nur die
Stadtrömer und einige wenige römische Provinzen. Später konnte es als
Belohnung oder gegen Bezahlung von jedermann erworben werden. Ein
römischer Bürger hatte Anrecht auf ein besonderes Rechtsverfahren, er
war gegen die Willkür der Provinzbehörden in mancher Hinsicht ge-
schützt und konnte an den Kaiser als obersten Richter appellieren (Apostelgeschichte 25,11).

C

Christus → Retter, der versprochene; → Messias.

Christusfeind, Feind Gottes Vor der Wiederkunft Christi muß nach frühchristlichen Erwartungen zuerst der Feind Gottes, die Verkörperung des
Bösen schlechthin, öffentlich auftreten (2 Thessalonicher 2,3; Offenba-

rung 13). Der Christusfeind, der ›Antichrist‹, der am Ende der Welt
kommen soll, ist nach 1 Johannes 2,18 in den Irrlehrern bereits erschienen.

D

David, Davidssohn David war der bedeutendste altisraelitische König (um
1000 v. Chr.). Im Judentum zur Zeit Jesu war man teilweise der Auffassung, daß der erwartete →Retter und Heilbringer ein Nachkomme
(›Sohn‹) Davids sei und dessen Reich wiederherstellen werde. So wird
›Sohn Davids‹ zu einem Christustitel. Wer den ›Schlüssel Davids‹ hat
(Offenbarung 3,7), verfügt über den Zugang zur neuen Welt Gottes,
dem himmlischen Jerusalem (Jerusalem = Stadt Davids). Das Neue Testament zitiert David außerdem als Verfasser der ihm zugeschriebenen
Psalmen.

Drache Der Drache (Offenbarung 12) ist Bild für die widergöttliche Macht.
Er bedroht die »Frau«, d. h. das Gottesvolk, dem der versprochene →
Retter, Jesus Christus, geschenkt wird. Christus wird zu Gott entrückt;
er ist zum Herrscher der Welt bestimmt. Doch wird jetzt noch das Gottesvolk, die Gemeinde, vom → Satan bedrängt, wenn auch von Gott bewahrt.

Drusilla Schwester Agrippas II. (→ Herodes).

E

Ehebruch → Unzucht.

Elija Prophet der israelitischen Frühzeit, der nach Maleachi 3,23-24 und
nach jüdischen Erwartungen vor dem Endgericht und dem Anbruch der
neuen Welt Gottes noch einmal auftreten soll. Während einer Hungersnot wohnte er bei einer Witwe in Sarepta (Zarpat) nördlich von Tyrus,
deren Nahrungsvorräte sich auf eine Zusage Gottes hin stets erneuerten
(1 Könige 17; Lukas 4,25-26).

Elischa Als Prophet der Nachfolger → Elijas. Er heilte einen höheren Offizier des syrischen Nachbarreiches vom → Aussatz (2 Könige 5; Lukas
4,27).

Engel In den ältesten alttestamentlichen Schriften bedeutet der Begriff Engel soviel wie ›Bote Gottes‹. Sofern die nähere Bestimmung ›Engel Gottes‹ oder ›Engel des Herrn‹ benutzt wird, ist häufig gemeint, daß es Gott
selbst ist, der sich in menschlicher Gestalt zeigt oder mit Menschen
spricht. Der Name ›Engel‹ wird auch für die himmlischen Wesen verwendet, die zur Umgebung Gottes gehören. Gott wird dabei als König
gedacht; die Engel bilden seinen Hofstaat, der die Herrlichkeit Gottes
preist und seinen Willen ausführt.
Nach jüdischer Auffassung haben einst Engel am Sinai dem Mose das →
Gesetz übergeben. In Apostelgeschichte 7,38.53 wird dieser Gedanke
positiv aufgenommen. Nach Paulus dagegen weist die Vermittlung durch
die Engel auf eine geringere Bedeutung des Gesetzes hin (Galater 3,19;
vgl. Hebräer 2,2).
Im Neuen Testament begegnen Engel als Boten Gottes (Lukas 1,26-38),
aber auch als himmlische Repräsentanten irdischer Gemeinden, die zugleich die Aufgabe eines Schutzengels haben (Offenbarung 2–3; Matthäus 18,10; Apostelgeschichte 12,15). Daneben finden sich gottfeindli-
che Engelmächte, böse Gestirn- oder Elementargeister (›kosmische

Mächte‹), die von Menschen Verehrung empfangen oder ihnen gefährlich werden können. Christus hat diese Mächte besiegt (Galater 4,3-5; Kolosser 2,8-10).

Erkenntnis Bestimmte Kreise in urchristlicher Zeit waren der Überzeugung, daß der Besitz des Heiligen Geistes den Christen eine ›Erkenntnis‹ verleihe, die umfassender und tiefgehender sei als die Lehre der Apostel. Paulus und Johannes bekämpfen in ihren Briefen solche überheblichen Anschauungen als gefährlich und als Brutstätte von Irrtümern und Irrlehren.

Esau Zwillingsbruder Jakobs und Stammvater Edoms. Er trat sein Erstgeburtsrecht um ein Linsengericht an seinen Bruder ab. Die Umkehrung der natürlichen Rangordnung wird der Mutter Rebekka schon vor der Geburt ihrer Söhne von Gott vorausgesagt (1 Mose/Genesis 25,23; Römer 9,12).

Essig Bei dem Getränk, das Jesus am Kreuz gereicht wurde, handelt es sich um sauren Wein oder Weinessig, der zum nachhaltigen Stillen starken Durstes besonders geeignet ist und deshalb das normale Getränk der Soldaten war.

Eunuch Nicht nur Haremswächter, sondern auch andere Hofbeamte waren in manchen Teilen der Alten Welt Eunuchen, d.h. künstlich zeugungsunfähig gemacht. Ein solcher Eingriff war für das Empfinden des antiken Menschen vor allem deshalb schwerwiegend, weil er das Fortleben in den Nachkommen unmöglich machte. In Israel war der Eunuch überdies vom Tempelgottesdienst ausgeschlossen; er durfte allenfalls den äußeren → Vorhof betreten (5 Mose/Deuteronomium 23,2). Erst allmählich bahnt sich ein Wandel der Auffassung an (Jesaja 56,3-5; Weisheit 3,14).

Eva Die Frau → Adams, nach 1 Mose/Genesis 2 von Gott aus einer Rippe Adams gebildet (vgl. 1 Korinther 11,8). Sie wird im → Paradies vom Versucher (der Schlange) zum Ungehorsam gegen Gottes Gebot verleitet (1 Mose/Genesis 3; 2 Korinther 11,3; 1 Timotheus 2,14).

Evangelist Neben den → Aposteln, → Propheten und → Lehrern gab es in der ersten Christenheit auch Männer, die eine besondere Gabe zur Verkündigung des ›Evangeliums‹ (der Guten Nachricht) besaßen (Apostelgeschichte 21,8; Epheser 4,11).

F

Fasten Teilweiser oder völliger Verzicht auf Essen und Trinken. Dieser wurde in Israel als Sühne für eigene oder fremde Sünden geübt, aber man enthielt sich der Nahrung auch aus Trauer und zur Unterstützung eines Gebetes, an besonderen Unglückstagen und zum Versöhnungsfest. Zur Zeit Jesu war es bei manchen Frommen Sitte geworden, zweimal wöchentlich zu fasten.

Feind Gottes → Christusfeind.

Felix Antonius Felix, römischer Prokurator in Palästina 52–60 n.Chr.

Festus Porzius Festus, römischer Prokurator in Palästina 60–62 n.Chr.

G

Gabriel In der jüdischen Engellehre wird Gabriel zu den sogenannten Engelfürsten, den ›Erzengeln‹, gezählt, die zur engsten Umgebung Gottes gehören.

Galatien Kleinasiatische Landschaft, die seit dem 3. Jahrhundert v.Chr. von keltischen Stämmen bewohnt wurde. Die Römer schufen nach der Eroberung dieses Gebietes eine Provinz mit dem gleichen Namen, die aber außer dieser Landschaft auch noch Teile von Phrygien, Pisidien, Pamphylien, Lykaonien und Isaurien umfaßte. Die Adressaten des Galaterbriefes sind jedoch kaum die Bewohner der römischen Provinz, sondern der Landschaft Galatien.

Gallio Römischer Statthalter (Prokonsul) der Provinz → Achaia 51–52 n.Chr.

Gamaliël Jüdischer → Gesetzeslehrer, zu dessen Schülern auch Paulus zählte.

Gebetsriemen Aufgrund von 5 Mose/Deuteronomium 6,8 und ähnlichen Stellen befestigen gesetzestreue Juden während des Gebets Kapseln mit bestimmten Schriftstellen durch Riemen an Stirn und linkem Oberarm. Zur Zeit Jesu trugen viele Fromme die Gebetsriemen den ganzen Tag.

Gefängnis, Geister im Nach jüdischer Überlieferung werden die → Engel, die sich nach 1 Mose/Genesis 6,4 durch den Verkehr mit Menschenfrauen vergangen hatten, zur Strafe im Innern der Erde gefangengehalten. Auch ihnen wird durch Christus die Möglichkeit der Vergebung angekündigt (1 Petrus 3,19). Nach 1 Petrus 4,6 gilt die Rettungstat Christi auch den Menschen, die vor seinem Erscheinen gestorben sind (obwohl der Text es offenläßt, ob Christus selbst oder etwa ein Engel den Toten die Gute Nachricht verkündet hat).

Geheimnisse des Satans Wahrscheinlich behaupten die falschen Lehrer von Offenbarung 2,24, die ›tiefen Geheimnisse der Gottheit‹ zu erforschen. Johannes bezeichnet ihre Erkenntnis als Teufelswissen.

Geist, böser Krankheiten und besonders Geisteskrankheiten führte man zur Zeit des Neuen Testaments auf böse Geister zurück und sagte damit, daß sie letztlich etwas Widergöttliches, Gottfeindliches sind. Wenn Jesus in der Kraft des heiligen Geistes die bösen Geister austreibt, so ist dies das Zeichen dafür, daß Gott seine → Herrschaft schon aufrichtet (Matthäus 12,28; Lukas 11,20) und das Widergöttliche besiegt (Lukas 10,18).

Geist Gottes, heiliger Geist Das hebräische Wort für Geist bedeutet ursprünglich ›Wind, Hauch‹. Gemeint ist damit das Lebensprinzip, das Gott seinen Geschöpfen verliehen hat und über das er jederzeit verfügt. Vom Geist Gottes gehen aber auch spezielle Wirkungen auf bestimmte Menschen aus: Er kommt über einen Menschen und treibt ihn zu einer bestimmten Tat (Richter 13,25). Er beseelt die ekstatischen Prophetengemeinschaften (1 Samuel 10,10-12) und kann einen Propheten ganz real an einen anderen Ort versetzen (1 Könige 18,12; vgl. Ezechiël 8,3). Wenn der Geist Gottes ständig auf einem Menschen ruht wie auf David (1 Samuel 16,13) oder einer prophetischen Gestalt (Jesaja 42,1; 61,1), ist dies das Zeichen einer besonderen Verbundenheit mit Gott und Beauftragung durch ihn.

Propheten des Alten Testaments haben für die Zukunft eine Ausgießung des Gottesgeistes über das ganze Volk erwartet (Ezechiël 36,27; Joël 3). Die neutestamentliche Gemeinde sah diese Erwartung durch das Kommen Jesu erfüllt (Markus 1,10). Der Besitz des Geistes ist für die Glaubenden Zeichen und Gewähr dafür, daß sie an der neuen Welt Gottes teilhaben (Epheser 1,13-14); er äußert sich in zahlreichen, z.T. auffallenden ›Geistesgaben‹ (1 Korinther 12). Aber schon, daß jemand

Christus als seinen Herrn erkennen und an ihn glauben kann, ist das Werk des Geistes (1 Korinther 12,3). Ursprünglich herrscht im Urchristentum die Auffassung, daß der ›heilige Geist‹ allen Christen mit der → Taufe verliehen wird.

Geister, sieben Die sieben Geister, die der Seher Offenbarung 1,4 schaut, machen die Fülle des → Geistes Gottes anschaulich.

Geistlich »Geistlich« ist im biblischen Sinn, was vom → Geist Gottes kommt oder zu seinem Bereich gehört, sein Wirken und seine Geheimnisse. Nur wer selbst den »Geist« hat, kann seine Wirkungen begreifen (1 Korinther 2,10-16). Eines dieser Geheimnisse ist das der ›Wiedergeburt‹, jener Verwandlung des Menschen, ohne die er die göttliche Welt nicht »sehen« kann (Johannes 3). Ein anderes ist die Ernährung der israelitischen Wüstengeneration durch eine Himmelsspeise und einen Himmelstrank, in denen Paulus (1 Korinther 10,3-4) das zentrale christliche Sakrament vorgebildet sieht. Dazu tritt an dieser Stelle als ein weiteres Geheimnis die Beziehung zwischen Urzeit und Endzeit: In der Urzeit (in diesem Fall des Volkes Israel) ist vorgebildet, was sich in der Endzeit (und das ist nach neutestamentlichem Glauben die Zeit nach der Auferstehung Christi) erfüllt. Wie Wolke und Meer die → Taufe, so bilden → Manna und Wasser das Abendmahl (→ Mahl) vor. Daß der Fels, aus dem Mose mit seinem Stab Wasser schlug (4 Mose/Numeri 20,7-13), dem Volk auf der Wüstenwanderung folgte, schloß man aus 4 Mose/Numeri 21,16.

Geldwechsler Wechsler brauchte man im → Tempel, da die → Tempelsteuer in tyrischen Schekeln, der damals wertvollsten Währung, bezahlt werden mußte. Ebenso wie die Händler, die Tauben für das Opfer verkauften, hatten sie Platz im Vorhof des Tempels.

Gelübde → Nasiräer.

Gemeindeälteste Nach jüdischem Vorbild wurden die christlichen Gemeinden ursprünglich von einer Gruppe von Vorstehern (→ Älteste) geleitet. Ihr Verhältnis zu den → Aposteln in der Jerusalemer Gemeinde (Apostelgeschichte 11,30 u. ö.) und zu den Gemeindeleitern in den nachpaulinischen Gemeinden (1 und 2 Timotheus, Titus) läßt sich nicht mehr genau bestimmen.

Gemeindehelfer Über die Aufgaben der ›Helfer‹ (Diakone) wissen wir nichts Sicheres. Wahrscheinlich übernahmen sie Verwaltungsaufgaben und organisierten die Liebestätigkeit (vgl. Apostelgeschichte 6).

Gemeindeleiter Die frühchristlichen Gemeinden wurden zuerst von einer Gruppe von Ältesten (→ Gemeindeälteste) geleitet. Allmählich scheint sich das Amt eines Gemeindeleiters herausgebildet zu haben; aber erst in nachneutestamentlicher Zeit wird aus dem Gemeindeleiter der Ortsbischof, und die Ältesten werden zu Priestern. (Die deutschen Wörter Bischof und Priester gehen auf die im Neuen Testament noch in ganz anderem Sinn gebrauchten griechischen Wörter Episkopos und Presbyteros zurück.)

Gemeindevorsteher → Gemeindeälteste.

Gesetz Im Judentum Bezeichnung der fünf Mosebücher (Tora). Man umschrieb zur Zeit Jesu das Alte Testament mit ›das Gesetz und die Propheten‹. Der Begriff ›Gesetz‹ konnte aber auch auf das ganze Alte Testament ausgedehnt werden. Seit der Zeit Esras bestimmte das Mosegesetz das gesamte Leben des jüdischen Volkes und grenzte es streng gegen die übrigen Völker ab. Von besonderer Bedeutung wurden dafür die Gesetze über die → Beschneidung und den → Sabbat sowie die Reinheitsvorschriften (→ rein). Über der Frage nach der Geltung des Mosegesetzes für die christlichen Gemeinden kam es in der Urchristenheit zu ernsten Auseinandersetzungen (Apostelgeschichte 15; Galater 2).

Gesetzeslehrer Ausgebildete und ordinierte jüdische Theologen, deren Aufgabe das Studium und die Auslegung des Gesetzes war. Da die fünf Bücher Mose auch als Gesetzessammlung für das bürgerliche Leben galten, waren diese Theologen zugleich Juristen. Sie traten erst in nachexilischer Zeit auf, als das religiöse Gesetz für das Leben der Juden eine immer größere Bedeutung gewann. Die meisten Gesetzeslehrer der neutestamentlichen Zeit gehörten der religiösen Gemeinschaft der → Pharisäer an. Sie hatten ein engmaschiges Netz von Bestimmungen ausgearbeitet, die sicherstellen sollten, daß die göttlichen Gebote (etwa das Ruhegebot am → Sabbat) auf keinen Fall übertreten wurden (vgl. Markus 2,23–3,6).

Nach Matthäus 13,52 und 23,34 gab es auch in der christlichen Gemeinde ›Gesetzeslehrer‹, die wohl die Aufgabe hatten, die Gesetzesauslegung Jesu, wie sie u. a. in der Bergpredigt (Matthäus 5–7) vorliegt, auf die aktuelle Situation der Gemeinden anzuwenden.

Gestalten, mächtige Bei den vier ›lebendigen Wesen‹ (so wörtlich) vor Gottes Thron (Offenbarung 4,6 u. ö.) handelt es sich offenbar um Engelwesen, die den Thron bewachen. Sie erinnern an die ›mächtigen Engel‹ in Jesaja 6,2 und die geflügelten Gestalten in Ezechiël 1.

Getsemani Der Name bedeutet wörtlich ›Ölkelter‹. Das deutet darauf hin, daß es sich bei dem Ort um einen Ölgarten mit einer (vielleicht verfallenen?) Ölkelter gehandelt hat.

Gleichnis Als ›Gleichnis‹ bezeichnet man eine in der Regel ganz kurze Erzählung, die einen bestimmten Gedanken veranschaulichen soll. Für Jesus ist diese Redeform besonders typisch. Seine Gleichnisse greifen Bilder und Ereignisse aus dem täglichen Leben auf. Man darf jedoch nicht an den Einzelheiten des Erzählten hängenbleiben, sondern muß darauf achten, worauf das Ganze hinaus will, denn die Gleichnisse wollen nicht unterhalten, sondern den Hörer zu einer neuen Sicht einer bestimmten Lage führen. Jedes Gleichnis, das Jesus erzählt, ist ein Appell, der seine Hörer zum Mitdenken, Weiterdenken und Umdenken auffordert.

Goldstück Ein Goldstück (Mine) entspricht hundert Silberstücken (Denar, Drachme). Das Silberstück ist der durchschnittliche Tageslohn eines Arbeiters (Matthäus 20,2).

Gomorra → Sodom.

Götzenopfer → Opferfleisch.

Gräber Durch die Berührung mit Toten und Gräbern wurde man nach jüdischer Auffassung unrein (→ rein).

H

hebräisch Vielleicht war die Aufschrift über dem Kreuz tatsächlich auf Hebräisch abgefaßt, aber als Umgangssprache diente zur Zeit Jesu das Aramäische.

Heilige Stadt Jerusalem als die Stadt, in der für Israel Gott durch seinen → Tempel in besonderer Weise gegenwärtig war.

Helfer → Gemeindehelfer. In Apostelgeschichte 21,8 handelt es sich um die sieben Männer, von deren Wahl in 6,5 berichtet wird.

Henoch Im Alten Testament einer der Nachkommen Adams (1 Mose/Genesis 5,21). Judas 14 zitiert aus einer ihm zugeschriebenen Schrift, die aus dem 2. Jahrhundert v.Chr. stammt.

Herbstfasten In Apostelgeschichte 27,9 der Fasttag fünf Tage vor dem Großen →Versöhnungstag Ende September/Anfang Oktober.

Hermes Bei den alten Griechen der Bote, der die Aufträge des Götterkönigs → Zeus überbringt.

Herodes 1) Herodes I. war von 37–4 v.Chr. römischer Vasallenkönig in Palästina. Ihm wird der Kindermord von Betlehem zugeschrieben (Matthäus 2,1-22).

2) Herodes Antipas, Sohn von Herodes I., herrschte nur über Galiläa und Peräa, 4 v.–39 n.Chr. Er ließ Johannes den Täufer hinrichten (Matthäus 14,1-10).

3) Herodes Archelaus, Sohn Herodes' I., herrschte 4. v. bis 6 n.Chr. über Judäa, Samarien und Idumäa (Matthäus 2,22).

4) Agrippa I., Enkel Herodes' I., wird volkstümlich ›Herodes‹ genannt, da er kurze Zeit (41–44 n.Chr.) das Reich seines Großvaters unter seiner Herrschaft vereinigte. Er ließ den → Apostel Jakobus, den Bruder von Johannes, hinrichten (Apostelgeschichte 12,1-23).

5) Agrippa II., Sohn Agrippas I., Bruder von Berenike (die 48–69 n.Chr. bei ihm lebte) und Drusilla, hatte eine kleine Herrschaft nördlich von Palästina (50–94 n.Chr.). Als römischem Vertrauensmann für Angelegenheiten des Jerusalemer Tempels und Schwager des Prokurators → Felix läßt → Festus ihm den Gefangenen Paulus vorführen (Apostelgeschichte 25,13–26,32).

Herodias Frau von → Herodes Antipas. Aus politischem Ehrgeiz hatte sie sich von dessen Halbbruder (in Matthäus 14,3; Markus 6,17 Philippus genannt) getrennt und Antipas zur Verstoßung seiner ersten Frau veranlaßt. Nach Markus 6,18 beanstandete der Täufer Johannes die Ehe nicht wegen dieser Manipulation, sondern weil nach dem → Gesetz Moses ein Mann die Frau seines Bruders so wenig heiraten durfte wie die eigene Schwester (den Sonderfall von Matthäus 22,23-33 ausgenommen).

Herrlichkeit (des Herrn) Die sichtbare Erscheinung der göttlichen Majestät, die als strahlender Lichtglanz zu denken ist. Nach 2 Mose/Exodus 33,18-23 und anderen Stellen ist der Anblick dieser Lichterscheinung für sterbliche Menschen tödlich. Aber in prophetischen Visionen wird sie von Jesaja (Kapitel 6) und Ezechiël (Kapitel 1–3) geschaut und beschrieben.

Herrschaft (Gottes) In dieser Übersetzung Umschreibung von ›Reich Gottes‹, das zu leicht mißverstanden wird als ein Reich, das im Himmel ist. Herrschaft Gottes bezeichnet den Bereich, in dem Gott sich als Herr erweist. Das Wort hat den Sinn: »Gott richtet seine Herrschaft auf«, »Gott vollendet sein Werk«, »Gottes neue Welt«. Zur Zeit Jesu gab es mannigfache Fehldeutungen der Gottesherrschaft. Für die Pharisäer bestand die Anerkennung der Gottesherrschaft in der Unterwerfung unter das Gesetz; die → Zeloten meinten, die Römerherrschaft müsse beseitigt und ein mächtiges irdisches Reich unter einem Nachkommen Davids (→ Davidssohn) errichtet werden. Die Gottesherrschaft, die Jesus ankündigt, wird in seinem Wort und Handeln anfangs- und zeichenhaft Gegenwart, und sie vollendet sich, wenn der → Menschensohn in Macht und Herrlichkeit wiederkommt.

Herrscher dieser Welt Der → Satan (siehe auch → Welt).

Himmel Nach frühjüdischer Vorstellung hat der Himmel mehrere ›Stockwerke‹; das → Paradies dachte man sich im ›dritten Himmel‹. Eine charakteristische und für uns befremdliche Vorstellung entfaltet der Epheserbrief: Der Raum zwischen Himmel und Erde ist demnach von dämonischen Mächten beherrscht, die Gott und den Menschen feindlich sind. Christus hat bei seiner Himmelfahrt diese Mächte besiegt und gefangengenommen (Epheser 4,8-10; 6,12).

I

Ijob (Hiob, Job) gilt als Beispiel geduldigen Leidens, auf das am Ende eine große Belohnung folgt (vgl. das alttestamentliche Buch desselben Namens).

Isaak Sohn → Abrahams, dessen Geburt von Gott im voraus angekündigt wurde. Um den Glauben Abrahams auf die Probe zu stellen, gab Gott Abraham den Befehl, ihm diesen Sohn, der doch der Ahnherr des versprochenen Volkes werden sollte, als Opfer darzubringen, ließ es dann aber nicht zur Ausführung kommen (1 Mose/Genesis 22).

Isai Vater des Königs → David.

Isebel Frau Ahabs, tyrische Prinzessin, die den Baalsdienst in Israel offiziell eingeführt hat. In Offenbarung 3,20 symbolischer Name für eine Frau aus Thyatira, die sich als Prophetin ausgab und die Christen dort durch eine falsche Ausdeutung der christlichen Freiheit auf Abwege führte.

J

Jakob Neben Abraham der eigentliche ›Stammvater‹ des Volkes Israel, der den Mittelpunkt zahlreicher von ihm überlieferter Geschichten bildet (1 Mose/Genesis 25–35 und darüber hinaus), die in all ihrer Buntheit und oft auch Anstößigkeit unter dem Vorzeichen der Erwählung stehen: »Jakob habe ich meine Liebe zugewandt« (Römer 9,13).

Jannes und Jambres So heißen nach der jüdischen Legende die Zauberer, die nach 2 Mose/Exodus 7,11.22 Mose vor dem Pharao mit ihren Künsten zu widerlegen suchten.

Jesus Der Name Jesus (Jeschua oder Jehoschua, griechisch Josua) bedeutet ›Gott rettet‹. Darauf wird Matthäus 1,21 angespielt.

Jona, Zeichen Jonas Im Jonabuch wird erzählt, daß der flüchtige Prophet drei Tage im Bauche des Fisches verbrachte, bis dieser ihn an Land spie. Jesus vergleicht sich Lukas 11,30 in doppelter Hinsicht mit Jona: als wunderbar vom Tod Erretteter und als einer, der das Gericht bringt. Wie Jona aus dem Fischbauch als Verkünder des Gerichts nach Ninive kam, so wird Jesus als der vom Tod Auferstandene wiederkommen zum Gericht über die, die ihm nicht geglaubt haben. Bei Matthäus (12,39-41) wird Jonas Aufenthalt im Fischbauch und seine Rettung daraus als Hinweis auf Tod und Auferstehung Christi gedeutet.

Judas 1) Einer aus dem Jüngerkreis Jesu, der durch seinen Verrat die heimliche Gefangennahme Jesu ermöglichte (Iskariot).
2) Ein anderer Jünger Jesu (Lukas 6,16; Johannes 14,22; Apostelgeschichte 1,13).

3) Ein Bruder Jesu (Matthäus 13,55; wahrscheinlich auch Judas 1 gemeint).

4) Der Galiläer, der zur Zeit der Lukas 2,1 erwähnten Volkszählung eine Widerstandsbewegung gegen die römische Fremdherrschaft leitete (Apostelgeschichte 5,37).

Jünger Wie die → Gesetzeslehrer und der Täufer Johannes hatte auch Jesus ›Schüler‹, die ihm auf seinen Wanderungen folgten und sich seiner Autorität unterstellten. Jesus verlangt von seinen Jüngern allerdings eine Unbedingtheit der ›Nachfolge‹, die weit über das traditionelle Maß hinausgeht. Der Jünger Jesu muß um der anbrechenden → Herrschaft Gottes willen bereit sein, alles hinter sich zu lassen (Lukas 9,57-62; 14,25-27). Jünger Jesu sind im Neuen Testament nicht nur die zwölf → Apostel, sondern in gewissem Sinn alle Christen (Matthäus 10,42; 28,19). In der Apostelgeschichte wird die Gemeinde öfter als »die Jünger« bezeichnet, wo wir heute »die Christen« sagen würden; denn diese Bezeichnung, die den Jesusjüngern von ihrer Umwelt gegeben wurde, hatte zunächst einen eher abwertenden Klang (»Christianer«; vgl. Apostelgeschichte 26,38; 11,26).

K

Kain Erster Sohn Adams und Evas; Bruder Abels, der von Kain erschlagen wurde.

Kerub Geflügeltes Wesen, aus Tier- und Menschengestalt gemischt. Zwei Keruben wurden als Wächter und zugleich Thronsitz Gottes auf der →Bundeslade dargestellt.

Klaudius Römischer Kaiser 41–54 n. Chr.

Kolonie, römische Eine Ansiedlung römischer Bürger (ausgediente Soldaten oder Verbannte) außerhalb Italiens.

Korach Er wollte während der Wüstenwanderung des Volkes Israel Mose und Aaron die Führung streitig machen. Zusammen mit 250 Anhängern wurde er durch ein Gottesgericht vernichtet (4 Mose/Numeri 16).

Korban Mit dem Ausruf ›Korban!‹ (Markus 7,11) konnte man den Tempel zum alleinigen Erben seines Besitzes einsetzen und sich damit der Sorgepflicht gegenüber den Eltern entziehen. Das Eigentum, das durch das Aussprechen von ›Korban‹ Gott geweiht war, durfte nicht mehr verkauft werden; doch hatte der Besitzer bis zu seinem Tod das Nutznießungsrecht.

L

Lade → Bundeslade.

Laubhüttenfest Wichtigstes, abschließendes Erntefest, eines der drei israelitischen Hauptfeste. Es wurde mit einer Wallfahrt nach Jerusalem wahrscheinlich im Oktober gefeiert und dauerte etwa eine Woche (Esra 3,4; Nehemia 8,14-18); Wasser und Licht (Johannes 7,37; 8,12) spielten dabei eine Rolle.

lebendiges Wasser Bezeichnung für Quellwasser im Gegensatz zu abgestandenem Zisternenwasser.

legen (sich zu Tisch legen) Bei festlichen Anlässen folgten die Juden zur Zeit Jesu der griechisch-römischen Sitte und lagen auf Polstern zu Tisch. Die Übersetzung spricht nur dort von ›liegen‹, wo es (wie Lukas 7,36) zum Verständnis der Situation nötig ist.

Legion Römische Truppeneinheit, etwa 6000 Soldaten.

Lehrer Neben → Aposteln und → Propheten gab es in der Urchristenheit Lehrer (1 Korinther 12,28-29; Epheser 4,11; vgl. Apostelgeschichte 13,1). Von Gottes → Geist berufen, war es wohl ihre Aufgabe, der Gemeinde klar und verständlich den Willen Gottes zu sagen und so für das rechte Leben in der Gemeinde zu sorgen. Nach Jakobus 3,1 legt der Lehrer das → Gesetz aus und leitet damit die Gemeinde zu richtigem Tun an (→ Gesetzeslehrer, gegen Ende).

Leib Christi Bei Paulus wird mit ›Leib Christi‹ die Gemeinde (Kirche) bezeichnet, deren Haupt Christus ist. Durch die Taufe wird der Christ in diesen Leib Christi, in die Gemeinde, ›eingegliedert‹.

Levi, Levit Levi galt als einer der zwölf Stammväter des Volkes Israel. Seine Nachkommen, zu denen auch → Aaron zählte, hatten das Priestertum inne. Durch die Zentralisation des Opferkultes in Jerusalem (2 Könige 23) wurden die meisten Leviten zu untergeordneten Tempeldienern.

Lot Neffe Abrahams. Er wird mit seiner Familie als einziger vor der Vernichtung beim Untergang → Sodoms bewahrt.

M

Mächte → Engel.

Mahl des Herrn, gemeinsame Mahlzeiten In den ersten Christengemeinden wurde das Abendmahl als gemeinsame Mahlzeit aller Gläubigen gefeiert. In Korinth (1 Korinther 11,17-34) führte das zu Mißständen, die die spätere Trennung von Sakrament und Sättigungsmahl (Liebesmahl) verständlich erscheinen lassen. Schon in sehr früher Zeit lassen sich feste Ordnungen für diese Mahlfeier feststellen. Wahrscheinlich wurden die Einsetzungsworte des Abendmahls bei solchen Feiern laut gesprochen.

Manna Wunderbare Speise der Israeliten auf ihrem Wüstenzug. Wahrscheinlich ist es die Absonderung einer Schildlaus, die sich vom Saft der Mannatamariske ernährt (vgl. die Reaktion der Israeliten in 2 Mose/Exodus 16,15). Die Beduinen benutzen es heute noch als Honigersatz.

Maranata Ein aramäischer Ruf aus dem frühchristlichen Gottesdienst, der wahrscheinlich mit »Unser Herr, komm!« zu übersetzen und als Bitte um die Wiederkunft Christi zu verstehen ist (1 Korinther 16,22; vgl. Offenbarung 22,20).

Mazedonien Römische Provinz am Ägäischen Meer mit der Hauptstadt Thessalonich.

Meer, Rotes Nach Auffassung der späteren Schriften der Bibel zogen die Israeliten nach dem Auszug aus Ägypten mitten durch das ›Rote Meer‹. Die Beschreibung der Marschroute in 2 Mose/Exodus 13,17-14,9 zeigt demgegenüber, daß es sich um einen der flachen Schilfseen des Nildeltas gehandelt haben muß. Die Steigerung des Wunders in der späteren Überlieferung bringt jedoch sachgemäß zum Ausdruck, daß Israel seine Rettung im Meer als Entsprechung zum Vorgang der Weltschöpfung verstand, die in sinnbildlicher Sprache als Besiegung des Meeres gefeiert wird (Jesaja 51,9-10).

Melchisedek Priesterkönig der Stadt Salem (Jerusalem). Er wird als Priester des ›Höchsten Gottes‹ bezeichnet. Aus der Begegnung mit Abraham in 1 Mose/Genesis 14, der dem König den Zehnten ablieferte, wurde später das Zehntrecht der Jerusalemer Priesterschaft abgeleitet. In Hebräer 7 gilt Melchisedek als Urbild des Priestertums Christi. Daß er »ewig lebt«, wird aus der dort angeführten Psalmstelle (Psalm 110,4: »Priester *für alle Zeiten* so wie Melchisedek«) geschlossen.

Menschensohn In den Evangelien spricht Jesus vom ›Menschensohn‹ ausschließlich in der 3. Person, und doch ist mit dem Menschensohn Jesus selbst gemeint. Die Bezeichnung geht auf Daniel 7,13 zurück, wo einer, der aussieht »wie eines Menschen Sohn« (d.h. wie ein Mensch), von Gott die Macht über die Völker erhält. Die himmlische Machtstellung des Menschensohns wurde Jesus zuteil, als Gott ihn vom Tod erweckte (vgl. Matthäus 28,18-20 mit Daniel 7,14).

Messias Das Wort bedeutet ›Gesalbter‹ und bezeichnet den König, der durch → Salbung in sein Amt eingesetzt wurde. In der späteren Königszeit und vollends in und nach dem babylonischen Exil entstand die Erwartung eines ›Gesalbten‹ in besonderem Sinn: eines idealen Herrschers der Heilszeit, welche die drückende Gegenwart ablösen soll. Mit seiner Gestalt verknüpft sich die Hoffnung auf eine Wiederherstellung des Reiches → Davids, aber auch seine Ausweitung zur Weltherrschaft; über die politische Friedensordnung hinaus erwartete man eine Erneuerung der ganzen Schöpfung (Jesaja 11). Doch ist der Gedanke einer Heilszeit der Zukunft nicht überall mit der Gestalt eines Messiaskönigs verbunden (Jesaja 65). Im Judentum vor der Zeitwende erwartet man neben einem irdisch-politischen Messias (→ Davidssohn) den Messias als überirdischen Heilsbringer, der das Ende der gesamten gegenwärtigen Weltordnung heraufführt. An diese Hoffnung konnte Jesus anknüpfen.

Michael Einer der Engelfürsten. Als Führer der Engelheere kämpft er gegen den → Satan (Offenbarung 12,7).

Moloch Apostelgeschichte 7,43 Bezeichnung einer heidnischen Gottheit. Im Alten Testament galt der Moloch als Inbegriff eines Gottes, dem Kinderopfer dargebracht wurden (2 Könige 23,10; Jeremia 32,35).

Morgenstern Der Morgenstern, der Planet Venus, ist Bild für den in Macht und Herrlichkeit wiederkommenden Christus. In Offenbarung 2,28 weist der Morgenstern wohl auf die Herrschaft hin, die der Christ zusammen mit Christus ausüben wird.

Mose Der Führer der Israeliten beim Auszug aus Ägypten (2 Mose/Exodus), dem Gott am Berg Sinai das → Gesetz für sein Volk übergibt (→ Engel).

Myrrhe Duftendes Harz eines immergrünen Baumes, das sehr begehrt war und zur Herstellung von Parfüm, Salböl, Gewürz sowie als Wohlgeruch bei der Bestattung verwendet wurde.

N

Nahrungsvorschriften → rein, → Pflanzenkost.

Name (Jesu Christi) Kennzeichen der christlichen → Taufe ist es, daß sie »auf den Namen Jesu Christi« geschieht. Mit dieser Namensnennung wird der Täufling Jesus, seinem Herrn, als Eigentum übergeben und unter seinen Schutz gestellt.

Nardenöl Aus der Wurzel der indischen Nardenpflanze bereitete man ein kostbares, wohlriechendes Öl, das unter anderem bei den Begräbnisvorbereitungen verwendet wurde.

Nasiräer Nasiräer sind Leute, die sich als für Gott ausgesondert verstehen.

Es kam vor, daß solche ›Gottgeweihten‹ ihr ganzes Leben in dieser Ausnahmesituation verbrachten, wie z.B. Simson (Richter 13,5.7). Häufiger scheint es jedoch gewesen zu sein, daß sich jemand für eine begrenzte Zeitspanne dem ausschließlichen Dienst Gottes weihte. Bestandteil des Gelübdes war die Enthaltung von bestimmten Nahrungsmitteln und das Tragen einer bestimmten Kleidung. Zum Zeichen ihrer ›Weihe‹ ließen die Nasiräer in der Regel ihr Haupthaar nicht schneiden (4 Mose/Numeri 6,1-8).

Wenn jemand auf Zeit ein solches Gelübde ablegte, mußte er als Abschluß ein ziemlich kostspieliges Opfer darbringen (6,13-20). In diesem Zusammenhang steht die Aufforderung an Paulus (Apostelgeschichte 21,23-26), die Opferkosten für arme Nasiräer zu übernehmen und dadurch zugleich seine eigene Gesetzestreue zu beweisen. Da Paulus aus dem Ausland kam, galt er selbst als ›unrein‹ (→ rein) und durfte erst nach einer siebentägigen Reinigungszeit bei diesem Opfer im Tempel anwesend sein.

Nikolaïten Ihr Name wird mit Nikolaus von Antiochia (Apostelgeschichte 6,5) in Verbindung gebracht. Über ihre Lehre ist nicht viel bekannt. Wahrscheinlich fühlten sie sich als Christen hoch erhaben über alles Irdische und meinten, auch Unzucht und Teilnahme an Götzenopfern (→ Opferfleisch) könne ihnen nicht mehr schaden (Offenbarung 2,6.14-15).

Ninive Hauptstadt des assyrischen Reiches.

Noach wurde nach 1 Mose/Genesis 6–8 von Gott wegen seines vorbildlichen Lebens vor dem Untergang in der ›Sintflut‹ gerettet. Er erhielt von Gott den Befehl, mitten auf dem festen Land ein Schiff, die → Arche, zu bauen und es mit seiner Familie zu besteigen.

O

Oberster Priester → Priester, Oberster.

Ölberg Seit alter Zeit für heilig gehaltener Ort etwa 1 km von Jerusalem. Er gehört zu einem Höhenzug, der Jerusalem von Norden und Osten umgibt.

Opferfleisch Schlachtopfer in heidnischen Tempeln und anschließende Mahlzeiten spielten zur Zeit des Neuen Testaments bei Nichtjuden eine große Rolle. Das den Götzen geweihte Fleisch wurde auch auf dem Markt verkauft. Dies stürzte manche Christen in Gewissensnöte (1 Korinther 8–10; → Blutschande).

Opferlamm Vielleicht ist Johannes 1,29 an das Passalamm (→ Passafest) gedacht, vielleicht auch an die beiden Lämmer, die täglich im Tempel zur Sühne für die Sünden des Volkes geopfert wurden.

P

Paradies In jüdischen Kreisen erwartete man, daß das Paradies in der Endzeit wiederkehren werde (vgl. Offenbarung 2,7; 21,1–22,5). In der Gegenwart dagegen ist es verborgen, und zwar im dritten → Himmel. Es galt nach jüdischem Glauben als Aufenthaltsort der verstorbenen Frommen in der Zeit zwischen ihrem Tod und der allgemeinen Auferstehung am Ende der Welt.

Passafest, Passamahl Ursprünglich ein nomadisches Fest, das später mit dem Auszug aus Ägypten verbunden wurde (2 Mose/Exodus 12). Nach der Kultreform Joschijas (2 Könige 22–23) durfte das Passamahl nur noch in Jerusalem gefeiert werden. Die Hausbesitzer Jerusalems mußten den Pilgern für ihr Passamahl Räume zur Verfügung stellen. Hauptbestandteil der Mahlzeit war ein gebratenes oder gekochtes Schaf- oder Ziegenböckchen. Als Beigaben wurden eine Art bitterer Salat, ein Fruchtmus und vier Becher Wein genossen. Das Passafest ging in das siebentägige Fest der ungesäuerten Brote über, das im ganzen Land gefeiert wurde. Dieses Fest war ursprünglich ein Erntefest, bei dem man Brot aß, das ohne Sauerteig gebacken war (→ Brot). Vorher mußte der alte Sauerteig beseitigt werden (vgl. 1 Kor 5,6-8). Seit der Zerstörung des Tempels feiert das Judentum das Passa ohne das geschlachtete Lamm.

Passaopfer Das Schlachten der Passalämmer geschah am Nachmittag vor dem →Passafest im Tempel in Jerusalem, wobei das Blut als Opfer an den Altar geschüttet wurde.

Petrus Griechische Übersetzung des aramäischen Kefa (gräzisiert Kephas). Beides bedeutet ›Fels‹.

Pfingstfest Das zweite der drei israelitischen Wallfahrtsfeste, fünfzig Tage nach dem → Passafest.

Pflanzenkost Wenn in der Bibel stellenweise Fleischkost abgelehnt wird, geschieht es nicht aus einem grundsätzlichen Vegetarismus, sondern jeweils mit Rücksicht auf besondere Umstände. Die Christen der frühen Gemeinden mußten damit rechnen, daß das Fleisch, das ihnen bei Einladungen angeboten oder auf dem Markt verkauft wurde, von einem Götzenopfer stammte (→ Opferfleisch). Vielleicht ist in Römer 14 an Judenchristen zu denken, die aus Furcht vor Fleisch und Wein, die Götzen geweiht sein konnten, ganz auf Fleisch und Wein verzichteten und außerdem den → Sabbat, jüdische Feiertage und Fastentage hochhielten.

Pharao Titel der altägyptischen Könige. Römer 9,17 ist der Pharao gemeint, der Mose und die Israeliten nicht aus Ägypten ziehen lassen wollte.

Pharisäer Wörtlich ›Abgesonderte‹. Sie waren Mitglieder einer Laienbewegung von Männern aus verschiedenen Berufsständen, der sich aber auch viele → Gesetzeslehrer anschlossen.

Pilatus Römischer → Prokurator in Judäa 26–36 n.Chr.

Priester Im Alten Testament Personen, die aufgrund ihrer Familienzugehörigkeit und ihrer besonderen Weihe dazu bestimmt waren, die Gottesdienste zu leiten, Opfer darzubringen und den Willen Gottes zu deuten. An Priestersippen sind bekannt die Nachkommen Aarons, die Nachkommen Zadoks und die → Leviten. Die Priester wurden in verschiedene Dienstgruppen eingeteilt, die sich in genau festgelegter Reihenfolge im Tempeldienst ablösten. Ihr Oberhaupt war seit der Zeit Salomos der sog. → Oberste Priester (Hohepriester).

Priester, führende Das ›Exekutivkomitee‹ innerhalb des jüdischen → Rates bestand aus dem Obersten Priester, dem Kommandanten der Tempelwache (Apostelgeschichte 4,1), einigen führenden Priestern von hohem Rang und drei einflußreichen Laien.

Priester, Oberster Der Oberste Priester stand an der Spitze der jüdischen Priesterschaft. Er allein durfte das Allerheiligste des Tempels betreten. Er bekleidete sein Amt lebenslang (Johannes 11,49 und 18,13 setzen irrtümlich einen jährlichen Wechsel voraus). Zugleich war er der Vorsitzende des jüdischen → Rates.

Prokurator Im Unterschied zu den senatorischen Provinzen, die einem vom römischen Senat eingesetzten Prokonsul (Statthalter) unterstanden, und zu den imperatorischen Provinzen, die einem vom Kaiser eingesetzten Legaten (Statthalter) unterstellt waren, standen Judäa und Samarien (44–66 n.Chr. ganz Palästina) unter einem Prokurator, der in Cäsarea residierte. Die Prokuratur war eingerichtet worden, nachdem es unter der Regierung des Herodessohnes Archelaus (→ Herodes, 3) zu ständigen Konflikten zwischen ihm und den Juden gekommen war. Der Prokurator hatte vor allem das Steuerwesen zu überwachen und in wichtigen Fällen als Richter zu wirken; er verfügte über eine Truppenmacht. Im Neuen Testament werden erwähnt die Prokuratoren Pilatus (26–36 n.Chr.), Felix (52–60) und Festus (60–62).

Prophet Nach unserem Sprachgebrauch ist ein ›Prophet‹ jemand, der die Zukunft kennt. Das Wesentliche beim biblischen Prophetentum liegt jedoch nicht in der Zukunftsschau. Der Prophet ist ein Mensch, den Gott (oder der → Geist Gottes) zu seinem Sprecher gemacht hat. Die Propheten verkünden dem Volk Gottes oder einzelnen aus diesem Volk, besonders den führenden Kreisen, was Gott ihnen in einer bestimmten Situation zu sagen hat. Das kann Mahnung, Trost oder Gerichtsdrohung sein. In der Frühzeit Israels ist das Prophetentum mit ekstatischen Erscheinungen verbunden. Der Geist ergreift vom Propheten Besitz wie eine fremde Macht, die über ihn kommt (1 Samuel 10,5-6.10-12).
In der Königszeit Israels traten neben dem fortbestehenden Prophetentum der älteren Art Propheten auf, die über diesen Rahmen weit hinauswuchsen. Als einzelne, die Gott berufen hatte, prangerten sie die herrschenden Zustände an. Sie maßen die Verhältnisse der Gegenwart und das Verhalten der Verantwortlichen am Rechtswillen Gottes, wie er im → Gesetz gegeben war. Ebenso unerbittlich prangerten sie die Entartung des Glaubens und des Gottesdienstes an. Und sie sahen die Katastrophe kommen, die das Verhalten des Volkes und seiner Führer unweigerlich herbeirufen mußte. Aber auch die neue Zukunft, die dem Volk danach noch einmal geschenkt werden soll, wird von den Propheten angekündigt. Sie wird geschaut im Bild eines umfassenden ›Friedens‹, der auch die anderen Völker umgreift. Zum Teil wird dieser Frieden mit der Gestalt eines Friedensbringers verknüpft (→ Messias).
Auch in den frühen christlichen Gemeinden gab es Propheten. Im Gegensatz zu den Aposteln zogen sie nicht durch die Länder, um zu predigen, sondern gaben in ihren Ortsgemeinden ›Weisungen von Gott‹, d.h. verkündeten aufgrund von Eingebungen oder Visionen den Willen Gottes (1 Korinther 14,1-4). Wenn es Epheser 2,20 heißt, »auf dem Fundament der Apostel und Propheten« sei die Kirche gebaut, dann ist an diese urchristlichen Propheten zu denken.

Prostituierte In der Umwelt Israels stand die Prostitution weithin in einem religiösen Zusammenhang: sie war Teil des Fruchtbarkeitskultes. In der Zeit des Neuen Testaments spielt diese Erscheinung keine Rolle mehr. Die Prostituierten gehören hier (zusammen mit den → Zolleinnehmern) zu den Bevölkerungsgruppen, von denen sich die → Pharisäer streng fernhielten, da sie durch ihre gesamte Lebensführung mit dem → Gesetz Gottes im Widerspruch standen.

Provinz Asien → Asien.

Q

Quasten Nach 4 Mose/Numeri 15,38-40 sollten die Israeliten an den vier Zipfeln des aus einem rechteckigen Stück Tuch bestehenden Mantels Quasten anbringen, um sich an die Gebote Gottes zu erinnern.

Quirinius Publius Sulpicius Q. war kaiserlicher Beauftragter (Legat) für den Orient. Unter seiner Leitung wurde in Syrien eine Besitzaufnahme durchgeführt (→ Steuerlisten).

R

Rabbi Zur Zeit Jesu ein Titel für angesehene Lehrer, mit dem auch Jesus angeredet wurde. Die vorliegende Übersetzung verwendet im allgemeinen »Lehrer«.

Rahel Mutter der Stammväter Josef und Benjamin. Ihr Grab (vgl. 1 Samuel 10,2) wurde auf Grund von 1 Mose/Genesis 35,19;48,7 zur Zeit Jesu in der Nähe von Betlehem vermutet (vgl. Matthäus 2,16-18).

Rat, jüdischer Die höchste jüdische Religions-, Rechts- und Verwaltungsbehörde, die zugleich das jüdische Volk gegenüber der römischen Besatzungsmacht vertrat. Sie bestand aus 70 Mitgliedern, die sich aus Priestern, Theologen (→ Gesetzeslehrern) und Mitgliedern der angesehensten Familien (→ Ratsältesten) zusammensetzten. Den Vorsitz führte der → Oberste Priester.

Ratsälteste Die nichtpriesterlichen und nichttheologischen Mitglieder des jüdischen → Rates (→ Älteste).

Ratsmitglied → Rat, jüdischer.

Räucheropfer Auf dem goldenen Altar im Inneren des Jerusalemer Tempels, unmittelbar vor dem → Allerheiligsten, wurde täglich von einem dafür ausgelosten Priester → Weihrauch als Opfer für Gott verbrannt.

Rebekka Frau → Isaaks, die Mutter der Zwillingsbrüder → Esau und → Jakob (1 Mose/Genesis 25,19-34). Das zweite der Zitate in Römer 9,12-13 stammt aus Maleachi 1,2-3.

rein und unrein Wegen der Heiligkeit Gottes muß der Mensch, der sich ihm naht – sei es in der anbetenden Gemeinde, sei es beim Privatopfer –, rein sein. Unrein, d. h. unfähig zur Gottesbegegnung, kann der Mensch werden durch: Berührung von Leichen, geschlechtliche Vorgänge und Geburt, Hautkrankheiten sowie Berührung mit fremden Göttern oder Menschen aus nichtjüdischen Völkern, die die Reinheitsvorschriften des → Gesetzes nicht beachten. Reinheit wird durch bestimmte Waschungen, Einhaltung von Fristen der Absonderung, des Fastens und durch Opfer erzielt. Zum Priesterdienst war als Reinheitsmerkmal auch körperliche Vollkommenheit erforderlich. Opfertiere mußten in gleicher Weise bestimmte Qualitäten in Alter und Wuchs aufweisen. Ganz und gar unrein, d. h. weder für den Kult als Opfertier noch für den menschlichen Verzehr geeignet, sind bestimmte Tiere wie z. B. das Schwein.
Die Gesetzestreuen zur Zeit des Neuen Testaments dehnten diese Bestimmungen, die für Priester und jeden, der den Tempel betreten wollte, verbindlich waren, auf den ganzen Alltag aus und verschärften sie. Wenn die → Pharisäer also nichts mit ungewaschenen Händen aßen und streng die Reinheitsgesetze einhielten (Markus 7,1-4; vgl. Johannes 2,6), dann nicht aus hygienischen, sondern aus religiösen Gründen: Man wollte sich als Gottes erwähltes Volk ›rein‹ bewahren.

Reinheitsvorschriften, reinigen, Reinigung → rein.

Reinigungsopfer → Nasiräer.

Retter, der versprochene So wird in dieser Übersetzung ›Christus‹ wiedergegeben, wenn es als Titel zu verstehen ist. ›Christus‹ entspricht im Griechischen dem hebräischen ›Maschiach‹ (→ Messias; auf deutsch: der Gesalbte, der König). In der griechisch sprechenden christlichen Gemeinde wurde ›Christus‹ bald als Eigenname Jesu verstanden.

Romfa Eine Sterngottheit (Apostelgeschichte 7,43).

Rotes Meer → Meer, Rotes.

Ruhe (Gottes) An der vollkommenen Ruhe und dem ewigen Frieden, die seit der Vollendung der Schöpfung (1 Mose/Genesis 2,2) bei Gott im Himmel schon Wirklichkeit sind, werden die Christen am Ende der Zeit Anteil erhalten (Hebräer 4,9).

S

Sabbat Der Sabbat ist der Schlußtag der siebentägigen Woche, die erstmals bei den Israeliten nachweisbar ist. Er wurde, vielleicht mitbestimmt durch die an diesem Tag gehaltenen Gottesdienste, im Bewußtsein der Israeliten mehr und mehr zu einem ausschließlich gottgeweihten Tag, der in nachexilischer Zeit neben der →Beschneidung zu einem Unterscheidungsmerkmal von anderen Völkern und zu einem Bundeszeichen zwischen Israel und seinem Gott wird (Jesaja 56,1-8). Zur Zeit des Neuen Testaments hatten die → Gesetzeslehrer bis ins einzelne festgelegt, welche Tätigkeiten am Sabbat verboten und welche allenfalls erlaubt sind. So durfte man z.B. nur einen »Sabbatweg«, d.h. etwa 900 Meter weit gehen. Bereits das Abreißen von Ähren galt als verbotene Erntearbeit (vgl. Mk 2,24). Nur wenn ein Leben auf dem Spiel stand, war es erlaubt, am Sabbat zu heilen. Indem Jesus gegen solche Festlegungen verstößt (Mk 2,28), bringt er nur den ursprünglichen Sinn des Sabbats wieder zur Geltung als eines Tages, an dem der Mensch vor Gott aufatmen darf und Gottes Güte für ihn erfahrbar wird (Mk 2,27; 3,4).

Sadduzäer Eine jüdische Religionspartei, der die vornehmen Priestergeschlechter und Vertreter der weltlichen Aristokratie angehörten. Die Sadduzäer lehnten alle Lehren ab, die über das wörtlich im → Gesetz Enthaltene hinausgingen, so z.B. auch den Glauben an die Auferstehung der Toten. Der Name leitet sich wahrscheinlich von dem Priester Zadok her.

Salben, Salbung Die Salbung wurde durch Einreiben oder Begießen des Kopfes und Leibes mit Öl (Olivenöl) vorgenommen. Sie war ein Zeichen der Lebensfreude und des Wohlstandes; deswegen unterließen Trauernde die Salbung. Außerdem hatte sie ihren besonderen Platz im religiösen Leben. Heilige, gottgeweihte Gegenstände und Personen wurden von Propheten oder Priestern gesalbt. Propheten, Priester und Könige wurden gesalbt (→ Messias).

Salomohalle Eine Säulenhalle im äußeren Vorhof des Jerusalemer → Tempels, die man auf Salomo zurückführte. Sie war auch Nichtjuden zugänglich und wurde für die religiöse Unterweisung benutzt.

Samarien Nach der Eroberung des Nordreiches Israel durch die Assyrer errichteten diese auf dem alten Reichsgebiet eine Provinz, die nach der bisherigen Hauptstadt des Landes den Namen Samarien erhielt (2 Könige 17,24).

Samaritaner Mischbevölkerung, die die Provinz → Samarien bewohnte. Sie entstand durch Umsiedlung eroberter Völkerschaften in dieses Gebiet. Die Einwanderer vermischten sich mit den im Lande Zurückgebliebenen. Von den aus dem babylonischen Exil zurückgekehrten Judäern wurden sie nicht als Israeliten anerkannt. Zur Zeit Jesu galten sie bei den Juden als Ketzer, weil sie nur die fünf Mosebücher als heilige Schriften anerkannten und ihnen der Berg Garizim und nicht der → Zion als richtiger Ort für den Gottesdienst galt. Sie und ihr Land wurden von den Frommen verachtet und gemieden.

Sara Frau → Abrahams.

Satan Das Wort kommt aus der israelitischen Rechtspraxis: es bezeichnet den Ankläger (›Staatsanwalt‹), der die Vergehen des Beschuldigten aufzählt. In nachexilischer Zeit kennt man auch einen Ankläger beim himmlischen Gericht, der vor Gottes Thron die Sünden der Menschen namhaft macht. Im Buch Ijob wird er zu den Gottessöhnen, d.h. zum himmlischen Hofstaat, gezählt. In neutestamentlicher Zeit ist der Satan zum Gegenspieler Gottes geworden, dem Teufel, der als Herr dieser → Welt gilt, aber endlich von Gott überwunden und vernichtet wird.

Satans, Thron des Vielleicht ist in Offenbarung 2,13 mit dem »Thron des Satans« ein riesiger Zeusaltar gemeint (→ Zeus).

Sauerteig Als Triebmittel verwendete man beim Brotbacken ein Stück gegorenen Teig, das man vom letzten Backen aufgehoben hatte. So war stets Sauerteig im Haus; nur aufs → Passafest mußte aller Sauerteig entfernt werden (vgl. 1 Korinther 5,6-8). Sauerteig hat die Eigenschaft, ›ansteckend‹ zu sein; darauf beruht das Gleichnis vom Sauerteig (Matthäus 13,33) und die Warnung Markus 8,15, sich nicht von der Lehre der → Pharisäer beeindrucken zu lassen.

Saul Der erste israelitische König, Vorgänger Davids (1 Samuel 8–11).

Säulen Bezeichnung für die Führer der ersten Jerusalemer Christengemeinde, Jakobus, Petrus und Johannes.

Saulus Der jüdische Name des Apostels Paulus. Paulus ist sein zweiter Name, den er als römischer → Bürger trug.

Scheidungsurkunde Nach jüdischem Recht konnte ein Mann seine Frau entlassen, wenn er ihrer überdrüssig war (vgl. 5 Mose/Deuteronomium 24,1). Er mußte ihr nur eine Scheidungsurkunde geben. Jesus nimmt energisch gegen diese Praxis Stellung (Markus 10,1-12).

Scheusal, entsetzliches Der Ausdruck geht in Matthäus 24,15 und Markus 13,14 auf Daniel 9,27 und 11,31 zurück. Dort bezog er sich auf einen Zeusaltar, der von Antiochus IV. 168 v.Chr. im Jerusalemer Tempel aufgestellt worden war. Eine ähnliche Entweihung drohte in neutestamentlicher Zeit, als Kaiser Kaligula seine Statue im Tempel von Jerusalem aufstellen lassen wollte (um 40 n.Chr.), wozu es aber dann wegen des jüdischen Widerstandes nicht kam.

Schriften, heilige Die Bücher, die heute in unserem Alten Testament zusammengefaßt sind, waren für das Judentum zur Zeit Jesu und ebenso für die frühe Christenheit ›Heilige Schrift‹. Doch gab es in der Bibel der griechischsprechenden Juden, der Septuaginta, eine Anzahl später Schriften, die die Juden in Palästina nicht akzeptierten, als sie gegen Ende des 1. Jahrhunderts n.Chr. den ›Kanon‹ der heiligen Schriften endgültig festlegten. In den christlichen Gemeinden der griechisch-römischen Welt stand dagegen schon von der Zeit der Apostel her die Septuaginta in kanonischem Ansehen, einschließlich der genannten späten Schriften. Diese – als Deuterokanonische Schriften bzw. Apokryphen, in dieser Bibelausgabe als ›Spätschriften‹ bezeichnet – blieben in der christlichen Kirche bis zur Reformationszeit allgemein als ›Heilige Schrift‹ anerkannt. Im Neuen Testament werden darüber hinaus sogar noch weitere Schriften als ›heilige‹ zitiert (Jakobus 4,5; Judas 14-15).

Obwohl man im Sinn der neutestamentlichen Schreiber streng genommen von *der* Heiligen Schrift reden müßte, verwendet die Übersetzung die Mehrzahl ›Schriften‹, da die Einzahl für uns die Bibel aus Altem *und Neuem* Testament bezeichnet.

Schutzengel Der Schutzengel, den jeder Mensch nach jüdischem Glauben hat, wird in Apostelgeschichte 12,15 als sein Doppelgänger verstanden, der ihm täuschend ähnlich sieht.

Sergius Paulus Etwa 47 n.Chr. römischer Prokonsul der Insel Zypern.

Silbermünze, Silberstück Der hebräische Schekel, der römische Denar oder die griechische Drachme entsprechen nach Matthäus 20,2 dem Tageslohn eines damaligen Arbeiters.

Sinai Der Berg, an dem Gott sich Israel geoffenbart und seinen → Bund mit ihm geschlossen hat. Seine genaue Lage ist nicht bekannt.

Sklave, Sklaverei Sklaverei gab es in der ganzen Alten Welt in mannigfachen Formen und unter den verschiedensten Bedingungen. In Israel unterschied man zwischen volksfremden Sklaven und solchen aus dem eigenen Volk. Ein Israelit konnte zum Sklaven eines anderen werden, wenn er stark verschuldet war oder sich ihm in einer Notlage freiwillig verkaufte; auch Eltern verkauften ihre Kinder in solch einem Fall. Ein israelitischer Sklave durfte jedoch nicht für entwürdigende Dienste gebraucht werden; er mußte wie ein Lohnarbeiter behandelt und im Sabbatjahr freigelassen werden. Für als Sklaven verkaufte Mädchen erläßt das → Gesetz besondere Schutzbestimmungen (2 Mose/Exodus 21,7-11). Fremde Sklaven wurden im Krieg erbeutet oder auf dem Sklavenmarkt (z.B. in Tyrus) gekauft. Sie zählten praktisch zur Familie, mußten jedoch die niederen Dienste verrichten und konnten auch weiterverkauft werden, was bei den israelitischen Sklaven untersagt war.

In der griechisch-römischen Welt konnten Sklaven zu bedeutenden Stellungen aufsteigen; aber es gab daneben ein Heer von namenlosen Haus- und Arbeitssklaven. In den frühen christlichen Gemeinden war der Anteil dieser Sklaven offenbar hoch. Sie waren innerhalb der Gemeinde den Freien völlig gleichgestellt (Galater 3,28); doch bestehen die Schreiber der neutestamentlichen Briefe darauf, daß die Sklaven im Alltagsleben ihre Pflichten erfüllen und an der bestehenden Sozialordnung nicht rütteln. Der Brief des Apostels Paulus an Philemon zeigt jedoch, daß die Brüderlichkeit in der Gemeinde ansatzweise auch zu einer gesellschaftlichen Neuorientierung führen kann.

Sodom und Gomorra Kanaanitische Städte, die nach 1 Mose/Genesis 19 wegen ihrer Sünden vernichtet wurden. Vielleicht am Südostufer des Toten Meeres gelegen, sind sie wahrscheinlich schon in der mittleren Bronzezeit durch eine Naturkatastrophe untergegangen. Beide Städte gelten als Symbol der Verruchtheit. In Judas 7 wird den Bewohnern Sodoms vorgeworfen, daß sie sogar mit den → Engeln, die Lot besuchten, geschlechtlichen Umgang suchten.

Sohn Davids → Davidssohn.

Sohn Gottes Ganz Israel konnte ›Sohn Gottes‹ genannt werden (2 Mose/Exodus 4,22); vor allem aber galt der israelitische König als Gottessohn. Bei seiner Thronbesteigung wurde er nach Psalm 2,7 zum Sohn Gottes eingesetzt, d. h. er sollte an Gottes Stelle über das Volk regieren. Es ist daher anzunehmen, daß schon das Judentum den erhofften König der Endzeit, den → Messias, als Gottessohn bezeichnet hat. Nach frühen urchristlichen Bekenntnissen ist Jesus zum ›Sohn Gottes‹ im Sinn von Psalm 2,7 mit seiner Auferstehung geworden (Römer 1,3-4; Apostelgeschichte 13,33), nach anderen Zeugnissen ist er es schon von Ewigkeit her (vgl. Galater 4,4; Kolosser 1,13-18; Johannes 1,14.18; Hebräer 1,2-3). Von Jesus selbst wissen wir, daß er sich in ganz einzigartiger Nähe zu Gott gewußt hat und ihn mit »Abba« (= lieber Vater) anrief (Markus 14,36) – eine Anrede, die sich in jüdischen Gebeten kaum findet.

Speisevorschriften → rein; → Pflanzenkost.

Sprachen, unbekannte (Sprachen des Geistes) Die Wirkung des heiligen → Geistes zeigt sich unter anderem im sogenannten ›Zungenreden‹, einem ekstatischen Sprechen in einer dem Sprecher selbst nicht bekannten (fremden oder nichtexistierenden) Sprache. Paulus warnt in 1 Korinther 14 vor einer Überbewertung dieser Erscheinung.

Staub (von den Füßen schütteln) Wenn Juden aus nichtjüdischem Gebiet nach Israel zurückkehrten, pflegten sie den Staub von den Füßen zu schütteln, um nichts »Verunreinigendes« (→ rein) in das Heilige Land mitzuschleppen.

steinigen, Steinigung Die Steinigung war eine Form der Todesstrafe, die bei besonders schweren Vergehen als feierliche Form des Ausschlusses aus dem Gottesvolk angewandt wurde (3 Mose/Levitikus 24; 5 Mose/Deuteronomium 17; 21,21). In späterer Zeit wurde sie in folgender Form vollzogen: Der Verurteilte wurde rückwärts von einem Felsen oder einer Mauer hinabgestürzt; lebte er noch, so wurden ihm schwere Steine auf die Brust geworfen, bis er tot war.

Stellvertreter Im Johannesevangelium wird der heilige → Geist der Helfer genannt, der Jesus vertritt, wenn er zum Vater geht (Johannes 14,16). Er führt das Werk Jesu weiter, aber so, daß in ihm kein anderer als Jesus selbst zur Gemeinde kommt (14,18; vgl. 15,26).

Stern Offenbarung 9,1 ist unter dem Stern ein → Engel zu verstehen, der einen Auftrag Gottes ausführt.

Sterndeuter Das so übersetzte griechische Wort (*magoi:* unser ›Magier‹) bezeichnete zunächst die Mitglieder einer persischen Priesterkaste, die sich mit Sternkunde und Astrologie befaßten, sodann allgemein babylonische und sonstige Astrologen. Sie wirkten oft als Berater von Königen, Fürsten und reichen Leuten.

Steuerlisten Im Jahr 6/7 n.Chr., als Judäa römische Provinz wurde, wurden unter → Quirinius die Bewohner des Landes und ihr Besitz für die Erhebung von Steuern registriert. Vielleicht bezieht sich Lukas 2,1-3 darauf; vielleicht ist aber auch eine um 8/7 v.Chr. beginnende erste Erfassung gemeint.

Superapostel Von Paulus ironisch gebrauchte Bezeichnung für seine Gegner in Korinth, die seine eigene Apostelwürde bestritten. Sie haben nichts mit dem Zwölferkreis (→ Apostel) zu tun.

Synagoge Versammlungsstätte jüdischer Gemeinden, wo am Sabbat ein Wortgottesdienst mit Gebet, Schriftlesung, Predigt und abschließendem

Segen abgehalten wird. Zur Zeit Jesu durfte jeder in den heiligen→Schriften
bewanderte jüdische Mann die Predigt halten (vgl. Lukas 4,20; Apostelgeschichte 13,15). In der Synagoge tagte auch das örtliche oder Synagogengericht, das aus 23 Mitgliedern bestehen mußte und über Juden, die zum
christlichen Glauben übergetreten waren, die Strafe der Auspeitschung
verhängen konnte (Markus 13,9; Apostelgeschichte 22,19; 2 Korinther
11,24).

Synagogengericht → Synagoge.

Synagogenvorsteher Die Verwaltung der äußeren und inneren Angelegenheiten einer Synagogengemeinde liegt in den Händen eines Ältesten-
Kollegiums (→ Älteste). An Synagogenbeamten gibt es den Synagogenvorsteher, der für die ordnungsgemäße Abwicklung des Synagogengot-
tesdienstes zu sorgen hat, und den Synagogendiener, der ihm dabei zur
Hand geht (vgl. Apostelgeschichte 13,15; Lukas 13,14; 4,20).

T

Taufe Den einmaligen Vollzug der Taufe durch einen Täufer – im Gegensatz etwa zu einer Selbsttaufe oder zu wiederholten, mehrmaligen Taufen bzw. kultischen Waschungen (→ rein) – hat die christliche Taufe mit
der Taufe gemeinsam, zu der Johannes der Täufer die Menschen rief.
Von allem Anfang an wurde man nur durch die Taufe in die christliche
Gemeinde aufgenommen. Der Täufling sprach vor oder nach der Tauf-
handlung ein schon sehr früh fest geprägtes Glaubensbekenntnis. Die
Taufe wurde so vollzogen, daß der Täufling ganz in Wasser untertauchte
(Apostelgeschichte 8,38). Nach einem nachneutestamentlichen Zeugnis
war es jedoch bei Wassermangel erlaubt, daß nur der Kopf dreimal mit
Wasser übergossen wurde. Die Taufe geschah auf den → Namen Jesu
Christi (Apostelgeschichte 2,38; nur nach Matthäus 28,19 auf den Namen
des Vaters, des Sohnes und des heiligen Geistes).

Tempel Der Tempel Salomos war ein Langhausbau, der aus drei Teilen be-
stand: Vorhalle, Heiliges und Allerheiligstes. Die Vorhalle war ca. 5 m
lang und 10 m breit, ihr Eingang von zwei ehernen Säulen flankiert. Das
Heilige war 20 m lang, 10 m breit und 15 m hoch. Es enthielt den goldenen
Räucheraltar, den Tisch mit den geweihten Broten und die zweimal fünf
Leuchter (vgl. die genau entsprechende Beschreibung des heiligen Zeltes
in 2 Mose/Exodus 40).
Das ›Allerheiligste‹ war ein Würfel von 10 m Kantenlänge, es hatte keine
Fenster, und in ihm befand sich die → Bundeslade. Der Oberste Priester
durfte es nur einmal im Jahr betreten, sonst war es für jedermann unzu-
gänglich.
Nebukadnezzar zerstörte den ersten Tempel 587 v.Chr. Nach der Rückkehr der Judäer aus der Verbannung wurde er an der alten Stelle in beschei-
denerer Form wieder aufgebaut (Tempelweihe 515 v.Chr.). König Herodes der Große ersetzte diesen Tempel durch einen Prachtbau, der weithin
berühmt war (Markus 13,1). Er wurde 70 n.Chr. bei der Eroberung Jerusalems durch Titus zerstört und nie wieder aufgebaut. Mit dem Verlust des
zentralen und einzigen Heiligtums der Juden hörte auch der Opfergottes-
dienst auf.
Der Tempel war von zwei Vorhöfen umgeben: dem inneren, in dem sich
der große Brandopferaltar befand, und dem äußeren, der auch für Nichtjuden zugänglich und der von einer Anzahl von offenen Hallen umgeben

war. Dort hat man sich auch die Geldwechsler und Taubenverkäufer zu
denken, die Jesus aus dem Tempel (d. h. dem Tempelbezirk) vertreibt.

Das Zerreißen des Vorhangs vor dem Allerheiligsten beim Tod Jesu (Matthäus 27,51) läßt eine doppelte Deutung zu: Das Ende des Tempels ist
gekommen, und: der Zugang zu Gott steht künftig – um des Todes Jesu
willen – allen Menschen offen.

Tempelsteuer Jeder erwachsene Jude hatte jährlich einmal eine Steuer für
den → Tempel in Jerusalem zu zahlen. Sie betrug etwa den doppelten Tageslohn eines Arbeiters. Nur Priester und z.T. auch → Gesetzeslehrer
waren von dieser Steuer befreit. Die Münze, die in Matthäus 17,24-27
erwähnt wird, entspricht dem Steuersatz für zwei Personen.

Teufel → Satan.

Theudas Ein jüdischer Widerstandskämpfer dieses Namens ist erst in späterer Zeit bekannt.

Tiberius Römischer Kaiser 14–37 n.Chr.

Tod, zweiter Der Tod, aus dem es keine Auferstehung mehr gibt: die ewige
Verdammnis am Tag des letzten Gerichts.

Totenwelt Im Alten Testament unterirdischer Aufenthaltsort der Verstorbenen, die dort in schattenhafter Weise weiterleben. In der Offenbarung an
Johannes (1,18; 20,13) ist die Totenwelt das Reich, in dem der Tod
herrscht, und als solches Aufenthaltsort der Toten bis zur Auferstehung.

Tyrannushalle Ein Saal oder eine Säulenhalle in Ephesus, die nach dem
Bauherrn, dem Besitzer oder dem dort wirkenden Lehrer benannt war.

U

ungesäuert → Passafest.

unrein, Unreinheit → rein.

Unzucht Das Wort bezeichnet im Neuen Testament vor allem den Verkehr
mit Prostituierten, aber darüber hinaus in einem umfassenden Sinn Vergehen im Bereich der Sexualität. Gelegentlich kann es sich wie in Offenbarung 2,14.20 auf illegitime eheliche Verbindungen beziehen (→ Blutschande). Im übertragenen Sinn bezeichnet es seit Hosea (1,2; 3,1) den
Ungehorsam gegenüber Gott und die Zuwendung zu anderen Göttern,
die in Kanaan oft zugleich mit sexueller Zügellosigkeit verbunden war.

V

verlobt Die Verlobten führten zwar noch keine Ehe, rechtlich aber galt die
Verlobung als Eheschließung. Maria mußte demnach als Ehebrecherin
angesehen werden (Matthäus 1,18-25). Josef hätte das Recht gehabt, sie
anzuklagen, was evtl. sogar zum Todesurteil über Maria geführt hätte
(vgl. 5 Mose/Deuteronomium 22,20-21).

Versöhnungstag Der israelitische Bußtag, an dem der Oberste → Priester
nach 3 Mose/Levitikus 16 zur Sühne für sich, die Priesterschaft und das
Volk Opfer darbringen mußte. Auch das Heiligtum wurde entsühnt.
Außerdem wurde ein Bock, dem die Sünden des Volkes aufgelegt worden waren, ein »Sündenbock«, in die Wüste gejagt.

verunreinigen → rein.

Vorhof → Tempel.

Vorschriften der Vorfahren → Pharisäer.

Vorsteher → Synagogenvorsteher bzw. Gemeindevorsteher.

W

weihen Jede männliche Erstgeburt bei Tier und Mensch galt als Eigentum
Gottes. Der erstgeborene Sohn aber konnte und mußte ausgelöst werden (2 Mose/Exodus 13,2.11-16; 4 Mose/Numeri 18,15-16). Das konnte
bei jedem Priester im Land geschehen. Wenn Jesus nach Lukas 2,22 dazu in den Tempel gebracht wurde, so deutet dies an, wo er hingehört
(vgl. 2,49).

Weihrauch Ein weißes Baumharz, dessen Verbrennung einen kräftigen,
würzigen Duft verbreitet. Zum ›Räuchern‹ im Jerusalemer Tempel wurde eine besondere Weihrauchmischung verwendet (2 Mose/Exodus
30,34-38). Gold, Weihrauch und → Myrrhe (Matthäus 2,11) sind Gaben,
die eines Königs würdig sind.

Weisungen → Prophet.

Welt, diese Die Welt ist Gottes Schöpfung (Johannes 1,1-3), und Gott hat
die Welt so geliebt, daß er ihr seinen einzigen → Sohn sandte (3,16). Weil
aber die Welt die Finsternis mehr liebt als das Licht (3,19) und das Le-
benswasser (4,10) und Lebensbrot (6,35) von sich weist, d. h. Jesus nicht
aufnimmt, wird sie zu »dieser Welt«: der finsteren Welt, deren Herrscher der → Satan ist (12,31), der Welt, die unter dem Gericht Gottes
steht (3,19). Daß ›diese Welt‹ von der Macht des Bösen beherrscht ist,
kommt auch an anderen Stellen zum Ausdruck (Galater 1,4; Epheser
6,12). Wer durch Christus von seinen Sünden befreit und neugemacht
worden ist, ist schon jetzt der Macht des Bösen entrissen und zählt
nicht mehr zu ›dieser Welt‹, auch wenn er noch in ihr lebt. Er zeigt das durch
ein gewandeltes Verhalten (Römer 12,2; 1 Korinther 5,9-11); aber er
wartet zugleich auf die neue Welt, in der das Gute die einzige Macht ist
(2 Petrus 3,13).

worfeln, Worfschaufel Mit einer Worfschaufel warf man bei Wind das ge-
droschene Getreide in die Luft, um es von der Spreu zu trennen.

Wort, Das Im griechisch-sprechenden Judentum gab es zur Zeit des Neuen
Testaments Spekulationen über die ›Weisheit‹ Gottes: Sie galt als erstes
Geschöpf und als Mittlerin bei der Schöpfung, denn durch sie wurde die
Welt geschaffen (vgl. Sprichwörter 8,22-31; Sirach 1,4.9). Sie stieg dann
zu den Menschen herunter, wurde von ihnen verworfen und kehrte wieder zu Gott zurück. In ähnlicher Weise konnte auch vom ›Wort‹ gesprochen werden. Johannes 1,1-18 erinnert an solche Aussagen. Doch anders
als dort wird hier gesagt, daß das Wort nicht erstes Geschöpf, sondern
von allem Anfang an bei Gott war, und im Gegensatz zu diesen Spekulationen heißt es in Johannes 1,1-18, daß das Wort, das selbst Gott ist, in
Jesus Christus wirklicher Mensch wurde. Durch ›das Wort‹ wurde die
Welt geschaffen, und durch ›das Wort‹ spricht Gott zu seiner Welt. Ist
Jesus ›das Wort‹, so wird damit bezeugt, daß in ihm wirklich Gott selbst
den Menschen begegnet.

Y

Ysop, Ysopzweig Wahrscheinlich handelt es sich bei dem Ysopkraut, das
beim Passafest verwendet wird, nicht um den echten Ysop, der in Palästina nicht vorkommt, sondern um Majoran. Die Büschel wurden auch
beim Reinigungsopfer (→ rein) verwendet. Wenn in Johannes 19,29 an
diese Pflanze gedacht ist, muß man sich das Kreuz sehr niedrig denken.

Z

Zehn Städte Ein Verband von ursprünglich zehn überwiegend ostjordanischen Städten mit hauptsächlich nichtjüdischer Bevölkerung. Das Gebiet galt als heidnischer Fremdkörper im Heiligen Land.

Zehnter, zehnter Teil Der zehnte Teil vom Ernteertrag (Korn, Wein, Öl) mußte als Gabe an Gott und zum Unterhalt der Priester ans Heiligtum abgeliefert werden. Auch vom Vieh wurde später der Zehnte entrichtet. Dahinter steht der Gedanke, daß aller Ernte- und Viehsegen Gott zu verdanken ist. Weil im 4. und 5. Mosebuch die Zehntgesetze verschiedener Zeiten überliefert sind (4 Mose/Numeri 18,20-32; 5 Mose/Deuteronomium 14,22-29), konnte man im Judentum aus diesem Nebeneinander die Einrichtung eines zweiten und dritten Zehnten ableiten (Tobit 1,6-8).

Zeloten Diese jüdische Partei der ›Eiferer‹ verweigerte aus religiösen Gründen die Unterwerfung unter das heidnische Römerreich und lehnte es ab, den Römern Steuern zu bezahlen (vgl. Markus 12,13-17). Sie erwarteten ein nationalistisches Reich unter einem neuen →David. Den Anbruch dieses messianischen Reiches versuchten sie durch gewalttätige Aktionen herbeizuzwingen. Die Zeloten standen hinter den Aufständen gegen Rom, die 70 n.Chr. zur Zerstörung Jerusalems durch die Römer führten.

Zelt, heiliges Transportables Zeltheiligtum der Israeliten während der Wanderzeit. Noch zur Zeit Davids wurde die → Bundeslade in einem Zelt aufgestellt (2 Samuel 7,2).

Zeltmacher Es ist nicht sicher auszumachen, ob Paulus und sein Berufsgenosse Aquila Zelttuch oder Decken, etwa Ziegenhaartücher, hergestellt haben. Paulus legt Wert darauf, daß er sich seinen Unterhalt mit eigener Hand verdient (1 Korinther 9).

Zeus In der griechisch-römischen Religion oberster Gott, Beherrscher von Himmel und Erde und Göttervater.

Zion Name für den Tempelberg in Jerusalem und dann auch Bezeichnung für ganz Jerusalem, die Heilige Stadt, in der Gott gegenwärtig ist (Psalm 9,12; 74,2). In späterer Zeit erwartete man in Israel, daß Gott den Messias, den König der Endzeit (→ Retter), in Zion einsetzen werde. Offenbarung 14,1 schaut der Seher Christus auf dem Zion und mit ihm das vollzählige Gottesvolk: ein Bild von der Vollendung leuchtet auf.

Zolleinnehmer Zur Zeit des Neuen Testaments wurden in Palästina die Zölle eines Bezirks wie Marktzölle, Grenzzölle usw. wahrscheinlich an den Meistbietenden verpachtet. Die Pächter ihrerseits hatten wieder Unterpächter angestellt. Auch sie mußten einen bestimmten Betrag abliefern, kassierten jedoch den Zoll in die eigene Tasche. Es gab zwar feste Tarife, doch verleitete dieses System zum Betrug. Kein Wunder, daß die Zöllner Dieben und Räubern gleichgestellt waren. Da die Zolleinnehmer überdies im Dienst der heidnischen Römer standen und durch ihren Beruf viel Kontakt mit Nichtjuden hatten, galten sie als »unrein« (→ rein). Von den Frommen wurden sie verachtet und gehaßt.

ANMERKUNGEN ZUM BIBELTEXT

Die Anmerkungen enthalten Angaben über abweichende Lesarten des griechischen Grundtextes sowie andere Übersetzungsmöglichkeiten, außerdem erklärende Hinweise an Stellen, wo die Übersetzung ohne eine Erklärung nicht voll verständlich ist. Im Unterschied zu den Sacherklärungen, auf die im Bibeltext durch einen Stern * hingewiesen wird und die sich auf *wiederkehrende Begriffe* beziehen, handelt es sich dabei um Anmerkungen zu *einzelnen Bibelstellen*. Im Text wird auf diese Einzelanmerkungen durch einen kleinen hochgestellten Kreis ° verwiesen.

Matthäus

1,10 Statt Asa (Vers 7) und Amon (Vers 10) steht in den wichtigsten Handschriften Asaf und Amos. Diese Namen stehen jedoch im Widerspruch zu 1 Chr 3,10 (vgl. auch 1 Kön 15,8 u.ö.) und 1 Chr 3,14 (vgl. auch 2 Kön 21,18 u.ö.). Vielleicht sollte durch ihre Aufnahme in den Stammbaum Jesu angedeutet werden, daß sich die Ankündigungen der Psalmen (Asaf; vgl. die Psalmen 50 und 73-83) und Propheten (Amos) in Jesus erfüllt haben. – Zwischen Joram und Usija (= Asarja) fehlen drei Könige: Ahasja, Joasch und Amazja (vgl. 1 Chronik 3,11-12). Siehe dazu die Anmerkung zu Vers 17.

1,17 Dem Aufbau des Stammbaums liegt eine Zahlensymbolik zugrunde: Im Hebräischen hat jeder Buchstabe einen Zahlenwert. Zählt man die Zahlenwerte der Buchstaben zusammen, die den Namen David ausmachen, so erhält man die Zahl 14. Abmessung und Gliederung des Stammbaums (3mal 14) sollen verkünden: In Jesus ist der verheißene Nachkomme Davids, der versprochene Retter Israels, erschienen.

2,23 ›Sproß‹ *(nezär)* in Jes 11,1 und ›Gott geweiht‹ *(nesir)* in Ri 13,5.7 enthalten im Hebräischen Anklänge an *Nazaret*.

5,32 *vom Gesetz verbotene Verbindung:* Gedacht ist an die Bestimmungen in 3 Mose/Levitikus 18,8-18.

6,1 Unter diesem Gesichtspunkt werden in den folgenden Abschnitten (Verse 2-4; 5-15; 16-18) die drei wichtigsten jüdischen Frömmigkeitsübungen – Almosen-Geben, Beten, Fasten – besprochen.

6,13 Spätere Handschriften fügen noch einen abschließenden Lobspruch hinzu, der in Anlehnung an 1 Chr 29,10-11 gestaltet ist: *Dir gehört alle Herrschaft und Macht und Ehre in Ewigkeit. Amen.* Im Gottesdienst ist heute für das Gebet des Herrn folgende ökumenische Fassung gebräuchlich: *Vater unser im Himmel, geheiligt werde dein Name. Dein Reich komme. Dein Wille geschehe, wie im Himmel, so auf Erden. Unser tägliches Brot gib uns heute. Und vergib uns unsere Schuld, wie auch wir vergeben unseren Schuldigern. Und führe uns nicht in Versuchung, sondern erlöse uns von dem Bösen. (Denn dein ist das Reich und die Kraft und die Herrlichkeit in Ewigkeit. Amen.)*

8,4 Wörtlich: *ihnen zum Zeugnis.* Der genauere Sinn ergibt sich aus 5,17 (vgl. auch die Anmerkung zu Markus 1,44).

10,41 Wörtlich: *einen Gerechten.* In diesem Zusammenhang dürften damit – neben den Aposteln und Propheten – die Lehrer der Gemeinden gemeint sein.

13,55 Vgl. die Anmerkung zu Markus 6,3.

14,27 Vgl. die Anmerkung zu Johannes 8,24.

15,5 Siehe die Sacherklärung zu *Korban.*

15,22 Mit dieser Bezeichnung wird an den alten Gegensatz Israel–Kanaan (vgl. etwa 1 Mose/Genesis 24,3; 5 Mose/Deuteronomium 20,16-18) erinnert.

16,2 Die Verse 2b und 3 fehlen in vielen wichtigen Handschriften; vgl. jedoch Lukas 12,54-56.

16,17 *Sohn von Johannes:* die wahrscheinlichste Deutung von *Barjona* (vgl. Johannes 1,42). Doch ist auch die Deutung ›Aufrührer‹ nicht auszuschließen (vgl. die Sacherklärung zu *Zeloten*).

16,19 *für verbindlich erklären/für nicht verbindlich erklären* wörtlich: *binden/lösen.* Es geht um die Auslegung und Anwendung des Gotteswillens, wie er von Jesus verkündet worden ist (vgl. 7,24-27). Eingeschlossen ist die Vollmacht, aus der Gemeinde auszuschließen oder wieder in sie aufzunehmen. Siehe auch 18,18.

17,15 Das hier für Epilepsie verwendete griechische Wort ist von ›Mond‹ abgeleitet. Die antike Medizin brachte epileptische Anfälle mit dem Mondwechsel in Verbindung.

17,20 Einige Handschriften fügen hinzu (Vers 21): *Aber nur durch Gebet und Fasten können solche Geister ausgetrieben werden; anders nicht.*

18,10 Einige Handschriften fügen hinzu (Vers 11): *Der Menschensohn ist gekommen, um Verlorene zu retten.*

18,18 Vgl. die Anmerkung zu 16,19.

19,9 Vgl. die Anmerkung zu 5,32.

19,21 Wörtlich: *Wenn du vollkommen sein willst* (vgl. 5,48).

23,13 Einige Handschriften fügen hinzu (Vers 14): *Weh euch Gesetzeslehrern und Pharisäern! Ihr Scheinheiligen! Ihr sprecht lange Gebete, um einen guten Eindruck zu machen, in Wahrheit aber seid ihr Betrüger, die hilflose Witwen um ihren Besitz bringen. Ihr werdet einmal besonders streng bestraft werden.* (Vgl. Markus 12,40.)

23,35 Secharja war nach 2 Chronik 24,20-22 der Sohn des Priesters Jojada. Sacharja, der Sohn Berechjas, war der bekannte Prophet; doch von ihm wird nicht berichtet, daß er ein solches Ende nahm.

26,30 Nach dem Passamahl werden die Psalmen 114 bis 118 gesungen.

28,1 Nach jüdischer Auffassung ist jeweils mit Sonnenuntergang der alte Tag beendet, und es beginnt der neue Tag.

28,10 Mit den ›Brüdern‹ sind an dieser Stelle die Jünger gemeint.

Markus

1,1 *dem Sohn Gottes* fehlt in einigen alten Handschriften.

1,44 *das soll für alle ein Beweis...:* wörtlich *ihnen zum Zeugnis.* Der genauere Sinn ergibt sich aus der Stellung dieses Wortes vor 2,1-3,6, d.h. vor Abschnitten, die den Vorwurf begünstigen könnten, Jesus nehme das Gesetz Moses nicht ernst.

3,14 Viele Handschriften fügen hinzu: *die er auch ›Apostel‹ nannte* (vgl. Lukas 6,13; Matthäus 10,2).

6,3 Das griechische Wort meint einen Handwerker, der Holz und Steine bearbeitet (also etwa »Bauhandwerker«).

6,50 Vgl. die Anmerkung zu Johannes 8,24.

7,3 *in der vorgeschriebenen Weise:* Der hier verwendete griechische Ausdruck läßt sich nicht sicher deuten. Wörtlich entweder: *mit der zur Faust geballten Hand* oder *mit einer Handvoll* (Wasser).

7,15 Einige Handschriften fügen hinzu (Vers 16): *Wer hören kann, soll gut zuhören!*

8,23 Dem Speichel wurde Heilkraft zugeschrieben, besonders bei Augenkrankheiten.

8,31 Wörtlich: *als unbrauchbar verwerfen* (im Sinn von Psalm 118,22).

9,29 Viele Handschriften fügen ein: *und Fasten.*

9,43 und **9,45** Einige Handschriften fügen hinzu (Vers 44 bzw. 46): *wo die Qual nicht aufhört und das Feuer nicht ausgeht* (vgl. Vers 48).

9,49 Wörtlich: *Jeder wird mit Feuer gesalzen werden.* Die Deutung ist unsicher; die meisten Ausleger sehen das Wort im Zusammenhang mit 3 Mose/Levitikus 2,13.

10,51 Wörtlich *Rabbuni* = ehrfurchtsvolle Anrede für einen jüdischen Gesetzeslehrer (Rabbi).

11,25 Einige Handschriften fügen hinzu (Vers 26): *Wenn ihr anderen nicht verzeiht, wird euer Vater im Himmel euch eure Verfehlungen auch nicht vergeben* (vgl. Matthäus 6,15).

13,6 Vgl. die Anmerkung zu Johannes 8,24.

14,26 Nach dem Passamahl werden die Psalmen 114 bis 118 gesungen.

15,27 Einige Handschriften fügen hinzu (Vers 28): *So ging in Erfüllung, was in den heiligen Schriften vorausgesagt war:›Man hat ihn unter die Verbrecher gezählt‹* (vgl. Lukas 22,37).

16,9-20 Der Abschnitt Vers 9-20 fehlt in den ältesten und wichtigsten Handschriften. In einigen anderen Handschriften findet sich vor ihm oder an seiner Stelle folgender Text, der den Bericht Markus 16,1-18 zu Ende führt:
Die Frauen liefen zu Petrus und den anderen, um ihnen unverzüglich alles zu berichten, was ihnen aufgetragen war. Danach kam Jesus selbst und gab seinen Jüngern den Auftrag, die heilige und für immer gültige Botschaft von der ewigen Rettung überall in der ganzen Welt zu verkünden. Amen.

Lukas

3,16 Wörtlich: *mit Feuer.* Vielleicht denkt Lukas auch hierbei an das Pfingstereignis, näherhin an die Feuererscheinung beim Pfingstereignis (Apostelgeschichte 1,5; 11,16).

3,38 Dem Aufbau des Stammbaums liegt eine Zahlensymbolik zugrunde, die auf der Bedeutung der Zahlen 7 und 12 beruht: Die Geschichte Israels und der Menschheit wird in 11 × 7 Generationsfolgen bis auf ihren Ursprung in Gott zurückverfolgt. So erscheint Jesus als Anfang einer neuen, der 12. ›Generationsfolge‹ – in ihm erfüllt sich die Menschheitsgeschichte.

8,43 Entsprechend Markus 5,26 fügen zahlreiche Handschriften hinzu: *obwohl sie ihr ganzes Vermögen an Ärzte ausgegeben hatte.*

9,22 Vgl. die Anmerkung zu Markus 8,31.

9,55 Einige Handschriften fügen hinzu: *Er sagte: »Ihr habt wohl vergessen, welcher Geist euer Leben bestimmen soll!* [56] *Der Menschensohn ist nicht gekommen, um Menschenleben zu vernichten, sondern zu retten!«*

10,1 und **10,17** *zweiundsiebzig:* Viele Handschriften haben statt dessen *siebzig.*

11,36 Die Deutung der Verse 34-36 ist unsicher.

11,49 In den biblischen und außerbiblischen Weisheitsschriften findet sich dieses Wort nicht, doch begegnet auch sonst die Weisheit als redende Person (z.B. Sprichwörter 1,20-33; Sirach 24; Lukas 7,35).

17,35 Einige Handschriften fügen hinzu (Vers 36): *Von zwei Männern, die auf dem Feld arbeiten, wird der eine angenommen, der andere bleibt zurück* (vgl. Matthäus 25,40).

21,8 Vgl. die Anmerkung zu Johannes 8,24.

22,44 Die Verse 43-44 fehlen in wichtigen Handschriften und gehören vermutlich nicht zum ursprünglichen Text.

23,16 Einige Handschriften fügen hinzu (Vers 17): *Weil es so üblich war, mußte Pilatus ihnen an jedem Passafest einen Gefangenen freigeben* (vgl. Matthäus 27,15).

23,34 Der erste Teil des Verses fehlt in einigen wichtigen Handschriften.

Johannes

1,11 Andere Übersetzungsmöglichkeit: *Er kam in seine eigene Schöpfung, doch seine Geschöpfe wiesen ihn ab.*

1,18 Wörtlich: *der einziggeborene Sohn.* Einige alte Handschriften haben: *der einziggeborene Gott* und betonen damit die Göttlichkeit Christi. (Vgl. dazu 20,28; 1 Johannes 5,20.)

1,19 *die führenden Männer:* wörtlich *die Juden.* Bei Johannes wird diese Bezeichnung mit verschiedenen Bedeutungen verwendet. Die Übersetzung verdeutlicht, wer im jeweiligen Zusammenhang damit gemeint ist. (Dasselbe gilt für 2,18; 5,10; 6,41; 7,1.11; 9,18; 18,14; 19,31.38; 20,19.)

3,3 *von neuem:* Der griechische Ausdruck kann auch *von oben* bedeuten.

3,14 Vgl. die Anmerkung zu 12,32.

3,16 Wörtlich: *die Welt**.

4,27 Für einen Juden, besonders einen Rabbi, war es nicht üblich, sich mit einer Frau zu unterhalten.

5,3 Einige Handschriften fügen hinzu: *Sie warteten darauf, daß das Wasser Wellen schlug;* ⁴*denn von Zeit zu Zeit kam ein Engel Gottes und brachte das Wasser in Bewegung. Wer als erster in das bewegte Wasser hineinging, wurde gesund, ganz gleich, welche Krankheit er hatte.*

7,21 Es handelt sich um die Heilung des Kranken am Teich Betesda (vgl. 5,5-9).

7,38 Eine Einzelstelle mit diesem Wortlaut findet sich im Alten Testament nicht, wohl aber eine Reihe von Stellen, die inhaltlich die Grundlage sein könnten (Jesaja 12,3; 43,19; 44,3; 58,11; Sacharja 14,8).

7,53–8,11 Der Abschnitt ist sehr alt, hat aber ursprünglich nicht zur Guten Nachricht nach Johannes gehört. In einigen Handschriften fehlt er ganz, in anderen ist er an verschiedenen Stellen eingeordnet.

8,5 Das Gesetz schrieb vor (3 Mose/Levitikus 20,10; 5 Mose/Deuteronomium 22,22), daß in einem solchen Fall nicht nur die Frau, sondern auch der Mann hingerichtet werden sollte.

8,24 Wörtlich: *Ich bin.* Jesus verwendet hier die Formel, mit der im Alten Testament Gott von sich selbst spricht, wenn er sich an sein Volk wendet (Jesaja 41,4; 43,10 u.a.). Dasselbe gilt für 8,58 und 13,19.

8,28 Vgl. die Anmerkung zu 12,32.

10,22 Es handelt sich um die Wiedereinweihung des Tempels nach seiner Entweihung durch Antiochus IV. Epiphanes im Jahr 165 v.Chr.

10,29 Die Textüberlieferung ist unsicher; nach einer Handschrift und den beiden lateinischen Übersetzungen wäre zu lesen: *Was der Vater mir gegeben hat, ist größer als alles.*

12,5 Das war der Arbeitslohn für ein ganzes Jahr.

12,32 In der Guten Nachricht nach Johannes spricht Jesus von seiner Rückkehr zu Gott (Erhöhung) in bildlich-andeutender Weise so, daß deutlich wird: Sie vollzieht sich in der Erhöhung ans Kreuz.

13,1 *bis zum Ende:* oder *bis zum äußersten.*

13,10 *und braucht...:* Einige Texte haben statt dessen: *braucht sich nicht mehr zu waschen.*

20,17 Mit den ›Brüdern‹ sind an dieser Stelle die Jünger gemeint.

20,31 Andere Handschriften haben: *damit ihr zum Glauben kommt.*

Apostelgeschichte

2,9 Sämtliche Handschriften lesen hier noch: *und Judäa,* offenbar ein sehr früher und nicht in den Zusammenhang passender Zusatz.

6,1 Als *Jünger* bezeichnet Lukas nicht nur die zwölf Apostel oder die Menschen, die sich schon vor Ostern an Jesus angeschlossen hatten, sondern alle Christen (vgl. die Sacherklärung zu *Jünger*). Dasselbe gilt für 9,1 und 9,26.

8,36 Einige Handschriften fügen hinzu (Vers 37): *Philippus sagte:* »*Du kannst getauft werden, wenn du von ganzem Herzen glaubst.*« »*Ja*«, *antwortete der Äthiopier,* »*ich glaube, daß Jesus Christus der Sohn Gottes ist.*«

9,1 und **9,26** Vgl. die Anmerkung zu 6,1.

12,1 Herodes Agrippa I., ein Enkel Herodes des Großen (s. Sacherklärung zu *Herodes*).

15,21 Sie finden sich sämtlich in 3 Mose/Levitikus 17 und 18 und werden dort auch für die »Fremden« – zunächst die in Israel lebenden – verbindlich gemacht (vgl. die Sacherklärung zu *Blutschande*).

15,33 Einige Handschriften fügen hinzu (Vers 34): *Silas beschloß dazubleiben, und Judas kehrte allein zurück.*

16,12 Philippi ist eine sogenannte »Kolonie« (siehe dazu die Sacherklärung).

17,19 und **17,34** *Areopag* bedeutet ›Areshügel‹. Dort tagte in alten Zeiten der oberste athenische Gerichtshof. In der römischen Zeit hatte er seine Sitzungen in der Königshalle am Markt, seine Befugnisse erstreckten sich nur noch auf Religion und Erziehung. Ob Paulus vor dieser Behörde oder nur am Ort ihrer Zusammenkünfte sprach, läßt sich aus dem Text nicht entnehmen.

24,6 Einige Handschriften fügen hinzu: *Wir wollten ihn nach unserem eigenen Gesetz aburteilen,* [7] *aber der Kommandant Lysias hat ihn uns mit Gewalt entrissen* [8] *und befohlen, wir sollten unsere Anklage bei dir vorbringen.*

28,28 Zahlreiche Handschriften fügen als Vers 29 hinzu: *Als Paulus das gesagt hatte, gingen die Juden nach Hause und stritten heftig miteinander.*

Römer

3,9 Andere mögliche Übersetzung: *Wie nun? Haben wir* (Juden) *einen Vorzug? Nicht unbedingt!*

3,31 Für Paulus umfaßt das Gesetz (wie die Verse 21 und 27 zeigen) sowohl göttliche Forderung wie göttliche Zusage. Die zweite Seite wird in Kapitel 4 entfaltet.

8,2 Gemeint sind zwei verschiedene Seiten desselben Gesetzes; vgl. Anmerkung zu 3,31.

10,4 *Aber seit Christus...:* wörtlich *Christus ist das Ende/Ziel des Ge-*

setzes. Wenn man die Bedeutung *Ziel* annimmt, kann man auch übersetzen: *Christus hat dem Gesetz erst seinen wahren Sinn gegeben.*

16,25-27 Der Schluß des Römerbriefes ist uneinheitlich überliefert. Die Verse 25-27 gehören aller Wahrscheinlichkeit nach nicht zum ursprünglichen Text. Vers 24, der oben übergangen ist *(Jesus Christus, unser Herr, schenke uns allen seine Gnade! Amen),* ist offenkundig erst später hinzugefügt worden.

1. Korinther

2,6 Wahrscheinlich denkt Paulus bei den *Machthabern* an dämonische Mächte und an menschliche Autoritäten, die in deren Dienst stehen.

11,3 Wörtlich: *Christus ist das Haupt des Mannes, der Mann das Haupt der Frau und Gott das Haupt Christi.*

11,4 *entehrt Christus...:* wörtlich *entehrt sein Haupt;* entsprechend Vers 5: *Eine Frau dagegen entehrt ihr Haupt...* Paulus verwendet hier das Wort ›Haupt‹ im Doppelsinn; vgl. Anmerkung zu Vers 3.

11,24 Wörtlich: *Tut das zu meinem Gedächtnis.* In der Sprache der Bibel bedeutet ›Gedenken‹ nicht ein bloßes Erinnern, sondern zugleich das Gegenwärtigwerden des Erinnerten.

11,27 Paulus meint mit *unwürdig* die in Vers 20-22 beschriebenen Zustände, die dazu führten, daß das Mahl des Herrn nicht mehr deutlich genug von einer gewöhnlichen Mahlzeit unterschieden wurde.

13,3 *und nähme den Tod...:* Wichtige alte Textzeugen lesen: *und gäbe meinen Leib hin, um mich zu rühmen.*

2. Korinther

2,14 Im alten Rom wurde der siegreiche Feldherr dadurch geehrt, daß er, gefolgt von seinen Truppen, auf dem Triumphwagen durch die Stadt geführt wurde. An den Brauch, dabei wohlriechende Essenzen zu versprühen, knüpft die Fortsetzung an.

3,2 Die Mehrzahl der Textzeugen hat: *in meinem.*

7,5 Hier wird der Gedankengang von 2,13 wieder aufgenommen.

Galater

1,10 Die Gegner werfen Paulus vor, er verkünde die Freiheit vom Gesetz (vgl. Kapitel 3) nur, um den Menschen einen bequemen Weg zu weisen, und so *beschwatze* er sie dazu, seine Botschaft anzunehmen. Paulus erwidert: Der Vorwurf ist so unsinnig wie der, daß ich Gott beschwatze!

2,6 *was sie früher einmal waren:* nämlich als Jünger des irdischen Jesus und Angehörige seiner Familie. Die falschen Missionare, die in Galatien eingedrungen waren (1,7; 4,17; 5,8; 6,12-13), beriefen sich offenbar auf die Autorität der Jerusalemer Urapostel.

2,9 Ehrenname für Jakobus, Petrus und Johannes als Führer der Jerusalemer Urgemeinde. Er erinnert an das Bild von der Gemeinde als Tempel Gottes (1 Korinther 3,16; Offenbarung 3,12) und bezeichnet die drei Männer als tragende Glieder der Gemeinschaft (vgl. das Bild vom Fundament: Epheser 2,20).

3,16 Das hebräische bzw. griechische Wort ist der Form nach Einzahl wie das deutsche ›Nachkommenschaft‹.

3,27 Das Bild vom Gewand bezeichnet hier nicht eine äußerliche Veränderung, sondern ein neues Sein: Der Mensch *ist,* was er trägt (vgl. die Bedeutung der Einkleidung bei Königskrönung und Priesterweihe).

Epheser

1,1 *in Ephesus* fehlt in einigen wichtigen Handschriften. Möglicherweise handelt es sich bei dem Brief ursprünglich um ein Rundschreiben an mehrere Gemeinden.

3,9 Zahlreiche Handschriften haben: *Ich sollte allen darüber Licht bringen.*

3,18 Wörtlich: *was die Länge und die Breite und die Höhe und die Tiefe ist.* Es handelt sich um eine verbreitete Formel für die Gesamtheit des Weltraums in all seinen Dimensionen. Im Epheserbrief geht es dabei um die Ganzheit der Gemeinde aus Juden und Nichtjuden (2,14-28), in der sich die lebenschaffende Macht der göttlichen Liebe für die ganze Welt darstellt (1,23; 3,10).

Philipper

1,13 *Die Beamten...:* wörtlich *Das ganze Prätorium.* Darunter ist entweder der Sitz eines Provinzstatthalters zu verstehen oder die Kaserne der Prätorianergarde in Rom.

4,3 *Syzygus* bedeutet: Gefährte, Kamerad.

1. Thessalonicher

2,7 *so freundlich:* Eine große Zahl von Handschriften hat: *wie unmündige Kinder.*

4,6 Möglich ist auch die Übersetzung: *Es soll auch keiner einem Bruder Unrecht tun und ihn bei Geschäften übervorteilen.*

2. Thessalonicher

2,13 Zahlreiche Handschriften haben: *Von Anfang an* (d.h. vor bzw. seit Erschaffung der Welt).

1. Timotheus

1,4 und **4,7** Wahrscheinlich ist an Ausdeutungen des 1. Mosebuches (Genesis) gedacht, wo die Urgeschichte der Menschheit und Israels am Leitfaden der Abstammungsverhältnisse geschildert wird (vgl. Titus 1,14; 3,9).

5,12 Die Aufnahme in den Kreis der »echten« Witwen, die von der Gemeinde unterstützt wurden, war offenbar mit dem Gelübde künftiger Ehelosigkeit verbunden und verpflichtete zu einem Leben, das dem Gebet gewidmet war (Vers 5).

2. Timotheus

4,4 Siehe die Anmerkung zu 1 Timotheus 1,4.

4,13 Bei den Pergamentrollen handelt es sich wohl um Abschriften biblischer Bücher, da man nur dafür dieses wertvolle Material verwendet hat.

Titus

1,14 und **3,9** Siehe die Anmerkung zu 1 Timotheus 1,4.

3,14 Die jüdischen Gemeinden, die es im ganzen Osten des Römischen Reiches gab, verfügten über ein gut organisiertes System gegenseitiger Hilfeleistung.

Philemon

20 *von Nutzen:* Offensichtlich ein Wortspiel mit dem Namen Onesimus (d.h. ›Der Nützliche‹).

Hebräer

6,2 Die Mehrzahl *Taufen* weist vermutlich auf die Auseinandersetzung mit den religiösen Waschungen und Tauchbädern in der jüdischen und heidnischen Umwelt hin.

Jakobus

4,2 *Ihr seid neidisch:* vermutlicher

Text. Alle Handschriften haben das im Griechischen ähnlich klingende *Ihr mordet.*

4,5 Das Zitat stammt aus einer uns unbekannten Schrift.

5,5 Wörtlich: *Ihr habt eure Herzen gemästet am Schlachttag.* Mit dem *Schlachttag* ist entweder der Tag des göttlichen Gerichts gemeint (vgl. Vers 3 und 8-9) oder ein Unglückstag, an dem die Armen ›geschlachtet‹ werden sollen.

1. Petrus

5,13 Wahrscheinlich ein Deckname für Rom (vgl. Offenbarung 17 und die Sacherklärung zu *Babylon*).

2. Petrus

3,10 *zerschmelzen:* Der griechische Text ist in verschiedenen Fassungen überliefert. Die bestbezeugte lautet: *wird gefunden werden,* was ohne willkürliche Ergänzungen unverständlich ist. Den Untergang im Feuer bezeugen die Verse 7 und 12.

2. Johannes

1 Wörtlich: *an die auserwählte Herrin und ihre Kinder.*

8 Einige Handschriften haben statt dessen: *was wir erarbeitet haben.*

13 Wörtlich: *Die Kinder deiner auserwählten Schwester lassen dich grüßen.*

Judas

7 Während die ›Gottessöhne‹ (= Engel) von 1 Mose/Genesis 6,1-3 Menschenfrauen heiraten, haben in Sodom umgekehrt Menschen den Verkehr mit Engeln gesucht (mit den Boten, die bei Lot eingekehrt waren; 1 Mose/Genesis 19,5-11).

15 Zitat aus einer Henoch zugeschriebenen jüdischen Schrift (Henoch 1,9).

19 Wörtlich *Psychiker.* So nannten

die Anhänger der sogenannten Gnosis die gewöhnlichen Christen, die nicht über eine höhere Erkenntnis verfügten (vgl. die Sacherklärung zu *Erkenntnis*). Sich selbst betrachteten sie als ›Geistmenschen‹ (Pneumatiker). Für solche Geistmenschen hielten sich vermutlich auch die hier bekämpften Irrlehrer, während sie sich aufgrund ihres Lebenswandels als das genaue Gegenteil erweisen.

Offenbarung

1,8 Wörtlich: *das Alpha und das Omega.* Alpha ist der erste und Omega der letzte Buchstabe des griechischen Alphabets.

1,10 *Tag des Herrn:* wörtlich *der dem Herrn gehörende (geweihte) Tag;* später die allgemein übliche Benennung des christlichen Sonntags.

2,9 und **3,9** Wörtlich: *als Juden* bzw. *daß sie Juden seien.*

6,6 Verglichen mit den damals üblichen Preisen ist das eine acht- bis zwölffache Verteuerung.

11,15 *unserem Gott . . . :* wörtlich *unserem Herrn und seinem Christus.*

13,18 Die Buchstaben des Alphabets haben im Hebräischen und Griechischen Zahlenwert. Die Zahl 666 wurde schon früh auf den Kaiser Nero bezogen.

14,4 Die Deutung dieser Aussage ist unsicher. Vielleicht handelt es sich bei *Verkehr mit Frauen* um die bekannte bildliche Umschreibung des Götzendienstes.

14,20 Ein Wegmaß – griechisch *stadion* – betrug 192 m. Die Strecke ist hier nicht umgerechnet; denn die Zahl ist symbolisch zu verstehen (40 × 40) und soll das furchtbare Ausmaß des Strafgerichts ausdrücken.

20,8 Ezechiël (Kapitel 38–39) spricht von dem Fürsten Gog aus dem Land Magog, der als Feind des Gottesvolkes aus dem Norden heranzieht. Hier stehen *Gog und Magog* als symbolische Namen für die Völker, die aus allen vier Himmelsrichtungen die Heilige Stadt angreifen.

21,6 und **22,13** Wörtlich: *Ich bin das Alpha und das Omega;* vgl. die Anmerkung zu 1,8.

21,16 Vgl. die Anmerkung zu 14,20. Die Maßangabe enthält die Symbolzahl 12 für das Volk Gottes (12 Stämme Israels, 12 Apostel), dasselbe gilt für die 144 Ellen in Vers 17.

NACHWEIS
DER ALTTESTAMENTLICHEN ZITATE

Die folgende Liste enthält alle Stellen, an denen im Neuen Testament ein Wort aus dem Alten Testament ausdrücklich als Zitat angeführt wird.
Bloße Anspielungen oder allgemeine Bezugnahmen sind nicht berücksichtigt. Der Wortlaut der Zitate folgt dem Alten Testament der *Bibel in heutigem Deutsch,* deren neutestamentlichen Teil *Die Gute Nachricht* darstellt. Doch kann der Leser auch hier nicht immer mit wörtlicher Übereinstimmung rechnen, da die Schreiber des Neuen Testaments gelegentlich nach einer abweichenden Textform zitieren oder in dem zitierten Wort einen überraschenden Sinn finden, den es im alttestamentlichen Textzusammenhang so nicht ohne weiteres hat. Bei auffallenden Abweichungen steht vor der Stellenangabe ein *nach.*

Abkürzungen: 1 Mo/Gen   1 Mose/Genesis
              2 Mo/Ex   2 Mose/Exodus
              3 Mo/Lev   3 Mose/Levitikus
              4 Mo/Num   4 Mose/Numeri
              5 Mo/Dtn   5 Mose/Deuteronomium

Matthäus

1,23	Jesaja 7,14
2,6	*nach* Micha 5,1 und 2 Samuel 5,2
2,15	*nach* Hosea 11,1
2,18	Jeremia 31,15-16
3,3	*nach* Jesaja 40,3
4,4	*nach* 5 Mo/Dtn 8,3
4,6	*nach* Psalm 91,11-12
4,7	*nach* 5 Mo/Dtn 6,16
4,10	*nach* 5 Mo/Dtn 6,13
4,14-16	*nach* Jesaja 8,23 b–9,1
5,21	2 Mo/Ex 20,13 ; *nach* 3 Mo/Lev 24,17
5,27	2 Mo/Ex 20,14
5,31	*nach* 5 Mo/Dtn 24,1
5,33	*nach* 3 Mo/Lev 19,12 und 4 Mo/Num 30,3
5,38	2 Mo/Ex 21,24
5,43	*nach* 3 Mo/Lev 19,18
8,17	*nach* Jesaja 53,4
9,13	*nach* Hosea 6,6
11,10	*nach* Maleachi 3,1 und 2 Mo/Ex 23,20
12,7	*nach* Hosea 6,6
12,17-21	*nach* Jesaja 42,1-4
13,14-15	*nach* Jesaja 6,9-10
13,35	*nach* Psalm 78,2
15,4	2 Mo/Ex 20,12 und *nach* 21,17
15,7-9	*nach* Jesaja 29,13
19,5	1 Mo/Gen 2,24
19,18-19	2 Mo/Ex 20,12-16; 3 Mo/Lev 19,18
21,5	*nach* Jesaja 62,11 und Sacharja 9,9
21,13	*nach* Jesaja 56,7 und Jeremia 7,11
21,16	*nach* Psalm 8,3
21,42	*nach* Psalm 118,22-23
22,24	*nach* 5 Mo/Dtn 25,5-6 und 1 Mo/Gen 38,8
22,32	2 Mo/Ex 3,6
22,37	*nach* 5 Mo/Dtn 6,4-5
22,39	3 Mo/Lev 19,18
22,44	*nach* Psalm 110,1
23,39	Psalm 118,26
24,15	Daniel 11,31; 12,11
26,31	*nach* Sacharja 13,7
27,9-10	*nach* Sacharja 11,12-13 und Jeremia 32,8-9
27,46	Psalm 22,2

639

4,22	1 Mo/Gen 15,6	3,20	Psalm 94,11
7,7	*nach* 5 Mo/Dtn 5,21; 1 Mo/Gen 2,16-17; 3,6	5,12-13	5 Mo/Dtn 13,6; 17,7
		6,16	1 Mo/Gen 2,24
8,36	Psalm 44,23	9,9	5 Mo/Dtn 25,4
9,7	1 Mo/Gen 21,12	10,7	2 Mo/Ex 32,6
9,9	1 Mo/Gen 18,10.14	10,26	Psalm 24,1; 89,12
9,11-12	1 Mo/Gen 25,23	14,21	Jesaja 28,11-12
9,13	Maleachi 1,2-3	15,27	Psalm 8,6 b
9,15	2 Mo/Ex 33,19	15,32	Jesaja 22,13
9,17	2 Mo/Ex 9,16	15,45	*nach* 1 Mo/Gen 2,7
9,25-26	Hosea 2,25; 1,10	15,54	*nach* Jesaja 25,8
9,27-28	*nach* Jesaja 10,22-23	15,55	*nach* Hosea 13,14
9,29	Jesaja 1,9		

2. Korinther

9,33	*nach* Jesaja 8,14 und 28,16	4,6	1 Mo/Gen 1,3
10,5	3 Mo/Lev 18,5	4,13	*nach* Psalm 116,10
10,6-8	*nach* 5 Mo/Dtn 30,12-14	6,2	Jesaja 49,8
10,11	*nach* Jesaja 28,16	6,16 b	*nach* 3 Mo/Lev 26,12; Ezechiël 37,27; Jeremia 32,38
10,13	*nach* Joël 3,5		
10,15	Jesaja 52,7		
10,16	*nach* Jesaja 53, 1	6,17	*nach* Jesaja 52,11
10,18	Psalm 19,5	6,18	*nach* 2 Samuel 7,14 und Jesaja 43,6
10,19	5 Mo/Dtn 32,21		
10,20	*nach* Jesaja 65,1	8,15	2 Mo/Ex 16,18
10,21	Jesaja 65,2	9,9	*nach* Psalm 112,9
11,3-4	1 Könige 19,10.14.18	10,17	*nach* Jeremia 9,22-23
11,8	*nach* Jesaja 29,10 und 5 Mo/Dtn 29,3		

Galater

11,9-10	*nach* Psalm 69,23-24 und 35,8	3,6	1 Mo/Gen 15,6
		3,8	*nach* 1 Mo/Gen 12,3
11,26-27	*nach* Jesaja 59,20-21; 27,9; Jeremia 31,33-34	3,10	5 Mo/Dtn 27,26
		3,11	*nach* Habakuk 2,4
12,19	*nach* 5 Mo/Dtn 32,35	3,12	3 Mo/Lev 18,5
12,20	Sprichwörter 25,21-22	3,13	5 Mo/Dtn 21,23
13,9	5 Mo/Dtn 5,17-21; 3 Mo/Lev 19,18	3,16	*nach* 1 Mo/Gen 12,7; 17,7-8
14,11	*nach* Jesaja 45,23-24	4,27	Jesaja 54,1
15,3	*nach* Psalm 69,10	4,30	1 Mo/Gen 21,10
15,9	Psalm 18,50	5,14	3 Mo/Lev 19,18
15,10	*nach* 5 Mo/Dtn 32,43		
15,11	Psalm 117,1		

Epheser

15,12	*nach* Jesaja 11,10	4,8	*nach* Psalm 68,19
15,21	*nach* Jesaja 52,15	5,31	1 Mo/Gen 2,24
		6,2-3	*nach* 5 Mo/Dtn 5,16

1. Korinther

1. Timotheus

1,19	*nach* Jesaja 29,14	5,18	5 Mo/Dtn 25,4
1,31	*nach* Jeremia 9,22-23		

2. Timotheus

2,9	*nach* Jesaja 64,3 und Sirach 1,10		
2,16	*nach* Jesaja 40,13	2,19	*nach* 4 Mo/Num 16,5.26 und Jesaja 26,13
3,19	*nach* Ijob 5,12-13		

Hebräer

1,5	Psalm 2,7; 2 Samuel 7,14
1,6	*nach* Psalm 97,7
1,7	*nach* Psalm 104,4
1,8-9	*nach* Psalm 45,7-8
1,10-12	Psalm 102,26-28
1,13	Psalm 110,1
2,6-8	*nach* Psalm 8,5-7
2,12	Psalm 22,23
2,13	*nach* Jesaja 8,17-18
2,16	Jesaja 41,8-9
3,2	*nach* 4 Mo/Num 12,7
3,7-11	Psalm 95,7-11
4,3	Psalm 95,11
4,4	1 Mo/Gen 2,2
5,5	Psalm 2,7
5,6	Psalm 110,4
6,14	*nach* 1 Mo/Gen 22,17
7,17	Psalm 110,4
7,21	Psalm 110,4
8,5	2 Mo/Ex 25,40
8,8-12	Jeremia 31,31-34
9,19-20	*nach* 2 Mo/Ex 24,6-8
10,5-7	*nach* Psalm 40,7-9
10,16-17	*nach* Jeremia 31,33-34
10,30a	5 Mo/Dtn 32,35
10,30b	*nach* 5 Mo/Dtn 32,36
10,37-38	*nach* Habakuk 2,3-4
11,5	1 Mo/Gen 5,21-24; Sirach 44,16
11,18	1 Mo/Gen 21,12
12,5-6	Sprichwörter 3,11-12
12,20	*nach* 2 Mo/Ex 19,12-13
12,26	*nach* Haggai 2,6
13,5	*nach* 5 Mo/Dtn 31,6.8
13,6	Psalm 118,6

Jakobus

2,8	3 Mo/Lev 19,18
2,11	2 Mo/Ex 20,14.13
2,23	1 Mo/Gen 15,6
4,5	s. Anmerkung zum Bibeltext
4,6	*nach* Sprichwörter 3,34

1. Petrus

1,16	3 Mo/Lev 19,2
1,24-25	Jesaja 40,6-8
2,6	*nach* Jesaja 28,16
2,7	*nach* Psalm 118,22
2,8	*nach* Jesaja 8,14
2,22	Jesaja 53,9
2,24	Jesaja 53,5
3,10-12	*nach* Psalm 34,13-17
5,5	Sprichwörter 3,34; 29,23

2. Petrus

2,22	Sprichwörter 26,11

STICHWORTVERZEICHNIS

Das Verzeichnis enthält wichtige Namen und Begriffe des Neuen Testaments. Unter einigen Stichwörtern findet man Zusammenstellungen, die eine Übersicht über die Lebensdaten von Personen (Jesus, Paulus) oder über größere Sachgebiete ermöglichen (Gleichnisse, Wunder). Wo ein Wort oder eine Geschichte mehrfach überliefert ist, wird nur die Stelle des ersten Vorkommens angeführt und durch ein «p» hinter der Stellenangabe auf die «parallelen» Stellen verwiesen. Die entsprechenden Stellenangaben findet man jeweils im Text unter der zugehörigen Abschnittsüberschrift.

Bei umfangreicheren Stichwörtern stehen besonders wichtige Stellen in *Schrägschrift*.

Plan des herodianischen Tempels in Jerusalem

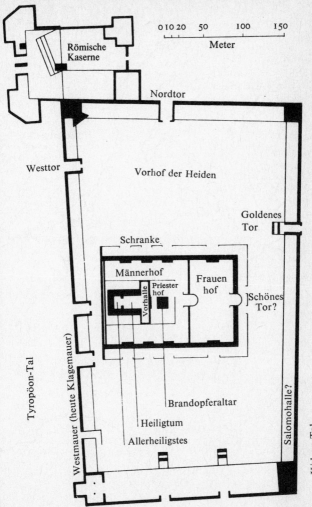

Römische Kaserne

0 10 20 50   100   150
Meter

Nordtor

Westtor

Vorhof der Heiden

Goldenes Tor

Schranke

Männerhof   Frauen hof

Vorhalle   Priester hof

] Schönes Tor ?

Tyropöon-Tal

Westmauer (heute Klagemauer)

Brandopferaltar

Heiligtum

Allerheiligstes

Salomohalle ?

Kidron-Tal

Die Welt des Neuen Testaments

Palästina zur Zeit des Neuen Testaments

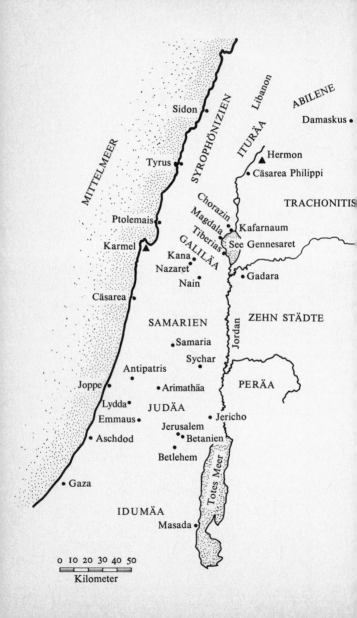